KB094131

개념을 잡아 주는 **자율학습 기본서**

고등 셀파

• 동아시아사 •

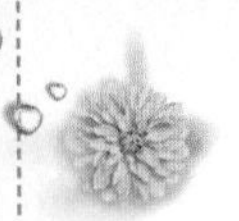

이 책의 구성과 특징

BOOK 1 개념 잡는 알집

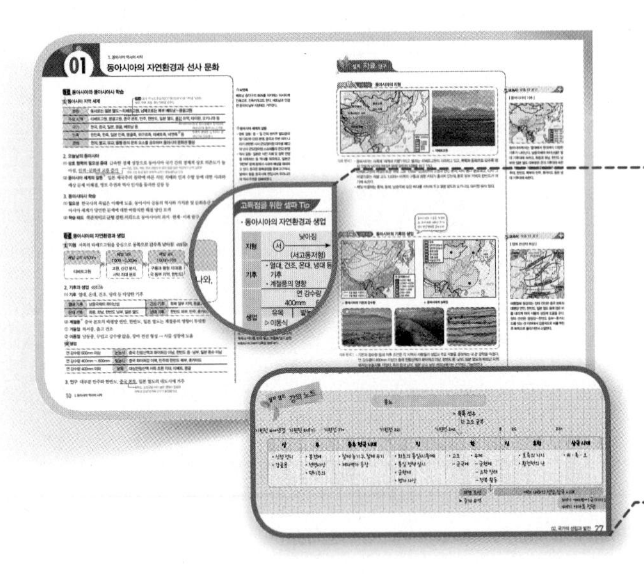

교과서 내용 정리

❶ **교과서 핵심 개념 정리** 핵심 개념을 중심으로 4종 교과서의 내용을 체계적으로 정리

❷ **고득점을 위한 셀파 Tip** 시험에 꼭 출제되는 핵심 부분을 한눈에 볼 수 있도록 정리

셀파 자료 탐구

❶ **핵심 자료 & 자료 분석** 시험에 자주 활용되는 교과서와 수능의 주요 자료를 수록하고, 상세하게 설명

❷ **교과서 탐구 풀이** 중요한 교과서 탐구 활동의 과제 풀이를 수록

❸ **교과서 자료 더 보기** 다른 유형의 심화 자료 수록

❹ **셀파 샘의 강의 노트** 단원의 주요 내용을 선생님의 판서로 다시 정리

개념 완성

❶ **개념 완성** 앞에서 정리한 교과서의 주요 내용을 주제별로 깔끔하게 표로 정리하고, 빈칸 채우기로 주요 개념을 다시 확인

❷ **기출 선택지 체크** 수능에 출제되었던 문제의 선택지로 개념 체크

내신 탄탄 문제

❶ **내신 문제와 서답형 문제** 내신 기출 문제와 예상 문제, 시험 비중이 높아지고 있는 서답형 문제로 집중 연습

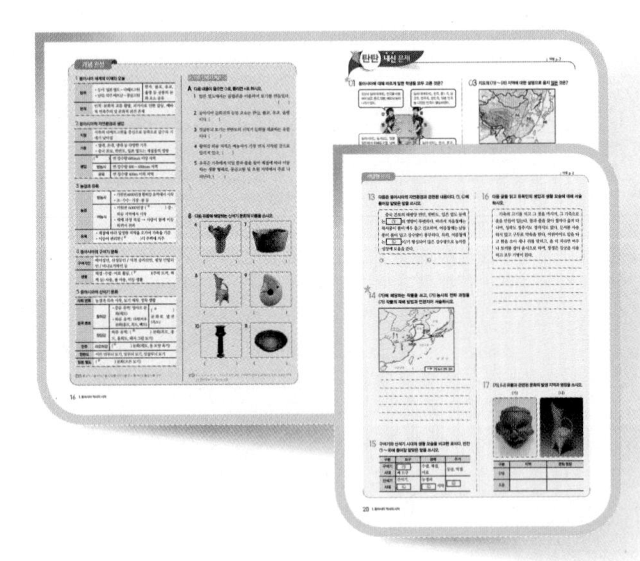

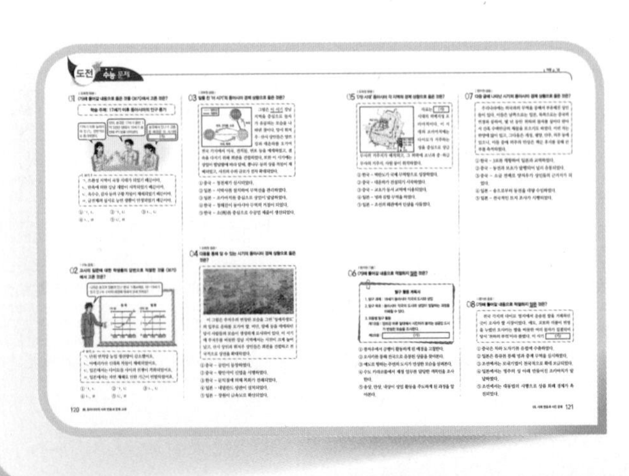

도전 수능 문제

수능, 평가원, 교육청 기출 문제로 수능 유형 연습

STRUCTURE

BOOK 2 | 딱 맞는 풀이집

딱 맞는 풀이집

모든 문제에 대한 상세한 풀이, 정답을 찾아가는 셀파-Tip, 자료를 분석하는 셀파-Tip, 내 것으로 만드는 셀파-Tip 등의 코너를 통한 친절한 해설 수록

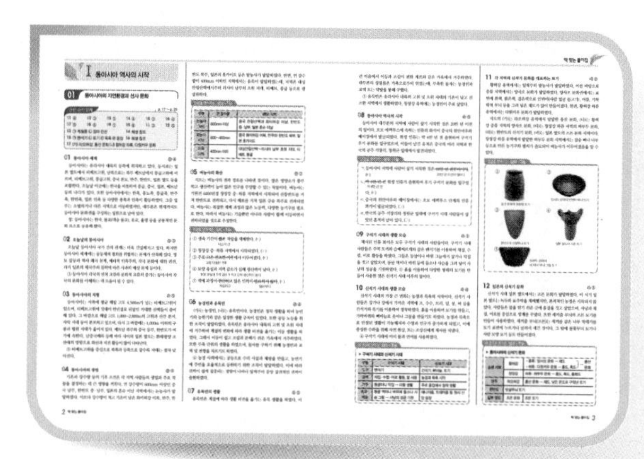

BOOK 3 | 시험 대비 문제집

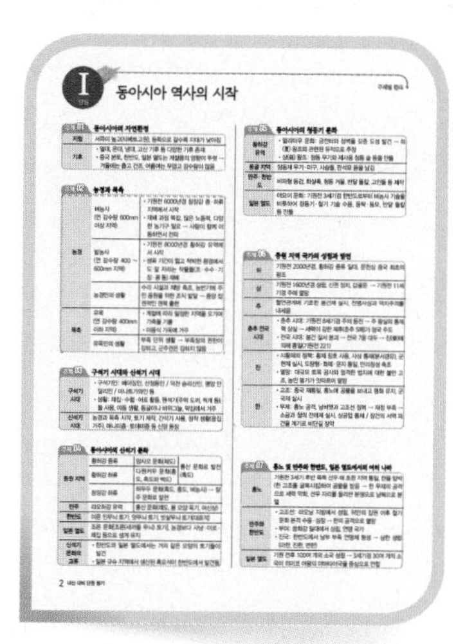

대단원 내용 정리

대단원의 주요 내용을 빠르게 복습할 수 있도록 표로 정리

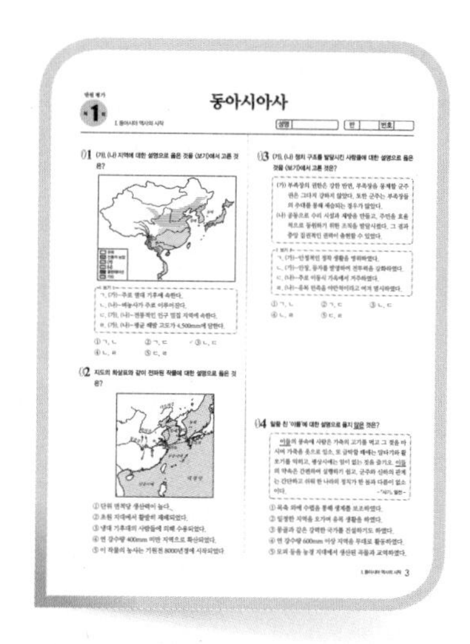

단원 평가

실제 내신 시험 형태의 대단원 단원 평가 문제 수록

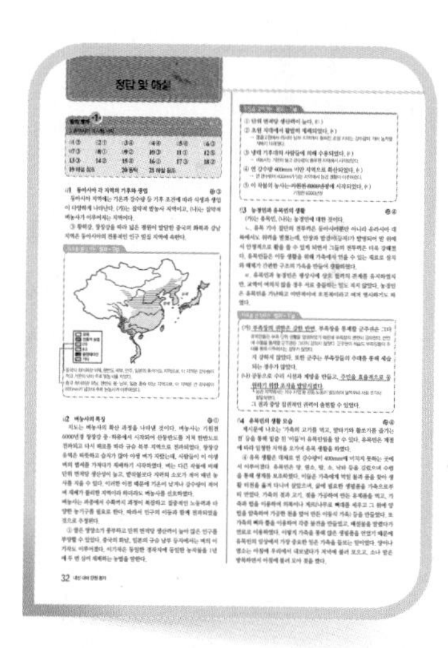

정답 및 해설

단원 평가에 대한 상세하고 친절한 해설 수록

이 책의 차례

I 동아시아 역사의 시작

II 동아시아 세계의 성립과 변화

III 동아시아의 사회 변동과 문화 교류

CONTENTS

Ⅳ 동아시아의 근대화 운동과 반제국주의 민족 운동

Ⅴ 오늘날의 동아시아

고등 셀파 동아시아사

4종 교과서 단원별 페이지 찾아보기

	천재교육	금성출판사	미래엔	비상교육
	10 ~ 27	12 ~ 31	10 ~ 23	10 ~ 25
	28 ~ 41	32 ~ 41	24 ~ 33	26 ~ 35
	46 ~ 53	46 ~ 55	38 ~ 47	40 ~ 49
	54 ~ 65	70 ~ 81	48 ~ 61	50 ~ 63
	66 ~ 81	56 ~ 69	62 ~ 81	64 ~ 81
	86 ~ 97	88 ~ 101	86 ~ 95	86 ~ 95
	98 ~ 109	102 ~ 111	96 ~ 107	96 ~ 107
	110 ~ 123	112 ~ 123	108 ~ 121	108 ~ 119
	128 ~ 137	130 ~ 139	126 ~ 137	124 ~ 133
	138 ~ 153	150 ~ 163	138 ~ 153	134 ~ 147
	154 ~ 167	140 ~ 149	154 ~ 163	148 ~ 157
	172 ~ 181	170 ~ 177	168 ~ 179	162 ~ 169
	182 ~ 203	178 ~ 199	180 ~ 199	170 ~ 189

I

동아시아 역사의 시작

이 단원의 핵심 포인트

중단원	핵심 포인트	학습일
01 동아시아의 자연환경과 선사 문화	• 동아시아의 지형, 기후와 생업 • 농경민과 유목민의 생활 • 구석기와 신석기 시대의 생활 모습 • 동아시아 각지의 신석기 문화	월 일 ~ 월 일
02 국가의 성립과 발전	• 중원, 만주와 한반도, 일본 열도의 청동기 문화 • 중원 지역에서 성립한 국가 • 주, 진, 한의 통치 체제 • 흉노의 성장 • 만주와 한반도, 일본 열도에서 성립한 국가	월 일 ~ 월 일

셀파와 내 교과서 단원 비교

셀파	천재교육	금성	미래엔	비상교육
01 동아시아의 자연환경과 선사 문화	01 동아시아와 동아시아 사람들 02 선사 문화의 전개	프롤로그 동아시아와 동아시아사 01 자연환경과 생업 02 선사 문화	01 동아시아와 동아시아사 02 자연환경과 생업 03 선사 문화	01 동아시아의 자연환경과 생업 02 동아시아의 선사 문화
02 국가의 성립과 발전	03 국가의 성립과 발전	03 국가의 성립과 발전	04 국가의 성립과 발전	03 국가의 성립과 발전

01 동아시아의 자연환경과 선사 문화

1 동아시아와 동아시아사 학습

1. 동아시아 지역 세계

주의 중국 역사의 중심지였던 만리장성 이남 지역을 일컫는 말로, 화북, 화중, 화남 지방을 뜻한다.

범위	동서로는 일본 열도~티베트고원, 남북으로는 북부 베트남~몽골고원
주요 지역	티베트고원, 몽골고원, 중국 본토, 만주, 한반도, 일본 열도, 홍강 유역, 타이완, 오키나와 등
국가	한국, 중국, 일본, 몽골, 베트남 등
민족	한민족, 한족, 일본 민족, 몽골족, 위구르족, 티베트족, 비엣족❶ 등
문화	한자, 불교, 유교, 율령 등의 문화 요소를 공유하며 동아시아 문화권 형성

홍강: 중국 윈난성에서 발원하여 베트남으로 흘러드는 강으로, 하류의 광대한 삼각주는 쌀 생산지로 유명하다.

2. 오늘날의 동아시아

(1) **상호 협력의 필요성 증대** 급속한 경제 성장으로 동아시아 국가 간의 경제적 상호 의존도가 높아짐, 인적·문화적 교류 증가

인적·문화적 교류 증가: 취업, 결혼, 여행, 문화 콘텐츠의 공유 등을 통한 직접적인 인적 교류와 문화 산업 등을 통한 문화적 교류가 활발해지고 있다.

(2) **동아시아 세계의 갈등**❷ 일본 제국주의 침략에 따른 식민 지배와 인적 수탈 등에 대한 사과와 배상 문제 미해결, 영토 주권과 역사 인식을 둘러싼 갈등 등

3. 동아시아사 학습

(1) **필요성** 한국사의 폭넓은 이해에 도움, 동아시아 공동의 역사와 가치관 및 문화유산 확인, 동아시아 세계가 당면한 문제에 대한 바람직한 해결 방안 모색

(2) **학습 태도** 객관적이고 균형 잡힌 시각으로 동아시아의 과거·현재·미래 탐구

2 동아시아의 자연환경과 생업

1. 지형 서쪽의 티베트고원을 중심으로 동쪽으로 갈수록 낮아짐 자료 01

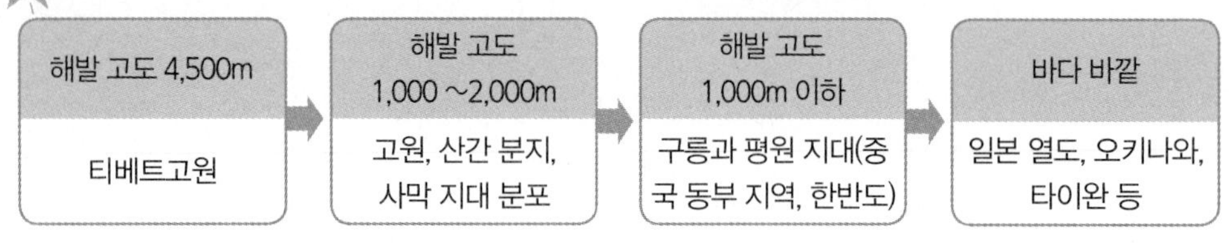

2. 기후와 생업 자료 02

(1) **기후** 열대, 온대, 건조, 냉대 등 다양한 기후

열대 기후	남중국해의 하이난섬	건조 기후	화북 일부 지역, 몽골고원
온대 기후	화중, 화남, 한반도 남부, 일본 열도	냉대 기후	한반도 북부, 만주, 홋카이도

(2) **계절풍**❸ 중국 본토의 태평양 연안, 한반도, 일본 열도는 계절풍의 영향이 뚜렷함

① 겨울철 북서풍, 춥고 건조

② 여름철 남동풍, 무덥고 강수량 많음, 장마 전선 형성 → 식물 성장에 도움

(3) **생업**

연 강수량 600mm 이상	논농사	중국 친링산맥과 화이허강 이남, 한반도 중·남부, 일본 혼슈 이남
연 강수량 400mm ~ 600mm	밭농사	중국 화이허강 이북, 만주와 한반도 북부, 홋카이도
연 강수량 400mm 이하	유목	대싱안링산맥 서쪽 초원 지대, 티베트, 몽골

3. 인구 대부분 만주와 한반도, 중국 본토, 일본 열도의 대도시에 거주

중국 본토: 황허강, 창장강을 따라 넓은 평원이 발달한 화북과 강남 지역에 인구가 밀집해 있다.

---

❶ **비엣족**
베트남 총인구의 86%를 차지하는 아시아계 민족으로, 킨족이라고도 한다. 베트남과 인접한 중국의 남부 지방에도 거주한다.

❷ **동아시아 세계의 갈등**
- 영토 갈등: 중 – 일 간의 센카쿠 열도(중국명 댜오위 다오) 분쟁, 중국과 주변 여러 나라가 관련된 시사 군도(영어명 파라셀 제도)와 난사 군도(영어명 스프래틀리 군도) 분쟁
- 역사 갈등: 일본은 식민 지배 및 침략 전쟁을 미화하는 등 역사를 왜곡하고, 일본군 '위안부' 문제 등에서 사과와 배상을 회피하고 있다. 중국은 동북공정을 통해 고구려사, 발해사 등을 중국사에 편입시켜 우리나라의 역사 주권을 침해하였다.

고득점을 위한 셀파 Tip

· 동아시아의 자연환경과 생업

지형	서 —낮아짐→ 동 (서고동저형)
기후	· 열대, 건조, 온대, 냉대 등 다양한 기후 · 계절풍의 영향
생업	연 강수량 400mm 600mm 유목 ▷이동식 가옥(게르) / 밭농사 / 벼농사 ▷창장강 하류에서 시작

❸ **계절풍**
계절에 따라 방향이 바뀌는 바람으로, 동아시아 지역에서는 겨울에 차고 건조한 바람이 대륙에서 바다를 향해 불고, 여름에 덥고 습한 바람이 바다에서 대륙을 향해 분다.

자료 01 공통 자료 동아시아의 지형

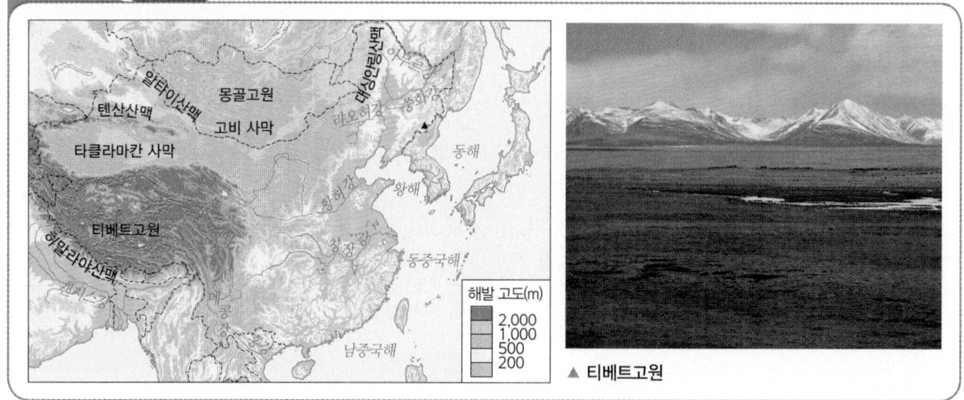

▲ 티베트고원

자료 분석 | • 동아시아는 서쪽에 '세계의 지붕'이라고 불리는 티베트고원이 자리하고 있고, 북쪽과 동쪽으로 갈수록 점차 고도가 낮아져 커다란 부채 모양의 지형을 하고 있다.
• 티베트고원의 바깥으로는 해발 고도 1,000~2,000m의 고원과 산간 분지, 사막 등이 분포하고, 다시 그 바깥으로는 해발 고도 1,000m 이하의 구릉과 평원 지대가 흩어져 있는데, 중국 동부 지역과 한반도가 여기에 속한다.
• 제일 바깥에는 황해, 동해, 남중국해 같은 바다를 사이에 두고 일본 열도와 오키나와, 타이완 등이 있다.

교과서 자료 더 보기

| 동아시아의 기후 |

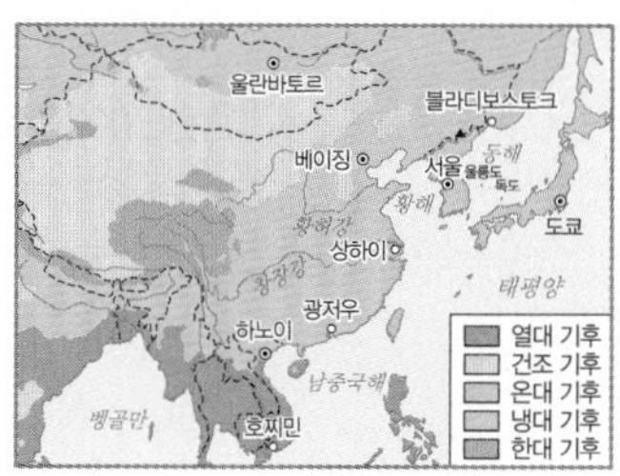

동아시아에서는 열대에서 한대까지 다양한 기후가 나타난다. 남중국해의 하이난섬은 열대 기후대에 속하고, 화중과 화남, 한반도 남부와 일본 열도 대부분은 온대 기후대에 속한다. 화북 일부 지역과 몽골고원 등은 건조 기후대, 한반도 북부와 만주, 홋카이도 등은 냉대 기후대에 속한다.

동아시아의 기후를 파악하고, 그에 따라 나타난 각 지역의 생업 형태를 알아 두자!

자료 02 공통 자료 동아시아의 기후와 생업

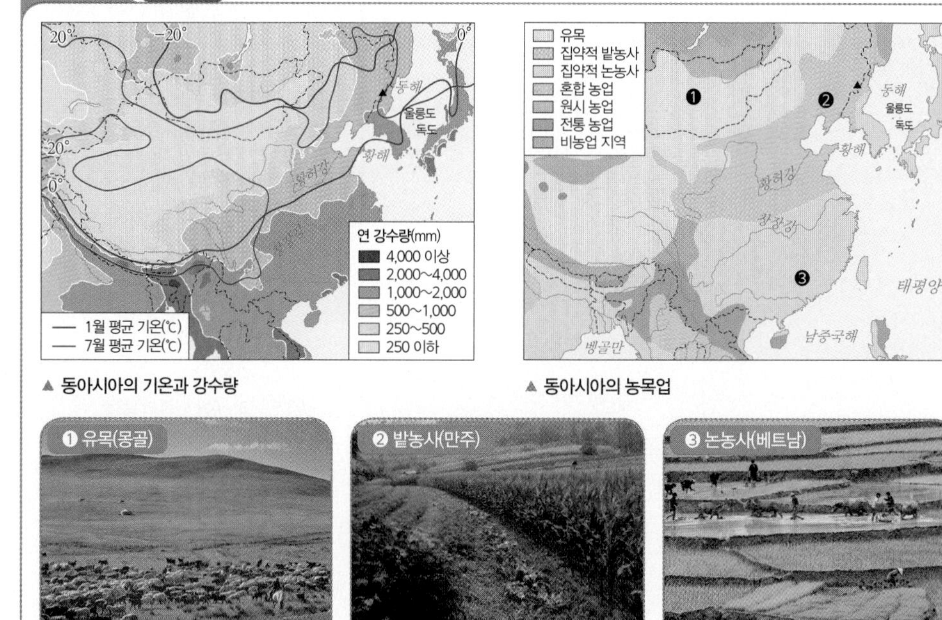

▲ 동아시아의 기온과 강수량

▲ 동아시아의 농목업

자료 분석 | • 기온과 강수량 등의 기후 조건은 각 지역의 사람들이 생업과 주요 작물을 결정하는 데 큰 영향을 미쳤다. 연 강수량이 600mm 이상인 중국 친링산맥과 화이허강 이남, 한반도 중·남부, 일본 열도와 베트남 지역에서는 논농사를 지었다. 특히 중국 남부, 일본 규슈 남부, 베트남에서는 2기작도 가능하였다.
• 이보다 강수량이 적고 기온이 낮은 화이허강 이북, 만주와 한반도 북부, 홋카이도 등은 밭농사를 지었다.
• 연 강수량이 400mm 이하인 지역에서는 유목이 발달하였다. 대싱안링산맥에서부터 러시아 남부의 초원 지대, 티베트, 몽골 등의 광범위한 지역에서 유목이 이루어졌다.

교과서 자료 더 보기

| 장마 전선의 북상 |

여름철에 형성되는 장마 전선은 중국 본토의 태평양 연안, 한반도, 일본 열도 등에 많은 비를 내리게 하여 식물의 성장에 도움을 준다. 장마 전선은 창장강~한반도 중부~홋카이도를 잇는 선 이하에서 집중적으로 비를 뿌린 후 북쪽으로 올라가면서 소멸한다.

3 농경과 목축

주의 농경민과 유목민의 생업의 차이는 사람들이 주어진 환경에 효율적으로 적응한 결과이지 문화의 우열을 의미하는 것은 아니다.

1. 농경과 농경민의 생활

(1) 농경의 발전

밭농사	• 기원전 8000년경 황허강 유역에서 시작 • 조·수수·기장·콩 등 재배(생육 기간이 짧고 척박한 환경에서도 잘 자라는 작물들)
벼농사	• 기원전 6000년경 창장강 중·하류 지역에서 시작 → 산둥반도 → 한반도 → 규슈 북부 지역으로 전파 자료 03 • 재배 과정 복잡, 많은 노동력과 다양한 농기구 필요 → 기술뿐만 아니라 사람이 함께 이동하면서 전파 • 쌀: 영양소 풍부, 단위 면적당 생산력 높음 → 많은 인구 부양 가능

(2) 농경민의 생활

① 농경 초기에는 생산이 충분하지 않아 채집·사냥·어로 병행, 가축을 길러 보조 식량으로 삼음

② 수리 시설과 제방을 만들고, 농번기에 주민을 효율적으로 동원하기 위한 조직 발달 → 중앙 집권적인 권력 출현

2. 목축과 유목민의 생활

(1) 목축

① 지역 유라시아 내륙의 고원 및 초원 지대(연 강수량 400mm 이하, 기온이 낮은 지역)

② 구분 사육 방식에 따라 방목과 유목으로 나뉨

방목	일정한 구역 안에 가축을 풀어놓고 기름, 정착 생활, 농경 일부 병행
유목	계절에 따라 이동하면서 가축을 기름, 겨울 숙영지와 여름 숙영지를 오가며 양, 염소, 말, 소, 낙타 등을 기름

(2) 유목민의 생활 자료 04

① 거주 이동이 편리한 조립식 주택에 거주 예 몽골의 전통 가옥 – 게르

② 가축을 모든 생활의 자원으로 활용

- 가축에서 얻은 고기와 젖, 젖을 가공한 치즈와 요구르트 등의 유제품은 식량, 가죽과 털, 뼈, 뿔 등은 옷과 신발, 담요 등 각종 생활용품, 가축의 배설물은 땔감으로 사용
- 낙타와 소 등은 물건 운반, 말은 사람의 이동과 전투 수단으로 활용

③ 수렵으로 생계 보조 활과 매를 이용, 새·토끼·여우·사슴 등을 사냥하여 식량으로 삼음, 가축과 모피는 농경민과 교역

④ 부족 단위 생활 부족장의 권한이 강함, 군주권은 강하지 않음

└ 군주권의 세습도 부족장들의 추대를 통해 이루어지는 경우가 많다.

3. 농경 민족과 북방 민족 자료 05

(1) **북방 민족**[4] 전투력 강함(안장과 등자[5]의 발명으로 기마전에서 우위)

(2) **교역** 평상시 상호 협력 관계 유지

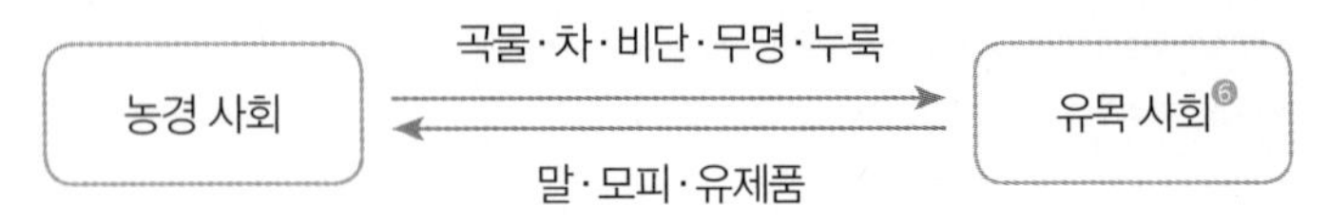

(3) **충돌** 정치적인 이유로 교역을 제한하거나 기후 변화로 유목민의 생업에 차질이 생길 때[7] → 유목민이 농경민의 물품을 약탈, 전쟁 발발

(4) **문화의 차이** 농경 민족은 북방 민족을 야만적이라 여겨 멸시, 북방 민족은 농경 민족을 땅에 얽매인 부자유스러운 존재로 인식 → 동아시아의 사회 변동과 갈등의 원인이 됨

고득점을 위한 셀파 Tip

• 농경민과 유목민

농경민	• 쌀은 단위 면적당 생산력이 높아 많은 인구 부양 가능 • 수리 시설과 제방 축조 및 주민을 효율적으로 동원하기 위한 조직 발달 → 중앙 집권적인 권력 출현
유목민	• 이동이 편리한 조립식 주택에서 거주 • 부족 단위 생활 → 부족장의 권한이 강함

④ 북방 민족

유목 민족	흉노(동아시아 최초로 유목 국가를 세움), 선비, 돌궐, 위구르, 거란, 몽골 등
수렵 민족	여진: 금과 후금(청) 건국

⑤ 등자

말을 탈 때 발을 받쳐주는 역할을 하는 장비이다.

⑥ 유목민 문화의 전파

- 바지: 원래 중국인은 남녀 모두 치마를 입었는데, 말을 타고 달리기가 불편하였다. 이에 춘추 전국 시대 때 조나라 무령왕은 병사들에게 유목민의 복장(소매가 좁고 몸에 꼭 맞는 윗도리, 바지)으로 바꾸도록 명하였다.
- 침대와 의자 사용: 바닥에 자리를 깔고 앉아 생활하던 한족은 유목민의 영향을 받아 침대와 의자를 사용하게 되었다.
- 꼬치구이: 꼬치구이는 유목민의 대표적인 음식 문화이다.

⑦ 농경 민족과 북방 민족의 충돌

기후 변화로 농경 지역과 유목 지역의 경계가 이동하면서 생활 근거지가 변할 때, 농경민과 유목민이 생활 근거지를 놓고 충돌하였다.

셀파 자료 탐구

자료 03 공통 자료 벼농사의 확산

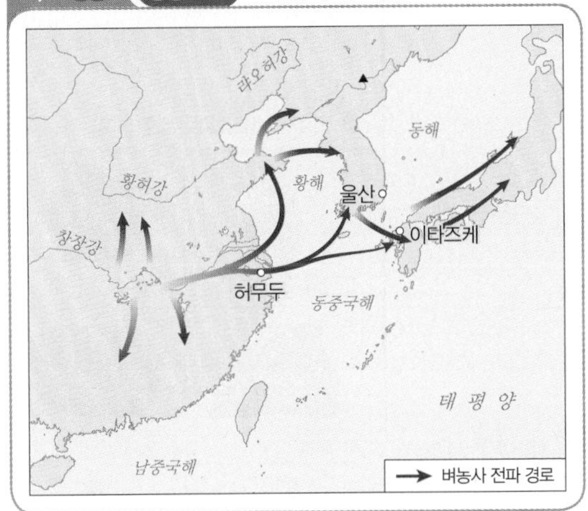

자료 분석 | 동아시아에서 벼농사는 창장강 중·하류 지역에서 시작되어 산둥반도를 거쳐 한반도로 전파되었으며, 그 후 해로를 따라 일본의 규슈 지역으로 전해졌다. 벼농사는 파종에서 수확까지 재배 과정이 복잡하고, 집중적인 노동력과 다양한 농기구를 필요로 한다. 따라서 기술뿐만 아니라 사람이 함께 이동하면서 전파되었을 것으로 추정된다.

교과서 자료 더 보기

| 중국 허무두 유적에서 발견된 볍씨 |

벼농사가 창장강 유역에서 기원하였음을 보여 준다.

자료 04 유목 생활과 유목민의 가옥

▲ 몽골의 전통 가옥 게르

▲ 말이나 양 등의 젖으로 만든 치즈와 아이락(마유주)

자료 분석 | 유목민은 가축을 데리고 이동하면서 산다. 게르는 이동에 편리한 조립식 주택으로, 설치에 세 시간, 철거에 한 시간 반 정도 걸린다. 유목민은 의식주의 대부분을 가축에 의지하고, 일부는 농경민과의 교역을 통해 해결한다.

교과서 자료 더 보기

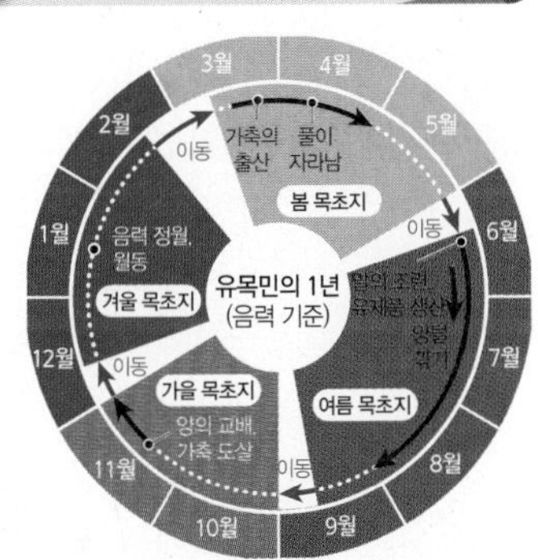

유목민들은 계절에 따라 풀과 물이 있는 일정한 지역을 오가며 가축을 키운다.

자료 05 기후 변화와 북방 민족의 남하

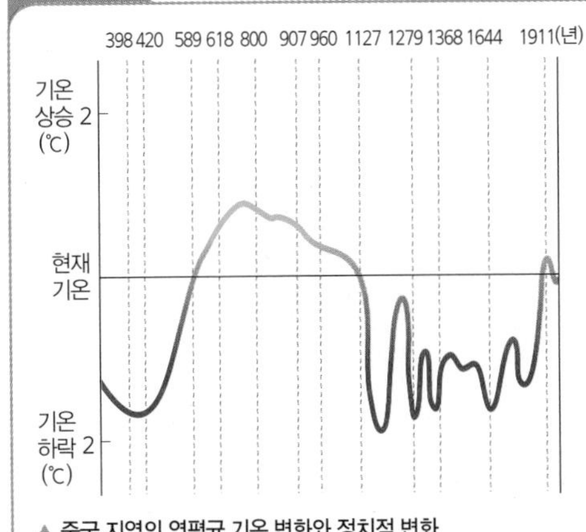

▲ 중국 지역의 연평균 기온 변화와 정치적 변화

국명	민족명	존속 시기(년)	중국 본토 내 지배 영역
북위	선비	386 ~ 534	화북
거란(요)	거란	916 ~ 1125	베이징 주변
금	여진	1115 ~ 1234	화북
몽골(원)	몽골	1206 ~ 1368	전역
후금(청)	만주	1616 ~ 1912	전역

자료 분석 | 북방 초원 지대의 기온이 급격히 떨어지면 유목민들의 가축이 겨울의 추위를 견디지 못하고 집단 폐사하거나 혹은 겨울 초지의 부족으로 목축 지역에서 생존하기가 어려워진다. 이에 따라 북방 민족이 농경 지역으로 남하하게 된다.

교과서 탐구 풀이

Q 그래프를 설명해 보고, 자료 05 오른쪽 표의 국가가 존속했던 시기를 그래프의 아래에 화살표(↔)로 표시해 보자.

A 중국에서 북방 민족의 대규모 침략이 있었던 시기는 대부분 목축 지역의 기후가 급격히 추워졌던 시기와 일치한다.

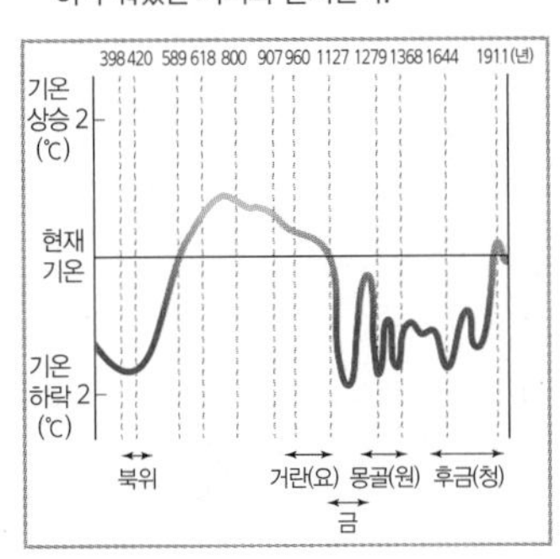

4 동아시아의 구석기 문화

1. 동아시아 역사의 시작

(1) **동아시아에 나타난 인류** 20만 년 이전부터 동아시아 대부분의 지역에 사람 거주[8]

(2) **화석 발굴** 호모 에렉투스 화석 발굴(중국 위안머우와 베이징)

(3) **현생 인류 출현** 4만 년 전 출현 → 동아시아의 후기 구석기 문화를 이룸

① 중국의 여러 지역과 한국의 공주 석장리, 청원군 일대에서 유적 발견

② 일본 열도는 당시 유라시아 대륙과 연결되어 있어 대륙과 시베리아로부터 구석기 문화를 받아들임

2. 구석기 시대의 생활

(1) **도구** 뗀석기 사용[9]

(2) **생활 모습** 채집·수렵·어로 활동, 불 사용, 이동 생활, 동굴이나 바위 그늘, 막집에서 거주

(3) **예술 활동** 동굴 벽이나 바위에 들소나 사슴을 그림 → 사냥의 성공 기원

(4) **기후 변화** 기원전 1만 년경 기후가 온난·습윤하게 변화 → 해수면 상승, 대형 동물이 줄어들고 작고 날렵한 동물 번성 → 정교한 간석기를 사용하여 사냥(신석기 시대)

일본 열도가 형성되는 등 현재와 같은 동아시아의 지형이 형성되었다.

⑧ 동아시아 지역에 등장한 인류
중국 시허우두, 한국 상원 검은모루 동굴과 연천 전곡리에 사람이 살았던 흔적이 발견되었다.

⑨ 구석기 시대의 다양한 뗀석기

동아시아의 주요 구석기 유적지와 인류 화석 출토지

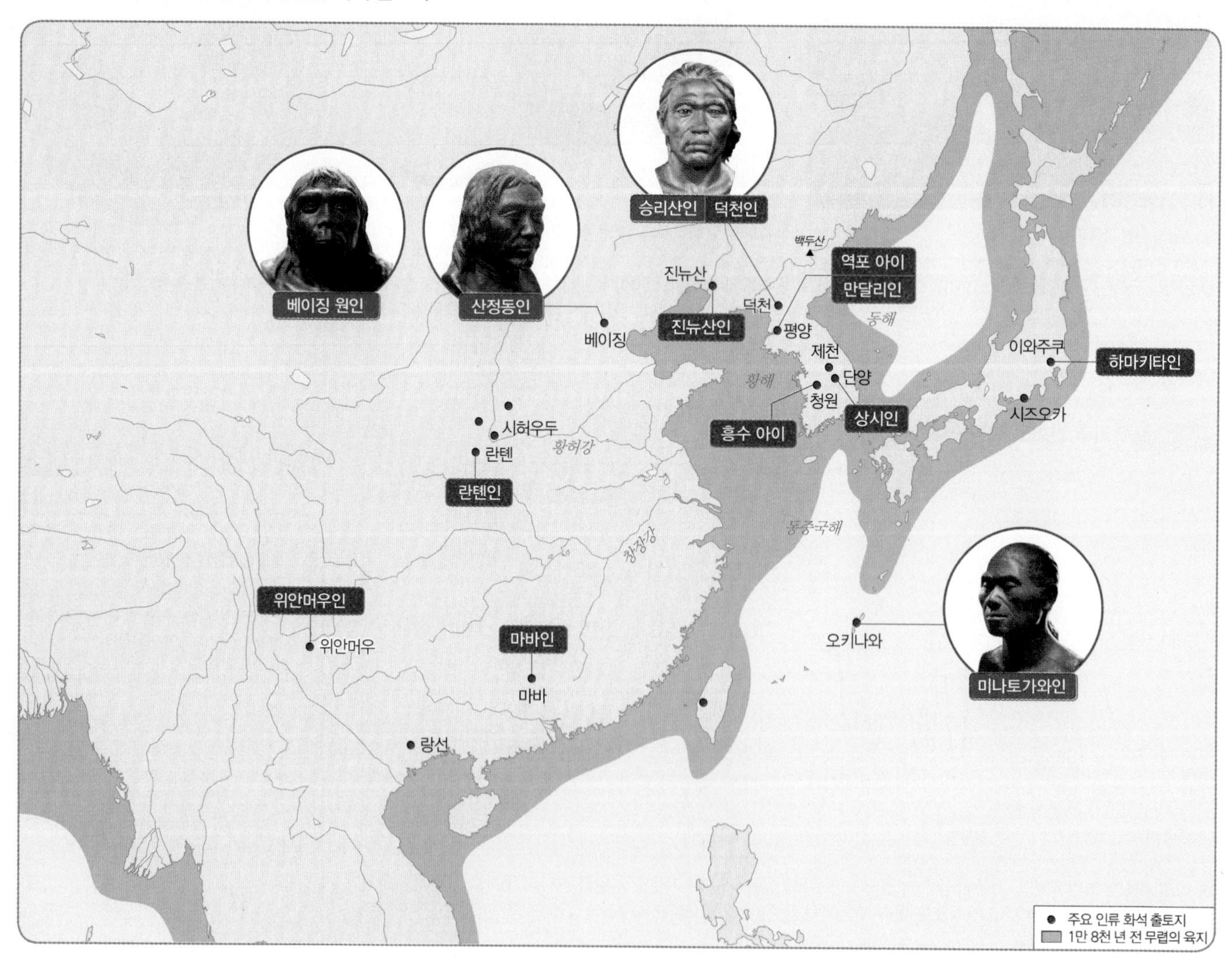

5 동아시아의 신석기 문화

1. 신석기 시대의 사회 변화

(1) **농경과 목축의 시작(신석기 혁명)** 강가나 구릉 지대에서 조·수수·밀·보리 등의 작물 재배, 야생 동물을 길들여 가축으로 삼음(개·닭·양·소·돼지 등) → 정착 생활(움집 거주)

(2) **도구** 간석기, 토기(곡물 보관, 음식 조리), 뼈바늘(옷감과 그물 제작) 등

(3) **사회** 움집·옷감·토기 제작 등에서 분업 발달, 씨족장의 권한 강화

(4) **신앙 등장** 애니미즘[10], 토테미즘[11], 조상 숭배 등 → 풍성한 수확과 가축의 번성 기원

2. 동아시아 각 지역의 신석기 문화

각 문화를 대표하는 토기를 사진으로 기억해 두자!

중원 지역	황허강 중류	양사오 문화(채도)	룽산 문화로 발전(흑도)
	황허강 하류	다원커우 문화(홍도, 흑도와 백도)	
	창장강 하류	허무두 문화(흑도, 홍도, 벼농사)	량주 문화로 발전
만주와 한반도 지역	랴오허강 유역	훙산 문화(채도, 용 모양 옥기, 여신상)	
	한반도	이른 민무늬 토기, 덧무늬 토기, 빗살무늬 토기, 조·피·수수 재배	
일본 열도		조몬 문화(조몬 토기), 농경보다는 사냥·어로·채집 위주	

동아시아 각지의 신석기 문화권과 토기

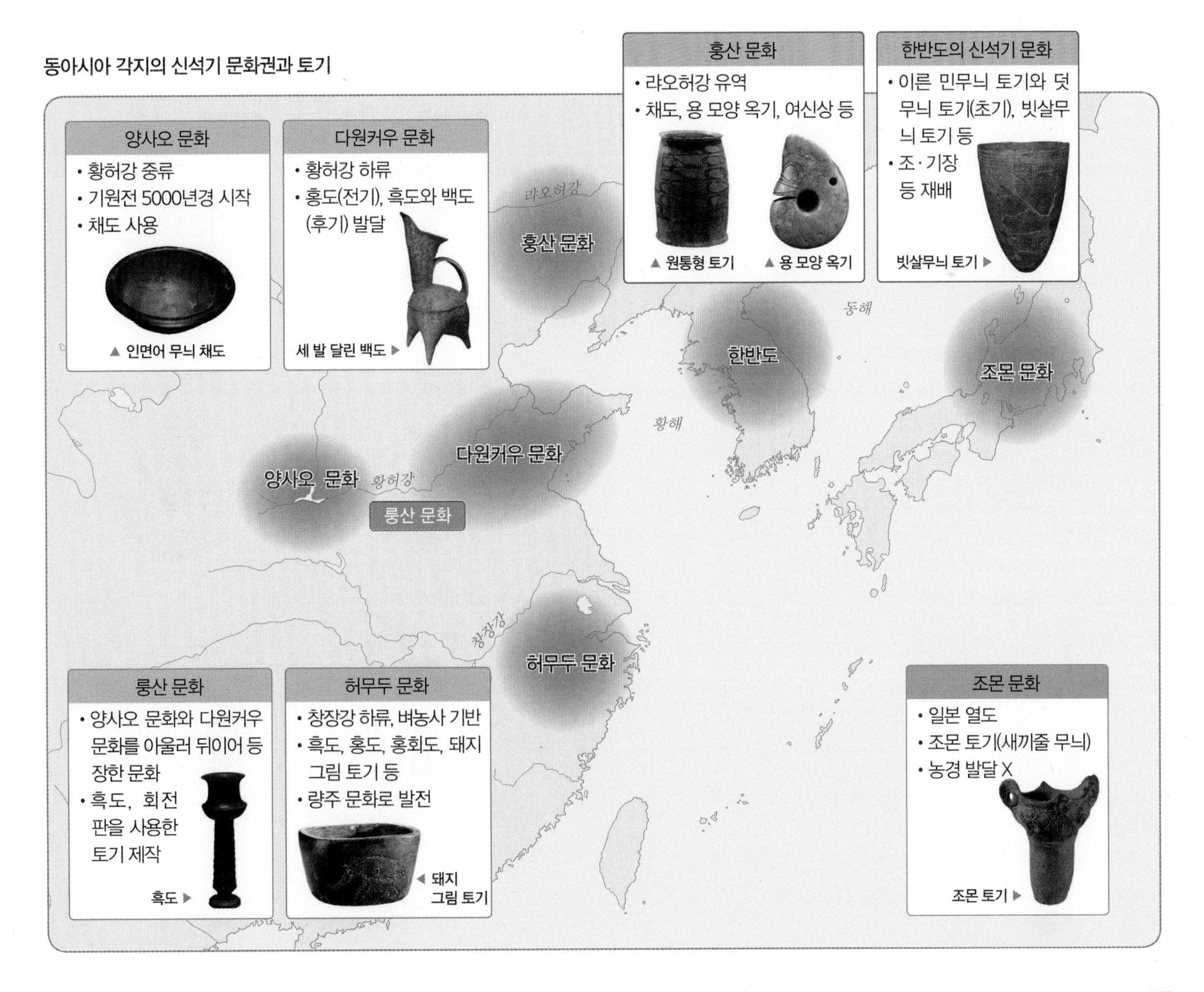

고득점을 위한 셀파 Tip

• 구석기와 신석기 시대 비교

구분	구석기 시대	신석기 시대
도구	뗀석기	간석기, 뼈바늘, 토기
경제	채집·수렵·어로 활동, 불 사용	농경과 목축 시작
거주	동굴이나 막집 → 이동 생활	주로 움집에서 정착 생활
종교·예술	동굴 벽이나 바위에 들소나 사슴 그림 → 사냥의 성공 기원	애니미즘, 토테미즘 등 원시 신앙 등장

[10] **애니미즘**
해, 달, 강 등과 같은 자연물이나 홍수, 가뭄 등의 자연 현상에 영혼이 있다고 믿는 신앙

[11] **토테미즘**
특정 동물을 자기 부족의 수호신으로 삼아 숭배하는 신앙

개념 완성

1 동아시아 세계의 어제와 오늘

범위	• 동서: 일본 열도 ~ 티베트고원 • 남북: 북부 베트남 ~ 몽골고원	한자, 불교, 유교, 율령 등 공통의 문화 요소 공유
현재	인적·문화적 교류 활발, 과거사로 인한 갈등, 배타적 민족주의 및 문화적 편견 존재	

2 동아시아의 자연환경과 생업

지형	서쪽의 티베트고원을 중심으로 동쪽으로 갈수록 지대가 낮아짐	
기후	• 열대, 온대, 냉대 등 다양한 기후 • 중국 본토, 한반도, 일본 열도는 계절풍의 영향	
생업	(❶)	연 강수량 600mm 이상 지역
	밭농사	연 강수량 400 ~ 600mm 지역
	유목	연 강수량 400m 이하 지역

3 농경과 유목

농경	밭농사	• 기원전 8000년경 황허강 유역에서 시작 • 조·수수·기장·콩 등
	벼농사	• 기원전 6000년경 (❷) 중·하류 지역에서 시작 • 재배 과정 복잡 → 사람이 함께 이동하면서 전파
유목	• 계절에 따라 일정한 지역을 오가며 가축을 기름 • 이동이 편리한 (❸)식 주택에 거주	

4 동아시아의 구석기 문화

구석기인	베이징인, 산정동인 / 덕천 승리산인, 평양 만달리인 / 미나토가와인 등
생활	채집·수렵·어로 활동, (❹)(주먹 도끼, 찍개 등) 사용, 불 사용, 이동 생활

5 동아시아의 신석기 문화

사회 변화	농경과 목축 시작, 토기 제작, 정착 생활		
중국 본토	황허강	• 중류 유역: 양사오 문화(채도) • 하류 유역: 다원커우 문화(홍도, 흑도, 백도)	(❺) 문화로 발전(흑도)
	창장강	하류 유역: (❻) 문화(흑도, 홍도, 홍회도, 돼지 그림 토기)	
만주	랴오허강	(❼) 문화(채도, 용 모양 옥기)	
한반도	이른 민무늬 토기, 덧무늬 토기, 빗살무늬 토기		
일본 열도	(❽) 문화(조몬 토기)		

정답 ❶ 논농사 ❷ 창장강 ❸ 조립 ❹ 뗀석기 ❺ 룽산 ❻ 허무두 ❼ 훙산 ❽ 조몬

• 기출 선택지 체크 •

A 다음 내용이 옳으면 ○표, 틀리면 ×표 하시오.

1 일본 열도에서는 돌림판을 이용하여 토기를 만들었다. ( )

2 동아시아 문화권의 공통 요소는 한글, 불교, 유교, 율령이다. ( )

3 빗살무늬 토기는 한반도의 신석기 문화를 대표하는 유물이다. ( )

4 황허강 하류 지역은 벼농사가 가장 먼저 시작된 곳으로 알려져 있다. ( )

5 유목은 가축에게 먹일 물과 풀을 찾아 계절에 따라 이동하는 생활 형태로, 몽골고원 및 초원 지역에서 주로 나타난다. ( )

B 다음 유물에 해당하는 신석기 문화의 이름을 쓰시오.

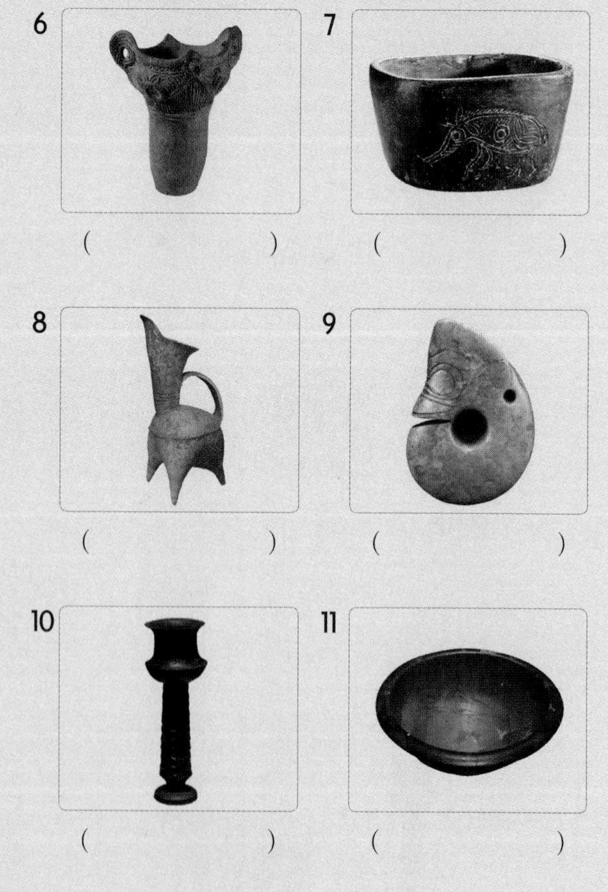

6 ( ) 7 ( )

8 ( ) 9 ( )

10 ( ) 11 ( )

정답 1 × 2 × 3 ○ 4 × 5 ○ 6 조몬 문화 7 허무두 문화 8 다원커우 문화 9 훙산 문화 10 룽산 문화 11 양사오 문화

딱풀 p. 2

01 동아시아에 대해 바르게 말한 학생을 모두 고른 것은?

오늘날 동아시아에는 한국을 비롯하여 몽골, 중국, 일본, 베트남 등의 나라가 있어.

동아시아에서는 한족, 흉노족, 몽골족, 만주족, 한민족, 일본 민족 등 다양한 민족이 활동하였어.

동아시아는 동서로는 일본 열도에서 티베트고원, 남북으로는 북부 베트남에서 몽골고원을 포함하고 있어.

동아시아는 한자, 불교, 경교, 율령 등 공통적인 문화 요소를 공유해 왔어.

① 갑, 을　② 을, 병　③ 병, 정
④ 갑, 을, 병　⑤ 을, 병, 정

02 (가)에 들어갈 내용으로 적절하지 않은 것은?

학습 주제: 오늘날의 동아시아 세계

오늘날 동아시아 국가들의 관계는 어떤 모습일까?

요즘 동아시아 세계는 공동체의 평화를 위협하는 여러 가지 문제가 있어.

맞아. (가)

① 역사 인식과 영토 주권에 대한 갈등이 현재에도 진행되고 있지.
② 각국 국민들의 정서에 배타적 민족주의가 뿌리 깊게 남아 있어.
③ 직접적인 인적 교류와 문화적 교류도 기하급수적으로 늘어나고 있어.
④ 다른 나라의 문화에 대한 편견이 국가 간 갈등을 더욱 부추기고 있어.
⑤ 제국주의 침략에 대한 사과와 배상 등으로 일본에 대한 불신이 계속되고 있어.

03 지도의 (가)~(라) 지역에 대한 설명으로 옳지 않은 것은?

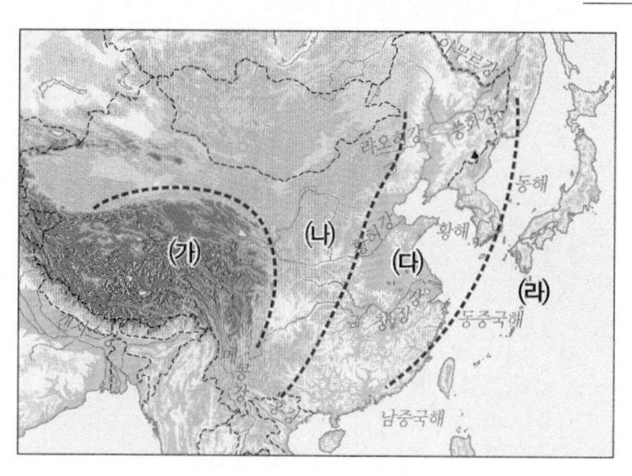

① (가) 지역에는 해발 고도 4,500m가 넘는 고원 지대가 있다.
② (나) 지역은 주로 산간 분지 및 사막으로 이루어져 있다.
③ (다) 지역은 해발 고도 1,000m 이하의 구릉과 평지로 구성되어 있다.
④ (라) 지역은 화산 토양, 바다, 산지로 되어 있다.
⑤ (가) → (라) 지역으로 갈수록 해발 고도가 높아지고 있다.

04 동아시아의 생업에 대해 정리한 표이다. ㉠~㉤에 들어갈 말을 옳게 연결한 것은?

구분	연 강수량	해당 지역
(㉠) 지역	600mm 이상	중국 친링산맥과 (㉡) 이남, 한반도 중·남부, 일본 혼슈 이남
(㉢) 지역	600~400mm	중국 화이허강 이북, 만주와 한반도 북부, 일본 (㉣)
(㉤) 지역	400mm 이하	대싱안링산맥~러시아 남부 초원 지대, 티베트, 몽골

① ㉠ – 유목　② ㉡ – 황허강
③ ㉢ – 논농사　④ ㉣ – 홋카이도
⑤ ㉤ – 밭농사

05 (가) 농사에 대한 설명으로 옳은 것은?

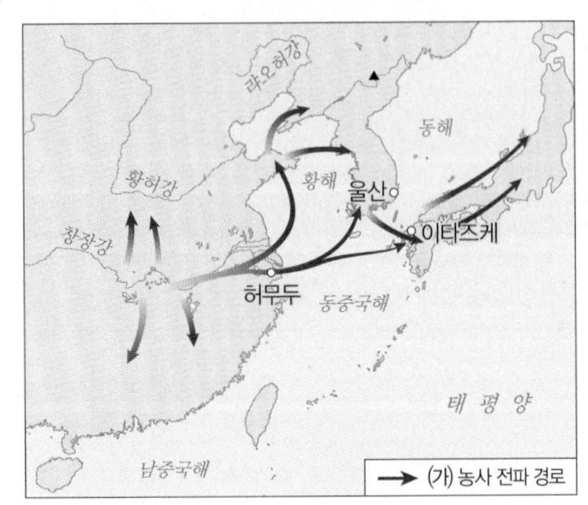

① 생육 기간이 짧은 작물을 재배한다.
② 창장강 중·하류 지역에서 시작되었다.
③ 주로 고온 건조한 기후에서 이루어졌다.
④ 토양 유실과 지력 감소가 심해 생산력이 낮다.
⑤ 재배 과정이 간단하고 많은 인력이 필요하지 않다.

06 다음과 같이 교역을 하는 (가), (나) 지역에 대한 설명으로 옳지 <u>않은</u> 것은?

(가) → 곡물, 비단, 무명, 누룩 등 → (나)
(가) ← 말, 모피, 유제품 등 ← (나)

① (가) 지역 사람들은 (나) 지역 사람들을 야만적이라 여겼다.
② (가) 지역은 (나) 지역보다 자급자족이 가능할 정도로 생산성이 높다.
③ (나) 지역에서는 쉽게 조립·분해할 수 있는 이동식 가옥에서 거주하였다.
④ (나) 지역 사람들은 (가) 지역보다 먼저 중앙 집권 국가 체제를 형성하였다.
⑤ (가) 지역과 (나) 지역 생업은 연 강수량과 연평균 기온 및 위도에 따라 결정된다.

07 밑줄 친 '이들'에 대한 설명으로 옳지 <u>않은</u> 것은?

> 광대한 초원을 오가며 생활하는 <u>이들</u>은 말 위에서 오랜 시간을 보내기 때문에 말은 유용한 동물일 뿐만 아니라 신성시되기까지 하였다. 말 이외에도 중요한 가축으로 소, 양, 염소, 낙타가 있다. 말과 낙타는 이동하기 위해서, 소, 양, 염소는 젖과 고기, 가죽을 얻기 위해서 길렀다.

① 주로 이동식 가옥에서 거주하였다.
② 농경 사회와 교역 또는 약탈을 하였다.
③ 대부분의 생필품을 가축으로부터 얻었다.
④ 계절에 따라 숙영지를 이동하며 생활하였다.
⑤ 창장강 유역의 고온 다습한 지역에서 생활하였다.

08 동아시아 지역의 인류 등장에 대한 설명으로 옳은 것을 <보기>에서 고른 것은?

보기
ㄱ. 동아시아 지역에 사람이 살기 시작한 것은 10만 년 전부터이다.
ㄴ. 약 1만 년 전 현생 인류가 출현하여 후기 구석기 문화를 일구었다.
ㄷ. 중국의 위안머우와 베이징에서는 호모 에렉투스 단계의 인류 화석이 발굴되었다.
ㄹ. 한국의 공주 석장리와 청원군 일대에 구석기 시대 사람들이 살았던 흔적이 남아 있다.

① ㄱ, ㄴ ② ㄱ, ㄷ ③ ㄴ, ㄷ
④ ㄴ, ㄹ ⑤ ㄷ, ㄹ

09 (가) 시대의 생활 모습으로 옳지 않은 것은?

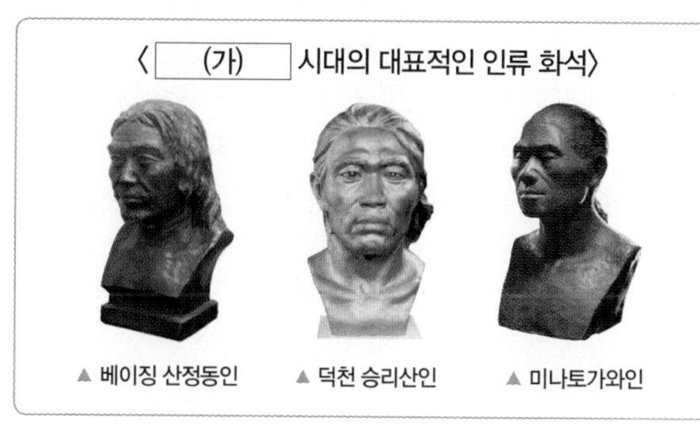

① 다양한 형태의 토기를 만들어 사용하였다.
② 채집, 어로, 수렵 등을 통해 삶을 영위하였다.
③ 동굴이나 바위 등에 들소나 사슴을 그려 넣었다.
④ 불을 피워 추위와 짐승을 쫓고 음식을 익혀 먹었다.
⑤ 주먹 도끼와 슴베찌르개와 같은 도구를 사용하였다.

10 밑줄 친 '새로운 양식의 삶'과 거리가 먼 것은?

> 농경과 목축의 시작은 인류의 삶을 획기적으로 바꾸어 놓았다. 이는 채집과 수렵에 의존하여 자연에 순응하던 인류의 삶을 자연을 개발하고 이용하는 전혀 새로운 양식의 삶으로 바꾸어 놓았다.

① 움집을 짓고 정착 생활을 하였다.
② 토기를 만들어 곡물을 보관하거나 음식을 조리하였다.
③ 경작지 근처에 마을을 이루고 정착 생활을 하게 되었다.
④ 농경이 발달하면서 처음으로 불과 언어를 사용하게 되었다.
⑤ 자연물이나 자연 현상, 또는 조상을 신으로 모시고 공동으로 제사를 지냈다.

[11~12] 다음은 신석기 문화권을 나타낸 지도이다. 보고 물음에 답하시오.

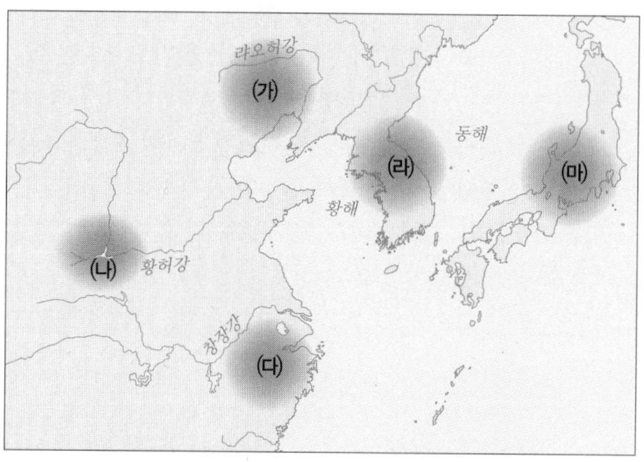

11 위 지도에서 (나)에 해당하는 신석기 문화를 대표하는 토기로 옳은 것은?

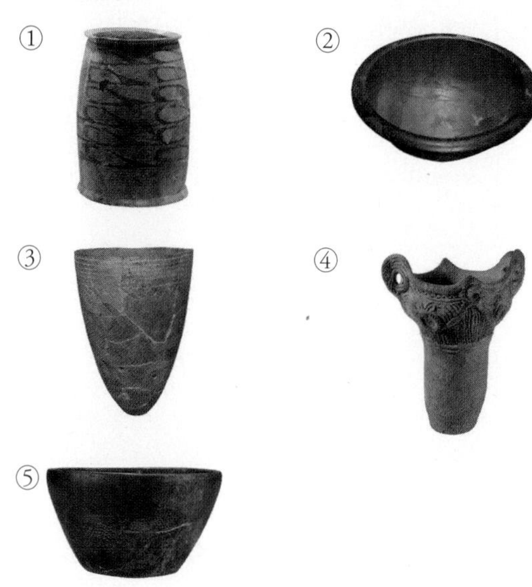

12 밑줄 친 '이 지역'에 해당하는 신석기 문화의 위치를 위 지도에서 고른 것은?

> 신석기 시대 이 지역의 사람들은 농경보다 사냥과 어로, 채집으로 생계를 유지하였다. 유물로는 새끼줄 무늬가 있는 토기가 출토되었는데, 토기의 무늬로부터 이 지역의 신석기 문화와 시대를 지칭하는 이름이 붙여졌다.

① (가) ② (나) ③ (다) ④ (라) ⑤ (마)

서답형 문제

13 다음은 동아시아의 자연환경과 관련된 내용이다. ㉠, ㉡에 들어갈 알맞은 말을 쓰시오.

> 중국 본토의 태평양 연안, 한반도, 일본 열도 등에는 [㉠]의 영향이 뚜렷하다. 따라서 겨울철에는 북서풍이 불어 매우 춥고 건조하며, 여름철에는 남동풍이 불어 덥고 강수량이 풍부하다. 특히, 여름철에는 [㉡]이/가 형성되어 많은 강수량으로 농작물 성장에 도움을 준다.

㉠ ______________ ㉡ ______________

14 (가)에 해당하는 작물을 쓰고, (가) 농사의 전파 과정을 (가) 작물의 재배 방법과 연관지어 서술하시오.

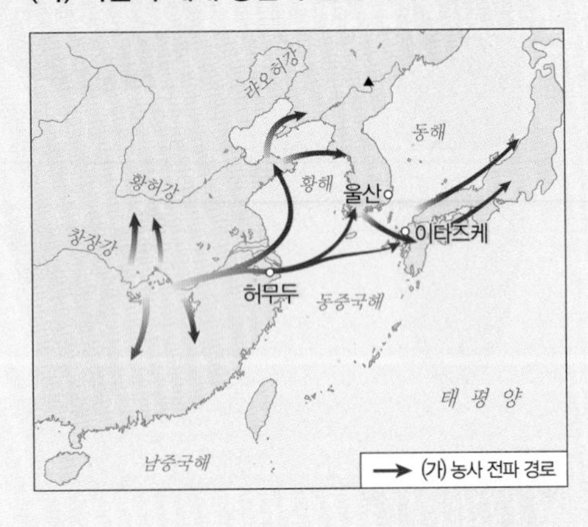

15 구석기와 신석기 시대의 생활 모습을 비교한 표이다. 빈칸 ㉠~㉣에 들어갈 알맞은 말을 쓰시오.

구분	도구	경제	주거
구석기 시대	[㉠], 뼈 도구	수렵, 채집, 어로	동굴, 막집
신석기 시대	간석기, [㉡]	농경과 [㉢] 시작	[㉣]

16 다음 글을 읽고 유목민의 생업과 생활 모습에 대해 서술하시오.

> 가축의 고기를 먹고 그 젖을 마시며, 그 가죽으로 옷을 만들어 입는다. 물과 풀을 찾아 철마다 옮겨 다니며, 성곽도 정주지도 경작지도 없다. 문서를 사용하지 않고 구두로 약속을 한다. 어린아이도 말을 타고 활을 쏘아 새나 쥐를 맞히고, 좀 더 자라면 여우나 토끼를 잡아 음식으로 하며, 장정은 강궁을 사용하고 모두 기병이 된다.

17 (가), (나) 유물과 관련된 문화의 발생 지역과 명칭을 쓰시오.

(가)

(나)

구분	지역	문화 명칭
(가)		
(나)		

딱풀 p. 4

| 교육청 기출 |

01 다음에 나타난 문제를 해결하기 위한 방법으로 바람직하지 않은 것은?

제○○○호 **동아시아사 신문** ○○○○년 ○○월 ○○일

동아시아 분쟁! 해결 방안은 무엇인가?

최근 일본이 중국과 분쟁 중인 센카쿠(중국명 댜오위 다오) 열도를 국유화하고, 중국이 이에 대응해 댜오위 다오 영해기선을 선포하면서 양국 간 갈등이 위험 수위로 치닫고 있다. 이외에도 독도에 대한 일본의 부당한 영유권 주장이 계속되고 있고, 시사 군도를 둘러싼 베트남과 중국 간의 갈등이 고조되고 있는 등 동아시아 각국의 분쟁이 격화되고 있다. 이러한 동아시아 영토 문제는 식민지 지배의 처리 과정이나 전쟁 후 점령지의 처리 과정에서 비롯된 경우가 대부분이어서 근대 이후 역사 문제와 깊은 관련이 있다.

① 국수주의적 역사관을 확립한다.
② 교류를 활성화하여 상호 이해를 증진시킨다.
③ 평화와 공존의 가치를 추구하는 태도를 갖는다.
④ 영토를 둘러싼 갈등의 배경을 올바르게 이해한다.
⑤ 공동 역사 교재를 만들어 역사 인식의 차이를 줄인다.

| 평가원 기출 |

02 A~C 지역의 근대적 사회·경제에 대한 설명으로 가장 적절한 것은?

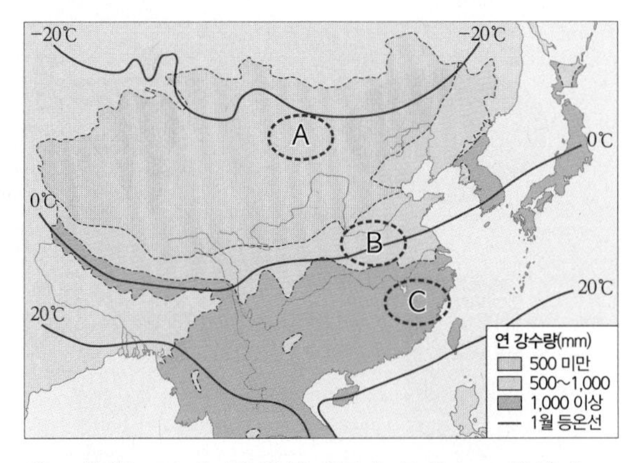

① A에서는 보리, 콩 등의 잡곡을 주식으로 하였다.
② B에서는 벼의 2기작이 가능하였다.
③ C 사람들은 계절에 따라 주기적으로 이동하였다.
④ A와 B는 가축과 곡물 등을 상호 교역하였다.
⑤ A는 C에 비해 인구가 조밀하였다.

| 평가원 응용 |

03 다음에서 설명하는 지역을 지도에서 옳게 고른 것은?

기원전 6000년경의 것으로 추정되는 볍씨와 벼의 모습이 새겨진 토기 등이 발견되어, 벼농사가 가장 먼저 시작된 곳으로 알려져 있다. 고온 다습하여 벼농사에 적합한 기후 조건을 갖고 있다.

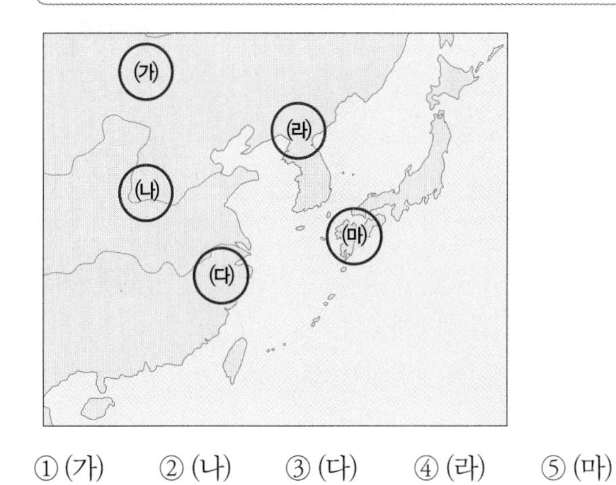

① (가) ② (나) ③ (다) ④ (라) ⑤ (마)

| 교육청 기출 |

04 다음과 같은 생활 방식을 가지고 있는 사회의 전근대 시기의 모습으로 적절하지 않은 것은?

이들은 북쪽 미개척지에 거주하며 기르던 가축을 따라 옮겨 다녔다. 이들의 가축으로 많은 것은 말, 소, 양이고, 이외에도 낙타, 나귀, 노새 등이 있었다. 물과 풀을 따라 옮겨 다녀 성곽과 일정한 거처가 없으나 각기 나누어진 영역이 있었다. 이들은 여유로울 때는 가축을 따르며 짐승을 사냥하는 것을 생업으로 삼고, 급박할 때는 사람들이 저마다 전공을 익혀 주변을 침공하였다.

① 가축에서 대부분의 생필품을 얻었다.
② 모피와 유제품 등을 곡물과 교환하였다.
③ 조립과 분해가 쉬운 이동식 가옥에서 거주하였다.
④ 등자를 사용하여 말을 다루는 기술이 우수하였다.
⑤ 수리 시설과 제방을 만들기 위한 공동 조직이 발달하였다.

| 교육청 응용 |

05 밑줄 친 '생활 모습'으로 옳은 것은?

① 토기를 제작하였다.
② 뗀석기를 만들었다.
③ 곡물을 경작하였다.
④ 고인돌을 축조하였다.
⑤ 조상을 신으로 모셨다.

| 교육청 응용 |

06 자료에서 설명하는 지역을 지도에서 옳게 고른 것은?

다원커우 유적은 신석기 시대의 대표적인 유적이다. 다원커우 유적이 위치한 이 지역에서는 간석기와 더불어 세 발 토기, 뼈로 만든 화살촉, 가락바퀴 등이 출토되었다. 이를 통해 신석기 시대 이 지역 사람들의 생활 모습을 살펴볼 수 있다.

▲ 세 발 토기

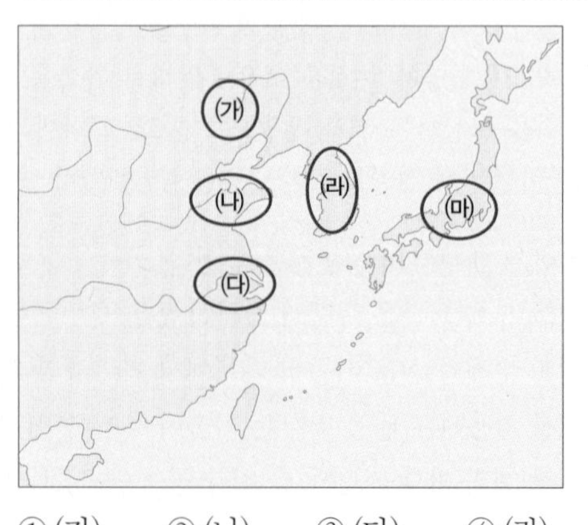

① (가) ② (나) ③ (다) ④ (라) ⑤ (마)

| 교육청 기출 |

07 다음 시대에 볼 수 있던 사회 모습으로 옳은 것은?

▲ 한반도 출토 ▲ 일본 열도 출토

① 움집을 짓고 생활하였다.
② 문자를 만들어 사용하였다.
③ 쇠를 댄 농기구로 밭을 경작하였다.
④ 지배자의 무덤으로 고인돌을 만들었다.
⑤ 주먹 도끼 등 뗀석기를 주로 사용하였다.

| 교육청 응용 |

08 다음은 중국의 신석기 문화를 정리한 것이다. (가) 문화에 해당하는 유물로 옳은 것은?

지역		문화
황허강 유역	중류	(가) 문화
	하류	다원커우 문화
창장강 유역		허무두 문화
랴오허강 유역		훙산 문화

①

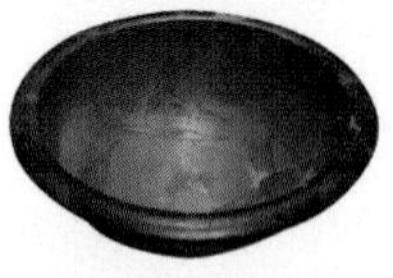

②

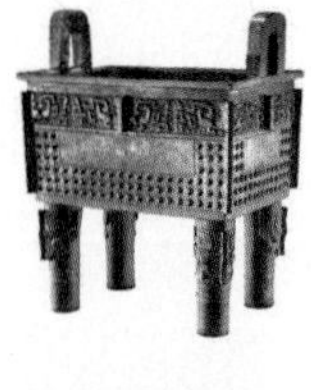

③

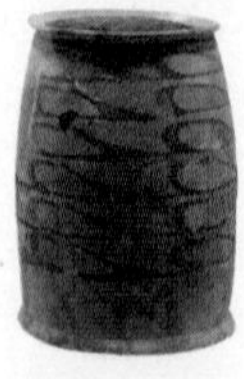

④

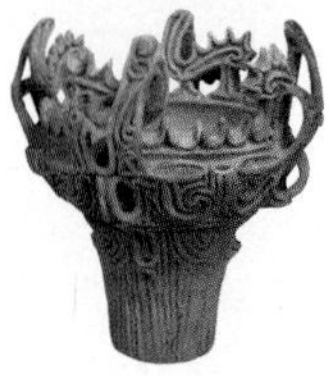

⑤

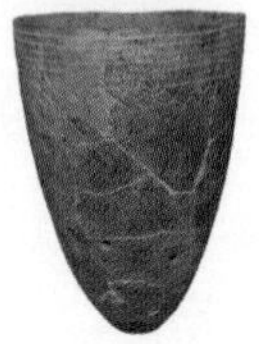

| 평가원 기출 |

09 밑줄 친 '이 지역'을 지도에서 옳게 고른 것은?

이 지역은 일찍부터 벼농사가 이루어진 곳으로 알려져 있다. 아래 유물들과 함께 다양한 형태의 간석기, 짐승 뼈, 나무로 만든 농기구, 볍씨 등이 출토되었다.

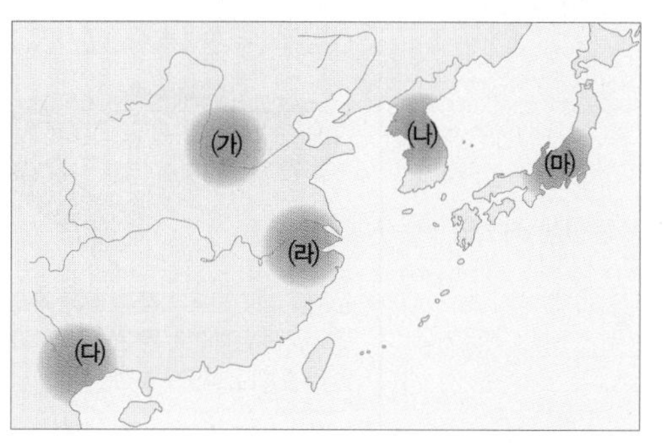

① (가) ② (나) ③ (다) ④ (라) ⑤ (마)

| 평가원 응용 |

10 (가), (나) 지역의 신석기 문화에 대한 설명으로 옳은 것은?

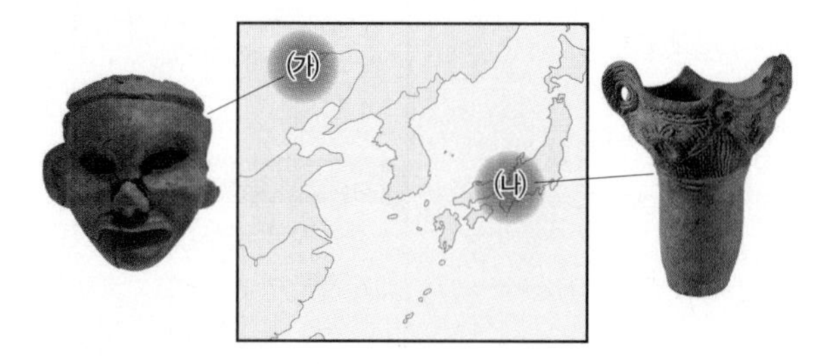

① (가) - 농기구와 볍씨가 출토되었다.
② (가) - 용을 닮은 옥기를 만들었다.
③ (나) - 거친무늬 거울을 제작하였다.
④ (나) - 고온으로 구운 흑도가 만들어졌다.
⑤ (가), (나) - 고인돌을 축조하였다.

| 수능 응용 |

11 (가)에 들어갈 대표 유물로 적절한 것은?

① ② ③ ④ ⑤

| 평가원 응용 |

12 (가)에 들어갈 유물로 적절한 것은?

동아시아 유물 카드

(가)	ㅇ제작 시기: ㅇㅇㅇ 시대 ㅇ발굴 지역: 일본 열도 ㅇ용도: 음식 보관, 제기 ㅇ특징: 표면에 새끼줄 무늬가 있음

① ② ③ ④ ⑤

02 국가의 성립과 발전

1 청동기 문화의 발전

1. 청동기 시대의 사회 변화

(1) 신석기 시대 후기

① 기술 발전 움집·옷감·토기 제작 기술 발전 → 초보적 수준의 분업

② 사회 변화 사유 재산 발생 → 구성원 간의 갈등 증가 → 갈등 해결을 위한 규약 제정 → 씨족장의 권한 강화

(2) 청동기 시대의 사회 변화

① 국가 성립 생산력의 발전과 인구 증가 → 계급 분화 → 정치체의 등장 → 정치체들의 통합으로 국가 성립

주의 국가 성립의 구체적인 과정과 성립 시기는 지역마다 달랐고, 국가의 성격에도 차이가 있었다.

② 국가 통치에 필요한 제도 등장 군대·법률·감옥 등

2. 동아시아 각 지역의 청동기 문화 자료 01

중원 지역 (황허강 유역)	• 얼리터우 문화(기원전 2000년경): 궁전터와 성벽을 갖춘 도성 발견[1] → 문헌상 최초의 국가인 '하(夏)'로 추정 • 상(商): 청동기 문화 발전 → 청동 무기·제기·도구 제작(검·창·솥·그릇 등)
몽골 초원 지대	청동 무기, 재갈 등의 마구, 사슴돌, 판석묘[2] 등
만주·한반도 지역	• 기원전 2000년~기원전 1500년 무렵 • 청동 무기(비파형 동검, 화살촉)와 장신구(청동 거울, 청동 방울), 반달 돌칼, 고인돌(한반도를 중심으로 일본의 규슈와 만주의 랴오닝 등지에도 분포) 등
일본 열도	• 야요이 문화: 기원전 3세기경 한반도로부터 벼농사 및 청동기와 철기 제작 기술을 가진 사람들이 규슈 북부 지역으로 이주하면서 시작 • 청동기는 제기와 장신구, 철기는 생산 도구와 무기 등으로 사용

제기에는 사악한 귀신을 물리칠 목적으로 튀어나온 큰 눈과 무섭게 벌린 입을 가진 괴수 얼굴 등을 장식하였다.

2 국가의 성립과 발전

1. 중원 지역

(1) 하·상·주

하(夏)	기원전 2000년경 황허강 유역에서 성립, 문헌상 최초의 국가
상(商)	• 기원전 1600년경 성립 • 신권 정치: 왕이 제사장을 겸함, 국가의 중요한 일은 점을 쳐서 결정 → 기록(갑골문[3]) • 발전: 주변 소국을 정복하며 세력 확대 → 기원전 11세기경 주에 의해 멸망
주(周)	• 봉건제 시행: 왕이 혈연관계를 기초로 제후를 임명하여 지방을 다스리게 함 자료 02 자료 05 • 왕은 천명사상과 덕치주의 강조 → 후대로 갈수록 왕과 제후의 혈연관계가 멀어짐 → 제후는 점차 왕의 통제에서 벗어남 → 주 왕의 권위 약화

(2) 춘추 전국 시대 자료 03

① 춘추 시대 기원전 8세기 서북방 유목 민족의 침입으로 주가 낙읍(뤄양)으로 천도 → 주 왕실의 제후 통제력 상실, 세력이 강한 제후(춘추 5패)가 정국 주도

② 전국 시대 봉건 질서 붕괴 → 하극상과 전쟁 난무 → 각국은 군주권 강화와 부국강병을 위한 개혁 추진 → 개혁을 성공한 진(秦)이 통일 달성(기원전 221)

③ 사회 변화 철제 농기구(생산력 증대)·철제 무기(군사력 강화) 보급, 제자백가 등장

고득점을 위한 셀파 Tip

• 동아시아의 청동기 문화

중원	• 얼리터우 문화: 세 발 달린 청동 술잔, 문헌상 최초의 국가인 하(夏)로 추정 • 상: 청동 솥(제기용)
만주·한반도	• 비파형 동검 • 고인돌
일본 열도	• 한반도로부터 청동기, 철기, 벼농사 기술 전파 → 야요이 시대 • 동탁, 쇠를 덧댄 농기구

❶ 얼리터우 궁전(복원 모형)

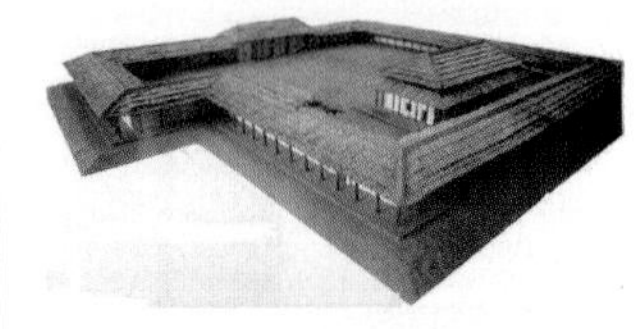

동서와 남북 길이가 각각 100m에 이르는 대규모 궁전 유적으로, 문헌상 중국 최초의 국가인 하(夏)의 유적으로 추정된다.

❷ 판석묘

몽골 지역에서 나타나는 청동기 시대 무덤이다. 시신을 안치하고 판석으로 덮은 뒤 흙으로 채우고 다시 주변에 판석을 세웠다.

❸ 갑골문

상의 왕은 점을 친 내용과 결과를 거북의 배딱지나 짐승의 뼈에 새겨 넣었다. 갑골문이 은허에서 대량으로 출토되면서, 상이 실제 존재한 국가였음이 증명되었다.

고득점을 위한 셀파 Tip

• 중원 지역 국가의 성립과 발전

하	문헌상 최초의 국가
상	신권 정치, 갑골문
주	봉건제
춘추 전국 시대	각국의 부국강병, 철제 농기구와 철제 무기 사용
진	황제 칭호 사용, 군현제, 도량형·화폐·문자 통일, 법가 이외의 사상 탄압
한	군국제 → 군현제, 흉노 축출, 고조선과 남비엣 정복

셀파 자료 탐구

자료 01 공통 자료 동아시아 각 지역의 청동기 문화

중원 지역

▲ 얼리터우 유적에서 출토된 세 발 달린 청동 술잔

▲ **상의 청동 솥** 상의 후기 수도인 은허에서 출토된 것으로, '후모무정'이라고 불린다. 솥 입구와 손잡이, 다리 부분에 괴수 얼굴 등을 입체적으로 장식하였다.

만주와 한반도 지역

◀ **비파형 동검** 만주와 한반도 지역의 대표적인 청동기 유물이다.

▲ **고인돌** 지배층의 무덤으로 한반도를 중심으로 일본의 규슈, 만주의 랴오닝 등지에 분포한다.

일본 열도 지역

◀ **동탁** 종 모양의 동탁은 주술적 의례를 위한 제사용 도구로 만들어졌을 것으로 추정된다.

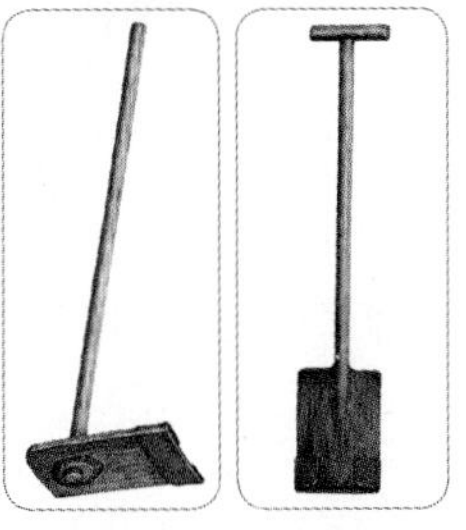

▲ **쇠를 덧댄 농기구** 나무에 쇠를 덧대어 만든 가래와 호미로, 흙을 파헤치거나 김매기를 할 때 사용하였다.

자료 분석 |
- 기원전 2000년경부터 동아시아에서 청동기 문화가 발달하기 시작하였다. 청동은 주로 무기나 제사용 도구, 장신구 등을 만드는 데 사용되었다.
- 일본 열도에서는 기원전 3세기경 청동기와 철기 제작 기술, 벼농사 기술을 가진 사람들이 한반도로부터 규슈 북부 지역으로 이주하면서 야요이 시대가 시작되었다. 야요이인은 목제 도구와 간석기를 사용하여 논을 경작하다가, 점차 쇠를 덧댄 농기구를 사용하였다.

교과서 자료 더 보기

| 다양한 형식의 청동검 |

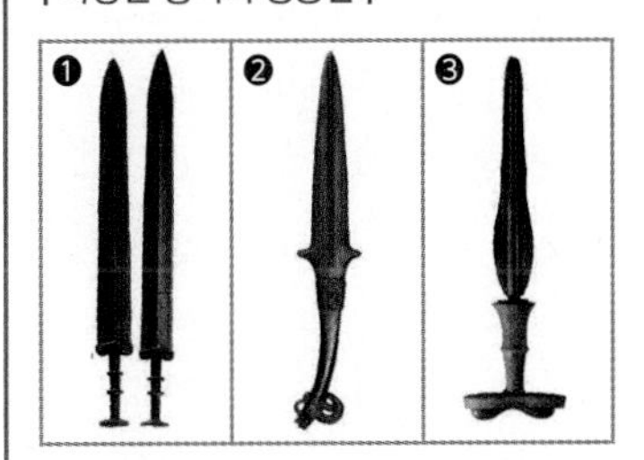

❶ **중원 지역의 청동검** 몸체와 손잡이를 한꺼번에 주조하는 일체형으로, 손잡이는 직선으로 쭉 뻗은 모양이다.

❷ **북방 지역의 청동 단검** 양쪽에 날이 있는 검보다 한쪽에만 날이 있는 칼을 많이 썼는데, 청동검의 경우 버섯이나 동물 모양을 장식하였다.

❸ **만주와 한반도 지역의 비파형 동검** 몸체와 손잡이, 손잡이끝 장식을 각각 청동과 나무, 돌로 만든 후 세 부분을 합치는 조립형이다.

'봉건'이란 '토지를 나누어 주어(분봉, 分封) 제후국을 세운다(건국, 建國)'라는 뜻이야!

자료 02 공통 자료 주의 봉건제

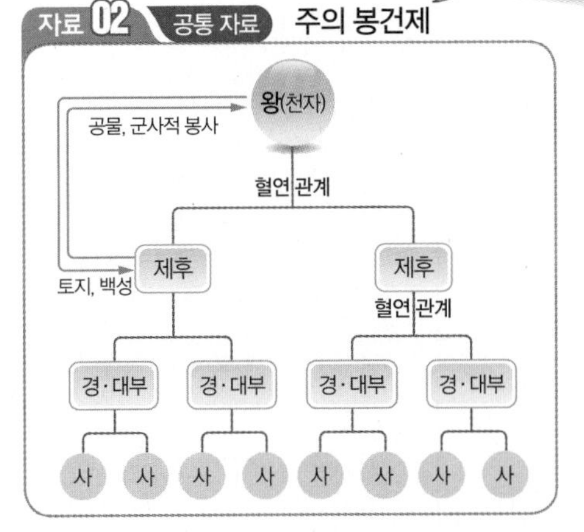

자료 분석 |
- 주의 봉건제는 천자가 제후에게 땅과 백성에 대한 통치를 위임하는 대신, 제후는 천자에게 경제적 공물과 군사적 봉사의 책임을 지는 지방 분권적인 통치 제도였다.
- 봉건제하에서 천자의 지위는 적장자가 계승하고 나머지 아들들은 제후로 봉해졌다. 제후국에도 같은 방식으로 적용되어 왕을 정점으로 주나라 전체가 하나의 혈연관계로 묶인다는 인식을 형성하였다.

자료 03 춘추 전국 시대

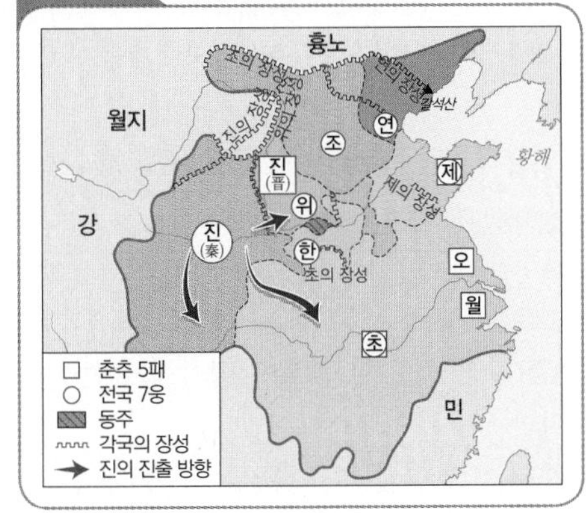

자료 분석 |
- 춘추 5패는 춘추 시대를 차례로 주도한 패자를 말하며, 전국 7웅은 전국 시대의 7개 강대국을 말한다.
- 춘추 전국 시대에는 철제 농기구가 보급되어 생산력이 크게 높아졌고, 군사력 강화를 위해 철제 무기를 적극적으로 도입하였다.

교과서 탐구 풀이

Q 혈연관계에 기초한 주의 봉건제가 시간이 지나면서 약화된 까닭을 추론해 보자.

A 후대로 갈수록 왕과 제후의 혈연관계는 멀어졌고, 제후는 점차 왕의 통제에서 벗어났다. 그에 따라 주 왕의 권위도 약해졌다.

(3) 진

① 시황제의 정책 황제 칭호 사용, 중앙 집권 체제 강화(군현제 시행, 3공 9경의 관료제 시행), 도량형·화폐·문자 통일, 도로망 정비, 법가 이외 사상 탄압(분서갱유), 만리장성 축조(흉노 견제) 자료 04

(군현제: 전국을 36개의 군과 수백 개의 현으로 나누고, 중앙에서 직접 관리를 파견하여 관할하도록 하였다.)

② 멸망 시황제 사후 정치 문란, 대규모 토목 공사와 엄격한 법치에 대한 백성의 불만 고조 → 농민 봉기가 잇따르며 멸망 (진승·오광의 난 등)

(4) 한 유방(한)이 항우(초)와의 전쟁에서 승리하여 재통일(기원전 202)

① 한 고조 중앙-3공 9경 설치, 지방-군국제(봉건제와 군현제 절충) 실시 자료 05

(군국제: 수도를 중심으로 서쪽 지역에는 군현을 두고, 그 외의 지역은 제후왕에게 맡겨 통치하게 한 제도)

② 한 무제

- 중앙 집권 체제 확립: 군현제 확대, 유교를 통치 이념으로 채택(지방 호족 성장)
- 영토 확장 → 재정 부족 → 전매제(소금, 철) 실시

(한 무제는 동중서 등의 건의를 받아들여 태학을 설치하고 오경박사를 두어 유교를 진흥시켰다.)

③ 쇠퇴 무제 사후 외척 세력 대두 → 외척 출신 왕망이 신(新)[4] 건국 → 호족의 반발 → 호족의 후원을 받은 광무제가 후한 세움 → 외척과 환관 세력의 권력 다툼 → 황건적의 난을 계기로 호족의 독립 세력화 → 위·촉·오의 삼국으로 분열(삼국 시대)

2. 유목 지대 – 흉노의 성장

(1) 발전

① 성장 기원전 3세기 말부터 기마 기술을 바탕으로 성장 → 진의 공격으로 위축

(흉노의 팽창과 남하에 위협을 느낀 진의 시황제가 흉노를 오르도스 지역에서 몰아내고 그 북쪽에 만리장성을 쌓았다.)

② 발전 진 멸망 후 만리장성 이북의 초원 지대 통합(동호 복속, 월지를 중앙아시아 방면으로 축출) → 한을 공격하여 한 고조를 굴복시킴(평성의 치욕) → 한과 화친을 맺고 한으로부터 필요한 물자를 제공받음 (묵특 선우 시기)

(2) 통치 조직 선우(최고 통치자) 아래 좌현왕과 우현왕 등을 둠

(3) 쇠퇴 한 무제의 공격으로 쇠퇴, 선우 지위를 두고 내분 → 남흉노와 북흉노로 분열

(남흉노: 이후 한에 복속 / 북흉노: 한에 패배 후 서쪽으로 이동)

3. 만주와 한반도

고조선	• 만주와 한반도 지역 최초의 국가 • 세력 범위: 만주 및 한반도 북부(탁자형 고인돌, 비파형 동검 출토지) • 통치자는 제사장을 겸함, 8조의 법, 왕 밑에 비왕·상·경·대부·장군·박사 등 관직을 둠 • 위만의 집권: 진·한 교체기에 이주 및 집권, 철기 문화 본격적으로 수용 → 인근 소국을 정복하며 성장 → 한과 대립
부여	쑹화강 일대에서 예맥족이 건국, 연맹 국가(왕은 중앙, 부족장들은 사출도를 다스림)
삼한	한반도 남부에서 부족 연맹체 형성(마한, 진한, 변한), 제정 분리 사회 (군장 외에 천군이라는 제사장이 따로 있어 소도를 다스렸다.)

4. 일본 열도

(1) 정치체 출현 야요이 시대의 농업 생산력 발전 → 기원 전후에 정치체 출현 → 3세기경 30여 개의 소국이 야마타이국을 중심으로 연합

(2) 야마타이국 제정일치(히미코 여왕[5]), 삼국 시대 위에 사신 파견 → '친위왜왕' 칭호 받음(239)

5. 동아시아 국가 간의 교류와 전쟁

(1) 동아시아 국가 간의 교류 정복 전쟁, 물자와 선진 문물 수용을 위해 빈번한 교류[6]

(2) 한 무제의 정복 전쟁과 동아시아 질서의 변화

① 대흉노 전쟁 흉노를 고비 사막 이북으로 축출(깐수 지역에 군현 설치), 장건의 서역 파견을 계기로 비단길 장악(흉노 견제, 동서 교역의 주도권 확보)

② 정복 전쟁 남비엣과 고조선 멸망 → 군현 설치

왜? 고조선이 지리적인 이점을 이용하여 한과 동쪽의 예, 남쪽의 진 사이의 무역을 중개하면서 성장하고 있었고, 또 고조선이 흉노와 연합할 가능성이 있었기 때문에 한이 공격하였다.

고득점을 위한 셀파 Tip

• 국가 체제의 정비

왕권 강화	왕위 세습, 관료 출현, 군대 육성
관료제 정비	• 진, 한: 3공 9경 • 고조선: 비왕, 상, 경, 대부, 장군, 박사 등의 관직 • 흉노: 선우 아래 좌현왕, 우현왕
지방 조직	• 주: 봉건제 • 진: 군현제 • 한: 군국제 → 군현제
법치 시행	• 진: 엄격한 법치 시행 • 고조선: 8조의 법

④ 신(新)

1세기 초 외척 출신 왕망이 한을 멸망시키고 건국한 국가이다. 왕망은 호족의 성장으로 발생한 각종 사회 문제를 해결하기 위해 토지 국유제 등 주의 제도를 본뜬 급진적인 개혁을 추진하였으나 호족의 반발로 실패하였다.

⑤ 히미코 여왕

> 공동으로 한 여인을 왕으로 세우고 히미코라고 불렀다. 귀도(기괴한 술법)를 행하고 백성을 미혹하였다. 나이가 먹도록 남편을 맞지 않고, 남자 동생이 있어 통치를 보좌하였다.
>
> -『삼국지』 위서 동이전 -

제사장적 성격을 지닌 지배자로서 종교적 권위에 의존하여 다스렸으며, 삼국 시대의 위에 사신을 보내 '친위왜왕'이라는 칭호를 받았다(239).

⑥ 동아시아 국가 간의 교류

• 흉노: 농경민에 대한 교역과 약탈 병행, 한 고조의 군대에 승리한 이후 매년 다량의 물자를 받았다.

• 고조선: 전국 7웅 중 하나인 연과 대립, 한 성립 후 한과의 교역을 통해 경제적으로 성장하였다.

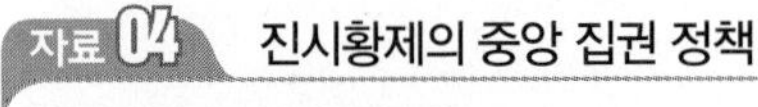

자료 04 진시황제의 중앙 집권 정책

문자·화폐·도량형 통일

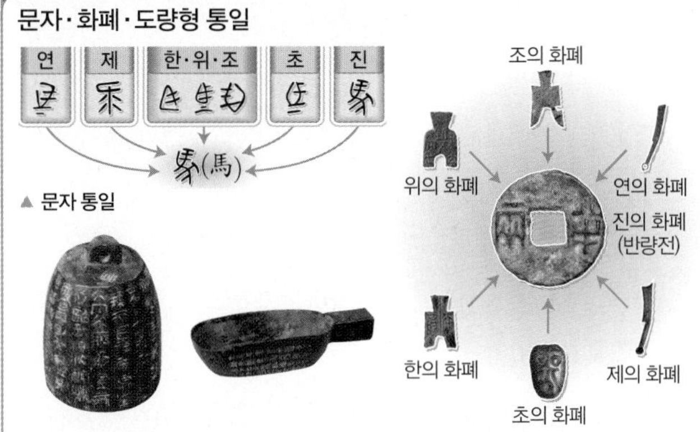

▲ 문자 통일

▲ 무게를 다는 저울추와 양을 재는 되(도량형 통일) ▲ 화폐 통일

분서갱유

박사관이 아니면서 감히 시, 서 및 제자백가의 책을 소장하고 있으면 모두 지방관에게 보내 불태우게 하십시오. …… 옛것으로 지금 것을 비난하는 자는 일가족을 몰살하십시오.

- 『사기』 진시황 본기 -

자료 분석 | 진의 시황제는 전국 시대에 다양하게 사용되던 저울추, 되 같은 도량형기의 규격을 통일하고 문자와 화폐도 통일하였다. 또 통일된 중국 전체를 다스리기 위해 전국을 36개의 군과 수백 개의 현으로 나누고, 중앙에서 직접 관리를 파견하는 군현제를 실시하였다. 그러나 진의 획일적인 법치를 비난하는 사람들이 생기자 법규, 역사서, 의약, 점복, 농업 관계 이외의 서적을 몰수하여 소각하였다(분서갱유).

자료 05 공통 자료 봉건제, 군현제, 군국제 비교

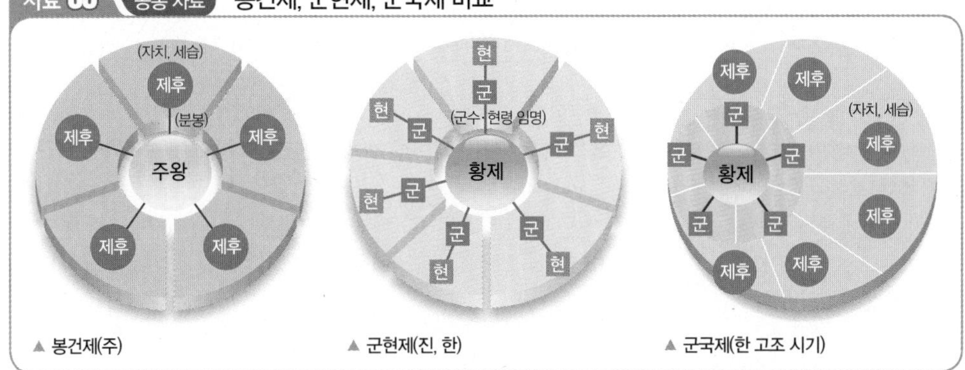

▲ 봉건제(주) ▲ 군현제(진, 한) ▲ 군국제(한 고조 시기)

자료 분석 | 주의 봉건제에서 주 왕은 제후를 분봉하여 지방을 다스리게 하였는데, 이때 제후는 지방에 대한 완전한 통치권(자치권)을 가지며 자신의 지위를 후손에게 세습할 수 있었다. 반면, 진의 군현제에서 황제는 지방을 군, 현으로 나눈 후 군수나 현령을 보내어 다스리게 하였는데, 이때 군수나 현령은 황제의 명령에 따라 지방을 다스려야 했다. 한 초에 실시된 군국제는 수도를 중심으로 서쪽 지역에는 군현을 두고, 그 밖의 지역에는 제후왕에게 맡겨 통치하는 제도였다.

교과서 자료 더 보기

| 한 무제의 대외 정책 |

한 무제는 적극적인 대외 정복 전쟁을 벌여 흉노를 고비 사막 이북으로 몰아내고 남비엣과 고조선을 멸망시켰다.

교과서 자료 더 보기

| 흉노의 통치 조직 |

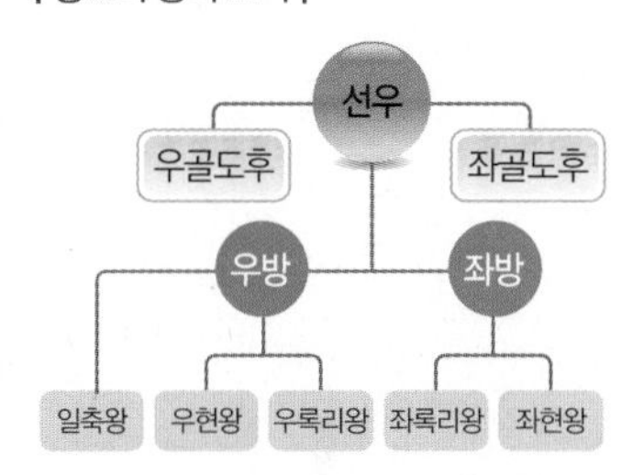

흉노 제국의 군주는 '선우'라고 불렸다. 선우는 영역을 셋으로 나누어 자신이 중앙을 통치하고, 좌현왕과 우현왕을 두어 각각 동방과 서방을 다스리게 하였다.

개념 완성

1 동아시아의 청동기 문화

구분	내용
황허강 유역	• (❶) 문화: 기원전 2000년경, 궁전터와 성벽을 갖춘 도성 발견 → 하 왕조와 관련된 것으로 추정 • 상(商) 왕조: 청동 무기와 제사용 청동 솥, 청동 도구 제작
몽골 지역	청동제 무기·마구, 사슴돌, 판석묘 등을 남김
만주 · 한반도	비파형 동검, 고인돌 등 제작
일본 열도	(❷) 문화: 기원전 3세기경 한반도로부터 청동기와 철기 제작 기술, 벼농사 기술이 함께 전래, 청동기는 제기, 철기는 생산 도구와 무기로 사용

2 국가의 성립과 발전

지역	국가	내용
중원 지역	하	기원전 2000년경, 황허강 중류 일대, 문헌상 중국 최초의 왕조
	(❸)	기원전 1600년경, 신권 정치, 갑골문 → 기원전 11세기 주에 멸망
	주	혈연관계에 기초한 (❹) 실시, 천명사상과 덕치주의를 내세움
	춘추 전국 시대	• 춘추 시대: 기원전 8세기경 주의 동천 → 주 왕실의 통제력 상실 → 세력이 강한 제후(춘추 5패)가 주도 • 전국 시대: 봉건 질서 붕괴 → 전국 7웅 대두 → 진(秦)에 의해 통일
	진(秦)	• 시황제의 정책: 황제 칭호, 사상 통제(분서갱유), 군현제 실시, 도량형·화폐·문자 통일, (❺) 축조 • 멸망: 대규모 토목 공사와 엄격한 법치에 대한 불만 고조, 농민 봉기가 잇따르며 멸망
	한	• 고조: 중국 재통일, (❻) 에 공물을 보내고 평화 유지, 군국제 실시 • 무제: 군현제 확대, 흉노 축출, 남비엣과 고조선 정복 → 재정 부족 → 소금과 철의 전매제 실시
흉노		기원전 3세기 후반 묵특 선우 때 초원 지역 통일, 한 압박 → 선우 자리를 둘러싼 분쟁으로 분열
만주와 한반도		• 고조선: 랴오닝 지역에서 성립, 위만의 집권 이후 철기 문화 본격 수용·성장 → (❼)의 공격으로 멸망 • 부여: 쑹화강 일대에서 성립, 연맹 국가 • 삼한: 군장 이외에 천군이 소도 통치(제정 분리)
일본 열도		기원 전후 정치체 등장 → 3세기경 30여 개의 소국이 히미코 여왕의 (❽)을 중심으로 연합

정답 ❶ 얼리터우 ❷ 야요이 ❸ 상 ❹ 봉건제 ❺ 만리장성 ❻ 흉노 ❼ 한 ❽ 야마타이국

• 기출 선택지 체크 •

A 다음 내용이 옳으면 ○표, 틀리면 ×표 하시오.

1 하 왕조에서는 국가의 중요한 일은 갑골에 점을 쳐서 결정하였다. ( )

2 전국 시대에는 철제 무기가 보급되면서 정복 전쟁이 격화되었다. ( )

3 진은 소금과 철을 국가에서 독점 판매하였다. ( )

4 흉노는 부족한 식량을 농경민과의 교역과 약탈로 충당하였다. ( )

5 청동기 시대에 만주와 한반도 지역에서는 비파형 동검이 무기로 사용되었다. ( )

6 청동기 시대에 일본 열도에서는 새끼줄 무늬가 특징인 조몬 토기가 처음 제작되었다. ( )

B 다음 괄호 안의 내용 중에서 옳은 것에 ○표 하시오.

7 한 고조는 (군현제 / 군국제)를 시행하였다.

8 고조선은 (주 / 한)의 침략으로 멸망하였다.

9 (주 / 진)은/는 혈연 중심의 봉건제를 실시하였다.

10 (흉노 / 한)은/는 월지를 중앙아시아 방면으로 몰아냈다.

11 히미코 여왕은 (한 / 위)(으)로부터 '친위왜왕'이라는 칭호를 받았다.

12 (고조선 / 흉노)은/는 한과 남쪽의 진 사이의 무역을 중개하면서 성장하였다.

C 다음 빈칸에 들어갈 알맞은 말을 쓰시오.

13 흉노의 군주는 ( )(이)라고 불렀다.

14 ( )은/는 최초로 황제 칭호를 사용하였다.

15 주는 덕치와 ( )(으)로 왕권을 합리화하였다.

16 ( )은/는 남비엣을 정복하고 군을 설치하여 지배하였다.

17 ( )은/는 흉노가 강성하자 많은 공물을 바치고 화친을 맺었다.

정답 1 × 2 ○ 3 × 4 ○ 5 ○ 6 × 7 군국제 8 한 9 주 10 흉노 11 위 12 고조선 13 선우 14 진 시황제 15 천명사상 16 한 무제 17 한 고조

01 다음에서 설명하는 청동기 문화를 대표하는 유물이나 유적으로 옳은 것은?

- 기원전 2000년경부터 청동기 문명이 발달하였다.
- 궁전터와 성벽을 갖춘 도성 등이 발견되었다.
- 문헌상 중국 최초의 국가인 하(夏)와 관련 있는 것으로 추정하고 있다.

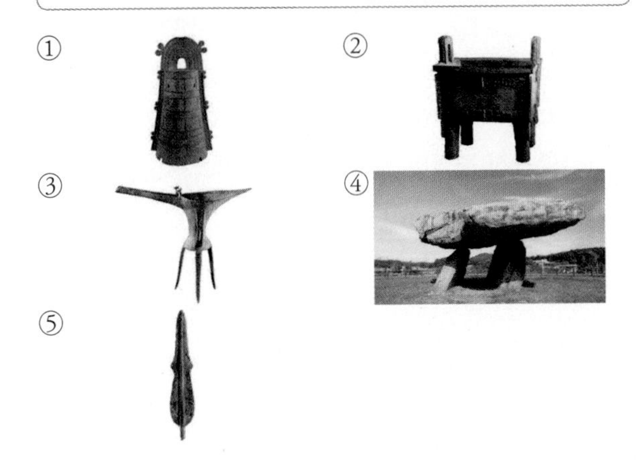

02 (가)에 들어갈 유물로 적절한 것은?

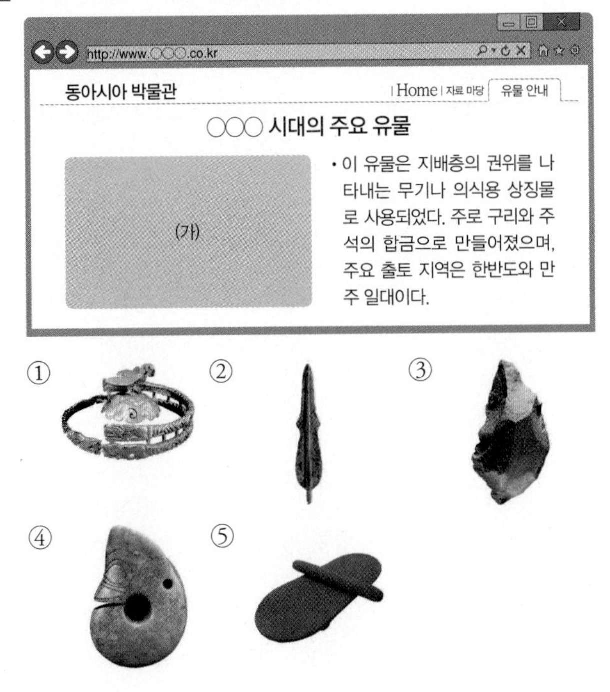

03 다음 유물과 관계 있는 나라에 대한 설명으로 옳은 것은?

① 동아시아 최초의 유목 국가였다.
② 혈연 중심의 봉건제를 실시하였다.
③ 신분보다는 능력을 중시하는 사회였다.
④ 나라의 중요한 일은 점을 쳐서 결정하였다.
⑤ 천명사상과 덕치주의를 통치에 활용하였다.

04 다음 통치 제도에 대한 설명으로 옳은 것은?

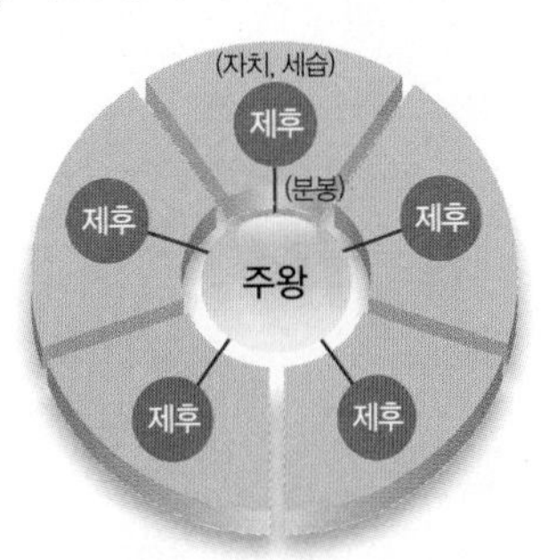

① 한 고조가 실시한 통치 제도이다.
② 지방 호족들의 성장을 촉진하였다.
③ 중앙 집권 체제 강화에 기여하였다.
④ 왕과 혈연관계에 있는 사람을 지방에 파견하는 제도이다.
⑤ 전국을 군과 현으로 나누고 지방관을 보내어 다스리게 하였다.

05 지도의 형세가 나타났던 시기의 모습으로 옳은 것을 〈보기〉에서 고른 것은?

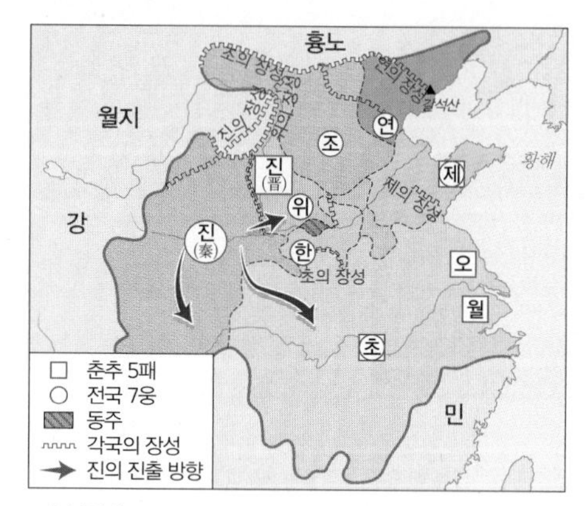

보기
ㄱ. 군국제 실시　　ㄴ. 제자백가의 활동
ㄷ. 철제 농기구 보급　　ㄹ. 도량형·화폐·문자의 통일

① ㄱ, ㄴ　② ㄱ, ㄷ　③ ㄴ, ㄷ
④ ㄴ, ㄹ　⑤ ㄷ, ㄹ

06 다음과 같은 정책을 실시한 왕에 대한 설명으로 옳지 않은 것은?

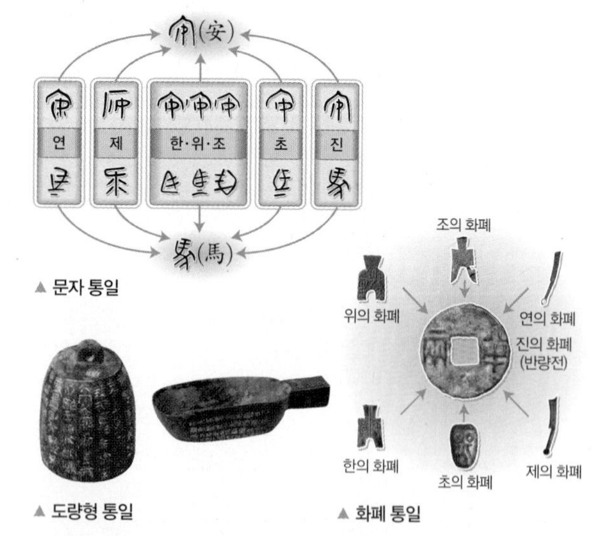

▲ 문자 통일
▲ 도량형 통일
▲ 화폐 통일

① 3공 9경의 관료제를 실시하였다.
② 처음으로 황제라는 칭호를 사용하였다.
③ 사상 통일을 위해 분서갱유를 일으켰다.
④ 만리장성을 축조하여 흉노를 견제하였다.
⑤ 봉건제를 실시하여 군주권을 강화하였다.

07 다음 지방 통치 제도에 대한 설명으로 옳은 것은?

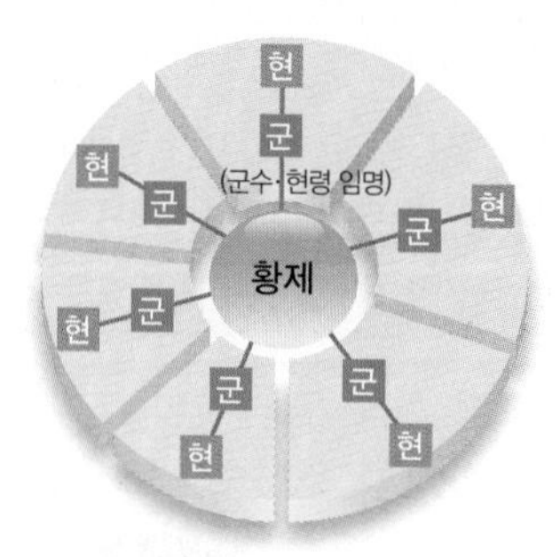

① 봉건제와 군현제를 절충한 제도이다.
② 군사 조직의 형태를 띤 지방 제도이다.
③ 진은 전국을 36개의 군으로 나누어 이 제도를 시행하였다.
④ 수도를 제외한 지역에 왕족과 공신을 제후로 보내어 대대로 다스리게 한 제도이다.
⑤ 수도를 중심으로 서쪽 지역에는 군현을 두고, 그 외의 지역은 제후왕에게 맡겨 다스리게 한 제도이다.

08 (가)에 들어갈 인물의 정책으로 옳은 것을 〈보기〉에서 고른 것은?

(가) 은/는 적극적인 대외 정책을 추진하였다. 흉노를 토벌하는 데 도움을 얻기 위해 장건을 서역의 월지국으로 파견하는 등의 조치를 취하였고, 철저한 전쟁 준비 후에 흉노를 몰아냈다. 이어 남비엣을 멸망시키고 고조선을 무너뜨리기도 하였다.

보기
ㄱ. 유학을 장려하였다.
ㄴ. 만리장성을 쌓아 흉노를 견제하였다.
ㄷ. 흉노와 화친 조약을 맺고 막대한 예물을 주었다.
ㄹ. 소금과 철 등을 국가에서 독점 판매하도록 하였다.

① ㄱ, ㄴ　② ㄱ, ㄷ　③ ㄱ, ㄹ
④ ㄴ, ㄹ　⑤ ㄷ, ㄹ

09 (가) 국가에 대한 설명으로 옳은 것은?

제○호 **동아시아사 신문**

〈특집〉 유목 국가의 기마 군단, 농경 국가를 압도하다

(가) 은/는 대싱안링산맥에서 파미르고원에 이르는 초원 세계를 통일하였다. 기원전 200년 이들은 뛰어난 기마술로 한의 30여만 군대를 패배시키고 고조를 백등산에서 포위하였다.

군주의 머리 장식(금관)

① 8조의 법을 통해 다스렸다.
② 남비엣을 멸망시킨 뒤 군현을 설치하였다.
③ 고유의 문자를 가지고 역사를 기록하였다.
④ 기원전 3세기경 최초의 유목 국가를 형성하였다.
⑤ 한과 한반도 남쪽의 진 사이에서 중개 무역을 하면서 성장하였다.

10 지도는 기원전 2세기 중엽 동아시아의 정세를 나타낸 것이다. (가)~(라) 국가에 대한 설명으로 옳은 것은?

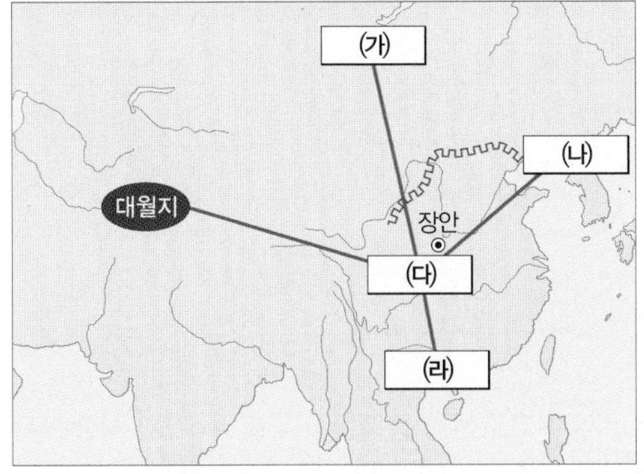

① (가)의 부족장들은 사출도를 나누어 다스렸다.
② (나)의 지배자가 (다)에 맞서 왕이라 칭하기 시작하였다.
③ (다)는 (나)가 강성하여 많은 공물을 바치고 화친을 맺었다.
④ (라)는 장건의 원정을 계기로 중국과 교통하였다.
⑤ (다)는 (나)가 (가)와 연합할 가능성이 있었기 때문에 (나)를 공격하였다.

11 다음 사건 이후 고조선에서 나타난 사실로 옳은 것을 〈보기〉에서 고른 것은?

(진나라 말에) 진승과 항우가 거병하여 천하가 어지러워지니 연, 제, 조의 백성이 괴로움을 견디다 못해 점차 준왕에게 망명하였다. …… 한나라 때에 이르러 …… 연나라 사람 위만도 망명하여 오랑캐의 복장을 하고 동쪽으로 패수를 건너 준왕에게 항복하였다.

보기
ㄱ. 전국 7웅 중 하나인 연과 대립하였다.
ㄴ. 상, 대부, 장군 등의 조직을 정비하였다.
ㄷ. 철기 문화를 본격적으로 수용하여 생산력이 증대되었다.
ㄹ. 한과 한반도 남부와의 중개 무역으로 경제적 번영을 누렸다.

① ㄱ, ㄴ ② ㄱ, ㄷ ③ ㄴ, ㄷ
④ ㄴ, ㄹ ⑤ ㄷ, ㄹ

12 다음 건국 신화와 관련 있는 지역에서 성립한 국가에 대한 설명으로 옳은 것은?

이자나미가 죽은 후에는 이자나기 혼자서 태양의 여신인 아마테라스, 달의 여신인 쓰쿠요미, 바다의 신인 스사노오를 낳았다. 후에 천상의 신들은 지상을 다스리기 위해 아마테라스의 손자 니니기를 내려보냈는데, 니니기의 증손자가 바로 초대 천황인 진무이다.

① 위만이 준왕을 몰아내고 왕이 되었다.
② 쑹화강 일대의 예맥족이 세운 국가이다.
③ 천군이라는 제사장이 소도를 따로 다스렸다.
④ 군현제와 봉건제를 절충한 군국제를 시행하였다.
⑤ 3세기경 야마타이국을 중심으로 30여 개의 소국이 연합하였다.

13 (가), (나)에 들어갈 국가를 쓰시오.

> 동아시아에서 가장 먼저 국가가 출현한 곳은 황허강 중류 일대이다. 문헌상 최초의 국가인 (가) 와/과 고고학적으로 확인된 최초의 국가인 (나) 이/가 모두 이곳에 있었다.

(가) ________ (나) ________

14 (가), (나) 시대의 명칭을 쓰시오.

> 기원전 8세기에 주(周)는 서북방 유목 민족의 침입을 받아 수도를 동쪽으로 옮겼다. 이를 계기로 주 왕실은 제후를 통제할 힘을 상실하였는데, 이때부터를 (가) 시대라고 한다. 기원전 5세기경에는 제후와 경·대부들 사이의 봉건 질서가 완전히 무너지면서 (나) 시대가 시작되었다.

(가) ________ (나) ________

15 다음 내용에 해당하는 민족을 쓰시오.

> - 기원전 3세기 말부터 유라시아 대륙 북부의 유목 지대에서 성장하였다.
> - 진의 멸망 이후 세력을 회복한 후 만리장성 이북의 초원 지역을 통합하였다.
> - 한 고조가 이끄는 군대와 싸워 승리를 거두었다.

16 다음 자료와 관련 있는 국가를 쓰시오.

> 그 나라 또한 본래 남자가 왕으로 70~80년을 이어오다 …… 공동으로 한 여인을 왕으로 세우고 히미코라고 불렀다. 귀도(기괴한 술법)를 행하고 백성을 미혹하였다. 나이가 먹도록 남편을 맞지 않고, 남자 동생이 있어 통치를 보좌하였다.
>
> – 「삼국지」 위서 동이전 –

17 (가), (나)에 해당하는 지방 제도의 명칭과 운영 방식을 각각 서술하시오.

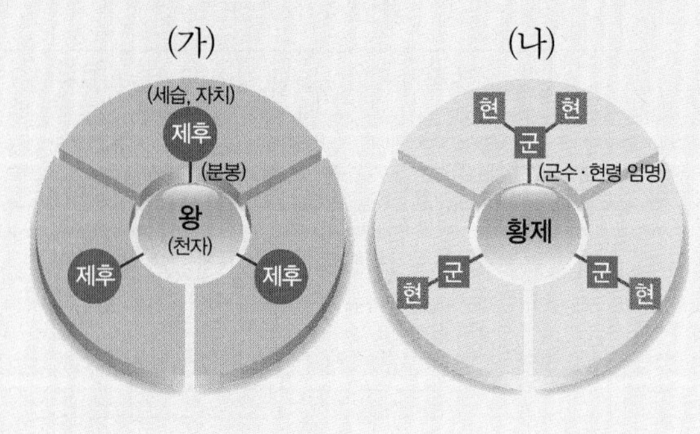

18 다음과 같은 상황 이후 한과 흉노의 관계를 서술하시오.

> 흉노는 진(秦) 멸망 이후 중원이 혼란스러운 틈을 타서 세력을 회복하고 초원 지역을 통일한 국가로 성장하였다. 흉노가 자주 만리장성을 넘어 한(漢)을 공격하자, 한 고조는 직접 군대를 이끌고 원정을 떠났지만 대패하였다(평성의 치욕).

19 한 무제가 고조선을 정복한 이유를 두 가지 서술하시오.

딱풀 p. 9

| 교육청 기출 |

01 (가) 지역을 지도에서 옳게 고른 것은?

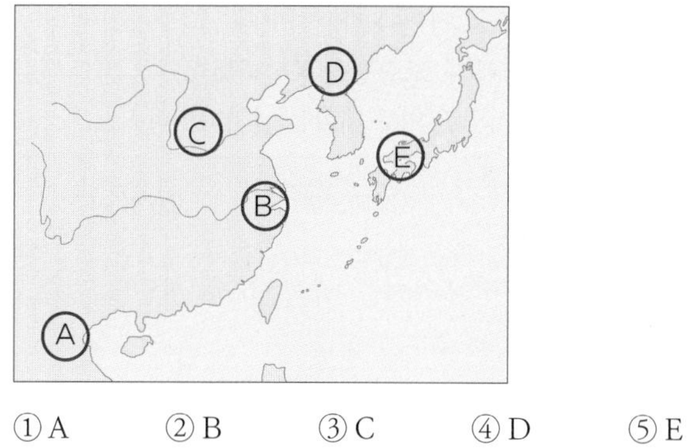

① A ② B ③ C ④ D ⑤ E

| 수능 기출 |

02 (가) 국가에 대한 설명으로 옳은 것은?

> (가) 의 왕은 수도 호경과 그 주변을 직접 다스렸다. 그리고 나머지 지역은 왕실의 자제나 일족 또는 신하를 제후로 임명하여 지배하게 하였고, 제후들은 군사를 제공하고 공물을 바쳐야 했다. 이러한 왕과 제후의 관계는 종법제에 의해 뒷받침되었다.

① 소금과 철을 국가에서 독점 판매하였다.
② 8조 법을 시행하여 법질서를 확립하였다.
③ 덕치와 천명사상으로 왕권을 합리화하였다.
④ 동아시아에서 처음으로 등장한 유목 국가였다.
⑤ 남비엣(남월)을 정복하고 군(郡)을 설치하여 지배하였다.

| 교육청 응용 |

03 다음 특별전에서 볼 수 있는 유물로 적절한 것은?

> **초 청 장**
>
> 우리 박물관에서 주최하는 '○○○ 문화 특별전'에 여러분을 초대합니다. 이번 특별전에서는 한반도 등지에서 건너간 도왜인이 벼농사와 청동기·철기 제작 기술 등을 일본에 전해주면서 형성된 ○○○ 문화의 유물이 전시될 예정입니다.
>
> ◉ 전시 기간: 2019년 4월 △일 ~△일
> ◉ 전시 장소: □□ 박물관

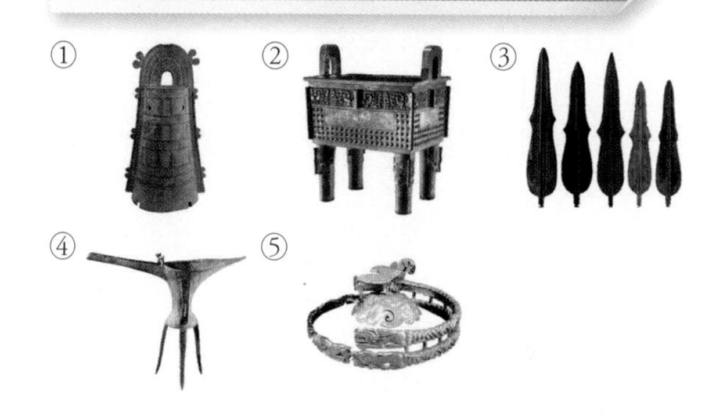

| 평가원 기출 |

04 지도에 나타난 시기에 (가)~(마)에서 있었던 사실로 옳은 것은?

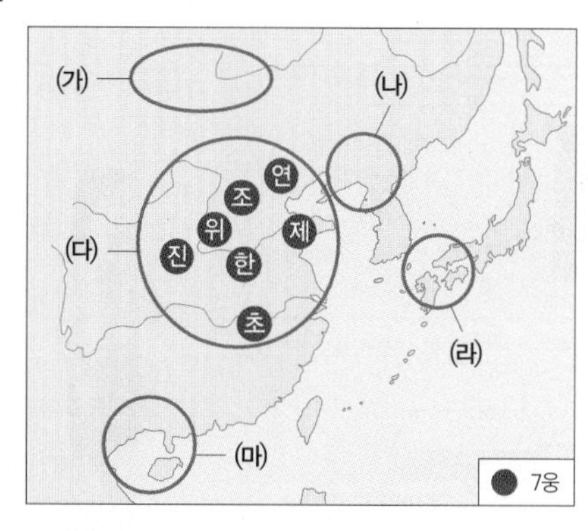

① (가) - 위구르가 초원 지대의 패자로 등장하였다.
② (나) - 위만이 무리를 이끌고 고조선으로 망명하였다.
③ (다) - 철제 무기가 보급되면서 정복 전쟁이 격화되었다.
④ (라) - 야마타이국 중심의 연맹체가 형성되었다.
⑤ (마) - 남월(남비엣)이 중원 세력의 공격으로 멸망하였다.

| 평가원 응용 |

05 밑줄 친 '그'에 대한 설명으로 옳은 것은?

> 그는 처음으로 천하를 통일하고 천자의 칭호에 대하여 의논할 것을 명하였다. 신하들이 아뢰기를, "옛적에 천황 · 지황 · 태황이 있었는데, 태황이 가장 존귀하였습니다. 그래서 신들은 '왕'을 '태황'으로 바꾸어 존호를 올립니다."라고 하였다. 이에 그는 "'태'자를 빼고 '황(皇)'자를 남겨 두고, 상고 시대의 '제(帝)'의 위호를 채용하여 '황제'라고 하겠다."라고 하였다.

① 도량형, 화폐, 문자를 통일하였다.
② 초원 지역의 유목 세계를 지배하였다.
③ 야마타이국을 지배하며 위세를 떨쳤다.
④ 고조선을 정복하여 군현을 설치하였다.
⑤ 비단길을 개척하여 동서 교역의 주도권을 확보하였다.

| 평가원 응용 |

06 (가) 인물이 활동한 시기의 동아시아 상황으로 옳은 것은?

① 한국 – 고구려의 일부 세력이 남하하여 백제를 세웠다.
② 중국 – 혈연 중심의 봉건제가 성립되었다.
③ 중국 – 흉노 침입을 막기 위해 만리장성이 축조되었다.
④ 일본 – 야마타이국을 중심으로 연맹체가 형성되었다.
⑤ 흉노 – 남흉노와 북흉노로 분열하였다.

| 교육청 응용 |

07 밑줄 친 '황제'에 대한 옳은 설명을 〈보기〉에서 고른 것은?

황제께서 흉노를 몰아내시고, 남비엣과 고조선까지 모두 정복하셨소. 우리 영토를 크게 넓히셨으니 참으로 대단하오.

하지만 부족한 재정을 마련하기 위해 소금과 철을 전매하도록 하신 것 때문에 불만들이 많았소.

| 보기 |
ㄱ. 군국제를 실시하였다.
ㄴ. 서역으로 장건을 파견하였다.
ㄷ. 화폐, 문자, 도량형을 통일하였다.
ㄹ. 동중서의 건의로 태학을 설치하였다.

① ㄱ, ㄴ ② ㄱ, ㄷ ③ ㄴ, ㄷ
④ ㄴ, ㄹ ⑤ ㄷ, ㄹ

| 교육청 기출 |

08 (가)~(다)는 중국의 지방 통치 제도를 도식화한 것이다. 이에 대한 설명으로 옳은 것은?

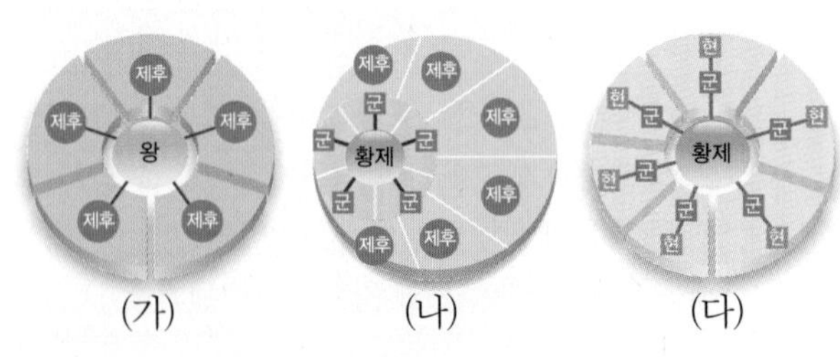

① (가) – 중앙 집권 체제를 확립시켰다.
② (나) – 춘추 전국 시대에 시작되었다.
③ (다) – 혈연관계를 바탕으로 운영되었다.
④ (나), (다) – 한나라 때의 통치 제도였다.
⑤ (가)→(나)→(다)의 순서대로 등장하였다.

| 평가원 응용 |

09 지도에 나타난 시기의 (가), (나) 국가에 대한 설명으로 옳은 것은?

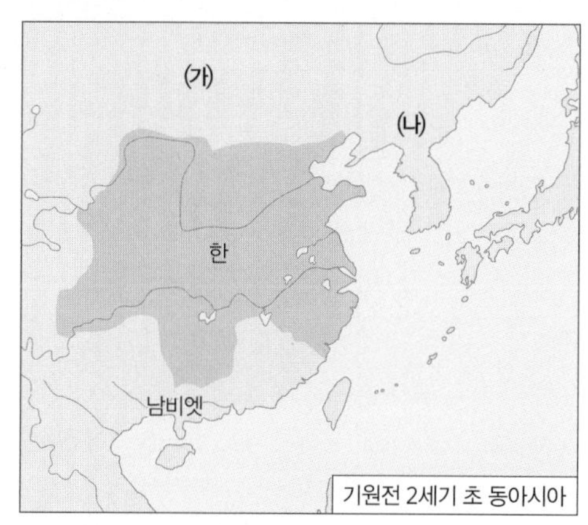

① (가) - 군국제를 실시하였다.
② (가) - 한과 화친을 맺고 많은 공물을 받았다.
③ (나) - 최고 통치자를 선우라고 불렀다.
④ (나) - 마한의 여러 소국들을 통합하였다.
⑤ (나) - (가)의 침략으로 멸망하였다.

| 수능 응용 |

10 (가) 국가의 대외 관계에 대한 설명으로 옳은 것은?

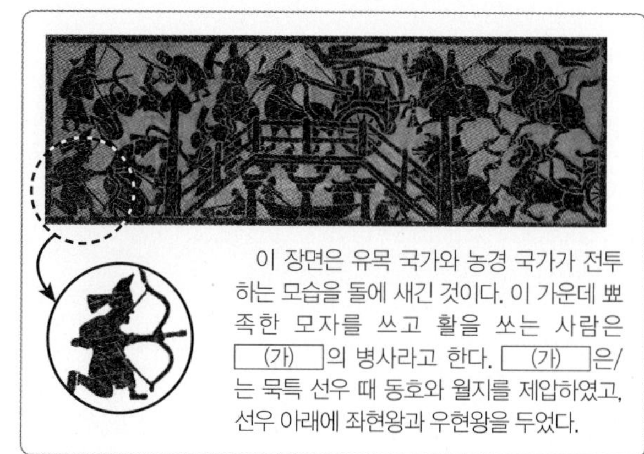

이 장면은 유목 국가와 농경 국가가 전투하는 모습을 돌에 새긴 것이다. 이 가운데 뾰족한 모자를 쓰고 활을 쏘는 사람은 (가) 의 병사라고 한다. (가) 은/는 묵특 선우 때 동호와 월지를 제압하였고, 선우 아래에 좌현왕과 우현왕을 두었다.

① 안남도호부를 설치하였다.
② 주변국에 공주를 시집보냈다.
③ 고조선으로부터 조공을 받았다.
④ 한 무제의 군대와 전투를 벌였다.
⑤ 남비엣(남월)을 공격하여 멸망시켰다.

| 교육청 응용 |

11 (가) 국가에 대한 탐구 활동으로 적절한 것을 〈보기〉에서 고른 것은?

- 주(周)가 쇠하자 연(燕)이 스스로를 높여 왕이라 칭하였다. …… 연이 장군 진개를 보내어 (가) 의 서방을 공격해 영토를 빼앗았다. - 『위략』 -
- 위만은 무리 1천여 인을 모아 연에서 망명하였다. 그는 상투를 틀고 오랑캐의 옷을 입고, …… 옛 연, 제의 망명자들을 복속시켜 거느리고 (가) 의 왕이 되었다. - 『사기』 -

보기

ㄱ. 사출도를 지배하는 세력들을 조사한다.
ㄴ. 상, 경, 대부, 장군 등의 관직을 조사한다.
ㄷ. 스에키 토기의 분포 지역을 지도에서 찾아본다.
ㄹ. 한과 한반도 남쪽의 진 사이의 중개 무역에 대해 알아본다.

① ㄱ, ㄴ ② ㄱ, ㄷ ③ ㄴ, ㄷ
④ ㄴ, ㄹ ⑤ ㄷ, ㄹ

| 평가원 기출 |

12 자료에 나타난 시기의 동아시아 상황으로 적절한 것을 〈보기〉에서 고른 것은?

마침내 천하가 병합되었다. 시황제는 몽염에게 삼십만 군사를 주어 흉노를 축출하고 하남을 확보하였다. 이어 지세를 활용하여 장성을 축조하니 임조에서 요동까지 만 리에 이르렀다. 이후 혼란기를 거쳐 한(漢)이 새로 들어섰는데, 무제 때에 이르러 흉노에 대한 대대적인 정벌이 이루어졌다.

보기

ㄱ. 통일 왕조가 황허강 유역에서 거듭 출현하였다.
ㄴ. 위만이 고조선 왕이 되어 주변 세력들을 복속시켰다.
ㄷ. 야마토 정권이 일본 열도 동쪽으로 세력을 확대하였다.
ㄹ. 베트남이 중국 왕조의 지배에서 벗어나 독립을 이루었다.

① ㄱ, ㄴ ② ㄱ, ㄷ ③ ㄴ, ㄷ
④ ㄴ, ㄹ ⑤ ㄷ, ㄹ

Ⅱ

동아시아 세계의 성립과 변화

이 단원의 핵심 포인트

중단원	핵심 포인트	학습일
01 인구 이동과 정치·사회 변동	• 북위의 한화 정책, 수·당의 건국과 전쟁 • 삼국의 항쟁과 통일, 신라와 발해 • 도왜인과 야마토 정권, 견당사 파견, 나라 시대, 헤이안 시대	월 일 ~ 월 일
02 국제 관계의 다원화	• 조공·책봉 관계의 변화(한~남북조~당) • 북방 민족(거란, 서하, 여진)의 성장과 송 • 몽골 제국 등장과 교역망의 통합 • 명 시기 조선 및 무로마치 막부와의 관계	월 일 ~ 월 일
03 유학과 불교	• 율령과 유교에 기초한 통치 체제 • 불교의 동아시아 전파와 토착화, 문화 교류의 증대 • 송 대 성리학의 성립, 고려와 조선의 성리학 및 일본 성리학의 특징	월 일 ~ 월 일

셀파와 내 교과서 단원 비교

셀파	천재교육	금성	미래엔	비상교육
01 인구 이동과 정치·사회 변동	01 인구 이동과 정치·사회 변동	04 인구 이동과 정치·사회 변동	01 인구 이동과 정치·사회 변동	01 인구 이동과 정치·사회 변동
02 국제 관계의 다원화	02 국제 관계의 다원화	06 동아시아 세계의 변화와 국제 관계의 다원화	02 국제 관계의 다원화	02 국제 관계의 다원화
03 유학과 불교	03 유학과 불교	05 동아시아문화권의 형성과 발전	03 유학과 불교	03 유학과 불교

01 인구 이동과 정치 · 사회 변동

1 인구 이동의 전개

1. 인구 이동의 원인 자료 01

(1) **시기** 기원 전후~7·8세기경, 대체로 북쪽에서 남쪽으로 이동

(2) **원인** 기후 변화에 따른 자연재해, 인구 증가, 종족 간·종족 내부의 정치적 갈등, 전쟁 등

(3) **영향** 연쇄적 이동 유발, 새로운 정권이나 국가 성립, 종족 사이의 융합, 국가 간 새로운 외교 관계 형성, 문화의 전파와 교류

왜? 한 지역에서 시작된 이동은 토착민과 이주민, 먼저 들어온 이주민과 뒤에 들어온 이주민 사이에 갈등을 일으키면서 2차, 3차의 연쇄적인 이동을 유발하였다.

2. 화북 · 강남 방면으로의 이동 자료 02

(1) **북방 민족의 남하**

① 5호[1]의 이동 후한 말 혼란기에 대거 이동 → 화북 지방에 독자 정권 수립(5호 16국 시대 시작)

② 북위의 통일 5세기 초 선비족의 일파가 세운 북위가 화북 지방 통일(북조 형성)

(2) **한족의 남하**

① 이동 5호의 화북 점령 → 한족이 창장강 이남 지역(강남)으로 이동 → 동진 건국(남조 형성)

이후 강남 개발이 촉진되었다.

② 결과 남조를 형성하여, 북방 민족이 화북에 세운 북조와 대립(남북조 시대)

3. 만주와 한반도로의 이동

(1) **부여족의 이동** 기원전 1세기경 부여족의 일부인 주몽 집단이 압록강 중류의 졸본 지역으로 남하 → 토착 세력을 아울러 고구려 건국

(2) **고구려인의 이동** 고구려 내부 갈등으로 고구려인 일부가 한강 유역으로 남하 → 백제 건국 → 이후 마한 세력을 흡수하여 한반도 남부 지역으로 세력 확대

(3) **고조선 유민의 이동** 고조선 멸망 후 그 유민 일부가 한반도 남부로 이동 → 경주 지방의 토착 세력과 연합하여 신라 건국의 토대 마련, 가야 연맹 발전에 이바지

(4) **한사군[2] 유민의 이동** 고구려에 멸망한 후 그 유민의 일부가 한반도 남부로 이동 → 백제와 가야 연맹 발전에 이바지

4. 일본 열도로의 이동

(1) **도왜인** 삼국 간 항쟁 시기의 한반도 주민[3]과 오랜 전란에 시달리던 한족이 일본 열도로 이동 → 야마토 정권[4]의 성립과 발전에 크게 이바지

(2) **야마토 정권의 세력 확대** 5세기 후반 규슈 북부에서 간사이 지방에 이르는 각지의 호족들 복속

(3) **왜로 이주한 가야인의 활약** 가야와 왜 사이에 인적·물적 교류 활발

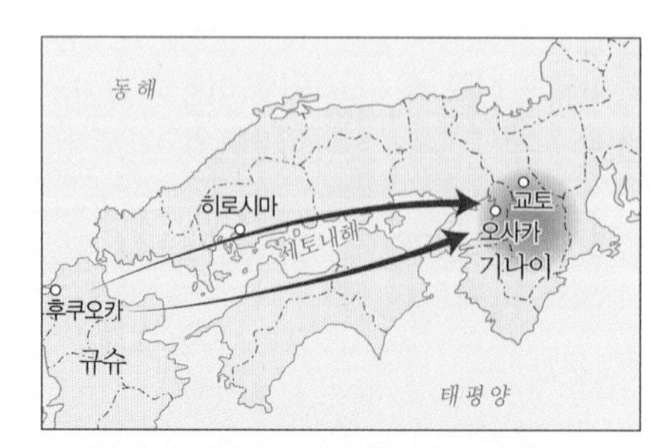

▲ 일본 열도에서의 인구 이동(기원 전후~6세기)

4세기 이후 세토내해를 중심으로 규슈와 기나이 지방 사이에 활발한 인구 이동이 일어났다. 그후 야마토 정권이 동쪽으로 세력을 확대하자 일본 열도의 거주민은 계속 동쪽으로 이동하였다.

---

[1] **5호** 중국 북방의 다섯 유목 민족인 흉노·선비·갈·저·강족을 일컫는다. 이들은 만주, 몽골 등지에서 남하하여 화북 지방에 거주하다가, 3세기 이후부터 한족을 누르고 잇따라 독자 정권을 세웠다.

고득점을 위한 셀파 Tip

• 북방 민족의 남하

5호 등 북방 민족의 남하
⬇
화북 지역 차지 → 북위의 통일(북조)
⬇
화북 지역의 한족이 강남으로 이동
⬇
동진 건국(남조)
⬇
남북조 대립

[2] **한사군** 기원전 108년경 한의 무제가 위만 조선을 멸망시키고 그 지역에 설치한 4개의 행정 구역으로, 낙랑군, 임둔군, 진번군, 현도군이 있었다.

[3] **한반도 주민의 일본 열도 이동** 고구려와 신라의 세력 확대, 삼국 간 전쟁의 격화 등 정치적 변화가 있을 때마다 많은 가야·고구려·백제·신라인이 일본 열도로 이동하였고, 백제와 고구려의 멸망 후에도 많은 유민이 일본 열도로 이동하였다.

[4] **야마토 정권** 4세기경에 야마토 지방(현재 나라현)을 중심으로 성장한 호족 연합 정권이다.

셀파 자료 탐구

자료 01 인구 이동의 원인

(가) 원제가 양쯔강(창장강)을 건너오고 나서 …… (동)진을 세운 것은 이로부터 시작되었다. …… 이때 백성이 난리를 만나 이 지역으로 흘러들어 왔고, 유민 대부분이 권세 있는 집에 의지하여 식객이 되었다.

– 『남제서』 –

(나) 보장왕이 천남산을 보내 수령 98인을 거느리고 백기를 들고 (당의) 이적에게 나아가 항복하였는데 …… (당) 고종이 (고구려) 38,300호를 강남·회남·산남·경서 등의 빈 땅으로 옮겼다.

– 『삼국사기』 고구려 본기 –

(다) (서진의) 걸복치반이 문무 관리와 백성 2만여 호를 거느리고, 이들을 (새로운 수도인) 포한으로 옮기게 하였다. …… 8월에 걸복치반은 (포한에서) 스스로를 대장군, 하남왕으로 칭하였다. 사면령을 내리고 영강으로 개원하였다.

– 『자치통감』 –

자료 분석 | (가) 위·촉·오 삼국을 통일한 진(晉)이 5호 중 흉노의 침입으로 무너지고, 진의 한족이 화북에서 창장강 이남으로 이주하여 동진을 세운 사실을 나타낸 것이다.
(나) 고구려 항복 후 고구려인이 당으로 끌려간 사실을 기록한 것이다.
(다) 5호 16국 중 하나인 서진이 수도를 옮기면서 백성도 함께 이주시킨 내용이다.

교과서 탐구 풀이

Q 자료 (가)~(다)에서 인구 이동이 일어나는 각각의 원인은?

A (가) 피란, (나) 사민(포로), (다) 천도

자료 02 공통 자료 5호의 이동과 위진 남북조 시대

(가) 5호의 이동과 한족의 남하

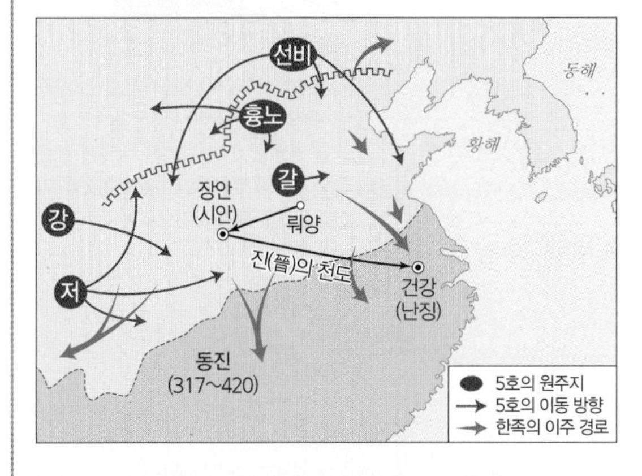

5호의 인구 이동에 따라 화북 지방과 강남 지방에서 일어난 변화를 알아 두자!

(나) 5호의 16국과 위진 남북조 시대 왕조 계승표

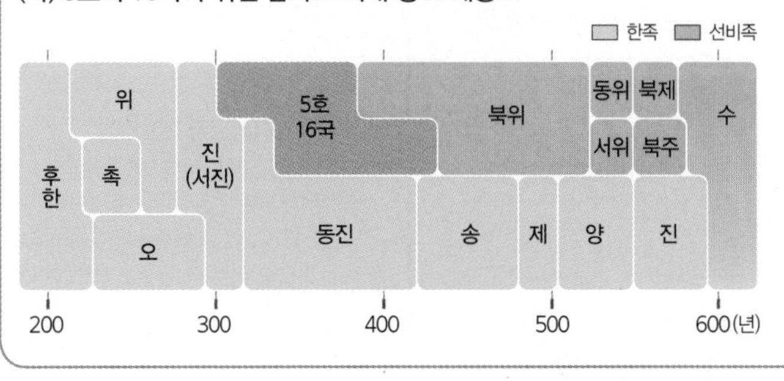

자료 분석 | 위·촉·오 삼국을 통일한 진(晉)이 왕위 다툼으로 세력이 약화되자, 북방 민족(5호)이 화북 지방으로 내려와 여러 국가를 세웠다(5호 16국 시대). 진의 한족 정권은 5호에 화북 지방을 빼앗기고 창장강 이남의 강남 지방으로 내려와 건강(난징)을 중심으로 동진을 세웠다.

교과서 자료 더 보기

| 고구려와 백제의 돌무지무덤 |

▲ 고구려의 계단식 돌무지무덤
(중국 지린성 지안)

▲ 백제 초기의 돌무지무덤
(서울 송파 석촌동)

백제 초기의 돌무지무덤은 축조 방식과 모양이 중국에 남아 있는 고구려 초기 고분과 매우 닮았다. 이를 통해 백제 건국 세력이 고구려계 이주민이라는 사실을 알 수 있다.

2 지역 국가의 성장

1. 호족 · 한족의 융합과 수 · 당의 성장

(1) 북위의 한화 정책 자료 03

> 왜? 유목 민족인 선비족이 세운 북위는 한족이 거주하는 화북 지역을 차지한 후 선비족과 한족의 갈등을 줄이는 융합 정책을 추진하여 정권의 안정을 꾀하였다.

① 배경 북위의 화북 지역 장악 → 효문제 때 호족[5]과 한족의 융합 정책 추진

② 내용 한족을 관리로 발탁, 수도를 평성(다퉁)에서 뤄양으로 옮김, 선비족 풍습 금지[한족의 언어와 의복 사용, 성(姓)도 한족의 성으로 바꿈], 한족과의 결혼 장려

③ 결과 화북 일대에 유목 민족 문화와 한족 문화가 점차 융합됨

(2) 남조 강남 지방 토착민들과의 융합에 주력, 풍부한 노동력과 선진적인 토목 기술을 바탕으로 강남 개발 → 농업 생산력 발전

(3) 수 · 당의 건국과 전쟁 — 과거 한족이 거주하던 지역 이외의 영역까지 확장 시도 → 돌궐, 고구려와 전쟁

① 수 남북조 통일(589), 대운하 건설 시작, 과거제 처음 실시 → 무리한 토목 공사와 고구려 원정의 실패로 멸망

② 당(618) 고구려 침공 실패 후 신라와 손잡고 백제와 고구려를 무너뜨림 → 동아시아의 패자가 됨

2. 삼국의 항쟁과 야마토 정권의 성장

(1) 만주와 한반도 7세기 전반까지 고구려, 백제, 신라가 경쟁 → 왕권 강화와 치열한 외교전

4세기	5세기	6세기 이후
백제가 대외 정복 전쟁 등을 통해 삼국의 주도권 장악, 남조 및 왜와 연계하여 세력 유지	고구려의 신라 지원, 백제 압박 → 고구려가 삼국의 주도권 장악	• 신라가 한강 유역 장악 후 남북조와 직접 교류 → 이후 수 · 당 제국과 연계 • 고구려는 수 · 당에 맞서 백제, 돌궐, 왜와 연계하여 맞섬

(2) 일본 열도

① 야마토 정권 지배자들은 거대한 고분(전방후원분)을 만들어 권력 과시

② 선진 문화 수용 중국의 남조, 한반도의 삼국(특히 백제) 및 가야의 사상과 기술 등 선진 문물 수용 → 스에키 토기[6] 제작, 아스카 문화 발달 — 일본 최초의 불교문화로, 7세기 전반 아스카 지역(현재의 나라현)에서 발달하였다.

③ 다이카 개신[7](645) 당의 율령 체제를 본떠 군주 중심의 중앙 집권적 통치 체제 마련 → 관료제 도입, 지방관 파견 등

> 주의 동아시아에서 인구 이동과 그에 따른 권력 이동, 국가 간의 갈등이 마무리된 것은 7세기 중엽 한반도의 삼국 통일을 둘러싸고 일어난 대규모의 국제전이 끝난 뒤였다.

3. 각 지역 통일 국가의 등장 자료 04

> 왜? 신라의 김춘추(후에 태종 무열왕)는 백제의 침략으로 신라가 어려움에 처하자 고구려로 가서 연개소문에게 도움을 요청하였다. 그러나 협상이 실패하자 당나라로 건너가 당 군대의 지원을 약속받았다.

구분		내용
신라		• 삼국 통일 전쟁[8]: 7세기 중엽 나·당 연합 결성 → 백제 멸망(660) → 고구려 멸망(668) → 당의 한반도 전체 지배 야욕 표출 → 신라가 백제·고구려 유민과 함께 당 축출(676) (기벌포 전투의 승리로 당을 몰아낼 수 있었다.) • 결과: 신라는 삼국을 통일하고 한반도 지역을 안정적으로 지배
발해		고구려 유민을 중심으로 건국 → 고구려의 옛 땅 차지, 당·일본과 교류 확대
일본	7세기	• 견당사 파견: 당의 선진 문물 수용 → 당의 율령 체제를 도입하여 중앙 집권 국가를 수립하려는 정치 개혁(다이카 개신, 645) 단행 • '일본' 국호 및 '천황' 호칭 사용 시작(7세기 말부터)
일본	8세기	• 나라 시대: 8세기 초에 당의 수도 장안을 본떠 나라에 헤이조쿄 건설, 천도 • 헤이안 시대: 8세기 말 헤이안쿄(교토)로 천도, 귀족 문화 발달, 9세기 말부터 견당사 파견 중지

고득점을 위한 셀파 Tip

• 북위의 한화(호한 융합) 정책
- 한족을 관리로 발탁
- 수도를 중원의 뤄양으로 천도
- 한족의 언어와 의복 사용
- 한족의 성(姓)으로 바꿈
- 한족과의 결혼 장려

[5] 호족(胡族)
한족이 흉노, 선비 등의 북방 민족을 통칭할 때 사용한 표현이다.

[6] 스에키 토기

▲ 가야 토기

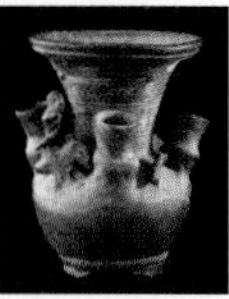

▲ 스에키 토기

일본 열도에서 발견된 5세기 초의 스에키 토기는 회청색의 단단한 재질로 가야의 토기와 거의 비슷하다. 이는 가야를 비롯한 한반도의 장인들이 새로운 토기 제작 기술을 가지고 이주해서 만들었을 것으로 추정된다.

[7] 다이카 개신(645)
당의 정치와 제도를 배우고 돌아온 유학생들이 중심이 되어 권신 소가 씨를 몰아낸 정변 이후 이루어진 일련의 개혁을 말한다.

[8] 국제전 성격의 삼국 통일 전쟁
• 신라와 당의 연합: 백제 · 고구려 공격
• 왜의 백제 부흥 운동 지원: 백강 전투
• 토번이 당의 지원을 받던 토욕혼을 멸망시키고 비단길 장악 → 당군은 토번과의 전쟁을 위해 한반도에서 물러남

북위의 한화 정책에서 '한화'는 프로야구팀 이름이 아니라 한나라, 즉 중국화 정책을 말하는 거야!

자료 03 공통 자료 북위의 한화 정책

(가) 조정에서 대화할 때 북방 습속의 언어(선비어)를 사용하지 말라. 만약 어기는 자가 있다면 관직에서 쫓아낼 것이다.
– 『위서』 고조 효문제 본기 –

(나) 수도에 머물던 관료들에게 "어제 부녀자들의 의복을 보니, 여전히 옷깃이 좁고 소매도 좁았다. …… 이미 한 해가 지났는데, 그대들은 무슨 까닭으로 예전의 호복(호족 복장) 금지 조칙을 어기고 있는가?"라고 꾸짖었다.
– 『위서』 고조 효문제 본기 –

자료 분석 | (가)는 선비어의 사용 금지, (나)는 선비족 옷의 착용을 금지한 조치이다. 북위의 효문제는 선비족의 풍습을 금지하고 한족의 언어와 옷을 사용하게 하는 등 적극적인 한화(漢化) 정책을 추진하였다.

자료 04 동아시아 각국의 도성 구조를 통해 본 상호 교류

대명궁
함원전
용수거
궁성
황성
서시
동시
주작대로
주작문

▲ 당의 장안성

내성
궁성
토대자
소약포
외성
참호수혈
동경성터
주작대로
남대묘

▲ 발해의 상경성

궁성
우경
좌경
주작대로
서시
동시

▲ 일본의 헤이조쿄

자료 분석 | 당의 수도 장안은 계획에 따라 만들어진 도시였다. 북쪽 중앙에 황제가 기거하는 황성이 위치하였고, 황성의 남쪽으로는 넓은 주작대로가 있었다. 주작대로를 중심으로 좌우 두 지역에는 각각 동시와 서시가 설치되었다. 이러한 구조는 동아시아 각국의 수도 건설에 영향을 끼쳤다.

교과서 자료 더 보기

| 중원의 풍속 변화 |

▲ 3세기 한 대 상류층의 생활 (중국 랴오양 펑타이즈 묘실 벽화)

▲ 10세기 강남 상류층의 생활 (고굉중, 「한희재야연도」의 일부)

원래 한족들은 위의 그림처럼 평상 위에 앉아 책을 읽고 음식을 먹거나 잠을 잤다. 북방 민족의 남하로 북방 민족의 풍속이 한족 사이에도 전파되었다. 아래 그림에 등장하는 각종 의자는 북방 민족의 영향으로 볼 수 있다.

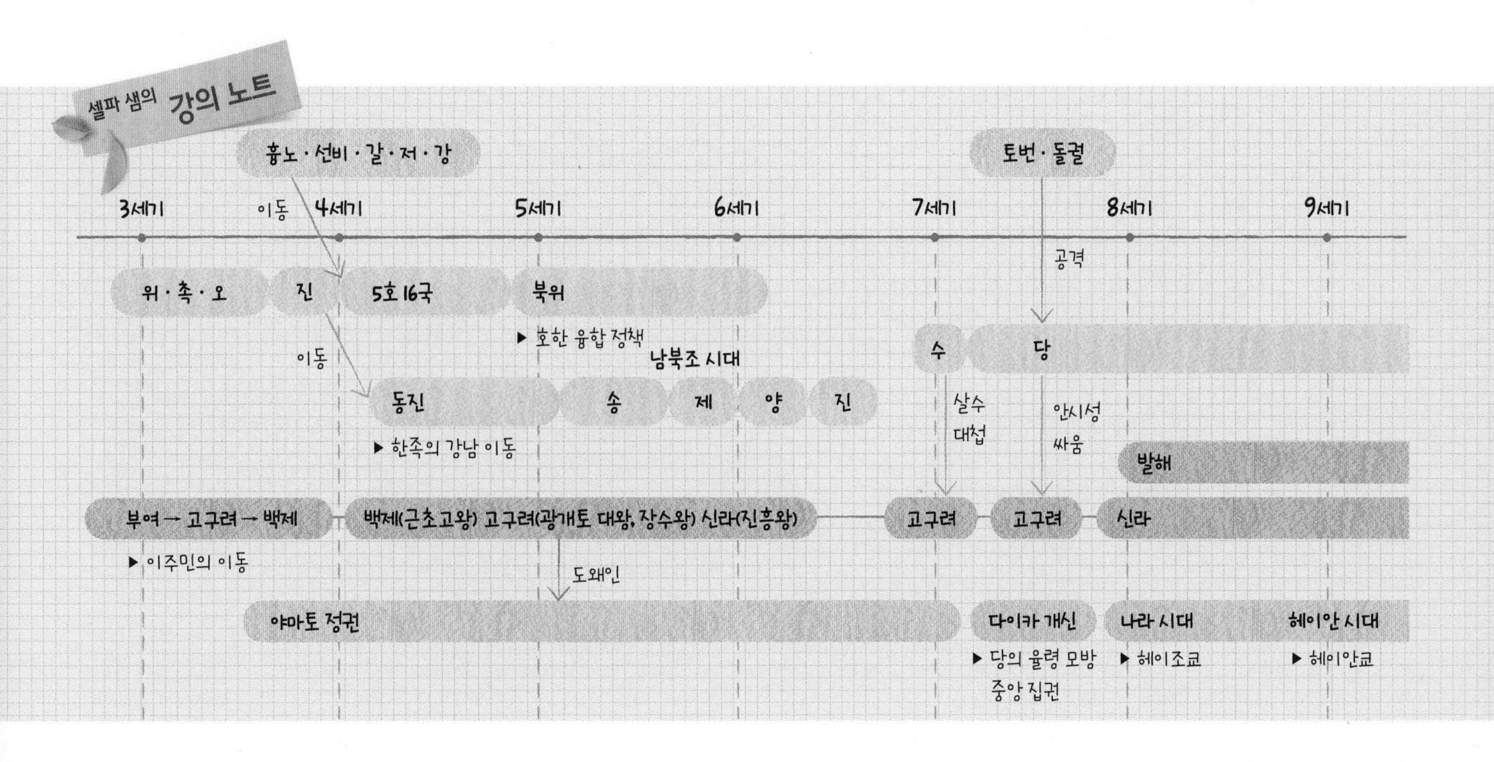

개념 완성

1 인구 이동의 전개

구분		내용
원인		기후 변화, 자연재해, 종족 내부의 정치적 갈등, 전쟁 등
영향		연쇄적 이동 유발, 새로운 국가 성립, 문화의 전파와 교류 등
중원 지역	북조	북방 민족의 남하 → (❶)가 화북 지방에 여러 정권 수립
	남조	화북 지방의 한족이 강남 지역으로 남하하여 국가 수립
만주와 한반도	고구려	기원전 1세기경 (❷)의 일부인 주몽 집단이 졸본 지역으로 남하하여 건국
	백제	고구려 이주민이 한강 유역으로 남하하여 건국
	신라	(❸) 유민과 토착 세력이 결합하여 건국
일본 열도		도왜인의 이주 → 야마토 정권의 성립과 발전에 기여

2 지역 국가의 성장

구분		내용
중원 지역	북위의 한화 정책	• 평성에서 뤄양으로 천도 • 한족을 관리로 발탁 • (❹) 풍습 금지, 한족의 언어와 의복 사용, 한족과의 결혼 장려
	남조	풍부한 노동력과 선진적인 토목 기술을 바탕으로 강남 개발 → 농업 생산력 발전
	수	(❺) 통일(589), 돌궐·고구려와 전쟁
	당	• 영역 확장 시도 → 돌궐·고구려와 전쟁 • (❻)와 손잡고 백제와 고구려를 멸망시킴 → 동아시아의 패자가 됨
만주와 한반도	삼국의 항쟁	• 한강 유역을 둘러싼 항쟁: 4세기 백제 → 5세기 고구려 → 6세기 신라가 주도권 장악 • 6세기 이후 신라와 수·당 ↔ 고구려·돌궐·백제·왜의 대립 구조
	통일 신라	삼국 통일(676) → 한반도 지역을 안정적으로 지배
	발해	(❼) 유민을 중심으로 건국 → 고구려의 옛 땅 차지, 당·일본과 교류
일본 열도		• 야마토 정권의 세력 확대 → 아스카 문화 발달 → 견당사 파견, (❽)(645)으로 군주 중심의 중앙 집권 체제 확립 → '일본' 국호, '천황' 호칭 사용 • 8세기 초 장안을 본떠 나라에 (❾) 건설·천도(나라 시대) → 8세기 말 헤이안쿄 천도(헤이안 시대)

정답 ❶ 5호 ❷ 부여족 ❸ 고조선 ❹ 선비족 ❺ 남북조 ❻ 신라 ❼ 고구려 ❽ 다이카 개신 ❾ 헤이조쿄

기출 선택지 체크

A 다음 내용이 옳으면 ○표, 틀리면 ×표 하시오.

1 북방 민족인 5호가 창장강 이남 지역으로 남하하면서 이 지역의 개발이 촉진되었다. (　　)

2 5호가 세운 여러 나라는 선비족의 일파가 세운 북위에 의해 통일되었다. (　　)

3 부여족의 일부인 주몽 집단이 졸본 지방으로 남하하여 고구려를 세웠다. (　　)

4 신라는 6세기에 대동강 유역을 장악한 후 중국의 남북조와 직접 교류하였다. (　　)

5 아스카 문화는 7세기 전반 현재의 나라현 아스카 지역에서 발달한 일본 최초의 유교 문화이다. (　　)

B 다음 괄호 안의 내용 중에서 옳은 것에 ○표 하시오.

6 5세기 전반 화북 지방을 통일한 (수 / 북위)는 적극적인 한화 정책을 추진하여 호한 융합을 시도하였다.

7 당은 (신라 / 왜)와 동맹을 맺고 백제·고구려를 공격하였다.

8 (고조선 / 고구려)이/가 멸망한 후 그 유민의 일부가 한반도 남부 지역으로 이주하였고, 경주 지역의 토착민 세력과 결합하여 신라 건국의 토대를 마련하였다.

9 한반도에서 일본 열도로 이주한 (5호 / 도왜인)은/는 야마토 정권의 성립과 발전에 기여하였다.

10 8세기 초 일본에서는 당의 장안성을 본떠 건설한 헤이조쿄로 천도하면서 (나라 시대 / 헤이안 시대)가 시작되었다.

C 다음 빈칸에 들어갈 알맞은 말을 쓰시오.

11 (　　)의 남하로 한족이 강남 지역으로 대거 이주하였다.

12 북위의 효문제는 선비어 사용 금지, 한족 성씨 사용 등 적극적인 (　　) 정책을 실시하였다.

13 한반도에서 삼국 항쟁이 격화되면서 전란을 피하거나 정치적 이유로 일본 열도로 이주한 사람들이 많았는데, 일본에서는 이들을 (　　)(이)라고 불렀다.

14 일본의 야마토 정권과 나라 시대 및 헤이안 시대에 당에 파견한 조공 사절을 (　　)(이)라고 한다.

정답 1. × 2. ○ 3. ○ 4. × 5. × 6. 북위 7. 신라 8. 고조선 9. 도왜인 10. 나라 시대 11. 5호 12. 한화 13. 도왜인 14. 견당사

딱풀 p. 12

01 다음 내용에 대한 설명으로 옳지 않은 것은?

> 동아시아 지역에서는 기원 전후부터 7~8세기경까지 다양한 원인에 의해 대규모 인구 이동이 일어났다.

① 인구 이동 방향은 주로 북에서 남으로 진행되었다.
② 한 민족이 다른 민족을 밀어내는 연쇄적 반응으로 나타났다.
③ 기후 변화에 따른 자연재해도 인구 이동의 주요한 원인이었다.
④ 문화 전파와 교류가 활발하게 일어났고, 새로운 정권이나 국가가 세워졌다.
⑤ 주로 토착민이 권력을 장악하고 이주민을 수용하면서 민족 간의 융합이 이루어졌다.

02 지도와 같은 민족 이동이 끼친 영향으로 옳은 것은?

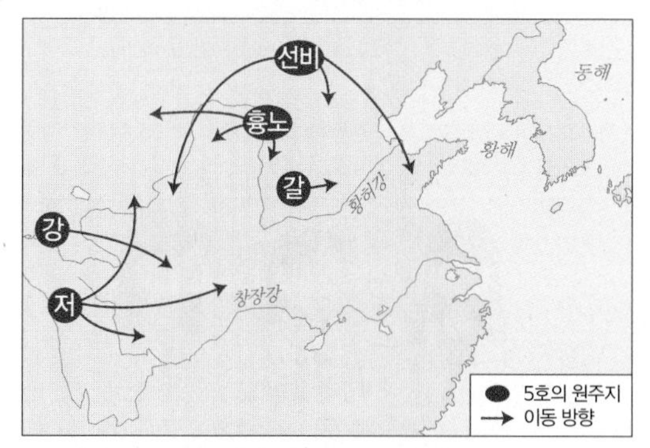

① 주가 수도를 뤄양으로 천도하였다.
② 한과 흉노가 화친 조약을 체결하였다.
③ 고조선의 중심지가 평양으로 이동되었다.
④ 이민족의 침입으로 남비엣이 멸망하였다.
⑤ 화북 지방에 여러 북방 민족 정권이 들어섰다.

03 자료에 나타난 인구 이동의 결과로 옳은 것은?

> 졸본에서 주몽은 비류와 온조 두 아들을 낳았다. 그런데 주몽이 북부여에 있을 때 낳은 유리가 내려와 태자가 되었다. 이에 비류와 온조는 오간, 마려 등 열 명의 신하를 데리고 남쪽으로 내려가 한산에 이르렀다. …… 비류는 …… 백성을 둘로 나누어 미추홀로 갔다. 온조는 강 남쪽 위례성에 도읍을 정하고 나라를 세워 나라 이름을 십제(十濟)라 하였다.
> -『삼국사기』-

① 제정일치 사회가 등장하였다.
② 동아시아 문화권이 형성되었다.
③ 한반도에 벼농사가 시작되었다.
④ 가야 연맹의 발전에 기여하였다.
⑤ 한강 유역에 백제가 건국되었다.

04 밑줄 친 (가), (나)를 탐구하기 위한 활동으로 적절한 것을 〈보기〉에서 고른 것은?

> 고대 한반도와 일본은 밀접한 관계를 형성하였다. 삼국이 항쟁하던 시기에 한반도인들은 꾸준히 일본 열도로 이주하였다. 이러한 인구 이동을 통한 (가) <u>한반도로부터의 문화 수용</u>은 일본 문화의 발전에 영향을 주었다. 또한 (나) <u>일본은 한반도의 삼국 통일 전쟁에 군사적 개입</u>을 하기도 하였다.

보기
ㄱ. (가) – 야마토 정권의 성립과 발전을 조사한다.
ㄴ. (가) – '친위왜왕'이라는 칭호에 대해 조사한다.
ㄷ. (나) – 백강 전투의 전개 과정을 조사한다.
ㄹ. (나) – 장보고의 청해진 설치 배경을 조사한다.

① ㄱ, ㄴ ② ㄱ, ㄷ ③ ㄴ, ㄷ
④ ㄴ, ㄹ ⑤ ㄷ, ㄹ

05 다음 상황이 끼친 영향으로 옳은 것은?

> 진(晉) 영가 연간(307~313)에 세상이 크게 어지러워져 기주, 서주 등 화북 일대의 많은 유민들이 화이허강을 건넜고, 더 남하하여 창장강을 건너서 진릉군 경계에 머무는 사람도 있었다.

① 강남 지역에 한족의 국가가 세워졌다.
② 위만이 준왕을 몰아내고 왕이 되었다.
③ 위·촉·오의 삼국 분열 시기가 전개되었다.
④ 북방을 방어하기 위해 만리장성이 축조되었다.
⑤ 부여의 일부 세력이 남하하여 고구려를 건국하였다.

06 밑줄 친 '정책'과 관련하여 (가) 국가에서 실시한 정책으로 옳은 것을 〈보기〉에서 고른 것은?

> 대규모 인구 이동으로 토착 정권과 이주 정권, 이주 정권과 이주 정권 사이에 빈번한 전쟁과 정복, 주도권 다툼이 일어났다. 그 과정에서 이주 국가들은 유목민과 농경민, 토착민과 이주민 간의 문화적 차이로 어려움을 겪어야 했다. 이에 각국은 두 집단 사이의 마찰을 줄일 수 있는 정책을 적극 추진하여 정권의 안정을 꾀하였다.

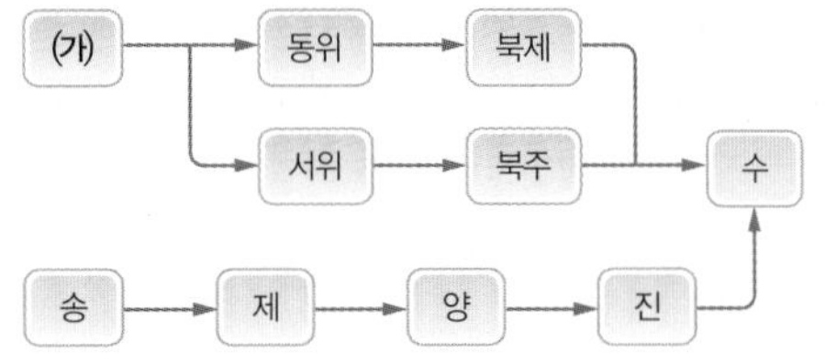

보기
ㄱ. 한족 언어를 사용하였다.
ㄴ. 3성 6부제를 도입하였다.
ㄷ. 수도를 뤄양으로 천도하였다.
ㄹ. 불교를 통치 이념으로 삼았다.

① ㄱ, ㄴ ② ㄱ, ㄷ ③ ㄴ, ㄷ
④ ㄴ, ㄹ ⑤ ㄷ, ㄹ

07 다음 글의 밑줄 친 정책의 내용으로 옳지 않은 것은?

> 이것은 북위의 관리 묘에서 출토된 병풍이다. 이 병풍에는 한족의 책인 『열녀전』을 소재로 한 그림이 그려져 있다. 이를 통해 북위의 효문제가 실시한 정책이 효과가 있었음을 알 수 있다.

① 선비족의 풍습을 금지하였다.
② 한족의 언어와 의복을 사용하였다.
③ 선비족과 한족의 결혼을 장려하였다.
④ 선비족의 성을 한족의 성씨로 바꾸었다.
⑤ 도왜인을 등용하여 관료제를 정비하였다.

08 (가) 왕조에서 있었던 일로 옳은 것은?

① 화폐와 도량형을 통일하였다.
② 대운하를 건설하기 시작하였다.
③ 황소의 난이 일어나 쇠퇴하였다.
④ 법가를 중심으로 사상을 통일하였다.
⑤ 신라와 연합하여 고구려를 멸망시켰다.

09 다음 지도에 나타난 동아시아 각국의 관계에 대한 설명으로 옳지 않은 것은?

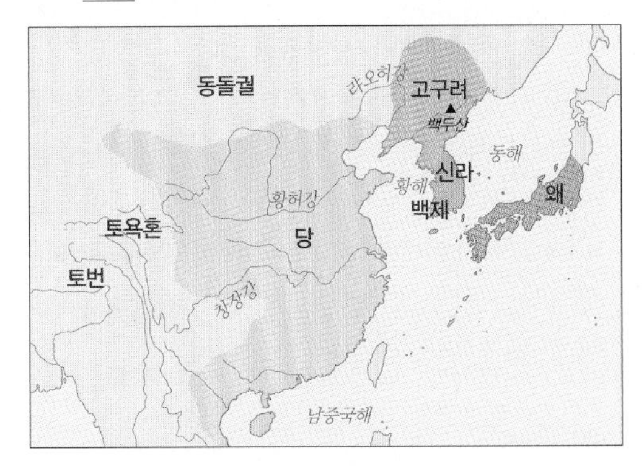

① 고구려는 동돌궐과 동맹하여 당에 대항하였다.
② 신라는 백제를 견제하기 위하여 당과 동맹을 맺었다.
③ 백제 멸망 후 왜는 백제 부흥을 위해 지원군을 보냈다.
④ 나·당 연합군이 결성되어 고구려–백제 순으로 멸망시켰다.
⑤ 티베트인이 세운 토번은 비단길을 공략하며 당과 대립하였다.

10 (가)에 들어갈 내용으로 적절한 것은?

수행 평가 과제
- 탐구 단원: 인구 이동과 교류의 증대
- 탐구 주제: (가)
- 조사 자료:

가야로부터 오름 가마 기술이 보급되어 스에키 토기가 제작됨	아스카 시대의 사찰로, 백제의 영향을 받은 호류사 5층 목탑이 있음

① 견당사와 동아시아 문화권
② 다이카 개신을 통한 문화 발달
③ 헤이안 시대의 귀족 문화 발달
④ 화북 지방의 북위와 호한 융합
⑤ 도왜인의 활동과 일본의 고대 문화

11 다음 〈보기〉의 사실들을 일어난 순서대로 바르게 나열한 것은?

보기
ㄱ. '일본'이라는 국호와 '천황'이라는 호칭을 사용하기 시작하였다.
ㄴ. 야마토 정권이 규슈 북부에서 간토에 이르는 각지의 권력자를 복속시켰다.
ㄷ. 나라에 헤이조쿄, 교토에 헤이안쿄를 차례로 건설하고, 화려한 귀족 문화와 불교문화를 꽃피웠다.
ㄹ. 다이카 개신을 통해 관료제를 도입하고, 지방관을 파견하는 등 군주 중심의 중앙 집권 체제를 갖추고자 하였다.

① ㄱ–ㄴ–ㄷ–ㄹ　② ㄴ–ㄱ–ㄹ–ㄷ
③ ㄴ–ㄹ–ㄱ–ㄷ　④ ㄹ–ㄴ–ㄷ–ㄱ
⑤ ㄹ–ㄷ–ㄴ–ㄱ

12 다음은 각국의 도성 구조이다. 이를 통해서 알 수 있는 사실은?

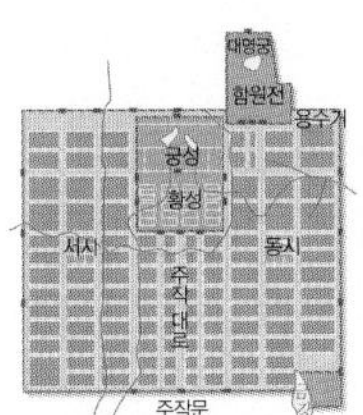

▲ 당의 장안성

▲ 발해의 상경성

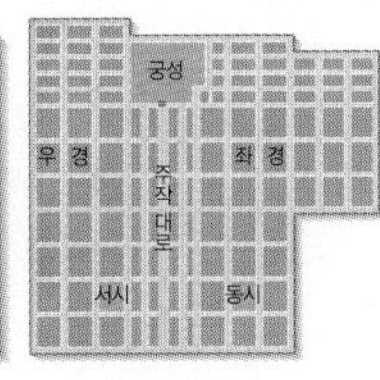

▲ 일본의 헤이조쿄

① 동아시아 각국은 발해의 상경성을 본떠 수도를 건설하였다.
② 발해는 당과 적대 관계를 맺으며 독자적 문화를 형성하였다.
③ 당은 발해와 일본의 문화를 받아들여 문물과 제도를 정비하였다.
④ 당의 장안성 구조는 동아시아 각국의 도성 구조에 영향을 주었다.
⑤ 동아시아 각국은 한자, 유교, 경교, 율령 등 공통의 문화 요소를 공유하였다.

| 딱풀 p. 12

13 기원 전후 동아시아 일대에서는 대규모 인구 이동이 일어났다. 이러한 인구 이동으로 변화된 모습을 서술하시오.

14 다음 글의 밑줄 친 상황의 결과를 경제적 측면에서 서술하시오.

> 북방 유목 민족이 화북 지방으로 남하하여 정권을 세우자, <u>한족은 창장강 이남 지역으로 이동</u>하여 동진을 세웠다. 남쪽에 자리한 한족 왕조는 송, 제, 양, 진으로 이어지면서 화북의 북방 유목 민족 국가와 대립하였다.

15 다음 (가), (나)에 해당하는 내용을 쓰시오.

> 일본 열도에서는 4세기경 유력 호족이 연합하여 [(가)]을/를 세웠다. 특히 백제, 가야의 협력 관계를 통해 철기를 비롯한 각종 문물을 수용했으며, 7세기 중반에는 [(나)]을/를 단행하여 토지와 조세 제도, 지방 행정 조직을 정비하는 등 중앙 집권 체제를 갖추고자 하였다.

(가): ______________ (나): ______________

16 다음 글의 (가)~(다)에 들어갈 알맞은 나라를 쓰시오.

> 만주와 한반도에서는 7세기 전반에 이르기까지 고구려, 백제, 신라가 경쟁하였다. 가장 먼저 주도권을 잡은 것은 [(가)]였다. 이 나라는 남조 및 왜와 연계하여 세력을 유지하였다. 이에 [(나)]은/는 신라를 지원하고 백제를 압박하면서 5세기에 삼국의 주도권을 장악하였다. 6세기에는 [(다)]이/가 한강 유역을 장악한 후 남북조와 직접 교류에 나섰다.

(가): ______________

(나): ______________

(다): ______________

17 다음 글을 읽고 물음에 답하시오.

> 조정에서 대화할 때 북방 습속의 언어(선비어)를 사용하지 말라. 만약 어기는 자가 있다면 관직에서 쫓아낼 것이다. - 『위서』 -

(1) 윗글과 같은 북위의 정책을 무엇이라고 하는지 쓰시오.

(2) 제시된 자료 이외에 시행된 (1)의 정책을 <u>세 가지</u> 이상 서술하시오.

| 수능 기출 |

01 지도에 나타난 시기의 상황으로 옳지 않은 것은?

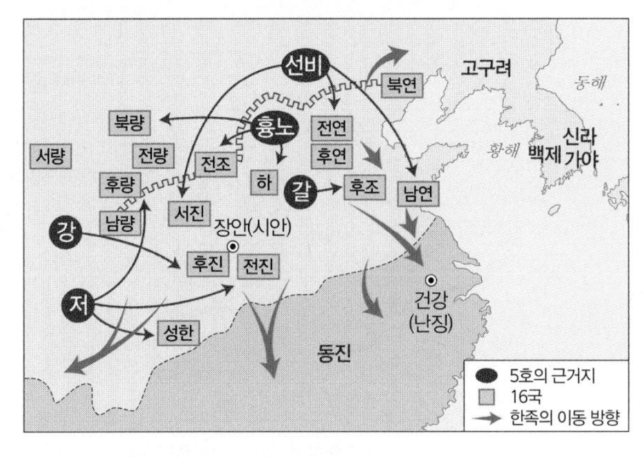

① 강남 지방의 개발이 촉진되었다.
② 인구 이동이 연쇄적으로 발생하였다.
③ 위만이 무리를 이끌고 한반도에 들어와 집권하였다.
④ 북방 민족이 화북 지역에 새로운 정권을 수립하였다.
⑤ 한족의 이동과 함께 중원 지역의 문화가 각지로 전파되었다.

| 교육청 응용 |

02 지도의 상황이 발생한 배경으로 적절한 것은?

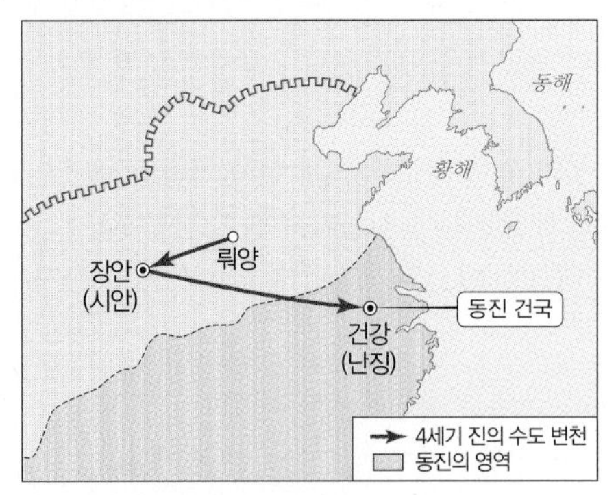

① 백강 전투가 벌어졌다.
② 토번이 비단길을 장악하였다.
③ 변방의 절도사들이 난을 일으켰다.
④ 5호가 화북에서 세력을 확장하였다.
⑤ 가혹한 통치와 무리한 토목 공사를 하였다.

| 수능 응용 |

03 다음 자료에 나타난 왕조 시기의 동아시아 상황으로 옳은 것은?

- 황제가 말하기를 "우리 선비족은 북쪽에서 일어나 평성으로 옮겨 와서 살고 있소. 평성은 무력을 행사하기에는 알맞지만 덕으로 통치할 수 있는 곳은 아니오. 그래서 짐은 뤄양으로 천도하는 게 상책이라고 생각하오."라고 하였다.
- 황제가 말하기를 "이제 중원의 언어만 사용하도록 하려고 하오. 만약 고의로 호어(선비어)를 쓴다면, 마땅히 작위를 낮추고 관직에서 내칠 것이오. 각자 깊이 경계하도록 하시오."라고 하였다.

① 거란이 여러 차례 고려를 침략하였다.
② 북조가 한족 왕조인 남조와 대립하였다.
③ 중원 왕조가 약화되자 쩐 왕조가 독립하였다.
④ 부여족의 일부가 남하하여 고구려를 건국하였다.
⑤ 다이카 개신으로 중앙 집권적 체제가 성립되었다.

| 평가원 기출 |

04 다음 대화의 주제로 가장 적절한 것은?

① 금의 한족 지배
② 원의 남인 통치
③ 청의 팔기 편성
④ 흉노의 동호 복속
⑤ 북위의 한화 정책

| 교육청 기출 |

05 (가)~(라)에 포함될 내용으로 적절한 것을 〈보기〉에서 고른 것은?

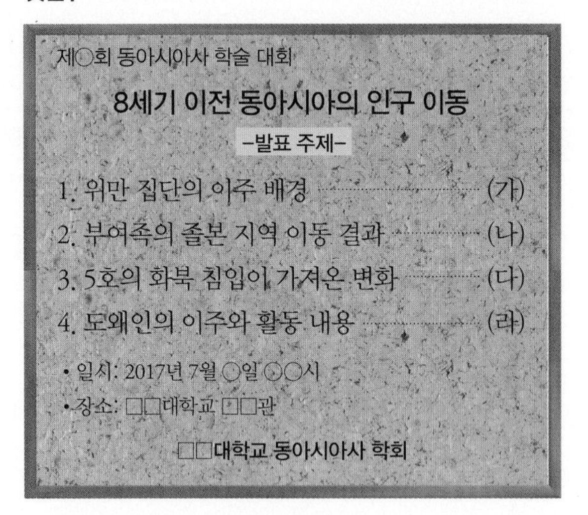
제◯회 동아시아사 학술 대회

8세기 이전 동아시아의 인구 이동

-발표 주제-

1. 위만 집단의 이주 배경 ┈┈┈ (가)
2. 부여족의 졸본 지역 이동 결과 ┈┈┈ (나)
3. 5호의 화북 침입이 가져온 변화 ┈┈┈ (다)
4. 도왜인의 이주와 활동 내용 ┈┈┈ (라)

• 일시: 2017년 7월 ◯일 ◯◯시
• 장소: □□대학교 □□관

□□대학교 동아시아사 학회

보기
ㄱ. (가) – 발해의 멸망 원인
ㄴ. (나) – 전연의 맹약 체결 결과
ㄷ. (다) – 동진의 성립 과정
ㄹ. (라) – 아스카 문화의 발달

① ㄱ, ㄴ ② ㄱ, ㄷ ③ ㄴ, ㄷ
④ ㄴ, ㄹ ⑤ ㄷ, ㄹ

| 교육청 응용 |

06 (가), (나) 왕조에 대한 설명으로 옳지 않은 것은?

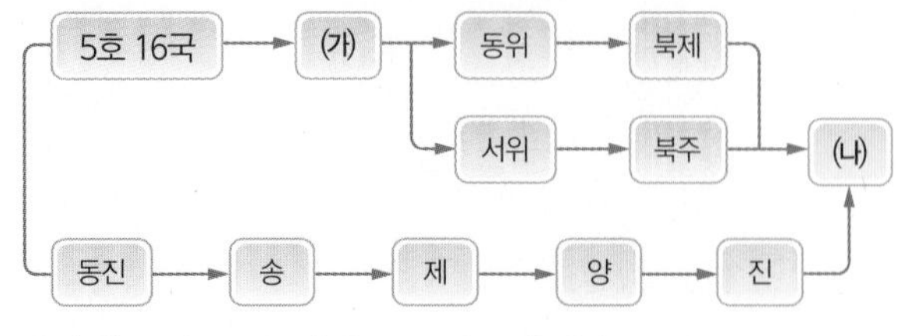

① (가) – 수도를 뤄양으로 천도하였다.
② (가) – 호한 융합 정책을 실시하였다.
③ (나) – 고구려 원정을 실시하였다.
④ (나) – 물자 교류를 위해 대운하를 건설하였다.
⑤ (가), (나) – 중원 지방을 전부 통일한 왕조이다.

| 교육청 기출 |

07 다음 두 인구 이동의 공통점으로 옳은 것을 〈보기〉에서 고른 것은?

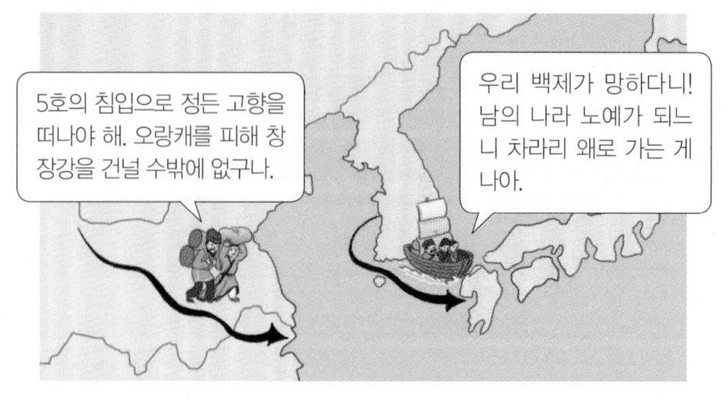

보기
ㄱ. 새로운 왕조의 개창으로 이어졌다.
ㄴ. 전쟁으로 인한 혼란한 상황에서 발생하였다.
ㄷ. 유목민이 남하하여 토착민의 거주지를 빼앗았다.
ㄹ. 선진 문물의 전파로 이주지의 문화가 발달하였다.

① ㄱ, ㄴ ② ㄱ, ㄷ ③ ㄴ, ㄷ
④ ㄴ, ㄹ ⑤ ㄷ, ㄹ

| 평가원 기출 |

08 (가)~(라)의 인구 이동이 끼친 영향으로 옳은 것을 〈보기〉에서 고른 것은?

(가) 덴지 4년(665). 백제에서 건너온 남녀 400여 명을 근강국 신전군에 살게 하였다. -『일본서기』-

(나) 진(晉) 영가 연간(307~313)에 세상이 크게 어지러워져 연주, 서주 등 화북 일대의 많은 유민들이 창장강을 건너 이주하였다. -『송서』-

(다) 진승 등이 거병하여 세상이 어지러워지자 연나라 사람 위만이 무리를 이끌고 조선으로 이주하였다. -『사기』-

(라) 주몽이 북부여에 있을 때 낳은 아들이 태자가 되자, 비류와 온조는 신하들과 더불어 남쪽으로 내려갔는데 따르는 백성들이 많았다. -『삼국사기』-

보기
ㄱ. (가) – 야마토 정권이 성립하였다.
ㄴ. (나) – 강남 지역에 한족 국가가 들어섰다.
ㄷ. (다) – 청동기 문화가 한반도에 전래되었다.
ㄹ. (라) – 고구려 세력의 일부가 한강 유역에 백제를 세웠다.

① ㄱ, ㄴ ② ㄱ, ㄷ ③ ㄴ, ㄷ
④ ㄴ, ㄹ ⑤ ㄷ, ㄹ

| 교육청 기출 |

09 (가), (나) 사건 사이에 있었던 사실로 옳은 것은?

(가) 수 양제가 고구려를 공격하라는 조서를 내렸다. 황제의 행차가 탁군에 도착했을 때, 사방의 군사들이 모두 탁군에 모여들었다.
(나) 당은 한시성과 마읍성을 공격하고 백수성으로부터 5백 보쯤 떨어진 곳까지 군대를 전진시켜서 진영을 설치하였다. 신라군은 고구려 유민들과 연합하여 당군 수천 명을 죽였다.

① 대조영이 발해를 건국하였다.
② 왜가 백강 전투에서 나·당 연합군에 패하였다.
③ 중원 왕조가 약화된 틈을 타서 쩐 왕조가 수립되었다.
④ 백제가 고구려의 공격으로 한성에서 웅진으로 천도하였다.
⑤ 고구려가 신라에 지원군을 보내 가야·왜 연합군을 물리쳤다.

| 교육청 기출 |

10 다음 가상 일기의 찢긴 부분에 들어갈 수 있는 사실로 적절한 것을 〈보기〉에서 고른 것은?

○○○년 ○○월 ○○일
백제가 끊임없이 침입하여 결국 김춘추가 당과 동맹을 이끌어 내기 위해 떠나기로 하였다. 백제에 복수를 하려면 당의 힘을 이용할 수밖에 없다.

△△△년 △△월 △△일
치열했던 기벌포 전투에서 설인귀의 군대를 격퇴시켰다. 마침내 우리나라가 당을 축출하고 삼국 통일을 이룩하여 기쁘다.

보기
ㄱ. 대조영이 발해를 건국하였다.
ㄴ. 백제의 사비성이 함락되었다.
ㄷ. 장보고가 청해진을 설치하였다.
ㄹ. 왜가 백강에서 나·당 연합군과 전투를 벌였다.

① ㄱ, ㄴ ② ㄱ, ㄷ ③ ㄴ, ㄷ
④ ㄴ, ㄹ ⑤ ㄷ, ㄹ

| 교육청 응용 |

11 다음 상황이 나타나게 된 역사적 배경을 파악하기 위한 탐구 활동으로 가장 적절한 것은?

일본 고대사의 중심 무대 중 하나인 오사카 지역에서는 백제 왕의 신사와 다리 등 백제인의 흔적을 보여 주는 명칭을 쉽게 찾을 수 있다.

① 도왜인의 활동을 조사한다.
② 대운하 건설에 대해 알아본다.
③ 조몬 토기의 특징을 분석한다.
④ 헤이조쿄의 특징을 알아본다.
⑤ 견당사 파견 목적을 조사한다.

| 교육청 기출 |

12 (가)에 들어갈 내용으로 가장 적절한 것은?

특별 사진전 안내

한반도, 중국 등지에서 일본 열도로 건너간 도왜인들은 일본의 문화 발전에 큰 영향을 끼쳤습니다. 이번에 전시되는 일본 고대 문화유산 사진을 통해 도왜인들에 의해 영향을 받은 다양한 문물을 확인해 보시길 바랍니다.

◈ 주요 전시 사진 ◈
○ 청동기 기술의 전파로 제작된 동탁
○ 백제의 장인들이 건립에 참여한 아스카사
○ (가)

① 센고쿠 시대 통일에 기여한 조총
② 오름 가마를 활용하여 제작한 스에키
③ 칼날과 손잡이가 하나로 연결된 동검
④ 현장이 가져온 불경을 보관한 대안탑
⑤ 지배자의 업적을 새겨 넣은 퀼 테긴 비

02 국제 관계의 다원화

1 조공과 책봉의 외교 형식

1. 조공·책봉[1] 관계의 형성 – 한 대 — 조공과 책봉은 주나라에서 시작되어 한 대 이후 중국과 주변국 사이에 제도화되었다.

(1) **시작** 무제 이후 한이 동아시아의 강대국으로 성장, 유교 통치 이념과 화이관[2] 확립 → 주변 국가들에 대한 외교 관계에 조공과 책봉의 형식 적용

(2) **조공과 책봉의 다양한 형식** 정치적으로 긴밀한 관계일 경우 조공과 책봉이 동시에 이루어짐, 흉노와 서역 국가들은 책봉은 받지 않고 교역을 위한 사절만 파견 ― 한은 이를 조공 사절로 여겼다.

(3) **조공·책봉 관계의 특징** 강대국의 직접 지배나 실제적인 간섭이 아닌 형식적인 외교의 틀, 주변국은 한과의 문화적·경제적 교류를 위한 통로로 적극 활용

2. 남북조, 삼국, 왜의 실리 외교 자료 01

(1) **한 멸망 이후 조공·책봉 관계의 변화** 강대국 중심의 외교 형식에서 상호 우호 관계를 확인하기 위한 현실적·다원적 외교로 변화

(2) 각국의 외교

구분	내용
북조와 남조	주변의 소국들을 책봉하고 조공 받음
고구려	북조·남조 모두와 조공·책봉 관계 체결 → 불교와 율령 수용
백제	주로 남조와 조공·책봉 관계 체결 → 불교와 유학, 건축 기술 수용
신라	한강 유역 장악 이후 남조 및 북조와 직접 조공·책봉 관계 맺음
왜	국내의 정치적 정당성 확보 위해 남조와 책봉 관계(5세기), 백제·신라와 사절 오고 감

└ 야마토 정권 시기

3. 당 시기의 외교 관계 자료 02

(1) **당** 주변국에 군사 활동 전개, 자국 중심의 조공·책봉 관계를 요구

(2) **당과의 관계**

주변국의 왕에게 시집보낸 황족의 딸을 일컫는 말

자국의 이익을 위해서는 언제든지 깨질 수 있는 관계 → 당의 침략이나 간섭에 대해서는 강력하게 대응

구분	내용	
북방 민족	돌궐[3], 토번[4] 등: 당과 경제적 교류를 위한 조공 관계만 맺음, 경제적 이익이 기대에 미치지 못하면 당을 군사적으로 공격 → 당이 화번공주를 보내 화친 시도	
신라[5]	• 사신·유학생·승려 등 왕래 활발, 신라방·신라원·신라소 설치 • 장보고: 완도에 청해진 설치(9세기 전반), 해상 무역 장악	자국의 이익을 우선하며 당 중심의 조공·책봉 관계 수용
발해	건국 초기(무왕) 당과 대립, 문왕 이후 당의 문물 수용, 발해관 설치	
일본	조공 관계만 체결, 견당사 파견(→ 9세기 말 파견 중지), 국풍 문화 발달	

└ 당이 산둥반도에 설치한 발해 사신 숙소

(3) 동아시아 각국의 외교 관계

구분	내용
신라와 일본	통일 이후 일본과 관계 개선 → 규슈의 다자이후를 오가며 불교 등 문물 전해 줌
신라와 발해	국경에서 교역 활동 전개, 신라도 통해 교류
발해와 일본	당·신라 견제 위해 일본과 활발히 교류

└ 규슈의 후쿠오카에 있었던 고대 일본의 행정 기관으로, 중국과 한반도에서 오는 사신을 맞이하는 역할을 하였다.

(4) **자국 중심의 천하관 대두** 자료 03

구분	내용
고구려	자국을 천하의 중심으로 생각하고 독자적 연호 사용, '태왕' 칭호 사용, 백제와 신라에 조공 요구
백제	일부 마한의 소국을 남만이라 부름, 탐라로부터 조공을 받음
신라	독자적 연호 사용
발해	인안·대흥 등의 독자적 연호 사용, 주변 말갈 부족들에게 복속 강요
왜	독자적 연호 사용, 신라와 발해를 조공국으로 간주하려다가 외교적 마찰 발생

└ 8세기 말 신라에 대한 사절 교류 중지

고득점을 위한 셀파 Tip

• 외교 관계의 변화

시기	내용
한 대	강대국 중심의 조공·책봉 관계
⬇	
남북조 시대	• 상호 우호 관계 확인을 위한 현실적·다원적 외교 • 각국은 자국 중심의 독자적 교류 유지
⬇	
당 시기	• 북방 민족: 당과 군사적 대립 • 한반도 및 일본: 당과 조공·책봉 관계 수립

[1] **조공과 책봉**

구분	내용
조공	제후가 왕에게 정기적으로 특산물을 바치는 것
책봉	왕이 제후에게 벼슬을 주고 영토 지배를 인정해 주는 것

[2] **화이관**
중국이 문명의 중심인 '중화(中華)'이고, 그 밖의 지역은 '오랑캐(夷)'로 낮추어 보는 세계관으로, 한 대에 체계화되었다.

[3] **돌궐**
6세기 중엽(남북조 시기)에 융성하였다. 북조의 두 왕조인 북주와 북제는 돌궐의 공주를 황후로 맞으려고 경쟁할 정도로 돌궐의 세력은 강성하였다. 수·당도 초기에는 돌궐의 신하를 자처하였다. 이후 돌궐은 당에 복속되었다가 7세기 말 부흥하였다. 돌궐은 북방 민족 중에는 처음으로 고유한 문자를 만들어 기록을 남겼다.

[4] **토번**
7세기 티베트고원에서 라싸를 중심으로 성장하였다. 송첸캄포 왕이 비단길과 쓰촨 지방을 공략하여 당을 압박하자 당은 문성 공주를 화번공주로 보냈다.

[5] **신라의 대당 실리 외교**
신라는 삼국 항쟁 과정에서 백제의 침략과 고구려의 견제를 받았다. 이런 위기 속에서 당과 조공·책봉 관계를 맺어 대외적으로는 당의 선진 문물과 제도를 수용하고, 국내적으로 정치 안정과 한반도 내의 군사적 위협에서 벗어나고자 하였다.

셀파 자료 탐구

자료 01 남북조 시대 각국의 외교 정책

(가) 481년, 고구려가 사신을 보내 (남제에) 공물을 바쳤다. 북위에도 사신을 보냈다. 그러나 (고구려의) 세력이 강성하여 통제받지 않았다. 북위는 사신의 숙소를 만들 때 남제 사신의 숙소를 제일 크게 만들고, 고구려는 그다음 크기로 하였다. 489년, 남제의 사신이 북위에 갔을 때 고구려의 사신과 나란히 앉게 되었다. 남제의 사신이 "고구려는 우리 조정에 신하로 따르고 있는데, 오늘 감히 우리와 나란히 설 수 있는가?"라고 항의하였다. - 『남제서』 -

(나) 북주는 돌궐과 화친한 뒤 해마다 막대한 물자를 보냈다. 북제도 돌궐이 침략해 올 것을 두려워해 역시 돌궐에 많은 재물을 주었다. 이로 인해 돌궐은 더욱 교만하고 방자해져서, "남쪽에 있는 두 아이가 효성을 바치기만 하면 어찌 물자가 없음을 걱정할 필요가 있겠는가?"라고 말하였다. - 『주서』 -

자료 분석 | (가) 고구려인의 대외적 위상을 보여 준다. 서로 적대 관계에 있던 북조의 북위와 남조의 제는 고구려를 자기 편으로 삼으려고 하였다. 고구려는 이러한 상황을 활용하여 남북조를 상대로 한 외교 정책을 펼쳤다.
(나) 돌궐의 외교에 대한 사료이다. 6세기 중엽 돌궐이 강성해지자 북조는 돌궐과 친선을 맺기 위해 여러 차례 사절을 파견하였다.

교과서 탐구 풀이

Q **자료 (가)에서 고구려가 북위와 남제에 모두 조공한 이유를 설명해 보자.**

A 고구려는 강한 자부심이 있었음에도, 남북조가 상호 견제하는 것을 이용하여 국력을 유지하기 위해 북조와 남조에 모두 조공하였다.

자료 02 공통 자료 중원 왕조의 화번공주 파견

(가) (수 문제) 개황 17년(597) 돌궐의 돌리 가한이 사신을 보내 공주를 보내 달라고 하였다. 황제는 사신을 태상시에 머무르게 하고 그들에게 육례를 가르친 다음, 종실의 딸인 안의 공주를 돌리 가한에게 시집보냈다. - 『수서』 -

(나) (토번의) 농찬은 돌궐, 토욕혼이 모두 (당의) 공주와 혼인하였다는 소식을 듣고 사신을 보내 폐물을 갖추어 구혼하였지만, 황제가 허락하지 않았다. …… (농찬이) 군대 20만을 동원하여 송주를 침범하고, 사자를 보내 예물을 바친 다음 다시 공주를 맞이하고 싶다고 이르게 하였다. …… (태종은) 종실의 딸인 문성 공주를 보내기로 하였다. - 『신당서』 -

자료 분석 | (가) 수 문제가 돌궐의 돌리 가한에게 안의 공주를 화번공주로 보내는 내용이다.
(나) 당 태종 때 문성 공주를 토번의 송첸캄포 왕에게 보내는 내용이다.
중원 왕조는 주변 국가에 대해 군사적으로 열세에 처할 경우 화친을 위해 화번공주를 보내는 경우가 많았다. 이를 통해 북방 민족의 침략을 억제하고 변방의 안정을 유지하고자 하였다. 화번공주는 이민족에게 중국 문화를 심어주는 데 큰 역할을 하기도 하였다.

교과서 자료 더 보기

| 토번과 당 |

▲ 송첸캄포가 보낸 토번의 사신이 당 태종에게 혼인을 청하는 장면(「보련도」)

당 태종은 토번과 관계를 다지기 위해 문성 공주를 토번의 국왕인 송첸캄포에게 출가시켰다.

자료 03 공통 자료 동아시아 각국의 천하관

고구려

(동명왕의) 아버지는 천제의 아들이요, 어머니는 하백의 따님이시다. …… 태왕(광개토 대왕)의 은혜는 크고 넓은 하늘에 미치고 위엄은 온 세상에 떨쳤도다. …… 백제와 신라는 과거 우리의 속민이었기에 조공을 해 왔다. - 광개토 대왕릉비 비문 -

일본

왜 사신이 가져온 국서에 이르기를, '해 뜨는 곳의 천자가 해 지는 곳의 천자에게 글을 보내노라. 평안하신가?'라고 하였다. 수 양제가 불쾌히 여겨 "앞으로는 오랑캐의 글 가운데 무례한 것은 보고하지 말라."라고 하였다. - 『수서』 -

자료 분석 | 동아시아의 여러 나라는 중원 왕조와 조공·책봉 관계를 맺으면서도, 내부적으로는 자국 중심의 천하관을 지니고 있었다. 이러한 천하관에 근거하여 주변국에 조공을 요구하기도 하였다.
- 고구려: 중원 왕조와 맺었던 조공·책봉의 외교 형식을 백제와 신라와의 외교 관계에 활용하였다.
- 일본: 스스로 '천자'로 칭하였다.

교과서 자료 더 보기

| 신라의 천하관 |

짐은 제왕으로서 하늘의 도에 어긋나지 않게 노력한다.
- 마운령 진흥왕 순수비 비문 -

신라는 스스로 '제왕'을 칭하며 자국 중심의 천하관을 지니고 있었다.

2 북방 민족의 성장과 국제 관계의 다원화

1. 국제 질서의 재편 – 다원적 국제 관계의 형성

(1) **중원 지역** 당 멸망 이후 5대 10국[6]의 분열기 → 송 건국(960) 이후 중원 지역 통일

(2) **북방 민족** 거란(요)이 성장, 서하 등장

(3) **한반도** 고려 등장

(4) **일본** [9세기 말] 신라와 국교 단절, 견당사 파견 중지 → [12세기 말] 미나모토노 요리토모가 가마쿠라 막부를 세우고, 천황으로부터 쇼군[7]의 칭호를 받음

2. 거란, 서하, 여진의 성장 자료 04 자료 05 자료 06

거란(요)	• 성장: 야율아보기가 부족 통합하여 거란(요) 세움(916) → 발해 멸망시킴, 만리장성 이남의 연운 16주[8] 차지 → 송과 전연의 맹약 체결(송으로부터 매년 세폐 제공 받음) • 독자적 전통 유지: 이원적 통치 제도(남면관·북면관제 도입), 거란 문자 사용
서하	• 11세기 탕구트족이 세움 → 비단길 장악하여 동서 교역 주도 • 거란과 조공·책봉 관계 맺음, 송으로부터 매년 세폐 제공받음, 서하 문자 사용
여진(금)	• 성장: 아구다가 부족 통합하여 금 건국(1115) → 송과 연합하여 요 정복 → 송마저 멸망시키고 화북 차지(남송 성립) → 고려, 남송, 서하와 군신 관계 체결 • 독자적 전통 유지: 이원적 통치 제도(맹안·모극제 – 유목민 / 주현제 – 한족), 여진 문자 사용

세폐: 중국 역대 왕조가 북방 민족 국가와 화친을 유지하기 위해 보낸 은과 비단 등을 의미한다.

송마저 멸망시키고: 정강의 변(1126)

3. 송의 대외 관계

(1) **송의 문치주의** 절도사[9] 세력 약화시킴, 과거제에 전시 제도 실시, 황제권 강화에 힘씀 → 군사력 약화 → 요와 서하에 세폐 제공하여 평화 유지

(2) **왕안석의 신법** 개혁을 통한 재정 확대, 국방력 강화 시도 → 당쟁 격화로 실패

(3) **남송 성립** 금의 공격으로 송 멸망 → 임안(항저우)에서 남송 건국(1127), 금과 군신 관계 체결

4. 고려의 대외 관계

(1) **거란의 침입과 격퇴** 1차 침입(서희의 외교 담판으로 강동 6주 획득) → 이후 거란의 두 차례 침입을 모두 막아냄 → 거란과 조공 관계 체결, 고려–송–거란 사이 세력 균형

강동 6주: 청천강에서 압록강에 이르는 지역 차지

(2) **여진(금)과의 관계** 윤관의 여진 정벌(동북 9성 축조) → 금의 사대 요구 → 고려의 수용

동북 9성: 이후 여진에게 돌려 주었다.

(3) **송과의 관계** 우호 관계(송 및 남송과 문물 교류, 해상 교역 지속)

3 몽골 제국의 등장과 동아시아

1. 몽골 제국의 성립과 발전

(1) **몽골 제국 성립** 13세기 초 테무친이 몽골계 부족 통합 → 쿠릴타이에서 칭기즈 칸으로 추대됨(1206), 예케 몽골 울루스('대몽골 제국'이라는 뜻) 수립 → 유라시아 통합(칭기즈 칸의 후계자들이 키예프 공국 점령(초원길 장악))

(2) **몽골 제국의 발전**

칭기즈 칸	천호·백호제[10] 개편, 친위 부대 편성, 서하와 금 공격, 호라즘 왕국을 정복하여 비단길 장악
오고타이 칸	금 정복, 고려 침략
쿠빌라이 칸	국호를 원으로 변경, 대도(베이징) 천도, 남송 정복(유목 민족 최초로 중국 전체 지배), 고려 복속시킴, 일본 원정 단행

호라즘 왕국: 11~13세기에 중앙아시아(지금의 우즈베키스탄 지역)를 지배한 이슬람 왕국

(3) **통치 방식**

다루가치: 지방 행정을 관장한 원의 관료를 가리킨다. 고려에 파견된 다루가치는 내정에 간섭하는 임무를 가졌다.

① **다루가치 파견** 남송을 멸망시킨 후 지방에 행성 설치, 다루가치 파견

② **몽골 지상주의** 몽골인(군사 담당)과 색목인(재정 담당)을 지배층으로 삼고, 한인이나 남송 출신의 남인은 차별

---

[6] **5대 10국** 10세기 당 멸망 이후 화북 지방에 차례로 나타났던 5개의 왕조(후량, 후당, 후진, 후한, 후주)와 남중국 등에 세워졌던 10개의 지방 정권을 뜻한다.

[7] **쇼군** 본래 동북 지방에 파견된 군대의 대장을 의미하였다. 막부 시대에는 무사 정권의 최고 실권자를 뜻하게 되었다.

[8] **연운 16주** 5대 10국의 하나였던 후진을 도운 대가로 거란이 후진으로부터 얻은 땅이다. 만리장성 이남 지역으로, 오늘날의 베이징과 다퉁 지역을 포함한다.

고득점을 위한 셀파 Tip

• 송과 남송의 대외 관계

문치주의 정책 실시
⬇
군사력 약화, 재정 악화
⬇
왕안석의 개혁 실패
⬇
금에게 밀려 남송 건국

[9] **절도사** 당 대에 변경의 방비를 위해 설치되었던 군사령관으로, 지역의 군사·재정·행정권을 장악하였다. 이후 송 대에 권한이 축소되면서 소멸되었다.

[10] **천호·백호제** 주민을 백호, 천호, 만호 단위로 편성하는, 칭기즈 칸이 체계화한 군사 조직이자 행정 단위이다.

자료 04 공통 자료 거란(요)의 세력 확장

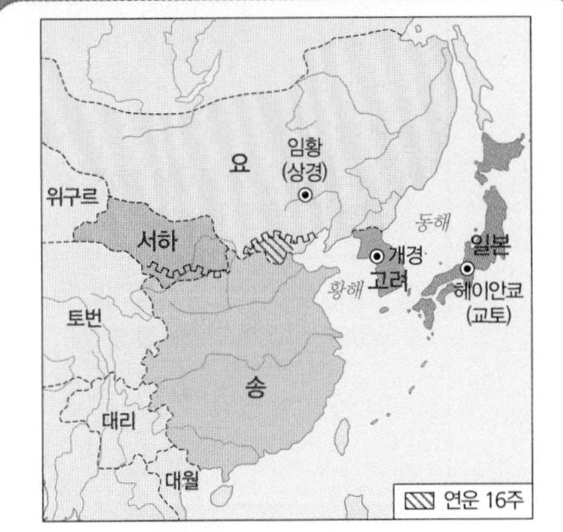

송과 거란(요)의 맹약(전연의 맹약)

- 송의 황제와 요의 황제는 형제의 교분을 갖는다.
- 송은 요에 해마다 비단 20만 필, 은 10만 냥을 보낸다. – 『속자치통감장편』 –

자료 분석 | 10세기 초 5대 10국의 혼란 속에서 거란(요)은 화북 지방의 연운 16주를 차지하여 송을 군사적으로 압박하였다. 이후 거란은 송과 전연의 맹약을 맺고 송으로부터 매년 막대한 양의 비단과 은을 제공받았다.

자료 05 공통 자료 여진(금)의 세력 확장

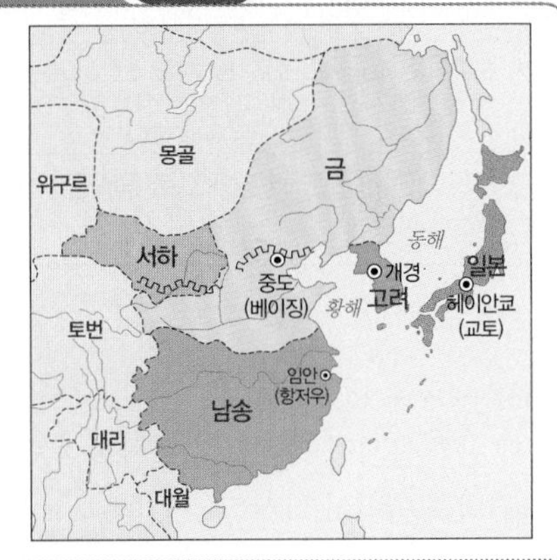

남송과 금의 화의

- 금의 황제가 남송의 황제를 책봉하며, 남송의 황제는 신하의 예를 취한다.
- 남송이 금에 해마다 비단 25만 필, 은 25만 냥을 바친다. – 『속자치통감장편』 –

자료 분석 | 12세기 초 금은 송과 연합하여 요를 멸망시키고, 이어 송까지 멸망시키며 화북 지방을 점령하였다. 이에 송의 황족들은 강남 지방으로 이동하여 남송을 세웠으며, 막대한 세폐를 제공하는 조건으로 금과 군신 관계를 맺었다.

한족의 문화에 동화되지 않기 위해 실시하였어.

자료 06 거란과 금의 이원적 통치 정책

황제
북면관제 / 남면관제
북추밀원 재상부 — 군사 — 남추밀원 3성 6부
행정
부족제: 유목민 사회 (거란인 등)
주현제: 농경민 사회 (한족 등)

▲ 거란의 남면관·북면관제

황제
맹안·모극제: 부족민 사회
주현제: 농경민 사회
[우두머리] 맹안 … 1맹안군 (10모극군) 1,000명 ← 징발 ← 1맹안부 (10모극부) 3,000호
행정·군사 업무 담당
모극 … 1모극군 100명 ← 징발 ← 1모극부 300호
지방관
- 행정 업무 담당
- 군사 통수권 없음

▲ 금의 맹안·모극제

자료 분석 | 거란은 유목민(거란인, 여진인)은 북면관제로, 농경민(한인, 발해인)은 남면관제로 다스렸다. 여진(금)은 거란의 이원적 통치 체제를 계승하였다. 여진족은 맹안과 모극이라는 사회 조직에 따라 생업에 종사하다가 전쟁이 일어나면 그대로 군사 조직으로 재편되었고, 한족 등의 농경민은 주현제로 통치하였다.

교과서 자료 더 보기

| 북방 민족의 고유 문자 |

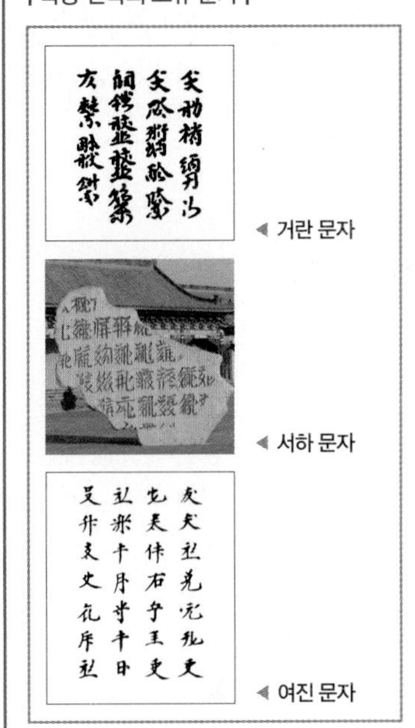

◀ 거란 문자

◀ 서하 문자

◀ 여진 문자

거란 문자, 서하 문자, 여진 문자는 한자를 참고하여 만들어진 것으로, 유목 민족의 민족적 자긍심을 담고 있다. 거란(요), 여진(금), 서하 등은 각각의 고유 문자를 만들어 사용하였다.

교과서 탐구 풀이

Q **거란·금의 통치 정책을 남북조 시대 북위의 통치 정책과 비교해 보자.**

A 거란은 농경민과 유목민을 분리하여 통치하는 남면관·북면관제로, 금은 전통적인 씨족 조직이자 군사 조직인 맹안·모극제로 여진족을 다스리고 한족 등 농경민은 주현제로 통치하여 한족 문화에 동화되지 않도록 하였다.
반면, 북위는 한족을 관리로 발탁하고, 수도를 뤄양으로 옮기는 등 한화 정책을 추진하여 호족과 한족의 융합을 시도하였다.

2. 동아시아 각국의 대응

주의 고려는 장기 항전 끝에 몽골에 복속되었지만, 고려 왕조의 지배 체제는 계속 유지되었다는 것을 기억하도록 한다.

고려	몽골 사신 피살 사건을 계기로 고려 침공(오고타이 칸) → 최씨 무신 정권 붕괴 후 몽골과 강화 → 고려 복속(쿠빌라이 칸), 원의 부마국이 됨, 원이 다루가치 파견
일본	고려·몽골 연합군이 두 차례 일본 침공 → 가마쿠라 막부의 저항, 태풍 등으로 실패 → 일본에서 신국 의식 확산 (몽골의 공격을 두 차례 격퇴한 일본은 자신들을 구해준 바람을 '가미카제(神風)'라 부르고, 자신들의 나라가 신의 가호를 받고 있다는 신국 의식을 강화하였다.)
대월[11]	몽골군이 3차례에 걸쳐 쩐 왕조 공격 → 쩐흥다오[12]의 활약으로 몽골군 격퇴, 항전 과정에서 『대월사기』 편찬 → 이후 몽골에 조공 사신 보냄

3. 교역망의 통합과 교류

(1) 교역망의 통합 — 역참 이용에 필요한 통행증으로 패자(파이자)가 이용되었다.

① **역참 설치** 정복지를 효율적으로 다스리기 위한 군사적 목적으로 설치 → 몽골 제국이 안정되면서 동서 교역에 기여(초원길이나 비단길의 교역망이 안정됨) 자료 07

② **시박사 설치** 바닷길을 장악한 원이 항저우와 취안저우에 설치, 무역선을 관리함 → 고려·일본·대월·동남아시아를 잇는 동아시아 교역망 형성 — 인도양 교역망, 지중해 교역망으로 연결되었다.

③ **화폐 발행** 교역의 발달로 단일 화폐의 필요성 높아짐 → 교초 발행(제국 내 유통)

(2) 동서 교류 활성화 서아시아의 천문학·역법·수학·지도학 등의 전래[13](→ 원대 수시력[14] 제작에 영향), 중국의 인쇄술·나침반 등이 서아시아와 유럽에 전파, 마르코 폴로와 이븐 바투타

4 명 시기의 국제 질서

1. 명의 건국

(1) 명 태조(홍무제) 원의 쇠퇴, 백련교도의 난 발생 → 주원장이 반란 세력 통합, 대도 점령 → 난징에 도읍하여 명 건국(1368) → 황제권 강화(재상제 폐지), 한족 문화 회복(몽골 풍습 금지, 성리학 중시), 향촌 질서 정비(이갑제 실시, 육유 제정)

(2) 영락제 베이징 천도(자금성 세움), 몽골 원정, 대월 일시 정복, 정화의 항해 추진(이후 동남아시아에서도 명에 조공)

2. 조선의 건국

홍건적(원 말기에 봉기한 한족 농민 반란군)의 침입을 받기도 하였다.

(1) 고려 말 공민왕의 반원 개혁[15] → 실패하였으나, 신진 사대부 성장

(2) 조선의 건국 이성계가 혁명파 신진 사대부(정도전 등)의 지원을 받아 조선 건국(1392)

└ 홍건적과 왜구를 토벌하여 명망을 떨친 무장으로, 위화도 회군을 계기로 조선을 건국하였다.

3. 무로마치 막부의 성립

(1) 성립 고다이고 천황이 아시카가 다카우지와 손잡고 가마쿠라 막부 타도 → 아시카가 다카우지가 새로운 천황 세우고 무로마치 막부 시작(1336)

(2) 남북조 분열 고다이고 천황이 남쪽으로 피신 → 두 명의 천황이 병립하는 분열기가 60여 년간 이어짐 → 아시카가 요시미쓰가 남북조 통일, 전국적인 지배권 확립

4. 국제 질서의 재편 자료 08

(1) 명 주변국에 명 중심의 조공·책봉 관계 요구 → 명을 중심으로 하는 새로운 국제 질서 형성(조선, 류큐, 대월, 일본 포함), 조공 이외의 민간 교역 철저히 통제

(2) 조선

① **명과의 관계** 건국 직후 요동 정벌 추진 → 태종 때 명과 안정적인 조공·책봉 관계 형성

② **사대교린 추구** 명의 문화 받아들이고(사대), 일본·여진·류큐 등과 교류(교린)

(3) 일본 아시카가 요시미쓰가 명으로부터 일본 국왕에 책봉됨 → 조공 질서에 참여

(4) 대월 레 왕조가 명과 조공·책봉 관계 맺음, 명의 문물 도입하여 왕권 강화

└ 레러이가 명나라의 세력을 몰아내고 세운 왕조(1428~1789)

---

[11] **대월** 1054~1804년까지 사용된 베트남의 정식 국호이다.

[12] **쩐흥다오** 쩐 왕조의 장군으로, 몽골의 1차 침입 때 대월의 북방을 굳게 지켰고, 2차 침입 때에는 '격장사'라는 글로 병사들의 사기를 높여 수도 탕롱을 탈환하였으며, 3차 침입 때는 소수의 병력으로 몽골 대군을 물리쳤다.

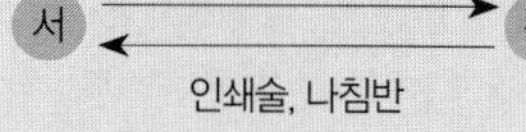

• **교역망의 통합과 교류의 활성화**

교역망의 통합
- 제국 전역의 도로망에 역참 설치
- 시박사 설치하여 무역선 관리 → 동아시아 교역망 형성

⬇

교류의 활성화

서 → 동: 천문학, 역법, 수학, 지도학
동 → 서: 인쇄술, 나침반

⬇

〈원〉 수시력 제작
〈조선〉 『혼일강리역대국도지도』, 『칠정산』 제작

[13] **이슬람 과학의 전래** 이슬람 과학은 원을 거쳐 고려에 전해졌고, 조선에서 『혼일강리역대국도지도』와 『칠정산』 등을 제작하는 데 영향을 미쳤다.

[14] **수시력** 원 대 곽수경이 편찬한 역법이다. 이슬람의 천문 기구를 본떠 제작한 관측기구를 이용하여 1년을 365.2425일로 정하였다.

[15] **공민왕의 반원 개혁** 원의 세력이 약해지자 몽골 풍습 금지, 친원 세력 축출, 쌍성총관부 공격 등의 반원 개혁을 실시하였다.

자료 07 공통 자료 몽골 제국 시기의 역참

여행자에게는 중국이 가장 안전하고 좋은 고장이다. 혼자서 거금을 소지하고 9개월간이나 돌아다녀도 걱정할 것 없다. 전국의 모든 역참에는 숙소가 있는데, 관리자가 자신의 서기와 함께 숙소에 와서 전체 투숙객의 이름을 등록하고는 일일이 확인 도장을 찍은 다음 숙소 문을 잠근다. 다음 날 아침, 날이 밝은 후에 관리자가 서기와 함께 다시 와서 투숙객을 점호하고 상황을 상세히 기록한다. 그러고는 사람을 파견하여 다음 역참까지 안내한다. 안내자는 다음 역참의 관리자로부터 전원이 도착했다는 확인서를 받아 온다. 만일 안내자가 그렇게 하지 않을 때는 여행자들이 그렇게 하게 시킨다.

– 이븐 바투타, 『여행기』 –

자료 분석 | 몽골 제국은 넓은 지역을 효율적으로 다스리기 위해 역참을 설치하였다. 이를 통해 중앙의 명령이 제국의 전 지역에 신속하게 전달되고, 지역의 사정이 중앙으로 보고되었다. 이러한 몽골 제국의 등장으로 동서를 잇는 교역망이 안정되면서 동서 교류가 활발해졌다.

자료 08 15세기 무렵 동아시아의 국제 관계

오이라트
명
조선
대월
류큐
일본

군사적 충돌 / 조공 / 일시적 조공 / 교린

자료 분석 |
- 명과 조선이 건국되고 무로마치 막부가 수립됨으로써 동아시아의 국제 질서가 새롭게 형성되었다. 조선·일본·대월·류큐 등이 명의 요구를 수용함으로써 조공·책봉 관계가 성립되었다.
- 무로마치 막부의 아시카가 요시미쓰는 명과 국교를 개시하여 무역의 이익을 도모하였다. 명은 왜구의 피해를 막기 위해 막부 정권이 왜구를 통제하는 조건으로 조공 무역(감합 무역)을 허용하였다.

교과서 자료 더 보기

| 시박사 제도의 시행 |

쿠빌라이 이래 주변 각국과 왕래하며 교역할 때 상품의 10%를 상세로 징수하였다. 시박사의 관리가 징수를 담당하였다. 선박이 나갈 때나 들어올 때는 반드시 행선지를 기록하고 교역 물품을 조사하였다. 그다음 공문을 지급하여 왕래 기일을 규정해 주었다. –『원사』–

원은 항저우, 취안저우 등에 시박사를 설치하여 동남아시아와 인도양을 오가는 무역선을 관리하였다.

교과서 자료 더 보기

| 자금성 |

명 대 영락제는 15년에 걸쳐 베이징에 거대한 규모의 자금성을 건설한 후, 수도를 난징에서 베이징으로 옮겼다.

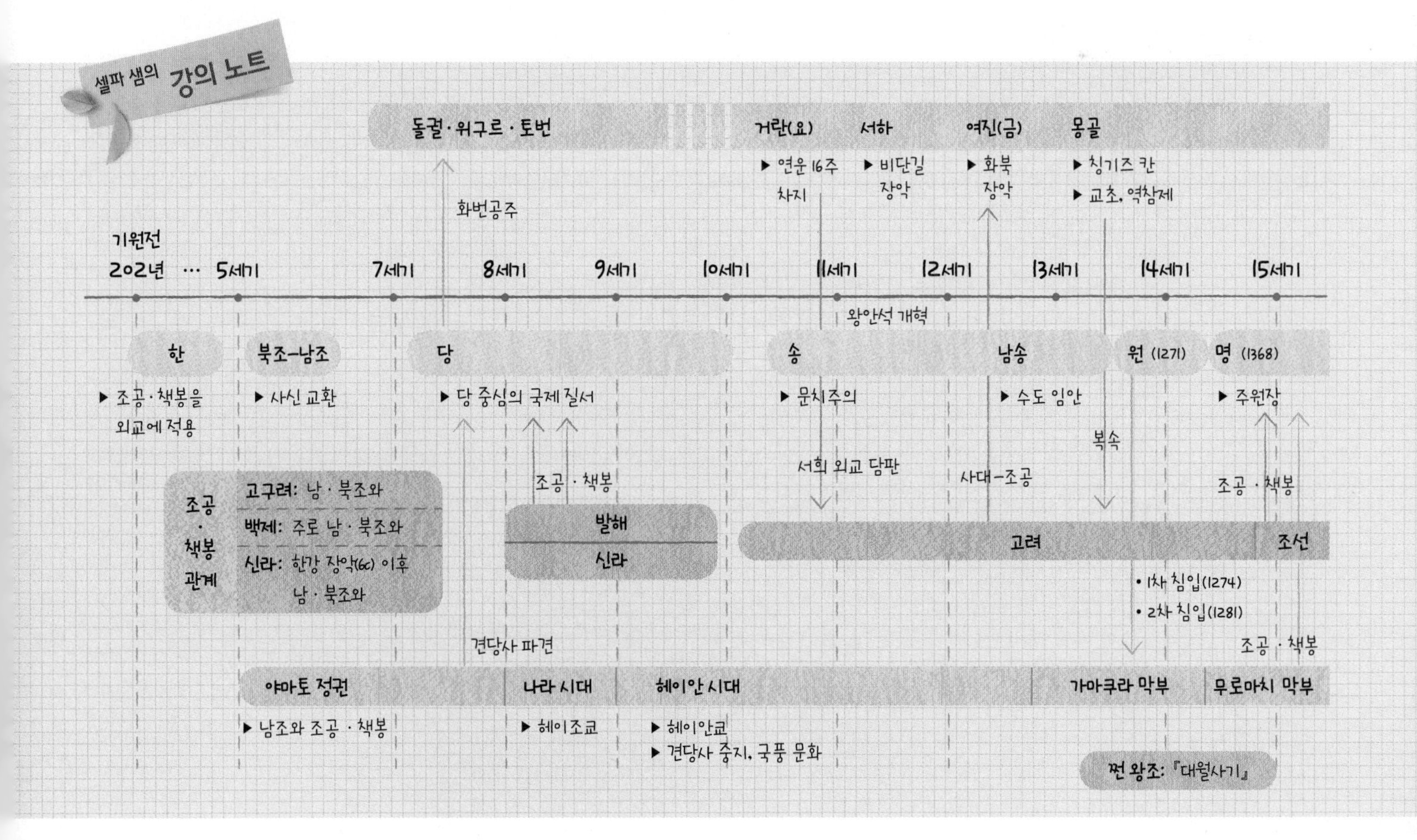

개념 완성

1 조공과 책봉의 외교 형식

한 대	유교 통치 이념과 (❶) 확립 → 주변국에 조공·책봉의 형식 적용	
남북조	삼국 및 왜와 현실적·다원적 외교	
당 대	북방 민족	돌궐, 토번은 당과 군사적 대립 → 당과 경제 교류를 위한 조공 관계만 맺으려 함, 당이 (❷) 보냄
	신라	사신, 유학생, 승려, 상인들이 자주 왕래
	발해	문왕 때부터 당과 우호 관계 유지
	일본	(❸) 파견하여 당의 문물 수용

2 북방 민족의 성장과 국제 관계의 다원화

북방 민족의 성장	거란(요)	• 발해 정복, 연운 16주 차지 • 남면관·북면관제 실시, 거란 문자
	서하	11세기 탕구트족 건국, 송으로부터 세폐 받음
	여진(금)	• 송과 연합, 요 정복 → 송 정복, 화북 차지 • 주현제와 (❹) 실시, 여진 문자
송·고려의 대외 관계	송	• (❺) 정책 → 군사력 약화 → 북방 민족에 세폐 제공 → 재정 악화 → 왕안석의 개혁, 실패 • 남송 건국: (❻)의 공격으로 송 멸망 → 임안에 남송 건국
	고려	• 거란: 3차례 침입 격퇴(1차 (❼)의 담판) • 여진: 윤관이 여진 정벌 → 이후 금의 사대 요구 수용

3 몽골 제국과 명 시기의 국제 질서

몽골 제국	칭기즈 칸	부족 통일, 서하·금 공격, 호라즘 정복
	쿠빌라이 칸	국호를 원으로 변경, 대도(베이징) 천도, 고려·남송 정복
	교역망의 통합	초원길·비단길·바닷길 장악(역참 설치, (❽) 설치) → 서아시아의 천문학·역법 등 전래(→ 수시력 제작)
명 시기	명 건국	[홍무제]난징 수도로 건국, 황제권 강화, 한족 문화 부흥 → [영락제](❾) 천도, 정화의 원정 추진
	조선 건국	이성계와 혁명파 신진 사대부 세력이 건국
	무로마치 막부 수립	• 아시카가 다카우지: 무로마치 막부 수립 • 아시카가 요시미쓰: 남북조 통일
	국제 질서의 재편	주변국에 명 중심의 조공·책봉 관계 요구(→ 조선·류큐·대월·일본 수용), 명은 조공 이외의 민간 교역 통제

정답 ❶ 화이관 ❷ 화번공주 ❸ 견당사 ❹ 맹안·모극제 ❺ 문치주의 ❻ 금 ❼ 서희 ❽ 시박사 ❾ 베이징

기출 선택지 체크

A 다음 내용이 옳으면 ○표, 틀리면 ×표 하시오.

1 당은 건국 초기에 돌궐과 군신 관계를 맺었다. ( )

2 거란은 유목 세력인 동호, 월지를 제압하였다. ( )

3 고구려는 북조·남조와 다원적 외교 관계를 형성하였다. ( )

4 송은 요와 형제 관계의 맹약을 맺고 막대한 양의 세폐를 바쳤다. ( )

5 돌궐은 발해를 멸망시킨 후 만리장성 이남 지역까지 영토를 확장하였다. ( )

6 몽골의 원정으로 송은 화북 지역을 상실하고 강남 지역으로 옮겨 갔다. ( )

B 다음 괄호 안의 내용 중에서 옳은 것에 ○표 하시오.

7 (송 / 토번)은 서하에 비단과 은을 제공하였다.

8 (요 / 여진)은/는 고려에게 동북 9성을 돌려받았다.

9 당은 토번의 송첸캄포에게 (문성 공주 / 함안 공주)를 시집보냈다.

10 (돌궐 / 서하)은/는 동아시아에서 자신의 문자로 기록을 남긴 최초의 유목 민족이다.

C 다음 빈칸에 들어갈 알맞은 말을 쓰시오.

11 대월은 ( )의 활약으로 몽골의 침략을 물리쳤다.

12 거란은 ( )(이)라는 이원적 통치 정책을 시행하였다.

13 ( )은/는 호라즘을 공격해 동서 교통로를 확보하였다.

14 ( ) 막부의 아시카가 요시미쓰는 남북조를 통일하였다.

정답 1. ○ 2. × 3. ○ 4. ○ 5. × 6. × 7. 송 8. 여진 9. 문성 공주 10. 돌궐 11. 쩐흥다오 12. 남면관·북면관제 13. 칭기즈 칸 14. 무로마치

01 (가)에 들어갈 외교 관계에 대한 설명으로 옳은 것을 〈보기〉에서 고른 것은?

> 중국이 동아시아 강대국으로 성장하고 유교적 통치 이념과 화이관이 중국의 지배층 사이에 자리 잡게 되자, 중국은 인접 국가와의 관계에 (가) 을/를 적용하였다. 주의 왕이 혈연관계를 기초로 하여 주변 지역에 제후를 임명하고, 이에 대해 제후는 사절을 보내 주왕에게 예물을 바친 것에서 시작된 제도를 외교 관계에 적용한 것이다.

보기
ㄱ. 한 대 이후 주변 국가와 맺어지게 되었다.
ㄴ. 문화적·경제적 교류의 통로로 활용되었다.
ㄷ. 직접 지배와 실질적 간섭을 바탕으로 하였다.
ㄹ. 한번 맺어진 관계는 중단되거나 파기되지 않았다.

① ㄱ, ㄴ ② ㄱ, ㄷ ③ ㄴ, ㄷ
④ ㄴ, ㄹ ⑤ ㄷ, ㄹ

02 다음 지도에 나타난 시기에 대한 탐구 활동으로 옳은 것을 〈보기〉에서 고른 것은?

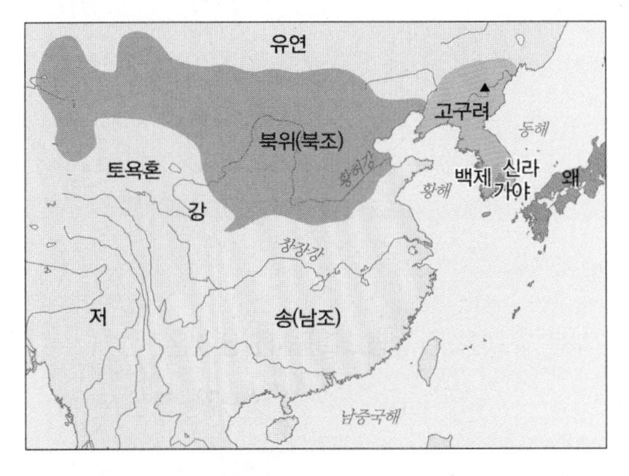

보기
ㄱ. 왜가 신라, 백제와 사절을 주고받은 목적에 대해 조사한다.
ㄴ. 고구려가 북조, 남조 모두와 조공·책봉 관계를 맺은 이유를 조사한다.
ㄷ. 백제가 주로 북조와 교류하며 불교, 율령을 받아들인 것을 살펴본다.
ㄹ. 일본이 외래문화와의 접촉을 끊고 만든 독자적인 전통문화의 특징을 살펴본다.

① ㄱ, ㄴ ② ㄱ, ㄷ ③ ㄴ, ㄷ
④ ㄴ, ㄹ ⑤ ㄷ, ㄹ

03 다음 자료를 통해 알 수 있는 고구려의 천하관으로 가장 적절한 것은?

> (동명왕의) 아버지는 천제의 아들이요, 어머니는 하백의 따님이시다. …… 태왕(광개토 대왕)의 은혜는 크고 넓은 하늘에 미치고 위엄은 온 세상에 떨쳤도다. …… 백제와 신라는 과거 우리의 속민이었기에 조공을 해 왔다.
>
> – 광개토 대왕릉비 비문 –

① 중원 왕조의 우위를 인정하고 상하 관계를 수용하였다.
② 주변국을 조공국으로 보는 독자적인 천하관을 가지고 있었다.
③ 천황을 천자라고 하는 등 중원 왕조와 대등하다고 인식하였다.
④ 왜의 위협에 대처하기 위해 백제, 신라에게 화친 정책을 취하였다.
⑤ 백제와 신라를 이용하여 당과의 조공·책봉 관계에서 벗어나려 하였다.

04 다음 사건들이 나타난 시기에 중원 지역에서 전개된 상황으로 옳은 것은?

> • 중국 서북 지역에서 서하가 등장하였다.
> • 한반도에서 고려가 후삼국을 통일하였다.
> • 북부 베트남 지역에서 대월이 성립되었다.
> • 랴오허강 상류 지역에서 거란(요)이 등장하였다.

① 몽골의 쿠빌라이가 원을 세웠다.
② 송이 멸망한 후 남송이 세워졌다.
③ 금이 송을 무너뜨리고 화북을 지배하였다.
④ 송이 5대 10국의 정치적 분열을 통일하였다.
⑤ 홍건적 출신의 주원장이 대도를 점령하였다.

05 다음 지도에 해당하는 시기 조공·책봉에 대한 설명으로 옳은 것은?

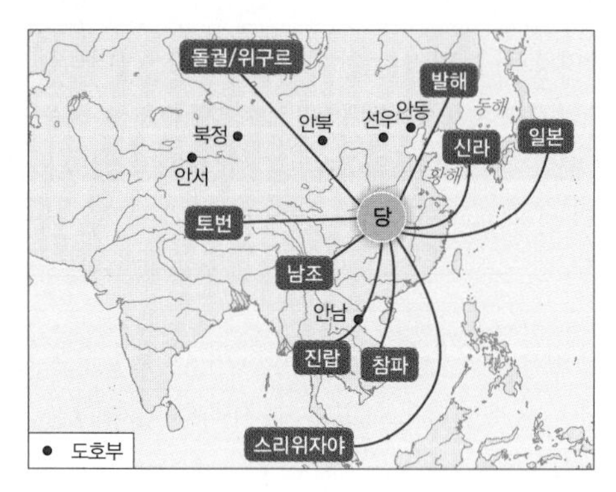

① 신라는 발해를 견제하기 위해 일본과의 관계를 중시하였다.
② 일본은 당 중심의 조공·책봉 관계를 수용하여 당과 적극 교류하였다.
③ 발해는 당 중심의 조공·책봉을 거부하며 독자적인 외교 노선을 취하였다.
④ 돌궐, 토번 등은 당과 경제적 교류를 위한 조공 관계만 맺으려고 하였다.
⑤ 북방 민족들은 당에 화번공주를 빈번하게 파견하는 등 적극적으로 화친을 추진하였다.

06 밑줄 친 '나라'에 대한 설명으로 옳은 것은?

> 야율아보기는 8부를 하나로 병합하여 <u>나라</u>를 세우고 황제라 칭하였다. …… 야율아보기가 죽고 야율덕광이 뒤를 이어 후진(後晉)을 도운 대가로 연운 16주를 차지하였다. 덕광은 자신의 수도를 상경 임황부라 하고, 연주를 연경 유도부라 하였으며, 발해의 옛 땅에 동경 요양부를 두었다.

① 발해를 정복하였다.
② 서하를 정복하였다.
③ 몽골에 의해 멸망하였다.
④ 맹안·모극제를 실시하였다.
⑤ 점령지에 다루가치를 파견하였다.

07 (가), (나) 국가에 대한 설명으로 옳은 것을 〈보기〉에서 고른 것은?

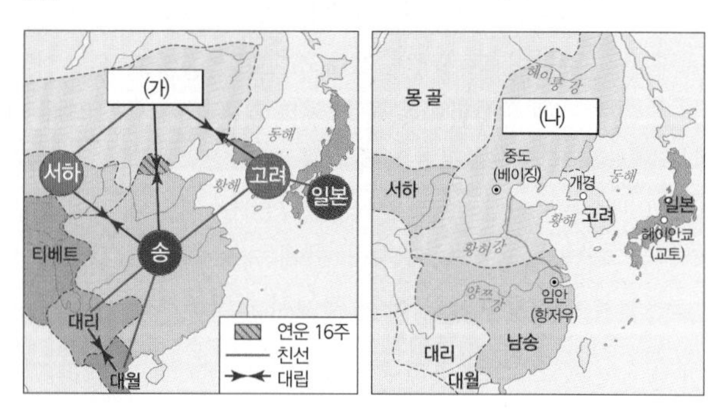

보기
ㄱ. (가) – 송과 전연의 맹약을 맺었다.
ㄴ. (가) – 대대적인 일본 원정에 참여하였다.
ㄷ. (나) – 송을 몰아내고 화북을 지배하였다.
ㄹ. (나) – 남면관·북면관제를 실시하였다.

① ㄱ, ㄴ　② ㄱ, ㄷ　③ ㄴ, ㄷ　④ ㄴ, ㄹ　⑤ ㄷ, ㄹ

08 다음 제도에 대한 설명으로 옳지 <u>않은</u> 것은?

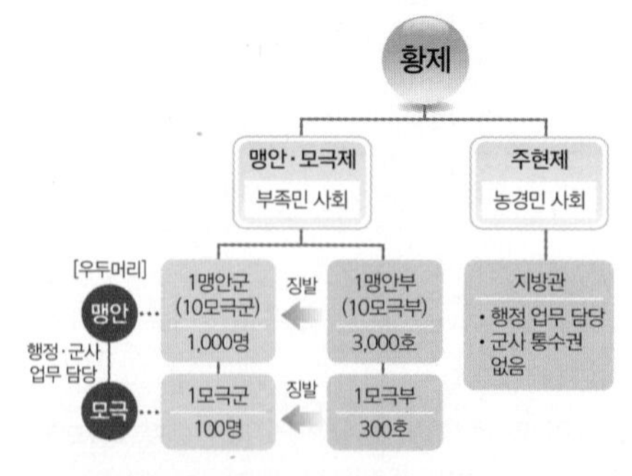

① 군사력을 약화시키는 결과를 초래하였다.
② 한족 등의 농경민은 주현제를 통해 다스렸다.
③ 맹안·모극제는 씨족 조직이자 군사 조직이다.
④ 농경민과 유목민을 분리하여 통치한 제도이다.
⑤ 한족의 문화에 동화되지 않기 위해 실시하였다.

09 다음 대화의 빈칸에 들어갈 내용으로 가장 적절한 것은?

- 송 태조(조광윤): 당 말기 이후 왕조가 수없이 바뀌었다. 병란(兵亂)이 그치지 않고 백성이 도탄에 빠져있는 것은 무엇 때문인가? 나는 천하의 병란을 수습하고 국가를 오래 이끌어갈 계획을 세우고 싶은데, 그 방법이 무엇인가?
- 신하: ______________________

① 균전제를 실시하여 자영농을 육성해야 합니다.
② 봉건제를 혁파하고 군현제를 강화해야 합니다.
③ 왕안석이 제기한 부국강병책을 실시해야 합니다.
④ 유목민과 농경민을 이원적으로 통치해야 합니다.
⑤ 절도사의 권한을 축소하고 문치를 강화해야 합니다.

10 다음 글의 밑줄 친 '이 나라'에 대한 설명으로 옳은 것을 〈보기〉에서 고른 것은?

송은 금을 이용하여 요를 공격하려 하였다. 그러나 금은 요를 멸망시킨 후 바로 송을 공격하여 송의 수도인 변경(카이펑)을 함락시켰다. 이에 송의 황족들은 임안(항저우)으로 이주하여 이 나라를 세웠다.

보기
ㄱ. 몽골의 쿠빌라이 칸에 의해 정복되었다.
ㄴ. 금에게 신하의 예를 갖추고 세폐를 바쳤다.
ㄷ. 화북과 강남을 연결하는 대운하를 건설하였다.
ㄹ. 각 지방에 행성을 설치하고 감찰관을 파견하였다.

① ㄱ, ㄴ ② ㄱ, ㄷ ③ ㄴ, ㄷ
④ ㄴ, ㄹ ⑤ ㄷ, ㄹ

11 다음의 외교 담판으로 인해 나타난 결과로 옳은 것은?

우리나라는 고구려의 옛 땅에서 일어난 나라요. …… 본디 압록강의 안팎과 그대들의 동경(東京)이 모두 우리의 땅이오. 그런데 지금 여진이 나라도 없이 부족 단위로 이곳에 거주하면서 두 나라 사이를 가로막고 있어, 우리로서는 그대 나라와 교류하기가 바다 건너 송과 교류하기보다 어려운 형편이오. 지금껏 양국의 왕래가 어려웠던 것은 여진의 탓이오.

① 거란이 연운 16주 지역을 점령하였다.
② 고려는 현실을 인정하고 금에 조공하였다.
③ 유목 민족이 화북 전체를 지배하게 되었다.
④ 고려가 압록강 유역까지 영역을 확대하였다.
⑤ 고려가 별무반을 편성하여 여진을 정벌하였다.

12 다음 자료와 관련된 시기의 동아시아 정세에 대한 내용으로 적절한 것은?

그림은 윤관이 동북 지역을 개척하고 고려의 국경을 알리는 비를 세우는 장면을 그린 「척경입비도」로, 비에는 '고려지경'이라는 글자가 쓰여져 있다. 하지만 고려는 방어 문제 등을 이유로 9성을 여진에게 돌려주었다.

보기
ㄱ. 요가 협공을 받아 멸망하였다.
ㄴ. 금이 화북 지역을 장악하였다.
ㄷ. 고려가 강동 6주를 획득하였다.
ㄹ. 절도사 출신 조광윤이 송을 건국하였다.

① ㄱ, ㄴ ② ㄱ, ㄷ ③ ㄴ, ㄷ
④ ㄴ, ㄹ ⑤ ㄷ, ㄹ

13 다음 군사 조직을 정비한 인물에 대한 설명으로 옳은 것은?

> 유목 부족은 전사 10명을 기본 단위로 하여 십호, 백호, 천호, 만호로 이루어지는 군사 조직을 운영하였다. 이후 몽골인들은 씨족제를 해체하고 군사 행정 조직으로서 천호제를 채택하여 부족을 결집하였다.

① 일본에 두 차례 원정을 단행하였다.
② 고려를 복속하고 남송을 정복하였다.
③ 금을 멸망시켜 유목민 세계를 통합하였다.
④ 수도를 카라코룸에서 대도(베이징)로 옮겼다.
⑤ 중앙아시아의 호라즘을 무너뜨리고 비단길을 장악하였다.

14 다음 지도의 영역을 차지한 제국이 건설되었을 당시의 동서 교류에 대한 설명으로 옳지 않은 것은?

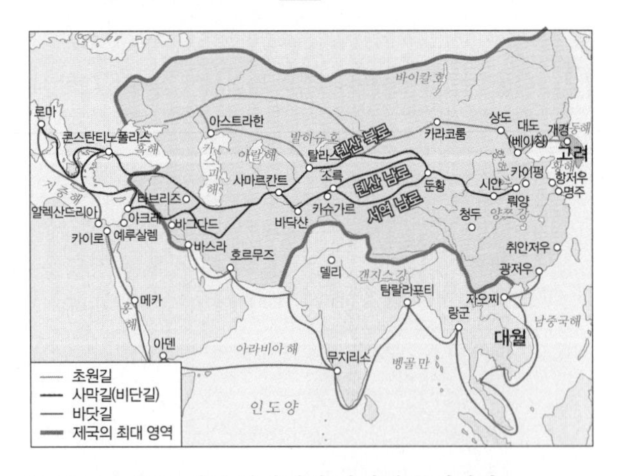

① 교초가 몽골 제국 전역에서 널리 유통되었다.
② 역참이 설치되었고, 통행증으로 파이자가 이용되었다.
③ 화약, 나침반, 인쇄술이 개발되어 서아시아와 유럽에 전해졌다.
④ 항저우, 취안저우 등에 시박사를 설치하여 무역선을 관리하였다.
⑤ 동서 교류가 확대되어 서아시아의 천문학, 역법, 수학, 지도학 등이 원에 소개되었다.

15 다음을 참고하여 14세기 동아시아 세계의 정치적 변화를 바르게 설명한 것은?

> 주원장은 강남 지주층의 지원을 바탕으로 반원 세력을 규합하며 1368년 명을 세우고 연호를 홍무라 하였다. 그해 8월 대도를 함락시키고 몽골인을 만리장성 북쪽으로 몰아냈다.

① 고려 공민왕은 반원 정책을 추진하였다.
② 조선은 3포를 개항하고 일본과 교역하였다.
③ 명은 팔기제를 토대로 군사 조직을 강화하였다.
④ 일본에서는 가마쿠라 막부가 출범했지만 정세는 여전히 불안하였다.
⑤ 대월의 쩐 왕조는 『대월사기』를 편찬하여 민족적 자부심을 높였다.

16 다음과 같은 동아시아 정세가 나타난 시기의 내용으로 옳지 않은 것은?

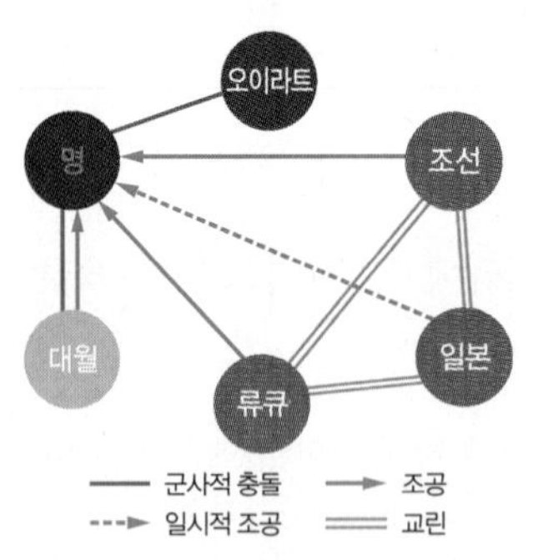

① 아시카가 다카우지가 무로마치 막부를 열었다.
② 일본에서는 두 명의 천황이 공존하는 남북조 시대가 열렸다.
③ 명은 조공 이외의 민간 교역을 더욱 확대시키는 정책을 펼쳤다.
④ 레 왕조가 명과 조공·책봉 관계를 맺고 왕권을 강화하였다.
⑤ 조선은 명과 사대교린 관계를 맺고 일본, 류큐와도 교류하였다.

서답형 문제

17 신라가 당 중심의 조공·책봉 관계를 받아들인 이유를 국내와 대외적인 이유로 나누어 서술하시오.

18 다음 글을 읽고 물음에 답하시오.

> 당 태종은 문성 공주를 토번의 송첸캄포 왕에게 시집보냈으며, 8세기 초엽에는 금성 공주가 토번의 지조덕찬 왕에게 시집을 갔다.

(1) 밑줄 친 공주와 같이 주변국의 왕에게 시집보낸 황실 여성을 가리키는 말을 쓰시오.

(2) 밑줄 친 당의 공주들이 시집을 가게 된 정치적인 이유를 서술하시오.

19 거란(요)와 관련된 내용을 <보기>에서 골라 기호를 쓰시오.

보기
ㄱ. 발해 멸망
ㄴ. 비단길 장악
ㄷ. 강동 6주 획득
ㄹ. 연운 16주 획득

20 다음 글을 읽고 물음에 답하시오.

> 몽골 제국은 제국 전역을 관통하는 도로망을 정비하였다. 주요 도로에는 (가) 을/를 설치하였고, 통행증을 가진 이들은 누구나 사용할 수 있었다. 동서 교류가 활발히 진행되자 몽골 제국은 금이나 은과 교환할 수 있는 지폐인 (나) 을/를 발행하였고, 이는 몽골 제국 전역에서 유통되었다.

(1) (가), (나)에 들어갈 알맞은 말을 쓰시오.

(2) 몽골 제국이 (가)를 설치한 목적을 서술하시오.

21 다음 글을 읽고 물음에 답하시오.

> 명의 (가) 은/는 동서로 760m, 남북으로 960m에 달하는 거대한 자금성을 15년에 걸쳐 건설한 후, 수도를 난징에서 (나) (으)로 옮겼다.

(1) (가)에 들어갈 황제와 (나)에 들어갈 도시를 쓰시오.

(2) (가) 황제의 업적을 세 가지 이상 서술하시오.

도전 수능 문제

| 평가원 기출 |

01 지도에 나타난 시기의 (가), (나) 국가에 대한 설명으로 옳은 것을 〈보기〉에서 고른 것은?

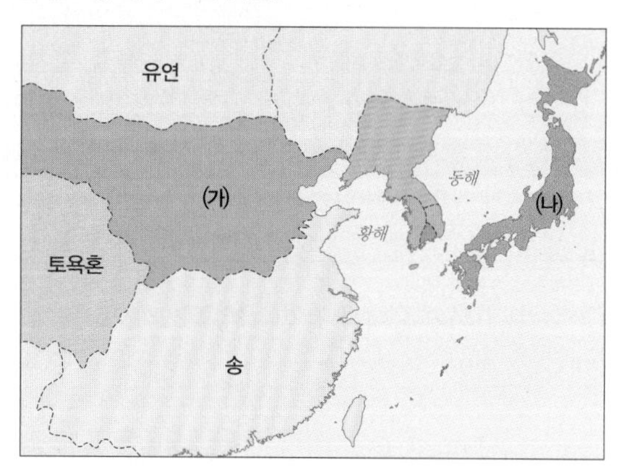

보기
ㄱ. (가) – 고구려와 조공·책봉 관계를 맺었다.
ㄴ. (가) – 황제가 포로로 잡힌 토목(보)의 변이 일어났다.
ㄷ. (나) – 남조의 하나인 송과 교류하였다.
ㄹ. (나) – 부산의 왜관을 통해 한반도와 교역하였다.

① ㄱ, ㄴ ② ㄱ, ㄷ ③ ㄴ, ㄷ
④ ㄴ, ㄹ ⑤ ㄷ, ㄹ

| 수능 기출 |

02 다음 자료를 활용한 탐구 주제로 가장 적절한 것은?

• 광개토 대왕이 영락 태왕을 칭하였는데 그 은혜와 혜택이 하늘에 이르고 위엄과 무공은 온 세상에 떨쳤다. …… 백잔(백제)과 신라는 예로부터 (고구려의) 속민으로 조공을 바쳤다.
• 왜의 국서에 "해 뜨는 곳의 천자가 해 지는 곳의 천자에게 글을 보낸다."라고 하니, 수 황제가 불쾌히 여겨 무례한 오랑캐의 글은 올리지 말라고 하였다.

① 남조와 북조 사이의 교류와 갈등
② 백제와 북위 간 외교 관계의 양상
③ 고구려와 왜 사이의 교류와 문화 전파
④ 유목 민족의 성장과 국제 관계의 다원화
⑤ 동아시아 여러 나라의 자국 중심 천하관

| 평가원 응용 |

03 (가) 국가의 대외 관계에 대한 설명으로 옳지 않은 것은?

백제 의자왕이 군사를 일으켜 신라의 서쪽 40여 개 성을 빼앗고, 고구려와 공모해 한강 하류의 당항성을 차지해서 (가) (으)로 가는 길을 끊으려 하였다. 이에 신라는 (가) 에 사신을 보내 공물을 바치며 사태의 위급함을 알렸다.

① 돌궐에 화번공주를 보냈다.
② 일본과 백강 전투에서 충돌하였다.
③ 주변 국가들과 조공·책봉 관계를 맺었다.
④ 발해 사신을 접대하는 발해관을 설치하였다.
⑤ 대도를 점령하고 몽골을 초원 지대로 몰아냈다.

| 교육청 기출 |

04 (가) 인물이 활동하던 시기의 동아시아 정세로 옳은 것은?

〈한·중·일 다큐멘터리 기획안〉

해상왕 (가) 의 흔적을 찾아서

• 의도: 신분의 한계를 넘어 운명을 개척하고 동아시아 일대의 해상 무역권을 장악했던 인물의 생애를 재조명한다.
• 구성
1부: 청해진, 동아시아 무역의 중심지
2부: 적산 법화원, 중국 속 신라인의 사찰
3부: 엔랴쿠사, 엔닌과의 인연이 기록된 비석

① 북위가 화북을 통일하였다.
② 일본이 견당사를 파견하였다.
③ 쩐 왕조가 몽골의 침략을 격퇴하였다.
④ 돌궐이 북주와 북제에게 조공을 받았다.
⑤ 고구려가 중국의 남북조와 외교 관계를 맺었다.

| 교육청 기출 |

05 (가) 국가에 대한 설명으로 옳은 것은?

▲ 당번회맹비

이 비는 (가) 와/과 당이 평화 협정을 맺고 건립한 것으로 라싸의 조칸 사원 옆에 있다. (가) 은/는 7세기 전반 송첸캄포 왕 때 비단길과 쓰촨 방면을 공략하여 세력을 확대하고 당을 압박하기도 하였다. 이후 두 나라는 9세기에 이 비를 건립하여 국경선을 확정지었다.

① 당의 산둥반도를 공격하였다.
② 남면관·북면관제를 시행하였다.
③ 당으로부터 화번공주를 맞아들였다.
④ 고구려와 연합하여 당을 견제하였다.
⑤ 말갈 부족들에게 복속을 강요하였다.

| 교육청 기출 |

06 (가)~(다) 국가의 대외 관계에 대한 설명으로 옳은 것은?

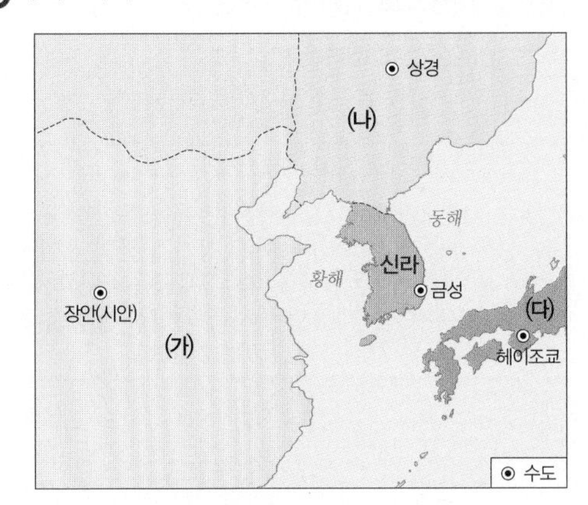

① (가) – (나)에 화번공주를 파견하였다.
② (가) – 신라와 연합하여 (나)를 멸망시켰다.
③ (나) – (가)의 도성을 본떠 수도를 건설하였다.
④ (나) – 백강 전투에서 (다)의 군대와 충돌하였다.
⑤ (다) – (가)와 전연의 맹약을 맺고 세폐를 바쳤다.

| 수능 응용 |

07 (가), (나) 국가에 대한 설명으로 옳은 것은?

- (가) 에서는 선우 아래에 좌현왕, 우현왕 등을 두었다. 좌현왕과 우현왕 이하 당호(當戶)에 이르기까지 많게는 만여 기(騎), 적게는 수천 기를 거느렸다.
- (나) 에서는 북면관에게 궁정과 부족을 관할하게 하고 남면관에게 한인의 주현을 담당하게 하여, 각각 고유의 풍속에 따라 다스렸다.

① (가)는 후진에게 연운 16주를 할양받았다.
② (가)는 '한위노국왕'이라고 새겨진 금인을 하사받았다.
③ (나)는 송과 맹약을 체결하였다.
④ (나)는 북제와 북주에게 조공을 받았다.
⑤ (가)는 (나)에게 화번공주를 보냈다.

| 수능 응용 |

08 (가), (나) 국가에 대한 설명으로 옳은 것은?

소손녕: 고려는 신라 땅에서 일어났음에도, 우리 (가) 이/가 살고 있는 옛 고구려 땅을 침범하고 있습니다.
서희: 우리 고려는 고구려를 계승한 나라입니다. 옛 고구려 땅이었던 귀국의 수도는 우리 땅이 되어야 할 것입니다.
소손녕: 고려는 우리와 국경을 맞닿고 있지만 사신을 보내지 않고 바다 건너 (나) 에게만 조공 사신을 보내고 있습니다.
서희: 사신의 왕래는 여진을 내쫓은 후에 가능할 것입니다.

① (가) – 서하를 멸망시켰다.
② (가) – 아구다가 부족을 통합하였다.
③ (나) – 강동 6주를 확보하였다.
④ (나) – 북주로부터 조공을 받았다.
⑤ (가) – (나)와 맹약을 맺고 비단과 은을 받았다.

| 평가원 기출 |

09 **밑줄 친 '이 나라'에 대한 설명으로 옳은 것은?**

> <u>이 나라</u>는 11세기에 티베트 계통의 유목 민족이 세웠으며, 독자적인 연호와 문자를 사용하고 불교를 숭상하였다. 송과 오랫동안 전쟁을 하였으나, 맹약을 체결하여 송에 대해 신하의 예를 취하는 대신 매년 비단, 은, 차 등의 막대한 세폐를 받았다.

① 몽골 군대의 침략을 받았다.
② 고려에 군신 관계를 요구하였다.
③ 일본과 감합 무역을 실시하였다.
④ 쩐 왕조를 세 차례 공격하였으나 실패하였다.
⑤ 남면관제와 북면관제의 이원적 통치 체제를 갖추었다.

| 평가원 응용 |

10 **(가) 국가에 대한 설명으로 옳은 것을 〈보기〉에서 고른 것은?**

> (가) 이/가 사신을 파견하여 낙타 50필을 보내왔다. 왕은 " (가) 은/는 일찍이 발해와 화목하게 지내다가 갑자기 다른 생각을 일으켜 맹약을 어기고 발해를 멸망시켰다. 이것은 무도함이 심한 것이다. 화친을 맺어 이웃으로 삼을만하지 못하다."라고 하였다. 마침내 사신이 왕래하는 것을 끊었으며, 그 사신 30명을 섬으로 유배 보냈다.

보기
ㄱ. 연운 16주를 차지하였다.
ㄴ. 송과 금의 연합으로 멸망하였다.
ㄷ. 유목 세력인 동호, 월지를 제압하였다.
ㄹ. 지방에 행성을 설치하고 다루가치를 파견하였다.

① ㄱ, ㄴ　② ㄱ, ㄷ　③ ㄴ, ㄷ
④ ㄴ, ㄹ　⑤ ㄷ, ㄹ

| 평가원 기출 |

11 **밑줄 친 '첫 번째 전쟁' 이후 동아시아에서 있었던 사실로 옳은 것은?**

칸의 명령에 따라 드디어 바다를 건너 하카타에 상륙했어. 최신 화약 무기까지 갖추었으니 쉽게 이길거야.

우리나라가 저들과 싸우는 <u>첫 번째 전쟁</u>이지만, 우리 고케닌들이 있으니 저들을 격퇴할 수 있을 거야.

① 한국 – 무신 정권이 붕괴되었다.
② 중국 – 남송이 멸망하였다.
③ 일본 – 가마쿠라 막부가 수립되었다.
④ 베트남 – 『대월사기』가 편찬되었다.
⑤ 몽골 – 쿠빌라이가 국호를 원으로 바꾸었다.

| 교육청 응용 |

12 **(가)에 들어갈 내용으로 적절하지 <u>않은</u> 것은?**

제 △회 □□제

역사 탐구반 부스 운영 계획

주제	위대한 칸의 나라, ○○ 제국으로의 초대
활동 개요	13세기에 칭기즈 칸은 부족을 통합하고 ○○ 제국을 건설하였다. 이후 칭기즈 칸의 후계자들은 아시아, 유럽에 걸친 대제국을 완성하였다. 이러한 ○○ 제국의 역사를 다양한 활동을 통해 체험하는 기회를 마련하고자 한다.
체험 활동	(가)

① 자금성 퍼즐 맞추기
② 역참 통행증 제작하기
③ 파스파 문자 따라 쓰기
④ 교초를 이용해서 물건 구입하기
⑤ 쿠빌라이의 일대기를 소개하는 영상 시청하기

| 교육청 기출 |

13 (가) 왕조 시기의 동아시아 상황으로 옳은 것은?

> (가) 은/는 대외 원정에 나서 탕구트족이 세운 서하를 정복하였다. 그 뒤 (가) 은/는 대리국을 멸망시키고, 남쪽으로 진출하여 대월을 세 차례에 걸쳐 공격하였다. 대월의 쩐흥다오 장군은 '격장사'라는 격문을 배포하면서 끝까지 저항하여 바익당 강가에서 (가) 군을 격퇴하였다.

① 한국 – 지방에 많은 서원이 건립되고, 향약이 확산되었다.
② 중국 – 농민을 대상으로 조·용·조 제도와 부병제를 시행하였다.
③ 중국 – 정화의 대항해를 계기로 동남아시아 국가 등으로부터 조공을 받았다.
④ 일본 – 가마쿠라 막부가 무너지고 교토에 새로운 막부가 수립되었다.
⑤ 베트남 – 성리학을 보급하여 유교적 정치 이념을 확립하였다.

| 수능 기출 |

14 밑줄 친 ㉠ 시기의 동아시아 상황으로 옳은 것은?

> 고다이고 천황의 명령을 받아 닛타 요시사다 등이 무사 정권을 타도하였다. 이후 고다이고 천황이 겐무 신정을 추진하자, 여기에 불만을 품은 무사 세력들이 고묘 천황을 옹립하였다. 이에 반발한 고다이고 천황이 남쪽으로 피신하면서 내란이 시작되었고, ㉠ 약 60년간 남조와 북조가 대립하였다.

① 한국 – 홍건적의 침입을 받았다.
② 한국 – 삼별초가 진도를 거점으로 항쟁하였다.
③ 중국 – 황건적의 난이 일어났다.
④ 중국 – 정화의 대항해가 시작되었다.
⑤ 베트남 – 쩐 왕조가 수립되었다.

| 평가원 응용 |

15 다음 자료에 나타난 왕조에 대한 설명으로 옳은 것은?

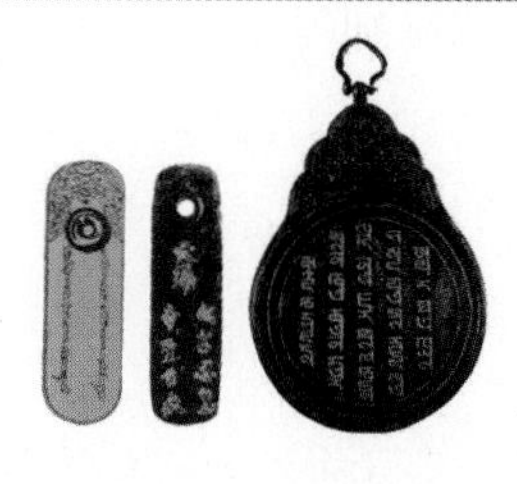

> 사진은 대도와 카라코룸을 중심으로 간선 도로마다 약 40킬로미터 간격으로 배치된 역참을 이용할 수 있는 통행증이다.
> 역참은 간단한 숙박 시설과 말, 식량을 갖추고 통행증을 가진 관리나 사절 등이 이용할 수 있는 곳이다. 초원과 사막 등에 1,500여 곳이 설치되어 있었다.

① 이갑제를 시행하였다.
② 맹안·모극제를 실시하였다.
③ 남북조를 통일하고 대운하를 건설하였다.
④ 유목 민족 최초로 고유 문자를 사용하였다.
⑤ 색목인에게 재정 업무를 담당하게 하였다.

| 평가원 기출 |

16 (가) 인물이 활동한 시기의 동아시아 상황으로 옳은 것은?

> 대군이 압록강을 건너 위화도에 머무르니 도망가는 아군이 끊이지 않았다. 일찍이 홍건적과 왜구를 토벌해 혁혁한 공을 세운 우군도통사 (가) 이/가 여러 장수들에게 "내가 글을 올려 군사를 돌이킬 것을 청하였으나, 왕도 살피지 아니하고 최영도 들어주지 않았다. 이제 우리가 군사를 돌이켜야 하지 않겠는가?"라고 말하니, 여러 장수들도 이에 동의하였으므로 군대를 되돌렸다.

① 한국 – 무신 정권이 수도를 강화도로 옮겼다.
② 중국 – 정강의 변이 발생하였다.
③ 중국 – 탕구트족이 서하를 건국하였다.
④ 일본 – 아시카가 요시미쓰가 남북조를 통일하였다.
⑤ 베트남 – 쩐 왕조가 수립되었다.

03 유학과 불교

1 율령과 유교에 기초한 통치 체제

1. 유교와 율령

(1) **율령[1]이란?** 넓은 지역에 걸쳐 서로 다른 문화를 가지고 사는 사람들을 다스리기 위해 일률적으로 적용된 통치 기준

(2) **한 대의 유교**

① 국가 통치 이념화 무제 때 동중서의 건의로 유교 이념 수용, 태학 설치, 오경박사를 둠, 유교 지식인을 관리로 선발

- 오경박사: 『시경』, 『서경』, 『역경』, 『예기』, 『춘추』의 유교 다섯 경전을 가르치는 각각의 관직
- 왜? 유교의 천명 사상, 군주에 대한 충성을 강조하는 유교 윤리가 제국 운영에 도움이 되었기 때문이다.

② 율령에 유교 반영 율령의 법가적 원리에 유교적 사고가 반영됨 → 가부장적 질서와 신분 질서, 연장자에 대한 우대 등을 위반하는 범죄를 가중 처벌

2. 율령의 정비

(1) **진·한 대** 형벌 위주의 법률 시행 → 점차 행정 법률이 늘어남

(2) **위·진·남북조** 진(晉)에 이르러 형벌 위주의 '율(律)'과 행정 법률인 '영(令)'으로 구분

(3) **수** 3성 6부제, 과거제, 주현제 → 당으로 계승

(4) **당** 자료 01 자료 02

구분	내용
율	5단계(태형·장형·도형·유형·사형)로 정비 → 신분, 장유, 남녀에 따라 차등 적용
영	〈중앙〉 3성 6부 〈지방〉 주현제
	• 과거제: 유교적 소양을 갖춘 관료 선발(유학 교육 기관 – 국자감) • 관리를 9품으로 구분 (왜? 귀족 세력의 견제와 황제권의 강화를 위해서)
	균전제: 3년마다 호적 작성, 성인 남자에게 토지 지급
	조·용·조[2]: 균전을 지급 받은 농민들에게 전세(조)·부역(용)·공납(조) 부과
	부병제: 균전을 지급 받은 농민 대상 병농일치, 농한기 군사 훈련

- 균전제·조용조·부병제: 이를 통해 국가는 토지와 백성에 대한 지배권을 강화할 수 있었다.

3. 유교와 율령의 동아시아 전파 자료 03

(1) **동아시아 각 국의 유교와 율령** 국가 체제 정비에 도움 → 유학 장려, 교육 기관 설치 (고구려는 태학을 설치하였다.)

국가	내용	비고
고구려, 백제, 신라	율령 도입(왕권 강화, 중앙 집권 체제 정비 목적)	
통일 신라	당의 제도 수용했으나 골품제를 바탕으로 고유성 유지, 촌락 문서[3] 작성, 독서삼품과 실시, 국학 설립	율령 체계는 각국의 통치 형태와 신분 질서, 관습에 따라 선별적으로 수용됨
발해	3성 6부제 시행(명칭과 운영 방식이 당과 다름), 주자감 설치	
고려	2성 6부제, 과거제 실시, 국자감 설치	
일본	• 다이카 개신: 당 문물 수용(반전수수제 시행), 군주 중심 집권 체제 지향 • 다이호 율령(701): 2관(태정관, 신기관) 8성제	

- 독서삼품과: 국학의 학생들을 경전을 이해하는 정도에 따라 3등급으로 나누어 관리로 임용하던 제도이다.
- 반전수수제: 중국의 균전제를 모방한 제도이다.
- 다이카 개신: 당의 율령과 흡사함
- 2관: 제사를 담당하는 신기관을 중시하였다.

(2) **특징** 이 시기 각국에 전파된 유교와 율령, 불교는 한자와 함께 동아시아 문화권의 공통 요소가 됨

- 한자: 동아시아의 여러 나라에서 유교와 율령을 적극적으로 수용할 수 있었던 것은 한자를 공통의 소양으로 하고 있었기 때문이다.

고득점을 위한 셀파 Tip

• 율령 체제의 성립 과정

시대	내용
진(秦)	법가적 원리(법치, 강제성)
⬇	
한	유가적 원리(도덕, 자발성) + 법가적 원리
⬇	
진(晉)	형벌 위주의 '율'과 행정 법률인 '영'으로 구분
⬇	
수·당	율령 체제의 완성 및 확산

[1] 율령

구분	내용
율	범죄 행위와 처벌을 규정한 것
영	국가의 조직과 운용, 신분과 수취 제도 등을 규정한 것

[2] 당의 수취 제도

구분	내용
조	토지에 부과하는 세금(곡물로 납부)
용	노역 대신 내는 비단이나 삼베
조	호(戶)에 부과하는 토산물(주로 비단이나 삼베로 대납)

[3] 신라 촌락 문서

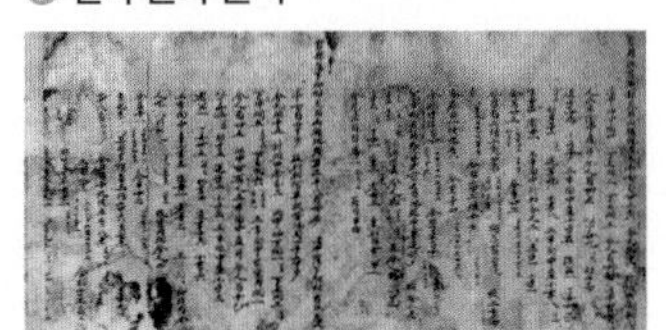

서원경(청주) 부근 촌을 포함한 네 개 촌의 면적과 인구, 가축 수 등을 파악하여 기록한 것이다. 이를 통해 신라가 체계적으로 조세를 징수하였음을 알 수 있다.

자료 01 당 대의 율 · 영 · 격 · 식

(가) 율

남편이 죽고 상복을 벗더라도 절개를 지키려고 하는데, 여자의 조부모나 부모가 아니면서 억지로 혼인시킨 자는 도형 1년에 처한다. - 「당률소의」 -

(나) 영

남자 15세 이상, 여자 13세 이상이면 혼인을 허락한다. - 「당령습유」 -

자료 분석 | 율은 처벌을 규정한 형법, 영은 제도에 관한 규정과 행정법이다. 격은 율령의 규정을 개정, 추가, 보완한 것이고 식은 율·영·격의 시행 세칙이다. (가)를 보면 국가가 백성의 생활에 유교 윤리를 적용하려 했음을 알 수 있다.

교과서 자료 더 보기

| 「당률소의」 |

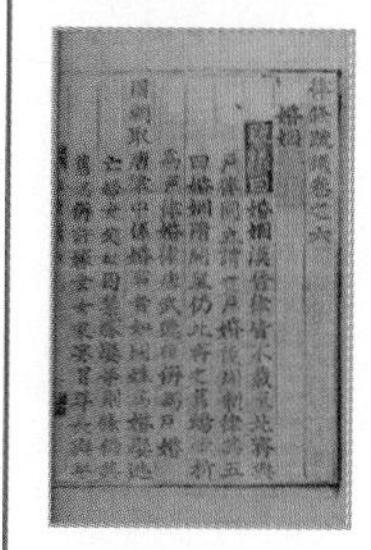

당률과 당률의 문답식 해설이 실려 있는 책이다.

자료 02 공통 자료 당의 통치 제도

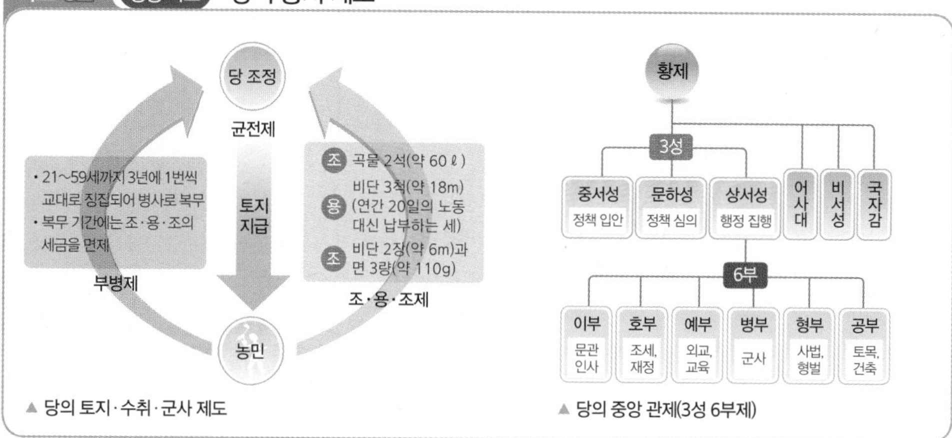

▲ 당의 토지·수취·군사 제도 ▲ 당의 중앙 관제(3성 6부제)

자료 분석 | • 당은 균전제를 시행하여 백성에게 토지를 공평하게 분배하고, 그 대가로 조세, 노역, 공물(조·용·조)를 받았으며, 병역의 의무를 지게 하였다(부병제).
• 당 관제의 기본은 3성 6부였다. 3성은 중서성, 문하성, 상서성을 말하는데 중서성은 조칙 및 법안을 기초하고, 문하성에서 재상과 대신들이 모여 그것을 심의한 후, 상서성에서 6부를 관할하며 문서 행정을 처리하였다.

교과서 자료 더 보기

| 당의 균전제 |

정남에게 영업전(營業田) 20무와 구분전(口分田) 80무를 지급한다. …… 구분전을 지급할 경우, 해를 걸러 경작하는 토지는 배로 지급한다. …… 영업전은 모두 자손에게 상속되며, 이것은 국가에 반환하거나 주는 범위에 들어가지 않는다. - 「천성령」 -

정남은 21~59세의 남자이다. 구분전은 국가가 개인별로 나누어 주는 토지로, 지급 조건이 사라지면 국가에 반환해야 하였다.

자료 03 율령의 지역적 수용 – 동아시아 각국의 중앙 관제

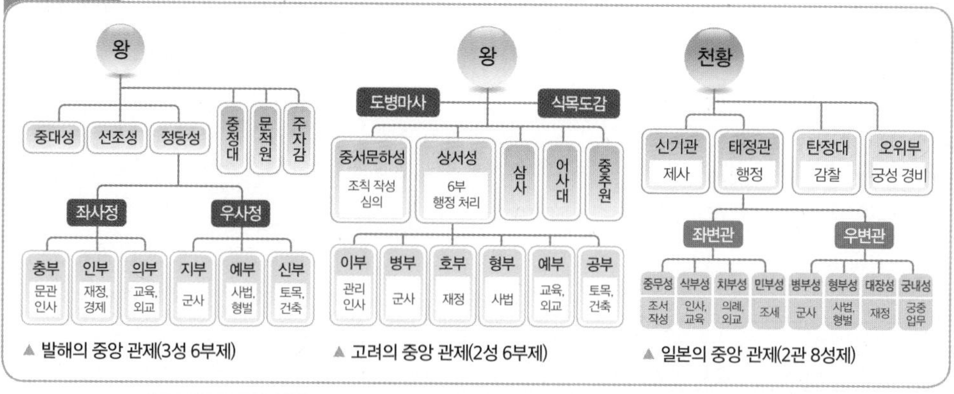

▲ 발해의 중앙 관제(3성 6부제) ▲ 고려의 중앙 관제(2성 6부제) ▲ 일본의 중앙 관제(2관 8성제)

자료 분석 | [발해] 당의 3성 6부를 도입하였지만 3성 6부의 명칭이 다르고, 정당성 중심의 이원적 통치 구조로 되어 있다. 정당성 아래에 좌사정과 우사정을 두어 각각 3부씩을 담당하게 하는 등 운영 방식도 당과 달랐다.
└ 유교 덕목을 나타내는 말로 6부의 명칭을 정하였다.

[고려] 중앙 관제는 3성이 확실히 구분되지 않아 실질적으로는 2성 6부의 형태를 띠었으며, 6부의 순서가 당의 관제와 달랐다.

[일본] 중앙 관제는 2관 8성으로, 궁정의 제사를 담당하는 신기관을 둔 점이 특징이다. 또 행정 전반을 담당하는 태정관의 관할 아래에 좌변관과 우변관을 두었으며, 그 밑에 각각 4성씩을 두었다.

교과서 자료 더 보기

| 중국과 한국의 문묘 |

▲ 베이징 문묘

▲ 성균관 대성전

유교가 중시되면서 공자를 모시는 사당인 문묘가 동아시아 각 지역에 세워졌다.

2 불교의 전파와 문화 교류

1. 대승 불교의 성립과 전파

(1) 불교의 탄생과 대승 불교의 성립

불교의 탄생		대승 불교의 성립
• 기원전 6세기경 인도에서 석가모니가 창시 • 수행을 통한 해탈, 자비와 평등 강조	교리에 대한 견해 차이로 여러 부파로 갈라짐 →	• 기원전 1세기경 성립 • 부처의 자비에 의한 중생 구제 강조, 보살[4] 개념 사용 → 중앙아시아를 거쳐 동아시아로 전파

(2) 대승 불교의 전파 자료 04 — 기원 전후 중앙아시아를 거쳐 화북 지역에 전해짐 → 후한 말 이후부터 중국 사회 관심

지역	시기	내용
중원 지역	위·촉·오	서역의 승려들이 활동 시작(베트남과 남중국의 오에서 활동한 강승회[5])
	5호 16국 시대	유목 민족 국가들의 후원을 받아 본격적으로 화북 지역에 확산, 인도·중앙아시아 출신 승려들에 의해 불경이 한문으로 번역됨
	남북조 시대	황제의 권위와 신앙심을 드러내기 위해 많은 사찰과 거대한 불상 건립(윈강·룽먼 석굴 사원 등), 쿠마라지바·법현 등 활동, 달마가 선종 창시
한반도	삼국	고구려는 전진, 백제는 동진, 신라는 고구려로부터 불교를 받아들임
	통일 신라	원효: 아미타 신앙(정토 신앙) 보급 → 불교가 일반 민중에까지 확산 (소가 씨)
일본 열도		6세기 중엽 야마토 정권이 백제로부터 불교 수용 → 쇼토쿠 태자와 일부 호족의 후원으로 불교 확산, 아스카 지역 중심으로 불교 사찰 건립 → 8세기(나라 시대) 도다이사 건립, 대불 조성 (일본의 쇼무 천황이 세운 사찰)

2. 불교의 토착화 자료 05

(1) **국가 불교** '군주가 곧 부처'라는 논리로 왕권 강화와 사회 안정 도모 → 사찰과 거대한 불상 건립, 국가 차원에서 대장경 간행, 국가가 승려와 교단 통제

(2) **전통 사상·신앙과의 결합**

① **유교와 결합** 중국에서 『부모은중경』 편찬(유교의 덕목인 효 강조) — 한국·일본 등지에 보급

② **토착 신앙과 결합(한국)** 용신·산악신앙과 결합, 사찰에 산신각·칠성각 세움 — 고려: 팔관회 개최

③ **신토[6]와 결합(일본)** 신토의 신들이 부처나 보살이 모습을 바꾸어 나타난 것이라고 주장(신불습합) → 하치만 신상 등 제작

3. 불교문화의 확산

(1) **불탑 축조[7]** 석가모니의 사리를 모신 곳, 예배의 대상

(2) **불경 제작** 『무구정광대다라니경』(신라), 『백만탑다라니경』(일본), 송·요·금 등의 대장경, 팔만대장경(고려) 등 → 인쇄술 발달에 기여

4. 인적·지적 교류의 증대

— 현장이 인도에서 가져온 불경 등을 보관하기 위해 대안탑이 건립되었다.
— 불경을 연구하는 과정에서 한자의 보급이 촉진되었다.

구분	내용
중국	• 동진: 법현(인도에 다녀와 『불국기』 저술) • 당: 현장(인도 순례 후 『대당서역기』 남김), 감진(일본에 계율 전파)
삼국과 통일 신라	• 삼국: 혜자(일본 쇼토쿠 태자의 스승), 담징(일본에 불교 교리, 미술 전파) • 통일 신라: 원효(교리 집대성, 당과 일본 불교계에 큰 영향), 혜초(인도 순례 후 『왕오천축국전』 저술)
일본	• 도다이사 대불전의 낙성식에 당, 인도, 참파의 승려들이 참석 • 엔닌[8]: 당에 유학하고 『입당구법순례행기』 저술

[4] **보살**
깨달음의 경지에 이르렀으나, 해탈을 이루지 않고 중생을 구제하고자 노력하는 존재이다. 관세음보살, 문수보살 등이 있다.

[5] **강승회**
강승회는 소그디아나(중앙아시아의 사마르칸트 지방) 출신의 승려로, 그의 아버지는 북부 베트남에서 활동하던 상인이었다. 강승회는 베트남에서 많은 불경을 한문으로 번역하였으며, 뒤에 남중국의 오에 들어가 손권을 불교에 귀의시켰다.

[6] **신토(神道)**
일본의 민속 신앙 체계이자 일본 고유의 다신교이다.

[7] **동아시아 각국의 불탑**
대표적인 탑으로는 중국의 대안탑(전탑, 7세기), 한국의 불국사 3층 석탑(8세기), 일본의 호류사 5층 목탑(7세기) 등이 있다. 각국에서 구하기 쉬운 재료를 탑에 사용했기 때문에 대표 탑들의 재료가 다르다.

[8] **엔닌**
일본인 승려로, 신라의 장보고가 당의 산둥반도에 세운 사찰인 적산 법화원 등에 머무르면서 불법을 배웠다. 9세기 전반 장보고의 도움을 받아 당 유학을 마치고 귀국하였다.

고득점을 위한 셀파 Tip

시험에 잘 나오는 시기별 불교 인물과 사건

시기	인물과 사건	
3세기	강승회	
4세기	고구려·백제의 불교 수용	
5세기	법현(동진)	달마(남북조 시대)
6세기	혜자(고구려)	
7세기	의상·원효(통일 신라), 현장(당)	
8세기	• 감진(당), 혜초(통일 신라) • 도다이사 건립(나라 시대) • 불국사, 석굴암(통일 신라)	
9세기	엔닌(헤이안 시대), 장보고(통일 신라)	

셀파 자료 탐구

자료 04 공통 자료 불교의 전파

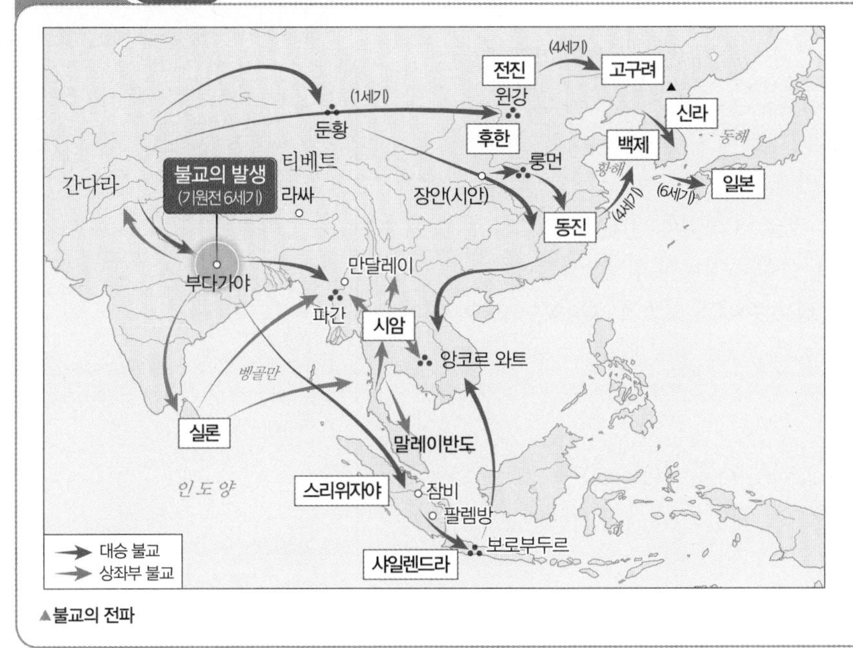

▲불교의 전파

자료 분석 | 대승 불교는 중앙아시아를 거쳐 사막길을 따라 북중국으로 유입되었고, 바닷길로는 북부 베트남을 거쳐 남중국으로 전해졌다. 이후 다시 한반도의 삼국과 일본 열도의 왜로 전파되었다. 상좌부 불교는 실론으로 전파된 후 동남아시아 여러 나라로 전해졌다.

└'큰 수레'라는 뜻으로 대승 불교 집단은 자신을 대승이라고 하면서 종래의 상좌부 불교를 소승이라고 불렀다.

└개인적인 노력을 기초로 하여 해탈을 추구하는 불교의 한 갈래로, 오늘날 스리랑카, 동남아시아 등 남방 불교의 주류를 형성하였다.

교과서 자료 더 보기

| 신라의 불교 공인 |

법흥왕이 불교를 일으키려고 하였으나 신하들이 믿지 않고 불평을 하므로 왕이 근심하였다. …… (왕의) 가까운 신하인 이차돈이 아뢰기를, "제 목을 베어 여러 사람의 논의를 진정시키십시오."라고 하였다. …… 이윽고 목을 베자 피가 솟구쳤는데, 그 색이 우윳빛처럼 희었다. 여러 사람들이 이를 괴이하게 여겨 다시는 불교를 헐뜯지 못하였다. -『삼국사기』-

신라는 5세기 고구려로부터 불교를 받아들였으나 귀족들의 반대로 오랫동안 공인되지 못하다가, 6세기 법흥왕 때 이차돈의 순교를 계기로 공인되었다.

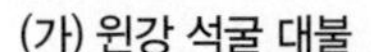

자료 05 동아시아 불교의 특징

(가) 윈강 석굴 대불

(나)『부모은중경』

(다) 하치만 신상

자료 분석 | (가) 북위 문성제 때 황제의 얼굴을 본떠 만든 불상으로, 동아시아 불교가 토착화 과정에서 국가 불교로서의 성격을 지니게 되었음을 알 수 있다.

(나) 어머니가 어린아이를 씻겨 주는 그림이다. 부모의 깊은 은혜, 즉 효에 대한 부처의 가르침을 다룬 경전으로, 불교와 유교의 결합을 보여 준다.

(다) 하치만은 본래 농업, 항해, 재물 등을 관장하는 신토의 신이었으나, 나라 시대에 불교의 신으로 간주되어 하치만 대보살이라는 칭호를 얻었다. 일본의 신불습합을 보여 준다.

교과서 탐구 풀이

Q (가)~(다)를 통해 알 수 있는 동아시아 불교의 특징을 정리해 보자.

A (가)를 통해 황제의 권위를 과시하고 통치의 정당성을 확보하기 위한 국가 불교로서의 성격을 알 수 있다. (나), (다)는 각각 불교와 유교의 결합, 불교와 신토의 결합을 보여 주는 것으로, 전통 사상이나 고유 신앙과의 결합이라는 특징을 보여 준다.

3 성리학의 성립과 확산

1. 성리학의 성립

(1) **성립 배경** 불교·도교의 융성으로 유학의 세력 약화, 인간의 심성과 사물에 대한 성찰 부족 → 송 대 유학에 불교와 도교의 형이상학적 논리 체계 수용하여 성립('신유학'이라 불림)

(2) **성리학의 특징**

① 기본 철학 만물의 근본 원리인 '이(理)' 중시, '성즉리(性卽理)' 주장 (인간의 본성인 성(性)이 곧 우주의 원리(理)라는 말이다.)

② 수양 방법 거경 궁리[9]와 격물치지[10]의 수양을 통해 인간 본성 회복 (누구나 배움을 통해 성인에 이를 수 있다고 주장하였다.)

③ 사서 중시 주희[11]는 사서에 주석을 달아 『사서집주』 저술 → 성리학 집대성 자료 06 (사서: 『대학』, 『논어』, 『맹자』, 『중용』을 일컫는다.)

④ 맹자 추앙 성리학의 바탕이 되는 성선설과 천명사상 등을 주장하여 성인으로 추앙

⑤ **명분론과 화이관 강조** [명분론]군신 관계 및 지주·전호 관계의 차별을 정당화 → 중화와 이민족을 구분하는 화이론으로 연결 – 영향 ┌ 조선: 병자호란 이후 일어난 북벌론, 19세기 척화론 └ 일본: 존왕양이론

2. 성리학의 보급

(1) **서원과 향약의 보급** 남송 이후 서원(사설 교육 기관)과 향약(향촌 자치 규약) 보급

(2) **원 대의 성리학** 관학이 되어 성리학이 각국으로 전파됨, 『사서집주』가 과거 시험의 교재로 채택

(3) **명 대의 성리학**

① 성리학의 관학화 성리학을 과거 시험의 기준으로 삼음, 『성리대전』 편찬

② 명 대의 지배층 신사[12] 지역 여론 주도, 향촌 사회에 유교 의례와 이념 확산에 이바지

(4) **양명학** 명 대 성리학이 과거 합격의 수단화, 사회 모순에 대응하지 못함 → 이에 대한 반발로 왕수인(호: 양명)은 심즉리(心卽理), 치양지(致良知) 주장, 지행합일의 실천 중시

- 왕수인: 육구연의 심학을 받아들여 실천적 측면을 강조하였다.
- 심즉리: 마음이 곧 만물의 원리
- 치양지: 굳이 배우지 않아도, 타고난 도덕적 자각인 '양지(良知)'를 수양하는 것으로 성인에 이를 수 있다. → 인간은 평등한 존재이다.

3. 고려와 조선의 성리학

(1) 고려

수용	13세기 말 안향에 의해 원으로부터 전래 → 신진 사대부에 의해 확산
특징	신진 사대부들이 불교 사원 및 그와 결탁한 권문세족의 횡포를 비판하는 근거로 사용

(2) 조선

(양반: 본래 문·무반을 합쳐 부르는 말이었으나 점차 하나의 신분층을 지칭하는 말이 되었다.)

초기	• 조선 건국의 이념적 기반 → 국가 의례와 사회 의례의 논리로 확장 • 과거를 통해 관직에 진출한 양반 관료가 중심이 되어 국가 운영 → 점차 세습적인 특권층이 됨
발전	철학적 논의가 이루어짐, 학파 형성 → 이황(도덕적 행위의 근거로서 인간의 심성 중시), 이이(통치 체제 정비와 수취 제도의 개혁 방안 제시)
보급	16세기 이후 사림의 성장으로 향촌 사회에 성리학적 질서 확산[13] → 백운동 서원(우리나라 최초의 서원) 이후 전국에 서원 건립 확대, 중종 때 향약 도입

4. 일본의 성리학 자료 07

수용	가마쿠라 막부 후기에 전래, 주로 승려들 사이에서 연구됨
발전	• 후지와라 세이카: 에도 시대의 승려로, 조선에서 끌려온 강항(정유재란 때 일본에 포로로 잡혀 온 조선인 유학자)과 교유하면서 『사서오경왜훈』 간행, 하야시 라잔 등의 제자 양성 • 하야시 라잔: 성리학을 바탕으로 에도 막부의 각종 제도와 의례 정비 → 막부의 관학이 됨 • 야마자키 안사이: 일본 성리학 집대성, 신토와 성리학의 결합 추구
특징	• 신분을 세습하는 무사들이 지배층을 이루고, 유학 경전을 시험하는 과거제 시행되지 않음, 불교와 신토의 영향이 강함 → 성리학이 사회 전반에 걸쳐 확산되지 못함 • 에도 막부 시대에 문묘로 유시마 성당이 세워졌으나 국가 제도로 확립되지 못함

고득점을 위한 셀파 Tip

• 유학의 변천

송 이전	• 한: 유학의 관학화, 훈고학 발달 • 위·진 남북조: 도교와 불교 유행, 유학 침체
송	국방력 약화, 사대부 성장 → 주희가 성리학 집대성
명	• 성리학의 관학화 • 양명학 성립

⑨ **거경 궁리**
잡념을 끊은 경건한 상태(거경)에서 마음에 본래 갖추어져 있는 '이'를 밝히는 것(궁리)을 의미한다.

⑩ **격물치지**
사물의 이치를 끝까지 탐구하여 깨달음에 이르는 것을 의미한다.

⑪ **주희**

남송의 유학자로, 유학에 형이상학적 논리 체계를 수용하여 성리학을 집대성하였다. 이에 따라 성리학을 주자학이라고도 한다. 주희는 유학의 경전으로 중시되던 오경보다 사서를 더 높이 평가하고 여기에 주석을 달아 『사서집주』를 저술하였다. 또한 가정에서의 예절을 모아 엮은 『주자가례』를 저술하였고, 그의 지시에 따라 성리학의 기본 개념과 수행 방법, 예절을 담은 『소학』이 편찬되었다.

⑫ **신사**
관직 경험자인 신(紳)과 관직 경험이 없는 학위 소지자인 사(士)를 합쳐서 부르는 말이다.

⑬ **성리학적 질서의 확산**
조선에서는 성리학이 보급됨에 따라 『주자가례』에 따른 유교적 관혼상제의 의례가 확산되었다. 혼례 후 여자가 곧바로 남자 집에 가서 시집살이하는 친영제가 널리 보급되었고, 여성이 거주하는 안채와 남성이 거주하는 사랑채를 따로 두었다. 자손이 돌아가면서 조상의 제사를 모시는 풍습도 장자 중심의 제사로 바뀌었다.

자료 06 사서를 중시한 주희

『대학』은 공자가 남긴 글로서, 학문하는 사람이 맨 처음에 배워야 할 덕행의 지름길이다. 곧 오늘날 사람이 옛사람들의 글을 배우는 첫 번째 순서가 『대학』이며, 『논어』와 『맹자』가 다음이다. 『대학』으로부터 학문을 시작하면 깨달음을 얻는 데 어긋남이 없을 것이다. - 주희, 「대학장구」 -

자료 분석 | 주희는 사서에 성리학의 핵심을 이루는 내용이 담겨 있다고 보고, 여기에 주석을 달아 『사서집주』를 저술하였다. 『사서집주』는 『대학장구』, 『중용장구』, 『논어집주』, 『맹자집주』로 이루어져 있다. 주희는 누구든지 배워서 성인(聖人)에 이를 수 있다는 사고를 바탕으로, 이상적인 인간상을 구현하기 위한 수양론을 체계화하고자 사서의 주석서를 저술하여 성리학을 집대성하였다.

교과서 자료 더 보기

| 『소학』 |

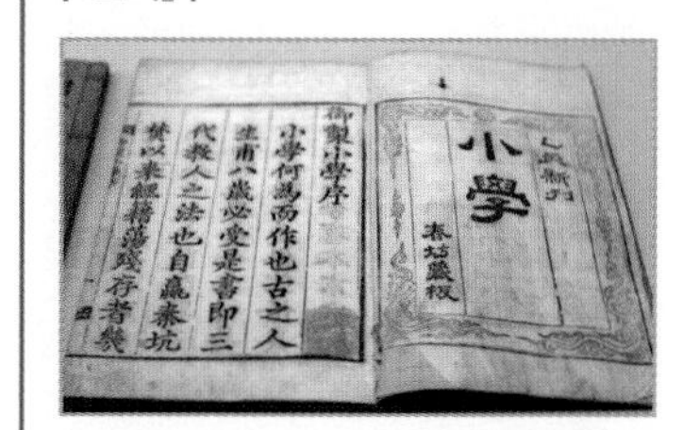

주희가 집필한 성리학 교육의 입문서로, 8세 전후의 어린이들을 대상으로 한 일상생활의 예의범절과 수양을 위한 내용이 담겨 있다.

자료 07 일본 성리학의 발전

예란 사람이 처신을 삼가 서열이 흐트러지지 않음을 말한다. 젊은이가 늙은이를 공경하고 천한 자가 위계가 높은 자를 존중하는 것이 예의이다. …… 하늘은 위에 있고 땅은 아래에 있는 것이 천지(天地)의 예이다. 인간은 이 천지의 예를 태어나면서부터 마음속에 갖고 있으므로 모든 일에는 상하 전후의 순서가 있다. 이 마음을 천지로 확장하면, 군주와 신하, 윗사람과 아랫사람, 인간의 관계가 흐트러짐이 없을 것이다. - 하야시 라잔, 『삼덕초』 -

자료 분석 | 하야시 라잔은 무사 사회의 질서를 유지하기 위해 분수에 맞게 살 것을 강조하며 사농공상(士農工商)의 신분적 차별을 인정한 성리학을 적극적으로 보급하였다. 그러나 일본의 성리학은 조선에 비해 사회에 큰 영향력을 끼치지 못하였다.

교과서 자료 더 보기

| 유시마 성당 |

일본 도쿄에 위치한 공자를 모시는 대성전으로, 하야시 라잔이 세운 가숙에 있던 공자 사당을 1690년 유시마쇼헤이자카로 옮긴 것이다.

가숙: 막부 가신과 영주의 자제를 위한 학교

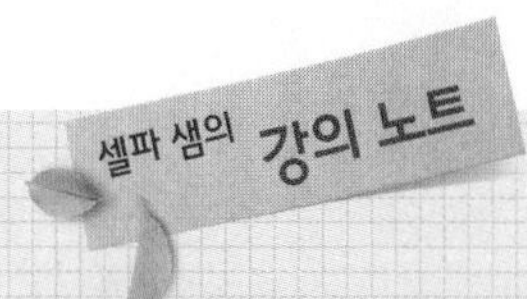

기원전 3세기 … 3세기 6세기 7세기 8세기 9세기 10세기 13세기 15세기 17세기

진
- ▶ 법치주의 형벌 위주

한
- ▶ 법치+유교
- ▶ 불교 전파

위·진 남북조
- ▶ 율(형벌)·영(행정) 구분
- ▶ 불교 확산
  - 북위: 윈강·룽먼 석굴
  - 선종 발달

수

당
- ▶ 율령 체제 완성
  - 균전제, 조·용·조, 부병제
  - 과거제, 국자감, 3성 6부
- ▶ 당 대 불교
  - 현장(대안탑), 감진(일본 교류)

송
- ▶ 성리학(주희)
  - 거경 궁리, 격물치지
  - 『사서집주』, 『소학』
  - 명분론, 화이관
  - 서원과 향약 보급

원

명
- ▶ 『성리대전』 편찬
- ▶ 양명학(실천 강조)

청

고구려: 율령(4세기 소수림왕), 불교(4세기 소수림왕)
백제: 율령(3세기 고이왕), 불교(4세기 침류왕)
신라: 율령(6세기 법흥왕), 불교 공인(6세기 법흥왕)

발해 ▶ 3성 6부(독자성), 주자감
신라 ▶ 골품제 유지, 독서삼품과
▶ 불교 대중화(원효, 의상), 혜초 『왕오천축국전』

고려
- ▶ 2성 6부제, 과거제, 국자감, 성리학 수용

조선
- ▶ 성리학 발달 (서원·향약 보급)

야마토 정권
- ▶ 율령: 다이카 개신(645)
  다이호 율령(701): 2관 8성제
- ▶ 6세기 중엽: 불교 전래 → 신불습합

나라 시대

헤이안 시대
- ▶ 9세기: 엔닌 『입당구법순례행기』

가마쿠라 막부

무로마치 막부

에도 막부
- ▶ 17세기: 성리학 연구
  - 후지와라 세이카
  - 하야시 라잔

개념 완성

1 율령과 유교에 기초한 통치 체계

율령의 정비	한	• 유교의 국가 통치 이념화: 무제 때 동중서의 건의 • 율령: 법가적 원리 + 유가적 원리
	수	3성 6부제, 과거제, 주현제 → 당으로 계승
	당	3성 6부제, 과거제, (❶)(토지 제도), 조·용·조(균전제를 기반으로 한 수취 제도), (❷)(균전제를 기반으로 한 군사 제도)
전파		• 삼국, 통일 신라, 발해, 일본의 국가 체제 정비에 도움 • 지역 국가의 현실에 맞게 선별적으로 수용

2 불교의 전파와 문화 교류

대승 불교의 성립과 전파	성립	기원전 1세기경 중생 구제 강조하는 (❸) 성립
	전파	• 중원: [남북조 시대]황제의 권위 드러내기 위해 많은 사찰과 거대한 불상 건립(윈강·룽먼 석굴 사원 등) • 한반도: [삼국]고구려는 (❹), 백제는 동진, 신라는 고구려로부터 불교 수용 • 일본: 6세기 중엽 백제로부터 수용 → 쇼토쿠 태자의 후원으로 확산 → 8세기 도다이사 건립
	토착화	• 국가 불교: '군주가 곧 부처' → 왕권 강화 • 전통 사상·신앙과의 결합: [유교]『부모은중경』 편찬, [신토]일본의 신불습합 사상(하치만 신상)
인적·지적 교류의 증대	중국	• 동진: 법현『불국기』 • 당: 현장『대당서역기』, 감진(일본에 계율 전파)
	우리나라	• 삼국: 혜자·담징(고구려의 승려, 일본 활동) • 통일 신라: 원효(교리 집대성), (❺)『왕오천축국전』
	일본	(❻)『입당구법순례행기』 저술

3 성리학의 성립과 확산

성립		• 성립: 송 대 (❼)가 집대성 →『사서집주』 • 특징: '이' 중시, '성즉리' 주장, 실천적 수양 방법(거경 궁리, 격물치지), 명분론·화이관 강조, 사서 중시
보급		• 서원과 향약 보급: 남송 이후 전국적으로 보급 • 명 대: 성리학의 관학화,『성리대전』편찬
각국의 수용	고려	13세기 말 전래 → 신진 사대부에 의해 확산
	조선	조선 건국의 이념적 기반, 철학적 논의(이황, 이이)
	일본	가마쿠라 막부 때 전래, 후지와라 세이카와 조선의 강항 교류, (❽)이 에도 막부의 제도와 의례 정비
양명학		명 대에 성리학 비판하며 성립, 개인적 수행과 실천 강조

정답 ❶ 균전제 ❷ 부병제 ❸ 대승 불교 ❹ 전진 ❺ 혜초 ❻ 엔닌 ❼ 주희 ❽ 하야시 라잔

기출 선택지 체크

A 다음 내용이 옳으면 ○표, 틀리면 ×표 하시오.

1 현장은 인도에서 불경을 가져왔다. ( )

2 유교는 율령 체제의 정립에 영향을 미쳤다. ( )

3 발해는 2성 6부의 중앙 관제를 도입하였다. ( )

4 8세기 중반, 일본에서는 쇼무 천황이 도다이사를 건립하였다. ( )

5 성리학은 앎은 실천을 통해 완성된다는 지행합일을 강조하였다. ( )

6 당의 율령 체제에 영향을 받아 일본에서는 야마토 정권이 수립되었다. ( )

B 다음 괄호 안의 내용 중에서 옳은 것에 ○표 하시오.

7 일본은 (태정관 / 신기관)이 제사를 담당하였다.

8 불교는 (북조 / 남조) 왕실의 적극적인 후원을 받았다.

9 신라는 (국학 / 국자감)을 설립하여 유학 교육을 실시하였다.

10 (감진 / 법현)은 일본에 계율을 전파하고 불경을 전해 주었다.

11 주희는 중화와 이민족을 구분하는 (명분론 / 화이론)을 강조하였다.

12 혜초는 인도를 순례하고 (『대당서역기』/『왕오천축국전』)을/를 저술하였다.

C 다음 빈칸에 들어갈 알맞은 말을 쓰시오.

13 ( )은/는 쇼토쿠 태자에게 불교를 가르쳤다.

14 ( )은/는 남인도 출신으로 선종을 창시하였다.

15 불교는 일본에서 신토와 결합하였으니, 이를 ( )(이)라 한다.

16 일본은 당의 율령을 모방한 ( ) 을/를 제정하여 국가 체제를 정비하였다.

17 주희가 집필한『( )』은/는 원 대 이후 과거 시험의 교재로 채택되어 권위가 높아졌다.

정답 1. ○ 2. ○ 3. × 4. ○ 5. × 6. × 7. 신기관 8. 북조 9. 국학 10. 감진 11. 화이론 12.『왕오천축국전』 13. 혜자 14. 달마 15. 신불습합 16. 다이호 율령 17. 사서집주

01 다음 자료에 나타난 사상에 대한 설명으로 옳은 것을 〈보기〉에서 고른 것은?

> • 법령으로써 이끌고 형벌로써 다스리면 백성들이 피하려고만 할 뿐, 부끄러워할 줄 모른다. 그러나 덕으로써 이끌고 예로써 다스리면 사람들은 부끄러워하여 장차 바르게 된다.
> • 동중서는 황제께 아뢰었다. "제왕은 하늘의 뜻을 받들어 정치를 행해야 합니다. 덕과 교화의 힘을 빌려 다스릴 뿐 형벌의 힘을 빌려 다스리지는 않습니다."

보기
ㄱ. 윤회 전생을 교리로 삼았다.
ㄴ. 율령 체계의 정립에 영향을 미쳤다.
ㄷ. 인재 양성과 관리 선발에 기여하였다.
ㄹ. 개인적 해탈보다 중생의 구제를 강조하였다.

① ㄱ, ㄴ ② ㄱ, ㄷ ③ ㄴ, ㄷ
④ ㄴ, ㄹ ⑤ ㄷ, ㄹ

02 다음과 같은 주장을 받아들인 황제가 실시한 정책으로 옳은 것은?

> 무릇 왕이란 하늘의 도를 알아야 한다. …… 하늘의 의지는 자비롭고, 그 도는 의롭다. 군주의 생사여탈에 대한 판단은 때에 따라 의롭게 행하여야 한다. 관직과 관리는 오행과 능력에 따라 배치되어야 한다. 덕을 중시하고 형을 멀리하는 것은 음양의 이치에 따라야 한다. 이것을 두고 하늘의 도에 맞춘다고 한다.
>
> -『한서』, 동중서전 -

① 태학 설치 ② 과거제 실시
③ 봉건제 실시 ④ 만리장성 축조
⑤ 3성 6부제 실시

03 (가), (나)에 대한 설명으로 옳지 않은 것은?

> 수·당은 이전 시대의 법령을 계승·정리하여 율령 체제를 완성하였다.
> (가) 은/는 범죄자를 처벌하는 형벌에서 출발하여 형벌의 종류, 법의 적용 방법 등에 대한 규정도 포함되어 각종 법의 근간이 되었다.
> (나) 은/는 국가 운영을 위한 각종 제도와 규범을 정한 것으로 관료의 등급, 통치 부서 등이 포함되었다.

① (가) – 신분에 따라 다르게 적용되었다.
② (가) – 유교적인 가족 윤리가 반영되었다.
③ (나) – (가)를 개정하거나 보완한 법령이다.
④ (나) – 조세 제도와 토지 제도를 포함하고 있다.
⑤ (가), (나) – 수·당에 이르러 체제가 완성되었다.

04 (가)~(다) 제도에 대한 설명으로 옳지 않은 것은?

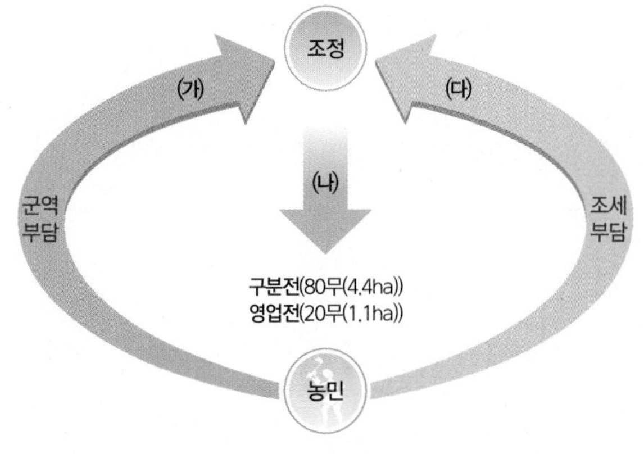

① (가) – 농민의 병역 의무를 바탕으로 한 국가 상비군이다.
② (나) – 호적을 근거로 토지를 지급하였다.
③ (다) – 조·용·조를 의무적으로 납부하게 하였다.
④ (가), (나) – (가)를 이행한 대가로 (나)를 지급받았다.
⑤ (가), (나), (다) – 국가가 농민 지배를 강화하기 위해 실시하였다.

05 다음 대화의 밑줄 친 내용의 예로 옳지 않은 것은?

> 유교적 이념이 반영된 율령 및 이러한 율령에 기초한 수 · 당의 통치 체제는 동아시아 지역으로 전파되었어.

> 맞아, 동아시아 국가들은 수 · 당의 율령 체계를 각자의 현실에 맞게 선별적으로 수용하였어. 그래서 <u>각 국가마다 독자적인 특성이 나타났지.</u>

① 일본은 중앙 행정으로 2관 8성제를 두었다.
② 고구려는 교육 기관으로 태학을 설립하였다.
③ 발해의 3성 6부는 명칭과 관리 체계가 당과 달랐다.
④ 통일 신라는 과거제 대신 독서삼품과를 실시하였다.
⑤ 신라는 골품제를 바탕으로 관위나 관직을 유지하였다.

06 (가), (나)의 중앙 관제에 대한 설명으로 옳지 않은 것은?

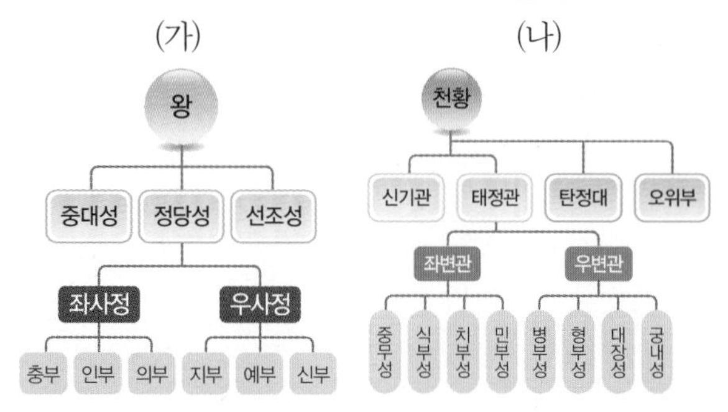

① (가) – 발해의 중앙 행정 조직이다.
② (가) – 중대성 중심의 이원적 통치 구조로 되어 있다.
③ (나) – 다이호 율령을 계기로 조직되어 운영되었다.
④ (나) – 제사를 관장하는 신기관을 중시하였다.
⑤ (가), (나) – 당의 3성 6부 제도를 수용한 형태이다.

07 밑줄 친 '새로운 불교 운동'에 대한 설명으로 옳지 않은 것은?

> 기원전 1세기경부터 재가자를 중심으로 <u>새로운 불교 운동</u>이 일어났다. 이 운동의 모태가 된 것은 석가모니의 유골(불사리)을 안치한 각지의 불탑을 거점으로 한 신앙 집단이었다. 그들은 불탑 공양을 통하여 석가모니를 열렬히 찬양하였고, 부처의 자비에 의해 모든 중생이 구제될 수 있음을 강조하였다.

① 개인의 수행을 중시하였다.
② 보살의 개념을 만들어 냈다.
③ 스스로를 대승이라고 하였다.
④ 석가모니를 초월자로 신격화하였다.
⑤ 중앙아시아를 거쳐 화북 지역에 전파되었다.

08 다음과 같은 불상이 만들어진 시기 중원 지역의 불교에 대한 설명으로 옳은 것은?

① 신토와 불교가 결합되어 발전하였다.
② 이차돈의 순교를 거쳐 불교가 공인되었다.
③ 평등사상을 강조하는 불교를 국가에서 억제하였다.
④ 국가를 수호하는 도다이사를 짓고 대불을 조성하였다.
⑤ 왕의 권위를 강조하기 위해 거대한 불상을 건립하였다.

09 각 나라의 불교 전파 내용으로 옳지 않은 것은?

① 일본 – 일부 호족들의 보호 속에 보급되기 시작하였다.
② 고구려 – 소수림왕 때 전진에서 승려와 불경을 받아들였다.
③ 통일 신라 – 원효 등의 활약으로 민중에게까지 확대되었다.
④ 백제 – 침류왕 때 동진에서 온 승려를 통해 불교를 받아들였다.
⑤ 신라 – 삼국 중 가장 먼저 불교를 공인하고, 민간에 보급하였다.

10 다음 글에 해당하는 예로 옳지 않은 것은?

> 불교는 동아시아 사회에 뿌리내리는 과정에서 전통사상이나 전통 신앙과 결합하기도 하였다.

① 일본에서는 신불습합이 나타났다.
② 당 대에 『부모은중경』이 편찬되었다.
③ 왕이 곧 부처라는 왕즉불 사상이 나타났다.
④ 고려에서는 팔관회가 국가 행사로 개최되었다.
⑤ 산악신앙이나 용 신앙 같은 토착 신앙과 연결되었다.

11 다음에서 설명하는 인물은?

중국의 승려로 장안과 뤄양에서 수학하였으며, 계율과 천태종에 밝았다. 일본 승려로부터 계율을 가르쳐 달라는 요청을 받고서 우여곡절 끝에 일본으로 건너갔다. 그곳에서 그는 계율을 전수하고, 일본 조정으로부터 대화상이라는 칭호를 받았다. 사진은 그의 목조상이다.

① 감진　② 혜초　③ 현장
④ 엔닌　⑤ 강승회

12 교사의 질문에 대한 학생의 대답으로 적절하지 않은 것은?

이 자료와 관련된 종교가 당시 동아시아에 미친 영향이 무엇인지 말해 볼까요?

룽먼 석굴
북위 시대부터 당 대에 걸쳐 집중적으로 조성된 석굴 사원이다. 특히 봉선사의 대불은 이 석굴 최고의 걸작으로 평가받고 있다.

① 갑: 군주의 권한이 더욱 강화되었어요.
② 을: 조각, 건축 등 조형 예술이 발전하였어요.
③ 병: 사대부가 지배층으로 정착하는 데 기여했어요.
④ 정: 불경의 학습과 함께 한자의 보급이 촉진되었어요.
⑤ 무: 불경을 제작하는 과정에서 목판 인쇄술이 발전하였어요.

13 밑줄 친 '이 시대'의 동아시아 불교문화에 대한 설명으로 적절한 것은?

이 금당은 이 시대를 대표하는 문화재로 헤이조쿄로 천도한 이후 만들어졌다.

① 법흥왕이 불교를 공인하였다.
② 감진이 일본에 계율을 전하였다.
③ 달마가 중국에 선종을 전하였다.
④ 엔닌이 장보고의 도움을 받아 귀국하였다.
⑤ 윈강 석굴 사원이 만들어지기 시작하였다.

14 다음 내용과 관련된 유학에 대한 설명으로 옳지 않은 것은?

인간과 사회, 인간과 우주는 이(理)라는 보편적 원리에 의해 하나로 묶여 있다. 따라서 인간의 본성인 성(性)이 곧 우주의 원리이며, 가려지거나 어지럽혀진 본성을 회복하기 위해서는 실천적 수행이 필요하다.

① 송 대 주희에 의해 집대성되었다.
② 『오경정의』의 편찬을 통해 집대성되었다.
③ 오경보다 사서를 중시하는 경향이 강하였다.
④ 수행 방법으로 거경 궁리와 격물치지를 제시하였다.
⑤ 기본 개념과 수행 방법을 담은 『소학』이 중시되었다.

15 (가), (나) 인물에 의해 완성된 각각의 유학 경향에 대한 설명으로 옳은 것은?

(가)

▲ 유학에 형이상학적인 논리 체계를 확립하였다.

(나)

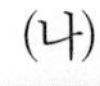

▲ 육구연의 심학을 받아들여 실천적 측면을 강화하였다.

① (가) – 서원과 향약을 통해 널리 보급되었다.
② (가) – 인간의 마음이 곧 만물의 원리라고 하였다.
③ (가) – 평등사상의 내포로 서민들에게 환영을 받았다.
④ (나) – 대의 명분론과 화이론을 강조하였다.
⑤ (나) – 조선의 북벌론과 척화론, 일본의 양이론에 영향을 주었다.

16 동아시아 각국의 성리학 수용에 대한 설명으로 옳지 않은 것은?

① 명은 『성리대전』을 편찬하여 과거 시험의 참고서로 삼았다.
② 송 대에 만들어진 『사서집주』는 원 대 과거 시험 교재로 채택되었다.
③ 16세기 조선에서는 백운동 서원이 최초로 세워지고 향약이 보급되었다.
④ 고려 말 신진 사대부에 의해 연구되었고, 조선 건국의 이념적 기반이 되었다.
⑤ 에도 막부에서는 불교 및 신토와 함께 성리학이 사회 전반에 널리 확대되었다.

17 밑줄 친 '그'에 대한 설명으로 옳은 것은?

후지와라 세이카의 제자인 그는 성리학을 통해 오랜 전란 후의 질서와 안정을 정착시키려 하였다. 그는 '상하 정분(定分)의 이(理)'를 바탕으로 사농공상이라는 일본 신분 사회의 틀을 강화하는 데 이바지하였다. 그가 주장한 '상하 정분의 이'란 사람은 태어날 때부터 차별이 있다는 의미이다.

① 지행합일의 실천을 중시하였다.
② 문헌 고증을 통한 실증적 연구를 중시하였다.
③ 에도 막부의 각종 제도와 의례를 정비하였다.
④ 조선인 강항과 교류하며 학문을 연구하였다.
⑤ 사서오경의 주석본인 『사서오경왜훈』을 편찬하였다.

딱풀 p. 20

18 (가), (나)에 들어갈 알맞은 말을 쓰시오.

한 대에는 국가를 정교한 법으로 통제하려는 (가) 와/과 가족·마을의 공동체적 질서를 존중하는 (나) 을/를 결합하여 율령의 원리로 삼았다.

(가): ____________

(나): ____________

19 다음 자료를 통해 알 수 있는 수·당 율령의 특징을 한 문장으로 서술하시오.

무릇 주인이 노비에게 죄가 없는데도 죽였다면 도형 1년에 처한다. …… 주인이 부곡을 구타하여 죽였다면 도형 1년에 처한다. …… 부곡이나 노비가 과실로 주인을 죽였다면 교수형에 처한다. 과실로 상처를 입혔다면 유형에 처한다. -『당률소의』-

20 다음 도표를 보고 당과 다른 발해 중앙 관제의 독자적 특징을 서술하시오.

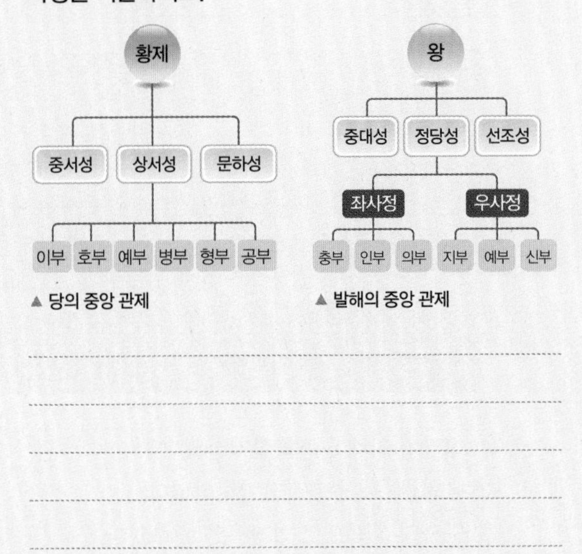

▲ 당의 중앙 관제 ▲ 발해의 중앙 관제

21 다음 자료를 통해 알 수 있는 동아시아 불교의 특징을 서술하시오.

▲ 대안탑

▲ 불국사 3층 석탑

▲ 호류사 5층 목탑

22 다음 자료를 통해 알 수 있는 동아시아 불교의 특징을 서술하시오.

▲ 룽먼 석굴의 불상 룽먼 석굴은 허난성 뤄양 부근에 있는 석굴 사원으로, 여기에 조성된 대형 비로자나불은 당시 권력자인 측천무후를 모델로 했다는 설이 있다.

▲ 하치만 신상 하치만은 원래 농업, 항해, 재물 등을 관장하는 신토의 신이었으나, 나라 시대에 불교의 신으로 간주되어 하치만 대보살이라는 칭호를 얻었다.

23 성리학이 확산되면서 조선에 나타난 변화를 <보기>에서 고르시오.

보기

ㄱ. 부모의 제사를 남녀 형제들이 돌아가며 지냈다.
ㄴ. 『주자가례』에 따라 관혼상제 풍속이 도입되었다.
ㄷ. 여성이 남성의 집으로 들어가는 친영제가 보편화되었다.
ㄹ. 여성이 거주하는 안채와 남성이 거주하는 사랑채를 두었다.

도전 수능 문제

| 교육청 기출 |

01 자료를 보고 대화한 내용이 적절한 학생을 〈보기〉에서 고른 것은?

> • 조부모나 부모에게 욕하였다면 교수형에 처한다. 구타하였다면 참수형에 처한다. 과실로 죽였다면 유형 3천리에 처하고, 상처를 입혔다면 도형 3년에 처한다.
> • 조부모나 부모가 가르침이나 명령을 위반한 자손을 구타하여 죽였다면 도형 1년 반에 처한다. 흉기를 사용하여 죽였다면 도형 2년에 처한다. -『당률소의』-

보기
갑: 가족 내의 위계질서를 중시하였어.
을: 무위자연의 노장사상이 반영되었어.
병: 엄격한 법으로 사회를 통제하려 하였군.
정: 이타행(利他行)을 통한 중생 구제를 강조하였어.

① 갑, 을 ② 갑, 병 ③ 을, 병
④ 을, 정 ⑤ 병, 정

| 평가원 기출 |

02 (가)에 들어갈 대답으로 적절한 것을 〈보기〉에서 고른 것은?

보기
ㄱ. 왜에서는 야마토 정권이 성립되었어요.
ㄴ. 발해는 3성 6부의 중앙 관제를 도입하였어요.
ㄷ. 주는 혈연관계를 바탕으로 봉건제를 시행하였어요.
ㄹ. 신라는 국학을 설립하여 유학 교육을 실시하였어요.

① ㄱ, ㄴ ② ㄱ, ㄷ ③ ㄴ, ㄷ
④ ㄴ, ㄹ ⑤ ㄷ, ㄹ

| 평가원 기출 |

03 (가), (나) 국가의 통치 제도에 대한 설명으로 옳은 것은?

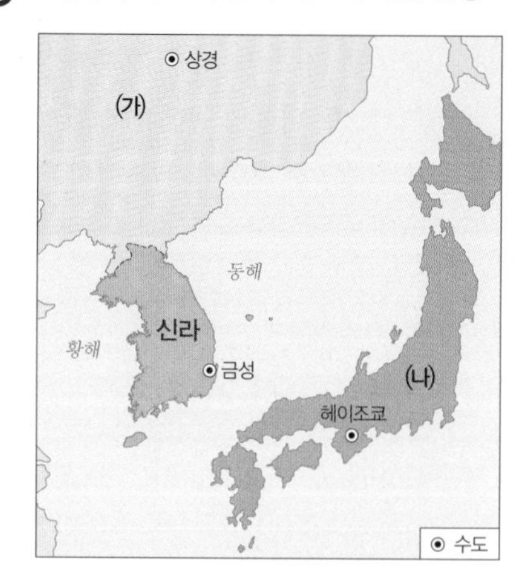

① (가) – 맹안·모극제를 실시하였다.
② (가) – 지방에 5소경을 설치하였다.
③ (나) – 중앙 교육 기관으로 주자감을 두었다.
④ (나) – 태정관과 8성이 중앙 행정을 담당하였다.
⑤ (가), (나) – 과거제를 통해 관리를 선발하였다.

| 수능 응용 |

04 가상 보고서에서 밑줄 친 '국가'의 통치 제도에 대한 설명으로 옳은 것은?

> **야간 순찰 보고서**
> 도성의 좌경(左京)에서 야간 순찰을 돌다가 야간 통행 금지를 위반한 자를 체포하였습니다. 심문을 해 보니 그는 귀국한 견당사가 작성한 공문서를 국가의 행정을 담당하는 태정관 소속의 관리에게 전해 주러 가는 길이었다고 합니다. 양로령(養老令) 가운데 '공적인 일을 수행할 때는 야간 통행을 허가한다.'라는 조문에 따라 그를 처벌하지 않고 석방하였습니다.

① 정당성 아래 6부를 설치하였다.
② 남면관·북면관제를 실시하였다.
③ 군사적 목적으로 역참을 설치하였다.
④ 제사를 담당하는 신기관을 설치하였다.
⑤ 국학의 학생을 대상으로 독서삼품과를 시행하였다.

| 평가원 기출 |

05 (가) 제도에 대한 설명으로 옳은 것은?

동아시아 각국에서 시행된 [(가)]은/는 일정한 시험을 거쳐 관리를 등용하는 제도로 송 대부터 3단계의 형식을 취하였다. 예를 들어 송 대에는 지방에서 해시를 시행하였고, 이 시험을 통과한 이들을 대상으로 수도에서 예부가 성시를 실시하였다. 그리고 황제가 최종 시험인 전시를 주관하였다.

① 명에서 이갑을 단위로 실시되었다.
② 고려에서 쌍기의 건의로 도입되었다.
③ 원에서 천호·백호 단위로 시행되었다.
④ 한에서 동중서의 제안으로 채택되었다.
⑤ 일본에서 다이묘를 통제하기 위해 격년으로 시행되었다.

| 교육청 기출 |

06 (가), (나) 불상에 대한 옳은 설명을 〈보기〉에서 고른 것은?

(가)

▲ 석굴암 본존불

(나)

▲ 윈강 석굴 대불

보기

ㄱ. (가)는 신토와 불교가 결합된 신불습합 사상이 반영되어 있다.
ㄴ. (나)는 시기적으로 (가)보다 먼저 제작되었다.
ㄷ. (가), (나)는 왕의 권위를 강조하기 위해 조성되었다.
ㄹ. (가), (나)는 상좌부 불교가 발달한 지역에서 건립되었다.

① ㄱ, ㄴ ② ㄱ, ㄷ ③ ㄴ, ㄷ
④ ㄴ, ㄹ ⑤ ㄷ, ㄹ

| 교육청 기출 |

07 자료에 나타난 동아시아 불교의 공통점으로 가장 적절한 것은?

• 부모의 은혜를 갚고자 하거든 부모를 위해 불경을 펴내도록 하라. 이것이 참으로 부모의 은혜를 갚는 길이다. …… 사람들이 불경을 펴내는 공덕으로 말미암아 그 사람의 부모는 천상에 태어나 모든 즐거움을 누리며, 지옥의 고통을 영원히 여의게 되느니라.

– 「부모은중경」 –

• 하치만을 모시는 우사 신궁에서 신탁이 내리기를 "하츠다 강변에 한 노인이 돌자리 위에 앉아 있을 터이니 그 자리에 불상을 만들어 모시고 황금이 나오도록 소원을 빌라."라고 하였다. 그래서 그곳을 찾아가서 여의륜관음상(如意輪觀音像)을 안치하였다.

– 「부상략기초」 –

① 군주와 부처가 동일시되었다.
② 지행합일과 양지를 강조하였다.
③ 직관적인 깨달음과 참선을 중시하였다.
④ 중생의 구제보다는 개인의 해탈을 중시하였다.
⑤ 토착화하는 과정에서 전통 사상과 융합되었다.

| 수능 기출 |

08 다음 자료를 활용한 탐구 활동으로 가장 적절한 것은?

• 불법(佛法)을 지키는 용이 황룡사에서 나라를 수호하고 있으니, 그 절에 9층 탑을 세운다면 주변 나라가 항복하고 조공하여 왕업이 길이 태평할 것이다.
• 내가 천황의 자리에 오른 지 오래되었지만, 아직 부처의 은덕이 천하에 다 미치지 못하였다. 이에 삼보(三寶)의 힘을 빌려 국가와 백성을 평안케 하고자 금동 대불을 조성하려고 한다.

① 국가 불교의 특징을 알아본다.
② 문묘 건립의 의미를 살펴본다.
③ 서원이 확산된 배경을 조사한다.
④ 경교가 전래되는 과정을 분석한다.
⑤ 천명사상의 성립 시기를 파악한다.

| 평가원 기출 |

09 **(가)~(다)에 대한 설명으로 옳은 것은?**

(가) (나) (다)

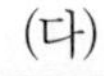

① (가)는 불교가 중국에 전래된 것을 기념하여 만들었다.
② (나)는 석탑 양식을 계승한 것이다.
③ (다)에는 승려의 사리를 안치하였다.
④ (가)의 양식은 중국에서, (나)의 양식은 일본에서 널리 유행하였다.
⑤ (나), (다)는 7세기에 건립되었다.

| 수능 기출 |

10 **(가) 인물이 활동한 시기의 동아시아 불교에 대한 설명으로 적절한 것은?**

① 마라난타가 백제에 불교를 전해 주었다.
② 법현이 인도에서 돌아와 『불국기』를 저술하였다.
③ 강승회가 베트남에서 불경을 한문으로 번역하였다.
④ 혜자가 쇼토쿠 태자에게 불교 교리를 가르쳐 주었다.
⑤ 감진이 일본에 계율을 전파하고 불경을 전해 주었다.

| 수능 응용 |

11 **(가) 인물에 대한 설명으로 옳은 것은?**

① 신법당을 이끌고 재정 개혁을 추진하였다.
② 거경 궁리와 격물치지의 수양 방법을 중시하였다.
③ 치양지와 지행합일을 중시하는 유학을 발전시켰다.
④ 한 대에 유교 통치 이념이 확립되는 데 기여하였다.
⑤ 강항의 도움을 받아 『사서오경왜훈』을 간행하였다.

| 교육청 기출 |

12 **밑줄 친 '이 사상'이 동아시아에 끼친 영향으로 옳지 않은 것은?**

이 그림은 고려 말의 학자이자 관리인 안향의 영정이다. 안향은 국왕을 수행하여 중국을 왕래하면서 당시 중국의 학자들과 교류하였다. 그는 중국에서 주자의 서적을 가지고 돌아와 우리나라에 이 사상을 처음으로 전하였다. 또한 주자를 흠모하여 주자의 호인 회암(晦菴)을 모방하여 자신의 호를 회헌(晦軒)이라 하였다.

① 일본에서 다이카 개신이 추진되었다.
② 일본에서 『사서오경왜훈』이 간행되었다.
③ 중국에서 대의명분론과 화이관이 강화되었다.
④ 한국에서 서원이 건립되고 향약이 확산되었다.
⑤ 한국에서 장자 중심으로 제사를 지내는 것이 보편화되었다.

| 교육청 응용 |

13 다음 대화에 언급된 유학 사상이 동아시아에 끼친 영향으로 옳은 것은?

이(理)가 사람의 마음에서 아직 반응하지 않은 것을 성(性)이라 하고 성(性)은 곧 이(理)이니 과연 옳습니다. 이러한 송유(宋儒)를 널리 펴기 위해 『사서오경왜훈』을 간행하니 선생님께서 책의 말미에 글을 써 주시기를 청합니다.

포로로 끌려온 저를 자주 찾아주시고 글까지 청하시니 감사드립니다. 저의 글이 선생님의 책에 작은 보탬이 되면 좋겠습니다. 이 책을 통해 일본에 주자의 가르침이 널리 전파되기를 바랍니다.

① 일본에서는 훈고학이 형성되었다.
② 일본에서는 다이호 율령이 반포되었다.
③ 중국에서는 『부모은중경』이 성립되었다.
④ 한국에서는 독서삼품과가 실시되었다.
⑤ 한국에서는 서원이 건립되고 향약이 확산되었다.

| 평가원 기출 |

14 (가)에 대한 설명으로 가장 적절한 것은?

> 유학의 한 갈래인 (가) 은/는 일본에 전해져 도쿠가와 이에야스 이래 역대 쇼군의 신뢰를 받았고, 라잔(羅山) 때부터 하야시(林) 가문에서 학풍 유지 임무를 맡아 왔다. 그런데 최근에 이학(異學)이 유행하여 풍속을 해치고 있다. 이번에 유시마 성당에서 공부하고 있는 제자들을 엄중히 단속하라는 명령이 하달되었다. 그 취지에 따라 이학 공부를 금지하고 정학(正學) 연구에 힘쓰도록 하라.

① 심즉리와 치양지, 지행합일을 주장하였다.
② 자비와 인과응보, 윤회 사상을 강조하였다.
③ 고대로의 회귀를 강조하고 천황을 신성시하였다.
④ 형이상학적 학문 경향을 비판하고 고증을 중시하였다.
⑤ 이기론과 명분론을 바탕으로 사회 질서를 확립하고자 하였다.

| 교육청 기출 |

15 다음 사상에 대한 설명으로 옳은 것은?

> 내가 말하는 치지격물(致知格物)은 내 마음의 양지(良知)를 사물에 이르게 하는 것이다. 내 마음의 양지는 천리(天理)이다. 내 마음의 양지의 천리를 사물에 이르게 하면 사물이 모두 그 이치를 얻게 된다. 결국 나의 입장은 심(心)과 이(理)를 합쳐 하나로 하는 것에 불과하다.
> -『전습록』-

① 지행합일의 구체적인 실천을 중시하였다.
② 고려 말 신진 사대부의 사상적 기반이 되었다.
③ 명·청 대를 거치며 관학의 지위를 유지하였다.
④ 레 왕조에서는 성종이 보급을 위해 노력하였다.
⑤ 일본에서는 후지와라 세이카에 의해 이론적으로 심화되었다.

| 교육청 기출 |

16 (가), (나) 지배층에 대한 공통된 설명으로 옳은 것을 〈보기〉에서 고른 것은?

> (가) 명·청 시대의 지배층으로, 관직 경력자와 관직 경험이 없는 학위 소지자(거인, 감생, 생원 등)를 포함한다.
> (나) 본래 문·무반을 합쳐 부르는 말이었으나, 조선 시대에 점차 하나의 신분층을 지칭하는 표현으로 사용되면서 당사자뿐 아니라 그 가족까지도 포괄하게 되었다.

보기
ㄱ. 과거를 통해 관직에 진출하였다.
ㄴ. 향촌 사회에서 영향력을 행사하였다.
ㄷ. 승가라는 공동체를 중심으로 생활하였다.
ㄹ. 장원을 관리하고 연공을 거두어 영주에게 바쳤다.

① ㄱ, ㄴ　② ㄱ, ㄷ　③ ㄴ, ㄷ
④ ㄴ, ㄹ　⑤ ㄷ, ㄹ

동아시아의 사회 변동과 문화 교류

이 단원의 핵심 포인트

중단원	핵심 포인트	학습일
01 17세기 전후의 동아시아 전쟁	• 15~16세기 동아시아의 정세 • 왜란과 호란의 전개 과정과 피해 상황 • 전쟁 이후 동아시아의 국제 질서 재편	월 일 ~ 월 일
02 교역망의 발달과 은 유통	• 동아시아 각국의 교역 관계 • 유럽의 동아시아 진출과 교역망의 확대 • 은 유통의 활성화	월 일 ~ 월 일
03 사회 변동과 서민 문화	• 17세기 이후 인구 증가의 배경과 양상 • 상업과 도시의 발달 • 서민 문화의 발달과 새로운 학문의 발전	월 일 ~ 월 일

셀파와 내 교과서 단원 비교

셀파	천재교육	금성	미래엔	비상교육
01 17세기 전후의 동아시아 전쟁	01 17세기 전후의 동아시아 전쟁	07 17세기 전후 동아시아 전쟁	01 17세기 전후 동아시아 전쟁	01 17세기 전후의 동아시아 전쟁
02 교역망의 발달과 은 유통	02 교역망의 발달과 은 유통	08 교역망의 발달과 은 유통	02 교역망의 발달과 은 유통	02 교역망의 발달과 은 유통
03 사회 변동과 서민 문화	03 사회 변동과 서민 문화	09 사회 변동과 서민 문화	03 사회 변동과 서민 문화	03 사회 변동과 서민 문화의 발달

01 17세기 전후의 동아시아 전쟁

1 15~16세기 동아시아의 정세

1. 명의 정세

(1) 북로남왜[1]

몽골	조공 무역의 확대를 요구하며 명을 수시로 침략 → 토목보의 변(1449), 베이징 포위(1550) 발생 – 명은 몽골을 막기 위해 만리장성을 다시 축조하였다.
왜구	명의 무역 통제에 불만 → 왜구가 중국 동남 해안에서 약탈 자행

베이징 포위(1550): 타타르부의 알탄 칸이 만리장성을 넘어 베이징을 포위하고 약탈한 사건

명의 무역 통제에 불만: 일본의 무역선이 닝보에서 난을 일으킨 후 명이 감합 무역을 중단하였다.

(2) 장거정의 개혁

① 배경 환관 세력의 득세로 정치 부패, 향촌 질서 해체

② 내용 몽골과 강화, 엄격한 관리 평가, 토지 조사, 일조편법[2] 확대 시행 → 관료 기강 확립, 국가 재정 호전

③ 결과 장거정 사후 관료와 신사층의 불만 폭발, 환관 세력의 전횡 → 명의 쇠퇴

2. 조선의 정세

(1) **사림의 집권** 향촌 사회에서 서원과 향약을 바탕으로 세력 확장 → 16세기 후반 사림 세력이 중앙 정계 장악 → 붕당 형성 → 붕당 간 대립 격화

(2) **국방력 약화** 장기간 평화 지속, 군역 제도 운영의 폐단(군포 징수에 따른 병력 감소)

(3) **일본과의 관계** 교린 정책 실시, 쓰시마섬 토벌 → 3포 개항 → 계해약조[3] → 삼포 왜란(1510), 을묘왜변(1555) 발생

3포: 부산포, 내이포(제포), 염포

3. 일본의 정세

(1) **센고쿠 시대** 막부의 쇼군 후계자 계승 문제로 오닌의 난 발생(1467~1477) → 각지에서 다이묘들이 패권 쟁탈전 전개(센고쿠 시대) → 오다 노부나가가 조총 부대를 활용해 주도권 장악 자료 01 → 도요토미 히데요시가 전국 통일(1590)

다이묘: 헤이안 시대에 등장하여 19세기 말까지 각 지방의 영토를 다스리고 권력을 행사했던 유력자를 지칭

(2) 도요토미 히데요시의 정책

① 전국적인 토지 조사 실시, 토지 단위와 도량형 통일

② 농민의 무기 회수(도검몰수령) 자료 02

③ 신분 간의 이동 금지와 거주 지역 분리

②, ③ → 병농 분리 확립

거주 지역 분리: 무사와 조닌은 조카마치에, 농민은 농촌에 거주하였다.

2 17세기 전후의 동아시아 전쟁

1. 임진왜란과 정유재란[4]

(1) **배경** 영토 확장, 다이묘의 군사력 약화, 명과의 무역 확대를 위해 도요토미 히데요시가 대외 침략 도모

(2) **전개** 일본의 '정명향도' 요구를 조선이 거부 → 일본의 조선 침략(임진왜란 발발, 1592) → 일본이 한성과 평양 함락 → 조선의 수군과 의병의 활약, 명의 참전 자료 03 → 조·명 연합군의 평양 탈환(전세 역전) → 명이 벽제관 전투 패배 이후 일본과 강화 협상 전개 → 일본의 무리한 요구[5]로 협상 결렬 → 정유재란 발발(1597) → 도요토미 히데요시 사망(1598) → 일본군 철수

정명향도: '명을 정복하는 데 길잡이를 해 달라.'는 의미

명의 참전: 이여송이 이끄는 명의 부대가 합류하였다.

---

❶ 북로남왜

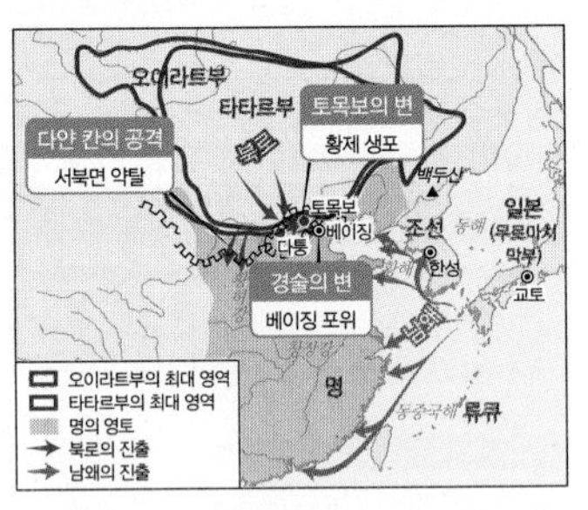

북쪽의 몽골과 남쪽의 왜구가 침략하여 명의 국력이 쇠퇴하였다. 특히 명의 정통제가 몽골(오이라트부)의 침략을 막기 위해 대군을 이끌고 나갔다가 포로로 잡히기도 하였는데, 이를 토목보의 변(1449)이라고 한다.

❷ 일조편법

여러 항목의 세금을 토지세와 역이라는 두 기준으로 정비하고 이를 은으로 납부하게 한 제도이다.

❸ 계해약조(1443)

조선이 쓰시마(대마도) 도주와 맺은 조약으로, 내왕하는 왜인 수와 그들의 체류지, 연간 무역량 등을 규정하였다.

❹ 임진왜란과 정유재란의 명칭

한국	임진왜란, 정유재란	'왜란'은 왜인들이 저지른 난동이라는 뜻으로, 전쟁을 일으킨 주체가 '왜'라는 것을 강조
일본	분로쿠 게이초의 역	전쟁을 일으킨 당사자가 일본이라는 사실을 감춤
중국	항왜원조	왜에 대항하여 조선을 도운 전쟁이라 칭하며 명의 위상 강조

분로쿠와 게이초는 일본 천황의 연호이고, 역(役)은 전쟁이라는 의미

❺ 일본이 요구한 주요 강화 조건

1. 명 황제의 딸을 일본 천황과 결혼시킬 것
2. 조선의 남부 4도(경상, 전라, 충청, 경기)를 일본에 할양할 것
3. 일본과 명의 무역을 재개할 것
4. 조선 왕자 한 명을 일본에 볼모로 보낼 것

–「선조실록」–

셀파 자료 탐구

자료 01 조총의 전래

> 1543년 2명의 포르투갈인을 태우고 표류하던 중국 배가 일본 규슈 남쪽의 섬 다네가시마에 도착하였다. …… 다네가시마의 다이묘는 포르투갈인이 보여 준 불을 내뿜는 신기한 막대기 두 자루를 샀다. 다이묘는 자신의 부하에게 이와 똑같이 만들 것을 지시하였으나 총신이 폭발하는 등 제작에 많은 어려움을 겪었다. …… 계속된 실패로 고민을 거듭하던 대장장이는 자신의 딸을 포르투갈인에게 시집보내어 그 기밀을 얻었다.
>
> – 「뎃포기」 –

자료 분석 | 유럽에서 개발된 조총은 16세기 중엽 포르투갈 상인을 통해 일본에 전해졌다. 조총은 센고쿠 시대 일본의 전투 모습을 바꿔 놓았다. 이전에는 전투에서 기병의 보유가 중요했던 반면, 조총 전래 이후에는 조총의 보유에 따라 승패가 갈렸다. 이후 조총은 센고쿠 시대 다이묘들의 세력 판도뿐 아니라 임진왜란에도 큰 영향을 끼쳤다.

교과서 자료 더 보기

| 나가시노 전투(1575) |

▲ 나가시노 전투 당시 조총수들의 모습

오다 노부나가가 조총을 이용한 전법으로 당시 일본 최강으로 알려진 다케다 가쓰요리의 기마 군단을 물리쳤다.

자료 02 도요토미 히데요시의 도검몰수령

> 지방의 백성들이 칼, 단도, 창, 조총, 기타 무기류를 소지하는 것을 금지한다. 불필요한 도구류를 쌓아 두고 봉기를 꾸미거나 영주의 가신에게 불법 행위를 하는 자들은 당연히 처벌해야 한다. …… 다이묘와 가신, 대관들은 무기류를 모두 모아서 바치도록 하라.
>
> – 시마즈가 문서 353호 –

자료 분석 | 도요토미 히데요시는 농민의 무기를 거두어들이고 신분 이동을 금지하였다. 이에 따라 센고쿠 시대를 거치면서 심화되었던 하극상의 풍조가 사라졌으며, 무사와 조닌은 조카마치에, 농민은 농촌에 거주하는 병농 분리의 사회 질서가 확립되었다.

교과서 탐구 풀이 

Q 자료에 나타난 정책의 시행 목적과 결과는?

A 도검몰수령은 농민의 무기를 몰수하기 위해 실시되었다. 이후 토지를 경작하는 농민과 무기를 소유한 무사의 신분이 명확히 구분됨으로써 병농 분리의 사회 질서가 확립되었다.

명이 임진왜란에 참전하게 된 배경을 알아 두자!

자료 03 명의 참전

> 조선은 동쪽 변방에 끼어 있어 우리(명)의 왼쪽 겨드랑이와 가깝습니다. 평양은 서쪽으로 압록강과 인접하고 진주는 직접 등주를 맞대고 있습니다. 만일 일본이 조선을 빼앗아 차지하여 랴오둥을 엿본다면 1년도 안 되어 베이징이 위험해질 것입니다. 따라서 조선을 지켜야만 랴오둥을 보호할 수 있습니다.
>
> – 「해방찬요」 –

랴오둥(요동) 보호가 임진왜란 참전의 실질적인 목적임을 알 수 있다.

선조는 의주로 피란하면서 명에 원군을 요청하였다.

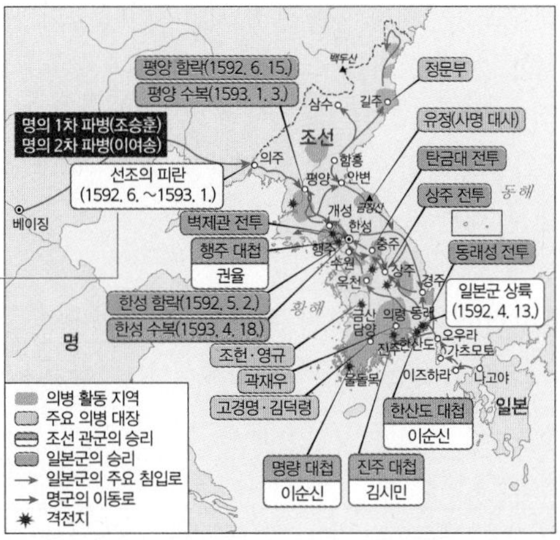

임진왜란과 정유재란의 전개 과정 ▶

자료 분석 | 「해방찬요」는 명의 칙사 왕재진이 만력제에게 올린 상소문으로, 명이 조선을 지켜야만 요동(랴오둥)을 보호할 수 있다는 내용이다. 1592년 조총으로 무장한 일본군이 조선을 침략하여 한성과 평양을 점령하자, 조선은 명에 원군을 요청하였다. 명은 요동을 방어하고 수도인 베이징을 지키기 위해 참전을 결정하였다. 이로써 임진왜란은 동아시아 삼국의 국제전으로 확대되었다.

교과서 자료 더 보기

| 일본의 조선 침략 목적 |

> 세계에서 유례없는 명예롭고 감탄할 만한 계획을 내 힘으로 성취하고자 한다. …… 일본 가까이에 조선이 있고 이 나라는 중국에 근접해 있으므로 먼저 그 나라를 무력으로 정복한 뒤, 그곳에서 중국으로 나가는 데 필요한 탄약이나 식량을 보급하도록 한다면 일거양득이다.
>
> – 「일본사」 –

도요토미 히데요시는 다이묘들의 군사력을 소진하여 국내 정치를 안정시키는 동시에 영토를 확장하고 무역을 확대할 목적으로 조선을 침략하였다.

(3) 전쟁의 영향

일본에는 전쟁 중 공을 증명하기 위해 베어 온 조선인의 귀와 코를 묻은 무덤인 귀 무덤이 있다.

조선	국토 황폐화, 인구 격감, 문화재 소실, 인명 학살(귀 무덤), 일본에 대한 적개심 고조, 명에 대한 숭상 강화(재조지은) ('망해가던 나라를 다시 세워 준 은혜'라는 뜻)
명	재정 악화, 농민의 세금 부담 증가 → 각지에서 농민 봉기 발생
일본	도쿠가와 이에야스가 에도 막부 수립(1603), 문화 발전(성리학, 도자기 등)
여진	만주에서 누르하치 성장

2. 정묘호란과 병자호란

(1) 배경

① 여진족의 성장 누르하치가 팔기제[6] 조직 → 후금 건국(1616) → 명과 충돌(명이 조선에 원군 요청)

왜? 명은 왜란 때 도와준 것을 내세워 조선에 원군을 요청하였다.

② 조선의 대외 정책 변화 광해군의 중립 외교(명의 원군 요청에 강홍립 파견, 사르후 전투에서 후금에 항복) → 인조반정[7](1623) → 서인 정권의 친명배금 정책, 가도에 머물고 있던 모문룡[8]에 대한 원조 강화 → 후금의 반발

(중립 외교: 명, 후금과 일정한 거리를 유지하면서 분쟁에 휩싸이지 않으려는 외교 정책을 전개하였다.)

(친명배금: 명에 대한 의리를 내세워 친교하는 반면, 후금은 적대시하는 정책)

(2) 전개 후금의 조선 침략(정묘호란, 1627) → 후금과 형제 관계 체결 → 청의 칭제건원, 조선에 군신 관계 요구 → 조선의 친명 정책 고수, 청과 군신 관계 거부 → 홍타이지의 조선 침략(병자호란, 1636) → 인조의 남한산성 피신 → 삼전도에서 항복 → 청과 군신 관계 체결

(3) 전쟁의 피해 조선의 왕자와 대신 등 수많은 백성이 포로로 끌려감, 청에 전쟁 배상금 지불

(이 요구를 놓고 조선에서는 외교적으로 해결하자는 주화론과 이에 반대하는 척화론이 대립하였으나, 점차 척화론이 힘을 얻게 되었다.)

(칭제건원: 스스로 황제라 칭하고 국호를 '청'으로 바꾸었다.)

고득점을 위한 셀파 Tip

· 정묘호란과 병자호란

여진족의 성장 → 후금 건국
↓
인조반정 → 조선의 친명배금 정책
↓
후금의 조선 침략(정묘호란, 1627)
↓
조선과 후금이 형제 관계 체결
↓
청의 칭제건원 → 조선이 청과 군신 관계 거부
↓
청의 조선 침략(병자호란, 1636)
↓
조선과 청이 군신 관계 체결

⑥ 팔기제
누르하치가 여러 부족을 통일하면서 조직한 군대로, 군사적 단위이자 행정·과세의 단위였다. 팔기 만주에서 시작하여 팔기 몽골과 팔기 한군으로 확대되었다.

⑦ 인조반정(1623)
서인 일파가 정변을 일으켜 광해군을 폐위시키고 인조를 왕위에 앉힌 사건이다.

⑧ 모문룡
황해에서 후금과 싸운 무장으로, 후금의 요동 진출 이후 평안도 가도에 주둔하여 후금을 크게 자극하였다.

3 국제 질서의 재편과 문물 교류

1. 전후 국제 질서의 재편

(1) 중국

① 명·청의 교체 이자성의 난[9]으로 명 멸망(1644) → 명의 장수 오삼계가 청에 투항 → 청의 베이징 점령 → 강희제 때 삼번의 난[10]과 타이완의 정성공 세력 진압 → 건륭제 때 티베트, 신장, 몽골까지 영토 확장 → 청 중심의 새로운 동아시아 질서 형성

(정성공: 청에 저항하여 명의 부흥 운동을 전개한 인물)

② 자국 중심의 화이관 청은 인의나 오륜 등 유교적 가치를 지키면 어느 민족이나 중화가 될 수 있다고 주장하며 만주족의 중국 지배 합리화 자료 04

(2) 조선

① 청과의 관계 북벌론 제기(효종), 조선 중화주의 확산 자료 04, 연행사 파견 → 북학 운동 발생

(연행사: 조선 후기에 청의 수도인 연경(베이징)에 파견된 사절)

② 일본과의 관계 통신사 파견, 기유약조 체결, 왜관 복구

(통신사: 조선 초부터 일본에 파견된 사절로, 200여 년 동안 12회 파견되었다.)

(기유약조: 임진왜란 이후 조선과 일본은 국교가 단절되었으나, 일본의 요청에 의해 1609년 기유약조를 맺어 국교를 재개하였다.)

(3) 일본

① 대외 관계 에도 막부는 명·청과 국교를 수립하지 않고, 조선·류큐와는 교류 지속

② 일본형 화이관 대두 만세일계의 천황이 다스리는 일본의 중화적 정체성 강조 자료 04

2. 전쟁을 통한 문물 교류

조선	• 투항한 일본 병사에 의해 조총, 화약 제조 기술, 사격 기술 등 전래 (대표적인 인물로는 사야가(김충선)가 있다.) • 고추, 담배 등 새로운 작물이 일본으로부터 전래 • 청에 끌려간 소현 세자가 천문학·천주교 서적을 가지고 귀국 (청에서 독일 선교사 아담 샬과 교류하였다.)
일본	조선에서 약탈한 물자와 도공 등을 통해 에도 시대 학문과 기술 발전 (대표적인 인물로는 이삼평이 있다. 임진왜란 때 규슈로 끌려간 이삼평은 아리타 자기를 만들었다.)

⑨ 이자성의 난
명 말기 정치 혼란과 부정부패가 심각해지자 각지에서 농민들의 저항이 일어났다. 그 중 이자성의 반란군은 1644년 수도 베이징을 함락시켰고, 이로 인해 명이 멸망하였다.

⑩ 삼번의 난(1673~1681)
베이징 점령 과정에서 청을 도왔던 한인 무장(오삼계, 상가희, 경정충) 세력이 일으킨 반란이다. 이 난의 진압으로 청은 중국 본토를 완전히 장악하게 되었다.

셀파 자료 탐구

자료 04 중화 의식의 변화 – 자국 중심의 중화주의

명·청 교체 이후 청, 조선, 일본에서는 자신이 속한 집단을 중화로 인식하는 자국 중심의 중화주의 사상이 나타났다.

(가) 청의 화이관

오랑캐라고 부르는 것은 대개 변방에 거처하여 중원과 말이 통하지 않기 때문이다. 중원에 태어났다고 하여 중화가 되는 것이 아니며, 변방에 태어났다고 하여 중화가 될 수 없는 것도 아니다. …… 중화인은 인의를 아는 것이고, 오랑캐는 윤리를 모르는 것이다. 그러하니 어찌 태어난 곳이 중원이냐 아니냐를 가지고 중화인과 오랑캐를 구별할 수 있겠는가. – 『대의각미록』 –

(다) 일본의 화이관

에도 막부는 청과 국교를 맺지 않고 청 중심의 국제 질서와 거리를 두면서 조선, 류큐 등을 오랑캐(이적)로 보는 일본 중심의 화이관을 형성하였다.

(나) 조선 중화주의

안타깝도다! 그처럼 넓은 땅과 많은 인구를 지녔음에도, 명나라가 갑신년(1644) 3월에 멸망을 맞이한 것은 무엇 때문인가. …… 그 뒤로부터 시간이 흘러 지금에 이르러서는 순(舜)·우(禹) 임금이 돌아보던 땅과 공자·주자가 가르침을 전하던 지역이 모두 옛날과 달라져 오랑캐의 비린내만 가득해졌으니 …… 오직 우리나라만이 한쪽 구석에 치우쳐 있어서 홀로 예를 간직한 나라가 되었으니, 주나라 예법이 노나라에 있다고 할 만하다. 공자께서 다시 태어나면 반드시 뗏목을 타고 동쪽 우리나라로 올 것이다. – 『송자대전』 –

자료 분석 | (가) – 청은 인의나 오륜 등의 유교적 가치를 지키면 어느 민족이나 중화가 될 수 있다고 보고, 전통적인 중화와 오랑캐(이적)의 구분이 더는 의미가 없다고 주장하였다. 이를 바탕으로 청은 명을 계승한 새로운 중화를 자처하며 만주족의 중국 지배를 합리화하였다.
(나) – 오랫동안 지배와 동화의 대상으로 여겼던 여진족으로부터 두 차례나 침략을 받고 화의를 맺은 사실과 명이 망한 데 따른 충격 때문에 17세기 조선에서는 조선이야말로 유일한 중화라고 자부하는 조선 중화주의(소중화 의식)가 나타나게 되었다.

교과서 탐구 풀이 

Q (가)는 청의 옹정제 때 편찬된 책의 일부이다. 자료를 바탕으로 책의 편찬 의도를 추론해 보자.

A 청은 지배자의 입장에서 전통적인 중화와 오랑캐(이적)의 구분이 더는 의미가 없다는 논리를 내세워 만주족의 중국 지배를 합리화하고자 하였다.

교과서 자료 더 보기 

| 효종의 북벌론 |

저 오랑캐(청)는 반드시 망할 날이 있다. …… 정예 포병 10만을 양성하여 자식같이 아껴서 죽음을 두려워하지 않는 용사로 만들고자 한다. 그 후에 저들에 틈이 있기를 기다려 불시에 중국으로 쳐들어가면 중원의 의사와 호걸이 어찌 호응하지 않을 수 있겠는가? – 『송서습유』 –

병자호란 이후 효종이 즉위하자 청에 당한 수치를 씻고 명에 대한 의리를 지키기 위해 청을 정벌하자는 북벌론이 대두하였다. 그러나 청의 감시로 실행에 옮기지는 못하였다.

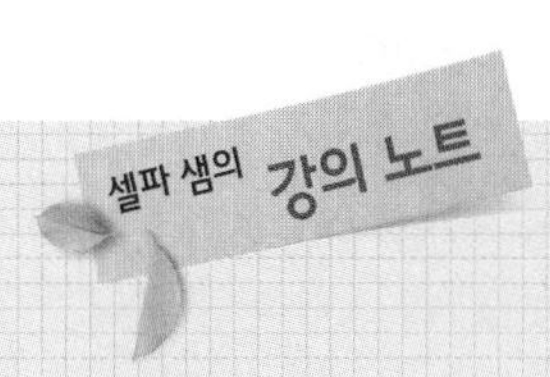

셀파 샘의 강의 노트

16세기 | 17세기

명 → 청

- **북로남왜**
  - 몽골의 침입 → 토목보의 변(1449)
  - 왜구의 약탈
- **장거정의 개혁**
  - 일조편법 확대 시행
- **임진왜란 참전**
  - 요동 방어 목적
- **후금 건국(1616)**
  - 누르하치가 건국
  - 조선 침략(정묘호란)
- **청(1636)**
  - 후금의 홍타이지가 나라 이름을 청으로 바꿈
  - 조선 침략(병자호란)
- **명 멸망(1644)**
  - 청의 베이징 점령

조선

- **사림 집권**: 붕당 형성 → 붕당 간의 대립 격화
- **임진왜란(1592)**: 일본의 침략 → 수군과 의병의 활약, 명의 참전 → 명과 일본의 강화 협상 → 결렬
- **정유재란(1597)**: 일본의 재침략 → 도요토미 히데요시 사망 → 일본군 철수
- **정묘호란(1627)**: 후금의 침략 → 조선과 후금이 형제 관계를 맺음
- **병자호란(1636)**: 청의 홍타이지가 침략 → 조선과 청이 군신 관계를 맺음

무로마치 막부 | 센고쿠 시대 | 에도 막부

- **조총의 전래**
  - 조총을 전술에 활용
- **도요토미 히데요시의 전국 통일(1590)**
  - 토지 조사 실시, 도량형 통일, 도검몰수령 시행, 병농 분리 확립
  - 조선 침략(임진왜란, 정유재란)
- **에도 막부 수립(1603)**
  - 명·청과 국교를 수립하지 않음
  - 통신사를 통해 조선과 교류
  - 류큐와도 교류 지속

개념 완성

1 15~16세기 동아시아의 정세

명	북로 남왜	• 몽골: 명을 수시로 침략 → 토목보의 변 • (❶): 중국 동남 해안 약탈
	장거정의 개혁	몽골과 강화, 엄격한 관리 평가, 토지 조사, (❷) 확대 시행 → 국가 재정 호전 → 장거정 사후 관료와 신사층의 불만 폭발 → 명 쇠퇴
조선		• 사림의 집권: 붕당 형성 → 붕당 간 대립 격화 • 국방력 약화: 장기간 평화 지속, 군역 제도 운영의 폐단
일본	(❸) 시대	오닌의 난 → 다이묘들의 패권 쟁탈전 → 오다 노부나가가 주도권 장악 → 도요토미 히데요시가 전국 통일(1590)
	도요토미 히데요시의 정책	토지 조사 실시, 토지 단위와 도량형 통일, 농민의 무기 회수(도검몰수령), 병농 분리 확립

2 17세기 전후의 동아시아 전쟁

임진왜란과 정유재란	전개	일본의 조선 침략(임진왜란 발발) → 일본이 한성과 평양 함락 → 조선 수군과 의병의 활약, (❹)의 참전 → 조·명 연합군의 평양 탈환 → 명과 일본의 강화 협상 → 협상 결렬 → 정유재란 발발 → 도요토미 히데요시 사망 → 일본군 철수
	영향	• 조선: 국토 황폐화, 인구 격감, 명 숭상 강화 • 일본: (❺) 수립, 문화 발전 • 중국: 명 쇠퇴, 여진 성장
정묘호란과 병자호란	전개	후금의 조선 침략(정묘호란) → 조선과 후금이 형제 관계 체결 → 조선이 청과의 (❻) 관계 거부 → 홍타이지의 조선 침략(병자호란) → 삼전도에서 항복
	피해	조선의 왕자와 대신, 백성들이 청에 포로로 끌려감

3 국제 질서의 재편과 문물 교류

국제 질서의 재편	• 중국: (❼)의 난으로 명 멸망 → 청의 베이징 점령 → 청 중심의 동아시아 질서 형성 • 조선: 북벌론 제기(효종), 조선 (❽) 확산, 북학 운동 발생 • 일본: 명·청과 국교를 수립하지 않음
문물 교류	• 조선: 투항한 일본 병사에 의해 조총 등 전래, 청에서 천문학과 천주교가 들어옴 • 일본: 조선에서 약탈한 물자와 도공을 통해 에도 시대 학문과 기술 발전

정답 ❶ 왜구 ❷ 일조편법 ❸ 센고쿠 ❹ 명 ❺ 에도 막부 ❻ 군신 ❼ 이자성 ❽ 중화주의

기출 선택지 체크

A 다음 내용이 옳으면 ○표, 틀리면 ×표 하시오.

1 토목보의 변으로 명의 황제가 포로로 잡혔다. ( )

2 도검몰수령의 결과 일본에서는 농민의 병역 의무를 바탕으로 한 상비군 제도로 부병제가 성립되었다. ( )

3 임진왜란은 조선의 친명배금 정책을 구실로 발발하였다. ( )

4 정묘호란은 후금이 조선과 형제의 맹약을 맺으면서 종결되었다. ( )

5 중국에서 오삼계 등이 난을 일으켰을 무렵 한국에서는 조선 중화주의가 확산되었다. ( )

B 다음 괄호 안의 내용 중에서 옳은 것에 ○표 하시오.

6 임진왜란 당시 명은 (일조편법 / 지정은제)을/를 통해 조세를 징수하였다.

7 명이 (평양성 / 벽제관)에서 일본에 패배한 이후 강화 협상이 본격화되었다.

8 (임진왜란 / 정묘호란) 때 명이 참전하면서 국제전으로 확대되었다.

9 (명 / 후금)은 팔기제를 완성하여 군사력을 강화하였다.

10 (연행사 / 통신사)는 임진왜란 이후 일본과 국교가 재개되면서 여러 차례 일본에 파견되었다.

C 다음 빈칸에 들어갈 알맞은 말을 쓰시오.

11 ( )이/가 전국 시대를 통일하였다.

12 일본 전국 시대의 시작과 평양성 전투(임진왜란) 사이의 시기에, 일본에 ( )이/가 전래되었다.

13 가도에 주둔한 ( )에 대한 지원은 정묘호란의 빌미가 되었다.

14 정묘호란과 병자호란 사이에 ( )이/가 수립되었다.

15 왜란 이후 조선 도공 ( )의 비가 규슈에 세워졌다.

정답 1 ○ 2 × 3 × 4 ○ 5 ○ 6 일조편법 7 벽제관 8 임진왜란 9 후금 10 통신사 11 도요토미 히데요시 12 조총 13 모문룡 14 청 15 이삼평

딱풀 p. 26

01 다음은 15~16세기 동아시아의 정세를 나타낸 지도이다. 이 시기의 역사적 사실로 옳지 <u>않은</u> 것은?

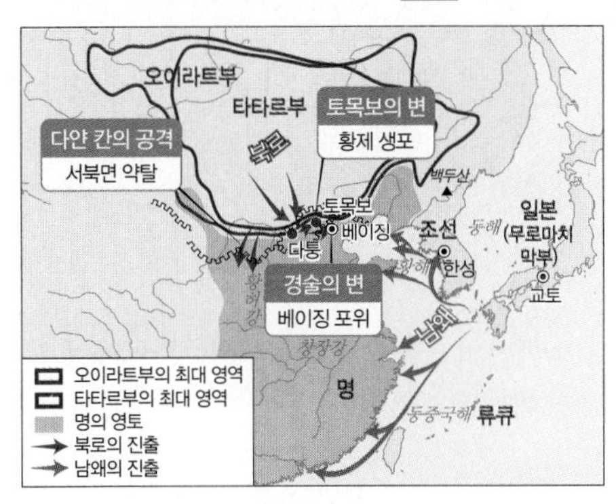

① 명은 몽골과 왜구의 침입에 시달렸다.
② 군역 대신 군포를 받게 되면서 조선의 군사력이 강화되었다.
③ 조선에서는 사림 세력이 집권한 이후 붕당 간의 대립이 격화되고 있었다.
④ 명에서는 장거정이 개혁 정책을 시도하였으나, 장거정 사후 혼란이 가중되었다.
⑤ 일본에서는 나가시노 전투 이후 도요토미 히데요시가 센고쿠 시대의 혼란을 마감하였다.

02 (가)에 들어갈 인물이 실시한 정책으로 옳지 <u>않은</u> 것은?

> 센고쿠 다이묘들의 치열한 각축 속에서 16세기 중엽 오다 노부나가가 두각을 나타냈다. 오다 노부나가는 조총을 이용한 전술을 활용하여 반대 세력을 물리쳤다. 오다 노부나가가 죽자 그 뒤를 이은 (가) 이/가 경쟁자들을 물리치고 100여 년에 걸친 센고쿠 시대를 통일하였다.

① 도량형을 통일하였다.
② 신분 간의 이동을 금지하였다.
③ 병농 분리 정책을 실시하였다.
④ 전국적인 토지 조사를 시행하였다.
⑤ 농민들이 무기를 소유할 수 있게 하였다.

03 다음 글의 밑줄 친 '신기한 막대기 두 자루'에 대한 탐구 활동으로 적절한 것을 〈보기〉에서 고른 것은?

> 다네가시마의 다이묘는 포르투갈인이 보여 준 불을 내뿜는 <u>신기한 막대기 두 자루</u>를 샀다. 다이묘는 자신의 부하에게 이와 똑같이 만들 것을 지시하였으나 총신이 폭발하는 등 제작에 많은 어려움을 겪었다. …… 계속된 실패로 고민을 거듭하던 대장장이는 자신의 딸을 포르투갈인에게 시집보내어 그 기밀을 얻었다. -『뎃포기』-

보기
ㄱ. 일본 무사 계층의 출현 배경을 살펴본다.
ㄴ. 왜관을 통해 조선이 수입한 물품을 조사한다.
ㄷ. 일본이 조선 침입에 사용한 무기를 알아본다.
ㄹ. 나가시노 전투에서 오다 노부나가가 펼친 전술을 조사한다.

① ㄱ, ㄴ ② ㄱ, ㄷ ③ ㄴ, ㄷ
④ ㄴ, ㄹ ⑤ ㄷ, ㄹ

04 다음 자료에 나타난 주장이 초래한 결과로 옳은 것은?

> 조선은 동쪽 변방에 끼어 있어 우리(명)의 왼쪽 겨드랑이와 가깝습니다. 평양은 서쪽으로 압록강과 인접하고 진주는 직접 등주를 맞대고 있습니다. 만일 일본이 조선을 빼앗아 차지하여 랴오둥을 엿본다면 1년도 안 되어 베이징이 위험해질 것입니다. 따라서 조선을 지켜야만 랴오둥을 보호할 수 있습니다. -『해방찬요』-

① 조선에서 인조가 즉위하였다.
② 명에서 빈부 격차가 심화되었다.
③ 조선과 일본이 3포를 중심으로 교역하였다.
④ 일본이 조선을 침략하자 명군이 참전하였다.
⑤ 유럽 선교사들의 포교 활동이 활발히 이루어졌다.

05 다음 지도에 나타난 전쟁에 대한 설명으로 옳지 않은 것은?

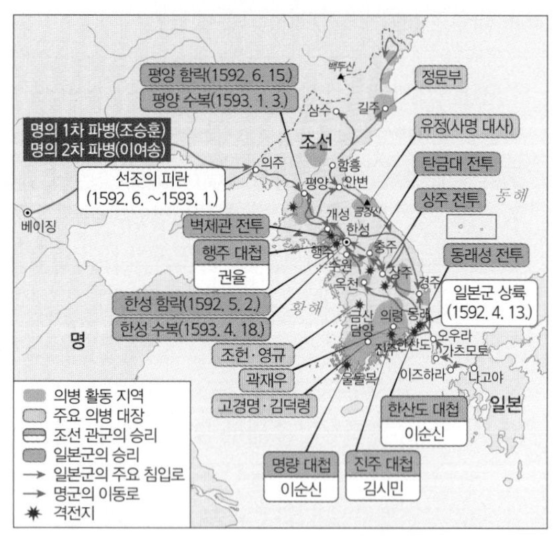

① 광해군의 중립 외교가 배경이 되어 일어났다.
② 여진족이 성장하여 후금을 건국하는 계기가 되었다.
③ 명의 참전으로 동아시아 국제 전쟁으로 확대되었다.
④ 전쟁 과정에서 새로운 작물인 담배와 고추가 조선에 전래되었다.
⑤ 이순신이 이끄는 조선의 수군과 의병들의 활약으로 전쟁의 양상이 바뀌어 갔다.

06 다음 주장에 대한 설명으로 알맞은 것은?

> 명은 일본과 감합 무역을 재개하고 명의 공주를 일본 천황의 후궁으로 줄 것, 또한 조선의 경기·충청·전라·경상 4개 도를 일본에 넘길 것.

① 무로마치 막부에서 제시한 요구 사항이다.
② 명이 임진왜란에 참전하는 계기가 되었다.
③ 벽제관 전투 이후 일본이 명에 요구한 내용이다.
④ 일본과 명이 군신 관계를 맺는 직접적인 계기가 되었다.
⑤ 조선의 조정이 대외 정책을 둘러싸고 척화파와 주화파로 나뉘었다.

07 임진왜란과 정유재란이 동아시아에 끼친 영향으로 옳은 것을 〈보기〉에서 모두 고른 것은?

> 보기
> ㄱ. 조선은 토지가 황폐해지고 인구가 크게 줄었다.
> ㄴ. 많은 전쟁 포로는 일본의 사회·문화 발전에 도움이 되었다.
> ㄷ. 명은 전쟁 이후 수도를 대도로 옮기고 티베트 등을 복속시켰다.
> ㄹ. 만주의 여진이 혼란을 틈타 부족을 통일하며 독자적인 세력으로 성장하였다.

① ㄱ, ㄷ
② ㄴ, ㄷ
③ ㄱ, ㄴ, ㄹ
④ ㄴ, ㄷ, ㄹ
⑤ ㄱ, ㄴ, ㄷ, ㄹ

08 다음 자료와 관련 있는 전쟁에 대한 설명으로 옳은 것은?

> 여진은 조선과 원수도 아닌데, 조선은 군사를 보내 명을 도왔고, 여진은 항복한 조선 관원들을 석방하였는데, 사례하러 오지 않았다. 여진이 요동을 점령한 후 도망간 명의 장수 모문룡이 조선 영토에 머물면서 문제를 일으키므로, 여진이 조선에 모문룡을 잡아 보내기를 요청하였는데 조선은 이를 거절하였다. 여진의 황제가 돌아가셨을 때, 또 새로운 황제가 즉위하였을 때 사신을 보내지 않았다.
> -『만문노당』-

① 인조는 남한산성으로 피신하였다.
② 조선은 후금과 형제 관계를 맺었다.
③ 인조반정이 일어나는 계기가 되었다.
④ 왕자와 신하 등 많은 이들이 청으로 끌려갔다.
⑤ 조선 내에 주화론과 척화론의 대립이 배경이 되어 일어났다.

09 다음 연표의 (가) 시기에 일어난 일로 옳은 것은?

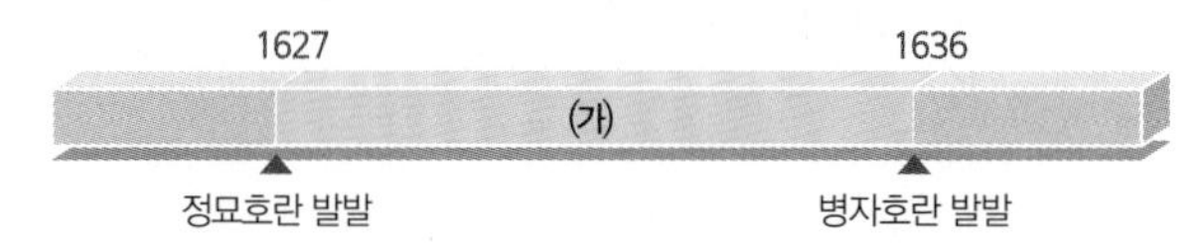

① 명의 지배력 약화를 틈타 누르하치가 만주족을 통일하였다.
② 조선은 청의 칭제건원에 반발하며 친명 정책을 고수하였다.
③ 조선은 후금과 강화를 체결하고 사대의 예와 조공 관계를 맺었다.
④ 조선에서는 명과 후금에 대한 광해군의 외교 정책을 둘러싸고 갈등이 일어났다.
⑤ 일본에서는 토지의 단위와 도량형이 통일되고, 병농분리의 사회 질서가 확립되었다.

10 다음 〈보기〉의 내용을 순서대로 배열한 것은?

보기
ㄱ. 조선에서 북벌론이 대두되었다.
ㄴ. 조선은 친명배금 정책을 내세웠다.
ㄷ. 조선과 후금이 형제의 맹약을 맺었다.
ㄹ. 조선은 삼전도에서 항복 의식을 치루었다.
ㅁ. 홍타이지가 대규모 병력을 이끌고 조선을 침략하였다.

① ㄱ－ㄴ－ㄹ－ㄷ－ㅁ
② ㄱ－ㄷ－ㄴ－ㅁ－ㄹ
③ ㄴ－ㄱ－ㅁ－ㄷ－ㄹ
④ ㄴ－ㄷ－ㅁ－ㄹ－ㄱ
⑤ ㄷ－ㄴ－ㄹ－ㅁ－ㄱ

11 다음 상황의 결과로 나타난 사실을 〈보기〉에서 고른 것은?

오랫동안 지배와 동화의 대상이었던 여진족의 두 차례 침략, 즉 정묘호란과 병자호란은 조선에 커다란 정신적 충격과 굴욕감을 안겨 주었다.

보기
ㄱ. 인조반정이 일어나 정권이 교체되었다.
ㄴ. 효종의 주도 아래 북벌론이 대두되었다.
ㄷ. 명이 망한 뒤 조선 중화주의가 나타났다.
ㄹ. 조선이 서양 문물을 수용하는 계기가 되었다.

① ㄱ, ㄴ ② ㄱ, ㄷ ③ ㄴ, ㄷ
④ ㄴ, ㄹ ⑤ ㄷ, ㄹ

12 다음과 같은 교류가 나타나게 된 배경으로 옳은 것은?

▲ 아리타 자기

이삼평(?~1656)은 조선의 도공으로, 전쟁 기간 중 일본으로 끌려갔다. 그는 도자기 원료인 고령토를 찾아 엄중한 감시를 받으며 자기를 만들었는데, 이를 아리타 자기라고 한다. 그 후 아리타 자기는 명이 멸망하여 자기 생산이 주춤하던 틈을 타고 대량으로 팔려나가 유럽에서 큰 인기를 끌었다.

① 조선의 통신사가 에도에 파견되었다.
② 일본에서 센고쿠 시대가 전개되었다.
③ 조선과 일본 사이에 기유약조가 체결되었다.
④ 도쿠가와 이에야스가 새로운 쇼군이 되었다.
⑤ 임진왜란 때 많은 조선인이 일본에 포로로 끌려갔다.

서답형 문제

딱풀 p. 26

13 다음 글의 (가)에 들어갈 인물과 (나)에 들어갈 제도를 쓰시오.

> 명 중기 이후에는 환관 세력이 득세하여 정치가 부패하고, 향촌 질서가 크게 흔들렸다. 게다가 북쪽에서는 몽골의 일파인 타타르와 오이라트가 국경을 침범하고, 남쪽에서는 명의 무역 통제에 불만을 품은 왜구가 침략하여 사회가 더욱 혼란하였다. 이러한 상황에서 권력을 장악한 [(가)]은/는 정치·경제 등에서 개혁을 추진하였다. 특히 현물로 납부하던 조세를 은으로 납부하게 하는 [(나)]을/를 실시하여 재정을 보완하였다.

14 다음 글을 읽고 물음에 답하시오.

> [(가)]은/는 동쪽 변방에 끼어 있어 우리(명)의 왼쪽 겨드랑이와 가깝습니다. 평양은 서쪽으로 압록강과 인접하고 진주는 직접 등주를 맞대고 있습니다. 만일 일본이 [(가)]을/를 빼앗아 차지하여 랴오둥을 엿본다면 1년도 안 되어 베이징이 위험해질 것입니다. 따라서 [(가)]을/를 지켜야만 랴오둥을 보호할 수 있습니다.
>
> -「해방찬요」-

(1) (가)에 들어갈 나라를 쓰시오.

(2) 위 글을 바탕으로 명이 임진왜란에 참전한 이유를 서술하시오.

15 다음 글을 토대로 임진왜란에 대한 동아시아 3국의 역사 인식의 차이를 서술하시오.

> 동아시아 3국에서 '임진왜란'을 부르는 이름에는 차이가 있다. 중국에서는 '항왜원조'라고 부르고, 한국에서는 '임진왜란'이라고 부르며, 일본에서는 '분로쿠의 역'이라고 부른다.

16 다음에서 설명하는 사상을 쓰시오.

> 오랫동안 지배와 동화의 대상으로 여겼던 여진족으로부터 두 차례나 침략을 받고 화의를 맺은 사실과 명이 망한 데 따른 충격 때문에 17세기 조선에서는 조선이야말로 유일한 중화라고 자부하는 사상이 나타나게 되었다.

17 다음 글의 (가), (나)에 들어갈 사절을 쓰시오.

> - 왜란이 끝난 후 조선은 일본과 국교를 재개하고, 에도 막부에 [(가)]을/를 파견하였다.
> - 병자호란 이후 조선은 청과 조공·책봉 관계를 맺고, 정기적으로 [(나)]을/를 파견하였다.

딱풀 p. 28

| 수능 응용 |

01 (가) 왕조 시기에 동아시아에서 볼 수 있는 모습으로 적절하지 않은 것은?

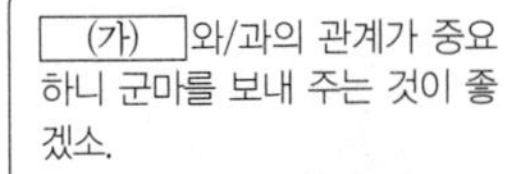

① 중국 – 빈번히 침범하는 왜구
② 중국 – 다시 축조하는 만리장성
③ 일본 – 조총을 이용한 전술 활용
④ 일본 – 다이묘들의 항쟁으로 인한 분열
⑤ 한국 – 연경(베이징)을 향해 떠나는 연행사

| 평가원 응용 |

02 다음 포고문의 시행 결과 나타난 변화에 대한 설명으로 옳은 것은?

포고문

백성들이 칼, 단도, 창, 조총, 기타 무기류를 소지하는 것을 엄하게 금지한다. 불필요한 도검류를 쌓아두고 연공이나 기타 세금의 납부를 꺼리거나, 영주의 가신에게 불법 행위를 하는 자들이 있다면 처벌하겠다. …(중략)… 백성들이 농기구만을 가지고 경작에 전념할 수 있다면 자자손손 행복하게 살아갈 수 있을 것이다.

① 군역 제도의 문제점이 나타나면서 국방력이 약화되었다.
② 병농 분리를 통해 무사와 농민의 신분 구분이 분명해졌다.
③ 신흥 무인 세력과 사대부들의 주도로 왕조 교체가 이루어졌다.
④ 농민 반란이 자주 발생하면서 왕조의 지배력이 급속히 약해졌다.
⑤ 농민의 병역 의무를 바탕으로 한 국가 상비군 제도로 부병제가 성립되었다.

| 교육청 응용 |

03 대화의 소재가 되고 있는 전쟁에 대한 설명으로 옳은 것은?

① 조선의 요청으로 명이 원군을 파병하였다.
② 친명배금 정책이 배경이 되어 발발하였다.
③ 가마쿠라 막부가 쇠퇴하는 요인이 되었다.
④ 신라가 삼국을 통일하는 과정에서 일어났다.
⑤ 일본이 센고쿠 시대를 통일하는 결과를 낳았다.

| 평가원 기출 |

04 다음 자료와 관련된 전쟁의 영향으로 옳은 것을 〈보기〉에서 고른 것은?

- 나는 일본 국내를 무사 평온하게 만들어 나라를 동생에게 넘겨주고 나서 조선과 중국을 정복하는 일에 매진하고 싶다. 이를 준비하고자 대군을 태우고 항해할 수 있는 선박 2천 척의 건조에 필요한 목재를 벌채하도록 지시하였다.
- 국왕이 서북쪽으로 피난하고 나서 국내가 텅 비어 적병이 가득 차고, 조정의 명이 제대로 행해지지 아니한 채로 한 달 이상 혼란이 이어졌다. …(중략)… 지방 도처에서 병사를 모아 의병장이라 칭하는 자가 무려 수백 명을 넘었고, 이들이 쳐들어온 왜적들을 제거하기에 이르렀다.

보기

ㄱ. 쿠빌라이가 남송을 공격하여 멸망시켰다.
ㄴ. 미나모토노 요리토모가 가마쿠라에 막부를 세웠다.
ㄷ. 이삼평 등의 도공을 통해 도자기 기술이 일본으로 전수되었다.
ㄹ. 누르하치가 이끄는 여진족이 만주 지역을 지배하는 세력으로 성장하였다.

① ㄱ, ㄴ ② ㄱ, ㄷ ③ ㄴ, ㄷ
④ ㄴ, ㄹ ⑤ ㄷ, ㄹ

| 교육청 기출 |

05 (가), (나) 주장이 제기된 사이의 시기에 있었던 사실로 옳지 않은 것은?

> (가) 조선이 망하고 중국이 홀로 적을 감당한다면 나중에는 지금보다 훨씬 더 힘을 써야 할 것입니다. 그래서 중국이 조선의 원병 요청에 응하는 것은 조선만을 위해서가 아니라, 실은 중국을 위한 계책이 되기도 합니다.
> (나) 조선이 수만 명의 원병을 보내 우리와 함께 누르하치를 협공하면 반드시 승리를 거둘 것입니다. 이는 왕께서 우리나라에 보답하는 길이며, 동시에 조선에도 큰 복을 안겨 주는 일이 될 것입니다.

① 후금이 건국되었다.
② 기유약조가 체결되었다.
③ 에도 막부가 수립되었다.
④ 조·명 연합군이 평양성을 탈환하였다.
⑤ 도요토미 히데요시가 도검몰수령을 내렸다.

| 교육청 기출 |

06 자료의 상황이 나타난 시기를 연표에서 옳게 고른 것은?

1419	1510	1592	1627	1636	1673
쓰시마섬 정벌	삼포 왜란	임진 왜란	정묘 호란	병자 호란	삼번의 난

(가) 1419~1510, (나) 1510~1592, (다) 1592~1627, (라) 1627~1636, (마) 1636~1673

① (가) ② (나) ③ (다) ④ (라) ⑤ (마)

| 평가원 기출 |

07 밑줄 친 '전쟁'에 대한 설명으로 옳은 것은?

> 오랑캐가 조선의 북쪽 변방을 침략하여 전쟁이 일어났다고 한다. 대마도주는 빨리 사신을 보내 우리가 군대를 파견하여 구원하겠다는 뜻을 전하고 조선의 상황을 살펴보라.
> -『통항일람』-

> 오랑캐가 형제의 맹약을 맺고 물러나 이미 전쟁이 끝났으니, 그대 나라는 번거롭게 군대를 보내지 말라. 그러나 대마도주가 무기를 보내 준 성의는 가상하니, 약간의 토산물을 주어 그 충성심에 답한다.
> -『조선왕조실록』-

① 전연의 맹약으로 강화가 성립되었다.
② 북로남왜가 창궐하는 배경이 되었다.
③ 명이 참전하면서 국제전으로 확대되었다.
④ 청의 칭제건원에 대한 반발이 원인이 되었다.
⑤ 가도에 주둔한 모문룡에 대한 지원이 빌미가 되었다.

| 교육청 응용 |

08 (가), (나) 전쟁에 대한 설명으로 옳은 것은?

> (가) 정묘년에 후금의 침입으로 성상께서 강화도로 거둥하니, 세자가 분조를 만들어 남쪽으로 내려갔다. …(중략)… 저녁에 적군이 이미 임진강을 건넜다는 헛소문이 떠돌자, 분조의 재신들은 어찌할 바를 몰라 허둥대며 세자를 모시고 영남으로 이주하려 하였다.
> (나) 용골대와 마부대가 성 밖에 와서 왕에게 빨리 나오라고 재촉하였다. …(중략)… 용골대 등이 데리고 들어가 단 아래에 북쪽을 향해 자리를 마련하고 왕에게 나가기를 청하였다. 청나라 사람을 시켜 큰 소리로 소리치게 하였다. 왕이 세 번 절하고 아홉 번 머리를 조아리는 예를 행하였다.

① (가) – 조선의 북벌론 제기가 원인이었다.
② (나) – 광해군의 외교 정책이 원인이었다.
③ (가) – 랴오둥 보호를 위해 명이 개입하였다.
④ (나) – 조선은 청과 군신 관계를 맺게 되었다.
⑤ (가), (나) – 명에 대한 재조지은 의식이 형성되었다.

| 수능 기출 |

09 밑줄 친 '서신'이 작성된 시기를 연표에서 옳게 고른 것은?

> 몽골의 왕들이 조선 국왕에게 서신을 보냅니다. 우리 몽골과 팔기(八旗)의 왕들이 주군이신 칸[汗]에게 존호(尊號)를 바치기로 하자, 칸께서 "조선 국왕은 나의 동생이므로 그 사실을 알려 의논하라."라고 하셨습니다. 그래서 우리는 조선 국왕과 함께 그 일을 상의하기 위해 서신을 보내는 바입니다. 왕은 자제들을 보내 우리와 함께 주군이신 칸의 존호를 정하기 바랍니다.

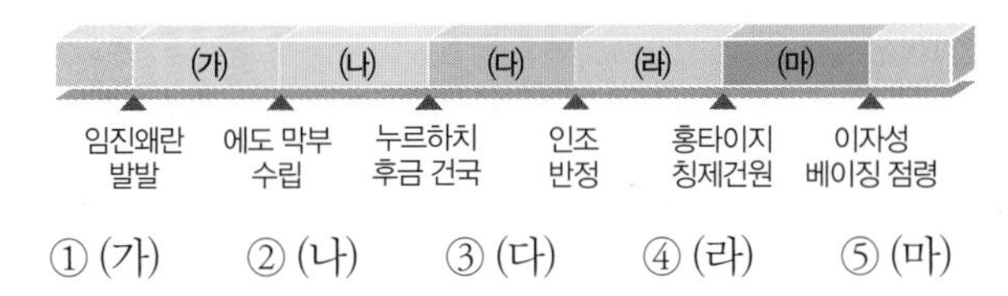

① (가) ② (나) ③ (다) ④ (라) ⑤ (마)

| 교육청 응용 |

10 밑줄 친 '이 전쟁'이 동아시아에 끼친 영향으로 옳은 것은?

① 조선 – 북벌론이 대두되었다.
② 조선 – 인조반정이 일어났다.
③ 명 – 토목보의 변이 발생하였다.
④ 청 – 일조편법이 실시되었다.
⑤ 일본 – 나가시노 전투가 발발하였다.

| 평가원 응용 |

11 자료와 관련된 전쟁의 영향을 알아보기 위한 탐구 활동으로 적절하지 않은 것은?

> 명의 장수 이여송이 이미 평양을 탈환한 후 왜병을 추격하여 개성에 이르렀다. 조선 군사 수만 명을 유격대로 삼아 왕성으로 보내 밤마다 사방에 불을 놓으니, 군량마저 끊어진 왜병은 더욱 겁을 내었다. 이때 누군가 이여송에게 "왜의 정예 군사는 평양 싸움에서 몰살되었으니, 지금 진격하면 반드시 승리할 것입니다."라고 말하였다.
>
> – 『성호사설』 –

① 조선이 연경에 연행사를 파견한 목적을 알아본다.
② 조선 도공 이삼평의 비가 규슈에 세워진 경위를 조사한다.
③ 조선이 명과 후금의 전투에서 명을 지원한 배경을 알아본다.
④ 후지와라 세이카가 사서오경 주석본을 편찬한 과정을 살펴본다.
⑤ 누르하치 세력이 만주 지역에서 빠르게 성장한 원인을 분석한다.

| 교육청 응용 |

12 밑줄 친 '인물'에 대한 탐구 활동으로 가장 적절한 것은?

이 비는 일본 도자기의 시조로 불리는 인물을 기리기 위해 1917년 아리타 자기 300주년을 기념하여 아리타에 세워졌습니다.

① 견당사를 통한 문화 교류의 내용을 분석한다.
② 일본이 통신사 파견을 요청한 목적을 파악한다.
③ 임진왜란 때 일본에 끌려간 조선인을 조사한다.
④ 도래인(도왜인)이 일본에 끼친 영향을 살펴본다.
⑤ 3포를 중심으로 한 조선과의 교역 물품을 파악한다.

02 교역망의 발달과 은 유통

1 동아시아 각국의 교역 관계 자료 01

1. 중국의 무역

(1) 명

해금 정책[1]	조공의 형태로만 무역 허용, 사무역 금지 → 명과 일본의 상인이 왜구로 가장하여 밀무역 성행 → 16세기 후반 해금 정책 완화 → 중국인의 동남아시아 진출로 화교 사회 형성
조공 무역	• 정화의 함대를 동남아시아에 보내 조공 확대 • 조선·류큐·대월 등이 정기적으로 명에 조공 • 일본과 그 밖의 나라에게는 무역 허가증인 감합 발급(감합 무역)

(2) 청

해금 정책	건국 초기 반청 운동을 막기 위해 천계령[2] 반포(1661) → 타이완의 정씨 세력을 복속한 후 천계령 해제(1684) → 청 상인의 나가사키 진출 활발 → 일본의 은 유출 심각 → 에도 막부는 청 상인에게 신패[3]를 발급하여 무역량 규제
공행 무역	1757년 대외 무역항을 광저우로 제한, 공행을 설치하여 대외 무역을 독점하게 함

왜? 서양인과 한인이 결탁하여 반청 운동을 일으킬까 염려되었기 때문이다.
(공행) 유럽 상인들과의 교역을 공식적으로 허가받은 상인 조합

2. 조선의 무역

(1) 중국과의 무역

① 조공 무역 명·청과 조공 관계를 맺고 정기적으로 사절 파견 → 사절이 공물을 바치면 명·청이 답례품을 주는 형식

② 사무역 사신을 수행하는 역관이나 상인의 사무역 활발 (이들의 중계 무역을 통해 일본산 은과 명·청의 비단이 교환되었다.)

(2) 일본과의 무역

① 조선 전기 쓰시마섬 토벌 이후 3포(부산포, 내이포(제포), 염포)에 왜관을 설치하여 제한적 교역 → 삼포 왜란 발생 → 임진왜란과 정유재란 이후 교역 단절

② 조선 후기 에도 막부 수립 후 기유약조를 체결하여 교역 재개, 부산에 설치된 왜관(초량 왜관)을 통해 무역 전개 → 쓰시마번이 교역에서 중요한 역할 담당 (400~500여 명에 이르는 쓰시마인들이 부산의 왜관에 거주하며 무역에 종사하였다.)

3. 일본의 무역

무로마치 막부	명과 감합 무역 전개 → 16세기 중반 감합 무역이 중단되면서 밀무역에 종사하는 왜구 창궐 → 16세기 후반 명의 해금 정책 완화 → 동남아시아 등지에서 명 상인과 교역
에도 막부	• 일본인의 동남아시아 진출 활발 → 에도 막부가 슈인장[4]을 발급하여 교역 통제 • 슈인장 무역을 통해 다이묘 세력이 성장하고 크리스트교 확산 → 해금 정책 실시, 크리스트교 탄압 → 네덜란드 상인에게만 나가사키의 데지마[5]에서 무역 허용 • 천계령 해제 이후 나가사키에서 청 상인과 교역 증가 → 은 유출 급증 → 에도 막부가 신패를 발급하여 교역 통제

4. 류큐의 무역

(류큐: 지금의 오키나와에 있던 나라)

(1) 특징 명의 해금 정책 → 류큐 상인이 중계 무역으로 이익을 얻음 (지리적으로 동아시아나 동남아시아 각국과의 중계 무역에 적합하였다.)

① 명에서 도자기, 생사 등을 수입하여 이를 일본과 동남아시아에 판매

② 류큐산 조개껍데기·유황, 일본산 칼·구리, 동남아시아산 상아·향신료 등을 명과 조선에 수출

(2) 쇠퇴 16세기 후반 명의 해금 정책 완화로 사무역 발달 → 류큐의 중계 무역 쇠퇴 자료 02

---

① 해금 정책
민간인이 국외로 건너가 무역하는 것을 금지하는 정책이다.

② 천계령
해상권을 장악하고 반청 운동을 전개하던 정씨 세력으로부터 피해를 막기 위해 푸젠·광둥성 등의 연해 주민을 내지로 이주시킨 정책이다.

③ 신패

청 상인의 나가사키 입항을 허가하는 증서이다.

④ 슈인장

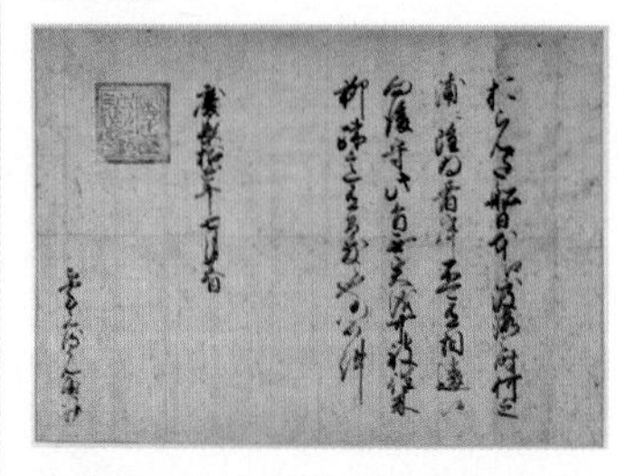
배를 타고 나가 무역할 수 있도록 에도 막부가 발급한 증명서로, 붉은 도장(슈인)이 찍혀 있다.

⑤ 데지마

에도 막부가 포르투갈 상인들을 수용하기 위해 나가사키에 조성한 인공 섬이다. 그러나 포르투갈인이 종교상의 이유로 추방당한 뒤 네덜란드인이 차지하였다.

셀파 자료 탐구

자료 01 14세기 후반 ~ 16세기 전반의 동아시아 교역망

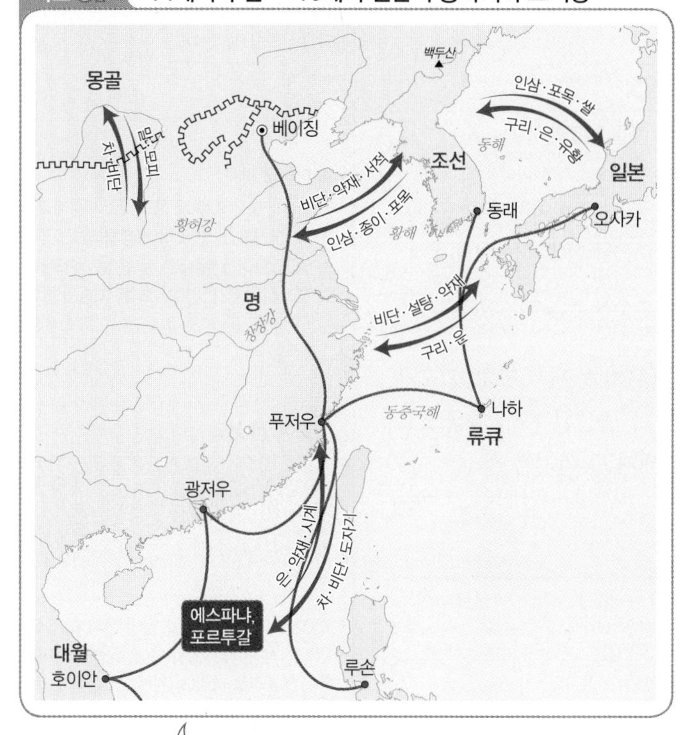

명은 건국 초부터 해금 정책을 펴 조공 무역을 허용하고 사무역을 통제하였음을 알아 두자!

자료 분석 |

- 명은 동남 연안 지역의 세력이 왜구와 결탁하자 민중들이 이들과 연계하여 반란 세력으로 성장할 것을 우려하였다. 이에 해금 정책을 펴면서 조공의 형태로만 무역하였다.
- 해금 정책으로 교역이 어려워지자 명 상인들은 동남아시아 상인들과 밀무역을 하였다. 명이 단속을 강화하자 밀무역 상인들은 해적 집단에 합류하였고, 이로 인해 왜구가 성장하였다.
- 16세기 후반 명은 상인들의 잇따른 요청을 받아들여 동남아시아 방면의 도항과 무역을 허용하였다. 이에 많은 중국인이 동남아시아에 진출하여 베트남의 호이안, 필리핀의 마닐라 등지에 화교 사회를 형성하였다.

교과서 자료 더 보기

| 감합 무역 |

▲ 명의 사신이 감합을 맞춰 보는 모습(상상화)

명은 감합부의 반쪽을 보관하고 나머지 반쪽을 상대국에게 보내, 지정된 교역항으로 배가 들어왔을 때 이를 맞춰 보고 공식 사절임을 확인하였다.

류큐의 중계 무역이 발달하게 된 배경을 당시의 동아시아 교역 상황과 관련지어 알아 두자!

자료 02 류큐의 중계 무역

나라는 남해(동중국해)의 가운데 있는데, 남북으로는 길고 동서로는 짧다. …… 그 땅에서는 유황이 산출되는데, 1년 만이면 다시 구덩이가 차, 아무리 파내어도 한이 없다. 해마다 중국에 사신을 보내고 유황 6만 근과 말 40필을 바친다. …… 해상 무역을 업으로 삼는다. 서쪽으로는 남만, 중국과 교통하고, 동쪽으로는 일본, 우리나라와 교통한다. 일본과 남만의 상선이 국도와 해변 포구에 모이므로, 백성이 포구에 술집을 설치하여 서로 교역한다.

류큐가 해상 무역으로 번영하였고, 명과 조선에 조공하였던 사실과 류큐의 기후와 풍습 등이 기록되어 있다. - 『해동제국기』 -

▲ 무역선으로 붐비는 류큐의 나하항

자료 분석 | 류큐는 14세기 후반 ~ 16세기 전반에 걸쳐 명과의 조공 무역을 중심으로 일본, 동남아시아 국가들을 잇는 중계 무역을 활발히 전개하였다. 명은 조공 횟수를 국가마다 지정하였는데, 베트남(대월)은 3년에 한 번, 일본은 10년에 한 번 정도였다. 이에 비해 류큐는 1년에 한 번으로 우대받았다. 류큐는 조공을 통해 중국 상품을 얻을 수 있었고, 명의 해금 정책으로 중국 상업 세력이 비웠던 자리를 대신할 수 있었다. 그러나 16세기 후반 명의 해금 정책이 완화되면서 사무역이 발달하자, 류큐의 중계 무역은 점차 쇠퇴하였다.

교과서 탐구 풀이

Q 류큐에서 중계 무역이 발달하였던 배경을 명의 무역 정책과 관련하여 말해 보자.

A 명의 해금 정책과 조공 무역으로 류큐의 중계 무역이 발달하였다. 즉, 류큐는 다른 국가보다 조공 횟수가 많았기 때문에 중국 상품을 더 많이 확보할 수 있었고, 명의 해금 정책으로 인한 중국 상인들의 빈자리를 류큐 상인들이 차지하였기 때문이다.

2 유럽의 동아시아 진출과 교역망의 확대 자료 03

1. 유럽 상인의 동아시아 진출

포르투갈	믈라카 점령, 호이안과 마카오를 거쳐 나가사키 진출
에스파냐	필리핀에 무역 기지 건설, 마닐라가 갈레온 무역[6]의 중심지로 성장
네덜란드	• 포르투갈로부터 말루쿠 제도의 지배권을 빼앗고, 나가사키에 머물며 교역 • 타이완에 식민지 건설, 17세기 중엽 동남아시아 섬 대부분 장악
영국	18세기 중엽 동아시아 무역의 주도권 장악 → 차 수요가 늘어나면서 영국이 청에 지출하는 은의 규모도 커짐 → 영국은 18세기 말부터 인도에서 생산한 아편을 청에 파는 삼각 무역 실시 → 청의 은이 대규모로 유출

2. 교역망의 확대
유럽과 명·청, 일본 상인들이 믈라카·마닐라·나가사키 등에서 활발히 교역하면서 동아시아 교역망이 전 세계로 확대 → 아메리카와 일본에서 생산된 은이 중국으로 유입, 신작물의 동아시아 전래, 중국과 일본의 도자기가 유럽에 전해져 큰 인기를 끎

- 아메리카가 원산지인 감자, 고구마, 옥수수, 고추, 담배 등이 동남아시아 등지를 거쳐 동아시아에 전해졌다.
- 도자기 복제 기술에도 영향을 주었다.

3. 동아시아와 유럽의 문물 교류

동아시아	중국	마테오 리치[7](「곤여만국전도[8]」 제작), 아담 샬(시헌력 제정) → 전례 문제[9] 악화로 서양 과학 기술 수용이 점차 줄어듦
	조선	중국에 다녀온 사신들을 통해 서양 문물 유입(자명종, 천리경)
	일본	네덜란드와 교류 → 난학 발달(『해체신서』 발간)
유럽		선교사들이 동아시아에 관한 지식을 유럽에 전달(마테오 리치의 『중국견문록』, 차 문화)

- 「곤여만국전도」: 중국 중심의 사고방식에서 벗어나게 하여 세계관을 변화시키는 데 이바지하였다.

3 은 유통의 활성화[10]

1. 중국의 은 유통
(1) **은 유입 증가** 수출의 증가, 은의 가치가 유럽보다 높았음
- 16세기 명의 은 가치가 유럽보다 2배가량 높았기 때문에 유럽인들은 명에 은을 가져가기만 해도 큰 이윤을 남길 수 있었다. 이로 인해 은이 명으로 유입되었다.

(2) **은 사용 확대** 보초의 남발로 가치 하락 → 명 중기 이후 민간에서 은 사용 증가

(3) **은 본위 경제 체제 확립** 조세의 은납화(명-일조편법, 청-지정은제)
- 이로 인해 은이 사실상 명의 공식 화폐로 자리 잡게 되었으며, 외국 은에 대한 의존도가 높아져 명의 경제는 은 유입량의 변화에 영향을 받게 되었다.

2. 조선의 은 유통
16세기 초 단천 은광 개발, 비단 등 사치품의 수요 증가로 은 부족 → 16세기 중엽 일본 은 수입, 비단 등을 사느라 명으로 유출 → 17세기 이후 인삼과 중국의 비단을 일본에 팔고 그 대금으로 은을 받음, 이는 다시 중국으로 유출

3. 일본의 은 유통
(1) **은 생산 증가** 16세기 조선에서 회취법(연은 분리법)[11] 도입, 이와미 은광 개발 → 은 생산 증가 → 16세기 말 전 세계 은 생산량의 3분의 1 차지
- 센고쿠 시대에 다이묘들은 경쟁적으로 은광 개발에 나섰다.

(2) **은 유통 활성화** 무역 결재 대금으로 사용, 조선을 거쳐 중국으로 은 유입('은의 길' 형성) → 17세기 이후 은 생산량 감소, 은의 해외 유출 통제
- 중국의 비단·생사, 조선의 인삼 등을 구입하는 결재 대금으로 사용하였다.

4. 아메리카의 은 유통
16세기 중엽 은 생산 증가 → 에스파냐의 갈레온 무역(마닐라), 포르투갈 상인(마카오), 네덜란드 동인도 회사 등을 통해 아메리카의 은이 동아시아에 대량 유입

---

⑥ 갈레온 무역
16세기에 에스파냐가 대포를 갖춘 대형 선박(갈레온)을 이용하여 아카풀코 항에서 가져온 은과 필리핀에 집결된 중국 상품을 교환한 태평양 무역을 일컫는다.

⑦ 마테오 리치
이탈리아 출신 예수회 선교사로 서광계와 함께 「기하원본」을 번역하여 유클리드 이론을 소개하였으며, 한문으로 된 최초의 크리스트교 교리 문답서인 「천주실의」를 저술하였다.

⑧ 곤여만국전도

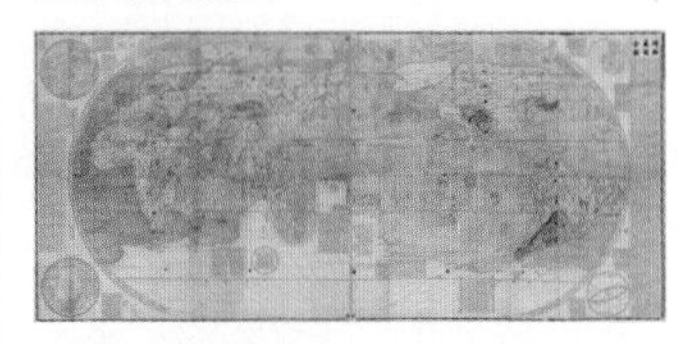

1602년 마테오 리치와 명의 학자 이지조가 제작한 세계 지도로 아시아, 유럽, 아프리카 등의 5대 주를 그렸다. 조선과 일본에도 전해져 큰 영향을 주었다.

⑨ 전례 문제
로마 가톨릭 교회 내부에서 중국 전통(공자나 조상에 대한 제사 등)의 인정 여부를 둘러싸고 벌어진 논쟁이다.

⑩ 동아시아 일대의 은 유통

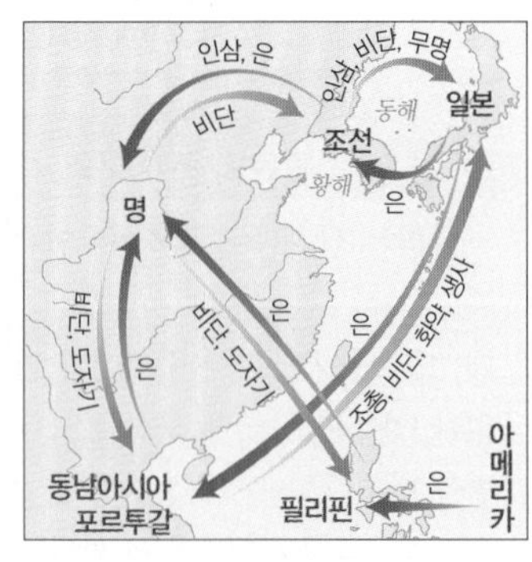

⑪ 회취법(연은 분리법)
1503년 조선의 함경도 단천에서 개발된 것으로, 광석 등을 태워서 재로 만들고 그 과정에서 분리된 금속을 채취하는 방식이다. 금이나 은, 구리 등을 취하는 재래식 제련법이다.

셀파 자료 탐구

자료 03 공통 자료 16~17세기의 교역망

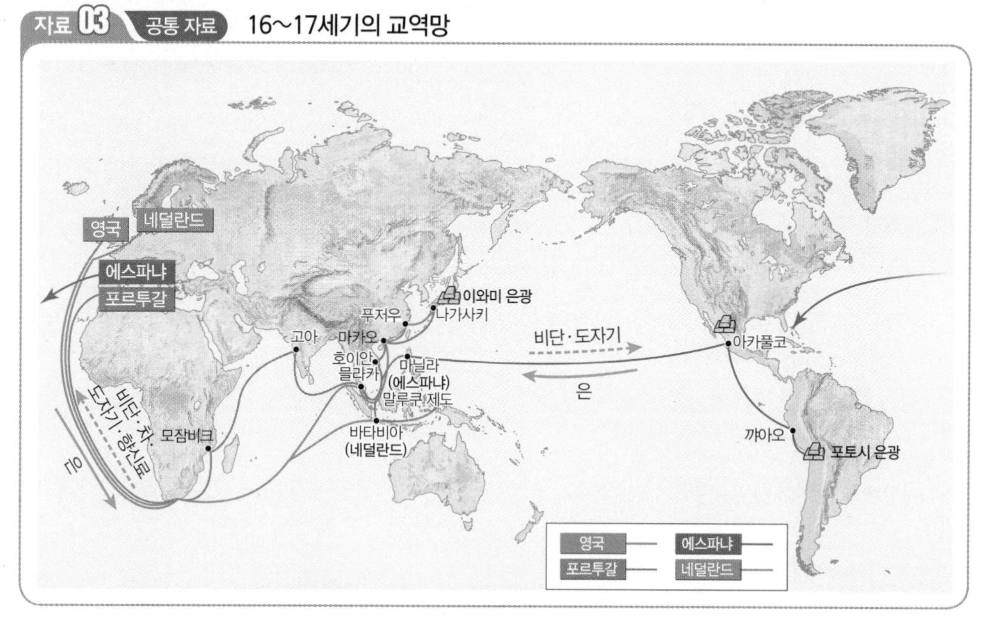

자료 분석 |
- 신항로 개척 이후 유럽 상인들이 동남아시아에 본격적으로 진출하면서 믈라카, 호이안, 마닐라 등이 국제 무역의 중심지로 성장하였다.
- 유럽 상인들은 명·청, 일본 상인들과도 활발히 교역하였는데, 이들은 중국의 비단·차·도자기 등을 수입하고 그 대가로 은을 지불하였다. 그 결과 아메리카와 일본에서 생산된 은이 중국으로 유입되었다.
- 유럽 상인의 동아시아 진출로 동아시아 교역망이 전 세계로 연결되었다. 이들의 활동을 통해 명·청의 생사와 비단·차·도자기, 일본의 도자기와 은, 인도의 목화와 면포, 아메리카의 은 등이 전 세계에 유통되었다.

교과서 자료 더 보기

| 명 대 은의 유통 |

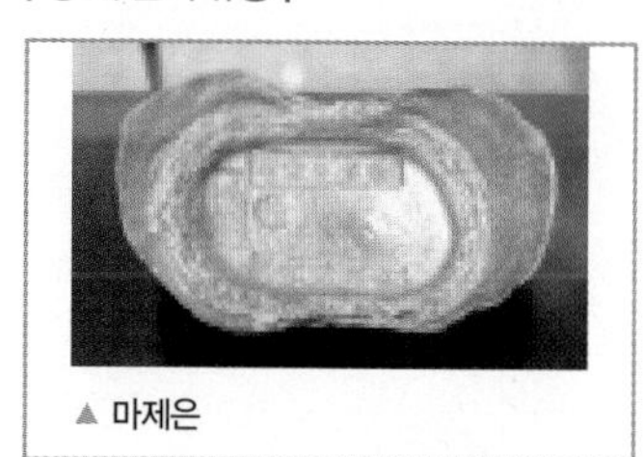

▲ 마제은

마제은(말굽은)은 명·청 시대에 주로 유통된 은화로, 말발굽처럼 생겼다고 해서 붙여진 이름이다.

> 오늘날 지폐는 통용되지 않고, 동전만이 겨우 작은 교역에만 사용될 뿐, 모든 조세 업무를 은 하나로만 하니 은이 부족하게 되었다. …… 은이 부족해지는데도 부세는 옛날 그대로이고 교역도 변함이 없다. 허둥지둥 은을 구하고자 해도 어디에서 구할 수 있겠는가?
>
> -『명이대방록』-

명 중기 이후 상품 화폐 경제의 발달과 인구 증가에 따라 은의 수요가 증가한 데다 조세의 은납화가 점차 확대되자, 중국에서는 은의 사용이 더욱 늘어났다. 그 결과 은 가격이 상승하고, 은 부족으로 이어지기도 하였다.

셀파 샘의 강의 노트

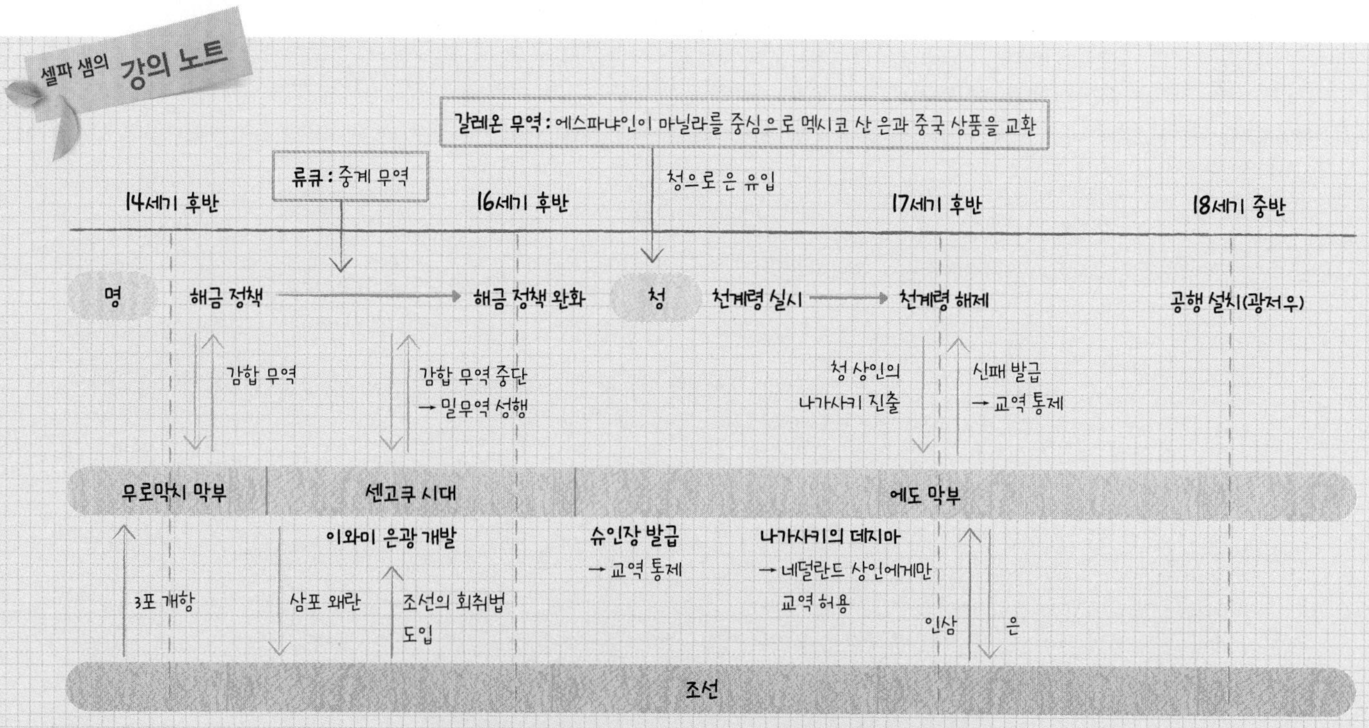

개념 완성

1 동아시아 각국의 교역 관계

중국	명	• 해금 정책: 조공 무역만 허용 • 조공 무역: (❶)의 함대를 파견하여 조공국 확대, 일본 등과 감합 무역 전개
	청	• 해금 정책: 천계령 반포 → 타이완 정씨 세력 복속 후 천계령 해제 → 청 상인의 나가사키 진출 → 에도 막부는 청 상인에게 신패를 발급하여 무역량 규제 • 공행 무역: 공행 설치 → 대외 무역을 독점하게 함
조선		• 명·청과 조공 무역 전개 • 3포에 왜관을 설치하여 일본과 제한적 교역
일본	무로마치 막부	명과 (❷) 무역 전개
	에도 막부	• 슈인장을 발급하여 교역 통제 • 해금 정책: 네덜란드 상인에게만 무역 허용
(❸)		명의 해금 정책 → 중계 무역으로 이익을 얻음

2 유럽의 동아시아 진출과 교역망의 확대

유럽 상인의 동아시아 진출		• 포르투갈: 믈라카 점령, 나가사키 진출 • 에스파냐: 마닐라가 (❹) 무역의 중심지로 성장 • 네덜란드: 17세기 중엽 동남아시아 섬 대부분 장악 • (❺): 18세기 중엽 동아시아 무역 장악 → 18세기 말부터 삼각 무역 실시
교역망의 확대		유럽과 명·청, 일본 상인들이 활발히 교역하면서 동아시아 교역망이 전 세계로 확대
동아시아와 유럽의 문물 교류	동아시아	• 중국: 마테오 리치(「곤여만국전도」 제작), 아담 샬(시헌력 제정) • 조선: 중국에 다녀온 사신들을 통해 서양 문물 유입 • 일본: 네덜란드와 교류 → (❻) 발달
	유럽	선교사들이 동아시아 문물을 유럽에 전달

3 은 유통의 활성화

중국	은 유입 증가 → 보초의 가치 하락 → 명 중기 이후 은 사용 확대 → 조세의 (❼)(명-일조편법, 청-지정은제)
조선	16세기 중엽 일본 은 수입 → 명으로 유출 → 17세기 이후 교역 대금으로 일본에게 은을 받음 → 중국으로 유출
일본	16세기 조선에서 회취법 도입, (❽) 은광 개발 → 일본의 은이 조선을 거쳐 중국으로 유입 → 17세기 이후 은의 해외 유출 통제

정답 ❶ 정화 ❷ 감합 ❸ 류큐 ❹ 갈레온 ❺ 영국 ❻ 난학 ❼ 은납화 ❽ 이와미

• 기출 선택지 체크 •

A 다음 내용이 옳으면 ○표, 틀리면 ×표 하시오.

1 명은 왜관을 설치하여 쓰시마를 통해 일본과 교역하였다. ( )

2 청이 천계령을 내린 시기 일본은 신패를 발행하여 해외 무역을 통제하였다. ( )

3 조선은 3포를 개항하여 일본과 교역하였다. ( )

4 은은 일조편법에서 세금 납부에 이용되었다. ( )

5 16세기에 일본에서는 이와미 광산을 개발하여 은을 생산하기 시작하였다. ( )

B 다음 괄호 안의 내용 중에서 옳은 것에 ○표 하시오.

6 명과 무로막치 막부는 무역 허가증인 (감합 / 슈인장)을 사용하여 교역하였다.

7 에도 막부는 유럽과의 무역을 (영국 / 네덜란드)(으)로 제한하였다.

8 (포르투갈 / 에스파냐)이/가 마카오의 거주권을 확보하여 무역의 거점으로 삼았다.

9 (명 / 청) 대에 보초에 대한 불신으로 은의 사용이 증가하였다.

10 조선은 중국과의 교역에서 (은 / 비단)을 결제 수단으로 사용하였다.

C 다음 빈칸에 들어갈 알맞은 말을 쓰시오.

11 명은 ( )을/를 파견하여 조공국을 확대하였다.

12 청은 특허 상인인 ( )을/를 통해 유럽 상인과 교역하였다.

13 류큐는 중국의 ( ) 정책이 완화되면서 중계 무역이 쇠퇴하였다.

14 명 대 은이 유통 수단으로 보편화되면서 ( ) 시행에 영향을 주었다.

15 일본에서는 ( )의 도입으로 은의 생산량이 늘어났다.

정답 1 × 2 × 3 ○ 4 ○ 5 ○ 6 감합 7 네덜란드 8 포르투갈 9 명 10 은 11 정화 12 공행 13 해금 14 일조편법 15 회취법(연은 분리법)

탄탄 내신 문제

딱풀 p. 30

[01~02] 다음은 14세기 후반 ~ 16세기 전반의 동아시아 교역망을 나타낸 지도이다. 잘 보고 물음에 답하시오.

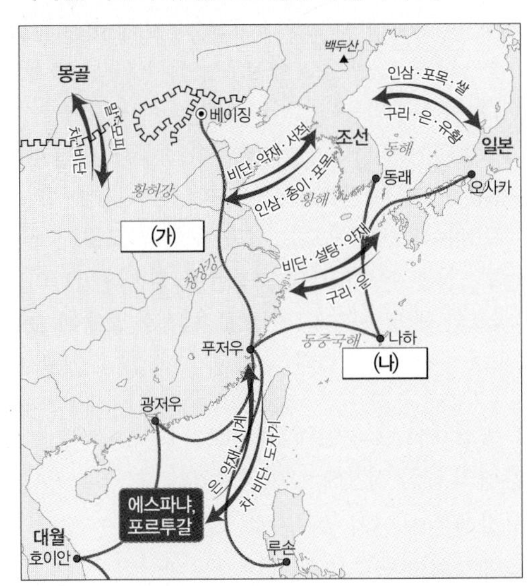

01 위 시기 (가) 나라의 무역 정책에 대한 설명으로 옳은 것은?

① 역참을 설치하여 동서 교류를 확대하였다.
② 조선에는 상인들 간의 사무역만 허락하였다.
③ 해금 정책을 펴면서 조공의 형태로만 무역하였다.
④ 조공하는 국가들 사이의 무역을 엄격히 금지하였다.
⑤ 상인들의 요청으로 동남아시아 방면의 도항과 무역을 허용하였다.

02 위 시기 (나) 나라의 무역에 대한 설명으로 옳지 않은 것은?

① (가)의 해금 정책으로 (나)에서는 밀무역이 성행하였다.
② (나)는 대월이나 일본에 비해 (가)에 대한 조공 횟수가 많았다.
③ (나)의 상인들은 (가)로부터 생사와 도자기 등을 수입하였다.
④ (가)의 해금 정책이 완화되면서 (나)의 무역 활동은 위축되었다.
⑤ (나)는 (가)와 일본, 동남아시아를 잇는 중계 무역을 전개하였다.

03 다음과 같은 상황 이후 나타난 일로 옳은 것은?

> 청은 건국 초기에 반청 운동을 막고자 천계령을 내렸으나, 17세기 후반 타이완의 정씨 세력을 복속한 후 이를 해제하였다.

① 류큐의 중계 무역이 더욱 활성화되었다.
② 중국 중심의 조공 무역 질서가 확대되었다.
③ 일본의 무로마치 막부가 감합 무역을 전개하였다.
④ 나가사키 무역의 발달로 일본으로의 은 유입이 증대되었다.
⑤ 일본은 청 상인에게 신패를 발급하여 무역량을 규제하였다.

04 조선의 무역 활동에 대한 설명으로 옳은 것을 〈보기〉에서 모두 고른 것은?

보기
ㄱ. 쓰시마섬을 토벌한 이후, 3포를 개항하여 일본과 교역하였다.
ㄴ. 일본과의 교류와 무역에는 쓰시마번이 중요한 역할을 하였다.
ㄷ. 명·청에 정기적으로 사절을 파견하여 조공 무역을 실시하였다.
ㄹ. 명·청과의 사절 왕래 시 역관이나 상인들에 의해 공무역이 이루어졌다.

① ㄱ, ㄴ
② ㄴ, ㄷ
③ ㄱ, ㄴ, ㄷ
④ ㄴ, ㄷ, ㄹ
⑤ ㄱ, ㄴ, ㄷ, ㄹ

05 다음 글의 밑줄 친 ㉠의 영향으로 옳은 것은?

> ㉠ 본조(本朝)에서는 조공 무역은 허용하고 사무역은 금지하는 법을 세웠다. 대저 조공은 반드시 공물과 호시를 겸행해야 하지, 그것을 단절시켜서는 안 된다. 가정 6, 7년 이후 명령을 받들어 엄격하게 해금을 시행하니 상업의 길이 통하지 않게 되고, 상인들은 이익을 잃게 되어 왜구로 전락하였다.

① 일본은 왜관을 통해 조선과 교역하였다.
② 중국에서는 공행을 통한 무역이 이루어졌다.
③ 일본이 신패를 발급하여 무역량을 조절하였다.
④ 류큐 지역이 중계 무역의 거점으로 성장하였다.
⑤ 일본은 네덜란드 상인에게만 나가사키를 개방하여 무역을 허용하였다.

06 일본에서 다음 증서들을 발행한 공통적인 목적으로 옳은 것은?

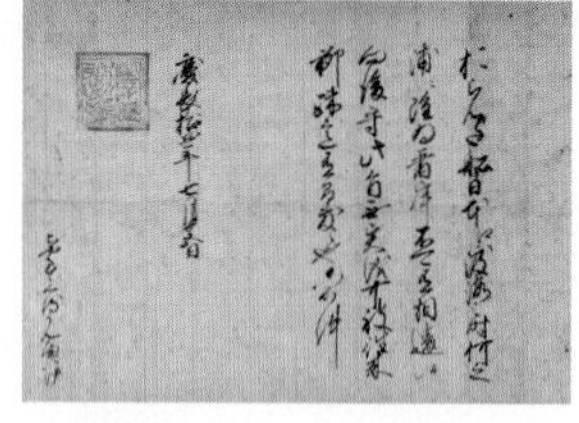
▲ 슈인장

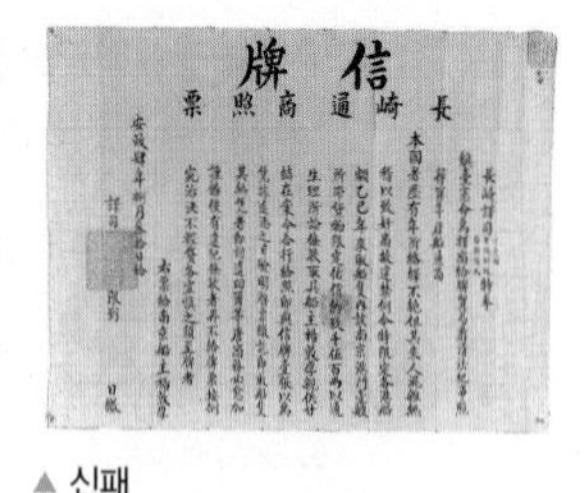

▲ 신패

① 대외 무역의 통제
② 효율적인 국토 관리
③ 토지 소유 관계 증명
④ 병농 분리 정책 실시
⑤ 조세 파악을 위한 증명

07 (가) 나라와 관련된 설명으로 옳은 것은?

> (가) 은/는 남해(동중국해)의 가운데 있는데, 남북으로는 길고 동서로는 짧다. …… 그 땅에서는 유황이 산출되는데, 1년 만이면 다시 구덩이가 차, 아무리 파내어도 한이 없다. 해마다 중국에 사신을 보내고 유황 6만 근과 말 40필을 바친다. …… 해상 무역을 업으로 삼는다. 서쪽으로는 남만, 중국과 교통하고, 동쪽으로는 일본, 우리나라와 교통한다. 일본과 남만의 상선이 국도와 해변 포구에 모이므로, 백성이 포구에 술집을 설치하여 서로 교역한다. - 『해동제국기』 -

① 임진왜란 때 조선에 파병하였다.
② 명의 해금 정책으로 번영하였다.
③ 갈레온 무역의 중심지로 성장하였다.
④ 왜구의 소굴로 조선의 공격을 받았다.
⑤ 정성공이 주도한 반청 운동의 근거지였다.

08 (가)~(다)에 해당하는 나라를 바르게 짝지은 것은?

> 16세기 이후 유럽 상인들이 동남아시아에 본격적으로 진출하기 시작하였다. (가) 은/는 중계 무역의 중심지인 믈라카를 점령하고, 호이안과 마카오를 거쳐 일본의 나가사키에 진출하였다. 그 뒤를 이어 동남아시아에 진출한 (나) 은/는 필리핀 제도에 기지를 건설하고, 멕시코의 은과 필리핀에 집결된 중국 상품을 교환하는 방식의 무역을 하였다. 16세기 말에는 (다) 상인들이 말루쿠 제도의 지배권을 장악하고, 일본의 나가사키에 머무르며 교역하였다.

	(가)	(나)	(다)
①	에스파냐	포르투갈	네덜란드
②	포르투갈	네덜란드	에스파냐
③	에스파냐	네덜란드	포르투갈
④	포르투갈	에스파냐	네덜란드
⑤	네덜란드	에스파냐	포르투갈

09 다음은 16~17세기의 교역망을 나타낸 지도이다. 이러한 교역망으로 인해 나타난 결과가 아닌 것은?

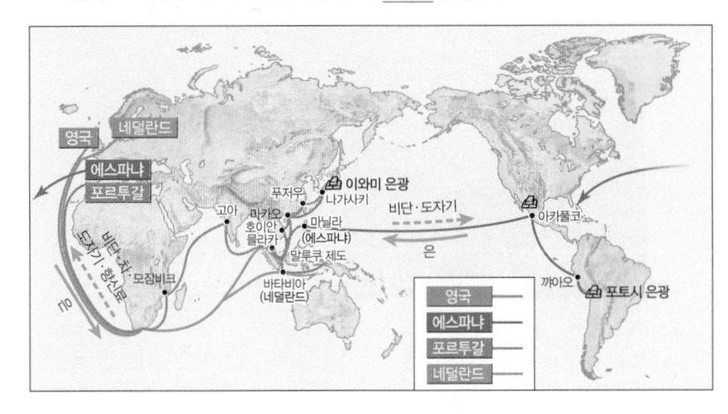

① 믈라카, 마닐라 등이 국제 무역의 중심지로 성장하였다.
② 중국과 일본의 도자기가 유럽에 대량으로 판매되었다.
③ 아메리카와 일본에서 생산된 은이 중국으로 유입되었다.
④ 아메리카가 원산지인 감자와 고구마 등이 아시아에 전해졌다.
⑤ 유럽 상인과의 교역으로 중국의 은이 유럽으로 대량 유출되었다.

10 (가)에 들어갈 무역 방식이 16~17세기 동아시아 경제에 미친 영향으로 옳지 않은 것은?

> (가) 은/는 무역과 군용으로 사용된 대형선의 통칭에서 유래된 것으로, 주로 16세기 에스파냐의 무역 방식을 일컫는다. 에스파냐는 멕시코의 아카풀코에서 은을 실어내어, 필리핀의 마닐라에 집결된 중국의 비단·도자기 등과 교환하였다. 드넓은 태평양을 무대로 전개된 (가) 은/는 필리핀의 경제적 생명선으로서 1749년까지 계속되었다.

① 중국에서 은 유통이 더욱 확산되었다.
② 아메리카의 은이 중국으로 유입되었다.
③ 일본의 은 생산과 수출이 크게 줄어들었다.
④ 중국에서 일조편법이 전국적으로 시행되었다.
⑤ 중국 재정이 외국의 은 유입에 크게 의존하게 되었다.

11 다음과 같은 작물이 동아시아에 전래된 시기의 상황으로 옳지 않은 것은?

▲ 고추

▲ 옥수수

▲ 담배

① 유럽에서는 도자기 복제 기술이 발달하였다.
② 서양 선교사들에 의해 크리스트교가 확산되었다.
③ 중국에서는 아담 샬이 서양 역법을 소개해 주었다.
④ 일본에서는 종교상의 이유로 네덜란드 선박의 출입을 막았다.
⑤ 유럽인이 진출하면서 동아시아 교역망이 세계로 확대되었다.

12 다음 지도에 대한 설명으로 옳은 것을 〈보기〉에서 고른 것은?

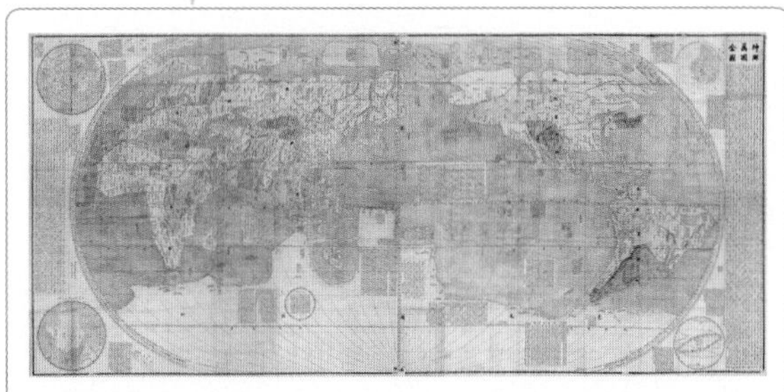

명 말기에 제작된 이 지도는 세계를 아시아, 유럽, 아프리카, 아메리카, 메가라니카(오세아니아)의 5개 대륙으로 구분한 것이 특징이다.

보기
ㄱ. 칠정산 제작에 영향을 주었다.
ㄴ. 서양 선교사의 주도로 제작되었다.
ㄷ. 중국 중심의 세계관 형성에 기여하였다.
ㄹ. 동아시아인의 세계관 확대에 기여하였다.

① ㄱ, ㄴ　② ㄱ, ㄷ　③ ㄴ, ㄷ　④ ㄴ, ㄹ　⑤ ㄷ, ㄹ

13 (가), (나) 지역에서 볼 수 있는 모습으로 적절한 것을 〈보기〉에서 고른 것은?

(가) (나)

▲ 광저우의 외국 상관

▲ 부산의 초량 왜관

보기
ㄱ. (가) – 도자기를 구입하고 은을 지불하는 영국인
ㄴ. (가) – 무역을 관리하는 시박사 관원
ㄷ. (나) – 인삼 대금으로 은을 지불하는 일본인
ㄹ. (나) – 신패를 발급하는 조선 관원

① ㄱ, ㄴ ② ㄱ, ㄷ ③ ㄴ, ㄷ
④ ㄴ, ㄹ ⑤ ㄷ, ㄹ

14 다음 글의 밑줄 친 상황을 파악하기 위한 탐구 활동으로 적절하지 않은 것은?

2백여 년 동안 천하의 은이 베이징으로 운송되었는데, 마치 물이 골짜기로 흘러가는 것과 같았다. 평화로운 때는 오히려 상인과 관리가 받은 것의 20~30%를 돌려보내는 경우도 있었다. 그러나 재정 지출이 많아진 이래로 베이징에 모인 은이 모두 변경 밖으로 빠져나가고, 부유한 상인, 고관, 교활한 관리들은 베이징에서 남방까지 모두 자신의 힘을 가지고 천하의 은을 거두어 갔다.

–「명이대방록」–

① 중국과 유럽의 은 가치의 차이를 조사한다.
② 중국의 조세 변화가 끼친 영향을 파악한다.
③ 일본에서 채굴된 은의 유통 경로를 알아본다.
④ 마닐라를 통한 에스파냐 상인의 활동을 조사한다.
⑤ 일본이 슈인장 발급을 실시했던 이유를 조사한다.

15 다음 자료와 관련 있는 나라의 은 유통 모습을 〈보기〉에서 고른 것은?

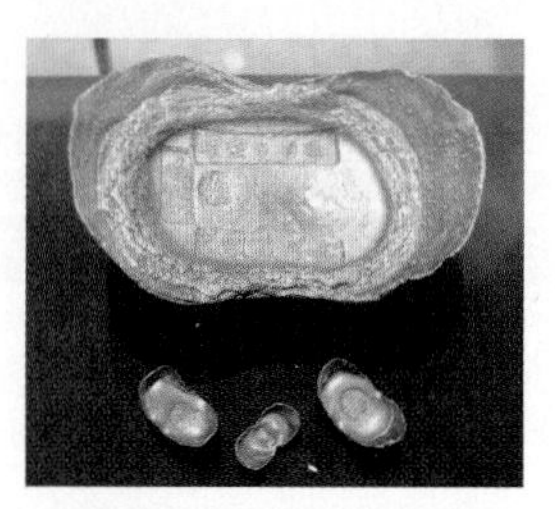

▲ 마제은

보기
ㄱ. 이와미 은광이 개발되면서 많은 양의 은이 생산되었다.
ㄴ. 16세기 말 세계 연간 은 생산량의 3분의 1을 차지하였다.
ㄷ. 일조편법의 시행으로 은이 공식 화폐로 자리 잡게 되었다.
ㄹ. 보초의 남발로 가치가 하락하자 민간에서 은 사용이 증가하였다.

① ㄱ, ㄴ ② ㄱ, ㄷ ③ ㄴ, ㄷ
④ ㄴ, ㄹ ⑤ ㄷ, ㄹ

16 다음 기술이 동아시아에 끼친 영향으로 옳은 것은?

1503년 조선의 함경도 단천에서 개발된 것으로, 광석 등을 태워서 재로 만들고 그 과정에서 분리된 금속을 채취하는 방식이다. 금이나 은, 구리 등을 취하는 재래식 제련법이다.

① 중국에서 보초가 유통되었다.
② 명이 해금 정책을 강화하였다.
③ 나가사키에 인공 섬이 만들어졌다.
④ 이와미 은광의 은 생산이 증가하였다.
⑤ 중국과 일본 사이에 감합 무역이 실시되었다.

17 **다음 글의 (가), (나)에 들어갈 알맞은 말을 쓰시오.**

> 반청 세력을 진압한 청은 천계령을 해제하고 4개 항구를 개방하였으나, 1757년 3개 항구를 폐쇄하고 대외 무역항을 ((가))(으)로 제한하였다. 이때부터 난징 조약(1842)을 체결할 때까지 이곳에서만 서양과의 교역을 허용하였다. 이러한 상황 속에서 대외 교역을 담당한 이들은 청의 관원을 대신한 ((나))이었다. 이들은 서양 상인을 감독하고, 관세를 징수하여 정부에 납부하는 역할을 담당하였다.

18 **다음은 14세기 후반 ~ 16세기 전반의 동아시아 교역망을 나타낸 지도이다. 잘 보고 물음에 답하시오.**

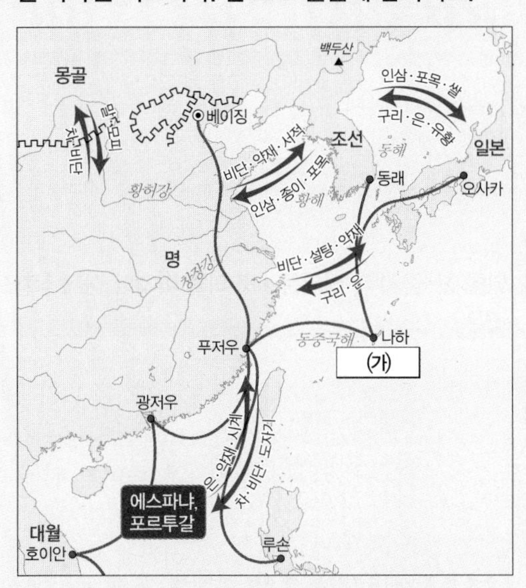

(1) (가)에 들어갈 나라를 쓰시오.

(2) (가) 나라가 전개한 무역과 이러한 무역이 쇠퇴하게 된 원인을 서술하시오.

19 **다음 글을 읽고 물음에 답하시오.**

> ((가))은/는 1602년 마테오 리치와 명의 학자 이지조가 함께 제작한 세계 지도이다. 아시아, 유럽, 아프리카 등의 5대 주를 그리고, 각 대륙의 민족과 산물 등을 지리지 형식으로 서술하였다. 서양에서 발행된 지도와 달리 중국을 지도 한가운데 배치하였고, 조선과 일본에도 전해져 큰 영향을 주었다.

(1) (가)에 들어갈 지도를 쓰시오.

(2) (가) 지도가 동아시아 사람들에게 끼친 영향을 서술하시오.

20 **다음 글을 읽고 물음에 답하시오.**

> 무쇠 화로나 냄비 안에 재를 두르고 은이 포함된 납 덩어리를 채운 다음, 깨진 질그릇으로 사방을 덮고 불을 피워 녹이면 납은 재 안에 남아 스며들고 은만 재 위에 남는다.

(1) 위에서 설명하는 제련 기술의 명칭을 쓰시오.

(2) 위의 제련 기술 도입 이후 일본에 나타난 경제적 변화를 서술하시오.

| 교육청 응용 |

01 다음 책의 저자가 여행 중에 볼 수 있는 모습으로 적절한 것은?

① 교초로 물건을 구매하는 상인
② 안·사의 난을 피해 도망가는 농민
③ 지방 행정 업무를 처리하는 다루가치
④ 해금령에 따라 해안을 경비하는 군인
⑤ 장보고의 도움으로 중국에 온 일본 승려

| 수능 기출 |

02 밑줄 친 '지금'의 동아시아 상황으로 옳은 것은?

① 모문룡이 가도를 점거하였다.
② 명에서 북로남왜가 창궐하였다.
③ 사쓰마번이 류큐(유구)를 침공하였다.
④ 일본이 신패를 발행하여 해외 무역을 통제하였다.
⑤ 타이완에서 정씨 세력이 반청 운동을 전개하였다.

| 평가원 기출 |

03 밑줄 친 ㉠의 조치가 동아시아 각국에 미친 영향으로 옳은 것은?

> **포고문**
> 역적들이 통치에 저항하며 해상의 질서를 어지럽혀 왔다. 그동안 그들을 고립시키기 위하여 연해 지역을 봉쇄하고 선박의 해외 출항을 금지하였다. 최근 역적들을 진압하여 타이완이 복속되었다. 이에 짐(朕)은 ㉠ 해금령을 해제하고 해외 도항을 허가하는 바이다.

① 한국 – 기유약조가 체결되었다.
② 중국 – 북로남왜의 화를 초래하였다.
③ 중국 – 마카오가 포르투갈인의 거점이 되었다.
④ 일본 – 네덜란드와의 교역이 시작되었다.
⑤ 일본 – 신패를 발급하여 무역량을 제한하였다.

| 평가원 응용 |

04 밑줄 친 '증서'가 발급된 시기의 동아시아 경제 상황으로 옳은 것은?

이것은 나가사키에 들어오는 중국 상선의 숫자를 줄이기 위해 막부가 발행한 증서이다. 그 첫머리에 통역관의 이름을 적었고, 뒷부분에 수령자인 중국 선주(船主)의 이름을 적었다. 막부는 이를 소지하지 않은 중국 선박의 입항을 금지하여 은 유출을 억제하고자 하였다.

① 한국 – 중국과 조공 무역을 전개하였다.
② 한국 – 삼포 왜란으로 일본과의 교역을 제한하였다.
③ 중국 – 감합을 발급하여 조공국과 무역하였다.
④ 일본 – 중계 무역을 통해서 큰 이익을 얻었다.
⑤ 일본 – 대동법이 시행되면서 상품 화폐 경제가 발달하였다.

| 평가원 응용 |

05 (가) 무역이 전개된 시기의 동아시아 정세로 옳은 것은?

(가) 무역은 유력한 상인들이 일본 최고 권력자로부터 붉은 도장이 찍힌 도항 허가서를 발급받아 외국과 전개한 교역을 가리킨다. 유력 상인들은 그림과 같은 배를 타고 동남아시아 각지에 건너가 일본산 은을 중국산 생사, 약재, 비단 등과 거래하였다. (가) 무역은 막부가 일본인의 해외 도항을 금지하는 해금 조치를 강화하면서 중단되었다.

보기
ㄱ. 조선 – 3포를 개항하고 일본과 교류하였다.
ㄴ. 류큐(유구) – 중계 무역이 점차 쇠퇴하였다.
ㄷ. 일본 – 유럽과의 무역을 네덜란드로 제한하였다.
ㄹ. 명 – 류큐(유구)와의 조공·책봉 관계를 지속하였다.

① ㄱ, ㄴ ② ㄱ, ㄷ ③ ㄴ, ㄷ
④ ㄴ, ㄹ ⑤ ㄷ, ㄹ

| 평가원 응용 |

06 (가)에 들어갈 내용으로 적절한 것은?

• 주제: 17세기 동아시아 교역
• 학습 목표: 은을 매개로 한 교역 형태와 물품을 설명할 수 있다.
• 모둠별 탐구 활동: (가)

① 삼포 왜란 이전 조선이 일본에 수출한 물품을 알아본다.
② 일본이 감합 무역을 통해 중국에서 수입한 물품을 알아본다.
③ 정화의 항해를 통해 명의 조공 무역이 확대되었음을 알아본다.
④ 네덜란드 상인이 나가사키를 통해 일본과 교역한 물품을 알아본다.
⑤ 영국 상인이 중국에 인도산 아편을 수출하면서 나타난 무역 구조의 변화상을 알아본다.

| 교육청 기출 |

07 (가), (나)에서 볼 수 있었던 모습으로 적절한 것을 〈보기〉에서 고른 것은?

(가)

▲ 부산의 초량 왜관

(나)

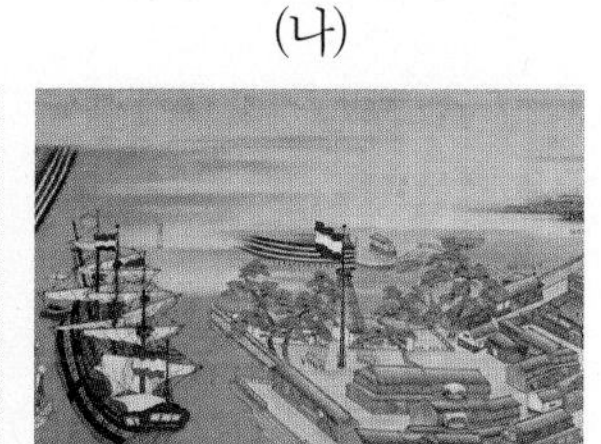

▲ 나가사키의 데지마

보기
ㄱ. (가) – 견당사를 맞이하는 관리
ㄴ. (가) – 조선 인삼을 구입하는 일본 상인
ㄷ. (나) – 서양 상품에 세금을 부과하는 공행
ㄹ. (나) – 네덜란드인에게 의학서를 전해 받는 통역관

① ㄱ, ㄴ ② ㄱ, ㄷ ③ ㄴ, ㄷ
④ ㄴ, ㄹ ⑤ ㄷ, ㄹ

| 평가원 기출 |

08 지도의 (가) 왕국에 대한 설명으로 옳은 것은?

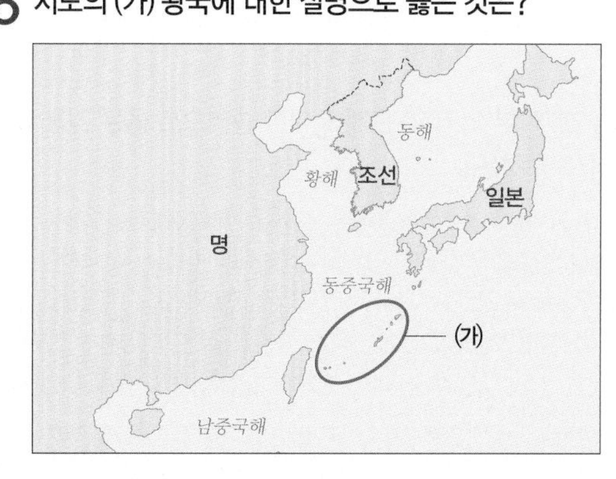

① 시박사를 두어 대외 무역을 관장하게 하였다.
② 왜관을 설치하여 쓰시마를 통해 일본과 교역하였다.
③ 데지마를 건설하여 네덜란드와의 교역을 허용하였다.
④ 중국의 해금 정책이 완화되면서 중계 무역이 쇠퇴하였다.
⑤ 정성공 세력의 근거지가 되면서 해상 무역으로 발전하였다.

| 교육청 기출 |

09 (가) ~ (다) 국가의 당시 대외 관계에 대한 설명으로 옳은 것은?

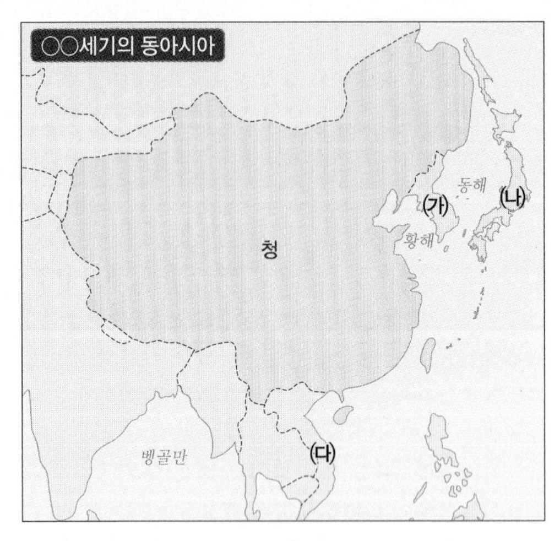

① (가) – 몽골과 왜구의 침략에 시달렸다.
② (나) – 왜관을 통해 조선과 교역을 하였다.
③ (다) – 중국과 경제적 관계만을 유지하였다.
④ (가), (나) – 중국과 조공·책봉 관계를 맺었다.
⑤ (나), (다) – 나가사키를 통해 상호 교역을 하였다.

| 평가원 기출 |

10 밑줄 친 '막부'의 대외 관계에 대한 설명으로 옳은 것을 〈보기〉에서 고른 것은?

> 막부가 크리스트교를 금지하는데도 여전히 선교사가 몰래 오고 있다. 선교사와 신도들은 포르투갈의 여러 물자를 은밀히 보급받고 있다. 막부는 이와 같은 이유에서 포르투갈 배의 내항을 금지하기로 한다. 이를 어길 경우 그 배를 파괴하고 선원을 즉시 처형하라.

보기
ㄱ. 명과 감합 무역을 실시하였다.
ㄴ. 타이완의 정성공 세력을 진압하였다.
ㄷ. 데지마를 거점으로 네덜란드 상인과 교류하였다.
ㄹ. 청 상선의 수를 제한하기 위해 신패를 발행하였다.

① ㄱ, ㄴ　② ㄱ, ㄷ　③ ㄴ, ㄷ
④ ㄴ, ㄹ　⑤ ㄷ, ㄹ

| 평가원 기출 |

11 밑줄 친 '그'에 대한 설명으로 옳은 것을 〈보기〉에서 고른 것은?

> 예수회 선교사인 그는 중국에 들어가 크리스트교를 전파하고자 노력하였다. 또한 황제의 허가를 받아 베이징에서 여생을 보내면서 다양한 서양 학문을 중국에 전하였다. 특히 그가 저술한 교리 문답서인 『천주실의』는 이수광 등에 의해 조선에도 알려졌다.

보기
ㄱ. 세계 지도인 「곤여만국전도」를 제작하였다.
ㄴ. 서광계와 함께 서양의 기하학 서적을 번역하였다.
ㄷ. 서양 의학서를 번역한 『해체신서』를 간행하였다.
ㄹ. 소현 세자에게 다양한 서양 학문과 문물을 전하였다.

① ㄱ, ㄴ　② ㄱ, ㄷ　③ ㄴ, ㄷ
④ ㄴ, ㄹ　⑤ ㄷ, ㄹ

| 수능 응용 |

12 (가)와 관련된 설명으로 적절하지 않은 것은?

제○○○호　**동아시아사 신문**　○○○○년 ○○월 ○○일

특집 기사: 중국, '　(가)　의 집결지'가 되다

(가) 은/는 일본에서 생산되어 중국으로 유입되고 있다. 그리고 에스파냐가 갈레온이라는 배에 싣고 마닐라로 운송해 온 아메리카산 (가) 도 에스파냐 상인과 중국 상인의 교역을 거쳐 중국으로 유입되고 있다.

동해
조선
일본
중국
황해
마닐라

① 중국에서는 일조편법 시행의 토대가 되었다.
② 일본에서는 회취법의 도입으로 생산량이 늘어났다.
③ 조선에서는 중국과의 교역에서 결제 수단이 되었다.
④ 포르투갈 상인이 도자기를 구입하는 데 사용되었다.
⑤ 조선은 단천 은광 개발로 전 세계 은의 3분의 1을 생산하였다.

| 교육청 기출 |

13 다음 상황이 전개된 시기의 동아시아 경제에 대한 설명으로 옳은 것을 〈보기〉에서 고른 것은?

> 조선은 인삼, 포목 등의 물산 수출과 함께 중계 무역을 통해 이익을 획득하였다. 조선은 동래의 초량 왜관을 통해 일본으로부터 은을 수입하였고, 수입한 은은 연행사를 따라간 역관이나 상인 등에 의해 중국산 생사나 견직물 등으로 교환되었다. 이 과정에서 일본의 은이 조선을 통해 중국으로 유입되었다.

보기
ㄱ. 한국에서는 화폐인 은병이 제작되었다.
ㄴ. 일본에서는 이와미 광산에서 은이 생산되었다.
ㄷ. 중국에서는 은과 교환할 수 있는 지폐인 교초가 발행되었다.
ㄹ. 동아시아 교역에서 은이 중요한 결제 수단으로 사용되었다.

① ㄱ, ㄴ ② ㄱ, ㄷ ③ ㄴ, ㄷ
④ ㄴ, ㄹ ⑤ ㄷ, ㄹ

| 평가원 기출 |

14 (가)에 대한 설명으로 옳은 것을 〈보기〉에서 고른 것은?

> • (가) 은/는 아카풀코에서 마닐라로 가는 갈레온 선에 실린 상품이었다. 에스파냐 상인들은 이것으로 중국의 비단과 도자기를 구입하였다.
> • 이와미 광산에서 (가) 이/가 발견되자 다이묘들은 재정을 확충하기 위해 이것을 경쟁적으로 확보하려고 하였다.

보기
ㄱ. 중국 – 일조편법에서 세금 납부에 이용되었다.
ㄴ. 한국 – 삼포의 난이 일어나는 원인이 되었다.
ㄷ. 일본 – 회취법의 도입으로 생산량이 증가하였다.
ㄹ. 일본 – 감합 무역 시기의 최대 수입품이었다.

① ㄱ, ㄴ ② ㄱ, ㄷ ③ ㄴ, ㄷ
④ ㄴ, ㄹ ⑤ ㄷ, ㄹ

| 교육청 응용 |

15 (가)에 대한 설명으로 옳지 않은 것은?

동아시아사 신문

제○○○호 ○○○○년 ○○월 ○○일

조선, 첨단 기술을 개발하다

16세기 초 함경도 단천에서 김감불, 김검동이 획기적인 제련 기술을 개발하였다. 연은 분리법이라 불렸던 이 기술은 무쇠 화로나 냄비 안에 재를 두르고 광석을 채운 다음, 깨진 질그릇으로 사방을 덮고 숯불을 피워 녹여내어 (가) 을/를 추출하는 것이다. 그러나 조선에서는 이 기술의 가치를 크게 주목하지 않았고, 조선 장인을 초빙한 일본인에 의해 기술이 유출되고 말았다.

① 조선 – 지정은제 시행에 영향을 주었다.
② 조선 – 중국에 공물로 바치기도 하였다.
③ 중국 – 보초에 대한 불신으로 사용이 증가하였다.
④ 일본 – 다이묘의 경제력 향상에 영향을 주었다.
⑤ 일본 – 조선으로부터 인삼을 수입하는 데 활용되었다.

| 교육청 응용 |

16 (가)에 대한 설명으로 옳은 것을 〈보기〉에서 고른 것은?

> • 송상(松商)들이 인삼이 나는 곳에 널리 사람을 파견하여 인삼을 독점한 뒤 일본에 판매한다. 그러므로 송상들은 일본이 인삼의 구매 대금으로 지불한 (가) 을/를 독점하고, 이를 가지고 중국에서 교역을 한다.
> • 지금 왜관에 정련된 (가) 이/가 2천 7~8백 관이 있는 것으로 안다. 이를 조선 상인들이 북경으로 가져가 생사 대금으로 사용한다면 대략 6~7백 관 가량 이익이 날 것이다.

보기
ㄱ. 한국 – 단천 등지의 광산을 개발하여 수요에 대처하였다.
ㄴ. 중국 – 수요의 증가로 동전과 보초를 발행하였다.
ㄷ. 일본 – 조선에서 새로운 제련 기술을 도입하였다.
ㄹ. 일본 – 중국에서 수입한 대표적인 물품이었다.

① ㄱ, ㄴ ② ㄱ, ㄷ ③ ㄴ, ㄷ
④ ㄴ, ㄹ ⑤ ㄷ, ㄹ

03 사회 변동과 서민 문화

1 인구의 증가

1. 인구 증가의 요인

명 대에는 후난과 후베이성 지역이, 청 대에는 쓰촨성 지역이 곡창 지대가 되었다.

농업의 발달	• 농업 기술 발달: 집약적 농업 발달, 농기구 개량, 비료 개선, 농서 보급 • 경지 면적 증가: 저습지·임야 개간, 제방·수리 시설 개선 • 신대륙 작물 재배: 옥수수, 감자, 고구마 등	➡ 식량 생산 증대
의학의 발달	• 의학 서적 보급: 명의 『본초강목』, 조선의 『동의보감』 • 천연두 치료법 개발	➡ 사망률 감소

2. 동아시아 각국의 인구 증가 자료 01

명·청	• 명 대 후기 1억 5천만 명 → 18세기 후반 3억 명 → 19세기 중반 4억 3천만 명 • 인구 증가의 부작용: 물가 폭등, 환경 파괴, 실업자·유민 증가, 비밀 결사와 농민 반란 증가, 이주민과 현지인 사이의 갈등(계투[1] 발생)
조선 후기	• 16세기 중반 1,000만 명 → 17세기 전후 동아시아 전쟁으로 인구 감소 → 모내기법의 확산 등 농업의 발달과 의학의 발달로 18세기에 다시 인구 증가 → 19세기 중엽 1,600만 명 • 인구 증가의 영향: 많은 인구가 삼북 지역으로 유입 → 삼북 지역 개발 촉진 (황해도, 평안도, 함경도)
에도 시대	• 17세기 인구 폭발: 17세기 초 1,500만 명 → 18세기 초 2,500만 명 • 18세기 후반 인구 정체: 다이묘의 수탈, 자연재해로 인한 흉작으로 기아와 전염병 창궐

1782년~1788년에 걸쳐 일어난 덴메이 대기근이 대표적이다.

2 상업과 도시의 발달

1. 명·청

상업의 발달	• 수공업 발달: 인구 증가에 따른 수공업품 수요 증가 → 견직물, 면직물, 제철, 도자기 등의 수공업 발달 • 대상인 등장: 산시 상인, 휘저우 상인 등이 전국에 걸쳐 활약
도시의 발달	• 베이징·쑤저우·양저우 등의 도시 발달 • 시진 증가 → 강남 전체의 도시화 자료 02

- 양저우: 전매 상품인 소금 판매를 도맡아 큰 부를 쌓은 상인들의 근거지가 되었다.
- 베이징: 인구 100만 명의 최대 소비 도시였다.
- 쑤저우: 최대의 수공업 도시이자 상업 도시로 발전하였다.

2. 조선 후기

면화, 담배, 채소 등 상품 작물의 재배도 늘어났다.

상업의 발달	• 장시 출현, 포구 시장과 도시 시장 등장, 대동법의 시행 • 공인[2] 등장, 경강상인·송상·내상·만상 등 사상들이 전국을 무대로 활동
도시의 발달	18세기 한양은 인구 20만~30만 명 정도의 도시로 성장

대동법의 시행, 화폐 경제의 확산, 인구 증가 등으로 도시화가 촉진되었다.

주의 한양 이외에는 도시화 경향이 비교적 미미하였다.

3. 에도 시대

상업의 발달	• 산킨코타이 제도[3] 실시: 다이묘의 이동에 따라 도로망 정비, 여관업과 상업 발달 • 조닌(상인과 수공업자)의 등장: 무사에게 필요한 물품 공급, 대부업 등 금융업에 종사, 동업 조합 조직
도시의 발달	• 조카마치[4]의 발달로 급격한 도시화 • 막부 직할령인 에도·오사카·교토 등이 대도시로 발전 자료 03

조닌: 대상인부터 직인, 도제, 자영 상인과 그 고용인까지 다양한 층을 구성하였다.

---

1 계투

중국에서 마을이나 종족 상호 간에 무기를 가지고 벌이던 싸움이다. 현지인과 이주민 사이의 투쟁, 경작지와 관개 시설 확보를 위한 다툼 등이 계투로 이어지는 경우가 많았다.

2 공인

대동법 실시 이후 관청에서 필요로 하는 물품을 사서 납부하던 어용상인이다. 이들은 물품을 시장에서 대량으로 사거나 수공업자들에게 만들게 하여 상품과 화폐 유통을 활성화하였다.

3 산킨코타이 제도

▲ 에도로 가는 다이묘 행렬

에도 막부가 지방의 다이묘를 통제하기 위하여 다이묘를 정기적으로 에도에 머무르게 한 제도이다.

4 조카마치

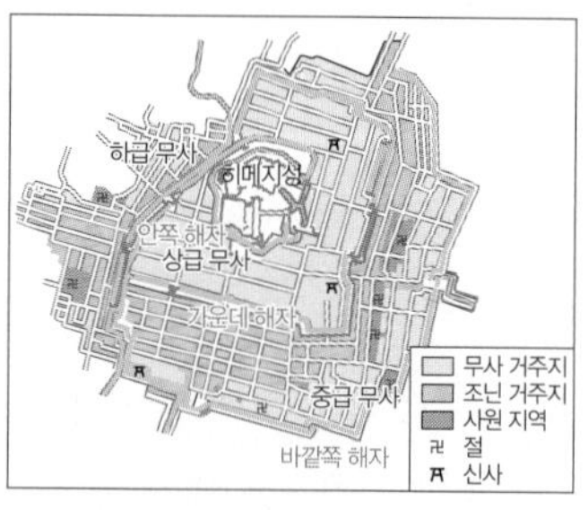

▲ 히메지성 조카마치

에도 막부는 병농 분리와 무사의 지배, 엄격한 신분 제도의 원칙을 확립하였다. 이에 따라 농촌에는 농민만 살게 하고, 무사는 다이묘가 거주하는 성 아랫마을인 조카마치에 살게 하였다. 조카마치에는 무사에게 물품을 공급하는 조닌도 거주하였다.

17~19세기 동아시아 각국에서 인구 증가가 일어나게 된 배경과 그 양상을 알아 두자!

17~19세기 동아시아 각국의 인구 변동

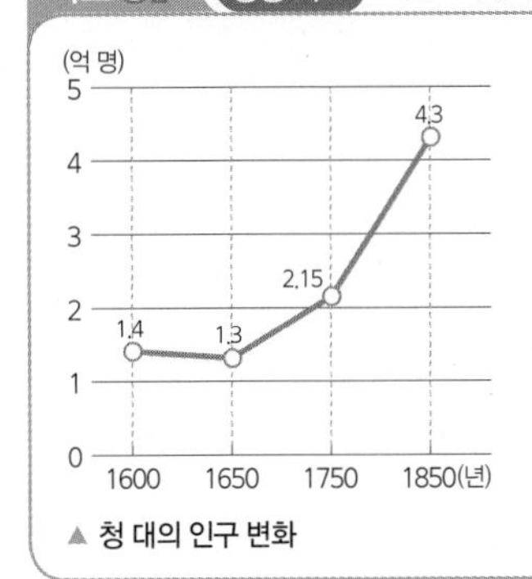

▲ 청 대의 인구 변화

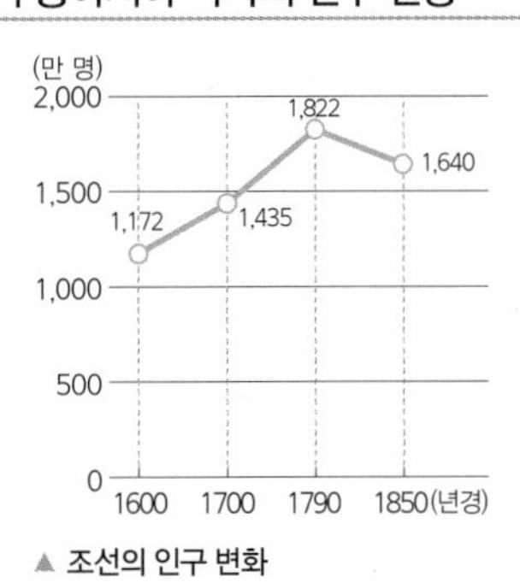

▲ 조선의 인구 변화

▲ 일본의 인구 변화

자료 분석 |
- 17세기 이후 동아시아 각국에서는 새로운 작물이 전래되고 농업 기술이 발달하면서 농업 생산력이 증가하였다. 이와 함께 의학 기술이 발달하면서 동아시아 사람들의 평균 수명이 늘어나 인구가 증가하였다.
- 중국은 청 대에 오랜 평화와 18세기의 온난한 기후 등의 영향으로 인구가 폭발적으로 증가하였다. 조선은 왜란과 호란 이후 18세기 들어 사회가 안정되면서 인구가 늘어났다. 일본도 에도 시대에 꾸준히 인구가 늘어났으나, 18세기 들어 자연재해에 따른 대기근 등으로 인구가 정체되기도 하였다.
- 동아시아 각국의 인구 증가는 곡물과 수공업품의 수요를 늘렸으며, 이는 시장의 확대와 상품 화폐 경제 및 도시의 발달을 가져왔다.

교과서 자료 더 보기 

| 농업 기술의 발달 |

▲ 모내기(「경직도」 중 일부)

17세기 이후 동아시아 각 지역에서 곡물의 품종 개량, 수리 시설 정비, 시비법, 모내기법을 비롯한 농업 기술이 발달하였다. 또한 집약 농법의 확대와 개간에 따른 경지 면적의 증가로 곡물 생산량이 늘어났다. 이러한 농업 기술의 발달은 인구 증가의 한 요인으로 작용하였다.

자료 02 강남 시진의 발달

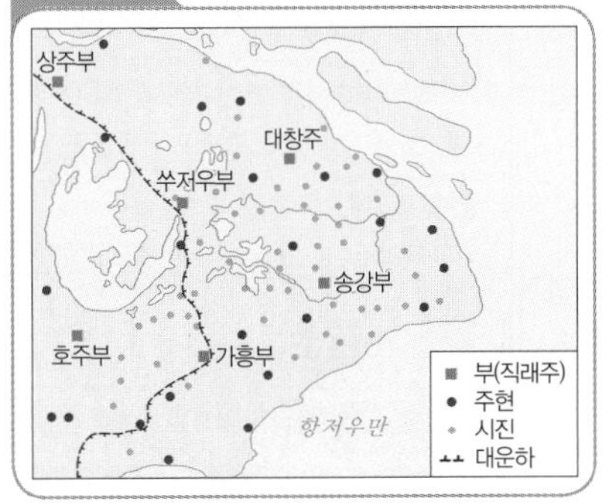

자료 분석 |
- 명·청 대에는 중소 상공업 도시인 시진이 크게 늘어났다. 이러한 시진이 발달한 곳은 거미줄 같은 수로 교통망으로 교통이 편리했던 강남 지방이었다. 특히 운하의 도시 쑤저우는 16~19세기에 시진의 수가 세 배 이상 증가하였다.
- 시진은 거미줄처럼 연결된 수로를 통해 유통망을 형성하며 강남 전체를 도시화하였다.

교과서 자료 더 보기 

| 상공업의 중심지 쑤저우 |

▲ 「성세자생도」의 일부

건륭제 시기 강남 지방의 대표적인 운하 도시인 쑤저우를 묘사한 그림이다.

자료 03 18세기 일본의 도시 모습

긴 다리 일곱 개를 지나서 비로소 오사카에 당도하니, 곧 모든 배가 정박하는 곳이었다. …… 길 양쪽의 긴 건물 중 층층의 집이 아닌 것이 없었으니, 이것은 온갖 물건을 파는 점포였다. …… 에도 길옆에 있는 회랑은 모두 상점이었다. …… 여러 사람의 눈이 빽빽하여 한 치의 빈틈도 없고, 옷자락에는 꽃이 넘치고 주렴 장막은 햇빛을 받아 반짝이는 모습이 오사카와 교토보다 세 배는 더하였다.

– 「해유록」 –

▲ 에도의 번화가였던 니혼바시의 모습 창고를 소유하고 있는 상가가 즐비하다.

자료 분석 | 1719년 통신사의 일원이었던 신유한이 남긴 견문 기록인 「해유록」은 에도 막부 시대의 대표적 대도시인 에도, 오사카, 교토 등의 풍경을 잘 보여 주고 있다. 에도 시대의 오사카는 '천하의 부엌'이라고 불릴 만큼 전국의 물자가 모이는 도시였고, 특히 다이묘의 영지에서 막부에 올리는 쌀이 모이는 곳이었다. 17세기 말 오사카의 인구는 35만 명에 이르렀고, 상업 도시로서 큰 번영을 누렸다. 한편, 이 시기 대상인으로는 에도 상인, 오사카 상인, 교토 상인, 나고야 상인, 그리고 전국을 무대로 활동한 오미 상인 등이 대표적이었다.

교과서 자료 더 보기 

| 한양 인구 구성의 다양화 |

한양 주민 중에서 관직에 있는 자는 봉록을 받아 살며, 서리는 자질구레한 늠(녹으로 받는 쌀)으로 살고, 군인들은 군포를 받아 살고, 영세 소상인들은 조그만 이익에 의지해 살고, 수공업자는 힘들게 제조하여 생계를 유지한다. …… 공인, 시전 상인은 한양 주민 중에서 가장 생활이 안정된 자들이다.

– 「비변사등록」 –

위 자료는 다양하게 변화된 한양의 인구 구성을 보여 주고 있다. 이를 통해 한양이 상업 도시로 성장하였음을 알 수 있다.

3 서민 문화의 발달

1. 명·청

배경	경제 성장으로 도시 인구 증가 → 소비문화 발전 → 부유한 상인들이 문화의 주류로 등장
내용	• 대중 소설: 명 대 –『수호전』, 『삼국지연의』, 『서유기』 / 청 대 – 『홍루몽』(애정 소설), 『유림외사』(관료 사회 풍자) • 청 대 경극 발달 자료 04, 연화(정월에 집안에 붙여 두는 그림) 유행

2. 조선 후기

배경	서당 교육 확대, 사회·경제적 변화와 신분 구조의 변동, 실학의 영향 → 서민 의식 성장
내용	• 한글 소설: 『홍길동전』, 『춘향전』, 『심청전』 • 판소리와 탈춤[5] 등 공연 문화 발달 자료 04, 풍속화[6]와 민화 유행

3. 에도 시대

배경	조닌이 도시의 중산층으로 등장 → 조닌 문화 발달(문학에서는 주로 상인이 주인공으로 등장하였다.)
내용	분라쿠와 가부키(전용 극장이 생기고, 지방의 마을에서도 공연이 이루어졌다.) 등 공연 문화 발달 자료 04, 우키요에[7] 유행

4 새로운 학문의 발전

동아시아 3국에서는 성리학에 대한 반성으로 새로운 학풍이 나타났다.

1. 명·청

고증학	• 명 말 관학인 성리학과 공론화된 양명학에 반발 → 서양 학문 유입, 상공업 발달 → 경세치용(학문은 세상을 다스리는 데 이익이 되어야 한다는 주장)과 실사구시(사실을 토대로 진리를 탐구하는 것)의 학문 경향 등장 → 청 대 고증학 발전 자료 05 • 실증적 방법으로 문헌 연구 → 청 정부의 대규모 서적 편찬 사업으로 고증학 더욱 발전
공양학[8]	19세기 대내외적 위기 → 공양학 등장 → 현실을 비판하고 개혁을 추구하는 근거가 됨(캉유웨이 등이 주도한 변법자강 운동에 영향을 주었다.)

2. 조선 후기

예학	왜란과 호란 이후 흐트러진 유교적 질서 회복 목적 → 예학 발달, 예송 논쟁 발생 → 이 과정에서 성리학이 교조화[9]되고 형식화됨
양명학	정제두를 비롯한 소론 학자들이 양명학 연구 시작 → 실천 강조, 성리학의 교조화 비판
서학	연행사를 통해 서학 전래 → 조선 학문에 영향, 천주교 신자 등장
실학	• 성리학의 교조화 비판, 사회·경제 변동에 따른 사회 모순 해결책을 모색하는 과정에서 등장 • 농업 중심 개혁론(중농학파): 토지 제도 개혁을 통한 농촌 사회 안정(유형원, 정약용, 이익) • 상공업 중심 개혁론(중상학파): 청 문물 수용과 상공업 진흥 → '북학파'라고 불림(홍대용, 박지원, 박제가(『북학의』 등을 저술하여 소비를 통해 생산을 진흥하자고 주장하였다.))

3. 에도 시대

성리학	관학으로 채택 → 무사 계급의 주종 관계를 합리화하는 데 이용됨(대표 학자: 이토 진사이, 오규 소라이)
양명학	불합리한 사회 현실과 제도 개혁 추구 → 막부 타도를 주장하는 무사들의 공감을 얻음
고학	성리학 비판, 공자와 맹자 시대의 유학으로 복귀 주장
국학	고전 연구, 고대 일본의 정신으로 돌아갈 것을 주장 → 천황에 대한 충성심 강조 자료 06 → 에도 시대 말기 막부 타도를 목표로 전개된 존왕양이 운동에 영향을 줌(대표 학자: 모토오리 노리나가)
난학	네덜란드 상인을 통해 서양의 의학·천문학·언어학 수용

고득점을 위한 셀파 Tip

• 서민 문화의 발달

농업 생산력 증대, 인구 증가
⬇
상업과 도시 발달, 서민의 경제력 향상
⬇

서민 문화 발달	
명·청	대중 소설(『서유기』 등), 경극, 연화
조선 후기	한글 소설(『홍길동전』 등), 판소리와 탈춤, 풍속화와 민화
에도 시대	분라쿠와 가부키, 우키요에

⑤ **탈춤**
양반의 위선적인 모습을 비판하고, 사회의 부정과 비리를 풍자하여 서민들 사이에서 인기가 높았다.

⑥ **풍속화**
서민들의 일상생활이나 생업의 장면을 묘사한 김홍도, 도시민과 부녀자의 모습을 화폭에 담은 신윤복 등이 유명하다.

⑦ **우키요에**

▲ 「가나가와 해변의 높은 파도 아래」
에도 시대에 유행한 채색 판화로, '우키요에'는 '속세'를 뜻한다. 그림의 주제는 서민의 풍속과 생활, 자연 등이 주를 이루었다.

⑧ **공양학**
유가의 경전인 『춘추』의 해설서 가운데 『공양전』을 정통이라고 인식하는 학문이다.

⑨ **교조화**
특정한 사상이나 신념을 무조건적인 진리라고 주장하며 이에 대한 비판을 거부하는 경향을 뜻한다.

셀파 자료 탐구

자료 04 공통 자료 동아시아 각국의 공연 문화

▲ 경극

▲ 판소리

▲ 가부키

자료 분석 |
- 경극 – 노래와 춤, 무술과 곡예의 예술적 기교를 갖춘 전통극으로, 베이징에서 발전하여 중국 전역으로 퍼져 나갔다. 여성은 경극에 참여할 수 없어 보통 잘생긴 젊은 남자가 여성 역할을 맡았다.
- 판소리 – 18세기부터 발달한 공연 예술로 소리꾼, 고수, 청중이 같이 한다. 현재는 「심청가」, 「적벽가」, 「춘향가」, 「수궁가」, 「흥부가」의 다섯 마당이 전한다.
- 가부키 – 에도 시대에 발달한 가부키는 음악, 무용, 연기가 합쳐진 종합 예술이다. 남성으로만 구성된 가부키 배우들은 과장된 목소리와 몸짓으로 여성의 역할을 표현하였다.

교과서 자료 더 보기

| 분라쿠 |

일본의 전통 인형극으로, 사람만 한 인형을 숙련된 조종자가 섬세하게 조정하여 세밀한 동작과 표정을 연기하였다.

자료 05 청 대의 고증학

역사적 사건과 흔적들은 칭송할 것도 담고 있고 비난할 것도 담고 있다. (그러하니) 역사를 읽는 사람들도 ㉠ 억지로 문법(이론적 틀)을 세우거나 멋대로 더하거나 덜어서 찬양하거나 비난해서는 안 된다. 다만, 그 사건과 흔적의 사실 여부를 상고함에 있어서 연도를 날줄로 삼고 사건을 씨줄로 삼아 분류하여 배치하거나 모아서 차례를 정하고, 기록의 같고 다름 및 보고 들은 것의 어긋남과 합치됨을 하나하나 조목별로 분석하여 의심을 없게 한다. …… 일반적으로 학문의 길은 공허(한 사변)에서 구하는 것이 사실에서 추구하는 것만 못하니, 찬양과 비난을 논의하는 것은 모두 공허한 말일 뿐이다. ㉡ 역사를 서술하는 사람이 사실을 기록하고 역사를 읽는 사람이 상고하고 따지는 목적은 모두 거기서 그저 진실을 확인하려는 것이다. – 『십칠사상각』 –

청의 역사학자 왕명성이 옛 역사책인 17사의 옳고 그름을 조사하여 밝힌 책이다.

자료 분석 | 명 말 서양 학문이 들어오고 상공업이 발달하면서 경세치용과 실사구시를 강조하는 학문 경향이 나타났다. 이에 농학, 지리학, 역법 등의 연구가 활발히 이루어졌다. 이러한 경향은 청 대에도 이어져 유교 경전과 금석문 등을 실증적으로 연구하는 데 초점을 맞춘 고증학이 발전하였다. 청 정부가 추진한 『사고전서』 등 대규모 편찬 사업은 고증학의 발전을 가져왔지만, 한편으로는 학자들의 관심을 현실에서 멀어지게 만들기도 하였다.

청 대 건륭제의 명으로 편찬된 것으로, 당시의 모든 서적을 경전, 역사, 사상, 문학으로 분류하여 편찬한 총서이다.

교과서 탐구 풀이

Q1 밑줄 친 ㉠이 비판하고 있는 학문을 써 보자.

A1 성리학

Q2 밑줄 친 ㉡은 고증학에서 강조하는 학문 방법이다. 이를 일컫는 표현을 써 보자.

A2 실사구시

자료 06 에도 시대의 국학

아마테라스 오미카미(일본의 태양신)는 우주 사이에서 견줄 바 없는 존재로서, 크리스트교의 하나님이나 유교의 천명(天命)도 이에 미치지 못한다. 아마테라스가 태어난 일본은 만국의 중심이 되는 나라이고, 그 후손인 천황의 대군주로서의 지위는 불변하다. – 『고사기전』 –

고대 일본의 신화·전설·사적 등을 기록한 책으로, 천황을 중심으로 한 국가 체제를 정당화하기 위하여 편찬하였다.

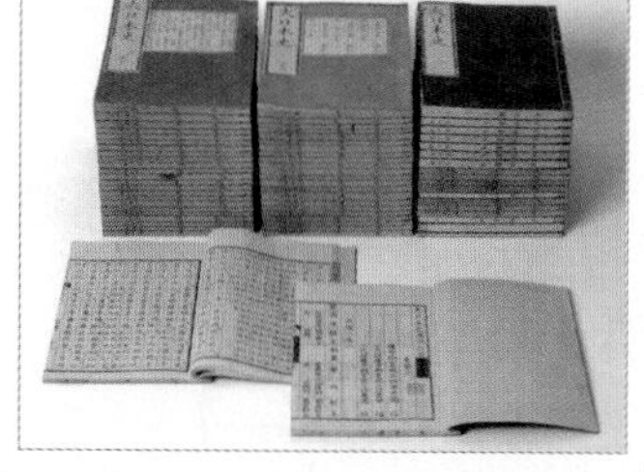
『대일본사』 ▶

자료 분석 |
- 18세기 후반 고대 일본 문화의 우수성을 강조하고 천황을 신성하게 여기는 경향이 나타났는데, 특히 모토오리 노리나가는 『고사기전』을 저술하는 등 고전 연구를 통해 국학을 정립하였다.
- 『대일본사』는 일본 왕실의 역사와 천황의 권력이 막부로 넘어가는 과정을 밝혀냄으로써 천황에 대한 충성심을 일깨웠다.

교과서 자료 더 보기

| 난학의 발달 |

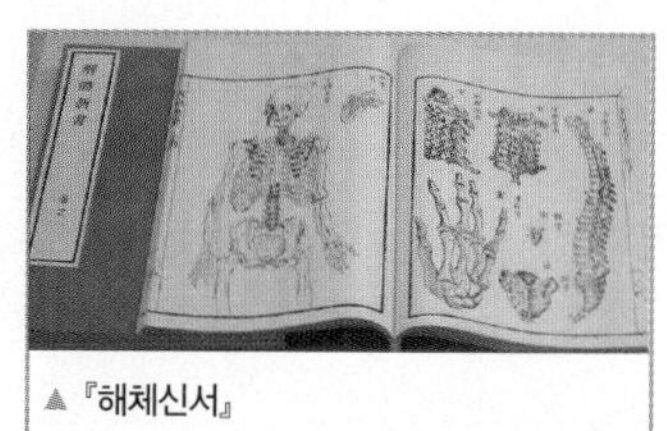
▲ 『해체신서』

1774년 스기타 겐파쿠 등이 번역하여 출간한 서양 의학서이다. 이 책이 출간되면서 에도 시대에 난학이 대중화되기 시작하였다.

개념 완성

1 인구의 증가

구분		내용
인구 증가 요인		• 농업 기술 발달, 경지 면적 증가, 신대륙 작물 재배 등 농업 발달 → (❶) 생산 증대 • 의학 서적 보급 등 의학 발달 → 사망률 감소
동아시아 각국의 인구 증가	명·청	18세기 인구의 폭발적 증가 → 부작용 발생(물가 폭등, 환경 파괴, 실업자와 유민 증가 등)
	조선 후기	17세기 전후 동아시아 전쟁으로 인구 감소 → 18세기에 다시 인구 증가
	에도 시대	17세기 인구 폭발 → 18세기 후반 인구 정체 ((❷)의 수탈, 기아와 전염병 창궐)

2 상업과 도시의 발달

구분	내용
명·청	• 수공업 발달, 대상인 등장(산시 상인, 휘저우 상인) • 베이징·쑤저우·양저우 등의 도시 발달, 시진 증가(강남 전체의 도시화)
조선 후기	• 장시 출현, (❸) 시행(공인 등장), 사상 등장(경강상인, 송상, 내상, 만상) • 한양이 대표적인 도시로 성장
에도 시대	• (❹) 제도 실시로 상업 발달, 조닌 등장 • 조카마치의 발달로 급격한 도시화, 에도·오사카·교토가 대도시로 성장

3 서민 문화의 발달

구분		내용
명·청	배경	경제 성장으로 도시 인구 증가 → 소비문화 발전
	내용	(❺) 소설(『수호전』 등), 경극, 연화
조선 후기	배경	서당 교육 확대, 실학의 영향 → 서민 의식 성장
	내용	한글 소설(『홍길동전』 등), 판소리와 탈춤, 풍속화와 민화
에도 시대	배경	조닌의 성장 → (❻) 문화 발달
	내용	분라쿠와 가부키, 우키요에

4 새로운 학문의 발전

구분	내용
명·청	(❼)(경세치용과 실사구시), 공양학(현실 개혁 추구)
조선 후기	예학(예송 논쟁 발생), 양명학(성리학의 교조화 비판), 서학(천주교 신자 등장), 실학(중농학파와 중상학파)
에도 시대	성리학(관학으로 채택), 양명학(사회 현실과 제도 개혁), 고학(성리학 비판), (❽)(고대 일본의 정신으로 돌아갈 것을 주장), 난학(서양 학문 수용)

정답 ❶ 식량 ❷ 다이묘 ❸ 대동법 ❹ 산킨코타이 ❺ 대중 ❻ 조닌 ❼ 고증학 ❽ 국학

기출 선택지 체크

A 다음 내용이 옳으면 ○표, 틀리면 ×표 하시오.

1 18세기 후반 일본에서는 자연재해로 인한 기근이 발생하였다. ( )

2 조선 후기에는 대동법의 시행으로 상품 화폐 경제가 촉진되었다. ( )

3 명 대에는 판소리, 탈춤 등 서민 문화가 발달하였다. ( )

4 에도 시대에는 인물, 풍속 등을 묘사한 우키요에가 발달하였다. ( )

5 조선 후기에 실학자들은 고대 유학으로의 복귀를 주장하였다. ( )

B 다음 괄호 안의 내용 중에서 옳은 것에 ○표 하시오.

6 조선 후기에는 (산시 상인 / 경강상인)이 미곡 등을 거래하며 이익을 얻었다.

7 청 대에는 (경극 / 분라쿠) 등 다양한 전통극이 유행하였다.

8 청 대에는 문헌의 실증을 중시하는 (고증학 / 공양학)이 성행하였다.

9 에도 시대에는 서양의 과학과 문물을 연구하는 (고학 / 난학)이 발전하였다.

C 다음 빈칸에 들어갈 알맞은 말을 쓰시오.

10 명·청 대에는 강남 지역에 ( )이/가 발달하였다.

11 조선 후기에는 송상, 만상 등의 ( )이/가 활동하였다.

12 에도 시대에는 ( )이/가 발달하면서 각 지역에서 도시화가 진전되었다.

13 조선 후기에는 『심청전』, 『춘향전』 등 ( ) 소설이 유행하였다.

14 에도 시대에는 『고사기』를 비롯한 고전을 연구하여 ( )을/를 강조하였다.

정답 1 ○ 2 ○ 3 × 4 ○ 5 × 6 경강상인 7 경극 8 고증학 9 난학 10 시진 11 사상 12 조카마치 13 한글 14 국학

딱풀 p. 35

01 다음과 같은 인구의 변화가 나타나게 된 배경으로 옳지 않은 것은?

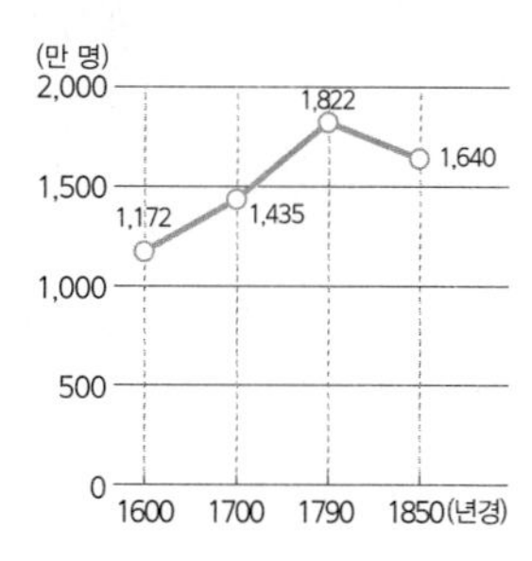

▲ 조선의 인구 변화

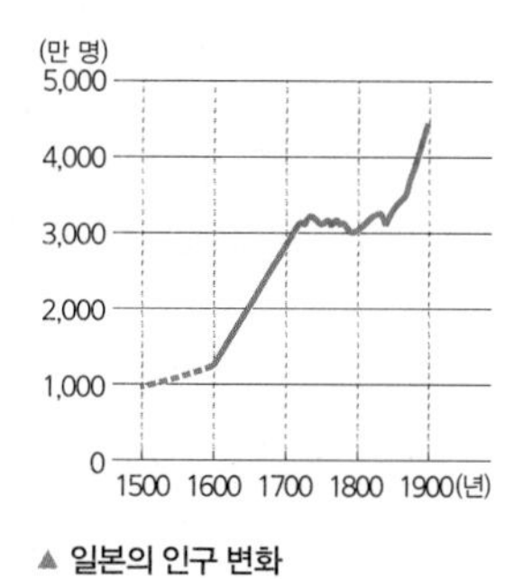

▲ 일본의 인구 변화

① 개간지가 확대되었다.
② 의학 서적이 보급되었다.
③ 농업 기술이 발달하였다.
④ 식량 생산이 증가하였다.
⑤ 철제 농기구가 도입되었다.

02 다음 자료의 밑줄 친 내용에 대한 설명으로 옳지 않은 것은?

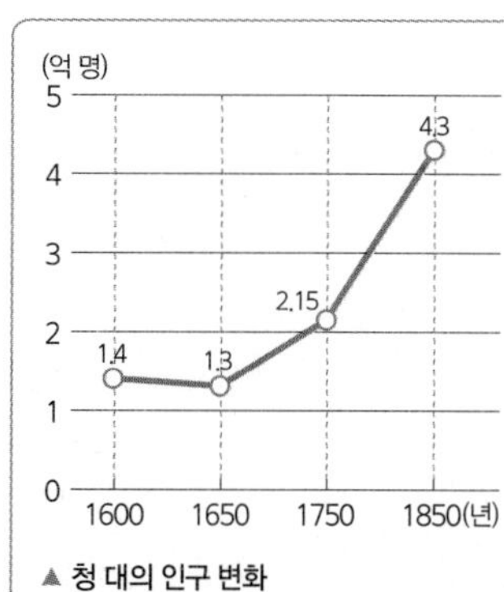

▲ 청 대의 인구 변화

중국 인구사에서 18세기는 인구 증가가 가장 절정에 달했던 시기였다. 당시 중국에서는 많은 인구가 국력의 원천이며 발전의 토대가 된다는 낙관론이 지배적이었으나, 인구가 급격히 증가하자 이는 과잉 인구의 부작용에 대한 걱정으로 점차 변화되었다.

① 상품 화폐 경제가 크게 쇠퇴하였다.
② 물가가 폭등하고 실업률이 증가하였다.
③ 현지인과 이주민 사이의 투쟁이 증가하였다.
④ 비밀 결사와 농민 반란이 빈번하게 일어났다.
⑤ 생활 수준이 낮아지고 환경 파괴가 심화되었다.

03 다음과 같은 상황이 나타나게 된 배경을 〈보기〉에서 모두 고른 것은?

> 한양 주민 중에서 관직에 있는 자는 봉록을 받아 살며, 서리는 자질구레한 늠(녹으로 받는 쌀)으로 살고, 군인들은 군포를 받아 살고, 영세 소상인들은 조그만 이익에 의지해 살고, 수공업자는 힘들게 제조하여 생계를 유지한다. 그러나 아침에 모였다가 저녁에 흩어지고 여기저기 떠돌아다니면서 농사도 짓지 않고, 옷감을 짜지도 않고 먹고사는 무리가 무려 수십만이나 된다. 공인, 시전 상인은 한양 주민 중에서 가장 생활이 안정된 자들이다.
>
> -『비변사등록』-

보기
ㄱ. 인구의 증가　　ㄴ. 대동법의 시행
ㄷ. 도시화의 촉진　　ㄹ. 부역제의 강화

① ㄱ, ㄷ　② ㄴ, ㄹ
③ ㄱ, ㄴ, ㄷ　④ ㄴ, ㄷ, ㄹ
⑤ ㄱ, ㄴ, ㄷ, ㄹ

04 교사의 질문에 대한 학생들의 답변으로 옳지 않은 것은?

① 갑: 강남의 쑤저우는 최대의 상업 도시가 되었어요.
② 을: 전국적인 유통망을 갖춘 대상인이 활동하였어요.
③ 병: 대동법의 시행으로 공인이 등장하여 상업이 발전하였어요.
④ 정: 대표적인 상인으로는 산시 상인과 휘저우 상인 등이 있었어요.
⑤ 무: 중소 도시인 시진이 크게 늘어나 강남 전체가 도시화되었어요.

05 다음 제도의 실시로 나타난 변화로 옳은 것은?

▲ 에도로 가는 다이묘 행렬

각 번의 다이묘가 일정 기간 에도와 자신의 영지(번)에서 번갈아 근무하게 했던 제도이다.

① 대운하를 통한 물자 교류가 증가하였다.
② 송상, 내상, 만상 등의 사상이 등장하였다.
③ 공인의 등장으로 상품 화폐 경제가 확산되었다.
④ 도로망이 정비되고 여관업과 상업이 발달하였다.
⑤ 두 명의 천황이 공존하는 남북조 시대가 시작되었다.

06 18세기 동아시아 각 나라의 상업과 도시 발달에 대한 설명으로 옳은 것을 〈보기〉에서 고른 것은?

보기

ㄱ. 중국 – 산킨코타이 제도의 시행으로 상업 발달이 촉진되었다.
ㄴ. 중국 – 산시 상인과 휘저우 상인 등이 전국에 걸쳐 활약하였다.
ㄷ. 조선 – 중국이나 일본보다 더욱 빠른 속도로 수많은 도시가 성장하였다.
ㄹ. 일본 – 막부 직할령인 에도, 오사카, 교토 등은 인구 수십만의 대도시로 발전하였다.

① ㄱ, ㄴ ② ㄱ, ㄷ ③ ㄴ, ㄷ
④ ㄴ, ㄹ ⑤ ㄷ, ㄹ

07 (가)에 대한 설명으로 옳은 것은?

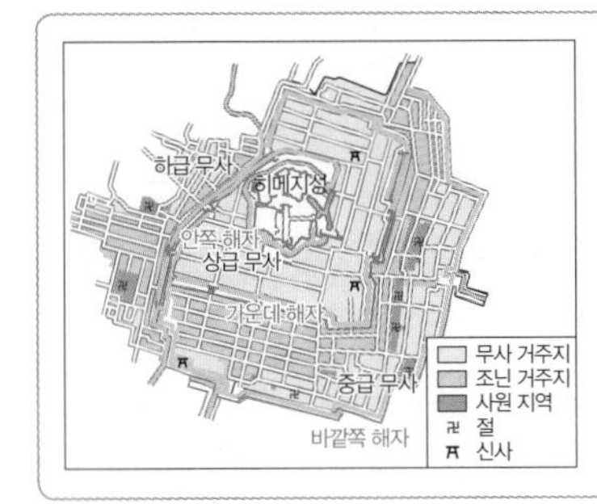

(가) 은/는 다이묘가 거주하는 성을 중심으로 형성되었고, 행정·군사·상업 도시의 역할을 하였다.

◀ 히메지성 (가)

① 중계 무역으로 성장하였다.
② 네덜란드 상인들이 거주하였다.
③ 엄격한 신분제로 인해 형성되었다.
④ 수공업 제품의 생산을 목적으로 하였다.
⑤ 유목 민족을 별도로 통치하기 위해 만들었다.

08 다음 자료에 나타난 시기에 있었던 일로 옳지 않은 것은?

긴 다리 일곱 개를 지나서 비로소 오사카에 당도하니, 곧 모든 배가 정박하는 곳이었다. …… 길 양쪽의 긴 건물 중 층층의 집이 아닌 것이 없었으니, 이것은 온갖 물건을 파는 점포였다. …… 에도 길옆에 있는 회랑은 모두 상점이었다. …… 여러 사람의 눈이 빽빽하여 한 치의 빈틈도 없고, 옷자락에는 꽃이 넘치고 주렴 장막은 햇빛을 받아 반짝이는 모습이 오사카와 교토보다 세 배는 더하였다.

– 「해유록」 –

① 중국은 차와 도자기를 유럽에 수출하여 은을 얻었다.
② 일본에서는 인구 100만 명이 넘는 도시가 출현하였다.
③ 중국과 일본은 무역 허가증인 감합을 사용하여 교역하였다.
④ 조선에서는 대동법의 실시로 상품 화폐 경제가 촉진되었다.
⑤ 일본에서는 다이묘에게 돈을 빌려 주는 금융업자가 번성하였다.

09 명·청 대 서민 문화 발달에 대한 설명으로 옳은 것을 〈보기〉에서 모두 고른 것은?

보기
ㄱ. 도시 인구의 증가로 문화의 소비층이 확대되었다.
ㄴ. 청 대에는 베이징에서 발전한 경극이 중국 전역으로 퍼져 나갔다.
ㄷ. 『사서집주』와 『소학』이 편찬되어 서민 문화의 발달을 뒷받침하였다.
ㄹ. 문학에서는 『서유기』, 『수호전』, 『홍루몽』 등의 소설이 서민 사이에서 널리 읽혔다.

① ㄱ, ㄷ
② ㄴ, ㄷ
③ ㄱ, ㄴ, ㄹ
④ ㄴ, ㄷ, ㄹ
⑤ ㄱ, ㄴ, ㄷ, ㄹ

10 다음과 같은 문화가 발달하게 된 배경으로 옳지 않은 것은?

조선 후기에는 서민층의 자각에 바탕을 둔 문화가 발달하였다. 이야기책으로 불리는 대중 소설 등 한글 작품이 늘어났고, 『춘향전』, 『흥부전』, 『심청전』과 같은 판소리 문학도 유행하였다. 풍속화로 유명한 김홍도는 서민들의 생활상을 정감 있게 묘사하였고, 신윤복은 도시인이나 부녀자의 생활을 해학적인 필치로 묘사하였다.

① 신분 구조의 변동이 있었다.
② 조선 중화주의가 확산되었다.
③ 상품 화폐 경제가 발달하였다.
④ 서당을 통한 교육이 확대되었다.
⑤ 서민들의 의식 수준이 향상되었다.

11 다음과 같은 미술 작품이 유행할 무렵 일본의 문화에 대한 설명으로 옳지 않은 것은?

• 채색 판화이다.
• 그림의 주제는 서민의 풍속과 생활, 자연 등이 주를 이루었다.

① 전통적인 인형극인 분라쿠가 유행하였다.
② 문학에서는 주로 상인이 주인공으로 등장하였다.
③ 『삼국지연의』, 『유림외사』 등의 대중 소설이 인기를 끌었다.
④ 조닌이 도시의 중산층으로 등장하면서 조닌 문화가 발달하였다.
⑤ 가부키 전용 극장이 생기고, 지방의 마을에서도 가부키 공연이 이루어졌다.

12 다음과 같은 상황이 전개된 시기에 동아시아 각 지역의 모습으로 적절하지 않은 것은?

최근 가부키 배우들이 극장 주변에 거주하면서 조닌과 섞여 살고, 특히 에도 삼좌의 공연 소품과 장치가 매우 사치스러우니, 이로부터 비롯된 악영향이 자연스럽게 시중의 풍속으로 옮겨가, 근래 풍속이 문란해졌다.

① 한국 – 『홍길동전』 등 한글 소설이 유행하였다.
② 한국 – 판소리나 탈춤 같은 공연 문화가 발달하였다.
③ 중국 – 황제의 모습을 본뜬 대불이 많이 만들어졌다.
④ 중국 – 정월에 집안에 붙여 두는 연화가 인기를 끌었다.
⑤ 일본 – 네덜란드 상인이 나가사키를 통해 교역하였다.

13 다음과 같은 문화들이 나타나게 된 배경을 〈보기〉에서 고른 것은?

▲ 중국의 경극

▲ 한국의 판소리

▲ 일본의 분라쿠

보기
ㄱ. 중농 정책이 강화되었다.
ㄴ. 성리학적 사회 질서가 확립되었다.
ㄷ. 도시 중심의 소비문화가 발전하였다.
ㄹ. 서민 계층의 생산력과 구매력이 향상되었다.

① ㄱ, ㄴ ② ㄱ, ㄷ ③ ㄴ, ㄷ
④ ㄴ, ㄹ ⑤ ㄷ, ㄹ

14 17세기 이후 동아시아 각국의 학문 동향으로 옳지 않은 것은?

① 명 말에는 관학인 성리학과 공론화된 양명학에 대한 반발이 나타났다.
② 청 대에는 유교 경전과 금석문 등을 실증적으로 연구하는 공양학이 발달하였다.
③ 조선에서는 양 난 이후의 사회·경제적 모순을 해결하려는 과정에서 실학이 등장하였다.
④ 17세기 후반 일본에서는 공자·맹자 때의 유학으로 복귀할 것을 주장하는 고학파가 나타났다.
⑤ 18세기 후반 일본에서는 고학파에 자극을 받아 일본의 고전 연구를 주장하는 국학파가 나타났다.

15 다음 주장과 관련된 학문이 발달하게 된 배경으로 가장 적절한 것은?

> 역사적 사건과 흔적들은 칭송할 것도 담고 있고 비난할 것도 담고 있다. (그러하니) 역사를 읽는 사람들도 억지로 문법(이론적 틀)을 세우거나 멋대로 더하거나 덜어서 찬양하거나 비난해서는 안 된다. 다만, 그 사건과 흔적의 사실 여부를 상고함에 있어서 연도를 날줄로 삼고 사건을 씨줄로 삼아 분류하여 배치하거나 모아서 차례를 정하고, 기록의 같고 다름 및 보고 들은 것의 어긋남과 합치됨을 하나하나 조목별로 분석하여 의심을 없게 한다. …… 일반적으로 학문의 길은 공허(한 사변)에서 구하는 것이 사실에서 추구하는 것만 못하니, 찬양과 비난을 논의하는 것은 모두 공허한 말일 뿐이다. 역사를 서술하는 사람이 사실을 기록하고 역사를 읽는 사람이 상고하고 따지는 목적은 모두 거기서 그저 진실을 확인하려는 것이다. -『십칠사상각』-

① 서원과 향약이 보급되었다.
② 조선 중화주의가 대두되었다.
③ 대규모 편찬 사업이 추진되었다.
④ 분서갱유를 통해 사상이 통제되었다.
⑤ 현실적인 사회 문제에 관심을 두게 되었다.

16 다음 주장에 대한 설명으로 옳은 것은?

> 아마테라스 오미카미(일본의 태양신)는 우주 사이에서 견줄 바 없는 존재로서, 크리스트교의 하나님이나 유교의 천명(天命)도 이에 미치지 못한다. 아마테라스가 태어난 일본은 만국의 중심이 되는 나라이고, 그 후손인 천황의 대군주로서의 지위는 불변하다. -『고사기전』-

① 고증학 성립의 바탕이 되었다.
② 존왕양이 운동에 영향을 주었다.
③ 주자의 경전 해석을 절대적인 것으로 여겼다.
④ 청을 왕래하던 사신들에 의해 형성된 학파이다.
⑤ 불합리한 사회 현실과 제도를 개혁하자는 실천적 성격을 띠었다.

딱풀 p. 35

17 다음과 같이 중국의 인구가 급격히 증가하게 된 배경을 세 가지 이상 서술하시오.

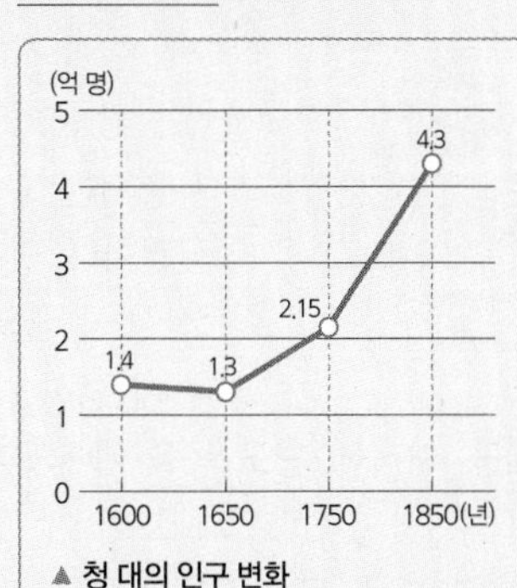

▲ 청 대의 인구 변화

17세기 이후 중국에서는 '폭발'이라는 표현을 쓸 정도로 인구가 크게 늘어났다. 명 대 후기에 1억 5천만 명 정도였던 인구는 18세기 후반에 3억 명을 돌파하였고, 19세기 중반에는 4억 3천만 명까지 이르렀다.

18 다음 자료와 같이 에도 시대에 대도시가 발달하게 된 배경을 서술하시오.

긴 다리 일곱 개를 지나서 비로소 오사카에 당도하니, 곧 모든 배가 정박하는 곳이었다. …… 길 양쪽의 긴 건물 중 층층의 집이 아닌 것이 없었으니, 이것은 온갖 물건을 파는 점포였다. …… 에도 길옆에 있는 회랑은 모두 상점이었다. …… 여러 사람의 눈이 빽빽하여 한 치의 빈틈도 없고, 옷자락에는 꽃이 넘치고 주렴 장막은 햇빛을 받아 반짝이는 모습이 오사카와 교토보다 세 배는 더하였다. -『해유록』-

19 다음 글의 (가)~(다)에 들어갈 알맞은 말을 쓰시오.

명·청 대에는 재력을 지닌 상공인층이 성장하면서 서민 문화가 발달하였다. 서민층의 흥미를 자극한 대중 소설이 유행하며 명 대에는『수호전』,『삼국지연의』,『서유기』등이 널리 읽혔고, 청 대에도 애정 소설이라 할 수 있는『 (가) 』(이)나 관료 사회를 풍자한『유림외사』등의 소설이 출간되었다. 소설과 더불어 서민들은 연극도 즐겼는데, 청 대에 베이징 일대에서는 (나) 이/가 유행하였다. 미술에서는 도시 생활이나 민간 풍속을 묘사한 그림, 정월에 집안에 붙여 두는 (다) 등이 인기를 끌었다.

20 다음 자료를 통해 알 수 있는 에도 시대 문화의 특징을 서술하시오.

▲「가나가와 해변의 높은 파도 아래」

▲ 가부키 극장

21 다음 자료와 관련 있는 학문의 명칭을 쓰고, 이러한 학문이 등장하게 된 배경을 서술하시오.

재물은 우물과도 같아 퍼서 쓸수록 가득 채워지는 것이고, 버려두면 말라버린다. 비단을 입지 않아서 나라 안에 비단 짜는 사람이 없어지면 길쌈질이 쇠퇴하고, 그릇이 비뚤어지든 어떻든 개의치 않으면 나라에 공장과 도야(질그릇 굽는 곳과 대장간)가 없어지고, 기예도 없어지는 것이다. -『북학의』-

도전 수능 문제

| 교육청 응용 |

01 (가)에 들어갈 내용으로 옳은 것을 〈보기〉에서 고른 것은?

학습 주제: 17세기 이후 동아시아의 인구 증가

보기

ㄱ. 쓰촨성 지역이 곡창 지대가 되었기 때문이야.
ㄴ. 한족에 의한 강남 개발이 시작되었기 때문이야.
ㄷ. 옥수수, 감자 등의 구황 작물이 재배되었기 때문이야.
ㄹ. 균전제의 실시로 농민 생활이 안정되었기 때문이야.

① ㄱ, ㄴ ② ㄱ, ㄷ ③ ㄴ, ㄷ
④ ㄴ, ㄹ ⑤ ㄷ, ㄹ

| 수능 응용 |

02 교사의 질문에 대한 학생들의 답변으로 적절한 것을 〈보기〉에서 고른 것은?

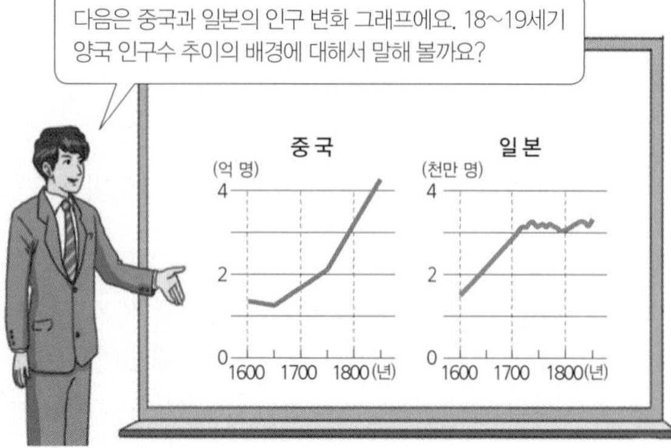

보기

ㄱ. 단위 면적당 농업 생산량이 감소했어요.
ㄴ. 아메리카산 신대륙 작물이 재배되었어요.
ㄷ. 일본에서는 다이묘들 사이의 전쟁이 격화되었어요.
ㄹ. 일본에서는 자연 재해로 인한 기근이 빈발하였어요.

① ㄱ, ㄴ ② ㄱ, ㄷ ③ ㄴ, ㄷ
④ ㄴ, ㄹ ⑤ ㄷ, ㄹ

| 교육청 응용 |

03 밑줄 친 '이 시기'의 동아시아 경제 상황으로 옳은 것은?

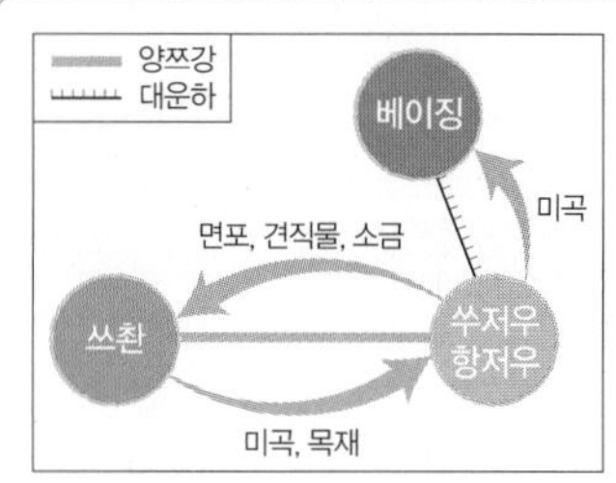

그림은 이 시기 강남 지역을 중심으로 물자가 유통되는 모습을 나타낸 것이다. 당시 휘저우·산시 상인들은 양쯔강과 대운하를 오가며 전국 각지에서 미곡, 견직물, 면포 등을 매매하였고, 결속을 다지기 위해 회관을 건립하였다. 또한 이 시기에는 상업이 발달함에 따라 담배, 뽕나무 등의 상품 작물이 재배되었고, 시진의 수와 규모가 점차 확대되었다.

① 중국 – 정전제가 실시되었다.
② 일본 – 시박사를 설치하여 무역선을 관리하였다.
③ 일본 – 조카마치를 중심으로 상업이 발달하였다.
④ 한국 – 청해진이 동아시아 무역의 거점이 되었다.
⑤ 한국 – 소(所)를 중심으로 수공업 제품이 생산되었다.

| 교육청 응용 |

04 다음을 통해 알 수 있는 시기의 동아시아 경제 상황으로 옳은 것은?

이 그림은 쑤저우의 번창한 모습을 그린 '성세자생도'의 일부로 운하를 오가며 쌀, 비단, 담배 등을 매매하던 당시 사람들의 모습이 생생하게 묘사되어 있다. 이 시기에 쑤저우를 비롯한 강남 지역에서는 시진이 크게 늘어났고, 산시 상인과 휘저우 상인들은 회관을 건립하고 전국적으로 상권을 확대하였다.

① 중국 – 공인이 등장하였다.
② 중국 – 왕안석이 신법을 시행하였다.
③ 한국 – 문익점에 의해 목화가 전래되었다.
④ 일본 – 네덜란드 상관이 설치되었다.
⑤ 일본 – 장원이 급속도로 확산되었다.

| 교육청 응용 |

05 '(가) 시대' 동아시아 각 지역의 경제 상황으로 옳은 것은?

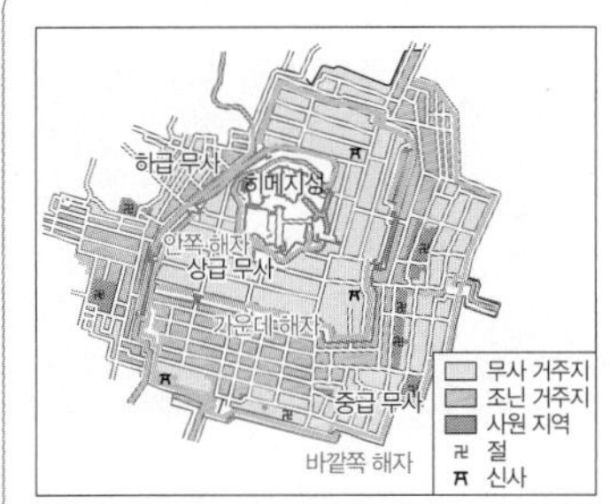

자료는 (가) 시대의 히메지성 조카마치이다. 이 시대의 조카마치에는 다이묘가 거주하는 성을 중심으로 상급 무사의 거주지가 배치되고, 그 외곽에 조닌과 중·하급 무사의 거주지, 사원 등이 위치하였다.

① 한국 – 벽란도가 국제 무역항으로 성장하였다.
② 중국 – 대운하가 건설되기 시작하였다.
③ 중국 – 교초가 동서 교역에 이용되었다.
④ 일본 – 명과 감합 무역을 하였다.
⑤ 일본 – 조선의 왜관에서 인삼을 사들였다.

| 평가원 기출 |

06 (가)에 들어갈 내용으로 적절하지 않은 것은?

탐구 활동 계획서

1. 탐구 과제 : 18세기 동아시아 각국의 도시와 상업
2. 탐구 목표 : 동아시아 각국의 도시와 상업이 발달하는 과정을 이해할 수 있다.
3. 모둠별 탐구 활동
   제1모둠 : 양쯔강 하류 일대에서 시진이라 불리는 상공업 도시가 번성한 모습을 조사한다.
   제2모둠 : (가)

① 광저우에서 공행이 활동하게 된 배경을 고찰한다.
② 오사카를 통해 전국으로 유통된 상품을 찾아본다.
③ 에도로 향하는 주변의 도시가 번성한 모습을 살펴본다.
④ 수도 카라코룸에서 재정 업무를 담당한 색목인을 조사한다.
⑤ 송상, 만상, 내상이 상업 활동을 주도하게 된 과정을 알아본다.

| 평가원 응용 |

07 다음 글에 나타난 시기의 동아시아 경제 상황으로 옳은 것은?

우리나라에는 외국과의 무역을 통해서 부유해진 상인들이 있다. 이들은 남쪽으로는 일본, 북쪽으로는 중국의 연경과 통하여, 몇 년 동안 천하의 물자를 실어다 팔아서 간혹 수백만금의 재물을 모으기도 하였다. 이런 자는 한양에 많이 있고, 그다음은 개성, 평양, 안주, 의주 등에 있으니, 이들 중에 의주의 만상은 책문 후시를 통해 큰 부를 축적하였다.

① 한국 – 3포를 개항하여 일본과 교역하였다.
② 중국 – 동전과 보초가 발행되어 널리 유통되었다.
③ 중국 – 소금 전매로 양저우가 상인들의 근거지가 되었다.
④ 일본 – 송으로부터 동전을 대량 수입하였다.
⑤ 일본 – 전국적인 토지 조사가 시행되었다.

| 평가원 응용 |

08 (가)에 들어갈 내용으로 적절하지 않은 것은?

전국 각지의 다이묘 영지에서 운송된 쌀을 거래하던 곳이 오사카 쌀 시장이었다. 에도, 교토와 더불어 번영을 누렸던 오사카는 쌀을 비롯한 여러 물자가 집결되어 당시 '천하의 부엌'이라 불렸다. 이 시기 (가)

① 중국은 차와 도자기를 유럽에 수출하였다.
② 일본은 류큐를 통해 명과 중계 무역을 실시하였다.
③ 조선에서는 모내기법이 전국적으로 확대 보급되었다.
④ 일본에서는 영주의 성 아래 만들어진 조카마치가 발달하였다.
⑤ 조선에서는 대동법의 시행으로 상품 화폐 경제가 촉진되었다.

| 수능 응용 |

09 다음 자료에 나타난 시기의 동아시아 경제에 대한 설명으로 옳지 않은 것은?

> • 각 지역에서는 한전(旱田)의 성질에 맞추어 옥수수 등의 곡식 이외에 고구마, 삼, 모시 등의 작물을 재배하여 큰 이익을 얻고 있다. - 정약용, 『경세유표』 -
> • 상추쌈에 보리밥을 둥글게 싸 삼키고는 고추장에 파 뿌리도 곁들여 먹는다오. - 정약용, 「장기 농가」 -

① 한국 – 강화 지역의 간척 사업이 실시되었다.
② 한국 – 경강상인이 미곡 등을 거래하며 이익을 얻었다.
③ 중국 – 산시 상인과 휘저우 상인이 활약하였다.
④ 중국 – 강남에서 중소 상공업 도시인 시진이 크게 늘어났다.
⑤ 일본 – 인구 100만 명 이상의 도시가 발전하였다.

| 평가원 응용 |

10 가상 편지에 나타난 시기에 동아시아에서 볼 수 있는 모습으로 옳지 않은 것은?

> ○○에게
> 데지마에 네덜란드 상관이 들어선 이래 서양의 진귀한 물건들이 많이 들어왔다네. 의학과 과학 기술 관련 책들도 들어왔지. 그래서 나는 요즘 네덜란드어를 배우고 있다네. 얼마 전에는 네덜란드 사람들이 가져온 의학서가 우리말로 번역되어 출간되었다고 하는군. 조만간 읽어볼 생각이네. 이국적인 문물을 접하고 싶다면 이리로 오게.
> △△월 △△일
> □□로 부터

① 한국 – 「심청가」를 부르는 소리꾼
② 중국 – 교초로 도자기를 구입하는 상인
③ 중국 – 경극 공연장을 관리하는 청소부
④ 일본 – 가부키 공연을 준비하는 배우
⑤ 일본 – 분라쿠를 보고 있는 조닌

| 평가원 응용 |

11 다음과 같은 공연이 성행하던 시기의 동아시아 각국 문화에 대한 설명으로 옳지 않은 것은?

▲ 탈춤

▲ 가부키

① 한국 – 『홍길동전』 등의 한글 소설이 널리 읽혔다.
② 한국 – 서민들의 일상적인 모습을 담은 풍속화가 그려졌다.
③ 일본 – 인물, 풍속 등을 묘사한 우키요에가 발달하였다.
④ 일본 – 불교와 토착 신앙인 신토가 결합하기 시작하였다.
⑤ 중국 – 『홍루몽』 등의 대중 소설과 경극이 유행하였다.

| 교육청 응용 |

12 밑줄 친 '이 시대'의 동아시아 문화에 대한 설명으로 옳지 않은 것은?

> 동아시아 전통문화 사전 – 일본 편
> **분라쿠[文樂]**
>
> 
>
> [개요] 일본의 전통 인형극으로 2008년 유네스코 인류 무형 문화유산에 등재되었다.
> [공연] 내레이터가 악기의 반주에 맞추어 인형의 행동과 감정을 표현한다. 이때 인형 조종자들은 관중이 보는 앞에서 무대 위의 인형들을 움직인다.
> [평가] 이 시대를 대표하는 공연 예술로, 가부키와 함께 조닌들의 많은 사랑을 받았다.

① 한국 – 판소리가 유행하였다.
② 한국 – 서당 교육이 확대되었다.
③ 중국 – 『홍루몽』이 인기를 끌었다.
④ 중국 – 훈고학이 등장하였다.
⑤ 일본 – 우키요에가 제작되었다.

| 교육청 기출 |

13 다음 자료에 나타난 학문에 대한 설명으로 옳은 것은?

- 어떤 경전이든 역사서든 주석서든 나의 관심은 오직 진실된 것에 있다. 경전이 진실되고 역사서나 주석서가 거짓이라면 경전을 기준으로 역사서와 주석서를 바로 잡으면 될 것이다. - 염약거, 『상서고문소증』 -
- 나의 어두운 식견과 미약한 재주로는 쉽게 견해를 내지 못하니, 진실로 힘든 교정을 통해 오래된 종이 무더기 속에 파묻혀 실제적인 것에서 진리를 찾아 후세 사람들을 계도하기를 바라는 것이다. - 왕명성, 『십칠사상각』 -

① 명 대에 관학으로 수용되었다.
② 지행합일과 심즉리를 중시하였다.
③ 객관주의와 실사구시를 강조하였다.
④ 대의 명분론과 화이관을 강화시켰다.
⑤ 고려 말 신진 사대부의 사상적 기반이 되었다.

| 평가원 응용 |

14 (가), (나)에 대한 설명으로 옳지 않은 것은?

(가) 이 학문은 에도 시대 중기부터 성행하였다. 모토오리 노리나가는 중국적 사고 방식을 철저히 배제하는 것이야말로 진심(眞心)에 도달할 수 있는 길이라고 강조하였다.
(나) 한·당 시대의 훈고학을 계승한 학문이다. 황종희 등은 역사적 실증을 중시하여 이 학문의 토대를 마련하였다. 이후 객관주의와 실사구시를 강조하는 학풍이 성행하였다.

① (가) - 천황 중심의 국가주의적 색채를 띠었다.
② (가) - 고대 일본의 고전을 연구하여 일본 문화의 우월성을 주장하였다.
③ (나) - 심즉리와 지행합일을 주장하는 양명학의 등장 배경이 되었다.
④ (나) - 청이 한족 중심의 화이사상을 탄압한 것이 하나의 계기가 되어 발달하였다.
⑤ (나) - 청 정부가 추진한 대규모 편찬 사업을 계기로 발전하였다.

| 교육청 응용 |

15 (가), (나)에 나타난 학문에 대한 설명으로 옳지 않은 것은?

(가) 일반적으로 학문의 길은 공허한 사유(思惟)에서 구하는 것이 사실에서 추구하는 것만 못하니 찬양과 비난을 논의하는 것은 모두 공허한 말일 뿐이다. 역사를 서술하는 사람이 사실을 기록하고 역사를 읽는 사람이 꼼꼼하게 검토하는 목적은 모두 거기서 진실을 확인하려는 것이다. - 『십칠사상각』 -
(나) 태양신 아마테라스 오미카미가 태어난 일본은 만국의 중심이 되는 나라이고, 그 후손인 천황의 대군주로서의 지위는 불변이며 만세일계(萬世一系)라고 고한 영원한 신의 명령이야말로 도의 근본이다. - 『고사기전』 -

① (가) - 청의 사상 통제 정책을 계기로 발달하였다.
② (가) - 고전에 대한 실증적 연구가 중심을 이루었다.
③ (나) - 에도 막부 시대에 유행하였다.
④ (나) - 일본 중심의 천하 질서를 추구하였다.
⑤ (가), (나) - 존왕양이 운동에 영향을 주었다.

| 교육청 응용 |

16 (가) 왕조에 대한 탐구 활동으로 가장 적절한 것은?

① 다이호 율령의 내용을 분석한다.
② 연화(年畵)가 인기를 끌었던 배경을 조사한다.
③ 「혼일강리역대국도지도」가 편찬된 목적을 알아본다.
④ 독서삼품과를 통해 관직에 진출한 계층을 살펴본다.
⑤ 새로운 역법인 수시력이 제작된 과정을 파악한다.

IV

동아시아의 근대화 운동과 반제국주의 민족 운동

이 단원의 핵심 포인트

중단원	핵심 포인트	학습일
01 새로운 국제 질서와 근대화 운동	• 동아시아 각국의 개항 • 근대화 운동의 전개 • 국민 국가 수립을 위한 노력	월 일 ~ 월 일
02 제국주의 침략 전쟁과 민족 운동	• 제국주의 침략과 동아시아 질서의 재편 • 제1차 세계 대전과 민족 운동의 발전 • 침략 전쟁의 확대와 국제 연대 노력	월 일 ~ 월 일
03 서양 문물의 수용	• 서구적 세계관의 전파와 수용 • 근대적 지식의 확산 • 근대적 생활 방식의 확산	월 일 ~ 월 일

셀파와 내 교과서 단원 비교

셀파	천재교육	금성	미래엔	비상교육
01 새로운 국제 질서와 근대화 운동	01 새로운 국제 질서와 근대화 운동	10 새로운 국제 질서와 근대화 운동	01 새로운 국제 질서와 근대화 운동	01 새로운 국제 질서와 근대화 운동
02 제국주의 침략 전쟁과 민족 운동	02 제국주의 침략 전쟁과 민족 운동	12 제국주의 침략 전쟁과 민족 운동	02 제국주의 침략 전쟁과 민족 운동	02 제국주의 침략 전쟁과 민족 운동
03 서양 문물의 수용	03 서양 문물의 수용	11 서양 문물의 수용	03 서양 문물의 수용	03 서양 문물의 수용

01 새로운 국제 질서와 근대화 운동

1 동아시아 각국의 개항 자료 01

1. 아편 전쟁과 청의 개항

(1) 청과 영국의 무역 변화❶

편무역 (18세기)	영국이 청의 물품을 수입하고 막대한 양의 은 지급 → 영국의 무역 적자 심화	➡	삼각 무역 (19세기)	영국이 인도산 아편을 청에 수출 → 은 유출로 청의 재정 파탄, 아편 중독자 증가

(2) 아편 전쟁과 청의 문호 개방

구분	제1차 아편 전쟁(1840∼1842)	제2차 아편 전쟁(1856∼1860)
배경	청의 아편 몰수와 단속	청과의 무역량이 기대만큼 늘지 않음
전개	영국의 청 침략 → 청의 패배	영국이 프랑스와 연합하여 청 침략 → 청의 패배
결과	난징 조약 체결(1842): 상하이를 비롯한 5개 항구 개항, 홍콩 할양, 공행 폐지 → 이듬해 추가 조약을 통해 영사 재판권과 최혜국 대우 인정, 조계 설정 → 동아시아에서 최초로 체결된 근대적 조약, 청에 일방적으로 불리한 불평등 조약	• 톈진 조약(1858)과 베이징 조약(1860) 체결: 항구의 추가 개항, 크리스트교의 선교 인정, 서양 외교관의 베이징 주재 허용 • 러시아는 베이징 조약을 중재한 대가로 연해주를 차지

2. 페리의 내항과 일본의 개항

(1) **전개** 에도 막부가 서양과의 교류를 금지하는 해금 정책 고수 → 미국 페리 함대가 군사력을 과시하며 국교 요구

(2) 결과

① 미·일 화친 조약 체결(1854) 2개 항구 개항, 미국 선박에 대한 지원, 최혜국 대우 규정

② 미·일 수호 통상 조약 체결(1858) 항구의 추가 개항, 미국의 영사 재판권 인정, 무역의 전면 자유화와 협정 관세 체결

3. 운요호 사건과 조선의 개항

(1) **대외 정책의 변화** 흥선 대원군의 통상 수교 거부 정책 → 고종의 친정(임금이 직접 나라의 정사를 돌보는 것) 이후 통상 개화론 대두

(2) **개항** 일본이 운요호 사건❷을 일으켜 개항 강요 → 강화도 조약 체결(1876, 3개 항구 개항, 일본의 해안 측량권과 영사 재판권 인정)

4. 베트남의 개항
베트남의 가톨릭 박해를 빌미로 프랑스가 군대 파견 → 제1차 사이공 조약 체결(1862, 선교의 자유, 코친차이나 동부 3성 할양, 다낭 등 3개 항구의 개항, 배상금 지급)

2 근대화 운동의 전개

1. 청의 근대화 운동

(1) **태평천국 운동❸(1851∼1864)** 홍수전이 주도 → 청조 타도(멸만흥한)와 토지 균분, 평등 사회 건설 등을 내세우며 농민과 하층민의 지지를 받아 태평천국을 세움 → 외국 군대, 한인 관료, 신사층에 의해 10여 년 만에 진압

(2) **양무운동(1861∼1894)** 증국번, 이홍장 등 한인 관료층(태평천국 운동의 진압에 공로를 세운 인물들)이 주도 → 중체서용(중국의 전통을 근본으로 삼고, 서양의 기술만 받아들이자는 주장)을 내세우며 근대식 군수 공장 설립, 서양식 해군 창설, 근대적 기업 설립 → 의식·제도 개혁이 미비하여 청·일 전쟁의 패배로 한계 노출 자료 02

❶ 청과 영국의 무역 변화

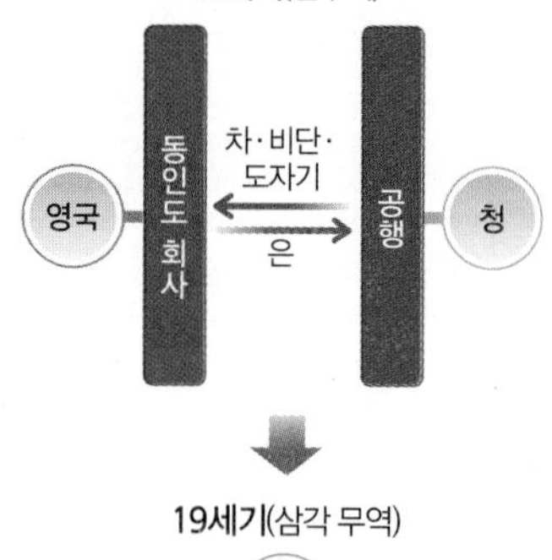

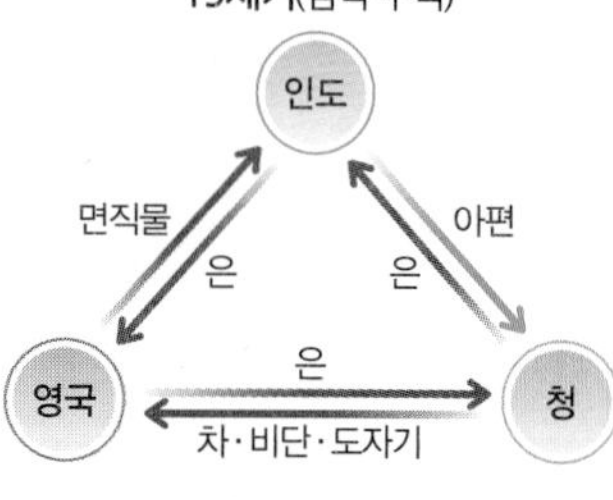

❷ 운요호 사건(1875)
일본 군함 운요호의 일본군이 강화도와 영종도에 불법적으로 침입하여 조선군과 충돌한 사건이다. 일본군은 조선군에 큰 피해를 입히고, 무기를 다량 탈취해 갔다. 또한 양민을 살상하고 방화·약탈한 후 철수하였다.

고득점을 위한 셀파 Tip

• 동아시아 3국의 개항 과정

청	제1차 아편 전쟁에서 영국에 패배 → 난징 조약 체결
일본	미국 페리 함대의 국교 요구 → 미·일 화친 조약 체결 → 미·일 수호 통상 조약 체결
조선	일본이 운요호 사건을 일으킴 → 강화도 조약 체결

❸ 태평천국 운동
홍수전이 만든 배상제회라는 종교 단체를 중심으로 전개되었다. 한때 난징을 점령하고 강남 일대를 장악하는 등 세력을 떨치며 청 정부와 대립하였다.

셀파 자료 탐구

자료 01 공통 자료 동아시아 3국이 체결한 불평등 조약과 개항

(가) 난징 조약(1842)

제2조 영국 국민이 가족이나 하인을 데리고 광저우·아모이·푸저우·닝보·상하이에서 박해나 구속받지 않고 상업에 종사하기 위해 자유롭게 거주하는 것을 보장한다.

제3조 청은 영국에 홍콩을 양도하고, 영국은 적당하다고 인정하는 법률로써 통치한다. └ 영토 할양 조항

제8조 무릇 대영국인은 본국인이든 속국의 군민(軍民)이든 상관없이 중국의 관할 아래 있는 각 지방에서 구금되어 있는 경우 대청 황제가 즉각 석방을 승인한다. └ 영사 재판권 인정 조항

(나) 미·일 수호 통상 조약(1858)

제3조 시모다와 하코다테 외에 다음 항구를 개항한다. 가나가와, 나가사키, 니가타, 효고(고베) 등

제4조 일반적으로 국내로 수입하거나 국내에서 수출하는 물품은 별책의 규정대로 일본의 관청에 관세를 납부한다. – 협정 관세 체결 조항

제6조 일본인에 대해 범법 행위를 한 미국인은 미국의 영사 재판소에서 조사하여 미국법으로 처벌한다. 미국인에 대해 범법 행위를 한 일본인은 일본 관리가 조사한 후 일본 법으로 처벌한다. – 영사 재판권 인정 조항

(다) 강화도 조약(조·일 수호 조규, 1876)

제1관 조선국은 자주의 나라이며 일본국과 평등한 권리를 가진다.

제4관 조선국은 부산 외에 두 곳의 항구를 개항하고 일본인이 와서 통상하도록 허가한다.

제7관 조선국 연해를 일본국의 항해자가 자유롭게 측량하도록 허가한다. – 해안 측량권 허용 조항

제10관 일본국 인민이 조선국 항구에서 죄를 지었거나 조선국 인민에게 관계되는 사건은 모두 일본국 관원이 심판한다. – 영사 재판권 인정 조항

▲ 동아시아 각국의 개항장

국가	조약	개항장
청	난징 조약	광저우, 샤먼, 푸저우, 닝보, 상하이
일본	미·일 화친 조약	시모다, 하코다테
	미·일 수호 통상 조약	가나가와(요코하마), 나가사키, 니가타, 효고(고베)
조선	강화도 조약	부산, 원산, 인천

자료 분석 | 19세기 동아시아 각국은 불평등 조약을 체결하고 문호를 개방하였다. 그 결과 동아시아에서는 중국 중심의 전통적인 조공·책봉 관계가 무너지고 근대적 조약 체제가 형성되어 갔다.

교과서 자료 더 보기

| 청·일 수호 조규(1871) |

제1조 이후 일본과 청은 마침내 우호를 두텁게 하여 천지와 함께 영원히 끝이 없어야 한다. ……

제2조 양국이 우호를 나눈 이상 반드시 정중하게 대접해야 한다. 만약 타국에서 불공평하거나 경멸을 당하는 일이 있을 경우, 그 일을 알리고 어느 쪽이나 서로 돕거나 중재하여 적당히 처리하고 우의를 두텁게 해야 한다.

제8조 양국의 개항장에는 양국 모두 영사관을 두고, 자국 상민의 단속을 실시해야 한다.

1871년 청과 일본은 대등한 입장에서 청·일 수호 조규를 체결하여 외교 관계를 재조정하였다. 청과 일본은 상대국에 모두 영사관을 설치하고 외교관을 파견하여 영사 재판권을 갖도록 규정하였다. 이 조약의 체결로 일본은 중국 중심의 전통적인 동아시아 국제 질서에서 벗어나 청과 대등한 지위를 갖게 되었다.

자료 02 양무운동

기계 제조라는 이 일은 오늘날 외국의 도전을 막아 내기 위한 바탕이 되며, 자강(自强)의 근본입니다. …… 신이 밝히고자 하는 것은 서양식 기계는 농경이나 직포·인쇄·도자기 제조 등의 용구를 모두 제조할 수 있고, 백성의 생계와 일상용품에 도움이 되는 것이기도 하며, 원래부터 오로지 군사상의 무기만을 위해서 만들어진 것은 아니라는 점입니다. …… 중국의 문물제도는 외양(外洋) 야만의 풍속과는 전혀 다르고, 치평(治平)(나라가 잘 다스려져 평온한 상태)을 이루고 나라를 유지하고 제업(帝業)(제왕의 업적)의 아주 튼튼한 기초를 굳히고자 하는 방법은 당연히 원래부터 존재하고 있습니다. 하지만 위기를 안정으로 돌리고 허약함을 강력함으로 바꾸는 길은 전적으로 기기를 모방하여 제조하는 데서 비롯됩니다. –「이홍장 전집」–

자료 분석 | 양무운동은 중국의 전통을 그대로 유지하면서 서양의 군사력과 과학 기술을 수용하여 자강을 이루려는 근대화 운동이었다. 그러나 중앙 정부의 체계적인 지원을 얻지 못하여 지방마다 개별적으로 추진될 수밖에 없었으며, 의식이나 제도 개혁이 뒷받침되지 못하여 중국 사회를 근본적으로 변화시키지 못하였다. 결국 양무운동은 청·일 전쟁에서 패배함으로써 그 한계를 드러냈다.

교과서 자료 더 보기

| 난징의 금릉 기기국 |

양무운동 당시 난징에 설립된 근대식 군수 공장으로, 총포와 화약 등을 생산하였다.

2. 일본의 메이지 유신

천황을 받들고 서양 세력을 내쫓자는 주장

(1) **전개** 개항 이후 등장한 반막부 세력이 반막부·반외세의 존왕양이 운동 전개 → 서구 열강과의 군사적 충돌에서 패배 → 서양 문물 수용과 막부 타도로 방침 변경 → 막부를 무너뜨리고 천황 중심의 새로운 정부를 수립하여 개혁 추진(메이지 유신, 1868)

(2) **메이지 정부의 개혁** 서양의 근대 국가를 모델로 삼아 근대화 정책 추진

지방의 번을 폐지하고 현을 설치하여 중앙 정부가 관리를 보내 통치하였다.

정치	중앙 집권 체제 수립(폐번치현 단행), 징병제 시행
경제	근대적인 토지세 제도 도입(토지 가격을 기준으로 세금 징수), 식산흥업 정책[4] 추진
사회	신분제 폐지(사민평등 정책), 소학교의 의무 교육 시행, 대학 설립
외교	이와쿠라 사절단 파견(1871) → 불평등 조약 개정을 위한 예비 교섭 추진, 서양의 제도와 문물 조사

사민평등: 모든 사람이 평등하게 자유와 권리를 가지는 것

(3) **대외 침략 정책의 추진** 개혁 추진 과정에서 무사층과 농민의 불만 고조 → 대외 침략을 통해 문제를 해결하고자 함(정한론 대두, 타이완 침공, 류큐 병합)

정한론: 조선을 침략하자는 주장으로, 1870년대를 전후하여 대두하였다.

3. 조선의 개화 정책

(1) **개화 정책의 추진** 수신사와 조사 시찰단(일본)·영선사(청)·보빙사(미국) 파견, 통리기무아문 설치, 별기군 창설(1881)

(2) **개화에 대한 반발** 위정척사 운동[5], 임오군란[6] 발생

왜? 임오군란 이후 청의 내정 간섭과 더딘 개혁에 불만을 품은 김옥균, 박영효 등의 급진 개화파가 정변을 일으켰다.

(3) **갑신정변(1884)** 근대화 정책의 속도와 방향을 두고 개화 세력 분화[7] → 청·프 전쟁을 틈타 급진 개화파가 정변을 일으킴 → 개혁 정강 14개 조 발표(청에 대한 사대 폐지, 신분제 폐지, 조세 제도 개혁 등) → 청군의 개입으로 실패, 청의 내정 간섭 심화

(4) **갑오·을미개혁** 일본의 지원으로 정권을 잡은 개화 세력이 개혁 추진 → 갑오개혁(1894, 왕실과 정부 분리, 근대적 내각제 수립, 조세 제도 합리화, 신분제 해체, 노비제 폐지 등) → 을미개혁(1895, 태양력 사용, 단발령 실시 등) → 아관 파천으로 개혁 중단

3 국민 국가 수립을 위한 노력 자료 03

1. 자유 민권 운동과 대일본 제국 헌법의 제정

입헌제 도입을 요구하였다.

(1) **자유 민권 운동** 1870년대부터 서양식 의회 설치와 헌법 제정 요구 → 메이지 정부의 탄압

(2) **대일본 제국 헌법 제정(1889)** 입헌제 국가의 제도적 기반 마련, 천황에게 막강한 권한을 부여하는 등의 한계

옛 제도를 근본으로 하고 새로운 제도를 참작한다는 구본신참에 입각하여 근대적 개혁을 추진하였다.

2. 대한 제국과 독립 협회

(1) **대한 제국의 수립(1897)** 을미사변[8] → 아관 파천[9] → 고종의 환궁 → 대한 제국 수립 선포 → 광무개혁[10] 추진, 대한국 국제 반포(1899)

(2) **독립 협회의 활동** 『독립신문』 창간, 독립 협회 설립(1896) → 만민 공동회 개최, 이권 수호 운동과 입헌제 도입을 위한 의회 개설 운동 전개 → 보수 세력의 모함으로 강제 해산

러·일 전쟁에서 일본이 승리한 것에 자극을 받아 입헌 군주제 도입 등을 주장하였다.

3. 변법자강 운동과 신해혁명

(1) **변법자강 운동[11](1898)** 캉유웨이, 량치차오 등이 의원제 도입을 비롯한 정치 개혁 운동 전개 → 광서제가 이를 받아들여 근대화 개혁 추진 → 보수파의 반격으로 실패(무술정변, 1898)

(2) **신정의 실시** 의화단 운동 이후 청 정부가 근대화 개혁(신정) 실시 → 량치차오 등의 입헌파가 입헌 운동 전개 → 청 정부가 이를 받아들여 흠정 헌법 대강 발표(1908)

(3) **신해혁명** 쑨원을 중심으로 한 혁명파가 중국 동맹회 조직(청 왕조 타도와 공화국 건립을 목표로 삼음) → 우창 신군의 봉기로 시작(1911) → 쑨원을 임시 대총통으로 하는 중화민국 수립(1912) → 공화제 시행을 조건으로 위안스카이에게 임시 대총통 자리를 넘김

그러나 임시 대총통에 오른 위안스카이는 제정을 부활하려다 실패하고, 이후 중국은 군벌들에 의해 분열되었다.

④ 식산흥업 정책
'생산을 늘리고 산업을 일으킨다.'는 뜻으로, 근대 산업 육성 정책을 일컫는다. 메이지 정부는 철도를 부설하고 근대적 공장을 세워 상공업을 진흥시켰다.

⑤ 위정척사 운동
조선의 성리학적 전통 질서를 지키고 성리학 이외의 모든 종교와 사상, 서양 세력을 배척하는 운동이다.

⑥ 임오군란(1882)
구식 군인들이 신식 군인인 별기군과의 차별에 항의하여 일으킨 봉기이다.

⑦ 개화 세력의 분화

온건 개화파	청의 양무운동이 모델 → 서양의 과학 기술 수용 주장
급진 개화파	일본의 메이지 유신이 모델 → 서양의 과학 기술은 물론 근대 사상과 제도 등도 수용 주장

⑧ 을미사변(1895)
일본이 경복궁을 습격하여 명성 황후를 시해한 사건이다.

⑨ 아관 파천(1896)
을미사변으로 일본의 위협을 느낀 고종이 러시아 공사관으로 거처를 옮긴 사건이다.

⑩ 광무개혁
식산흥업 정책을 추진하여 운수, 광업, 철도 등의 분야에 근대적 회사들이 설립되었고, 서양의 기술과 기계를 도입하여 각종 근대적 시설을 마련하였다. 또한 인재 양성을 위해 근대 학교 설립에 힘썼고, 외국에 유학생을 파견하였다.

⑪ 변법자강 운동
변법파는 일본의 메이지 유신을 참고하여 입헌 군주제 도입을 목표로 의회 개설을 주장하였다. 또한 상공업 진흥, 과거제 개혁과 근대 학교 설립 등의 개혁을 시도하였다.

자료 03 공통 자료 동아시아 3국의 헌법 제정

(가) 대일본 제국 헌법(1889)

만세일계 — 천황의 혈통이 한 번도 단절된 적 없이 대대로 이어져 왔다는 의미

제1조 대일본 제국은 만세일계의 천황이 통치한다.

제4조 천황은 국가의 원수로서 통치권을 총람하며, 이 헌법의 조규에 따라 이를 시행한다.

제5조 천황은 제국 의회의 협찬으로 입법권을 행사한다.

제11조 천황은 육·해군을 통솔한다.

(나) 대한국 국제(1899)

제1조 대한국은 만국이 공인한 자주독립 제국이다.

제2조 대한 제국의 정치는 이전부터 오백 년간 이어져 왔고, 이후로 만세불변할 전제 정치이다.

제3조 대한국 대황제는 무한한 군권(君權)을 지니고 있으니, 공법에서 말하는 바 자립 정체이다.

제6조 대한국 대황제는 법률을 제정하여 그 반포와 집행을 명하고, 대사·특사·감형·복권을 한다.

(다) 흠정 헌법 대강(1908)

제1조 대청 황제는 대청 제국을 통치하며, 만세일계로 영원히 존중하고 떠받들어야 한다.

제3조 황제는 법률을 반포하고 의안을 제안할 수 있는 권한을 가진다. 법률은 의원에서 의결하지만, 황제의 비준 명령을 받아 반포된 것이 아니면 시행할 수 없다.

제6조 황제는 육·해군을 통솔하고 군제를 감독할 권리를 가지며 의회는 이에 간섭할 수 없다.

자료 분석 | (가) 메이지 정부는 자유 민권 운동을 탄압하였으나 서양식 정치 제도의 필요성은 인정하여 입헌제를 채택하고 대일본 제국 헌법을 제정하였다. **대일본 제국 헌법은 천황을 신성 불가침한 존재로 규정하고, 군 통수권과 입법권 등 막강한 권한을 천황에게 부여하였다.** 1890년에는 선거를 실시하여 **제국 의회를 개설하였다.**

(나) 대한 제국은 황제 중심의 근대 국가 수립을 위해 대한국 국제를 반포하여, **모든 권한(군 통수권, 입법권, 행정권, 외교권)이 황제에게 집중된 전제 군주정 국가임**을 대내외에 밝혔다.

(다) 청 정부는 흠정 헌법 대강을 반포하고 의회 설립을 준비하였다. 흠정 헌법 대강은 **황제에게 법률 공포, 의회 소집과 해산, 군 통수권 등 각종 권한을 부여**하였다.

교과서 탐구 풀이

Q1 (가)~(다) 헌법을 제정한 주체를 정리해 보자.

A1

대일본 제국 헌법	일본 천황
대한국 국제	대한 제국 황제
흠정 헌법 대강	청 황제

Q2 (가)~(다) 헌법을 읽고, '헌법'을 통하여 동아시아 3국의 국가 체제가 이전과 달라진 점을 써 보자.

A2 국왕에 의한 자의적인 통치가 아니라, '헌법'을 기반으로 한 법에 따른 통치가 이루어졌다.

셀파 샘의 강의 노트

	1840년	1850년	1860년	1870년	1880년	1890년	1900년
청	난징 조약 체결(1842) 영국과 불평등 조약을 맺고 개항	태평천국 운동(1851~1864) – 홍수전의 주도 – 멸만흥한, 토지 균분 등 주장	양무운동(1861~1894) – 증국번, 이홍장 등의 주도 – 중체서용의 원칙			변법자강 운동(1898) – 캉유웨이, 량치차오 등 주도 – 입헌 군주제 도입 주장	신해혁명(1911) 중화민국 수립
조선				강화도 조약 체결(1876) 운요호 사건 빌미 → 일본의 강요로 체결	갑신정변(1884) – 급진 개화파의 주도 – 메이지 유신의 영향	갑오·을미개혁(1894~1895) 독립 협회 조직(1896) 대한 제국 수립(1897) 광무개혁 추진	
일본		미·일 화친 조약 체결(1854) 페리 함대의 무력시위 → 일본의 개항 미·일 수호 통상 조약 체결(1858) 항구 추가 개항, 영사 재판권 인정, 협정 관세 체결	메이지 유신(1868) – 천황 중심의 신정부 수립 – 폐번치현, 징병제, 식산흥업 정책, 이와쿠라 사절단 파견 등			대일본 제국 헌법 제정(1889) 입헌 군주제의 근대 국가 토대 마련 제국 의회 설립(1890)	

개념 완성

1 동아시아 각국의 개항

청	• 삼각 무역(19세기): 청의 은 유출, 아편 중독자 증가 • 제1차 아편 전쟁: 청의 아편 몰수와 단속 → 영국의 청 침략 → 청 패배 → (❶) 조약 체결 • 제2차 아편 전쟁: 청과의 무역량이 늘지 않음 → 영국과 프랑스가 연합하여 청 침략 → 청 패배 → 톈진 조약과 베이징 조약 체결
일본	에도 막부의 해금 정책 → 미국 페리 함대의 국교 요구 → 미·일 화친 조약과 미·일 수호 통상 조약 체결
조선	흥선 대원군의 통상 수교 거부 정책 → 일본이 운요호 사건을 일으켜 개항 강요 → (❷) 조약 체결
베트남	베트남의 가톨릭 박해 → 프랑스의 침략 → 제1차 사이공 조약 체결

2 근대화 운동의 전개

청	• 태평천국 운동: (❸)의 주도, 청조 타도와 토지 균분 주장 → 한인 관료, 신사층, 외국 군대에 진압 • 양무운동: 증국번·이홍장 등이 주도, 중체서용 주장 → 근대식 군수 공장과 근대적 기업 설립, 서양식 해군 창설 → 청·일 전쟁 패배로 한계 노출
일본	• 메이지 유신: 막부를 무너뜨리고 (❹) 중심의 새로운 정부를 수립하여 개혁 추진 • 메이지 정부의 개혁: 중앙 집권 체제 수립(폐번치현), 징병제 실시, 식산흥업 정책 추진, 신분제 폐지 등
조선	• 개화 정책 추진: 사절단 파견, 통리기무아문 설치, 별기군 창설 • (❺): 급진 개화파의 정변 → 청군의 진압 • 갑오개혁(왕실과 정부 분리, 신분제 폐지 등) → 을미개혁(태양력 사용, 단발령 실시)

3 국민 국가 수립을 위한 노력

일본	• (❻) 운동: 서양식 의회 설치와 헌법 제정 요구 • 대일본 제국 헌법 제정: 입헌제 국가의 제도적 기반 마련
대한 제국	• 대한 제국: 고종이 러시아 공사관에서 환궁한 뒤 대한 제국 수립 선포 → 광무개혁 추진, (❼) 반포 • 독립 협회: 『독립신문』 창간, 독립 협회 설립 → 만민 공동회 개최, 의회 개설 운동 전개
중국	• 변법자강 운동: 캉유웨이·량치차오 등이 주도한 정치 개혁 운동 • 신정 실시: 량치차오 등의 입헌 운동 → 청 정부가 이를 받아들여 흠정 헌법 대강 발표 • 신해혁명: 중국 동맹회 조직, 청 타도와 공화국 건립 목표 → 우창에서 신군 봉기 → (❽) 수립

정답 ❶ 난징 ❷ 강화도 ❸ 홍수전 ❹ 천황 ❺ 갑신정변 ❻ 자유 민권 ❼ 대한국 국제 ❽ 중화민국

기출 선택지 체크

A 다음 내용이 옳으면 ○표, 틀리면 ×표 하시오.

1 난징 조약으로 중국은 선교사에게 크리스트교 포교의 자유를 허용하였다. ( )

2 강화도 조약에서 일본은 개항장에서의 영사 재판권을 인정받았다. ( )

3 이홍장, 증국번 등의 한인 관료층은 서양의 과학 기술을 도입하여 자강을 이루고자 하였다. ( )

4 일본에서는 자유 민권 운동 세력이 입헌제 도입을 주장하였다. ( )

5 변법자강 운동은 청조 타도와 공화제 수립을 목표로 일어났다. ( )

B 다음 괄호 안의 내용 중에서 옳은 것에 ○표 하시오.

6 난징 조약은 서양과 맺은 (평등 / 불평등) 조약이었다.

7 (미·일 화친 조약 / 미·일 수호 통상 조약)은 일본인에 대하여 범죄를 저지른 미국인을 미국 법률로 처벌하도록 규정하였다.

8 청의 양무운동은 조선의 (온건 개화파 / 급진 개화파)에게 영향을 주었다.

9 조선은 개항 이후 일본에 (영선사 / 수신사)를 파견하여 근대 시설을 돌아보게 하였다.

10 중국의 (변법자강 운동 / 신해혁명)은 공화제 수립을 목표로 하여 일어났다.

C 다음 빈칸에 들어갈 알맞은 말을 쓰시오.

11 ( )은/는 청이 서양과 맺은 최초의 근대적인 조약이었으나 청에 일방적으로 불리한 조약이었다.

12 강화도 조약은 일본이 ( )을/를 일으켜 개항을 강요함으로써 체결되었다.

13 일본은 ( ) 시기에 징병제를 시행하여 군대를 정비하였고, 신분제를 폐지하였다.

14 신해혁명은 아시아 최초의 공화국인 ( )이/가 수립되는 계기가 되었다.

정답 1. × 2. ○ 3. ○ 4. ○ 5. × 6. 불평등 7. 미·일 수호 통상 조약 8. 온건 개화파 9. 수신사 10. 신해혁명 11. 난징 조약 12. 운요호 사건 13. 메이지 유신 14. 중화민국

탄탄 내신 문제

딱풀 p. 41

01 다음 상황을 배경으로 발생한 전쟁의 결과로 옳은 것은?

> 아편 수입으로 은의 유출이 심각해지고 아편 중독자가 늘어나는 등 사회 문제가 발생하자, 청 정부는 임칙서를 광저우에 파견하여 아편 수입을 금지하고자 하였다. 임칙서는 아편을 몰수하여 소각하는 등 강경한 조치를 취하였다.

① 공행이 폐지되었다.
② 정한론이 대두하였다.
③ 중화민국이 수립되었다.
④ 양무운동이 시작되었다.
⑤ 연해주가 러시아에 할양되었다.

02 (가)에 들어갈 내용으로 가장 적절한 것은?

> A국의 개항
> 1. 배경: (가)
> 2. 개항: 제1차 사이공 조약 체결
> (1) 다낭 등 3개 항구 개항
> (2) 코친차이나 동부 3성의 할양
> (3) 전쟁 배상금 지급
> (4) 선교의 자유 허용

① 운요호 사건 발생
② 페리 함대의 무력시위
③ 청·영국·인도 사이의 삼각 무역
④ 흥선 대원군의 하야와 고종의 친정
⑤ 가톨릭 박해를 빌미로 한 프랑스의 침략

03 밑줄 친 '조약'의 내용으로 옳은 것은?

① 협정 관세를 채택하였다.
② 영토의 일부를 할양하였다.
③ 해안 측량권을 보장하였다.
④ 최혜국 대우를 인정하였다.
⑤ 태양력 시행을 규정하였다.

04 (가), (나) 조약 체결 사이 시기에 있었던 사실로 옳은 것은?

> (가) 제6조 일본인에 대해 범법 행위를 한 미국인은 미국의 영사 재판소에서 조사하여 미국 법으로 처벌한다. 미국인에 대해 범법 행위를 한 일본인은 일본 관리가 조사한 후 일본 법으로 처벌한다.
> (나) 제10관 일본국 인민이 조선국 항구에서 죄를 지었거나 조선국 인민에게 관계되는 사건은 모두 일본국 관원이 심판한다.

① 임오군란이 일어났다.
② 태평천국 운동이 시작되었다.
③ 러시아가 연해주를 차지하였다.
④ 대일본 제국 헌법이 반포되었다.
⑤ 중국이 영국에 최혜국 대우를 인정하였다.

05 다음 민족 운동에 관한 설명으로 옳은 것을 〈보기〉에서 고른 것은?

> 홍수전이 조직한 배상제회라는 종교 조직을 중심으로 전개된 농민 봉기이다. 난징을 도읍으로 삼고 화북 지역으로 세력 확장을 시도하였으나, 외국 군대와 한인 관료, 신사층에 의해 진압되었다.

보기
ㄱ. 별기군을 창설하였다.
ㄴ. 청조 타도를 내세웠다.
ㄷ. 토지 균분을 주장하였다.
ㄹ. 입헌 군주제를 도입하고자 하였다.

① ㄱ, ㄴ ② ㄱ, ㄷ ③ ㄴ, ㄷ
④ ㄴ, ㄹ ⑤ ㄷ, ㄹ

06 밑줄 친 '이 운동'이 전개되었던 시기에 있었던 사실로 적절하지 않은 것은?

위 사진은 이 운동 당시 난징에 설치되었던 금릉 기기국의 모습이다. 이 운동은 증국번, 이홍장 등 한인 관료층이 주도하였으며, 중체서용을 원칙으로 서구 문물을 수용하고자 하였다.

① 영선사가 파견되었다.
② 갑신정변이 발생하였다.
③ 난징 조약이 체결되었다.
④ 메이지 유신이 일어났다.
⑤ 태평천국 운동이 진압되었다.

07 다음 주장에 따라 추진된 근대화 운동에 관한 설명으로 옳은 것은?

> 지금 서학을 채용하려고 한다면 광둥·상하이에 각기 번역 공소를 설치하고, 가까운 지역의 15세 이하 총명한 학생을 골라 각국의 언어와 문자를 배우게 하고, 내지의 명사를 초빙하여 경전과 사기 등을 배우게 하되 산학(算學)을 겸하여 익히도록 한다. …… 만약 중국의 유교적 가치를 근본으로 삼고, 서양의 기술을 가지고 이를 보강한다면 가장 좋은 것이 아니겠는가?

① 량치차오 등의 입헌파가 주도하였다.
② 조선의 급진 개화파에 영향을 끼쳤다.
③ 청·일 전쟁의 패배로 한계를 드러냈다.
④ 수신사를 파견하여 근대 문물을 시찰하였다.
⑤ 전개 과정에서 독립 협회가 의회 설립을 주장하였다.

08 밑줄 친 '새로운 정부'의 활동으로 옳지 않은 것은?

> 개항 이후 일본에서 물가가 급등하는 등의 사회 혼란이 이어지자, 사쓰마번과 조슈번을 중심으로 막부 타도 운동이 전개되었다. 결국 막부가 무너지고 왕정이 복고되었으며, 막부 타도 운동의 주도 세력을 중심으로 새로운 정부가 구성되었다.

① 징병제를 시행하였다.
② 폐번치현을 단행하였다.
③ 이와쿠라 사절단을 파견하였다.
④ 근대적 토지세 제도를 마련하였다.
⑤ 미·일 수호 통상 조약을 체결하였다.

딱풀 p. 41

09 다음의 조약 체결 이후 (가) 정부가 추진한 개화 정책으로 옳은 것을 〈보기〉에서 고른 것은?

> 제1관 (가) 은/는 자주의 나라이며 일본국과 평등한 권리를 가진다.
> 제4관 (가) 은/는 부산 외에 두 곳의 항구를 개항하고 일본인이 와서 통상하도록 허가한다.

보기
ㄱ. 조사 시찰단을 파견하였다.
ㄴ. 서양식 해군을 창설하였다.
ㄷ. 통리기무아문을 설치하였다.
ㄹ. 소학교의 의무 교육제를 시행하였다.

① ㄱ, ㄴ ② ㄱ, ㄷ ③ ㄴ, ㄷ
④ ㄴ, ㄹ ⑤ ㄷ, ㄹ

10 (가), (나) 사이의 시기에 있었던 사실로 옳은 것은?

> (가) 김옥균, 박영효 등의 급진 개화파는 청·프 전쟁을 틈타 정변을 일으켜 권력을 장악한 후, 개혁 정강 14개 조를 발표하였다.
> (나) 을미사변으로 인하여 신변의 위협을 느낀 고종은 러시아 공사관으로 거처를 옮기는 아관 파천을 단행하였다.

① 공행이 폐지되었다.
② 광무개혁이 추진되었다.
③ 베이징 조약이 체결되었다.
④ 신식 군대인 별기군이 창설되었다.
⑤ 갑오개혁이 추진되어 신분제가 폐지되었다.

11 다음 주장에 따라 일어난 운동에 관한 설명으로 옳은 것은?

> 현재 권력이 누구에게 있는가 살펴보니, 위로는 천황에게 있지 않고 아래로는 인민에게 있지 않으며 오로지 일부 실권자들(정부의 관리)에게 있습니다. …… 천하의 공의(公議)를 떨친다는 것은 백성이 뽑은 의원을 설립하는 길밖에는 없습니다. …… 무릇 정부에 대해 조세를 낼 의무가 있는 인민은 그 정부의 일에 간여하여 찬반을 논할 권리가 있습니다. -「민선 의원 설립 건백서」-

① 만민 공동회를 개최하였다.
② 공화국 건립을 위해 봉기하였다.
③ 통상 수교 거부 정책을 지지하였다.
④ 대일본 제국 헌법 제정에 영향을 미쳤다.
⑤ 서태후 등 보수 세력의 탄압으로 실패하였다.

12 다음 헌법에 관한 설명으로 옳은 것은?

> 제4조 천황은 국가의 원수로서 통치권을 총람하며, 이 헌법의 조규에 따라 이를 시행한다.
> 제11조 천황은 육·해군을 통솔한다.

① 대한국 국제의 영향을 받았다.
② 제국 의회의 설립으로 이어졌다.
③ 갑오·을미개혁의 성과가 반영되었다.
④ 이홍장 등의 한인 관료층이 주도하였다.
⑤ 자유 민권 운동이 발생하는 계기가 되었다.

13 밑줄 친 '제국'에서 있었던 사실로 옳은 것은?

> 광무 원년 10월 12일은 조선의 역사에서 제일 빛나고 영화로운 날이 될지라. …… 이날 대군주 폐하께서는 환구단에 올라 하늘에 제사 지내고 처음으로 대황제 위(位)에 나아가는 즉위식을 거행하였으니, 이로써 조선은 자주 독립한 제국이 되었도다. 나라가 이렇게 영광이 된 것을 조선 인민이 되어 어찌 감격한 생각이 아니 나리오.
>
> -『독립신문』-

① 징병제가 시행되었다.
② 갑오개혁이 추진되었다.
③ 변법자강 운동이 일어났다.
④ 대한국 국제가 반포되었다.
⑤ 동학 농민 운동이 발생하였다.

14 다음 법령이 반포된 시기를 연표에서 옳게 고른 것은?

> 제1조 대청 황제는 대청 제국을 통치하며, 만세일계로 영원히 존중하고 떠받들어야 한다.
> 제3조 황제는 법률을 반포하고 의안을 제안할 수 있는 권한을 가진다. 법률은 의원에서 의결하지만, 황제의 비준 명령을 받아 반포된 것이 아니면 시행할 수 없다.

난징 조약 체결	(가)	양무 운동 시작	(나)	갑신정변 발발	(다)	청·일 전쟁 발발	(라)	러·일 전쟁 종료	(마)	신해혁명 발발

① (가) ② (나) ③ (다) ④ (라) ⑤ (마)

15 밑줄 친 '이 혁명'의 결과로 옳은 것은?

> 혁명파의 이념에 영향을 받은 신군이 우창에서 봉기하였다. 이 혁명은 전국적으로 확산되었고, 많은 지방 정부가 이에 동조하였다. 각 지방의 성들은 청 정부의 지배를 거부하며 독립을 선언하였다.

① 정한론이 대두하였다.
② 광무개혁이 추진되었다.
③ 중화민국이 수립되었다.
④ 태평천국 운동이 일어났다.
⑤ 흠정 헌법 대강을 발표하였다.

16 다음 보고서의 (가)에 들어갈 내용으로 가장 적절한 것은?

> 조사 내용
>
> ㉠ 서재필이 중심이 되어 조직한 독립 협회는 만민 공동회를 개최하여 열강의 이권 침탈에 반대하고, 자주 국가 수립을 위한 개혁 운동을 전개하였다.
>
> ㉡ 캉유웨이, 량치차오 등은 청·일 전쟁에서 패배한 원인을 청의 낡은 제도에서 찾고, 메이지 유신을 참고하여 행정, 교육, 법률 등의 여러 분야에서 근대화 개혁을 추진하였다.
>
> ㉢ 1870년대 일본에서는 자유 민권 운동이 전개되었다. 자유 민권 운동 세력은 메이지 정부의 강압적인 정책을 비판하면서 정당을 결성하거나 헌법 초안을 작성하기도 하였다.
>
> ⇨ **㉠~㉢ 근대화 운동의 공통점:**
>
> (가)

① 존왕양이를 내세웠다.
② 토지의 균분을 주장하였다.
③ 공화국의 수립을 목표로 하였다.
④ 서양식 의회를 설립하고자 하였다.
⑤ 중체서용의 입장에서 개혁을 추진하였다.

딱풀 p. 41

서답형 문제

17 다음에 제시된 조약의 명칭을 쓰시오.

> 제2조 영국 국민이 가족이나 하인을 데리고 광저우·아모이·푸저우·닝보·상하이에서 박해나 구속받지 않고 상업에 종사하기 위해 자유롭게 거주하는 것을 보장한다.
> 제3조 청은 영국에 홍콩을 양도하고, 영국은 적당하다고 인정하는 법률로써 통치한다.

18 (가)~(라)에 해당하는 국가의 명칭을 각각 쓰시오.

> • (가) 은/는 (나) 의 페리 함대의 무력시위에 굴복하여 1854년에 최혜국 대우 등을 인정하는 조약을 체결하고 개항하였다.
> • (다) 은/는 가톨릭 박해를 빌미로 침략한 (라) 에 패배하면서 선교의 자유 인정, 영토 할양 등의 내용이 포함된 제1차 사이공 조약을 맺고 개항하였다.

19 신해혁명의 전개 과정에서 있었던 사실만을 〈보기〉에 있는 대로 골라 기호를 쓰시오.

보기
ㄱ. 『독립신문』이 창간되었다.
ㄴ. 우창에서 신군이 봉기하였다.
ㄷ. 흠정 헌법 대강이 발표되었다.
ㄹ. 쑨원이 임시 대총통으로 선출되었다.

20 다음 글을 읽고 물음에 답하시오.

> 청 왕조 타도와 토지의 균등 분배 등을 내세우며 전개되었던 태평천국 운동은 민중의 호응을 얻었지만, 결국 한인 의용군과 외국 군대에 의해 진압되었다. 이 과정에서 서양 군대와 무기의 우수성을 인식한 일부 한인 관료들은 청 왕조를 부흥시키기 위하여 ㉠ 개혁 운동을 추진하였다.

(1) 밑줄 친 ㉠에 해당하는 근대화 운동을 쓰시오.

(2) 밑줄 친 ㉠의 기본 원칙과 당시 추진되었던 개혁 내용을 세 가지 서술하시오.

21 다음 글을 읽고 물음에 답하시오.

> 제1조 대한국은 만국이 공인한 자주독립 제국이다.
> 제3조 대한국 대황제는 무한한 군권(君權)을 지니고 있으니, 공법에서 말하는 바 자립 정체이다.
> 제4조 대한국 신민이 대황제가 향유하는 군권을 침해할 행위가 있으면 실행 여부에 상관없이 신민의 도리를 잃은 자로 간주할 것이다.

(1) 자료에 제시된 법령의 명칭을 쓰시오.

(2) (1)의 법령을 제정한 정부가 시행하였던 개혁의 명칭을 쓰고, 개혁 내용을 두 가지 서술하시오.

| 교육청 기출 |

01 밑줄 친 '조약'에 대한 설명으로 옳은 것은?

최근의 정세에 대해 안타까운 말씀을 드립니다. 영국은 임칙서의 아편 몰수를 빌미로 쳐들어왔고, 전쟁 끝에 결국 조약이 체결되었습니다. 이에 따라 특권을 상실한 공행은 어찌할 바를 모르고 있으며, 막대한 배상금 지불로 백성들의 삶은 더욱 어려워질 것으로 예상됩니다. ○○○ 드림

① 운요호 사건을 계기로 체결되었다.
② 수도에 외교 사절의 주재를 인정하였다.
③ 상하이 등 5개 항구의 개항을 규정하였다.
④ 타이완, 펑후 열도의 할양 조항을 포함하였다.
⑤ 크리스트교 포교의 자유를 허용하는 내용을 담았다.

| 교육청 응용 |

02 밑줄 친 '전쟁'의 결과로 옳은 것은?

광저우는 외국과 무역하던 곳이었는데, 이곳에 영국인이 아편을 가지고 와서 판매하였다. 아편을 상용하면 신체에 유해하다는 것을 황제까지 알게 되어, 황제가 아편 수입 금지를 명했다. 하지만 영국인은 듣지 않고 다량의 아편을 계속 실어 왔으므로 임칙서가 파견되었다. …… 그런데도 영국인은 아편 장사를 계속하므로 임칙서는 영국인을 사형에 처했다. 이에 청과 영국이 전쟁을 시작하여 많은 사상자를 냈다.

① 만주국이 수립되었다.
② 난징 대학살이 일어났다.
③ 시모노세키 조약이 체결되었다.
④ 청이 홍콩을 영국에 할양하였다.
⑤ 러시아가 삼국 간섭을 주도하였다.

| 교육청 응용 |

03 밑줄 친 '조약'에 관한 설명으로 옳은 것은?

흑선의 재침, 막부의 굴욕

1854년 1월 페리를 사령관으로 한 미국의 군함 여러 척이 에도만에 들어왔다. 1853년 6월에 이은 두 번째 내항으로, 이들은 군사력을 과시하며 막부를 압박하였다. 1개월여에 걸친 협상 끝에 결국 막부는 조약을 체결하였다.

① 영사 재판권을 인정하였다.
② 보빙사 파견의 계기가 되었다.
③ 외국 군대의 주둔을 허용하였다.
④ 영토를 할양하는 조항이 포함되어 있다.
⑤ 시모다 등 일부 항구가 개항되는 결과를 낳았다.

| 교육청 응용 |

04 (가), (나) 조약 체결 사이의 시기에 있었던 사실로 옳은 것은?

(가) 제1조 이후 일본과 청은 마침내 우호를 두텁게 하여 천지와 함께 영원히 끝이 없어야 한다.
……
제8조 양국의 개항장에는 양국 모두 영사관을 두고, 자국 상민의 단속을 실시해야 한다.
(나) 제4관 조선국은 부산 외에 두 곳의 항구를 개항하고 일본인이 와서 통상하도록 허가한다.
제7관 조선국 연해를 일본국의 항해자가 자유롭게 측량하도록 허가한다.

① 갑오개혁이 추진되었다.
② 운요호 사건이 일어났다.
③ 홍콩을 영국에 할양하였다.
④ 변법자강 운동이 전개되었다.
⑤ 미·일 수호 통상 조약이 체결되었다.

| 수능 응용 |

05 (가), (나) 조약에 관한 설명으로 옳지 않은 것은?

- 청은 영국과 (가) 을/를 체결하고 상하이를 비롯한 5개 항구를 개항하였다. (가) 은/는 청에 일방적으로 불리한 불평등 조약으로 영국에 많은 특권을 허용하였다.
- 조선은 일본의 강요에 의해 (나) 을/를 체결하고 개항하였다. 일본은 (나) 을/를 통해 한반도 일대의 해안 측량권을 획득하였으며, 청과 조선의 전통적인 관계를 부정하였다.

① (가) – 타이완을 할양하도록 규정하였다.
② (가) – 공행을 폐지하고 최혜국 대우를 인정하였다.
③ (나) – 조선이 자주국임을 명시하였다.
④ (나) – 부산 이외에 두 곳의 항구를 개항하게 하였다.
⑤ (나) – 조선의 개항장에서 일본의 영사 재판권을 인정하였다.

| 교육청 응용 |

06 (가), (나) 사이의 시기에 있었던 사실로 옳은 것은?

(가) 아편 전쟁에서 패배한 청은 영국과 최초로 근대적인 조약을 체결하게 되었다. 이 조약은 5개 항구의 개항과 홍콩 할양 등의 내용이 규정된 불평등 조약이었다.
(나) 일본은 운요호 사건을 일으켜 조선에 개항을 강요하였다. 결국 조선은 일본과 근대적 조약을 체결하였다. 이 조약은 일본에 해안 측량권, 영사 재판권 등을 허용한 불평등 조약이었다.

① 임오군란이 일어났다.
② 대한 제국이 수립되었다.
③ 변법자강 운동이 전개되었다.
④ 대일본 제국 헌법이 제정되었다.
⑤ 천황 중심의 메이지 정부가 수립되었다.

| 교육청 응용 |

07 (가)~(다) 국가에 관한 설명으로 옳은 것은?

- (가) 은/는 청 정부가 광저우에 임칙서를 파견하여 아편 수입을 단속하자, 이를 구실로 전쟁을 일으켰다.
- (나) 은/는 운요호 사건을 일으켜 조선에 개항을 강요하였다.
- (다) 은/는 태평양 항로를 개설하면서 일본에 연료와 식량을 보급할 기항지를 요구하며 페리 제독이 이끄는 함대를 파견하였다.

① (가) – 조선이 영선사를 파견하였다.
② (나) – 개항 이후 존왕양이 운동이 전개되었다.
③ (다) – 베트남의 가톨릭 박해를 빌미로 군대를 파견하였다.
④ (나), (다) – 갑신정변을 진압하였다.
⑤ (가), (나), (다) – 베이징 조약의 중재 대가로 영토를 할양받았다.

| 교육청 기출 |

08 밑줄 친 '신정부'에 대한 설명으로 옳은 것은?

제○○○호 **동아시아사 신문** 1872년 1월 16일

샌프란시스코에 도착한 동양의 사절단

사절단은 어제 아침 증기선을 타고 샌프란시스코에 도착했다. 이 사절단은 이와쿠라 도모미를 비롯하여 <u>신정부</u> 내에서도 지위가 높고 영향력 있는 인물들로 구성되어 있다. 방문 목적은 외국과의 조약 개정과 서양 문물의 시찰에 있다고 한다.

① 광무개혁을 실시하였다.
② 청에 영선사를 파견하였다.
③ 태평천국 운동을 진압하였다.
④ 미·일 수호 통상 조약을 체결하였다.
⑤ 주권이 천황에 있음을 명시한 헌법을 마련하였다.

| 교육청 기출 |

09 다음 주장에 따라 추진된 개혁 운동에 대한 설명으로 옳은 것은?

> 신은 태평군의 난을 진압하며 서양 선박의 속도와 무기의 위력을 실감하였습니다. 그러므로 이제 우리도 구국을 위한 변화를 시작해야 한다고 생각합니다. 구국의 급선무는 서양의 병기를 구매하여 우리의 군사 작전 능력을 향상시키는 일입니다. 또 서양의 지혜로써 대포와 선박을 제조한다면 영원한 승리를 기대할 수가 있습니다. 그러므로 강남 제조국을 통해 군용 무기의 생산을 확충하여야 합니다.

① 공화정 수립을 목표로 삼았다.
② 만주족의 지배에 반기를 들었다.
③ 증국번, 이홍장 등이 주도하였다.
④ 일본의 메이지 유신을 모델로 삼았다.
⑤ 잡지『신청년』을 통해 민주주의의 도입을 주장하였다.

| 평가원 응용 |

10 (가), (나) 사이의 시기에 있었던 사실로 옳은 것은?

> (가) 청과 프랑스 간 전쟁으로 조선에 주둔하고 있던 청군의 일부가 철수하자, 김옥균 등 급진 개화파는 우정총국 개국 축하연에서 정변을 일으키고 권력을 장악하였다.
> (나) 청·일 전쟁이 일어난 직후 일본의 지원으로 정권을 잡은 개화 세력은 개혁을 추진하였다. 이에 따라 왕실과 정부가 분리되었고, 근대적인 내각제가 수립되었다. 또한 신분제 해체와 노비제 폐지 등이 이루어졌다.

① 조선이 톈진에 영선사를 파견하였다.
② 청이 크리스트교의 선교를 인정하였다.
③ 일본이 대일본 제국 헌법을 제정하였다.
④ 이와쿠라 사절단이 서구 문물을 시찰하였다.
⑤ 반막부 세력의 주도로 존왕양이 운동이 전개되었다.

| 수능 응용 |

11 (가), (나) 사건에 관한 설명으로 옳은 것은?

> • 청의 한인 관료층은 "중국의 전통을 근본으로 삼고 서양의 기술을 받아들이자."라는 구호를 내세우며, 서양의 군사력과 과학 기술을 수용하여 자강(自强)과 근대화를 이루려는 [(가)]을/를 주도하였다.
> • "오랑캐를 쫓아내고 민국을 수립하자."라는 강령을 내세운 중국 동맹회가 무장봉기를 추진하는 가운데, 후베이성 신군이 우창 봉기를 일으켜 [(나)]이/가 시작되었다.

① (가)는 러·일 전쟁에 자극을 받아 일어났다.
② (가)의 결과 크리스트교 선교를 인정하게 되었다.
③ (나)의 결과 중화민국이 수립되었다.
④ (나)는 내전 중지와 항일 투쟁을 기치로 내걸었다.
⑤ (가)는 입헌 군주제, (나)는 공화제 수립을 목표로 일어났다.

| 평가원 응용 |

12 (가), (나) 사이의 시기에 있었던 사실로 옳지 않은 것은?

> (가) 일본은 대등한 입장에서 청과 청·일 수호 조규를 체결하였다. 이에 따라 두 나라는 상대국에 모두 영사관을 설치하고, 서로 영사 재판권을 갖도록 규정하였다.
> (나) 고종은 황제 중심의 근대 국가를 수립하고자 대한국 국제를 반포하였다. 이를 통해 대한 제국의 정치 체제가 모든 권한이 황제에게 집중된 전제 군주정임을 대내외에 천명하였다.

① 갑신정변이 일어났다.
② 갑오개혁이 추진되었다.
③ 강화도 조약이 체결되었다.
④ 일본에서 천황 중심의 헌법이 제정되었다.
⑤ 우창에서 신군이 봉기하여 신해혁명이 전개되었다.

| 평가원 응용 |

13 (가), (나) 사이의 시기에 있었던 사실로 옳은 것은?

(가) 이타가키 다이스케를 중심으로 입헌 정치를 주장하는 운동이 전개되었다. 이를 계기로 정부의 주도하에 입헌 군주제를 규정하는 헌법을 제정하고, 이어 의회를 설치하여 근대 국가의 제도적 기반을 마련하였다.
(나) 캉유웨이와 량치차오 등은 황제의 지지를 바탕으로 메이지 유신을 모델로 한 개혁을 추진하였다. 입헌 군주제의 도입을 비롯하여 여러 방면의 개혁을 시도하였으나, 서태후를 비롯한 보수파의 반발로 실패하였다.

① 홍수전이 배상제회를 조직하였다.
② 고종이 대한 제국 수립을 선포하였다.
③ 쑨원이 임시 대총통의 자리에 올랐다.
④ 의화단을 진압하고 신축 조약을 체결하였다.
⑤ 추가로 항구를 개항하고 미국의 영사 재판권을 인정하였다.

| 교육청 응용 |

14 밑줄 친 '이 혁명'에 관한 설명으로 옳은 것은?

우창 봉기로 시작된 <u>이 혁명</u> 당시에는 음력을 사용하고 있었다. …… 각국이 모두 양력을 사용하고 있는데 중국만이 음력을 사용하는 것은 국제적으로 교류하는 데 불편하게 될 것이다. …… 3일 후면 쑨원이 중화민국의 임시 대총통으로 취임하게 되는데, 이 날을 민국건원으로 정하고 음력을 양력으로 고쳐 사용하기로 하였다.

① 공화제 국가 수립으로 이어졌다.
② 양무운동이 일어나는 배경이 되었다.
③ 신축 조약이 체결되는 계기가 되었다.
④ 일본의 '21개 조 요구' 철회를 주장하였다.
⑤ 윌슨의 민족 자결주의의 영향을 받아 일어났다.

| 교육청 기출 |

15 자료에 나타난 사실의 배경으로 적절한 것은?

신 공화국 수립 축하

- 발신: 한인 국민회 중앙 총회장
- 수신: 쑨원

선생의 임시 대총통 취임을 축하합니다.
이는 동아시아의 경사입니다.

1911년 ○○월 ○○일

① 신해혁명이 일어났다.
② 광무개혁이 실시되었다.
③ 만주 사변이 발발하였다.
④ 다이카 개신이 추진되었다.
⑤ 태평천국 운동이 전개되었다.

| 교육청 응용 |

16 (가) 사건에 관한 설명으로 옳은 것은?

이 달력은 (가) (으)로 중화민국이 수립된 후 이를 기념하기 위해 제작된 것이다. 달력 가운데에는 중화민국의 임시 대총통으로 추대된 쑨원의 모습이 담겨 있다. 또한 (가) 이후 중화민국은 양력을 채택하였고, 이 달력에는 기존에 사용하던 음력과 함께 양력도 표기되어 있다.

① 청 왕조의 멸망을 가져왔다.
② 중체서용을 구호로 내세웠다.
③ 신축 조약이 체결되는 계기가 되었다.
④ 크리스트교의 선교를 인정하게 되었다.
⑤ 흠정 헌법 대강을 발표하는 배경이 되었다.

02 제국주의 침략 전쟁과 민족 운동

1 제국주의 침략과 동아시아 질서의 재편

1. 동학 농민 운동과 청·일 전쟁

(1) **청과 일본의 대립** 임오군란, 갑신정변을 거치면서 조선을 둘러싼 청과 일본의 대립 본격화

(2) **동학 농민 운동(1894)** 전봉준 등이 이끄는 동학 농민군이 정치와 사회 개혁을 주장하며 봉기(1차 봉기) → 농민군 진압 실패 → 조선 정부의 요청으로 청군 출병 → 톈진 조약❶에 따라 일본군 파병 → 전주 화약 체결 → 조선 정부가 두 나라에 철군 요구 → 일본의 철군 거부, 경복궁 점령 → 청·일 전쟁 발발 → 일본군 타도를 내걸고 동학 농민군 재봉기(2차 봉기) → 일본군과 조선 정부군에 의해 진압

(정치와 사회 개혁: 신분제 폐지, 토지 분배 등과 외세 척결을 주장하였다.)

(3) **청·일 전쟁❷(1894~1895)**

전개	일본군이 풍도 앞바다에서 청의 군함 공격 → 일본군이 평양 전투·황해 해전에서 승리, 랴오둥반도와 산둥반도 일부 점령
결과	시모노세키 조약 체결(1895) → 청이 조선을 독립국으로 인정하면서 조선에 대한 종주권 포기, 일본에 랴오둥반도와 타이완 할양, 일본에 거액의 전쟁 배상금 지급 등 자료 01

2. 동아시아 국제 질서의 재편

(1) **동아시아 질서의 변화** 중국 중심의 전통적인 동아시아 질서 붕괴, 일본의 제국주의 팽창 정책 본격화

(2) **삼국 간섭(1895)** 러시아가 독일·프랑스와 함께 일본이 랴오둥반도를 청에 반환하도록 압력 행사 → 동아시아 지역에 대한 러시아의 영향력 확장 → 만주와 한반도를 둘러싼 러시아와 일본의 대립 격화

(3) **열강의 중국 침략과 의화단 운동**

① 청·일 전쟁 이후 중국의 상황 일본에 배상금 지급 및 타이완 할양, 외국 기업의 직접 자본 투자·공장 개설이 가능해짐 → 열강의 이권 침탈 가속화 → 청의 위기의식 고조, 각지에서 반외세·반제국주의 운동 전개

② 의화단 운동(1899~1901) 의화단이 부청멸양을 내세우고 반외세 운동 전개 → 서구 열강과 일본이 8개국 연합군을 조직하여 의화단 운동 진압 → 신축 조약 체결(1901, 청은 열강에 거액의 배상금 지불, 외국 군대의 베이징 주둔 허용)

(부청멸양: '청 왕조를 도와 서양 귀신을 몰아내자.'라는 구호이다. 의화단은 교회, 학교, 철로 등 서양 문물과 관련된 모든 것을 공격하였다.)

3. 러·일 전쟁과 일본의 한국 병합 자료 02

(1) **러·일 전쟁❸(1904~1905)**

(왜? 러시아는 의화단 운동의 진압을 빌미로 만주에 군대를 주둔하였으며, 대한 제국의 내정에도 적극 관여하였다.)

배경	동아시아에 대한 러시아의 영향력 강화 → 일본의 러시아 견제
전개	일본군이 러시아 군함 선제공격 → 영국과 미국의 지원을 받은 일본이 뤼순항 함락, 발트 함대 격파 → 주요 전투에서 잇달아 일본 승리
결과	포츠머스 강화 조약 체결(1905) → 한반도에서 일본의 우월한 지위 인정, 뤼순과 다롄의 조차권·남만주 철도 부설권·사할린섬 남부 획득 → 한반도 지배권과 만주 진출의 기반 마련

(2) **일본의 한국 침략과 병합**

① 을사조약 체결(1905) 일본의 강압에 의해 체결 → 대한 제국의 외교권 박탈

② 대한 제국의 저항 애국 계몽 운동(지식인 중심), 항일 의병 운동(양반 유생·농민 주도) 등

③ 일본의 한국 병합 고종 강제 퇴위 → 대한 제국 군대 해산 → 대한 제국의 주권을 강탈하여 식민지로 병합(1910)

❶ 톈진 조약(1885)
갑신정변 이후 청과 일본이 체결한 조약이다. 양국 군대를 조선에서 철수할 것, 어느 한쪽이 군대 파병 시 상대방에 파병 사실을 통보할 것 등을 주요 내용으로 한다.

❷ 청·일 전쟁의 전개

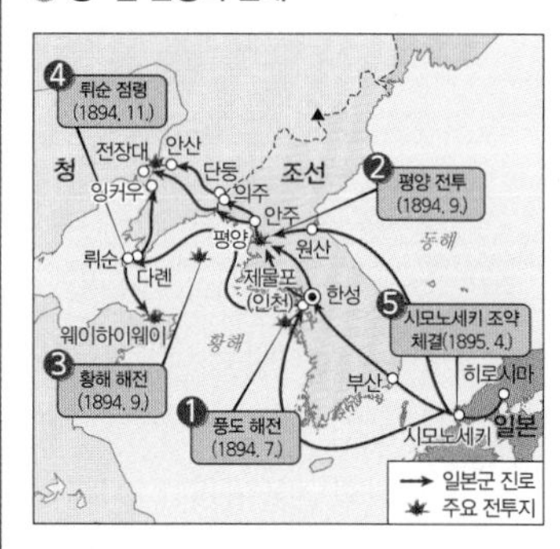

❸ 러·일 전쟁의 전개

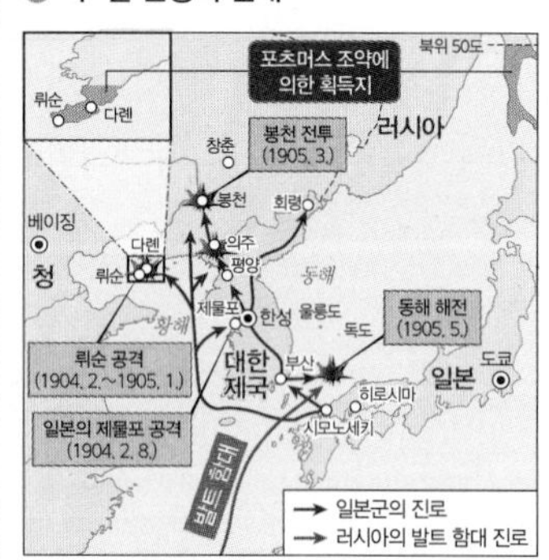

일본은 러·일 전쟁 중 한·일 의정서 체결(1904. 2.)을 강요하여 대한 제국에서 임의로 군용지를 사용할 수 있도록 하였다. 이후 제1차 한·일 협약을 체결하여(1904. 8.) 대한 제국에 대한 내정 간섭을 본격화하였다. 한편 1905년에는 독도를 자국의 영토로 불법 편입하였다.

고득점을 위한 셀파 Tip

• 일본의 제국주의 침략

청·일 전쟁으로 동아시아 질서의 주도권 확보
⬇
러·일 전쟁으로 한반도 지배권 확보, 만주 진출 기반 마련

셀파 자료 탐구

자료 01 공통 자료 청·일 전쟁의 결과

(가) 시모노세키 조약(1895)

제1조 청국은 조선국이 완전무결한 독립 자주국임을 확인한다.

제2조 청국은 아래에 기록한 지역의 관리 권한 및 해당 지방에 있는 성루, 무기 공장과 모든 공공 기물을 영원히 일본국에 할양한다.
1. 봉천성 남부의 땅(랴오둥반도)
2. 타이완 전체와 그에 딸린 여러 섬

제4조 청국은 군비 배상금으로 은 2억 냥을 일본국에 지급할 것을 약속한다.

(나) 청·일 전쟁 배상금의 사용

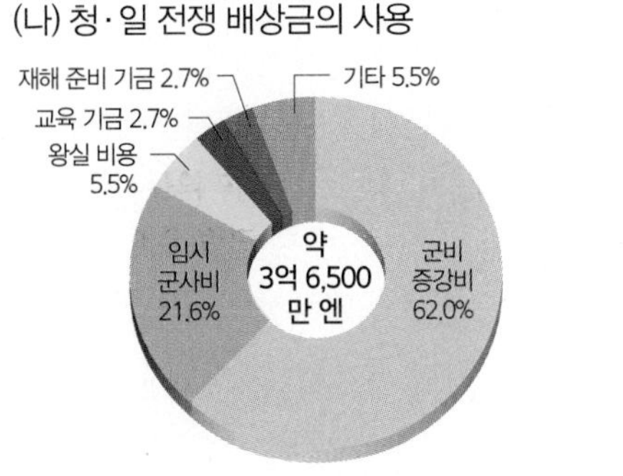

▲ 청으로부터 받은 배상금의 사용(랴오둥반도 반환 배상금 포함)

자료 분석 | (가) 시모노세키 조약을 체결함으로써 청은 조선을 독립국으로 인정하고 조선에 대한 종주권을 포기하였다. 이에 따라 청과 조선의 전통적인 조공·책봉 관계가 붕괴되었다. 일본은 청으로부터 랴오둥반도와 타이완을 할양받아 타이완을 식민지로 삼았으나, 삼국 간섭으로 인해 랴오둥반도는 배상금을 받는 조건으로 청에 반환하였다.
(나) 청·일 전쟁에서 승리한 일본은 청으로부터 거액의 전쟁 배상금을 받게 되었으며, 랴오둥반도를 반환한 대가로도 배상금을 받았다. 일본은 전쟁 배상금을 군비 확충과 산업화에 집중 투자하였다. 그 결과 일본에서는 중공업 중심의 산업화가 진행되면서 자본주의 경제가 크게 발전하였다. 이를 바탕으로 일본은 동아시아 질서의 주도권을 잡았으며, 제국주의 국가로 성장할 수 있는 계기를 마련하였다.

교과서 자료 더 보기

| 청·일 전쟁 풍자화 |

청·일 전쟁에서 승리한 일본과 당시 동아시아 정세를 풍자한 그림이다. 일본이 청의 머리채를 잡은 채 조선을 밟고 넘어가고 있으며, 이를 러시아가 지켜보고 있는 모습이 그려져 있다. 이는 청·일 전쟁 이후 일본이 동아시아 질서의 주도권을 잡았으며, 러시아가 일본의 세력 팽창을 견제하고 있음을 나타낸 것이다.

자료 02 러·일 전쟁의 결과와 영향

(가) 포츠머스 강화 조약(1905. 9.)

제2조 러시아 제국 정부는 일본 제국이 한국에서 정치상·군사상 및 경제상의 탁월한 이익을 갖는다는 것을 인정하고, 일본 제국 정부가 한국에서 필요하다고 인정하는 지도 보호 및 감리의 조처를 하는 데 이를 저지하거나 간섭하지 않을 것을 약정한다.

제5조 러시아 제국 정부는 청국 정부 승낙하에 뤼순, 다롄 및 그 부근의 …… 모든 권리 특권을 일본 제국 정부에 이전한다.

제9조 북위 50° 이남의 사할린섬과 부속 섬들을 일본에 양도한다.

제11조 연해주의 캄차카 어업권을 일본 국민에게 양도한다.

(나) 을사조약(1905. 11.)

제2조 일본 정부는 한국과 타국 간에 현존하는 조약을 완전히 실행하는 책임을 맡고, 한국 정부는 지금부터 일본국 정부의 중개를 거치지 아니하고 국제적 성격의 어떤 조약이나 약속을 맺지 않을 것을 서로 약속한다.

제3조 일본 정부는 그 대표자로 하여금 한국 황제 폐하의 밑에 1명의 통감을 두되, 통감은 오로지 외교에 관한 사항을 관리하기 위해 경성에 주재하고 친히 한국 황제 폐하를 알현할 권리를 가진다.

자료 분석 | (가) 러·일 전쟁 중 일본은 미국과 가쓰라·태프트 밀약을 맺고, 영국과는 제2차 영·일 동맹을 체결하여 미국과 영국으로부터 대한 제국에 대한 지배권을 인정받았다. 그리고 미국의 중재로 러·일 전쟁을 끝내기로 합의하고 러시아와 포츠머스 강화 조약을 체결하여 한반도에 대한 독점적 지배권을 인정받고 만주로의 진출 기반을 마련하였다.
(나) 미국·영국·러시아로부터 한반도에서의 우월한 지위를 확보한 일본은 대한 제국에 을사조약을 강요하여 체결하였다. 이로써 대한 제국의 외교권을 박탈하고 통감부를 설치하여 일본의 보호국으로 만들었다. 1910년에는 대한 제국의 국권을 강탈하여 식민지로 병합하고, 행정·사법·군사 등 통치의 전권을 행사하는 총독을 파견하여 무단 통치를 시행하였다.

교과서 탐구 풀이 

Q 포츠머스 강화 조약의 체결이 한국에 어떤 영향을 미쳤을까?

A 러시아와 미국, 영국이 일본의 대한 제국 병합을 사실상 승인함으로써, 이후 을사조약 체결부터 일본의 한국 병합에 이르는 일련의 과정이 이루어지는 결정적 계기가 되었다.

2 제1차 세계 대전과 민족 운동의 발전

1. 제1차 세계 대전과 동아시아

(1) **일본의 이권 확대** 제1차 세계 대전이 일어나자 일본은 영국의 동맹국으로 참전 선언 → 독일이 차지하고 있던 산둥반도·남태평양의 여러 섬 점령, 중국에 '21개 조 요구' 강요 자료 03

(2) **파리 강화 회의(1919)** 제1차 세계 대전 종료 후 전후 처리를 위해 개최 → 중국은 대표단을 파견하여 '21개 조 요구'의 무효 주장, 산둥반도의 권익 반환 요구 → 베르사유 조약 체결(중국의 주권 및 산둥반도에 대한 일본의 이권 모두 인정)

(3) **워싱턴 체제의 성립** 베르사유 조약 체결 이후 국제 정세의 일시적 안정 → 중국의 베르사유 조약에 대한 조인 거부, 열강의 해군력 강화 경쟁 → 열강 간 갈등을 조정하기 위해 워싱턴 회의(1921~1922)❹ 개최 → 일본은 산둥반도에 대한 이권 포기·군비 축소에 동의, 중국은 주권과 독립·영토 보전을 약속받음, 중국 진출에 대한 열강의 기회 균등 보장 → 동아시아에서 열강 간의 세력 균형이 이루어짐(워싱턴 체제)

2. 3·1 운동과 5·4 운동 자료 04

1918년 미국 대통령 윌슨이 발표한 14개 조 평화 원칙 중 하나로, 각 민족은 정치적 운명을 스스로 결정할 권리가 있다는 주장

구분	한국의 3·1 운동(1919)	중국의 5·4 운동(1919)
배경	• 일본의 무단 통치 • 파리 강화 회의에서 채택한 민족 자결주의의 영향	• 신문화 운동❺의 전개 → 민족주의 확산 • 파리 강화 회의에서 산둥반도에 대한 일본의 이권을 인정했다는 소식이 전해짐
전개	1919년 독립 만세 시위 전개 → 전국으로 확산 → 일본의 무력 진압	베이징 대학생들의 대규모 반군벌·반일 시위 → 산둥반도 이권 회수, 조약 조인 거부 등 요구
영향	• 일본이 이른바 문화 통치 실시(민족 분열 목적) • 대한민국 임시 정부 수립의 계기	• 중국 정부의 베르사유 조약 조인 거부 • 반제국주의 민족 운동이 급속도로 발전

무단 통치: 헌병 경찰을 앞세워 무력으로 통치했던 방식

3. 한국 민족 운동의 발전

(1) **대한민국 임시 정부**

수립	3·1 운동 전개 과정 중 서울, 연해주, 상하이 등에서 임시 정부 수립 선포 → 여러 임시 정부를 통합하려는 움직임 → 외교 활동에 유리한 상하이에서 대한민국 임시 정부 수립(1919)
활동	3권 분립의 민주 공화제 채택(헌법❻ 제정), 연통제와 교통국 운영(국내외를 연결하는 비밀 행정 조직망), 『독립신문』 발간, 독립을 위한 외교 활동 전개(구미 위원부 설치) 등

(2) **무장 독립운동의 전개** 봉오동·청산리 전투 승리(1920), 의열단과 한인 애국단❼의 활동

(3) **3·1 운동 이후의 민족 운동** 사회주의 사상의 확산 → 민족주의 진영은 실력 양성 운동, 사회주의 진영은 노동·농민 운동 주도 → 민족주의 진영과 사회주의 진영의 갈등 → 민족 유일당 운동의 전개 → 신간회 조직(1927)

의열단: 1919년 김원봉이 조직한 단체로, 암살, 파괴, 폭파 등 직접 투쟁의 방법으로 독립운동을 펼쳤다.

4. 중국의 국민 혁명

(1) **제1차 국·공 합작(1924)** 쑨원이 중국 국민당 조직(1919) → 천두슈 등이 중국 공산당 조직(1921) → 중국 국민당이 소련의 지원을 받으며 공산당과 함께 국민 혁명군 결성(제1차 국·공 합작)

(2) **북벌의 추진(1926~1928)**

배경	5·30 운동(1925) → 반제국주의 운동 확산, 군벌에 대한 반감 고조
전개	쑨원 사망 이후 실권을 장악한 장제스가 군벌 타도와 중국 통일을 위한 북벌 시작(1926) → 국민당과 공산당의 갈등 → 장제스의 중국 공산당 탄압 → 제1차 국·공 합작 붕괴(1927) → 난징에 국민 정부 수립, 북벌 재개 → 국민 혁명군이 베이징을 점령하여 북벌 완성(1928)

제1차 국·공 합작 결렬 후 중국 공산당은 홍군을 조직하고 유격 전술을 이용하여 국민 정부의 탄압에 맞섰다. 이들은 농촌을 중심으로 세력을 확대하며 1934~1936년의 대장정 끝에 산시성 옌안에 근거지를 마련하였다.

❹ 워싱턴 회의에 따른 각국의 전함 제한

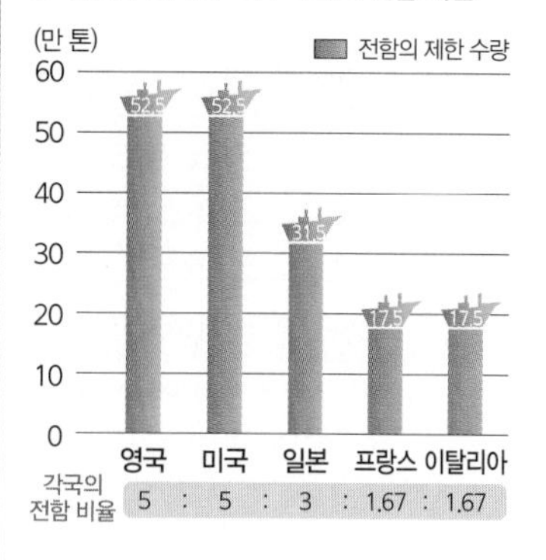

❺ **신문화 운동**
중화민국 초기 위안스카이의 독재에 대한 반발로 천두슈 등의 지식인들이 중국 사회의 근대화를 추진한 운동이다. 이들은 잡지 『신청년』을 발행하고, 유교 문화 비판, 서양 과학과 민주주의의 수용 등을 주장하였다.

❻ **대한민국 임시 정부 헌법(1919. 9.)**

> 제1조 대한민국은 대한 인민으로 조직함
> 제2조 대한민국의 주권은 대한 인민 전체에 재함(있음)
> 제4조 대한민국 인민은 일체 평등함
> 제5조 대한민국의 입법권은 의정원이, 행정권은 국무원이, 사법권은 법원이 행사함

❼ **한인 애국단**
1931년 김구가 조직한 독립운동 단체이다. 한인 애국단 단원인 이봉창은 도쿄에서 의열 투쟁을 전개하였고, 윤봉길은 상하이에서 의거를 일으켰다.

고득점을 위한 셀파 Tip

• 1910~1920년대 중국의 민족 운동

신문화 운동
서양 과학과 민주주의의 수용 주장
⬇
5·4 운동
산둥반도 이권 회수, 조약 조인 거부 요구
⬇
제1차 국·공 합작
중국 국민당과 중국 공산당이 군벌 타도와 중국 통일을 위해 국민 혁명군 결성

자료 03 공통 자료 일본의 '21개 조 요구'(1915)

제1호 산둥반도의 독일 이권을 일본에 양도한다.
제2호 일본이 뤼순, 다롄을 조차하는 기한을 99년간 연장하고, 남만주 등에서의 이권을 인정한다.
제4호 중국의 항만, 섬을 일본 이외의 다른 나라에 할양·조차하는 것을 금지한다.
제5호 일본인의 정치·재정·군사 고문과 일본인 경찰관을 채용한다.

▲ 중국 정부에 '21개 조 요구' 수용을 강요한 일본

자료 분석 | 1915년 일본은 위안스카이의 중국 정부에 '21개 조 요구'를 강요하여 내정 간섭과 이권 침탈을 시도하였다. '21개 조 요구'에는 뤼순과 다롄의 조차 기한과 남만주 철도 기한의 연장 등이 명시되어 있었으며, 산둥반도에 관한 권익, 남만주·동부 내몽골에서 일본의 우선권을 요구하였다. 당시 중국 정부는 일본의 강압에 의해 중국의 주권을 크게 침해할 일부 내용만 미룬 채 대부분의 요구를 수락하였다. 이에 중국인들은 일본 상품 불매 운동을 비롯한 반일 운동을 전개하였다.

교과서 탐구 풀이

Q1 일본이 제1호와 같은 요구를 할 수 있었던 국제적 배경은?

A1 일본은 제1차 세계 대전에서 연합국으로 참전하여 독일이 차지하고 있던 산둥반도를 점령하였다.

Q2 일본이 '21개 조 요구'를 통해 얻고자 한 것은?

A2 일본은 '21개 조 요구'를 통해 산둥반도 및 남만주 지역에 대한 이권 등 중국 내 다양한 이권을 얻어 내려고 하였으며, 이를 지켜 내기 위한 내정 간섭을 가능하게 하고자 하였다.

자료 04 한국과 중국의 민족 운동

(가) 3·1 운동

…… 울분과 원한이 쌓인 2천만 민족을 위력으로써 구속하는 것은 다만 동양의 영구한 평화를 보장하는 길이 아닐 뿐 아니라 …… 그 결과로 동양의 온 판국이 함께 쓰러져 망하는 비참한 운명을 불러올 것이 분명하니, 오늘날 우리 조선 독립은 조선 사람으로 하여금 정당한 삶의 번영을 이루게 하는 동시에, 일본으로 하여금 그릇된 길에서 벗어나 동양을 지지하는 자의 무거운 책임을 다하게 하는 것이며, 또 동양의 평화로서 중요한 일부로 삼는 세계 평화와 인류 행복에 필요한 단계가 되는 것이다. …….

– 「3·1 독립 선언서」 –

(나) 신문화 운동

자주적이어야 하며, 노예적이지 않아야 한다. / 진보적이어야 하며, 보수적이지 않아야 한다. / 진취적이어야 하며, 퇴행적이지 않아야 한다. / 세계적이어야 하며, 쇄국적이지 않아야 한다. / 실리적이어야 하며, 허식적이지 않아야 한다. / 과학적이어야 하며, 공상적이지 않아야 한다.

– 천두슈, 「청년에게 고한다」 『신청년』 –

(다) 5·4 운동

파리 강화 회의가 열렸을 때 우리가 희망한 것은 세계에 정의·인도·공리가 있다는 것이었습니다. 칭다오를 돌려주고 중국과 일본 사이의 밀약, 군사 협정, 기타 불평등 조약까지 취소하는 것이 바로 공리이고 정의입니다. 그런데 우리의 토지를 다섯 나라가 공동 관리하여 우리를 패전국인 독일, 오스트리아처럼 치부하는 것은 정의가 아닙니다. …… 산둥이 망하면 중국도 망합니다. 조선에서는 독립을 꾀하면서 "독립이 아니면 차라리 죽음을 달라."라고 외쳤습니다.

– 「베이징 학생계 선언」 –

자료 분석 | (가) 일본의 무단 통치에 고통받던 한국인들은 민족 자결주의의 영향을 받아 1919년 3·1 운동을 일으켰다. 3·1 운동 이후 일본은 이른바 문화 통치를 내세워 민족 분열을 꾀하였다. 한편 상하이에 대한민국 임시 정부가 수립되었으며, 국내외에서 독립운동이 더욱 활발하게 전개되었다.

(나) 천두슈는 중국의 전통적 유교관을 '노예적, 보수적, 퇴행적'이라고 비판하고, 서양의 과학과 민주주의를 옹호하는 신문화 운동을 전개하였다. 신문화 운동은 베이징의 대학생들에게 큰 영향을 미쳤고, 이들을 중심으로 5·4 운동이 전개되었다.

(다) 1919년 1월부터 개최된 파리 강화 회의에서 독일이 차지하고 있던 산둥반도에 대한 이권이 일본으로 넘어가게 되었다. 이 소식이 전해지자 중국인들의 반일 감정이 고조되었고, 당시 한국에서 일어났던 3·1 운동 역시 중국인의 민족의식을 자극하였다. 이에 베이징의 대학생들을 중심으로 대규모 반군벌·반일 시위가 전개되었다(5·4 운동). 이에 굴복한 중국 정부는 베르사유 조약의 조인을 거부하였다.

교과서 자료 더 보기

| 5·4 운동 이후 중국의 국민 혁명 |

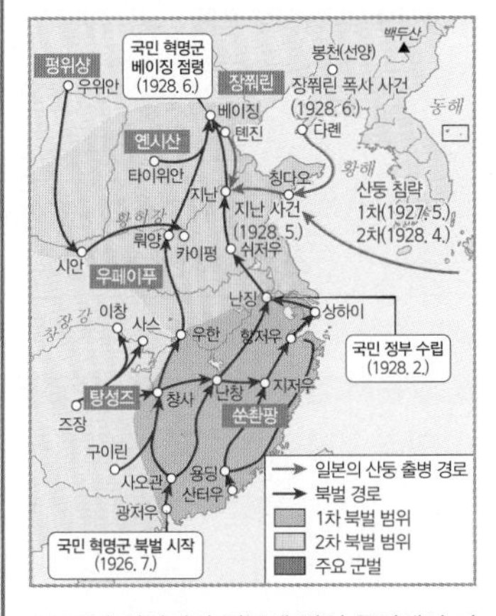

1925년 상하이의 일본계 방직 공장에서 파업 중이던 노동자가 피살되자 중국인들이 항의 시위를 벌였다. 이에 영국인 경찰이 발포 명령을 내려 다수의 희생자가 발생하였다. 이 사건을 발단으로 5·30 운동이 전개되었으며, 이후 중국에서 반제국주의 운동이 확산되었다. 장제스는 5·30 운동 이후 국민 혁명군을 이끌고 군벌 타도와 중국 통일을 위한 북벌을 시작하였다. 그러나 북벌 과정에서 국민당과 공산당의 갈등이 심화되었고, 장제스가 공산당을 탄압하면서 결국 제1차 국·공 합작은 붕괴되었다. 이후 일본이 거류민 보호를 명분으로 산둥 침략을 감행하였는데, 장제스는 북벌이 우선이라고 판단하고 일본과의 직접적인 충돌을 피한 채 북벌을 계속하였다. 마침내 국민 혁명군이 베이징을 점령하면서 북벌이 완성되었다.

3 침략 전쟁의 확대와 국제 연대 노력

1. 일본의 침략 전쟁 확대

구분	내용
만주 사변	대공황에 따른 경제 불황 확산 → 일본의 우익과 군부 세력이 대륙 침략을 통한 경제 위기 극복 주장 → 일본군이 만주 일대 점령(만주 사변, 1931) → 만주국 수립(1932) → 국제 연맹이 일본군 철수 요구 → 일본의 국제 연맹 탈퇴 및 군비 확장
중·일 전쟁	• 발발: 루거우차오 사건을 구실로 일본이 중국 본토 침략(1937) • 전개: 일본군이 상하이와 난징 점령, 주요 도시와 철도망 장악 → 일본의 삼광 작전[8], 난징 대학살[9] 자행 (베이징 근처의 루거우차오에서 중·일 군대가 충돌한 사건) • 중국의 대응: 중국 국민 정부는 수도를 충칭으로 이전, 중국 국민당과 중국 공산당은 제2차 국·공 합작 결성 → 항일전 전개
태평양 전쟁 (자료 05)	• 제2차 세계 대전의 발발: 독일의 폴란드 침공으로 발발(1939) → 일본이 중·일 전쟁에 필요한 전쟁 물자를 얻고자 베트남 북부 침공, 독일·이탈리아와 3국 동맹을 맺고 추축 세력 형성 → 베트남 남부를 차지하고 군사 기지 건설 • 배경: 일본에 대한 미국의 경제 봉쇄 조치(철강·석유 수출 금지) • 전개: 일본군이 하와이 진주만의 미국 태평양 함대 기습 공격(1941), 영국령 말레이반도에서 영국군을 선제공격 → 일본이 동남아시아와 남태평양 일대 점령(대동아 공영권 건설 주장) → 미드웨이 해전(1942)에서 미국이 승리하며 전세 역전 → 미국이 히로시마와 나가사키에 원자 폭탄 투하, 소련의 대일전 참전 → 일본의 무조건 항복(1945)

2. 침략 전쟁에 따른 피해와 고통

(1) **일본의 총동원 체제** 국가 총동원법[10] 제정(침략 전쟁에 필요한 인력과 물자 동원), 황국 신민화 정책 추진(일본 천황에 대한 충성을 다짐하는 황국 신민 서사 암송, 신사 참배 강요)

(2) **동아시아인의 고통** — 일본 내에서도 미군의 폭격으로 인한 도시 파괴, 민간인 희생, 오키나와 주민에 대한 집단 자결 강요 등의 피해가 발생하였다.

구분	내용
인적 수탈	탄광·군수 공장 등에 징용, 한국·타이완에서 징병제 실시, 여성들을 군수 공장의 노동자나 일본군 '위안부'로 강제 동원
물적 수탈	쌀과 금속의 공출제 실시, 식량을 비롯한 생활필수품의 배급제 시행, 식민지 및 점령지 주민에 대한 수탈 강화

3. 일본의 침략에 맞선 한·중 연합과 반제·반전을 위한 국제 연대

(1) **만주 사변 이후** 만주에서 한국 독립군과 조선 혁명군이 각각 중국 군대와 연합 작전 전개, 동북 인민 혁명군[11] 조직, 중국 관내에서 한·중 민족 항일 대동맹 결성

(1935년 조선 혁명군은 중국 의용군과 함께 한·중 항일 동맹회를 조직하였다.)

(한·중 민족 항일 대동맹: 대한민국 임시 정부 인사들과 중국 국민당 인사들이 만든 비밀 결사)

(2) **중·일 전쟁 이후** 중국 국민 정부의 군사적 지원을 통한 연대가 이루어짐

구분	내용
조선 의용대 (1938)	김원봉이 조직, 중국 국민당군과 함께 항일 투쟁 전개 → 조선 의용대 일부는 중국 공산당의 지원을 받는 조선 의용군으로 재편, 일부는 한국 광복군에 흡수
한국 광복군 (1940)	대한민국 임시 정부가 창설 → 중국 국민 정부의 지원을 받아 연합군의 일원으로 대일전 참전, 미국 전략 정보처와 국내 진공 작전 계획 (자료 06)

(3) **반제·반전을 위한 국제 연대**

구분	내용
반제·반전 사상의 대두	• 배경: 러·일 전쟁 전후 서구 열강의 식민지 쟁탈전, 일본의 제국주의 침략 본격화 • 고토쿠 슈스이(자국의 제국주의 팽창 정책 비판, 반전론 주장), 아주 화친회[12] 결성(1907), 안중근의 『동양 평화론』(1910, 일본이 침략 논리로 이용한 동양 평화론 비판, 일본의 한국 침략 포기와 한·중·일의 상호 협력 등 주장)
반제·반전 활동	• 무정부주의자의 활동: 동방 무정부주의자 연맹, 항일 구국 연맹(만주 사변 이후 한·중·일의 무정부주의자들 중심) 결성 (무정부주의: 개인을 지배하는 국가 권력, 모든 정치 조직과 규율, 권위 등을 부정하고 절대적 자유가 행해지는 사회를 실현하려는 사상) • 반전 연대 활동: 일본 반제 동맹(1929), 일본 병사 반전 동맹 등

(일본 반제 동맹: 일본 제국주의 타도를 목표로 하였으며, 한국인과 일본인의 공동 투쟁을 강조하였다.)

---

[8] 삼광 작전
중·일 전쟁 당시 일본군의 행동 지침으로, 가옥을 불태우고, 사람들을 죽이고, 재물을 약탈하여 점령지를 철저히 파괴하는 작전을 말한다.

[9] 난징 대학살
일본군은 1937년 12월 난징을 점령하는 과정에서 수십만 명의 중국인을 학살하는 난징 대학살을 저질렀다. 난징 대학살은 1938년까지 계속되었다.

[10] 국가 총동원법(1938)
• 정부는 전시에 국가 총동원상 필요할 때는 칙령이 정하는 바에 따라 제국 신민을 징용하여 총동원 업무에 종사하게 할 수 있다.
• 물자의 생산·수리·배급·양도·기타의 처분, 사용·소비·소지 및 이동에 관하여 필요한 명령을 내릴 수 있다.
– 「조선 총독부 관보」 –

[11] 동북 인민 혁명군
1933년 중국 공산당이 만주 지역에서 활동하던 한국과 중국의 항일 유격대를 규합하여 조직한 항일 무장 부대로, 이후 동북 항일 연군으로 확대 개편되었다.

고득점을 위한 셀파 Tip
• 일본의 침략 전쟁과 한·중 연합

만주 사변 이후
한국 독립군·조선 혁명군이 중국군과 연합, 한·중 민족 항일 대동맹 결성
⬇
중·일 전쟁 이후
중국 국민 정부의 군사적 지원을 통한 연대 → 조선 의용대, 한국 광복군

[12] 아주 화친회
반제국주의와 민족 해방을 목표로 1907년에 도쿄에서 창립된 동아시아 최초의 국제 연대 조직이다. 아주 화친회는 아시아 각 민족의 독립을 위한 상호 원조와 국제 연대를 표방하였다.

주요 사건들을 일어난 순서대로 기억하고 있는 것이 좋아. 사건의 흐름을 묻는 문제가 종종 출제되는 편이야!

자료 05 공통 자료 태평양 전쟁의 전개

자료 분석 | 제2차 세계 대전이 발발하자 일본은 독일, 이탈리아와 추축국을 형성하고 동남아시아를 침략하였다. 일본의 세력 확장을 경계하고 있던 미국은 일본에 철강·석유 수출을 금지하는 경제 봉쇄 조치를 내렸다. 이에 일본은 하와이 진주만에 정박 중이던 미국 함대를 기습 공격하여 태평양 전쟁을 일으켰다. 일본은 '대동아 공영권 건설'을 주장하며 동남아시아 지역과 남태평양 일대를 점령하였으나, 미드웨이 해전 이후 전세가 역전되어 전쟁의 주도권이 연합군으로 넘어갔다. 일본은 미국의 원자 폭탄 투하와 소련의 참전으로 결국 1945년 8월 15일에 무조건 항복을 선언하였다.

교과서 자료 더 보기

| 대동아 공영 선언(1943) |

미국과 영국은 자국의 번영을 위해 타 민족을 억압하고 대동아에 대해서는 침략과 착취를 자행하여 대동아를 예속화하고 안정을 해치려고 하였다. 이것이 대동아 전쟁의 원인이다. …… 대동아를 미국과 영국의 속박으로부터 해방시켜 공존공영, 자주독립, 인종적 차별이 없는 공영권을 건설함으로써 세계 평화의 확립에 이바지하고자 한다.

일본은 동남아시아 침략 전쟁을 백인종의 지배로부터 벗어나게 하기 위한 해방 전쟁이라고 정당화하였다.

자료 06 공통 자료 한국 광복군의 창설

한국 광복군은 중화민국 국민과 합작하여 우리 두 나라의 독립을 회복하고자, 공동의 적인 일본 제국주의자들을 타도하기 위하여 연합군의 일원으로 항전을 계속한다. …… 우리는 한·중 연합 전선에서 우리 스스로의 계속 부단한 투쟁을 감행하여 극동 및 아시아 인민 중에서 자유·평등을 쟁취할 것을 약속하는 바이다.

-「한국 광복군 선언문」-

자료 분석 | 1940년 대한민국 임시 정부는 충칭에서 한국 광복군을 창설하였고, 이후 조선 의용대의 일부 병력을 흡수하여 군사력을 더욱 강화하였다. 한국 광복군은 태평양 전쟁이 발발하자 연합군의 일원이 되어 일본과 독일에 선전 포고를 하고 대일전에 참전하였다.

교과서 탐구 풀이 

Q 한국 광복군은 어떤 활동을 전개하였을까?

A 한·중 연합 작전을 전개하였으며, 인도·미얀마 전선에 투입되어 영국군과 연합 작전을 펼쳤다. 또한 미국 전략 정보처와 국내 진공 작전을 계획하였다.

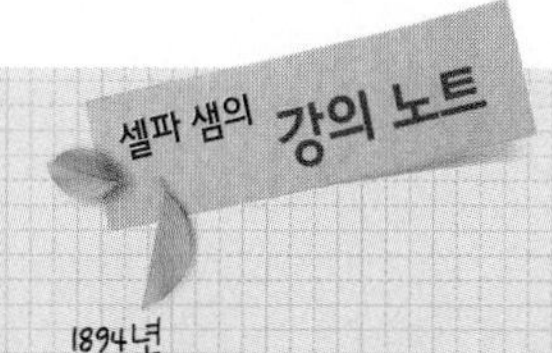

1894년 — 1910년 — 1930년 — 1945년

동아시아 질서의 변화		제1차 세계 대전과 민족 운동		일본의 침략 전쟁 확대와 민족 운동	
청·일 전쟁	시모노세키 조약 체결 → 일본에 랴오둥반도·타이완 할양	제1차 세계 대전 발발	일본이 산둥반도 점령, 중국에 '21개조 요구' 강요	만주 사변	• 만주국 수립 • 한국 독립군·조선 혁명군이 중국 군대와 연합 작전 전개, 한·중 민족 항일 대동맹 결성
⬇		⬇		⬇	
삼국 간섭	러시아 주도 → 랴오둥반도 반환	파리 강화 회의	산둥반도에 관한 일본의 이권 인정(베르사유 조약)	중·일 전쟁	• 루거우차오 사건을 계기로 발발 • 제2차 국·공 합작 결성(항일전) • 조선 의용대, 한국 광복군 창설
⬇		⬇		⬇	
러·일 전쟁	포츠머스 강화 조약 체결 → 한반도 지배권 확보	민족 운동	3·1 운동(한국), 5·4 운동(중국)	태평양 전쟁	일본의 하와이 진주만 기습 공격 → 미드웨이 해전 → 원자 폭탄 투하, 소련의 참전 → 일본의 무조건 항복
⬇		⬇			
을사조약	대한 제국의 외교권 박탈(보호국)	워싱턴 체제	일본의 산둥반도 이권 포기, 군비 축소		

개념 완성

1 제국주의 침략과 동아시아 질서의 재편

동학 농민 운동 (1894)	조선의 농민들이 정치·사회 개혁을 주장하며 1차 봉기 → 청·일 전쟁 이후 일본군 타도를 내걸고 2차 봉기 → 일본군과 조선 정부군이 진압
청·일 전쟁 (1894~1895)	• 전개: 일본의 승리 → 일본에 (❶) 및 랴오둥반도 할양 → 삼국 간섭으로 랴오둥반도 반환 • 영향: 중국 중심의 동아시아 질서 붕괴, 일본의 제국주의 팽창 본격화
열강의 중국 침략	청·일 전쟁 이후 열강의 이권 침탈 가속화 → 부청멸양을 내세운 (❷) 전개
러·일 전쟁 (1904~1905)	미국의 중재로 (❸) 체결 → 한반도에 대한 일본의 우월한 지위 인정
일본의 한국 병합	을사조약 체결(1905, 외교권 박탈) → 대한 제국의 주권 강탈(1910)

2 제1차 세계 대전과 민족 운동의 발전

제1차 세계 대전과 동아시아	• 파리 강화 회의: 열강이 중국의 주권과 일본의 권익을 함께 인정 → 중국인들의 반발 • (❹): 일본의 산둥반도에 대한 이권 포기, 군비 축소 등 결정
한국의 민족 운동	• 3·1 운동(1919): 일본의 통치 방식 변화, 민주 공화제의 (❺) 수립 계기 • 무장 독립운동: 봉오동·청산리 전투, 의열단과 한인 애국단의 활동 • 민족 유일당 운동 전개 → 신간회 조직(1927)
중국의 민족 운동	• 5·4 운동(1919): 반군벌·반제국주의 운동 • 제1차 국·공 합작으로 국민 혁명군 결성(1924) → (❻) 전개(1926)

3 침략 전쟁의 확대와 국제 연대 노력

일본의 침략 전쟁	• 만주 사변(1931) → 중·일 전쟁(1937) → 태평양 전쟁(1941) 발발 • 침략 전쟁에 필요한 인력과 물자를 동원하기 위해 (❼) 제정
한·중 연합	• 만주 사변 이후: 한국 독립군·조선 혁명군과 중국 군대의 연합 작전 전개, 한·중 민족 항일 대동맹 결성 • 중·일 전쟁 이후: 중국 국민 정부의 군사적 지원 → 조선 의용대, (❽) 창설
반제·반전을 위한 국제 연대	• 아주 화친회 결성(1907) • 무정부주의자: 동방 무정부주의자 연맹, 항일 구국 연맹 등

정답 ❶ 타이완 ❷ 의화단 운동 ❸ 포츠머스 강화 조약 ❹ 워싱턴 회의 ❺ 대한민국 임시 정부 ❻ 북벌 ❼ 국가 총동원법 ❽ 한국 광복군

기출 선택지 체크

A 다음 내용이 옳으면 ○표, 틀리면 ×표 하시오.

1 타이완은 러·일 전쟁의 결과 체결된 포츠머스 강화 조약으로 일본에 할양되었다. ( )

2 러시아는 프랑스, 독일과 함께 일본이 랴오둥반도를 청에 반환하도록 압력을 가하였는데, 이를 가리켜 삼국 간섭이라고 한다. ( )

3 제1차 세계 대전이 끝난 후 개최된 파리 강화 회의의 결정에 따라 일본은 산둥반도에 대한 이권을 중국에 반환하였다. ( )

4 3·1 운동의 영향으로 상하이에 대한민국 임시 정부가 수립되었다. ( )

5 중·일 전쟁은 중국에서 국민당과 공산당이 최초로 합작을 이루는 계기가 되었다. ( )

B 다음 괄호 안의 내용 중에서 옳은 것에 ○표 하시오.

6 일본은 미국의 중재로 러시아와 (시모노세키 조약 / 포츠머스 강화 조약)을 체결하여 뤼순과 다롄의 조차권, 남만주 철도 부설권 등을 획득하였다.

7 3·1 운동 이후 일본은 이른바 (무단 통치 / 문화 통치)로 식민 통치 방식을 바꾸어 한국인의 저항을 무마하고 민족의 분열을 꾀하였다.

8 중국 정부는 (의화단 운동 / 5·4 운동)에 굴복하여 베르사유 조약의 조인을 거부하였다.

9 대한민국 임시 정부가 주도하여 창설한 (조선 혁명군 / 한국 광복군)은 연합군의 일원으로서 대일전에 참전하였다.

C 다음 빈칸에 들어갈 알맞은 말을 쓰시오.

10 일본은 대한 제국에 ( )을/를 강요하여 체결함으로써 대한 제국의 외교권을 박탈하였다.

11 중·일 전쟁이 발발하자 중국 국민 정부는 수도를 충칭으로 옮기고, ( )을/를 결성하여 항일전을 전개하였다.

12 ( )은/는 반제국주의와 민족 해방을 목표로 1907년에 조직된 동아시아 최초의 국제 연대 조직이다.

정답 1. × 2. ○ 3. × 4. ○ 5. × 6. 포츠머스 강화 조약 7. 문화 통치 8. 5·4 운동 9. 한국 광복군 10. 을사조약 11. 제2차 국·공 합작 12. 아주 화친회

탄탄 내신 문제

딱풀 p. 46

01 (가), (나) 사이의 시기에 있었던 사실로 옳은 것은?

> (가) 청과 일본은 양국 군대를 조선에서 철수하고, 한쪽의 군대가 파병할 때 상대방에게 파병 사실을 통보한다는 내용의 조약을 체결하였다.
> (나) 청과 일본은 청이 조선을 독립국으로 인정하고 일본에게 막대한 배상금을 지급한다는 내용의 시모노세키 조약을 체결하였다.

① 갑신정변이 발생하였다.
② 강화도 조약이 체결되었다.
③ 러·일 전쟁이 발발하였다.
④ 의화단 운동이 전개되었다.
⑤ 동학 농민 운동이 일어났다.

02 밑줄 친 '전쟁'의 결과로 옳은 것은?

> 제시된 그림은 이 전쟁에서 승리한 일본을 풍자한 것이다. 이 전쟁은 일본이 풍도 앞바다에 주둔한 청의 함대를 공격하면서 시작되었다. 일본은 평양 전투, 황해 해전 등에서 잇달아 승리하며 전쟁의 주도권을 장악하였다. 결국 일본의 압도적인 우위로 전쟁은 끝이 났다.

① 정한론이 대두하였다.
② 신축 조약이 체결되었다.
③ 태평천국 운동이 일어났다.
④ 타이완이 일본에 할양되었다.
⑤ 강압적으로 을사조약이 체결되었다.

03 (가)에 들어갈 내용으로 가장 적절한 것은?

> 청·일 전쟁에서 승리한 일본은 청과 시모노세키 조약을 체결하고 랴오둥반도와 타이완을 차지하였으며, 동아시아 질서의 주도권을 잡게 되었다. 이에 불만을 품은 러시아의 주도로 [(가)]

① 삼국 간섭이 일어났다.
② 만주 사변이 발생하였다.
③ 베이징 조약이 체결되었다.
④ 의화단 운동이 진압되었다.
⑤ 워싱턴 체제가 성립하였다.

04 다음 대화의 소재가 된 민족 운동의 결과로 옳은 것은?

① 태평천국이 수립되었다.
② 변법자강 운동이 일어났다.
③ 일본이 랴오둥반도를 반환하였다.
④ 베이징에 외국 군대가 주둔하게 되었다.
⑤ 청에서 크리스트교의 선교가 인정되었다.

05 지도에 나타난 전쟁의 결과로 옳은 것은?

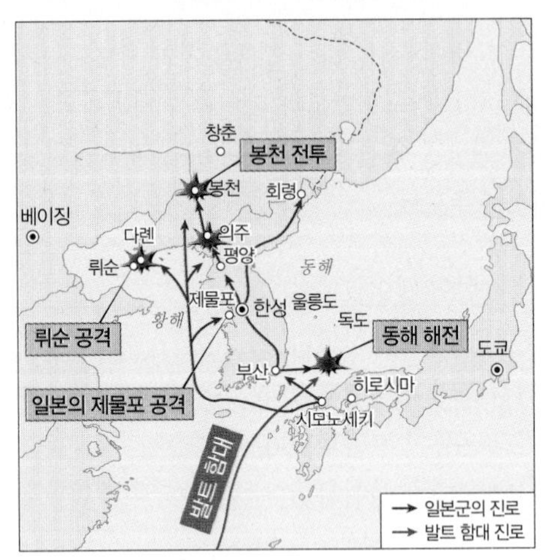

① 만주국이 수립되었다.
② 뤼순과 다롄이 일본에 조차되었다.
③ 일본의 '21개 조 요구'가 수용되었다.
④ 일본이 랴오둥반도를 청에 반환하였다.
⑤ 청 중심의 동아시아 질서가 붕괴되기 시작하였다.

06 다음 조약이 체결된 이후에 있었던 사실로 옳은 것은?

> 제2조 러시아 제국 정부는 일본 제국이 한국에서 정치상·군사상 및 경제상 탁월한 이익을 갖는다는 것을 인정하고, 일본 제국 정부가 한국에서 필요하다고 인정하는 지도 보호 및 감리의 조처를 하는 데 이를 저지하거나 간섭하지 않을 것을 약정한다.
> 제5조 러시아 제국 정부는 청국 정부 승낙하에 뤼순, 다롄 및 그 부근의 …… 모든 권리 특권을 일본 제국 정부에 이전한다.

① 을사조약이 체결되었다.
② 동학 농민군이 다시 봉기하였다.
③ 8개국 연합군이 청에 출병하였다.
④ 의화단이 반외세 운동을 전개하였다.
⑤ 독립 협회가 만민 공동회를 개최하였다.

07 다음의 요구 사항이 끼친 영향으로 가장 적절한 것은?

> 제1호 산둥반도의 독일 이권을 일본에 양도한다.
> 제2호 일본이 뤼순, 다롄을 조차하는 기한을 99년간 연장하고, 남만주 등에서의 이권을 인정한다.
> 제4호 중국의 항만, 섬을 일본 이외의 다른 나라에 할양·조차하는 것을 금지한다.
> 제5호 일본인의 정치·재정·군사 고문과 일본인 경찰관을 채용한다.

① 양무운동이 추진되었다.
② 신축 조약이 체결되었다.
③ 러시아가 삼국 간섭을 주도하였다.
④ 베이징 대학생들을 중심으로 5·4 운동이 일어났다.
⑤ 일본이 이른바 문화 통치로 통치 방식을 바꾸어 민족 분열을 꾀하였다.

08 (가)에 들어갈 내용으로 가장 적절한 것은?

> ○○○ 회의
> 1. 배경: 제1차 세계 대전 이후 동아시아 지역을 둘러싼 열강 간의 대립 심화
> 2. 목적: 열강의 이해관계 조정 및 군비 축소
> 3. 내용: (가)

① 일본에 무조건 항복 요구
② 일본의 만주국 수립 규탄
③ 일본의 '21개 조 요구' 수용
④ 일본의 산둥반도 이권 포기
⑤ 조선에 주둔한 일본의 병력 철수

09 다음 주장이 제기된 역사적 사건에 관한 설명으로 가장 적절한 것은?

> 청년에게 고한다
>
> 자주적이어야 하며, 노예적이지 않아야 한다.
> 진보적이어야 하며, 보수적이지 않아야 한다.
> 진취적이어야 하며, 퇴행적이지 않아야 한다.
> 세계적이어야 하며, 쇄국적이지 않아야 한다.
> 실리적이어야 하며, 허식적이지 않아야 한다.
> 과학적이어야 하며, 공상적이지 않아야 한다.
>
> -「신청년」-

① 우창의 신군이 봉기하면서 시작되었다.
② 민족 자결주의의 영향을 받아 전개되었다.
③ 일제의 통치 방식이 이른바 문화 통치로 바뀌는 계기가 되었다.
④ 유교 문화를 비판하고 서양 과학과 민주주의의 수용을 강조하였다.
⑤ 중국 정부가 베르사유 조약의 조인을 거부하는 직접적인 계기가 되었다.

10 (가) 정부에 관한 설명으로 옳은 것을 〈보기〉에서 고른 것은?

> 3·1 운동을 계기로 우리 민족은 독립운동 역량을 확인하고 자신감을 갖게 되었으며, 전 민족을 대표할 조직의 필요성을 인식하게 되었다. 그 결과 서울, 연해주, 상하이 등지의 임시 정부가 통합되어, 외교 활동에 유리한 상하이에서 ((가)) 이/가 수립되었다.

보기
ㄱ. 민주 공화제를 채택하였다.
ㄴ. 신해혁명의 결과 성립되었다.
ㄷ. 연통제와 교통국을 운영하였다.
ㄹ. 소학교의 의무 교육을 시행하였다.

① ㄱ, ㄴ ② ㄱ, ㄷ ③ ㄴ, ㄷ
④ ㄴ, ㄹ ⑤ ㄷ, ㄹ

11 다음 〈보기〉에 제시된 사실들을 일어난 순서대로 바르게 나열한 것은?

보기
ㄱ. 5·30 운동이 일어났다.
ㄴ. 중국 국민당이 조직되었다.
ㄷ. 장제스가 북벌을 시작하였다.
ㄹ. 제1차 국·공 합작이 이루어졌다.

① ㄱ-ㄴ-ㄷ-ㄹ ② ㄴ-ㄱ-ㄹ-ㄷ
③ ㄴ-ㄹ-ㄱ-ㄷ ④ ㄷ-ㄴ-ㄹ-ㄱ
⑤ ㄹ-ㄷ-ㄴ-ㄱ

12 (가), (나) 사이의 시기에 있었던 사실로 옳은 것은?

> (가) 미국에서 발생한 대공황의 여파가 전 세계로 확산되면서 세계 각국은 경기 침체에 빠지게 되었다. 일본의 일부 우익과 군부 세력은 대륙 침략을 통해 경제 위기를 극복하고자 하였다. 일본은 만주에 주둔하고 있던 관동군을 중심으로 만주를 장악하기 위해 만주 사변을 일으켰다.
> (나) 일본은 대규모 군대를 동원하여 중국을 본격적으로 침략하였다. 일본군은 3개월 만에 상하이를 점령하고 이어 난징까지 장악하였는데, 이 과정에서 수십만 명을 학살하는 난징 대학살을 자행하였다. 일본군은 학살을 통해 중국군의 항복을 유도하고 중국인의 저항 의지를 꺾고자 하였다.

① 만주국이 수립되었다.
② 의열단이 조직되었다.
③ 태평양 전쟁이 발발하였다.
④ 소련이 대일전에 참전하였다.
⑤ 국민 혁명군이 북벌을 완성하였다.

13 다음 선언이 발표된 배경으로 가장 적절한 것은?

> 우리는 조국의 위망을 구하기 위해, 평화적 통일과 단결 저항의 기초 위에서 중국 국민당과 양해를 이루어 함께 국난에 대응하기로 하였습니다. …… 루거우차오에서 중·일 양군의 충돌이 발생한 현 상황에서 우리 민족 내부의 단결만이 일본 제국주의의 침략을 이겨 낼 수 있게 해 줄 것입니다.

① 메이지 유신이 일어났다.
② 중·일 전쟁이 발발하였다.
③ 군벌이 베이징을 장악하였다.
④ 윤봉길이 상하이에서 의거를 일으켰다.
⑤ 일본이 하와이 진주만을 기습 공격하였다.

14 밑줄 친 '전쟁'이 있었던 시기에 볼 수 있는 모습으로 적절하지 않은 것은?

> 일본의 세력 확장을 경계하고 있던 미국은 일본에 석유 수출 금지 등 경제 봉쇄를 단행하였다. 이에 일본이 하와이 진주만의 미국 태평양 함대를 기습 공격하면서 전쟁이 시작되었다. 전쟁 초반 일본은 단기간에 동남아시아와 남태평양 일대를 점령하며 기세를 올렸다. 그러나 군사력을 재정비한 미군이 미드웨이 해전에서 승리한 것을 계기로 전세가 역전되었다. 연합국은 일본에 무조건 항복을 요구하였으나, 일본은 이를 거부하였다. 그러나 미국이 원자 폭탄을 투하하고 소련이 참전하자, 결국 일본은 무조건 항복하였다.

① 탄광에 강제 징용된 남성
② 일본군 '위안부'로 동원된 여성
③ 쌀과 금속을 강제로 공출당한 농민
④ 징병제에 따라 군인으로 끌려간 학생
⑤ 제2차 국·공 합작 결성에 찬성 성명을 낸 지식인

15 (가) 부대에 관한 설명으로 옳은 것은?

> 대한민국 임시 정부는 대한민국 원년(1919) 정부가 공포한 군사 조직법에 의거하여 중화민국 총통 장제스 원수의 특별 허락으로 중화민국 영토 내에 군대를 조직하고, 대한민국 22년 9월 17일 (가) 총사령부를 창설함을 이에 선언한다. (가) 은/는 중화민국 국민과 합작하여 우리 두 나라의 독립을 회복하고자, 공동의 적인 일본 제국주의자들을 타도하기 위하여 …….

① 일본에 선전 포고를 하였다.
② 청산리 전투를 승리로 이끌었다.
③ 우창에서 일어난 봉기를 주도하였다.
④ 일부 세력이 조선 의용군으로 재편되었다.
⑤ 중국 의용군과 만주에서 연합 작전을 전개하였다.

16 밑줄 친 '한·중 연합'의 사례로 적절한 것을 〈보기〉에서 고른 것은?

> 만주 사변 이후 일본의 침략이 본격화되자, 한국과 중국의 민족 운동 세력은 이에 대항하기 위한 한·중 연합을 활발하게 추진하였다. 만주 지역에서는 양세봉이 이끄는 조선 혁명군이 중국 의용군과 함께 한·중 연합군을 편성하고 연합 작전을 전개하였다.

보기
ㄱ. 아주 화친회가 조직되었다.
ㄴ. 조선 의용대가 창설되었다.
ㄷ. 안중근이 『동양 평화론』을 저술하였다.
ㄹ. 중국 관내에서 한·중 민족 항일 대동맹이 결성되었다.

① ㄱ, ㄴ ② ㄱ, ㄷ ③ ㄴ, ㄷ
④ ㄴ, ㄹ ⑤ ㄷ, ㄹ

딱풀 p. 46

17 자료에서 설명하는 민족 운동의 명칭을 쓰시오.

> 청·일 전쟁 이후 서양 세력의 침략이 거세지는 상황 속에서 '청 왕조를 도와 서양 귀신을 몰아내자(부청멸양).'라는 구호를 내세운 반외세 운동이 일어났다. 이를 주도한 세력은 교회, 학교, 철로 등 서양 문물과 관련된 모든 것을 공격하였다. 청 정부도 이들을 이용하여 서양 열강에 대항하고자 하였다. 그러나 이들은 일본을 비롯한 8개국 연합군이 출병하면서 진압되었다. 청 정부는 열강과 신축 조약을 체결하여 막대한 배상금을 지급하고 외국 군대의 베이징 주둔을 허용하였다.

18 다음 <보기>에 제시된 사건들을 일어난 순서대로 바르게 나열하시오.

보기
ㄱ. 난징 대학살이 자행되었다.
ㄴ. 미드웨이 해전으로 전세가 바뀌었다.
ㄷ. 루거우차오에서 중·일 양국 군대가 충돌하였다.
ㄹ. 일본군이 하와이 진주만의 미국 태평양 함대를 기습 공격하였다.

19 다음에서 설명하는 독립군 부대의 명칭을 쓰시오.

> 김원봉이 중국 국민 정부의 지원을 받아 창설한 독립 무장 부대이다. 이들은 중·일 전쟁 과정에서 중국 국민당군과 연계하여 정보 수집, 포로 심문, 선전 공작 등 후방 작전을 전개하였다. 이후 일부 세력은 한국 광복군에 합류하였고, 일부는 중국 공산당의 지원을 받는 조선 의용군으로 재편되었다.

20 다음 지도를 보고 물음에 답하시오.

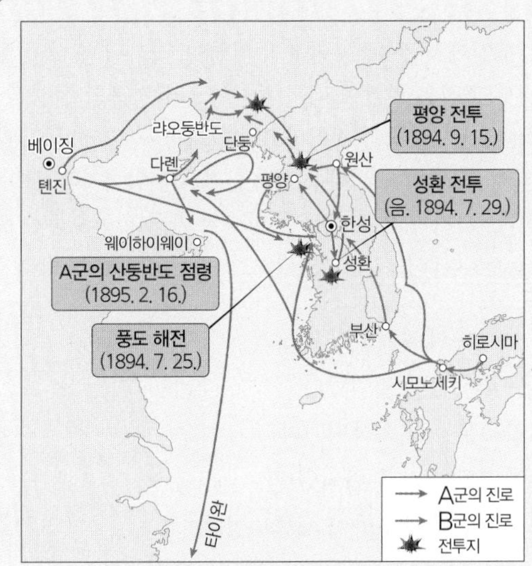

(1) 위 지도에 나타난 전쟁의 명칭을 쓰시오.

(2) (1)의 결과 체결된 조약의 명칭을 쓰고, 그 내용을 두 가지 서술하시오.

21 밑줄 친 ㉠이 끼친 영향을 일본의 통치 방식과 독립운동의 측면에서 각각 서술하시오.

> 지난 3월에 일어난 ㉠ 조선의 독립운동은 민의를 사용하되 무력을 사용하지 않음으로써 세계 혁명사의 신기원을 열었다. 우리는 이에 대하여 찬미·비통·흥분·희망·부끄러움 등의 여러 가지 느낌을 갖게 된다. 우리는 조선인의 자유사상이 이로부터 계속 발전하기를 희망한다.

| 교육청 기출 |

01 밑줄 친 '전쟁'의 결과로 옳은 것은?

> 조선에서 동학 농민군의 저항이 격화되는 상황에서 일부 외신은 일본이 이를 진압하느라 청과의 전쟁 수행에 어려움을 겪을 것이라고 예상하였다. 그러나 일본군은 대규모 병력을 북쪽으로 진격시켜 압록강을 돌파하였다. 한편 함대로 이동한 병력은 마침내 랴오둥반도의 뤼순과 다롄을 점령하였다.

① 공행이 폐지되었다.
② 5·4 운동이 일어났다.
③ 양무운동이 시작되었다.
④ 에도 막부가 수립되었다.
⑤ 시모노세키 조약이 체결되었다.

| 교육청 기출 |

02 (가), (나) 사이 시기에 있었던 사실로 옳은 것은?

> (가) 조선의 접견 대관 신헌이 아뢰기를, "오늘 신이 강화도에서 일본국 특명 전권 변리 대신 구로다 기요타카 등과 수호 조규에 서명 날인했습니다. …… 수호 조규의 한문과 일본문, 비준한 원본, 조규 원본 등을 의정부에 올립니다."라고 하였다.
> (나) 러시아 공사가 일본 정부에 통고하기를, "시모노세키 조약 중에 장차 랴오둥반도를 일본에 할양한다는 조항은 청국에 위험할 뿐 아니라 조선 독립도 유명무실해지며, 동양의 영구 평화에도 해가 된다. 러시아 정부는 우정으로써 일본 정부에 권하건대 랴오둥반도는 차지하지 말라."라고 하였다.

① 5·4 운동이 일어났다.
② 메이지 정부가 수립되었다.
③ 동학 농민 운동이 전개되었다.
④ 청·일 수호 조규가 체결되었다.
⑤ 대한 제국이 외교권을 박탈당하였다.

| 평가원 기출 |

03 밑줄 친 '이 전쟁'에 대한 설명으로 옳은 것은?

> 이 전쟁은 일본 해군의 공격으로 시작되었다. 일본군은 평양 전투에서 승리한 후 랴오둥반도의 뤼순을 공격하였다. 뤼순을 함락한 일본군은 부녀자와 노인을 비롯한 민간인들을 무차별적으로 학살하였다. 웨이하이웨이 해전에서 일본이 승리하고, 미국의 중재로 강화 협상이 본격적으로 진행되었다. 교전국인 양국의 대표단은 일본에서 강화 조약을 체결하였다. 이 조약으로 일본은 거액의 배상금을 받았고, 이후 한반도에 대한 일본의 영향력은 강화되었다.

① 루거우차오 사건을 계기로 일어났다.
② 발트 함대가 동해 해전에서 패배하였다.
③ 청이 일본에 타이완을 할양하는 계기가 되었다.
④ 워싱턴 회의가 열려 일본의 군함 보유량이 제한되었다.
⑤ 일본이 칭다오를 점령하고 산둥의 권익을 요구하였다.

| 수능 응용 |

04 (가), (나) 사이 시기의 동아시아 상황으로 옳은 것은?

> (가) 청·일 전쟁에서 승리한 일본이 랴오둥반도를 차지하게 되자 러시아는 독일, 프랑스와 함께 이를 청에 반환하도록 압력을 가하였다. 이에 일본은 청으로부터 추가 배상금을 받는 조건으로 랴오둥반도를 반환하였다.
> (나) 8개국 연합군은 베이징으로 진격하여 열강의 이권 침탈에 대한 저항에서 비롯된 민족 운동을 진압하였다. 이에 청 정부는 외국 군대의 베이징 주둔을 허용하고, 막대한 배상금 지불을 약속하는 조약을 체결하였다.

① 대한 제국이 수립되었다.
② 대일본 제국 헌법이 제정되었다.
③ 신해혁명으로 중화민국이 수립되었다.
④ 일본 정부가 이와쿠라 사절단을 파견하였다.
⑤ 한인 관료층의 주도로 양무운동이 시작되었다.

| 평가원 기출 |

05 교사의 질문에 대한 학생의 대답으로 가장 적절한 것은?

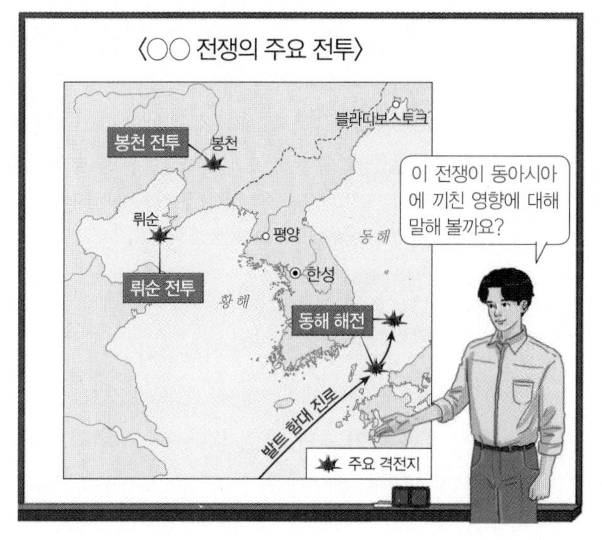

① 일본이 을미사변을 일으켰어요.
② 대한 제국이 외교권을 빼앗겼어요.
③ 청이 타이완의 지배권을 상실하였어요.
④ 청이 크리스트교 선교의 자유를 인정하였어요.
⑤ 베트남이 코친차이나 동부 3성을 상실하였어요.

| 교육청 기출 |

06 밑줄 친 '이 조약'에 대한 설명으로 옳은 것만을 〈보기〉에서 있는 대로 고른 것은?

> 일본이 이 조약을 강제로 체결하였는데, 대한 제국 황제는 이를 인정하지 않고 서명도 하지 않았다. 그러나 일본은 열강에 이 조약을 통보하였고, 대부분의 열강은 일본의 요구에 따랐다. 그 결과 대한 제국에는 공사 또는 변리 공사라고 불리는 외교 대표들이 더 이상 남지 않게 되었다. – 서울 주재 러시아 총영사 플란손 –

보기

ㄱ. 삼국 간섭이 일어나는 배경이 되었다.
ㄴ. 러·일 전쟁의 종결 직후 체결되었다.
ㄷ. 간도를 청의 영토로 인정하는 조항을 담았다.
ㄹ. 대한 제국에 통감부가 설치되는 계기가 되었다.

① ㄱ, ㄷ ② ㄱ, ㄹ ③ ㄴ, ㄹ
④ ㄱ, ㄴ, ㄷ ⑤ ㄴ, ㄷ, ㄹ

| 교육청 응용 |

07 (가) 운동에 관한 설명으로 옳은 것은?

> 중국인의 눈에 비친 (가) 운동
>
> 한국인이 궐기한 것은 일본이 무도하기 때문이다. 일본은 10년에 걸쳐 한국인의 독립 희망을 꺾는 일에 전력을 기울여 왔다. …… 그러나 한 번 일어난 한국인의 자유사상을 억눌러 막을 수는 없다.
>
> 한국의 모든 지역에서 사람들은 국기를 흔들며 독립을 외쳤다. 헌병 경찰의 간섭도, 총검도, 그들을 꺾을 수는 없었다. …… 한국인의 정신이 살아 있는 한, 독립이 실현될 날이 반드시 도래할 것임을 나는 단언할 수 있다.

① 일본을 비롯한 8개국 연합군에 의해 진압되었다.
② 중국에서 양무운동이 일어나는 데에 영향을 주었다.
③ 상하이에 대한민국 임시 정부가 수립되는 계기가 되었다.
④ 반제국주의를 목표로 한 아주 화친회 결성의 원인이 되었다.
⑤ 사회 개혁과 외세 척결을 주장한 동학 농민군이 주도하였다.

| 평가원 응용 |

08 (가) 운동에 관한 설명으로 옳은 것은?

> 중화민국 초기 위안스카이의 독재와 군벌의 혼전이 계속되자 천두슈, 후스 등의 지식인들은 잡지 『신청년』을 발행하여 전통을 비판하고 서양 과학과 민주주의의 수용을 주장하였다. 이러한 움직임이 점차 확산되는 가운데 파리 강화 회의의 소식이 전해졌다. 그러자 학생들을 중심으로 이 회의의 결정에 반대하는 (가) 이/가 일어났고, 결국 중국 군벌 정부는 베르사유 조약의 조인을 거부하였다.

① 부청멸양을 내세우며 봉기하였다.
② 배상제회라는 단체에 의해 주도되었다.
③ 중체서용이라는 원칙을 앞세워 추진되었다.
④ 일본의 산둥반도 이권을 회수할 것을 요구하였다.
⑤ 캉유웨이, 량치차오 등이 추진한 변법자강 운동의 원인이 되었다.

| 교육청 응용 |

09 다음 주장에 관한 탐구 활동으로 가장 적절한 것은?

> 우리는 무력에 의지하지 않고 중국의 통일을 실현할 수 있기를 원한다. 그러나 외세와 결탁한 베이징 정부는 우리 민족을 분열시키고 있다. …… 군벌이 지배하는 베이징 정부를 타도하기 위해 나는 누구와도 손을 잡겠다. 하지만 미국·영국·프랑스 등은 우리를 지원하고자 하는 의지를 보이지 않는다. 우리 광둥 정부에 원조하려는 나라는 소련밖에 없다.

① 갑신정변의 주도 세력을 조사한다.
② 3·1 운동의 전개 과정을 살펴본다.
③ 의화단 운동의 발생 계기를 파악한다.
④ 아주 화친회의 주요 활동을 찾아본다.
⑤ 제1차 국·공 합작의 성립 배경을 알아본다.

| 교육청 기출 |

10 다음 연설이 행해진 시기를 연표에서 옳게 고른 것은?

> 중국을 구하기 위해서는 내전 중지가 반드시 필요합니다. 우리는 중국 공산당을 비롯한 모든 세력의 역량을 총동원하여 중국을 지켜야 합니다. 중국 공산당은 여러 번 국민당에 일치 항일할 것을 제안했습니다. …… 우리는 이를 통해 멸망의 위기에 처한 국가를 구함과 동시에 쑨원의 유지를 받들어 혁명 사업을 완성해야 합니다.
>
> – 쑹칭링, 민국 26년 2월 –

신해 혁명	(가)	5·4 운동	(나)	북벌 개시	(다)	만주 사변	(라)	태평양 전쟁 발발	(마)	중화 인민 공화국 수립

① (가) ② (나) ③ (다) ④ (라) ⑤ (마)

| 수능 응용 |

11 밑줄 친 ㉠ 이후에 일어난 사실로 옳은 것은?

> 만주국 수립 이후, 일본은 화북(화베이) 지역으로 진출하는 정책을 추진하여 베이징과 톈진까지 세력을 확대하였다. 이러한 가운데 베이징 교외의 루거우차오 부근에서 일본군과 중국군이 충돌하는 사건이 발생하였다. 이 사건을 빌미로 일본이 베이징과 상하이를 공격하면서 ㉠ 전쟁이 시작되었다.

① 제1차 국·공 합작이 단행되었다.
② 김원봉이 조선 의용대를 조직하였다.
③ 일본이 중국 정부에 '21개 조 요구'를 강요하였다.
④ 파리 강화 회의 결과 베르사유 조약이 체결되었다.
⑤ 국민 혁명군이 베이징을 점령하고 북벌을 완료하였다.

| 교육청 응용 |

12 (가) 전쟁 시기에 있었던 사실로 옳은 것은?

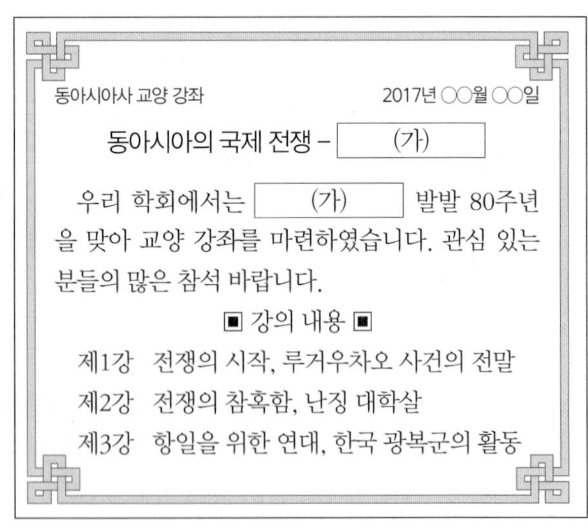
동아시아사 교양 강좌 2017년 ○○월 ○○일

동아시아의 국제 전쟁 – (가)

우리 학회에서는 (가) 발발 80주년을 맞아 교양 강좌를 마련하였습니다. 관심 있는 분들의 많은 참석 바랍니다.

▣ 강의 내용 ▣

제1강 전쟁의 시작, 루거우차오 사건의 전말
제2강 전쟁의 참혹함, 난징 대학살
제3강 항일을 위한 연대, 한국 광복군의 활동

① 만주국이 수립되었다.
② 조선 의용대가 창설되었다.
③ 한인 애국단이 조직되었다.
④ 일본이 국제 연맹에서 탈퇴하였다.
⑤ 중국 국민당이 중국 공산당과 함께 국민 혁명군을 결성하였다.

| 평가원 응용 |

13 (가) 단체에 관한 설명으로 옳은 것은?

> (가) 은/는 신해혁명 27주년 기념일인 10월 10일 후베이성의 한커우에서 김원봉의 주도로 결성되었다. 이 단체는 중국의 항일 전쟁이 삼민주의에 입각한 신중국을 건설하는 과정이며, 조선 민족의 독립과 불가분의 관계에 있다고 주장하였다. 그리고 중국군과 함께 항일 투쟁을 전개하였다.

① 전주 화약을 체결하고 자진 해산하였다.
② 장제스의 지휘 아래 북벌을 완성하였다.
③ 구성원의 일부가 조선 의용군 결성에 참여하였다.
④ 한·중·일의 무정부주의자들이 연합하여 만들었다.
⑤ 대한민국 임시 정부가 중국 국민당의 지원을 받아 창설하였다.

| 평가원 기출 |

14 다음 주장이 발표된 이후의 동아시아 상황으로 옳은 것을 〈보기〉에서 고른 것은?

> 그동안 정부의 정책은 평화 공존이었다. 그러나 이번에 발생한 루거우차오 사건의 경과를 보면 평화는 쉽게 얻어질 수 없다고 생각된다. 만주가 함락된 지 이미 6년, 루거우차오가 점령당한다면 베이징은 제2의 선양이 될 것이다. 전 민족의 힘을 모아 항전하여 마지막 승리를 구할 수밖에 없다. …… 중국의 주권과 영토를 침범하는 제안은 어떤 것이든 일체 받아들이지 않겠다.
>
> – 장제스, 「루산 담화」 –

보기

ㄱ. 조선 혁명군이 중국 의용군과 함께 연합 작전을 펼쳤다.
ㄴ. 국민당 정부의 지원을 받아 조선 의용대가 창설되었다.
ㄷ. 제2차 국·공 합작이 성립되어 항일 투쟁이 격화되었다.
ㄹ. 한·중·일 무정부주의자들이 항일 구국 연맹을 결성하였다.

① ㄱ, ㄴ ② ㄱ, ㄷ ③ ㄴ, ㄷ
④ ㄴ, ㄹ ⑤ ㄷ, ㄹ

| 교육청 기출 |

15 밑줄 친 '이 전쟁' 시기에 동아시아에서 있었던 사실로 옳은 것은?

제○○○호 **동아시아사 신문** ○○○○년 ○○월 ○○일

미군, 사이판에 상륙하다

이 전쟁에서 고전을 하던 미군이 미드웨이 해전의 승리로 전세를 역전시킨 후, 드디어 사이판 상륙에 성공하였다. 사이판은 미국과 일본 모두에게 전략적으로 중요하기 때문에 점령 과정에서 일본군의 강력한 저항이 예상된다. 하지만 미군이 마리아나 군도에 대한 대대적인 공습을 단행하고 대규모 병력을 투입하였기 때문에 결국에는 점령에 성공할 것으로 보인다.

① 신간회가 결성되었다.
② 포츠머스 조약이 체결되었다.
③ 제1차 국·공 합작이 성립되었다.
④ 고종이 러시아 공사관으로 거처를 옮겼다.
⑤ 일본이 한국과 타이완에서 징병제를 실시하였다.

| 교육청 응용 |

16 (가), (나) 사이의 시기에 있었던 사실로 옳은 것은?

> (가) 일본군은 전투기와 폭격기를 동원하여 하와이 진주만에 있는 미국 해군 기지를 기습 공격하였다. …… 루스벨트 대통령은 의회에 미국과 일본 간에 전쟁이 시작되었음을 선언해 줄 것을 요청하였다.
> (나) 미국은 히로시마에 이어 나가사키에 원자 폭탄을 투하하였다. …… 일본 천황이 연합군의 무조건 항복 요구를 받아들이자, 트루먼 대통령은 일본의 항복을 공식적으로 발표하였다.

① 의화단 운동이 일어났다.
② 제2차 국·공 합작이 성립되었다.
③ 포츠머스 강화 조약이 체결되었다.
④ 대한 제국이 외교권을 박탈당하였다.
⑤ 미드웨이 해전에서 미군이 승리하였다.

03 서양 문물의 수용

1 서구적 세계관의 전파와 수용

1. 만국 공법[1]과 새로운 국제 질서

(1) **만국 공법의 의미** 주권 국가 간의 대등한 관계를 규율하는 근대적 국제법

(2) **동아시아 각국의 만국 공법 수용**

청	기존의 중화사상 유지 → 서양 열강과의 외교 관계에서 참고 문헌이나 실무 지침서로 이용하는 데 그침
일본	서양과 맺은 불평등한 조약을 대등한 조건으로 개정하는 데 참고, 중국 중심의 국제 질서 거부, 조선의 개항 및 주변 지역에 대한 침략을 정당화하는 데 이용 (└ 청·일 수호 조규에서 청과의 대등한 관계를 규정하였고, 강화도 조약에서 조선이 자주국임을 규정하여 조선에 대한 청의 영향력을 배제하는 데 활용하였다.)
조선	만국 공법에 규정된 상호 주권 보장 조항을 활용하여 주권을 보존하고자 함

(3) **한계** 서양 열강은 주권 평등의 원칙을 서양 국가 간에만 적용, 국가를 문명국·반문명국·미개국으로 서열화 → 차별적인 국제 질서와 불평등한 통상 조약 합리화

2. 사회 진화론[2]의 수용 자료 01

(1) **동아시아 각국의 사회 진화론** 자강의 논리로 수용 → 침략을 정당화하는 논리로 이용되기도 함

일본	• 가토 히로유키: 민족 국가의 확립과 제국주의적 팽창 주장, 자유 민권 운동 비판 → 제국주의 침략을 정당화하는 논리로 기능 (└ 이를 위해 천황에 대해 충성과 복종을 다해야 한다고 주장하였다.) • 후쿠자와 유키치: 국제 관계에서는 힘의 논리가 더 크게 작용한다고 주장, 탈아론[3] 주장
청	• 옌푸: 청·일 전쟁 패배에 충격 → 사회 진화론을 통해 구국의 방법 모색 • 량치차오: 국력 강화를 위해 교육과 식산 진흥 주장 → 변법자강 운동 주도
대한 제국	유길준, 윤치호 등이 자강의 논리로 수용 → 애국 계몽 운동에 영향

(2) **한계** 제국주의 열강의 약소국 침략과 지배를 정당화하는 논리로 이용

2 근대적 지식의 확산

1. 근대식 교육의 도입 자료 02

왜? 동아시아 각국은 근대 학교를 설립하고 서양의 교육 제도를 도입하여 근대적 사상과 지식을 확산시키고자 하였다.

일본	• 근대 학제 발표(1872) → 소학교의 의무 교육 제도 도입[4], 도쿄 대학 설립(1877) • 교육 칙어 반포(1890): 천황 중심의 가족적 국가관, 충효의 가치관 주입
조선	• 갑오개혁 중 근대 학제 도입(1894) • 교육입국 조서 반포(1895) → 소학교, 사범 학교, 외국어 학교 등 각종 교육 기관 설립
청	청·일 전쟁 이후 서양과 일본의 학제를 본떠 개혁 추진 → 베이징에 경사 대학당 설립(1898), 지방에 소학당·중학당 설립, 근대 학제 마련(1902)

2. 신문의 탄생

(1) **신문의 역할** 국내외의 소식 전달, 국민 계몽, 여론 형성 주도

(2) **정부의 통제** 청은 등록제와 검열제 시행, 일본은 검열제와 발행 금지법 등 도입, 조선에서는 1907년에 신문지법을 제정하여 발행 허가제와 검열 시행

(3) **동아시아 각국의 대표적인 신문**

일본	『요코하마 마이니치 신문』(1870): 최초의 일간지
청	『신보』(1872): 상하이에서 영국 상인이 창간 (└ 대부분 조계지에서 발행되어 검열을 피하였다.)
조선	『한성순보』(1883, 최초의 근대식 신문), 『독립신문』(1896, 최초의 민간지, 한글과 영문으로 발간) (└ 『한성순보』: 정부가 발행한 관보)

---

1 만국 공법
만국 공법은 미국의 법학자 헨리 휘튼이 지은 국제법 저서를 중국에서 번역·출간하는 과정에서 유래한 용어이다. 만국 공법은 대등한 주권 국가 간의 상호 승인으로 형성된 국제 사회에서 국가의 위상과 권리, 의무는 평등함을 핵심으로 한다.

2 사회 진화론
찰스 다윈이 제시한 생물학적 진화론을 인간 사회 및 국제 관계에 적용한 논리이다. 인간 사회에서도 약육강식과 적자생존의 법칙이 적용된다고 보았다. 사회 진화론은 경쟁으로 발생한 개인 간의 불평등을 인정하고 약자에 대한 강자의 지배를 당연시하였다.

고득점을 위한 셀파 Tip

• 서구적 세계관의 확산

만국 공법	• 주권 국가 간 대등한 관계를 규율하는 근대적 국제법 • 차별적인 국제 질서와 불평등한 통상 조약 합리화
사회 진화론	• 생물학적 진화론을 인간 사회 및 국제 관계에 적용한 논리 • 열강의 약소국 침략과 지배 정당화

3 탈아론(脫亞論)
후쿠자와 유키치가 일본의 나아갈 길을 제시한 것으로, 아시아를 벗어나 서구 사회를 지향한다는 뜻이다. 후쿠자와 유키치의 주장은 일본을 제국주의 침략 국가로 만드는 데 사상적 기반이 되었다.

4 일본 의무 교육 취학률의 변화

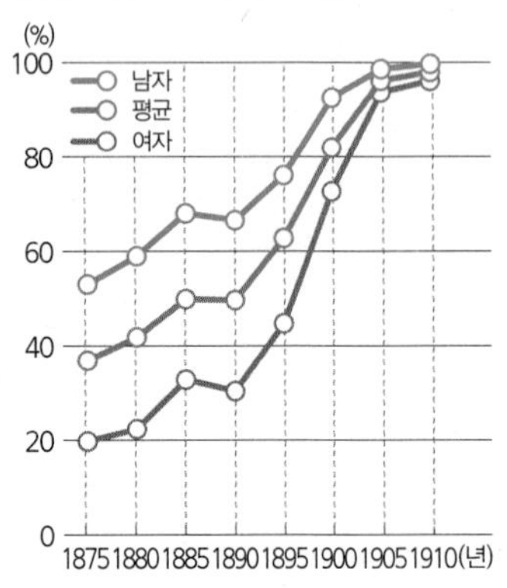

자료 01 공통 자료 사회 진화론의 수용

사회 진화론의 특징이 드러나는 경쟁, 약자에 대한 강자의 승리, 약육강식 등의 표현을 잘 기억해 두자!

(가) 옌푸의 『천연론』

물경(物競)은 생물이 자신의 생존을 위해 싸우는 것이며, 천택(天擇)은 환경에 적응한 자가 살아남는다는 것이다. …… 사람과 동물은 각각 자신의 생존을 위해 싸우게 된다. 처음에는 종(種)과 종이 싸우며, 나아가 집단과 집단이 싸우게 된다. 약자는 언제나 강한 자의 먹이가 되고, 어리석은 자는 지혜로운 자의 부림을 당한다. 스스로 살아남아 종을 남기게 되는 것은 반드시 강인하고 지혜와 기교가 뛰어나 당시의 천시·지리·인사에 가장 잘 적응한 자이다.

(나) 유길준의 『경쟁론』

대개 인생의 만사가 경쟁을 의지하지 않는 일이 없으니 크게는 천하와 국가의 일부터, 작게는 한 몸 한 집안의 일까지 실로 다 경쟁으로 말미암아 먼저 진보할 수 있는 바라. …… 국가들 사이에 경쟁하는 바가 없으면 어떤 방법으로 그 광위와 부강을 증진할 수 있는가?

(다) 가토 히로유키의 『강자의 권리 경쟁』

생물계에서 강자의 권리 경쟁이 발생하면 몸과 마음이 우월한 자가 열등한 자를 쓰러뜨리는 것을 피할 수 없다. …… 그 몸과 마음의 강약에 따라 강자의 권리 경쟁이 발생하면, 강자가 약자에게 승리하는 것이 자연의 법칙이다. …… 사회가 진보하고 발달하는 것에 따라 사람들 사이에 능력의 차이가 생기며, 다른 인종들이 모인 사회에서는 그 인종의 우열로 귀천의 차이가 생겨난다.

자료 분석 | (가) 옌푸는 생물 진화의 동력은 우승열패와 적자생존에 기반한 경쟁이고, 이는 인류의 발전에도 적용된다고 보았다. 그러므로 중국이 도태하지 않으려면 변법 유신을 단행하여 경쟁에서 승리할 힘을 갖추어야 한다고 주장하였다. 사회 진화론의 영향으로 청에서는 변법자강 운동과 신문화 운동이 전개되었다.
(나) 유길준은 경쟁이 인간 사회에서 매우 중요하며, 국가와 인종 간의 경쟁을 통해 진보를 달성할 수 있다고 보았다. 또한 조선이 서구 사회를 닮아야 한다고 주장하였다. 이는 애국 계몽 운동에 영향을 주어 교육과 산업을 일으켜 국력을 키우자는 논리로 활용되었다.
(다) 가토 히로유키는 사회 진화론을 받아들여 자유 민권 운동을 비판하며, 일본의 당면 과제는 민족 국가를 확립하여 제국주의 열강을 따라잡는 것이라고 보았다. 이를 위해서는 개인이 애국심을 갖고 천황과 국가에 충성해야 한다고 주장하며 일본의 제국주의적 팽창을 지지하였다.

교과서 자료 더 보기

| 량치차오의 사회 진화론 |

세계에 있는 것은 강자의 권리뿐이다. 강자가 늘 약자를 다스릴 뿐 다른 힘이라는 게 따로 없다. 그것이 진화의 가장 큰 보편적인 원칙이다. 자유권을 얻고자 한다면 먼저 강자가 되는 방법밖에 별 도리가 없다. 한 몸의 자유를 원한다면 불가불 먼저 그 몸이 강해져야 하고, 한 나라의 자유를 원한다면 불가불 그 나라가 먼저 강해져야 한다. 오호라, 강자의 권리라는 것이여! '강권'이라는 두 글자가 사람마다 그 두뇌에 찍혀야 한다!

– 『음빙실문집』 –

량치차오는 세계를 강자와 약자의 싸움터라고 인식하고, 적자생존을 강조하였다. 그는 사회 진화론을 통해 개혁과 혁명의 필요성을 설명하였고, 이를 기반으로 변법자강 운동을 주도하였다.

자료 02 일본과 조선의 근대식 교육 시행

(가) 교육 칙어(1890)

짐이 생각하건대 …… 나의 신민도 열심히 충효에 힘써 마음을 하나로 하여 대대로 그 미덕을 배워 온 것은 우리 나라의 뛰어난 점이며 교육의 근본정신도 또한 여기에 있다. …… 항상 헌법을 중시하고 법률에 따라 한 차례 나라의 비상시가 되면 의용을 가지고 나라를 위해 일하며 천지와 같이 끝없는 황실의 운명을 지키고 도와주어야 한다.

(나) 교육입국 조서(1895)

백성을 가르치지 않으면 나라를 굳건히 하기 어렵다. 세상 형편을 돌아보면 부유하고 강성하여 독립하여 웅시(雄視)하는 여러 나라는 모두 그 나라 백성의 지식이 개명(開明)하였다. 지식의 개명함은 교육이 잘됨으로써 말미암은 것이니, 교육은 실로 나라를 보존하는 근본이다. …… 이제 내가 정부에 명하여 학교를 널리 설치하고 인재를 양성함은 모두 신민의 학식으로 국가의 중흥에 큰 공을 세우게 함이다. 신민은 충군애국하는 마음으로 덕(德), 체(體), 지(智)를 함양하라. 왕실의 안전함도 신민의 교육에 있고, 국가의 부강함도 신민의 교육에 있다.

자료 분석 | (가) 일본은 교육 칙어를 통해 충효를 중시하는 도덕 교육을 강조하고 국가와 천황에 충성을 다할 것을 당부하였다. 이로써 국가를 하나의 가정으로 인식하고 천황 중심의 국가 체제를 확립하고자 하였다.
(나) 고종은 교육입국 조서를 반포하여 덕·체·지를 겸비한 교육과 충군애국의 교육 목표를 강조하였다. 조서 발표 후에 교사 양성을 위한 사범 학교를 비롯하여 각종 교육 기관이 설립되었다.

교과서 탐구 풀이

Q (가), (나)가 반포된 시기와 각 나라가 교육을 통해 이루고자 했던 목적을 비교해 보자.

A

교육 칙어	• 반포 시기: 대일본 제국 헌법 제정 직후인 1890년에 반포함 • 목적: 국가가 교육에 대한 간섭과 통제를 강화하기 위하여 제정함
교육 입국 조서	• 반포 시기: 갑오개혁 추진 당시인 1895년에 반포함 • 목적: 덕·체·지의 교육을 강조하고 교육을 통한 부국강병을 도모하고자 함

3. 여성 교육과 여성 권리 의식의 성장

일본	• 남녀 모두를 대상으로 초등·중등 교육 시행 • 부인 교풍회: 일부다처제와 매춘 금지 주장을 여성 운동으로 발전시킴 → 중혼 금지 법제화 성공
청	• 민간 주도로 여학당 설립 → 청 말 신정 시기에 여성 교육 확산 • 전족 폐지 노력: 량치차오 등이 부(不)전족회를 구성하여 전족 폐지 주장(천족 운동) → 신해혁명 이후 쑨원이 전족 금지 포고 • 신해혁명 이후 여성의 권리 신장을 주장하는 분위기 확산 → 신문화 운동 이후 남녀 관계·가족 제도의 변화, 여성 해방 등이 중요한 과제로 부상
조선	• 선교사들이 주도하여 여학교 설립 • 서울의 양반 부인들을 중심으로 여학교 설시 통문 발표, 찬양회 조직(여성 계몽과 여학교 설립 운동 전개) 자료 03

3 근대적 생활 방식의 확산

1. 근대 도시의 형성

(1) **개항장** 조계(거류지)[5]의 형성 → 상회사와 금융 기관 등 설립, 각종 근대적 생활 편의 시설 및 교통·통신 시설 도입 → 인구 증가, 도시화 진전

(2) **동아시아의 주요 도시**

청	• 개항 도시들이 상거래와 무역의 중심지로 번영 • 상하이: 영국·미국·프랑스 등이 조계를 건설하고 관리, 정기 항로 개설[6]
일본	• 요코하마: 미·일 수호 통상 조약 체결로 개항 → 서구 문물 유입 • 도쿄: 근대 도시로 탈바꿈하려는 계획 추진 → 긴자에 서양식 거리 조성
조선	• 부산·인천을 비롯한 개항장에 일본인 거류지 형성 • 한성: 외국 공사관 설치 이후 많은 외국인 거주 → 대한 제국 정부가 경운궁을 중심으로 황성 만들기 사업 추진(근대 도시화)

2. 철도의 건설 자료 04

철도 외에도 동아시아를 연결하는 항로가 열리고, 전신이 가설되어 통신을 통해 신속하게 연락할 수 있게 되었다.

(1) **동아시아의 철도 부설**

청·일 전쟁 이후 열강이 경쟁적으로 철도 부설권을 빼앗아 가자, 열강으로부터 이권을 회수하고 자력으로 철도를 건설하겠다는 이권 회수 운동을 전개하기도 하였다.

청	• 열강의 군사적·경제적 침탈, 크리스트교 전파, 풍수 문제 등으로 철도 건설에 부정적 → 청·일 전쟁 이후 철도가 국력 증강의 중요한 요소라는 점 인식 → 적극적으로 철도 부설에 나섬 • 상하이에서 처음 운행 시작(1876)
일본	• 중앙 집권 강화·부국강병 실현을 위해 철도 건설 추진 → 철도 부설 유치 운동 전개, 철도 노선 확대 • 도쿄~요코하마 간 철도 개통(1872): 일본 최초의 철도
대한 제국	• 일본이 철도 부설 주도[7] → 일본의 경제적·군사적 침탈에 이용(러·일 전쟁 때 군대 인력과 물자 수송에 경부선·경의선 활용, 철도 주변의 토지 약탈) 러·일 전쟁 중인 1905년에 개통 • 한성~인천 간 경인선 개통(1899): 한국 최초의 철도

(2) **철도의 영향**

① **긍정적 측면** 인구 이동과 물자 유통 촉진, 사람들의 활동 공간과 시야 확대, 여행 문화 확산 등

② **부정적 측면** 제국주의 열강의 침략 도구로 활용 → 초기 건설 과정에서 갈등 발생

3. 근대적 시간관념의 형성과 확산

(1) **시간관념의 변화** 자연적 시간의 흐름에 따라 생활 → 시와 분을 세밀하게 구분한 근대적 시간 관념으로 변화(하루 24시간·1주일 7일의 서양식 시간 적용, 태양력[8] 도입)

(2) **근대적 시간관념의 확산** 대형 시계탑 설치, 철도와 학교생활 등을 통해 확산

왜? 기차는 정해진 시간에 규칙적으로 운행되어 사람들에게 시간을 알려 주는 중요한 수단이 되었다. 한편 학교에서는 정해진 시간표에 따라 생활하게 되어 있어서 근대적 시간관념의 확산에 영향을 끼쳤다.

---

⑤ 조계(거류지)
개항장 내에 일정한 범위를 구획하여 외국인의 거주와 통상을 허가한 곳으로, 치외 법권이 인정되는 지역이다. 청과 조선에서는 조계, 일본에서는 거류지라고 하였다.

⑥ 정기 항로 개설
조선과 청, 일본의 개항장을 중심으로 기선을 이용한 정기 항로가 생겨났다. 청과 일본 사이에는 상하이와 나가사키, 조선과 청 사이에는 인천과 상하이를 연결하는 항로가 개설되었다. 한편 동아시아의 세 나라를 연결하는 나가사키–인천–옌타이–톈진 노선도 열렸다.

⑦ 대한 제국의 철도 부설
원래 경인선 부설권은 미국, 경의선 부설권은 프랑스, 경부선 부설권은 일본에게 있었다. 그러나 일본이 경인선과 경의선 부설권까지 차지하게 됨에 따라 대한 제국의 모든 철도는 일본이 건설하게 되었다.

▲ 경인선 개통식

고득점을 위한 셀파 Tip

• 동아시아 각국의 철도 부설

청·대한 제국	• 군사적·경제적 침탈에 이용됨 → 철도 부설에 부정적 • 외세에 철도 부설권을 빼앗김
일본	• 철도 부설에 적극적 • 철도 부설권을 확보하여 한국 및 만주 침략의 기반으로 활용

⑧ 태양력
동아시아 각국은 근대화 과정에서 음력을 폐지하고 태양의 운행을 기준으로 하는 태양력을 채택하였다. 일본은 1873년에 태양력을 도입하였고, 조선은 1896년부터 공식적으로 사용하였다. 중국에서는 중화민국이 수립된 1912년부터 태양력을 사용하였다. 한편 태양력의 도입으로 기존에 사용하던 태음력과의 날짜 간격으로 인한 혼란이 나타나기도 하였다. 그리하여 명절, 농사 등에서는 음력과 양력을 함께 사용하였다.

자료 03 공통 자료 여학교 설시 통문(1898)

이왕에 먼저 문명개화한 나라를 보면 남녀가 일반(마찬가지) 사람이다. 어려서부터 각각 학교에 다니며 여러 재주를 다 배우고, 이목을 넓혀 장성한 후에 사나이와 부부의 의리를 정하여 평생을 살더라도, 그 사나이로부터 조금의 절제도 받지 아니하고 도리어 극히 공경함을 받음은 다름 아니라 그 재주와 권리와 신의가 사나이와 일반인 까닭이다. …… 이제 안채를 무너뜨리고 신식을 시행함이 우리도 옛것을 바꿔 새것을 좇아 타국과 같이 여학교를 설립하고, 각각 여자아이를 보내어 여러 재주와 규칙과 행세하는 도리를 배워 나중에 남녀가 일반 사람이 되게 하고자 여학교를 창설하고자 하니, 뜻있는 우리 동포 형제 여러 부녀 중 영웅호걸님네들은 각각 분발한 마음을 내어 우리 학교 회원에 드시기를 바라옵나이다.

- 『황성신문』 -

자료 분석 | 서울의 양반 부인들은 여학교 설시 통문(여권통문)을 발표하여 여성도 남성과 동등하게 교육받고 직업을 가질 권리가 있다고 주장하였다. 이들이 주도하여 조직한 찬양회는 1898년에 순성 여학교를 설립하고 여성 교육을 실시하였다. 한편 여권통문은 한국 최초의 여권 선언서로 평가받는다.

교과서 자료 더 보기

| 히라쓰카 라이초의 『세이토』 창간사 |

원시 시대, 여성은 실로 태양이었다. 진정한 인간이었다. 지금 여성은 달이다. 타의에 의해 살며, 타의의 빛에 의해 빛을 발하는 병자와 같이 창백한 얼굴을 가진 달이다. 우리들은 숨어 버린 우리의 태양을 지금 되돌려 놓지 않으면 안 된다.

일본의 히라쓰카 라이초는 가부장적 관습을 타파하고 여성 스스로의 자아를 되찾아야 한다고 주장하였다. 또한 여성 교육을 통한 문명개화 달성을 강조하였다.

1876년에 일본을 다녀온 김기수는 기차를 보고 화륜거(火輪車)라고 부르기 시작했어. 당시 사람들은 기차 움직이는 소리가 우레와 같고, 빠르기가 마치 번개와 같다고 했지.

자료 04 철도 부설의 두 얼굴

(가) 철도가 가져온 변화

경인 철도는 한성과 인천 사이 80리(약 31.4km) 간에 놓은 철도요 …… 한성에서 마포나 용산을 다녀오는 시간이면 (기차를 타고) 인천을 오가는데 넉넉하고 그 차비도 싸려니와 …… 인천에 사는 벼슬아치가 매일 한성으로 출근하는 것이 해롭지 아니하니라.

- 경인 철도 주식회사 광고문 -

(나) 철도 부설의 그림자

경의선 철도 부역에 품삯을 제대로 주지 않아 무리함이 지극하다. 또한 아무런 근거도 없이 나무를 베어 운반하여 일을 부리고 백성의 물자를 강제로 빼앗으니 백성들의 억울한 심정은 이루 말로 다할 수 없다.

- 『황성신문』 -

자료 분석 | (가) 철도는 여행 시간과 거리감을 크게 단축하였고, 주로 강이나 하천을 따라 조성되었던 운송로에도 변화를 가져왔다. 촌락이었던 하얼빈, 대전 등은 철도가 개통되면서 교통의 중심지로 발전하였다.
(나) 철도 용지 근처에 사는 사람들은 자신의 땅을 헐값에 넘겨야 하고, 수시로 노동력과 식량 등을 제공해야 했다. 이에 의병들은 철도 공사장을 공격하기도 하였다.

교과서 탐구 풀이 

Q 철도의 등장이 가져온 변화를 긍정적·부정적 측면으로 나누어 정리해 보자.

A
- 긍정적 측면: 인구 이동과 물자 유통을 촉진하고, 사람들의 활동 공간과 시야를 확대하였다.
- 부정적 측면: 당시 만들어진 철도 대부분이 제국주의 국가의 침략 및 경제적 수탈과 관련되어 건설되었다.

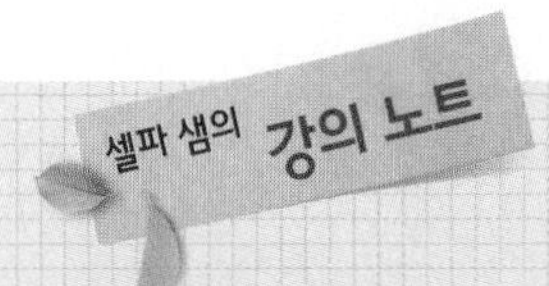

구분	근대식 교육·여성 권리 의식	신문 발행	근대 도시의 형성	철도 부설	태양력 사용
중국	• 경사 대학당 설립(1898) • 근대 학제 마련(1902) • 신문화 운동 이후 가족 제도의 변화, 여성 해방 등이 중시됨	『신보』: 상하이에서 영국 상인이 발행	상하이 → 조계(거류지) 형성, 치외 법권 인정	• 열강의 침략, 풍수 문제 등 → 철도 부설에 부정적 • 청·일 전쟁 이후 자력으로 철도를 건설하고자 함	1912년 (중화민국)
한국	• 교육입국 조서 반포(1895) → 소학교·사범 학교 등 설립 • 여학교 설시 통문(여권통문) 발표, 찬양회 조직	• 『한성순보』: 최초의 근대식 신문 • 『독립신문』: 최초의 민간 신문	인천, 부산 등 → 조계(거류지) 형성, 치외 법권 인정	• 일본이 철도 부설 주도 • 경인선(1899) → 러·일 전쟁 때 경부선, 경의선 개통(일본의 경제적·군사적 침탈에 이용)	1896년 (을미개혁 이후)
일본	• 근대 학제 발표(1872): 소학교 의무 교육 • 교육 칙어 반포(1890): 국가와 천황에 대한 충성 강조 • 부인 교풍회의 활동	『요코하마 마이니치 신문』: 최초의 일간지	요코하마 → 조계(거류지) 형성, 치외 법권 인정	• 철도 부설에 적극적 → 철도 부설 유치 운동 전개 • 도쿄~요코하마 간 철도 개통(1872)	1873년 (메이지 정부)

개념 완성

1 서구적 세계관의 전파와 수용

구분	(❶)	(❷)
의미	주권 국가 간 대등한 관계를 규율하는 근대적 국제법	생존 경쟁, 약육강식의 법칙이 인간 사회에도 적용된다는 이론
국가별 수용 양상	• 청: 서양 열강과의 외교 실무에 이용 • 조선: 국권 유지 도모 • 일본: 불평등 조약 개정에 활용	• 청·대한 제국: 국권 수호를 위한 자강의 논리로 수용 • 일본: 제국주의적 팽창 지지, 침략 정당화
한계	차별적인 국제 질서와 불평등 조약 합리화	제국주의 열강의 침략과 식민 지배 합리화

2 근대적 지식의 확산

근대식 교육의 도입	청	경사 대학당 설립, 근대 학제 마련
	조선	(❸) 반포 → 덕·체·지 교육 강조
	일본	소학교의 의무 교육 실시, 교육 칙어 반포
신문 발간		국내외 소식 전달, 국민 계몽, 여론 형성 → 검열, 등록제 등을 통한 정부의 통제
여성 교육과 여성 권리 의식	청	신문화 운동 이후 여성 해방 등이 중요한 과제로 부상
	조선	서울의 양반 부인들이 여학교 설시 통문 발표, 찬양회 조직
	일본	남녀 모두를 대상으로 초등·중등 교육 시행, (❹)이/가 일부다처제·매춘 금지 주장

3 근대적 생활 방식의 확산

근대 도시의 형성		• 개항장: 치외 법권이 인정되는 (❺) 형성, 각종 근대 시설 및 교통·통신 시설 도입 → 도시화 • 대표적인 근대 도시: 청의 상하이·톈진, 조선의 부산·인천, 일본의 요코하마 등
철도의 건설	각국의 철도 부설	• 청·대한 제국: 제국주의 국가의 군사적·경제적 침탈에 이용됨 • 일본: 중앙 집권 강화·부국강병을 위해 적극적으로 철도 부설 추진
	영향	• 긍정적: 인구 이동과 물자 유통 촉진, 활동 공간 및 시야 확대 • 부정적: 제국주의 열강의 침략 도구로 활용
근대적 시간관념		• 시와 분을 세밀하게 구분, (❻)의 도입 • 시계탑 설치, 규칙적인 철도와 학교생활 등을 통해 확산

정답 ❶ 만국 공법 ❷ 사회 진화론 ❸ 교육입국 조서 ❹ 부인 교풍회 ❺ 조계(거류지) ❻ 태양력

• 기출 선택지 체크 •

A 다음 내용이 옳으면 ○표, 틀리면 ×표 하시오.

1 조선은 기존의 중화사상을 고수한 채 만국 공법을 서양 열강과의 외교 실무에 필요한 참고 문헌이나 지침서 정도로 이용하였다. ( )

2 일본의 가토 히로유키는 사회 진화론에 근거하여 자유 민권 운동을 지지하였다. ( )

3 청은 근대 교육 기관으로 지방 곳곳에 소학당과 중학당을 세우고, 베이징에는 대학에 해당하는 경사 대학당을 설립하였다. ( )

4 조선에서는 정부가 중심이 되어 여성 교육을 위한 여학교를 설립해 나갔다. ( )

5 대한 제국은 중국의 지원을 받아 처음으로 한성과 인천을 연결하는 철도를 부설하였다. ( )

B 다음 괄호 안의 내용 중에서 옳은 것에 ○표 하시오.

6 일본은 (만국 공법 / 조공·책봉 체제)에 근거하여, 강화도 조약에서 조선이 자주국임을 규정하고 청의 영향력을 배제하였다.

7 대한 제국에서 사회 진화론은 자강의 논리로 받아들여져 (애국 계몽 운동 / 항일 의병 운동)의 사상적 배경이 되었다.

8 조선에서는 갑오개혁 때 (교육 칙어 / 교육입국 조서)가 반포되어 소학교, 사범 학교, 외국어 학교 등 각종 교육 기관이 설립되었다.

9 대한 제국의 철도는 일본의 경제적·군사적 침탈에 이용되었다. 특히 (러·일 전쟁 / 청·일 전쟁) 때 군대 인력과 물자 수송에 활용되었다.

C 다음 빈칸에 들어갈 알맞은 말을 쓰시오.

10 청의 옌푸는 ( )을/를 통해 구국의 방법을 찾고자 하였다.

11 일본의 ( )에는 외국인 거류지가 설치되었으며, 수도 도쿄와 연결된 최초의 철도가 부설되었다.

12 동아시아 각국의 ( )을/를 중심으로 조계가 형성되고, 각종 근대적 시설과 교통·통신 시설이 도입되면서 근대 도시가 형성되었다.

정답 1. × 2. × 3. ○ 4. × 5. × 6. 만국 공법 7. 애국 계몽 운동 8. 교육입국 조서 9. 러·일 전쟁 10. 사회 진화론 11. 요코하마 12. 개항장

딱풀 p. 52

01 (가)에 들어갈 내용으로 가장 적절한 것은?

제○○○호 동아시아사 신문 ○○○○년 ○○월 ○○일

(가)

이 책이 동아시아에 전해진 이래 각국의 외교 활동에 적극 활용되고 있다. 이 책의 논리에 따르면, 대등한 주권 국가 간의 상호 승인으로 형성된 국제 사회에서 국가의 위상과 권리, 의무는 평등하다. 일본은 이 책의 논리를 근거로 최근 청과 대등한 입장에서 조약을 체결하였다.

① 통리기무아문, 개화 정책을 총괄하다
② 자유 민권 운동, 입헌 군주제를 지향하다
③ 양무운동, 청·일 전쟁으로 한계를 드러내다
④ 만국 공법, 새로운 국제 질서의 길잡이가 되다
⑤ 이와쿠라 사절단, 불평등 조약을 시정하려 하다

02 다음 주장에 담긴 사상이 동아시아 각국에 끼친 영향으로 옳지 않은 것은?

대개 인생의 만사가 경쟁을 의지하지 않는 일이 없으니 크게는 천하와 국가의 일부터, 작게는 한 몸 한 집안의 일까지 실로 다 경쟁으로 말미암아 먼저 진보할 수 있는 바라. …… 국가들 사이에 경쟁하는 바가 없으면 어떤 방법으로 그 광위와 부강을 증진할 수 있는가?

– 유길준, 「경쟁론」 –

① 청 – 변법자강 운동이 일어났다.
② 대한 제국 – 조선 중화주의가 확산되었다.
③ 대한 제국 – 애국 계몽 운동이 전개되었다.
④ 일본 – 천황에 대한 충성과 복종을 주장하였다.
⑤ 일본 – 민족 국가의 확립과 제국주의적 팽창을 지지하였다.

03 밑줄 친 '이 사상'에 관한 설명으로 옳은 것은?

이 사상은 19세기 말 동아시아에 큰 영향을 끼쳤어.

다윈의 진화론을 인간 사회에 적용한 것이 특징이지?

맞아. 약육강식과 적자생존을 강조하였어.

① 태평천국 운동에 영향을 끼쳤다.
② 지행합일과 치양지를 강조하였다.
③ 중국 중심의 세계관을 강화시켰다.
④ 위정척사 운동의 사상적 기반이 되었다.
⑤ 청과 대한 제국에서 자강의 논리로 수용되었다.

04 다음 조서의 발표에 따라 추진된 정책으로 옳은 것은?

백성을 가르치지 않으면 나라를 굳건히 하기 어렵다. 세상 형편을 돌아보면 부유하고 강성하여 독립하여 웅시(雄視)하는 여러 나라는 모두 그 나라 백성의 지식이 개명(開明)하였다. 지식의 개명함은 교육이 잘됨으로써 말미암은 것이니, 교육은 실로 나라를 보존하는 근본이다. …… 이제 내가 정부에 명하여 학교를 널리 설치하고 인재를 양성함은 모두 신민의 학식으로 국가의 중흥에 큰 공을 세우게 함이다. 신민은 충군애국하는 마음으로 덕(德), 체(體), 지(智)를 함양하라. 왕실의 안전함도 신민의 교육에 있고, 국가의 부강함도 신민의 교육에 있다.

① 유시마 성당이 세워졌다.
② 교육 칙어를 반포하였다.
③ 경사 대학당이 설치되었다.
④ 소학교와 사범 학교 등이 설립되었다.
⑤ 고등 교육 기관으로 도쿄 대학을 운영하였다.

05 (가)에 들어갈 내용으로 옳은 것은?

> 근대적 지식의 확산
> 1. 여성 교육과 여성 권리 의식의 성장
> (1) 중국: 민간 주도로 여학당 설립, 청 말 신정 시기에 여성 교육 확산 → 신해혁명 이후 여성의 권리 신장을 주장하는 분위기 고무
> (2) 한국: 서울의 양반 부인들이 여성도 동등하게 교육받고 직업을 가질 권리가 있다고 주장
> (3) 일본: 남녀 모두를 대상으로 한 초등·중등 교육 시행, (가)

① 찬양회 조직
② 여권통문 발표
③ 전족 폐지 주장
④ 부인 교풍회 활동
⑤ 순성 여학교 설립

06 (가) 신문이 창간된 시기에 볼 수 있었던 모습으로 가장 적절한 것은?

> 신문은 개항 이후 민중에게 정보를 전달하는 데 큰 역할을 하였다. 특히 국민이 쉽게 읽을 수 있는 자국어로 된 신문의 영향력이 컸다. 자국어로 창간된 신문과 잡지는 민권 관념을 보급하고 여론을 형성하는 역할을 하였다. 중국과 일본에서는 개항장인 상하이와 요코하마에서 처음 신문이 발행되었다. 조선에서는 최초의 근대식 신문인 『한성순보』가 발행되었고, 이후 최초의 민간지인 (가) 이/가 한글과 영문으로 발간되었다.

① 신문지법에 반발하는 기자
② 고종의 환궁을 요청하는 관료
③ 신축 조약 체결에 비통해 하는 청년
④ 잡지 『신청년』을 읽고 감동하는 학생
⑤ 도쿄와 요코하마 간의 철도 개통식에 참여한 시민

07 (가)에 들어갈 내용으로 적절하지 않은 것은?

개항 이후 동아시아 각국의 생활 모습이 크게 변화되었다고 해. 어떤 사례들이 있을까?

(가)

① 태양력을 사용하였어.
② 크리스트교가 처음 전래되었어.
③ 주요 도시에 철도가 개통되었어.
④ 관공서 등에 높은 시계탑이 설치되었어.
⑤ 단발을 하고 서양식 복장을 착용하였어.

08 (가), (나) 도시의 공통점으로 옳은 것을 〈보기〉에서 고른 것은?

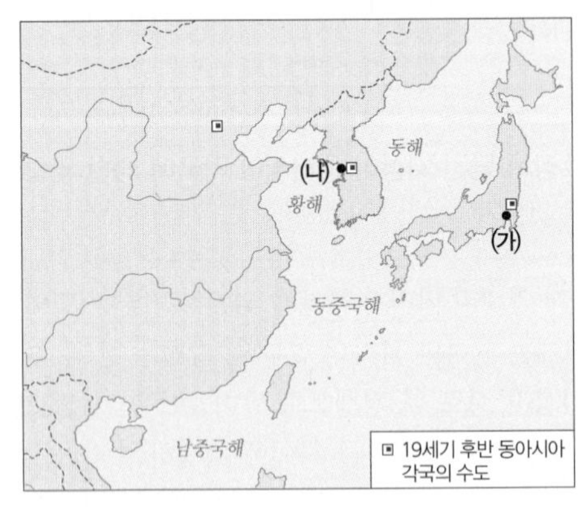

보기
ㄱ. 신문이 최초로 발행되었다.
ㄴ. 외국인 거류지가 형성되었다.
ㄷ. 수도와 연결된 철도가 부설되었다.
ㄹ. 개항 과정에서 체결한 조약에 따라 외국에 할양되었다.

① ㄱ, ㄴ ② ㄱ, ㄷ ③ ㄴ, ㄷ
④ ㄴ, ㄹ ⑤ ㄷ, ㄹ

09 밑줄 친 '이 도시'에 관한 탐구 활동으로 적절하지 않은 것은?

> 이 도시는 개항 이후 1845년 영국 조계가 설치되고 이어 1848년과 1849년에 각각 미국과 프랑스 조계가 설치되면서 서양식 건물이 들어서게 되었다. 조계에서는 그곳만의 법률에 따라 자치를 하였고, 치외 법권이 인정되었다. 한편 이 도시에 유럽과 아시아를 연결하는 정기 항로가 개설되었으며, 인구 100만에 달하는 대도시로 성장하였다.

① 난징 조약의 개항장을 알아본다.
② 경사 대학당이 세워진 도시를 확인한다.
③ 윤봉길의 의거가 일어난 장소를 조사한다.
④ 대한민국 임시 정부가 수립된 지역을 살펴본다.
⑤ 중·일 전쟁 기간에 일본의 침략 경로를 분석한다.

10 (가) 교통수단이 끼친 영향으로 적절한 것을 〈보기〉에서 고른 것은?

> 일본 정부는 (가) 을/를 문명의 이기로 받아들이고 일찍부터 (가) 의 부설에 관심을 기울였다. 도쿄와 요코하마 간 부설을 시작으로 각 지역에서 부설 유치 운동이 전개될 정도였다. 그러나 한국과 중국은 (가) 을/를 침략의 도구로 인식하여 공격의 대상으로 삼기도 하였다.

보기
ㄱ. 신분 질서를 강화시켰다.
ㄴ. 근대적 시간관념을 확산시켰다.
ㄷ. 중국 중심의 세계관을 심화시켰다.
ㄹ. 사람들의 활동 공간을 크게 확대시켰다.

① ㄱ, ㄴ ② ㄱ, ㄷ ③ ㄴ, ㄷ
④ ㄴ, ㄹ ⑤ ㄷ, ㄹ

11 자료에서 설명하는 도시를 지도에서 옳게 고른 것은?

> 개항 이후 각국과 조약을 체결하면서 외국 공사관이 들어서고 많은 외국인이 거주하게 되었다. 대한 제국 정부가 경운궁을 중심으로 황성 만들기 사업을 추진하면서 점차 근대적인 도시의 모습을 갖추었다. 그러나 대한 제국이 일본에 주권을 빼앗긴 이후에는 식민 통치의 상징인 조선 총독부가 들어서게 되었다.

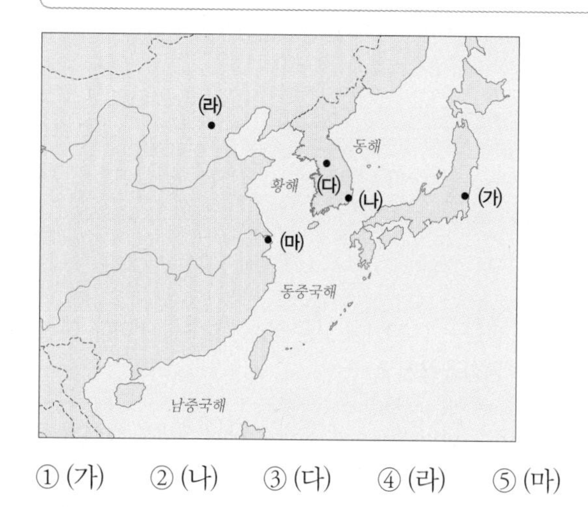

① (가) ② (나) ③ (다) ④ (라) ⑤ (마)

12 (가), (나) 사이의 시기에 있었던 사실로 옳지 않은 것은?

> (가) 메이지 정부는 태양력을 도입하였으며, 하루를 24시간, 1주일을 7일로 하고 일요일을 휴일로 정하여 전국 공통의 시간을 만들었다.
> (나) 일본은 미국인 모스가 본국으로부터의 자금 조달에 실패하자 그가 확보하고 있던 철도 부설권을 사들였다. 이로써 일본은 노량진과 제물포 간에 한국 최초의 철도인 경인선을 개통하였다.

① 『신청년』이 창간되었다.
② 도쿄 대학이 설립되었다.
③ 조선이 태양력을 도입하였다.
④ 교육입국 조서가 반포되었다.
⑤ 여학교 설시 통문이 발표되었다.

서답형 문제

13 (가)에 해당하는 교육 기관의 명칭을 쓰시오.

> 청에서는 청·일 전쟁 이후 서양식 교육에 관한 관심이 높아지면서 서양식 학교인 학당의 설립이 늘어나기 시작하였다. 곳곳에 소학당과 중학당이 세워졌고, 베이징에는 대학에 해당하는 (가) 이/가 세워졌다.

14 다음은 1890년에 일본 천황이 발표한 것이다. 이 포고문의 명칭을 쓰시오.

> 짐이 생각하건대 …… 나의 신민도 열심히 충효에 힘써 마음을 하나로 하여 대대로 그 미덕을 배워 온 것은 우리 나라의 뛰어난 점이며 교육의 근본정신도 또한 여기에 있다. …… 항상 헌법을 중시하고 법률에 따라 한 차례 나라의 비상시가 되면 의용을 가지고 나라를 위해 일하며 천지와 같이 끝없는 황실의 운명을 지키고 도와주어야 한다.

15 (가)에 들어갈 알맞은 말을 쓰시오.

> 개항 이후 시계 등의 서양 문물이 전해지면서 근대적인 시간관념도 확산되었다. 동아시아 사람들은 시와 분을 세밀하게 구분하는 근대적 시간을 접하게 되었다. 일본은 1873년, 한국은 1896년, 중국은 1912년부터 기존의 음력 대신 태양의 운행을 기준으로 하는 (가) 을/를 도입하여 사용하였다. 이와 함께 하루를 24시간, 1주일을 7일로 하는 24시간제와 7요일제도 도입되었다.

16 다음 글을 읽고 물음에 답하시오.

> 세계에 있는 것은 강자의 권리일 뿐이다. 강자가 늘 약자를 다스릴 뿐 다른 힘이라는 게 따로 없다. 그것이 진화의 가장 큰 보편적인 원칙이다. 자유권을 얻고자 한다면 먼저 강자가 되는 방법밖에 별 도리가 없다. 한 몸의 자유를 원한다면 불가불 먼저 그 몸이 강해져야 하고, 한 나라의 자유를 원한다면 불가불 그 나라가 먼저 강해져야 한다. 오호라, 강자의 권리라는 것이여! '강권'이라는 두 글자가 사람마다 그 두뇌에 찍혀야 한다!
>
> – 량치차오, 『음빙실문집』 –

(1) 위 주장의 바탕이 된 사상의 명칭을 쓰시오.

(2) (1)의 사상이 동아시아 각국에 끼친 영향을 서술하시오.

17 다음 자료가 나타내는 교통수단이 끼친 긍정적·부정적 영향을 각각 서술하시오.

> 화륜거 구르는 소리가 우레와 같아 천지가 진동하고 기관의 굴뚝 연기는 반공에 솟아오르더라, 화륜거 속에 앉아 창문으로 내다보니 산천초목이 모두 활동하여 닿는 것 같고, 나는 새도 미처 따르지 못하더라.

수능 문제

딱풀 p. 55

| 수능 기출 |

01 다음 가상 대화에 나타난 이론에 대한 설명으로 옳은 것을 〈보기〉에서 고른 것은?

세상의 모든 일에 경쟁이 없는 것이 없습니다. 크게는 천하, 국가의 일부터 작게는 한 몸, 한 집안의 일까지 모두 경쟁을 통해 진보할 수 있습니다.

◀ 유길준

그렇습니다. 지금 세계에는 경쟁에서 이긴 강자의 권리만이 존재합니다. 강자가 약자를 지배할 뿐 다른 힘은 따로 없지요. 이것이 진화의 원칙입니다.

량치차오 ▶

보기
ㄱ. 위정척사 운동의 사상적 바탕이 되었다.
ㄴ. 태평천국 운동의 이념적 배경이 되었다.
ㄷ. 애국 계몽 운동을 추진하는 데 영향을 끼쳤다.
ㄹ. 서양 열강의 침략을 정당화하는 논리로 이용되었다.

① ㄱ, ㄴ ② ㄱ, ㄷ ③ ㄴ, ㄷ
④ ㄴ, ㄹ ⑤ ㄷ, ㄹ

| 평가원 기출 |

02 (가)에 들어갈 내용으로 적절하지 않은 것은?

동아시아 각국에서는 개항 이후 근대화를 추진하는 과정에서 교육에 힘써야 한다는 생각이 퍼져 갔어.

교육 제도가 개편되고, 많은 학교들이 세워지면서 교육의 기회가 점차 확대되었지.

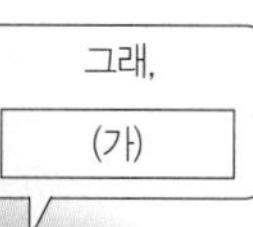

① 청에서는 경사 대학당과 같은 신식 학당이 설립되었어.
② 조선에서는 서당이라는 교육 기관이 처음 출현하였어.
③ 조선에서는 덕·체·지를 강조한 교육입국 조서가 반포되었어.
④ 일본에서는 소학교로부터 중학교로 이어지는 학제가 제정되었어.
⑤ 일본에서는 취학 연령 아동을 대상으로 의무 교육이 시작되었어.

| 수능 기출 |

03 (가)~(다)에 들어갈 내용으로 적절하지 않은 것은?

탐구 활동 보고서
- 탐구 주제: 동아시아의 근대 서구 문물 수용
- 탐구 활동: 동아시아 각국이 근대 서구 문물을 수용한 사례를 조사한다.
- 모둠별 조사 결과
  1모둠: 한국 – (가)
  2모둠: 중국 – (나)
  3모둠: 일본 – (다)

① (가) – 경인선이 부설되었다.
② (가) – 『한성순보』가 발간되었다.
③ (나) – 경사 대학당이 설립되었다.
④ (나) – 상하이 와이탄에 서구식 건축물이 들어섰다.
⑤ (다) – 영국인이 『신보(申報)』라는 신문을 창간하였다.

| 평가원 응용 |

04 (가), (나) 도시에서 볼 수 있었던 모습으로 적절한 것은?

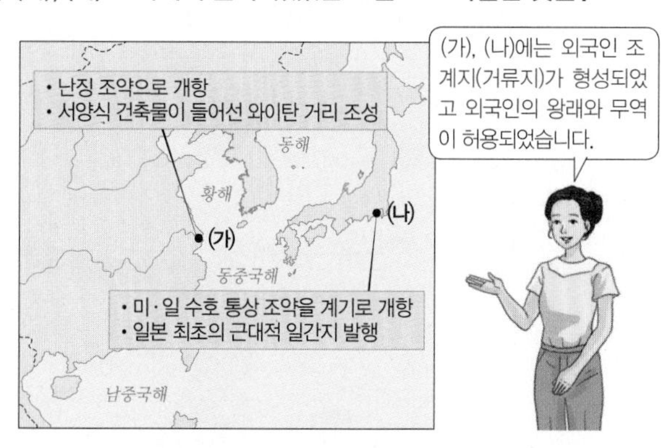

① (가) – 수신사 일행이 문물을 시찰하고 있다.
② (가) – 경사 대학당에서 학생이 공부하고 있다.
③ (나) – 데지마에 네덜란드 상인이 머무르고 있다.
④ (나) – 통리기무아문에서 관리가 업무를 보고 있다.
⑤ (나) – 기술자가 도쿄와 연결되는 철도 건설 현장을 감독하고 있다.

| 교육청 기출 |

05 다음을 통해 알 수 있는 시기의 동아시아에서 볼 수 있는 모습으로 옳지 않은 것은?

> 상하이에 설치된 조계(租界)에는 유럽인과 미국인들이 살고 있다. 이곳은 도로 포장이 잘 되어 있고, 유럽식 건물 주위로 가로등이 빛나며, 서양의 상품이 잔뜩 진열된 상점이 있다. 상하이를 처음 방문한 서양인들은 여행을 하는 보람이 없다고 생각한다. 그들이 익숙하게 보아 온 곳과 이곳의 풍경이 그다지 다르지 않기 때문이다.

① 한국 – 『만국 공법』을 읽고 있는 지식인
② 한국 – 경인선 기차를 기다리는 여성
③ 중국 – 「곤여만국전도」 제작에 참여하는 학자
④ 중국 – 경사 대학당에서 수업을 듣고 있는 학생
⑤ 일본 – 『요코하마 마이니치 신문』을 읽고 있는 청년

| 교육청 응용 |

06 (가) 도시에서 있었던 사실로 옳은 것은?

> (가) 탐방 계획
> • 일시: 20○○년 ○○월 ○○일 13:00~18:00
> • 경로: 루쉰 공원 → 대한민국 임시 정부 청사 → 와이탄

① 인공 섬 데지마가 조성되었다.
② 조선의 조사 시찰단이 방문하였다.
③ 영국 상인에 의해 『신보』가 창간되었다.
④ 근대 교육을 위해 경사 대학당이 건립되었다.
⑤ 긴자의 도로를 확장하고 서양식 거리를 조성하였다.

| 교육청 응용 |

07 (가), (나) 도시에 관한 설명으로 옳은 것은?

> (가) 중국의 입장에서는 서양 열강과의 전쟁에서 패배하여 조계가 설치된 뼈아픈 공간이었다. 하지만 대한민국 임시 정부가 수립되는 등 여러 나라의 민족 운동가들이 반제국주의를 지향하며 활동하던 도시이기도 하였다.
> (나) 19세기 후반 거류지가 설치된 이후 일본인 거주자가 증가하며 급속히 변모하였다. 경부선이 완공되고, 시모노세키를 오가는 정기 항로가 운영되면서 조선과 일본, 만주를 연결하는 주요 거점이 되었다.

① (가) – 경사 대학당이 설립되었다.
② (가) – 불평등 조약의 체결로 개항되었다.
③ (나) – 인공 섬 데지마가 조성되었다.
④ (나) – 영국 상인에 의해 『신보』가 창간되었다.
⑤ (가), (나) – 전쟁으로 서양 열강에 할양되었다.

| 교육청 응용 |

08 (가) 도시에 관한 설명으로 옳은 것은?

> 중국 정치·문화의 중심지, (가)
> ❖ 소개: 금·원·명·청 등의 수도였던 도시
> ❖ 대표 명소

▶ 자금성
명·청 대 500여 년간 황제들이 살았던 궁성으로, 자색은 우주의 중심인 북극성을 상징합니다.

▶ 경극
노래와 춤, 무술과 곡예의 예술적 기교를 갖춘 중국의 대표적인 전통 공연 예술입니다.

① 경사 대학당이 설립된 곳이다.
② 아주 화친회가 조직된 곳이다.
③ 태평천국군이 수도로 삼은 곳이다.
④ 영국 상인이 『신보』를 발행한 곳이다.
⑤ 대한 제국이 황성 만들기 사업을 추진한 곳이다.

| 평가원 기출 |

09 (가)~(라) 도시에 대한 설명으로 옳은 것을 〈보기〉에서 고른 것은?

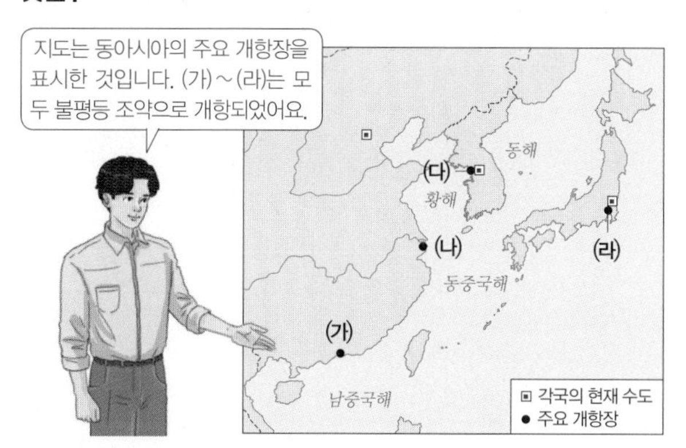

보기

ㄱ. (가) – 조선의 조사 시찰단이 방문하였다.
ㄴ. (나) – 영국인이 창간한 『신보(申報)』가 발행되었다.
ㄷ. (다) – 한반도 최초의 철도가 부설되었다.
ㄹ. (라) – 도쿄 대학이 설립되었다.

① ㄱ, ㄴ ② ㄱ, ㄷ ③ ㄴ, ㄷ
④ ㄴ, ㄹ ⑤ ㄷ, ㄹ

| 교육청 기출 |

10 (가)~(다) 도시에 대한 설명으로 옳은 것은?

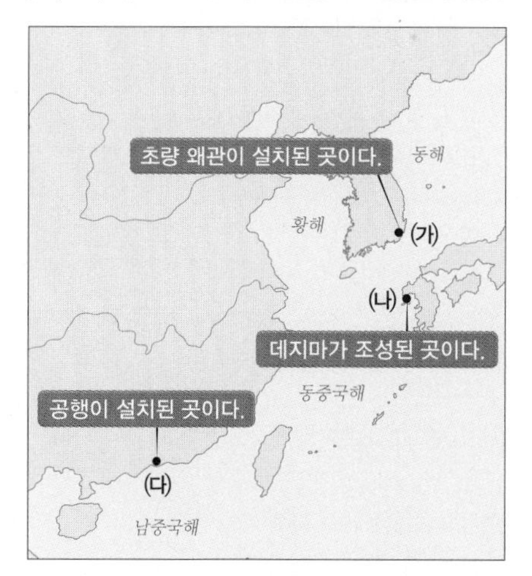

① (가) – 강화도 조약으로 개항된 곳이다.
② (나) – 아주 화친회가 조직된 곳이다.
③ (나) – 일본 최초의 철도가 부설된 곳이다.
④ (다) – 경사 대학당이 설립된 곳이다.
⑤ (다) – 영국인이 『신보』를 발행한 곳이다.

| 교육청 기출 |

11 (가), (나) 도시에서 있었던 사실로 옳은 것은?

근대 문물 수용으로 본 동아시아 | 철도

▲ 철도가 놓인 항구

일본에서는 1872년에 최초로 철도가 부설되었다. 이 철도는 미·일 수호 통상 조약으로 개항된 (가) 와/과 도쿄 사이에 놓였다.

▲ 개통식 후 첫 기차 운행

강화도 조약으로 개항된 (나) 은/는 1905년에 개통된 철도를 통해 서울과 연결되었으며, 러·일 전쟁 때는 일본의 병참 거점이기도 했다.

① (가) – 일본 최초의 일간지가 발행되었다.
② (가) – 도쿠가와 이에야스가 막부를 설치하였다.
③ (나) – 러·일 전쟁의 강화 조약이 체결되었다.
④ (나) – 한국군과 유엔군이 상륙 작전을 전개하였다.
⑤ (가), (나) – 각국 최초의 대학이 설립되었다.

| 교육청 기출 |

12 다음 가상 대화가 이루어진 당시 동아시아에서 볼 수 있는 모습으로 적절한 것은?

지난달 경부선이 개통되었다는 소식을 들으셨는지요? 이제 부산을 편히 갈 수 있게 되었어요.

들었네. 그런데 건설 과정에서 많은 사람들이 고통을 받았고, 토지도 약탈되었다는군.

① 신간회 창립식에 참석한 기자
② 교자로 물건을 구매하는 상인
③ 난징 조약을 체결하는 중국 관리
④ 러·일 전쟁에 참전한 일본 군인
⑤ 막부 타도 운동에 참여하는 무사

V

오늘날의 동아시아

이 단원의 핵심 포인트

중단원	핵심 포인트	학습일
01 제2차 세계 대전 전후 처리와 냉전 체제	• 제2차 세계 대전의 전후 처리 과정 • 동아시아에서 전개된 냉전의 심화·해체 과정 및 영향	월 일 ~ 월 일
02~03 경제 성장과 정치 발전 ~ 동아시아의 갈등과 화해	• 동아시아의 경제 성장 • 동아시아 각국의 정치 발전 및 사회 변화 • 동아시아 국가 간 갈등과 분쟁의 사례 및 해결을 위한 노력	월 일 ~ 월 일

셀파와 내 교과서 단원 비교

셀파	천재교육	금성	미래엔	비상교육
01 제2차 세계 대전 전후 처리와 냉전 체제	01 제2차 세계 대전 전후 처리와 냉전 체제	13 제2차 세계 대전의 전후 처리와 냉전 체제	01 제2차 세계 대전 전후 처리와 냉전 체제	01 제2차 세계 대전의 전후 처리와 동아시아의 냉전
02~03 경제 성장과 정치 발전 ~ 동아시아의 갈등과 화해	02 경제 성장과 정치 발전	14 경제 성장과 정치·사회의 발전	02 경제 성장과 정치 발전	02 경제 성장과 정치 발전
	03 동아시아의 갈등과 화해	15 갈등과 화해	03 갈등과 화해	03 갈등과 화해

01 제2차 세계 대전 전후 처리와 냉전 체제

1 제2차 세계 대전 전후 처리와 동아시아

1. 연합국의 전후 처리 구상

카이로 회담 (1943. 11.)	• 참가국: 미국, 영국, 중국 • 카이로 선언 발표: 일본의 무조건 항복, 일본 식민지의 독립과 점령지 반환, 한국의 독립 약속 — 카이로 회담에서 한국에 대한 독립이 최초로 약속되었다. 그러나 '적당한 시기'에 독립시킨다는 단서를 달았기 때문에 즉각적인 독립을 뜻하는 것은 아니었다.
얄타 회담❶ (1945. 2.)	• 참가국: 미국, 영국, 소련 • 연합국의 독일 분할 점령, 소련의 대일전 참전 결정
포츠담 회담 (1945. 7.)	• 참가국: 미국, 영국, 소련 — 포츠담 선언에는 중국도 참석하였다. • 카이로 선언의 이행 강조, 일본 영토의 한정 및 일본의 무조건 항복❷촉구

2. 동아시아의 전후 처리

(1) 일본

① 전후 처리 미국의 일본 점령, 도쿄에 연합국 최고 사령부 설치 → 군정 실시, 비군사화·민주화 개혁 추진 (군정의 책임자로 맥아더 임명)

비군사화	일본의 군대 해체, 군국주의자를 공직에서 추방, 전범의 처리를 위한 극동 국제 군사 재판(도쿄 재판) 개최, 신헌법(평화 헌법) 제정 자료 01
민주화	여성에게 투표권 부여, 지방 자치제 도입, 재벌 개혁, 노동조합의 활동 보장, 농지 개혁, 교과서에서 전쟁 미화 내용 삭제, 중학교 의무 교육 시행 등

(재벌 개혁: 전쟁 중 군수 사업으로 큰 이익을 얻은 재벌을 해체하고, 재벌의 부활을 막는 법률을 제정하였다.)

② 미국의 대일본 정책 변화

배경	소련과의 대립 격화, 중국과 북한의 공산화, 6·25 전쟁의 발발 → 미국은 일본을 동아시아의 반공 기지로 구축하고자 함
내용	일본의 경제 재건 우선시, 노동 운동의 억제, 공산주의자를 탄압하여 군국주의 세력의 복귀 허용, 경찰 예비대의 조직(1950, 자위대의 전신), 샌프란시스코 강화 조약 및 미·일 안보 조약 체결(1951) 자료 02 — 일본이 주권을 회복하면서 군정은 종료되었다.

(2) 한국

① 군정 실시 북위 38도선을 경계로 남북에 미군과 소련군이 각각 진주·군정 시작

② 한반도의 분단

남한	유엔 감시 아래 총선거 시행 → 제헌 국회 구성, 대한민국 정부 수립(1948. 8.)
북한	조선 민주주의 인민 공화국 수립(1948. 9.)

왜? 냉전은 경제·외교·정보 등을 수단으로 전개된 국제적 대립으로, 직접적인 무력 사용을 의미하는 열전(Hot War)과 대립하는 개념으로 사용된다.

2 냉전❸과 동아시아의 전쟁 자료 03

1. 국·공 내전과 중화 인민 공화국의 수립

(1) **발발** 항일 전쟁이 끝난 후 국민당과 공산당의 내전 전개(1946. 7.)

(2) **전개** 내전 초기 병력과 장비 면에서 우세한 국민당군 주도(옌안 및 만주·화북의 주요 도시 점령) → 공산당군의 반격(토지 개혁과 민중의 지지), 국민당군의 위축(관료의 부패와 물가 폭등 등에 따른 민심 이반)

(3) **결과** 공산당이 베이징에서 중화 인민 공화국 수립(1949. 10.) → 내전에 패한 국민당 정부는 타이완으로 이동

(4) **영향** 중국의 공산화 → 중국에 대한 미국의 외교·경제 봉쇄 정책, 일본의 반공 기지 역할 강화

---

❶ **얄타 회담**
소련의 대일전 참전을 결정함으로써 한반도에서 미·소 양국의 이해가 맞물리게 되어 남북 분단의 계기를 제공하였다.

❷ **일본의 항복**
포츠담 회담에서 일본의 무조건 항복을 촉구하였으나 일본은 이를 거부하였다. 그러나 원자 폭탄이 투하되고 소련이 참전하자 일본은 8월 15일에 무조건 항복하였다. 이로써 제2차 세계 대전은 막을 내리게 되었다.

고득점을 위한 셀파 Tip

• 일본의 전후 처리

일본의 무조건 항복과 전쟁 종결
↓
미국의 군정 실시
↓
비군사화·민주화 개혁 추진
↓
소련과의 대립 격화, 중국과 북한의 공산화, 6·25 전쟁의 발발
↓
미국의 대일본 정책 변화
↓
일본의 경제 재건 우선시, 노동 운동의 억제, 군국주의 세력 복귀 허용, 경찰 예비대의 조직

❸ **냉전**
제2차 세계 대전이 끝난 후 소련의 지원 아래 동유럽의 공산화가 진행되었다. 이에 미국은 트루먼 독트린을 발표하고 서유럽에 대한 대규모 경제 지원을 통해 공산주의가 확산되는 것을 저지하고자 하였다. 이 과정에서 미국과 소련이 중심이 되어 체제와 이념을 둘러싸고 대립한 국제 질서가 형성되었는데, 이를 냉전 체제라고 한다.

셀파 자료 탐구

자료 01 공통 자료 신헌법(평화 헌법, 1946)

제1조 천황은 일본국의 상징으로 일본 국민 통합의 상징이며, 이 지위는 주권이 존재하는 일본 국민의 총의에 기초한다.

제3조 천황의 국사에 관한 모든 행위는 내각의 조언과 승인을 필요로 하며, 내각이 그 책임을 진다.

제9조 1. …… 국권의 발동에 의한 전쟁과 무력에 의한 위협 또는 무력의 행사는 국제 분쟁을 해결하는 수단으로서는 영구히 포기한다.

2. 전항의 목적을 이루기 위하여 육·해·공군 및 기타의 전력을 보유하지 않는다. 국가의 교전권은 인정하지 않는다.

자료 분석 | 신헌법의 정식 명칭은 일본국 헌법으로, 미국이 군정을 실시하던 시기에 기존 헌법을 개정한 것이다. 신헌법에서는 신격화하였던 천황을 일본의 상징적인 존재로 규정하고, 국민 주권(주권 재민)의 원칙과 기본적 인권 보장 등을 강화하였다. 또한 전쟁 포기, 군사력 보유 금지, 교전권 부인 등을 명시하였다.

교과서 탐구 풀이 

Q 신헌법을 '평화 헌법'이라고 부르는 이유를 구체적인 조항 내용을 활용하여 설명해 보자.

A 제9조에서 전쟁을 통해서 문제를 해결하는 것을 금지하였고, 육·해·공군 및 기타 군대를 보유하지 않기로 하였으며, 교전권을 인정하지 않음을 명시하였다. 그리하여 신헌법은 '평화 헌법'이라고 불렸다.

자료 02 샌프란시스코 강화 조약(1951. 9. 8.)

샌프란시스코 강화 조약이 체결되기 전의 배경을 꼭 알아 두자! 특히 냉전의 심화와 미국의 대일본 정책 변화는 무척 중요해.

제1조 연합국은 일본 및 그 영해에 대한 일본 국민의 완전한 주권을 승인한다.

제2조 일본은 한국의 독립을 승인하고 제주도, 거문도 및 울릉도를 비롯한 한국에 대한 일체의 권리와 소유권 및 청구권을 포기한다. 일본은 타이완과 펑후 제도에 대한 일체의 권리와 소유권 및 청구권을 포기한다. ……

제14조 연합국은 본 조약에 특별한 규정이 있는 경우를 제외하고, 연합국의 모든 배상 청구권, 전쟁 수행 과정에서 일본 및 그 국민이 자행한 어떤 행동으로부터 발생한 연합국 및 그 국민의 다른 청구권, 그리고 점령에 따른 직접적인 군사적 비용에 관한 연합국의 청구권을 포기한다.

▲ 샌프란시스코 강화 조약 조인식

자료 분석 | 미국은 공산주의가 확대되는 것을 막고자 대일본 정책을 변경하였다. 미국은 일본을 동아시아의 반공 기지로 삼기 위해 1951년 샌프란시스코 강화 조약을 주도하였다. 이 조약을 통해 일본은 주권을 회복하고 국제 사회에 복귀하게 되었다. 미국은 일본과 미·일 안보 조약을 맺어 오키나와 등 일본 영토에 미군을 주둔시키고 군사 동맹 관계를 구축하였다. 그러나 일본의 전쟁 책임과 피해국에 대한 배상 문제는 제대로 처리되지 않았다. 한국, 중국 등 피해 당사국은 회의에서 제외되었고, 소련 등 공산 국가들은 서명을 거부하였다.

교과서 자료 더 보기 

| 샌프란시스코 강화 회의 참가 여부와 일본의 피해국 배상 문제 |

구분	내용
참가국	• 연합국 중 45개국(미국, 영국 등): 샌프란시스코 강화 회의에서 배상 포기 • 필리핀, 인도네시아, 남베트남: 배상(경제 협력, 무역) • 소련, 폴란드, 체코슬로바키아: 서명 거부, 일·소 공동 선언(1956)으로 배상 포기
비참가국	• 버마 연방: 샌프란시스코 강화 회의 후 배상 협정(경제 협력, 무역) • 중화 인민 공화국: 중·일 공동 성명(1972)으로 배상 포기 • 중화민국(타이완): 일·화 평화 조약(1952)에서 배상 포기 • 대한민국: 한·일 기본 조약(1965)에서 유·무상 8억 달러 제공 • 북한: 일본과 국교가 수립되지 않음

자료 03 공통 자료 동서 냉전 아래의 세계

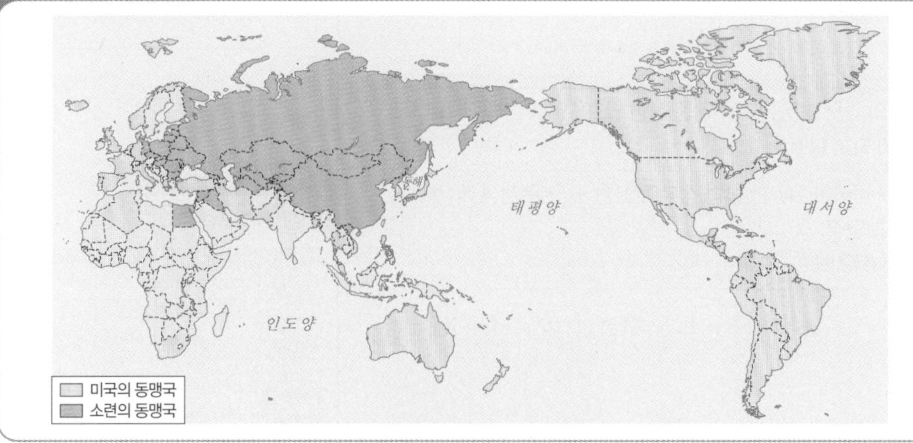

자료 분석 | 미국과 소련을 중심으로 동서 냉전이 전개되었다. 유럽의 서구권은 자본주의 진영, 동구권은 공산주의 진영으로 되어 있으며, 독일을 경계로 서반구는 자본주의 진영, 동반구는 공산주의 진영에 대부분 속해 있다.

교과서 탐구 풀이 

Q 냉전의 유럽과 아시아 쪽 경계선을 각각 찾아보자.

A 유럽에서는 독일(서독), 아시아에서는 한반도와 인도차이나반도가 냉전의 경계선에 있다.

2. 6·25 전쟁

왜? 미국의 태평양 지역 방위선에서 한국이 제외되자 북한은 한반도에서 전쟁이 일어나도 미국이 참전할 가능성이 적다고 판단하였다.

(1) **배경** 소련의 핵 개발 성공, 중화 인민 공화국의 수립, 남한에서 미군 철수, 애치슨 라인[4]의 발표 등 → 소련, 중국의 지원 아래 북한의 전쟁 준비

(2) **전개**[5] 북한군의 전면적인 남침 감행(1950. 6. 25.) → 전쟁 초기 북한군이 낙동강 일대를 제외하고 한반도 전체 장악 → 유엔군의 참전, 인천 상륙 작전으로 전세 역전 → 중국군의 참전 → 38도선 부근에서 치열한 공방전 → 유엔군과 공산군의 정전 협상 전개 → 정전 협정 체결(1953. 7. 27.)

군사 분계선과 비무장 지대의 설정, 전쟁 포로에 관한 조치, 정전의 구체적 조치 등이 명시되었다.

(3) **영향**

한국	국토 황폐화, 인적·물적 피해 극심, 한·미 상호 방위 조약 체결(1953)
미국	전쟁 중 미·일 안보 조약 체결(1951) → 반공 동맹 강화
일본	유엔군에 보급품과 장비를 공급하면서 경제 호황을 맞음
중국	국내 정치 통합의 기반 마련, 사회주의권에서 정치적 위상을 높임
타이완	미국과 중국의 대립 격화 → 국민당 정부는 미국의 전면적 지지를 얻음

3. 베트남 전쟁 자료 04

(1) **독립 전쟁** 제2차 세계 대전 이후 호찌민(1941년에 베트남 독립 동맹을 결성하였다.)이 베트남 민주 공화국 수립 선포(1945) → 프랑스와의 전쟁 → 베트남의 승리 → 제네바 회담(1954)

프랑스군의 철수, 북위 17도선을 경계로 한 남북 분할, 2년 내 통일을 위한 총선거의 시행 등 합의

(2) **전쟁의 재개** 남베트남과 미국의 총선거 거부, 단독 선거로 남베트남에 베트남 공화국 정부 수립 → 남베트남 민족 해방 전선(베트콩)의 결성(북베트남의 베트남 민주 공화국이 지원) → 통킹만 사건[6]을 빌미로 미국 참전 → 북베트남과 남베트남 민족 해방 전선의 구정 대공세(1968) → 미국 내 반전 운동 확산 → 닉슨 독트린(1969)에서 미군 철수 방침 발표 → 파리 평화 협정 체결(1973), 미군 철수 확정

한국은 미국의 동맹국으로서 베트남 전쟁에 파병하였고, 북한은 북베트남을 지원하였다.

(3) **전쟁의 종결** 북베트남의 사이공 점령(1975) → 베트남 사회주의 공화국 수립(1976)

3 동아시아의 국교 회복

1. 냉전과 동아시아 국제 관계

(1) **일본 – 타이완** 일·화 평화 조약 체결(1952)로 국교 회복

(2) **한국 – 일본** 미국의 동아시아 안보 체제 강화 요구, 한국의 경제 개발을 위한 자본·기술 마련 필요성, 일본의 수출 시장 확보의 필요성 → 한·일 기본 조약 체결(1965)[7]

1952년부터 국교 수립을 위한 회담을 시작하였지만 식민 지배에 대한 사과와 피해 배상을 둘러싼 의견 대립으로 결렬되었다.

2. 냉전의 완화와 동아시아 국제 관계의 변화 자료 05

(1) **중국** 1960년 소련이 중국에 대한 원조를 일방적으로 끊자 경제적으로 큰 타격을 입었다. 또한 국경 지대에서 무력 충돌이 발생하기도 하였다. 중국은 소련을 견제하고, 경제 성장을 위해 미국·일본과의 관계 개선에 나섰다.

미국과 관계	닉슨 독트린 발표 → 미국 대통령 닉슨의 중국 방문, 미·중 공동 성명 발표(1972) → 중국과 미국 정식 국교 수립(1979), 미국과 타이완의 국교 단절
일본과 관계	• 중·일 공동 성명 발표(1972): 일본은 중국을 유일한 합법 정부로 인정, 중국은 전쟁 배상에 대한 청구권 포기 → 일본과 타이완 국교 단절 • 중·일 평화 우호 조약 체결(1978): 전쟁 상태의 종결 선언

(2) **한국** 냉전 붕괴 이후 소련과 수교(1990), 한·중 수교(1992) → 타이완과 국교 단절, 베트남과 수교(1992)

(3) **북한**

① 소련·중국과의 관계 소련과의 관계 소원 → 중국에 대한 의존도 심화

② 일본과의 관계 국교 수립을 위한 회담 추진 → 북핵 문제, 일본인 납치 문제 등으로 미타결

---

④ **애치슨 라인**

미국의 국무 장관 애치슨이 발표한 미국의 태평양 지역 방위선이다. 여기에서 한국과 타이완은 제외되었다.

⑤ **6·25 전쟁의 전개**

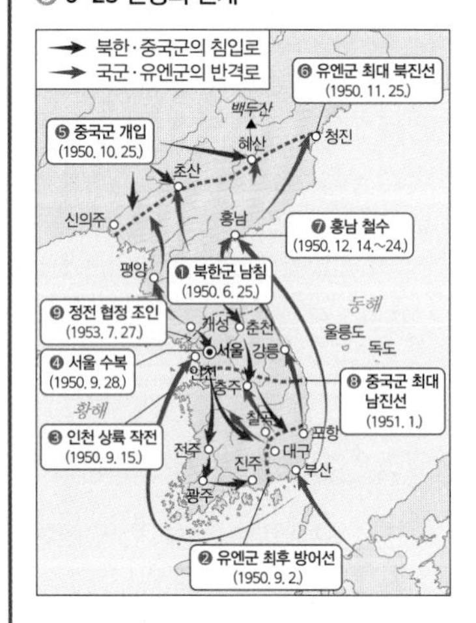

⑥ **통킹만 사건**

1964년 8월 미국 정부가 통킹만에서 베트남 어뢰정에 의해 미국 군함이 공격당했다고 발표한 사건이다. 이를 빌미로 미국은 베트남 전쟁에 적극 개입하였으나 뒤에 통킹만 사건은 조작된 것으로 밝혀졌다.

⑦ **한·일 기본 조약(1965)**

제2조 1910년 8월 22일 및 그 이전에 대한 제국과 일본 간에 체결된 모든 조약 및 협정이 이미 무효임을 확인한다.
제3조 대한민국 정부가 유엔 승인에 의해 한반도 유일한 합법 정부임을 확인한다.

고득점을 위한 셀파 Tip

• 냉전 체제하의 전쟁

국·공 내전	공산당의 승리 → 중화 인민 공화국 수립
6·25 전쟁	미·일 동맹 강화, 일본의 경제 성장, 중국의 사회주의권 내 지위 상승
베트남 전쟁	베트남 사회주의 공화국 수립, 닉슨 독트린 발표 이후 냉전의 완화

셀파 자료 탐구

자료 04 파리 평화 협정(1973)

제2조 휴전은 1973년 1월 27일 그리니치 표준시로 24:00 시 남베트남 전역에서 준수된다.
제6조 남베트남에 있는 미군과 다른 동맹국들의 군사 기지는 조약 서명 후 60일 이내에 철거되어야 한다.
제15조 베트남의 재통일은 남·북베트남 간의 논의와 협의에 따라 평화적인 방법으로 서서히 이루어져야 한다. …… 17도선에 의한 두 지역 사이의 군사 분계선은 1954년 제네바 협정에 따라 잠정적일 뿐이며 정치적이거나 영토상의 경계는 아니다. …… 남·북베트남은 1954년 제네바 협정에 따라 군사 동맹에 참여하지 못하며, 다른 나라에 군사 기지나 군대의 주둔을 허용해서는 안 된다.

자료 분석 | 파리 평화 협정은 미국, 남베트남과 북베트남, 남베트남 민족 해방 전선 사이에 체결된 협정이다. 미국은 베트남 전쟁에서의 개입 종결을 선언하고 철수하였고, 북베트남이 사이공을 점령하면서 베트남 전쟁은 끝이 났다.

냉전 체제하에서 일어난 베트남 전쟁은 한편으로는 냉전 완화의 계기를 제공했어. 그 계기가 닉슨 독트린이라는 것을 기억해 두자!

자료 05 닉슨 독트린(1969)

1. 미국은 태평양 국가로서 아시아 지역 내에서 계속 중요한 역할을 한다.
2. 미국은 아시아 국가들의 정치적, 경제적 발전에 도움을 제공할 것이며, 기존 조약들을 존중한다.
3. 미국은 베트남 전쟁과 같은 아시아 지역의 전쟁에 개입하는 일을 반복하지 않을 것이다.
4. 미국은 핵무기와 관련된 위협을 제외하고는 직접적인 군사 개입을 하지 않을 것이므로, 아시아 국가들은 스스로 자국의 안보를 책임져야 한다.

– 「미국 대통령 문서」 –

자료 분석 | 닉슨 독트린은 1969년에 발표된 아시아에 대한 미국의 외교 정책으로 '아시아의 문제는 아시아인이 스스로 해결해야 한다.'라는 입장을 내세웠다. 미국은 베트남 전쟁과 같은 군사적 개입을 피하고, 베트남 전쟁에서 미군을 단계적으로 철수시키며, 중국과의 관계 개선을 표방하였다.

교과서 자료 더 보기

| 제네바 협정(1954) |

1. 북위 17도선을 경계로 300일 이내 호찌민 정부군은 그 이북으로, 프랑스군은 그 이남으로 이동한다.
3. 군사 경계선은 잠정적이며, 정치적 통일 문제는 1956년 총선거를 시행하여 결정한다.
4. 이후 일체의 외국 군대는 증원될 수 없으며, 프랑스군은 총선거까지 주둔할 수 있다.

미국의 지원을 받는 남베트남이 총선거를 거부하고 단독 선거를 통해 정부를 수립함에 따라 베트남 전쟁이 발발하였다.

교과서 탐구 풀이

Q 닉슨 독트린 발표 이후 동아시아 지역에서 나타난 변화를 설명해 보자.

A 미국이 베트남에서 철수하고 중국과의 관계를 개선하면서 냉전이 완화되었다.

셀파 샘의 강의 노트

1. 전후 처리와 냉전 완화

- 1945년: • 카이로 회담(1943) • 얄타·포츠담 회담 • 일본의 항복 → • 한국 독립 • 베트남 민주 공화국 수립 • 국제 연합 결성
- 1946년: • 국·공 내전: 국민당 vs 공산당 → 중화 인민 공화국(1949) • 극동 국제 군사 재판 • 평화 헌법 제정: 일본 군사력 보유 금지, 주권 재민
- 1950~1953년: • 6·25 전쟁(1950) → 정전 협정(1953) • 샌프란시스코 강화 조약(1951): 일본 주권 회복 → 미·일 안보 조약 체결 • 일·화 평화 조약(1952)
- 1965년: 한·일 기본 조약(1965)
- 1970~1990년대: • 닉슨 중국 방문(1972): 미·중 공동 성명 → 미·중 국교 수립(1979) • 중·일 공동 성명(1972) • 한·중 수교(1992) • 한·베트남 수교(1992)

2. 베트남 전쟁

- 1945년: 베트남 민주 공화국 수립: 호찌민 주도, 프랑스와 독립 전쟁
- 1954년: • 베트남 승리 • 제네바 회담: 북위 17도 남북 분할, 2년 내 총선거 실시 → 남베트남과 미국의 거부
- • 베트남 공화국 수립(미국 지원): 남부 단독 선거 ↕ 남베트남 민족 해방 전선(베트콩) 결성: 호찌민(북베트남) 지원 → 구정 대공세(1968)
- 1965년: 통킹만 사건(1964) / 미국의 북베트남 폭격 / 닉슨 독트린(1969)
- 1973년: 파리 평화 협정: 미군 철수 확정
- 1976년: 베트남 사회주의 공화국 수립

개념 완성

1 제2차 세계 대전 전후 처리와 동아시아

구분	항목	내용
전후 처리 관련 회의	카이로 회담	일본의 무조건 항복, 한국의 독립 약속
	(❶)	독일 분할 점령, 소련의 대일전 참전 결정
	포츠담 회담	카이로 선언 이행, 일본의 무조건 항복 촉구
일본	미국의 군정	비군사화·민주화 개혁 추진 → 신헌법(평화 헌법) 제정
	미국의 대일본 정책 변화	• 일본을 동아시아의 반공 기지로 삼고자 함 • (❷) 체결 → 일본의 주권 회복
한국	• 남한: 미국의 군정 → 대한민국 정부 수립 • 북한: 소련의 군정 → 조선 민주주의 인민 공화국 수립	

2 냉전과 동아시아의 전쟁

구분	항목	내용
중국의 국·공 내전	전개	항일 전쟁 후 국민당과 공산당의 내전 → 중국 공산당이 (❸) 수립
	영향	• 일본의 반공 기지 역할 강화 • 중국에 대한 미국의 외교·경제 봉쇄 정책
한국의 (❹)	배경	중화 인민 공화국의 수립, 애치슨 라인 발표 등
	전개	북한군의 남침 → 유엔군 참전 → 중국군 참전 → 전선 교착 → 정전 협정 체결
	영향	중국의 정치적 위상 상승, 미·일의 반공 동맹 강화, 일본의 경제 성장
베트남 전쟁	• 프랑스와의 독립 전쟁 → (❺)에서 프랑스군 철수, 2년 내 통일을 위한 총선거 시행 등 합의 • 단독 선거로 남베트남에 베트남 공화국 정부 수립 → 남베트남 민족 해방 전선 결성 → (❻)(으)로 미국 참전 → 닉슨 독트린 발표 → 파리 평화 협정 체결	

3 동아시아의 국교 회복

냉전 전개 시기	➡	냉전 완화 시기
• 일본 – 타이완(1952) • 한국 – 일본(1965)	(❼)년 닉슨 독트린을 계기로 냉전 완화	• 중국 – 일본(1972) • 중국 – 미국(1979) • 한국 – 중국(1992)

정답 ❶ 얄타 회담 ❷ 샌프란시스코 강화 조약 ❸ 중화 인민 공화국 ❹ 6·25 전쟁 ❺ 제네바 회담 ❻ 통킹만 사건 ❼ 1969

• 기출 선택지 체크 •

A 다음 내용이 옳으면 ○표, 틀리면 ×표 하시오.

1 연합국은 포츠담 회담에서 처음으로 한국의 독립을 약속하였다. ( )

2 샌프란시스코 강화 조약 체결 결과 일본에서 극동 국제 군사 재판이 열리게 되었다. ( )

3 6·25 전쟁의 발발은 일본의 주권 회복을 앞당기는 데 영향을 미쳤다. ( )

4 통킹만 사건을 빌미로 미국이 베트남 전쟁에 군사적으로 개입하였다. ( )

5 중·일 공동 성명 발표와 한·중 수교는 타이완과의 국교 단절이라는 결과를 가져왔다. ( )

B 다음 괄호 안의 내용 중에서 옳은 것에 ○표 하시오.

6 미국, 영국, 소련은 (얄타 회담 / 포츠담 회담)에서 소련의 대일전 참전을 결정하였다.

7 미국은 중국과 북한이 공산화하고 (6·25 전쟁 / 베트남 전쟁)이 발발하자 일본을 동아시아의 반공 기지로 구축하고자 대일본 정책을 변경하였다.

8 국·공 내전에서 패배한 중국 국민당은 (옌안 / 타이완)으로 근거지를 이동하였다.

9 베트남은 (제네바 협정 / 파리 평화 협정)의 체결로 미군이 철수한 이후 통일을 이룩하여 베트남 사회주의 공화국을 수립하였다.

C 다음 빈칸에 들어갈 알맞은 말을 쓰시오.

10 일본은 ( )을/를 제정하여 천황을 상징적 존재로 규정하고, 국민 주권의 원칙과 군사력 보유 금지 등을 명시하였다.

11 1969년 미국은 ( )을/를 발표하여 베트남에서 미군을 단계적으로 철수시키며 중국과의 관계를 개선할 것을 표방하였다.

정답 1. × 2. × 3. ○ 4. ○ 5. ○ 6. 얄타 회담 7. 6·25 전쟁 8. 타이완 9. 파리 평화 협정 10. 신헌법(평화 헌법) 11. 닉슨 독트린

딱풀 p. 57

01 밑줄 친 '회담'에서 결정한 내용으로 옳은 것은?

이탈리아가 항복하고 독일도 패전의 기색을 보이던 1945년 2월 미국, 영국, 소련의 지도자들이 전후 독일의 처리 문제를 논의하기 위해 회담을 가졌다. 이 자리에서 일본과의 전쟁에 대한 비밀 협약도 체결하였다.

① 일본의 주권 회복을 결정하였다.
② 미군이 일본에 주둔하기로 하였다.
③ 일본에 무조건 항복을 요구하였다.
④ 소련의 대일전 참전을 결정하였다.
⑤ 최초로 한국의 독립을 약속하였다.

02 일본의 신헌법(평화 헌법)에 대한 설명으로 옳은 것을 〈보기〉에서 고른 것은?

보기
ㄱ. 군사력 보유를 금지하였다.
ㄴ. 천황을 상징적 존재로 규정하였다.
ㄷ. 자유 민권 운동의 결과 제정되었다.
ㄹ. 정치 체제를 입헌 군주제로 정하였다.

① ㄱ, ㄴ ② ㄱ, ㄷ ③ ㄴ, ㄷ
④ ㄴ, ㄹ ⑤ ㄷ, ㄹ

03 (가)에 들어갈 내용으로 옳은 것을 〈보기〉에서 고른 것은?

종전 이후 미국의 주도하에 교육 칙어가 폐지되고, 재벌의 해체가 추진되었으며, 농촌에서도 농지 개혁이 실시되어 많은 농민이 자작농이 되었다. 그러나 미국의 대일본 정책은 [(가)] 등을 계기로 변화하였다.

보기
ㄱ. 포츠담 선언의 발표
ㄴ. 중국과 북한의 공산화
ㄷ. 미국과 소련의 대립 격화
ㄹ. 히로시마와 나가사키에 원자 폭탄의 투하

① ㄱ, ㄴ ② ㄱ, ㄷ ③ ㄴ, ㄷ
④ ㄴ, ㄹ ⑤ ㄷ, ㄹ

04 (가)에 들어갈 사건으로 옳은 것은?

일본국 헌법(평화 헌법)이 공포되었다.
⬇
(가)
⬇
한반도에서 6·25 전쟁이 발발하였다.

① 통킹만 사건이 일어났다.
② 경찰 예비대가 조직되었다.
③ 대한민국 정부가 수립되었다.
④ 미·일 안보 조약이 체결되었다.
⑤ 미국이 일본에 군정을 시작하였다.

05 (가)에 들어갈 내용으로 옳지 <u>않은</u> 것은?

미국이 일본을 동아시아의 반공 기지로 삼고자 한 후에는 어떤 일이 있었지?

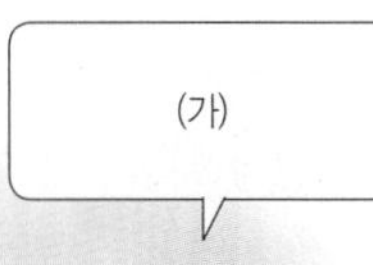

① 도쿄 재판이 개최되었어.
② 미국의 군정이 종료되었어.
③ 경찰 예비대를 조직하였어.
④ 미국과 일본이 군사 동맹을 맺었어.
⑤ 샌프란시스코 강화 조약을 체결하였어.

06 밑줄 친 '이 조약'에 대한 설명으로 옳은 것을 〈보기〉에서 고른 것은?

> <u>이 조약</u>은 일본에게 엄격한 전쟁 책임을 묻기보다는 빠른 시일 내에 동아시아의 반공 기지로 만들기 위한 일본의 재건에 초점이 맞춰졌다. 또한 <u>이 조약</u>과 함께 미·일 안보 조약이 체결되어 미국은 일본 내에 군대를 주둔하게 되었다.

보기
ㄱ. 일본이 주권을 회복하였다.
ㄴ. 한국, 중국 등은 참여하지 못하였다.
ㄷ. 미국과 중국이 국교를 회복하는 계기가 되었다.
ㄹ. 일본이 랴오둥반도를 반환하는 결과를 가져왔다.

① ㄱ, ㄴ ② ㄱ, ㄷ ③ ㄴ, ㄷ
④ ㄴ, ㄹ ⑤ ㄷ, ㄹ

07 그래프와 같은 변화가 나타난 원인으로 옳은 것을 〈보기〉에서 고른 것은?

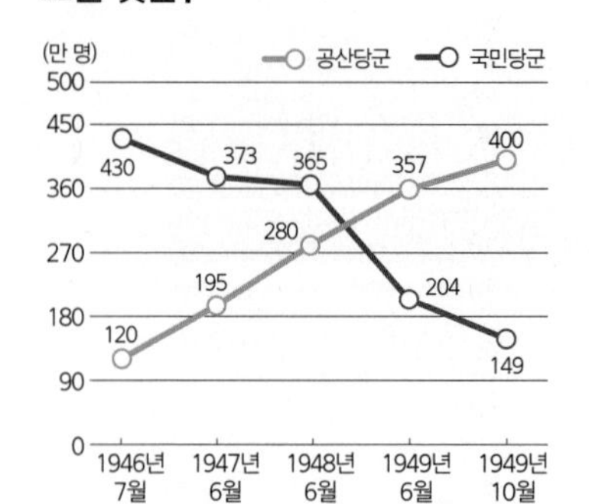

▲ 국·공 내전 시기 국민당군과 공산당군의 병력 증감 비교

보기
ㄱ. 6·25 전쟁이 발발하였다.
ㄴ. 닉슨 독트린이 발표되었다.
ㄷ. 공산당군이 토지 개혁을 실시하였다.
ㄹ. 관료의 부정부패가 심화되고 물가가 폭등하였다.

① ㄱ, ㄴ ② ㄱ, ㄷ ③ ㄴ, ㄷ
④ ㄴ, ㄹ ⑤ ㄷ, ㄹ

08 밑줄 친 '내전'의 영향으로 옳지 <u>않은</u> 것은?

> 제2차 세계 대전이 끝난 후 중국에서는 힘을 합쳐서 일본에 대항하던 국민당과 공산당이 주도권을 놓고 다시 대립하였다. 미국의 중재 협상이 실패하면서 양측은 <u>내전</u>에 돌입하였다.

① 냉전 체제가 완화되었다.
② 중화 인민 공화국이 수립되었다.
③ 타이완에 국민당 정부가 수립되었다.
④ 일본의 반공 기지 역할이 강화되었다.
⑤ 미국이 중국에 대한 경제 봉쇄를 단행하였다.

09 다음에서 설명하는 전쟁의 배경으로 옳은 것을 〈보기〉에서 고른 것은?

> 북한의 남침으로 시작된 이 전쟁은 유엔군과 중국군이 참전하면서 국제전의 양상으로 전개되었다. 양측이 확실한 우위를 점하지 못한 상태에서 점차 전쟁은 장기화되었다.

보기
ㄱ. 애치슨 라인이 발표되었다.
ㄴ. 루거우차오 사건이 일어났다.
ㄷ. 중화 인민 공화국이 수립되었다.
ㄹ. 베트남 공화국 정부가 수립되었다.

① ㄱ, ㄴ　② ㄱ, ㄷ　③ ㄴ, ㄷ
④ ㄴ, ㄹ　⑤ ㄷ, ㄹ

10 다음 협정으로 종료된 전쟁이 전개되던 시기에 있었던 사실로 옳지 않은 것은?

> 한 개의 군사 분계선을 확정하고 쌍방이 이 선으로부터 각기 2km씩 후퇴함으로써 적대 군대 간에 한 개의 비무장 지대를 설정한다. 한 개의 비무장 지대를 설정하여 이를 완충 지대로 함으로써 적대 행위의 재발을 초래할 수 있는 사건의 발생을 방지한다.

① 제네바 회담이 개최되었다.
② 미·일 안보 조약이 조인되었다.
③ 일본의 경찰 예비대가 창설되었다.
④ 일본과 타이완이 국교를 회복하였다.
⑤ 샌프란시스코 강화 조약이 체결되었다.

11 (가)에 들어갈 내용으로 옳은 것은?

> 제○○○호　**동아시아사 신문**　○○○○년 ○○월 ○○일
>
> 1964년 8월 베트남 북부 해안 지역에서 탐지 활동을 벌이던 미국 군함이 북베트남 어뢰정 세 척의 공격을 받았다. 미국 군함의 요청에 따라 근처에 있던 미 항공 모함에서 전투기가 출격하여 어뢰정 한 척을 격침시키고, 두 척을 크게 파괴하였다. 이 사건을 계기로
>
> (가)

① 애치슨 라인이 발표되었다.
② 제네바 협정이 체결되었다.
③ 남베트남 단독 정부가 수립되었다.
④ 프랑스군이 베트남에서 철수하였다.
⑤ 미국이 본격적으로 베트남 전쟁에 개입하였다.

12 (가), (나) 사이의 시기에 있었던 일로 옳은 것은?

> (가) 북위 17도선을 경계로 300일 이내에 호찌민 정부군은 그 이북으로, 프랑스군은 그 이남으로 이동한다.
> (나) 남베트남에 있는 미군과 다른 동맹국들의 군사 기지는 조약 서명 후 60일 이내에 철거되어야 한다.

① 일본 신헌법이 제정되었다.
② 닉슨 독트린이 발표되었다.
③ 극동 국제 군사 재판이 개최되었다.
④ 북한군이 남침하여 전쟁이 일어났다.
⑤ 베트남 사회주의 공화국이 수립되었다.

13 (가) 국가에 대한 설명으로 옳은 것은?

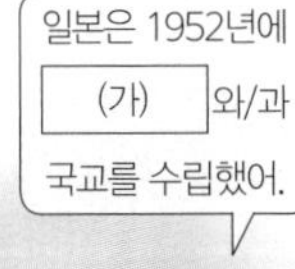

① 애치슨 라인에서 제외되었다.
② 베트남 전쟁에 전투병을 파병하였다.
③ 보수적인 자유 민주당이 장기 집권하였다.
④ 소련, 중국의 지원 아래 전쟁을 준비하였다.
⑤ 주석제를 명시한 사회주의 헌법을 제정하였다.

14 다음 조약이 체결된 배경으로 옳은 것을 〈보기〉에서 고른 것은?

> 제2조 1910년 8월 22일 및 그 이전에 대한 제국과 일본 간에 체결된 모든 조약 및 협정이 이미 무효임을 확인한다.
> 제3조 대한민국 정부가 유엔 승인에 의해 한반도의 유일한 합법 정부임을 확인한다.

보기
ㄱ. 미·중 공동 성명을 발표하였다.
ㄴ. 소련의 붕괴로 냉전 체제가 해체되었다.
ㄷ. 미국이 동아시아 안보 체제를 강화하고자 하였다.
ㄹ. 한국은 경제 개발을 위해서 기술과 자본이 필요하였다.

① ㄱ, ㄴ ② ㄱ, ㄷ ③ ㄴ, ㄷ
④ ㄴ, ㄹ ⑤ ㄷ, ㄹ

15 다음에서 설명하는 미국의 외교 정책이 끼친 영향으로 옳은 것은?

① 애치슨 라인이 설정되었다.
② 통킹만 사건이 발생하였다.
③ 중국과 일본이 외교 관계를 맺었다.
④ 소련이 일본과의 전쟁에 참전하였다.
⑤ 일본의 군국주의자들이 공직에서 추방되었다.

16 다음 〈보기〉의 사건을 일어난 순서대로 바르게 나열한 것은?

보기
ㄱ. 일본과 타이완이 수교하였다.
ㄴ. 한·일 기본 조약을 체결하였다.
ㄷ. 한국과 베트남이 국교를 수립하였다.
ㄹ. 중국과 일본이 평화 우호 조약을 체결하였다.

① ㄱ-ㄴ-ㄷ-ㄹ
② ㄱ-ㄴ-ㄹ-ㄷ
③ ㄴ-ㄷ-ㄱ-ㄹ
④ ㄹ-ㄴ-ㄷ-ㄱ
⑤ ㄹ-ㄷ-ㄴ-ㄱ

딱풀 p. 57

17 다음 〈보기〉의 사건을 일어난 순서대로 바르게 나열하시오.

보기
ㄱ. 얄타 회담
ㄴ. 카이로 회담
ㄷ. 포츠담 회담
ㄹ. 샌프란시스코 강화 회의

18 다음 조항이 규정된 헌법의 명칭을 쓰시오.

제1조 천황은 일본국의 상징으로 일본 국민 통합의 상징이며, 이 지위는 주권이 존재하는 일본 국민의 총의에 기초한다.
제9조 2. 전항의 목적을 이루기 위하여 육·해·공군 및 기타의 전력을 보유하지 않는다. 국가의 교전권은 인정하지 않는다.

19 (가)에 해당하는 국가를 쓰시오.

일제가 패망한 이후 중국 국민당과 중국 공산당 사이에 대립이 심화되었다. 미국이 중재에 나섰지만 실패로 돌아가고 결국 두 세력 간에 내전이 발생하였다. 중국 공산당은 초반의 열세를 극복하고 내전에서 승리한 후 (가) 을/를 수립하였다.

20 밑줄 친 '침략'이 일어난 배경을 두 가지 서술하시오.

1950년 6월 25일 북한이 탱크를 앞세워 불법적으로 남한을 전면 침략하였다. 유엔은 안전 보장 이사회를 소집하여 북한의 침략을 규탄하고 유엔군 파견을 결의하였다.

21 다음을 읽고 물음에 답하시오.

1. 미국은 태평양 국가로서 아시아 지역 내에서 계속 중요한 역할을 한다.
2. 미국은 아시아 국가들의 정치적, 경제적 발전에 도움을 제공할 것이며, 기존 조약들을 존중한다.
3. 미국은 베트남 전쟁과 같은 아시아 지역의 전쟁에 개입하는 일을 반복하지 않을 것이다.
4. 미국은 핵무기와 관련된 위협을 제외하고는 직접적인 군사 개입을 하지 않을 것이므로, 아시아 국가들은 스스로 자국의 안보를 책임져야 한다.
5. 미국은 아시아 국가들의 경제 발전에 필요한 원조를 제공할 것이며, 이는 미국의 이익에도 부합할 것이다.

(1) 위 선언의 명칭을 쓰시오.

(2) 위 선언이 동아시아 정세에 끼친 영향을 세 가지 서술하시오.

도전 수능 문제

| 수능 기출 |

01 (가), (나)에 대한 설명으로 옳지 않은 것은?

> (가) 제1조 평화 조약 및 이 조약의 효력 발생과 동시에 일본은 미국의 군대를 일본 국내 및 그 부근에 배치할 권리를 허락하고, 미국은 이를 수락한다. 이 군대는 극동의 평화와 안전에 기여하고, 외부의 공격 및 외국의 선동 등에 의한 일본의 내란과 소요를 진압하기 위하여 일본 정부의 요청에 따라 일본의 안전을 목적으로 사용할 수 있다.
>
> (나) 제1조 잠정적인 군사 분계선을 설정하고, 베트남 인민군은 북위 17도선의 이북으로, 프랑스 연합군은 북위 17도선의 이남으로 이동한다.

① (가) 체결 후에 유엔에서 6·25 전쟁 참전을 결정하였다.
② (가)를 통해서 미국은 일본과 동맹 관계를 구축하였다.
③ (나) 체결 전에 일본과 타이완이 국교를 수립하였다.
④ (나) 체결 후에 남베트남 민족 해방 전선이 결성되었다.
⑤ (나)에서 총선거를 통한 베트남 통일 정부 수립이 합의되었다.

| 평가원 응용 |

02 (가) 조약에 대한 설명으로 옳은 것은?

> 동아시아사 질의 토론방
>
> Q (가) 조약에 대해 알려 주세요.
>
> ↳A 제2차 세계 대전의 전후 처리를 위한 회의의 결과로 체결되었어요. 이 조약으로 패전국이었던 일본은 주권을 회복하고 국제 사회에 복귀할 수 있었어요.
>
> ↳A 하지만 일본의 침략으로 큰 피해를 입은 중국과 한국 등은 회의에 참여하지 못했고, 소련은 서명을 거부했죠.
>
> ↳A 일본의 전쟁 책임과 식민 지배에 대한 사죄나 배상 문제도 제대로 처리되지 않았어요.

① 6·25 전쟁 기간 중에 체결되었다.
② 베트남에서 미군이 철수하는 계기가 되었다.
③ 미국과 일본의 군사 동맹 관계를 규정하였다.
④ 극동 국제 군사 재판이 열리는 근거가 되었다.
⑤ 일본이 한국을 한반도의 유일한 합법 정부로 확인하였다.

| 교육청 응용 |

03 (가) 조약에 대한 설명으로 옳은 것을 〈보기〉에서 고른 것은?

> **동아시아사 신문**
>
> 제○○○호 ○○○○년 ○○월 ○○일
>
> 기획 특집 – 청산되지 못한 과거
>
> 50여 개국 대표가 전쟁의 종결을 위해 미국에 모였다. 이 회의는 주요 피해국인 한국과 중국이 배제되었다는 점 등에서 중대한 결함을 안고 있었다. 소련 등 3개국 대표들이 서명을 거부하는 가운데, 대다수 국가의 대표들은 (가) 에 서명을 하였으며 결국은 전범국에 대한 배상 청구권을 포기하게 되었다. 배상이 이루어진 3개국의 경우에는 몇 년이 지나서야 별도의 평화 협정을 체결하고 경제 협력을 받는 데 그쳤다. ……

보기
ㄱ. 6·25 전쟁 중에 체결되었다.
ㄴ. 일본국 헌법 제정으로 이어졌다.
ㄷ. 일본의 주권 회복을 규정하였다.
ㄹ. 5·4 운동이 일어나는 원인이 되었다.

① ㄱ, ㄴ ② ㄱ, ㄷ ③ ㄴ, ㄷ
④ ㄴ, ㄹ ⑤ ㄷ, ㄹ

| 교육청 기출 |

04 자료를 통해 알 수 있는 전쟁에 대한 설명으로 옳은 것은?

> ○○○○ 위원단 보고서
>
> 기초적인 증거에 입각한, 본 위원단의 현재 견해는 첫째, 북한 정권은 남한에 대해 철저하게 계획되고 조율된 전면적인 전쟁을 감행하고 있고, 둘째, 남한군은 38도선의 모든 작전 지구에서 전적으로 방어적인 기초 위에 배치되어 있었으며, 셋째, 남한군은 정보 소식통으로부터 침략이 임박했다고 믿을 이유를 접하지 않았기 때문에 완전히 기습 공격을 당했다는 것이다.

① 만주국이 수립되는 계기가 되었다.
② 일본이 타이완을 차지하는 배경이 되었다.
③ 파리 평화 협정이 체결되는 결과를 낳았다.
④ 루거우차오 사건이 원인이 되어 발생하였다.
⑤ 전쟁 중에 샌프란시스코 강화 조약이 체결되었다.

| 교육청 응용 |

05 다음 전쟁에 대한 설명으로 옳은 것은?

북한군이 남한과의 경계선인 38도선을 넘어 공격을 시작한 것은 일요일 새벽이었다. 북한군은 서울로 계속 진격하였고, 남한의 군사적 상황은 더욱 악화되었다. 미국의 요청에 따라 긴급 소집된 유엔 안전 보장 이사회는 북한에 즉시 전쟁을 중지할 것을 촉구하였다.

① 루거우차오 사건이 원인이 되어 일어났다.
② 중화 인민 공화국이 수립되는 배경이 되었다.
③ 파리 평화 협정이 체결되는 결과를 가져왔다.
④ 닉슨 대통령의 중국 방문을 계기로 전개되었다.
⑤ 애치슨 라인이 발표된 것이 전쟁의 배경이 되었다.

| 교육청 기출 |

06 밑줄 친 '전쟁'이 전개된 시기에 있었던 사실로 옳은 것은?

전쟁이 발발하자, 유엔 헌장에 의거하여 유엔 안전 보장 이사회(안보리)가 즉각 소집되었다. …… 안보리는 찬성 9, 기권 1(유고슬라비아), 불참석 1(소련)로 침략 행위 중단을 촉구하는 결의문 제82호를 채택하였다. 이어 유엔군 파병을 결정한 결의문 제83호를 채택하였다. …… 이후 미군의 참전을 시작으로 유엔군의 참전이 이루어졌다.

① 애치슨 선언이 발표되었다.
② 통킹만 사건이 발생하였다.
③ 일본과 타이완이 국교를 수립하였다.
④ 중국에서 국·공 내전이 발발하였다.
⑤ 한·미 상호 방위 조약이 체결되었다.

| 수능 기출 |

07 (가), (나) 전쟁에 대한 설명으로 적절한 것은?

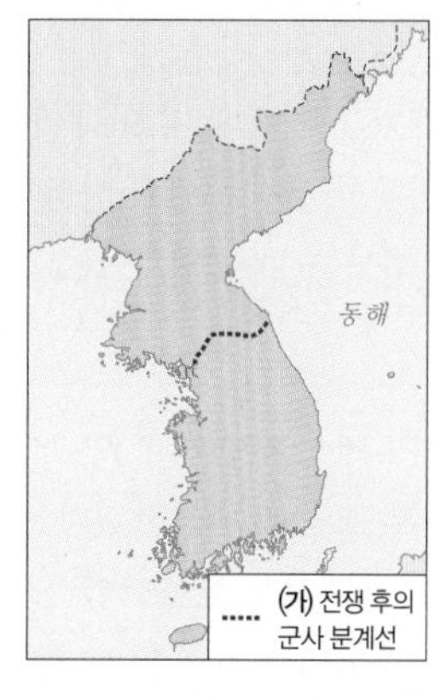

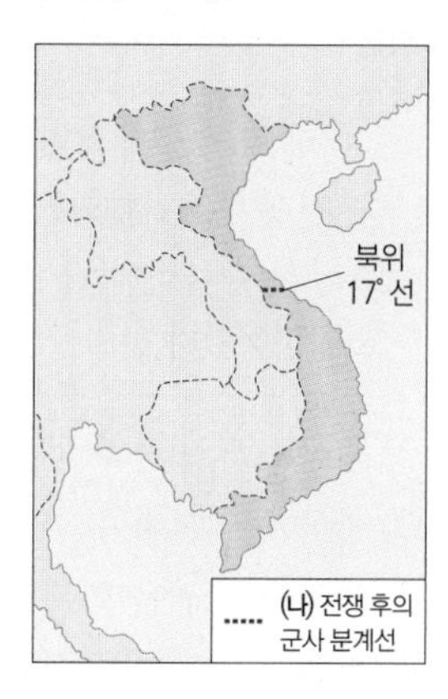

① (가) – 일본의 주권 회복을 앞당기는 데 영향을 끼쳤다.
② (가) – 일본과 중화 인민 공화국이 국교를 수립하는 배경이 되었다.
③ (나) – 미국에서 반전 운동이 확산되는 계기가 되었다.
④ (나) – 통킹만 사건을 빌미로 미국이 전투 부대를 파병하였다.
⑤ (가), (나) – 동아시아의 냉전 체제가 완화되는 결과를 낳았다.

| 교육청 기출 |

08 다음 선언이 발표된 시기를 연표에서 옳게 고른 것은?

일본이 연합국에 항복하자 전국의 인민이 봉기하여 정권을 탈취하고 베트남 민주 공화국을 세웠습니다. …… 따라서 베트남 전 인민을 대표하는 우리 신베트남 임시 정부는 이후 프랑스와의 모든 식민지적 관계들을 타파하고, 프랑스와 맺은 모든 조약과 프랑스가 가졌던 모든 특권을 폐지할 것을 선언합니다.

베트남 공산당 결성	(가)	베트남 독립 동맹 결성	(나)	제네바 협정 체결	(다)	통킹만 사건 발생	(라)	파리 평화 협정 체결	(마)	도이머이 정책 실시

① (가) ② (나) ③ (다) ④ (라) ⑤ (마)

| 평가원 응용 |

09 다음에서 설명하는 시기에 동아시아에서 있었던 일로 옳은 것은?

> 미국은 통킹만 사건을 계기로 전쟁에 직접 개입하였다. 전쟁이 장기화되면서 막대한 재정 부담과 인명 피해로 궁지에 몰리게 된 미국 정부는 파리 평화 협정을 맺고 철군하였다.

① 중국 – 국민당과 공산당이 내전을 전개하였다.
② 한국 – 일본과 한·일 기본 조약을 체결하였다.
③ 일본 – 주권을 회복하여 미 군정이 종료되었다.
④ 북한 – 조선 민주주의 인민 공화국 수립을 선포하였다.
⑤ 베트남 – 도이머이 정책을 통해 시장 경제를 도입하였다.

| 교육청 응용 |

10 밑줄 친 '전쟁'에 대한 설명으로 옳은 것은?

> 「미스 사이공」이라는 뮤지컬은 <u>전쟁</u> 중에 미군 병사가 사이공 처녀와 사랑에 빠지는 내용의 작품이다. 특히 미군이 철수하는 장면에서 등장한 세트용 헬기는 큰 화제가 되었다. 이념 대립과 공산화라는 정세 속에서 당시 사람들의 치열했던 삶의 모습이 잘 묘사되었다는 평가를 받고 있다.

① 한국이 전투 병력을 파견하였다.
② 일본군 '위안부'가 강제 동원되었다.
③ 일본의 진주만 기습 공격으로 시작되었다.
④ 제1차 국·공 합작이 성사되는 배경이 되었다.
⑤ 중화 인민 공화국이 수립되는 결과를 가져왔다.

| 교육청 응용 |

11 다음 상황 이후에 있었던 사실로 옳은 것은?

> 존슨 미국 대통령은 통킹만을 순시 중이던 미국의 구축함이 상대국 어뢰정의 공격을 받았다고 발표하였다. 그리고 '미군에 대한 공격을 격퇴하고, 더 이상의 침략을 막기 위해 필요한 모든 수단을 취할' 권한을 의회에 요청하였다. 이에 의회는 압도적 지지로 사실상의 선전 포고인 '통킹만 결의'를 채택하였다. 이후 미국은 지상군을 파견하였다.

① 6·25 전쟁이 일어났다.
② 베트남 전역이 공산화되었다.
③ 제2차 세계 대전이 발발하였다.
④ 중화 인민 공화국이 수립되었다.
⑤ 샌프란시스코 강화 조약이 체결되었다.

| 평가원 기출 |

12 밑줄 친 '이 전쟁' 이후 동아시아에서 있었던 사실로 옳은 것은?

> 통킹만 사건을 빌미로 전투 부대를 파견하면서 미국은 <u>이 전쟁</u>에 본격적으로 개입하였다. 미국은 엄청난 병력과 화력을 투입하면 쉽게 끝날 것이라고 예상하였지만 오히려 <u>이 전쟁</u>은 장기화되었다. 그리고 설날(구정) 공세로 미국에서는 반전 운동이 거세졌다. 닉슨은 대통령에 취임한 후 아시아는 아시아 사람들이 지켜야 한다는 대외 정책의 원칙을 발표하였다.

① 일본이 난징 대학살을 일으켰다.
② 베트남 독립 동맹이 결성되었다.
③ 중국에서 국민 혁명군의 북벌이 시작되었다.
④ 타이완의 국민당 정부가 계엄령을 해제하였다.
⑤ 대한민국 임시 정부가 한국 광복군을 창설하였다.

딱풀 p. 59

| 교육청 기출 |

13 (가), (나) 전쟁이 전개되던 시기 동아시아의 상황으로 옳은 것을 〈보기〉에서 고른 것은?

(가) 한국군과 유엔군은 인천 상륙 작전으로 전세를 역전시켜 서울을 수복하고 38도선을 넘어 압록강 유역까지 북진하였다. 그러자 중국이 참전하면서 전쟁은 국제전의 양상을 띠었다.

(나) 미국은 공산주의 세력의 확산을 막기 위해 통킹만 사건을 조작하고 남베트남에 전투 부대를 파견함으로써 전쟁에 직접 개입하였다. 한국도 1965년부터 전투 부대를 파병하였다.

보기

ㄱ. (가) – 극동 국제 군사 재판이 열렸다.
ㄴ. (가) – 일본과 타이완이 국교를 체결하였다.
ㄷ. (나) – 베트남 민주 공화국이 수립되었다.
ㄹ. (나) – 미국의 닉슨 대통령이 중국을 방문하였다.

① ㄱ, ㄴ ② ㄱ, ㄷ ③ ㄴ, ㄷ
④ ㄴ, ㄹ ⑤ ㄷ, ㄹ

| 교육청 기출 |

14 다음 사건의 영향으로 옳은 것은?

우리가 비밀리에 중국을 방문하고 7개월이 지난 2월 21일, 몹시 추운 날씨 속에 닉슨이 베이징에 도착하였다. 그가 대통령 전용기에서 내렸을 때 제복을 입은 저우언라이가 활주로 위에 서 있었고 군악대는 미국 국가를 연주하였다. …… 저우언라이의 안내로 우리는 자동차를 타고 마오쩌둥의 관저로 향했다. 우리는 서재로 안내되었고 의자에서 몸을 일으킨 마오쩌둥은 두 손으로 닉슨의 손을 잡고 더할 나위 없이 자비로운 미소를 띠었다.

– 『헨리 키신저의 중국 이야기』 –

① 통킹만 사건이 일어났다.
② 미국이 애치슨 선언을 발표하였다.
③ 일본에서 평화 헌법이 제정되었다.
④ 한반도에서 휴전 협정이 체결되었다.
⑤ 동아시아에서 냉전의 대립 구도가 완화되었다.

| 평가원 기출 |

15 밑줄 친 ‘성명’이 발표된 시기를 연표에서 옳게 고른 것은?

타이완 외교부는 일·화 평화 조약 폐기에 따른 외교 관계 단절에 대해 일본 정부가 모든 책임을 져야 할 것이라고 발표하였다. 이 발표는 일본이 중화 인민 공화국을 중국의 유일한 합법 정부라고 공식 인정한 <u>성명</u>이 발표된 이후 12시간 만에 나온 것이다.

	(가)		(나)		(다)		(라)		(마)	
샌프란시스코 강화 조약 체결		통킹만 사건 발생		파리 평화 협정 체결		베트남 사회주의 공화국 수립		도이머이 정책 실시		한·중 국교 수립

① (가) ② (나) ③ (다) ④ (라) ⑤ (마)

| 수능 기출 |

16 (가), (나) 합의에 대한 설명으로 옳은 것은?

(가) 제1조 이 성명이 공포된 날부터 중화 인민 공화국과 일본 사이에 지금까지의 비정상적인 상태가 종식되었음을 선포한다.
제2조 일본 정부는 중화 인민 공화국 정부가 중국의 유일한 합법 정부임을 승인한다.

(나) 제5조 협정이 조인된 날부터 60일 이내에 미국과 그 외 동맹국들의 군인, 군사 고문단, 군 기술자 및 여타 군무원은 남베트남에서 완전히 철수한다.
제6조 남베트남에 있는 미국과 그 외 동맹국들의 군사 기지는 협정이 조인된 날부터 60일 이내에 철거한다.

① (가)는 한·일 국교 정상화에 영향을 끼쳤다.
② (가)는 일본에 대한 전쟁 배상 요구 포기를 명시하였다.
③ (나)는 통킹만 사건이 일어나는 배경이 되었다.
④ (나)는 베트남 사회주의 공화국과 미국 사이에 체결되었다.
⑤ (가)와 (나) 사이의 시기에 미국 대통령이 중국을 방문하였다.

02/03 경제 성장과 정치 발전 ~ 동아시아의 갈등과 화해

1 경제 성장과 교역의 확대

1. 일본의 고도성장

두 차례의 석유 파동으로 단기적인 불황을 겪기도 하였지만 기술 개발과 경영 합리화를 통해 위기를 극복하고 안정적인 성장을 계속하였다.

(1) **1950년대~1970년대 초반** 미국의 지원, 6·25 전쟁 시기 군수 물자 공급 기지로서 경제 회복 → 세계 2위의 경제 대국으로 성장, 중공업과 전자 산업 위주로 경제 구조 전환

(2) **1980년대** 첨단 제품의 생산 확대, 수출 증가로 경제 호황 → 미국과의 무역 마찰, 엔화 가치 폭등 → 수출 기업 보호를 위해 금리 인하 → 주가와 부동산 가격 폭등

(3) **1990년대 이후** 주가와 부동산 가격 폭락 → 장기 불황으로 실업률 증가, 사회 불안

왜? 기업과 개인은 낮은 이자로 대출을 받아 부동산과 주식 등에 투자를 하였고, 이러한 현상이 과열됨에 따라 거품 경제가 형성되었다.

2. 한국과 타이완의 경제 발전❶

(1) **한국** 자료 01

시기	내용
광복 직후	남북 분단, 6·25 전쟁으로 경제적 혼란을 겪음
1950년대	미국의 원조 물자에 기반을 둔 제분·제당·섬유 등의 소비재 공업 발전
1960년대	경제 개발 5개년 계획 시작 → 수출 주도형 경제 정책 추진, 높은 경제 성장 달성
1970년대	중화학 공업 발전 → 중화학 공업에 대한 과잉 투자, 제2차 석유 파동 등 어려움
1980년대	3저 호황❷에 따른 경제 성장 → 아시아의 4대 신흥 공업국으로 성장
1990년대	외환 위기 발생(1997) → 외자 유치, 구조 조정 등으로 극복
2000년 이후	여러 나라와 자유 무역 협정(FTA) 체결, 금융 위기 등

1973~1974년, 1978~1980년 두 차례에 걸친 국제 석유 가격의 급등으로 인한 세계적 혼란

한국 외에 타이완, 싱가포르, 홍콩

(2) **타이완** 중소기업을 중심으로 제조업·무역·서비스업에 기초한 시장 경제 발달, 전자 장비·의류 등의 산업 수출 주도 → 1980년대 아시아의 4대 신흥 공업국으로 성장 → 2000년대 마이너스 성장률 기록, 경제 침체 → 점차 안정적 성장

3. 중국의 사회주의 경제와 개혁·개방

(1) **건국 이후부터 1950년대** 토지 개혁(농민에게 지주의 토지 분배), 주요 기업의 국영화 → 1950년대 사회주의 계획 경제 정책 추진(제1차 5개년 계획 통해 중공업 중심의 공업화, 농업 생산 합작사 등의 집단화 진행)

농업 집단화를 위해 만든 대규모 집단 농장으로, 행정 기구와 합작사를 합쳐서 조직하였다.

(2) **대약진 운동(1950년대 말)❸** 인민공사 조직, 철강 생산에 노동력 동원 → 집단화에 대한 농민들의 불만과 근로 의욕 저하, 기술력 부족, 대규모 자연재해 등으로 실패 → 문화 대혁명으로 경제적 혼란 가중

(3) **개혁·개방 정책(1978)**

① 배경 마오쩌둥 사후 덩샤오핑의 권력 장악

② 목표 농업·공업·국방·과학 기술 부문의 현대화

③ 내용 시장 경제 체제 일부 도입(인민공사의 해체, 사기업 설립 허용, 국영 기업 민간에 매각 등), 대외 개방 정책 진행 자료 02

경제특구를 설치하여 외국 자본과 기술을 도입하였으며, 수출 확대에도 힘썼다. 중국은 높은 경제 성장을 기록하며 2001년에 세계 무역 기구(WTO)에 가입하였고, 2010년에는 세계 2위의 경제 대국이 되었다.

4. 북한과 베트남의 경제

국가	내용
북한	1950년대 협동농장·국영 기업을 중심으로 하는 사회주의 경제 체제 확립 → 1970년대 경직된 체제, 소련의 원조 중단, 과도한 군사비 지출 등으로 경제 침체 → 1980년대 합영법 제정 → 1990년대 마이너스 성장, 극심한 식량난 → 2000년대 남한과의 경제 교류
베트남	통일 이후 캄보디아 내전 개입, 중국과의 전쟁, 사회주의 정책의 실패로 경제 악화 → 도이머이 정책을 채택하여 시장 경제 체제 일부 도입(1986)

1984년 외국의 자본과 기술을 도입하기 위해 제정한 합작 투자법

개혁·개방을 표방하는 정책으로, 농업 부문에 집중 투자하여 세계 3대 쌀 수출국으로 성장하였고, 외국 자본을 적극 유치하여 공업 발전에 노력하였다.

❶ 한국과 타이완의 경제 성장률

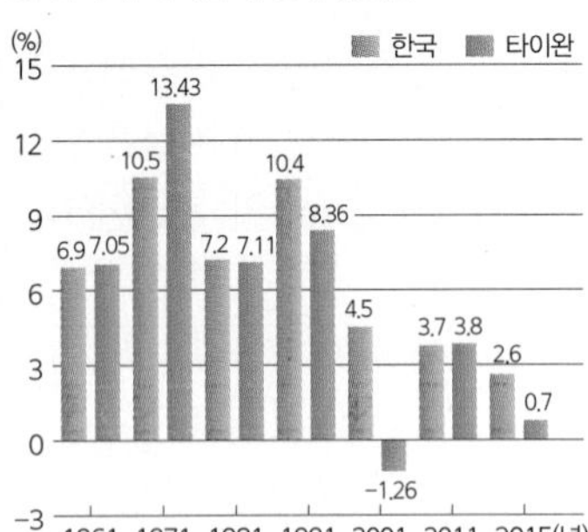

❷ 3저 호황

1980년대 중반 이후 전 세계적으로 나타난 저유가, 저달러, 저금리 현상을 가리키는 말이다. 해외 원유, 외국 자본, 수출에 대한 경제적 의존도가 높은 한국은 3저 호황을 계기로 연 10% 이상의 고도성장을 이룩할 수 있었다.

❸ 대약진 운동

마오쩌둥의 주도로 1958~1961년에 전개된 운동으로, 농업과 공업 생산의 대규모 증산을 목표로 하였다.

고득점을 위한 셀파 Tip

• 동아시아 자본주의 국가와 사회주의 국가의 경제 성장

자본주의 국가(한국, 일본, 타이완)
- 농지 개혁을 통한 자영농 육성
- 정부 주도의 수출 중심 경제 정책 추진
- 미국의 역할 중요(경제 원조와 수출 시장 제공)

사회주의 국가(중국, 베트남, 북한)
- 개인 사유제 부정, 생산 수단의 국유화, 산업 시설·주요 기업의 국영화
- 국가 주도의 경제 계발 계획 추진(중공업 육성, 자립 경제 확립)
- 근로 의욕 저하, 관료들의 부정부패 등의 한계

자료 01 한국의 경제 개발 5개년 계획

2. 계획 방법

가. 계획 기간 중 경제의 체제는 되도록 민간인의 자유와 창의를 존중하는 자유 기업의 원칙을 토대로 하되, 기간 부문과 그 밖의 중요 부문에 대하여서는 정부가 직접적으로 관여하거나 또는 간접적으로 유도 정책을 쓰는 '지도받는 자본주의 체제'로 한다.

나. 계획에 있어서는 정부가 직접적인 정책 수단을 보유하는 공적 부문에 그 중심을 두고, 이것이 민간 부문에 미치는 파급 효과와 민간 부문의 자발적인 활동을 자극하는 한편, 이에 필요한 유도 정책을 감안하기도 한다.

▲ 제1차 ~ 제4차 경제 개발 5개년 계획 기념우표

다. 한국 경제의 궁극적인 진로는 산업의 근대화를 통한 공업화에 있음에 …….

－『제1차 경제 개발 5개년 계획 평가 보고서』－

자료 분석 | 한국은 1962년부터 경제 개발 5개년 계획을 순차적으로 추진하였다. 한국 정부는 외국의 자본과 기술, 국내의 값싼 노동력을 이용한 수출 주도형 경제 정책을 추진하여, 1960년대 말에는 연 10% 이상의 경제 성장과 높은 수출 증가세를 보였다. 1970년대에는 철강, 조선, 기계 등의 중화학 공업이 발전하여 산업 구조를 고도화시켰다.

교과서 탐구 풀이

Q1 **자료와 같은 정책이 시행된 정치적 배경을 알아보자.**

A1 박정희 등 군부가 5·16 군사 정변으로 정권을 장악하였다.

Q2 **1960년대와 1970년대 정책의 차이점을 생각해 보자.**

A2 1960년대에는 경공업에 치중하였으나 1970년대에는 중화학 공업을 육성하였다.

중국, 북한, 베트남에서 사회주의 경제 체제의 한계를 극복하기 위해 시장 경제 체제의 요소를 도입하였음을 기억해 두자!

자료 02 동아시아 국가 간 교류의 활성화와 경제 성장

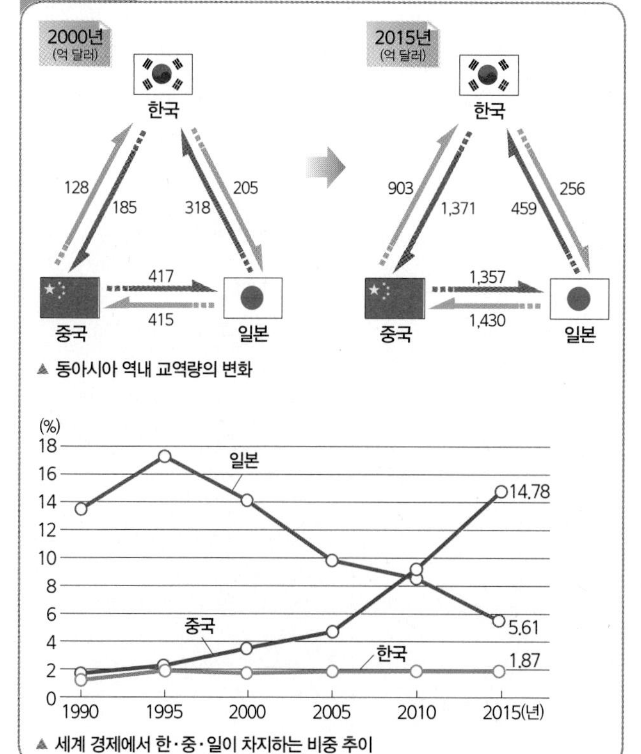

▲ 동아시아 역내 교역량의 변화

▲ 세계 경제에서 한·중·일이 차지하는 비중 추이

자료 분석 | 냉전 체제하에서 동아시아 교역망은 미국을 중심으로 한국, 일본, 타이완이 연결된 형태였다. 그런데 냉전 체제가 완화되고, 중국이 개혁·개방 정책을 추진하면서 한·중·일 간의 교역 규모가 급증하였다. 한국과 중국은 2015년에 한·중 자유 무역 협정(한·중 FTA)을 체결하였다. 한편 동아시아 역내 교역이 활성화됨에 따라 세계 경제에서 동아시아가 차지하는 비중도 크게 높아졌다. 국내 총생산을 살펴보면 중국이 세계 2위, 일본은 3위, 한국은 10위권을 차지하고 있다.

교과서 자료 더 보기

| 중국 경제의 성장 |

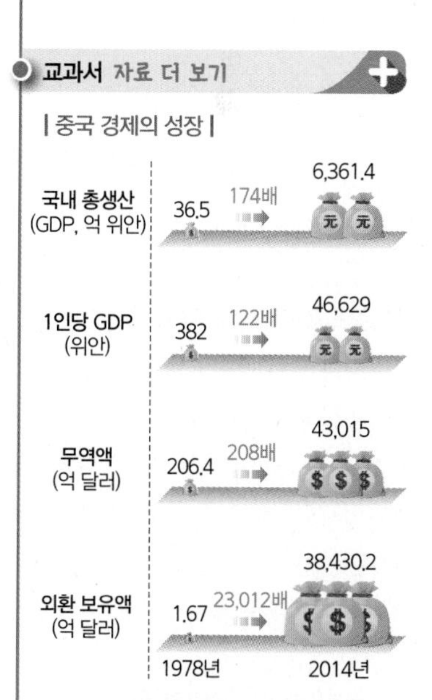

마오쩌둥 사후 덩샤오핑이 집권하여 개혁·개방 정책을 추진하였다. 그 결과 중국은 연평균 10%에 가까운 경제 성장세를 보였으며 2010년에는 일본을 제치고 세계 2위의 경제 대국으로 성장하였다.

2 정치와 사회의 발전

1. 한국의 민주주의 발전 자료 03

4·19 혁명[4]	이승만 정부의 2차례에 걸친 개헌을 통한 장기 집권 도모 → 3·15 부정 선거 → 4·19 혁명(1960) → 이승만 하야, 장면 정부 수립
박정희 정부의 독재 정치	5·16 군사 정변(1961)으로 집권 → 3선 개헌(1969) 단행, 10월 유신 선포(1972)로 장기 집권의 기반 마련 → 국민의 저항(민주화 운동 전개), 박정희 피살(10·26 사태, 1979)로 유신 체제 붕괴
5·18 민주화 운동	전두환 중심의 신군부 세력이 권력 장악(1979) → 민주화 운동 탄압 → 광주에서 5·18 민주화 운동 전개(1980) → 군인들의 유혈 진압으로 많은 시민 희생
6월 민주 항쟁	전두환 정부의 권위주의적 통치와 부정부패, 대통령 간선제 고수 → 6월 민주 항쟁(1987) → 직선제 개헌
정권 교체	김대중 정부 출범(1998) → 선거를 통한 여야 간 평화적 정권 교체

2. 일본의 55년 체제[5]

왜? 좌우로 분열되었던 사회당이 1955년 미·일 안보 조약의 개정 반대와 평화 헌법 유지를 주장하며 통합한 것을 계기로, 보수 정당인 자유당과 민주당이 합당하였다.

(1) **성립** 보수 정당인 자유당과 민주당이 자유 민주당(자민당)으로 합당 → 자유 민주당과 사회당 양당이 정치를 주도하는 체제(55년 체제) 성립 → 경제 우선 정책을 내세운 자민당의 장기 집권

(2) **동요** 1970년대 2차례의 석유 파동과 록히드 사건[6]으로 위기 → 1990년대 거품 경제 붕괴에 따른 경제 침체, 정경 유착·부정부패로 자민당의 지지 기반 약화

(3) **붕괴** 1993년 자민당이 의석의 과반수 획득 실패, 비자민당 연립 정부 수립(일시적) → 자민당 중심의 연립 정부 재등장 → 2009년 민주당 집권 → 2012년 자민당 집권

3. 타이완의 정치 변화

(1) **1당 지배 체제** 국민당이 계엄령을 유지하며 정치 독점, 국민의 언론·출판·집회·결사의 자유 제한

(2) **양당 체제로의 변화** 계엄령 해제(1987), 복수 정당제 도입, 지방 선거 시행, 총통 직선제 개헌 등 제도적 민주화

(3) **정권 교체** 2000년 민주 진보당의 천수이볜이 총통으로 선출 → 민주 진보당(민진당)과 국민당의 양당 체제가 자리 잡음

4. 중국의 정치와 사회 변화 자료 04

(1) **중화 인민 공화국의 수립** 중국 공산당이 권력 독점

(2) **문화 대혁명(1966~1976)** 대약진 운동의 실패로 인한 마오쩌둥의 실각 위기 → 자본주의 사상과 문화에 대한 투쟁 주장, 자신을 추종하는 홍위병을 조직하여 내부의 반대파 제거

(3) **덩샤오핑의 집권** 마오쩌둥 사후 권력 장악 → 개혁·개방 정책, 정치 체제의 개혁 요구

텐안먼 사건으로 보수파들로부터 개혁·개방 정책이 비판을 받자, 덩샤오핑은 중국 남부를 순시하면서 개혁·개방 정책을 계속 추진해야 한다고 강조하였다(남순 강화).

(4) **톈안먼 사건(1989)** 공산당 독재 타도, 민주화를 요구하는 대규모 시위 → 유혈 진압

(5) **소수 민족을 둘러싼 갈등** 오늘날 티베트족, 위구르족 등의 독립 요구

중국의 지도부는 우수한 문화, 공산당 중심, 국방의 중요성, 국가의 통일 등을 강조하는 애국주의 교육을 강화하여 국민의 결집을 꾀하고 있다.

5. 북한과 베트남의 변화

북한	6·25 전쟁 이후 김일성 독재 체제 구축 → 1972년 사회주의 헌법 제정으로 독재 체제 강화 → 김정일, 김정은의 권력 세습 (주석제를 도입하여 당과 행정을 통괄하도록 하였다.)
베트남	사회주의 노선, 공산당 일당 지배 체제를 고수하면서 점진적인 정치 개혁 추진, 1990년대 중국·미국 등과 국교 정상화

④ 4·19 혁명

4·19 혁명은 개헌과 부정 선거로 정권을 이어 가던 이승만 정부를 몰아내고 시민의 힘으로 권력을 교체한 시민 혁명이었다.

⑤ 1955년 이후 일본 주요 정당의 의석 분포 변화

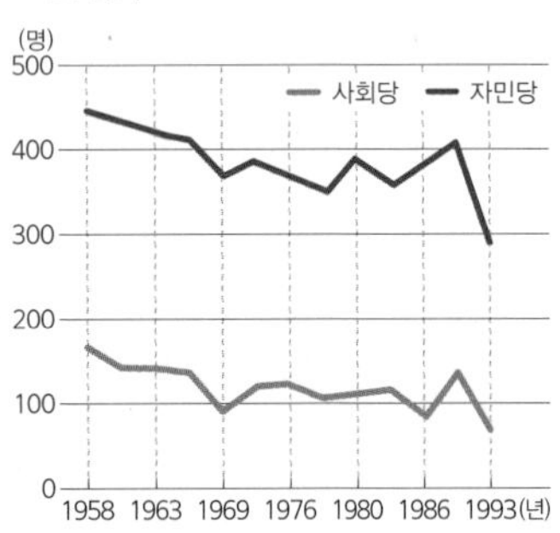

55년 체제하에서 자민당과 사회당의 의석 수는 크게 바뀌지 않았다.

⑥ 록히드 사건

미국의 군수업체인 록히드사가 일본 정부의 관리에게 뇌물을 준 것이 밝혀지면서 일본 정계를 뒤흔든 사건으로, 정경 유착 관계에서 비롯되었다.

고득점을 위한 셀파 Tip

• 동아시아 자본주의 국가와 사회주의 국가의 정치 발전

자본주의 국가(한국, 일본, 타이완)
• 제2차 세계 대전 이후 반공, 경제 성장을 내세운 권위주의적 정부 수립
• 2000년대를 전후하여 평화적인 여야 정권 교체 달성

사회주의 국가(중국, 베트남, 북한)
• 공산주의 정당의 집권 → 반대파 숙청, 국가 원수에 대한 우상화 작업
• 경제난 심화, 냉전 완화로 1당 지배 체제 위기 → 변화 모색

셀파 자료 탐구

자료 03 6월 민주 항쟁(1987)

1. 이 땅에서 권력에 의한 고문, 테러, 불법 연행, 불법 연금 등 여하한 인권 유린도 영원히 추방되어야 한다는 것은 그 누구도 거스를 수 없는 국민적 요구이다. …….

6. 우리는 6·10 대회로써 이 운동이 비로소 본격화하는 만큼 이 땅에 민주 헌법이 서고 민주 정부가 확고히 수립될 때까지 지칠 줄 모르게 이 운동을 전개해 나갈 뿐만 아니라, 그렇게 되었을 때 동장에서부터 대통령까지 국민의 손으로 뽑게 될 수 있을 때에도 그 소중한 국민 주권을 신성하게 행사할 것임을 온 국민의 이름으로 결의한다.

– 「6·10 대회 결의문」 –

▲ 서울 시청 앞에 모여 시위하는 시민들

자료 분석 | 1987년 박종철 고문치사 사건이 정부에 의해 은폐 조작된 사실이 밝혀지면서 시민과 학생들은 전두환 정부의 언론 통제와 탄압에도 불구하고 6월 민주 항쟁을 전개하였다. 당시 시민들은 공권력에 의한 인권 침해를 없앨 것, 대통령 직선제와 같은 민주적 개혁을 시행할 것 등을 주장하였다. 결국 집권 세력은 6·29 민주화 선언을 발표하여 대통령 직선제 개헌 등 국민의 민주화 요구를 수용하였다.

교과서 자료 더 보기

| 타이완 의회의 계엄령 해제 승인 |

타이완 입법원은 지난 38년 동안 계속되어 온 계엄령의 해제안을 만장일치로 승인하였다. …… 민진당은 과거 계엄하에서 유죄 판결을 받은 수천 명의 반정부 인사들에 대한 복권 조치와 현재 수감 중인 정치범 약 200명의 사면을 촉구하였다.

– 「동아일보」 –

타이완에서는 국민의 민주화 요구 속에 1987년에 계엄령이 해제되었고, 복수 정당제 도입, 총통 직선제 개헌 등 제도적 민주화를 이루어 갔다.

문화 대혁명과 톈안먼 사건이 일어난 배경과 두 사건이 중국 사회에 끼친 영향을 기억해 두자. 당시 집권자가 누구였는지도 함께 알아 두는 것이 좋아!

자료 04 중국의 정치 변동

(가) 문화 대혁명

지난 50여 일 동안 중앙에서 지방까지 일부 지도층 동지들은 도리어 이와는 정반대의 길을 따라가고 있으며, 반동적 부르주아의 입장에 서서 부르주아 독재를 실행하면서, 프롤레타리아의 위대한 문화 대혁명 운동을 무너뜨리고, 시비를 뒤집고, 흑백을 뒤섞고, 혁명파를 포위 공격하고, 다른 의견을 압제하면서 백색 테러를 실행하면서 스스로 득의양양하여 부르주아의 위풍을 높이고 프롤레타리아의 뜻과 기개를 무너뜨리고 있으니, 이 얼마나 악독한 일인가?

– 「문화 대혁명 연구 자료」 –

(나) 톈안먼 사건

이러한 시각(1989년 5월)에 이르러, 물가는 폭등하였고 관료는 부패하였으며 강권은 높이 걸려 있고, 민주 인사들은 해외로 망명하지 않을 수 없으며, 사회의 치안은 날로 혼란에 빠지고 있습니다. 민족의 존망이 달린 생사의 갈림길에서 동포 여러분, 양심을 지닌 일부 동포 여러분, 우리의 외침을 들어주십시오.

국가는 인민의 국가입니다.
인민은 우리의 인민입니다.
정부는 우리의 정부입니다.

– 「톈안먼 시위 단식 선언서」 –

▲ 톈안먼 광장에서 민주화를 요구하는 시위를 벌이는 시민들

자료 분석 | (가) 대약진 운동의 실패로 정치적 위기에 처한 마오쩌둥은 문화 대혁명을 일으켰다. 마오쩌둥은 자신을 추종하는 홍위병을 조직하여 내부의 반대파를 제거하려 하였다. 10여 년에 걸친 문화 대혁명으로 중국 전역은 혼란에 빠졌다.

(나) 마오쩌둥 사망 후 집권한 덩샤오핑은 개혁·개방 정책을 추진하였고, 이에 따라 정치 개혁의 요구도 높아져 1989년 민주화를 요구하는 대규모의 시위로 발전하였다(톈안먼 사건). 그러나 중국 정부는 이를 '폭력적 난동'으로 규정하고 군대를 동원하여 시위를 진압하였다.

교과서 탐구 풀이 

Q (가), (나)와 관련된 사건이 일어나게 된 배경과 결과를 정리해 보자.

A

문화 대혁명	• 배경: 대약진 운동의 실패로 마오쩌둥이 정치적 위기에 빠졌다. • 결과: 마오쩌둥에 의해 수많은 혼란과 경제 침체가 초래되었다.
톈안먼 사건	• 배경: 중국이 개혁·개방을 통해 경제적 성장을 이룬 이후 정치적 개혁을 요구하는 움직임이 있었다. • 결과: 중국 정부는 군대를 동원해 강경하게 진압하였다.

3 동아시아의 갈등과 화해

1. 영토를 둘러싼 갈등 — 영토 문제는 역사적 점유 여부가 영유권 주장의 근거가 되어 역사 갈등의 배경이 되기도 한다.

(1) **배경** 식민지 지배의 처리 과정, 전후 점령지의 처리 과정에서 비롯된 경우가 대부분 → 1970년대 이후 배타적 경제 수역(EEZ)[7]의 설정, 해당 도서 주변에 매장된 해양 자원의 중요성 증대 등으로 해양 영토 분쟁 심화

└ 대규모로 천연가스와 석유가 매장되어 있음이 알려지면서 영토 분쟁이 더욱 심화하고 있다.

(2) **동아시아의 영토 분쟁**[8]

쿠릴 열도(북방 도서) 분쟁	센카쿠 열도(중국명 댜오위 다오) 분쟁
• 러시아와 일본 간의 분쟁 • 쿠릴 열도의 4개 섬을 일본이 영유함 → 제2차 세계 대전 말기에 소련이 점령 → 소련을 이은 러시아가 현재까지 영유하고 있음 • 일본의 반환 요구: 러·일 전쟁 이전부터 일본의 영토였다고 주장	• 중국과 일본 간의 분쟁 • 청·일 전쟁에서 승리한 일본이 영유 → 제2차 세계 대전 이후 미국이 점령 → 1972년 오키나와가 일본에 반환되면서 일본이 실효 지배 • 이 지역에 석유와 천연가스가 매장된 사실이 알려짐 → 중국, 타이완이 자국 영토라고 주장
시사 군도(영어명 파라셀 제도) 분쟁	**난사 군도(영어명 스프래틀리 군도) 분쟁**
• 베트남, 중국 등의 분쟁 • 제2차 세계 대전 이후 베트남이 기상 관측소 등을 설치하여 관리 → 1974년 중국이 무력으로 점령하면서 분쟁 시작 → 중국이 각종 시설을 설치하면서 영토 분쟁 심화	• 중국, 베트남, 타이완, 필리핀, 브루나이, 말레이시아 등의 분쟁 • 인근 해역의 풍부한 수산 자원, 해저에 석유와 천연가스 등의 지하자원이 매장된 사실이 확인되면서 분쟁 심화

일본은 청·일 전쟁 당시 주인 없는 섬을 차지한 것이라고 주장하다가 최근에는 고유 영토론을 내세우고 있다. 중국과 타이완은 명과 청의 영토를 일본이 강제로 빼앗은 것이라고 주장하고 있다.

2. 독도, 한국 고유의 영토

(1) **독도의 지리적 위치** 울릉도 남동쪽 약 90km 해상에 있는 섬, 울릉도에서 육안으로 식별 가능

(2) **일본의 독도 영유권 주장** 러·일 전쟁 중 시마네현 고시(1905)를 통해 독도를 자국의 영토로 편입하였다고 주장 → 대한 제국의 영토 주권을 침해하는 불법적인 행위

(3) **역사적·국제법상 한국 고유의 영토인 독도** 신라 지증왕 때 신라 영토로 편입 → 조선 숙종 때 안용복의 활동 → 현재까지 한국이 영토 주권을 행사

└ 신라 이사부의 우산국 정벌 「삼국사기」

└ 일본 어민들이 울릉도와 독도를 계속 침범하자, 일본에 두 번이나 가서 울릉도와 독도가 조선의 영토임을 확인하였다.

(4) **자료로 보는 독도**

① 사료 『삼국사기』, 『세종실록지리지』(1454), 『신증동국여지승람』(1530), 『동국문헌비고』(1770), 『만기요람』(1808) 등에 한국의 영토로 기록되어 있음

> 신라 지증왕 13년(512) …… 이사부로 하여금 우산국을 정복하게 하였으며, 이사부 등 신라 군사들은 우산국 사람들의 위세를 나무로 만든 사자 인형을 이용하여 꺾고, 결국 우산국 사람들의 항복을 받았다. - 「삼국사기」 신라 본기 -
>
> 우산과 무릉 두 섬이 현의 정동쪽 바다 가운데 있다. 두 섬은 서로 멀리 떨어져 있지 않아, 날씨가 맑으면 바라볼 수 있다. 신라 때에 우산국 또는 울릉도라고 하였다. - 「세종실록지리지」 -

② 지도 한국에서 편찬한 지도는 물론, 일본에서 편찬한 「삼국접양지도」(1785), 『신찬지지』[9](1877), 「일청한군용정도」(1895) 등에서도 독도가 한국의 영토로 표시되어 있음

③ 정부 문서·공식 문서 일본의 「태정관 지령」[10](1877), 대한 제국 『관보』의 「칙령 제41호」[11](1900), 연합국 최고 사령관 각서(SCAPIN) 제677호(1946) 등에서 독도가 한국령임을 분명히 함

> 본 지령의 목적상 일본은 일본의 4개 도서(홋카이도, 혼슈, 규슈 및 시코쿠)와 쓰시마섬을 포함한 약 1,000개의 인접한 작은 도서들로 한정되며 (a) 울릉도, 리앙꼬르 암석(독도) 및 퀠파트(제주도)를 제외한다. - 연합국 최고 사령관 각서(SCAPIN) 제677호 -

[7] **배타적 경제 수역(EEZ)** 각국의 배타적 권한이 미치는 200해리(약 370km) 이내의 수역으로 바다에 설정된 경제 경계선이다. 이 지역 내에서는 자원 탐사, 개발 및 보전과 해양 환경의 보존 등에서 주권적 권리가 인정된다.

[8] **동아시아의 영토 분쟁 지역**

[9] **『신찬지지』에 수록된 독도**

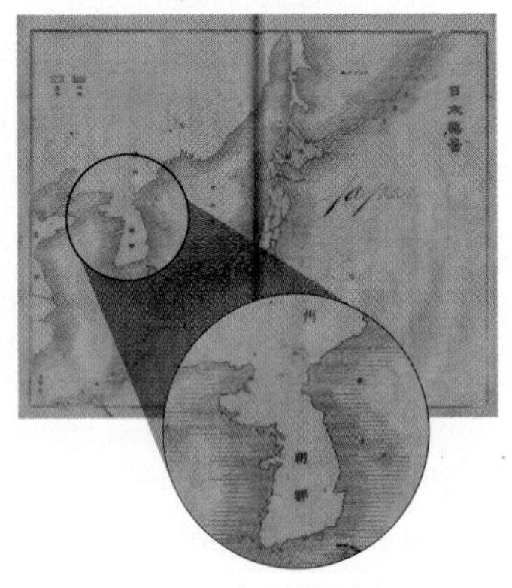

일본 문부성의 허가를 받아 편찬한 것이다. 독도가 조선의 영역으로 포함되어 있다.

[10] **태정관 지령** 메이지 정부의 최고 행정 기관인 태정관은 내무성에 "품의한 취지의 죽도(울릉도) 외 한 섬(독도) 건은 본방 일본과 관계없다는 것을 명심할 것"이라는 공문서를 보냈다.

[11] **대한 제국 『관보』의 「칙령 제41호」** 대한 제국은 「칙령 제41호」를 통해 독도가 우리의 영토임을 분명히 하였다. 칙령에 따르면 울도군이 관리하는 구역을 울릉도와 죽도, 석도(독도)로 정하였다. 이는 행정 개편을 통해 울릉도가 독도를 관할하도록 이미 조치하였던 것이다.

3. 역사 인식을 둘러싼 갈등

1995년에는 일본이 태평양 전쟁 당시의 식민 지배에 대해 공식적으로 사죄하는 무라야마 담화를 발표하였다.

일본의 역사 교과서 왜곡 문제	• 배경: 1990년대 경제 침체 속에서 보수화·우경화 • 과거 식민지 지배와 침략 전쟁 미화, 전쟁 범죄 축소·은폐 등 왜곡 사실을 포함한 중·고등학교 역사 교과서 검정 통과 → 한국과 중국 강력히 항의, 역사 왜곡 저지 운동 등 전개
일본군 '위안부' 문제[12]	• 일본 정부가 침략 전쟁 중 일본 여성 및 식민지 여성을 일본군 '위안부'로 강제 동원 → 일본 정부·일본군은 관계없다고 주장함 • 피해 여성의 공개 증언(1991) → 일본 정부에 대한 강한 비판 여론 → 고노 담화 발표(1993)로 공식적으로 사과 → 직접 배상 등 책임 있는 조치 회피
야스쿠니 신사[13] 참배 문제	• 야스쿠니 신사에 제2차 세계 대전의 A급 전범 합사 → 1985년 일본 총리의 공식 참배 이후 주요 보수 정치인들이 지속적으로 참배 • 국제적 항의와 비판에 '국가를 위해 목숨을 바친 이들을 위로하는 종교 시설'이라고 주장
중국의 동북공정 문제	• 목적: 중국 정부의 조선족 등 소수 민족의 동요 방지, 만주 지역에 대한 역사적 귀속권 강화 및 한반도의 정세 변화에 대한 대비 등 • 고조선, 부여, 고구려, 발해의 역사를 중국의 역사(지방사)로 편입 → 한국 정부가 역사 주권 침해라고 반발 → 학문적 차원에 한정, 더는 확산시키지 않는다고 합의

4. 화해와 협력을 위한 모색

(1) **역사 문제 해결을 위한 국제 연대** 일본의 역사 교과서 왜곡에 대응한 연대, 일본군 '위안부' 문제 해결을 위한 국제 연대 등

(2) **역사 인식 공유를 위한 역사 대화** 동아시아 공동 역사 교재 발간, 역사 엔지오(NGO)의 세계 대회 개최, 동아시아 청소년 역사 체험 캠프 등

(3) **동아시아 협력체의 모색** 냉전 체제 해체 이후 지역 공동체 구상으로 본격화 → 다자간 협력체를 구성하여 공동 과제에 대한 해법 모색

⑫ 일본군 '위안부' 문제

일본군 '위안부' 문제는 전시 여성 성폭력에 반대하는 여성 인권 운동의 중요성을 널리 알린 상징적 사건으로 자리하고 있다. 유엔 인권 위원회는 일본 정부의 공식 사과, 문서 공개, 범죄자 처벌을 요구하였다.

⑬ 야스쿠니 신사

일본의 침략 전쟁 과정에서 숨진 군인과 민간인 협력자들을 신격화하여 제사를 지내는 곳이다. 1978년부터 제2차 세계 대전의 A급 전범을 합사하여 함께 제사를 지내고 있다.

고득점을 위한 셀파 Tip

• 동아시아의 갈등

영토 갈등	• 대부분 식민지 지배·전후 처리 과정에서 비롯됨 • 해양 자원의 중요성 증대에 따라 심화
역사 인식 갈등	• 일본의 역사 교과서 왜곡 문제 • 일본군 '위안부' 문제 • 야스쿠니 신사 참배 문제 • 중국의 동북공정 문제

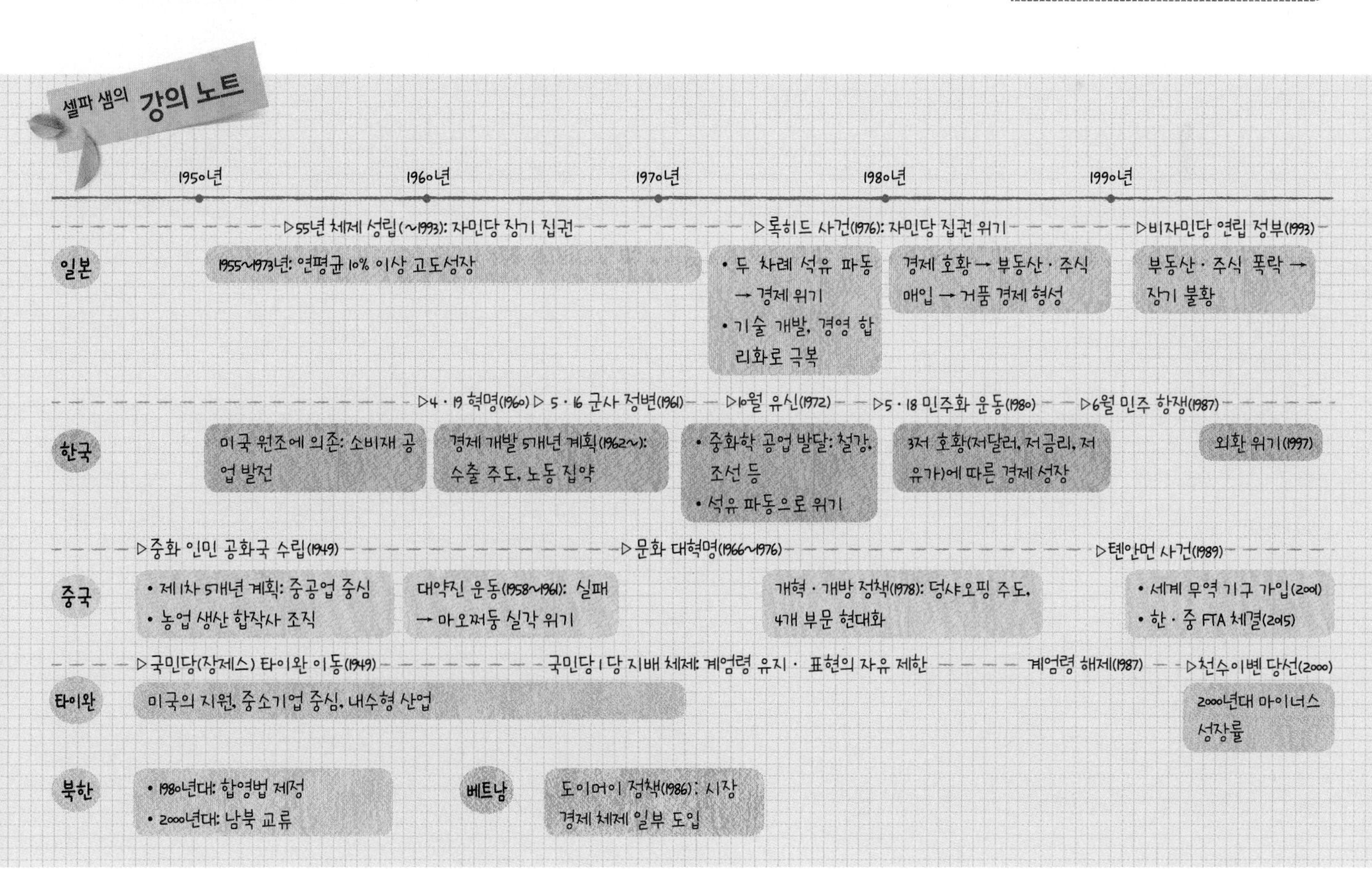

개념 완성

1 경제 성장과 교역의 확대

일본	미국의 지원, (❶)와/과 베트남 전쟁 등 전쟁 특수로 경제 회복 → 1980년대 미국과의 무역 마찰, 거품 경제 형성 → 1990년대 주가와 부동산 가격 폭락, 장기 불황
한국	1950년대 소비재 공업 발전 → 1960년대 경제 개발 5개년 계획 시행 → 1970년대 중화학 공업 발전 → 1980년대 (❷)에 따른 경제 성장 → 1997년 외환 위기 발생
타이완	중소기업을 중심으로 시장 경제 발달
중국	1950년대 후반부터 (❸) 전개 → 마오쩌둥 사후 덩샤오핑 집권, 개혁·개방 정책 추진
(❹)	협동농장·국영 기업 중심의 사회주의 경제 체제 확립 → 1980년대 합영법 제정, 경제특구 지정 등
베트남	1980년대 개혁과 개방을 표방하는 (❺) 시행

2 정치와 사회의 발전

일본	자유 민주당과 사회당의 양당 체제인 (❻) 성립 → 1990년대 거품 경제 붕괴, 부정부패로 자민당의 지지 기반 약화 → 자민당의 의석 과반수 획득 실패 → 2009년 민주당 집권 → 2012년 자민당 집권
한국	4·19 혁명(1960) → 박정희 정부의 장기 집권 → 유신 체제 붕괴 → 신군부 세력의 정권 장악 → 5·18 민주화 운동(1980) → 6월 민주 항쟁으로 (❼) 개헌 달성 → 여야 정권 교체로 김대중 정부 출범(1998)
타이완	국민당의 정치 독점 → 계엄령 해제(1987) → 복수 정당제, (❽) 개헌 등으로 제도적 민주화 → 2000년 정권 교체
중국	공산당의 권력 독점 → 마오쩌둥의 문화 대혁명 실시 → 덩샤오핑 집권 → 개혁·개방 정책, 정치 체제의 개혁 요구 → 민주화를 요구하는 대규모 시위인 (❾) 발생(1989)
북한	6·25 전쟁 이후 김일성 독재 체제 구축 → 김정일, 김정은의 권력 세습

3 동아시아의 갈등과 화해

갈등	영토 분쟁	해양 자원의 중요성 증대 등으로 영토 분쟁 심화
	역사 인식 갈등	일본의 역사 교과서 왜곡, 일본군 '위안부' 문제, 야스쿠니 신사 참배 문제, 중국의 (❿) 문제
화해와 협력	역사 문제 해결을 위한 국제 연대, 역사 인식 공유를 위한 역사 대화, 동아시아 협력체를 구성하여 공동 과제에 대한 해법 모색 등	

정답 ❶ 6·25 전쟁 ❷ 3저 호황 ❸ 대약진 운동 ❹ 북한 ❺ 도이머이 정책 ❻ 55년 체제 ❼ 직선제 ❽ 총통 직선제 ❾ 톈안먼 사건 ❿ 동북공정

기출 선택지 체크

A 다음 내용이 옳으면 ○표, 틀리면 ×표 하시오.

1 베트남 전쟁이 진행되던 시기 일본에서는 주가와 부동산 가격이 폭락하면서 장기 불황이 발생하였다. ( )

2 덩샤오핑의 개혁·개방 정책에 따라 무상 몰수, 무상 분배의 토지 개혁이 이루어졌다. ( )

3 덩샤오핑의 개혁·개방 정책과 비슷한 정책으로 베트남의 도이머이 정책을 들 수 있다. ( )

4 일본에서는 55년 체제가 붕괴하고 일시적으로 비자민당 연립 정부가 수립되었다. ( )

5 중국은 식민지 지배를 미화하는 내용의 교과서를 검정 통과시켰다. ( )

B 다음 괄호 안의 내용 중에서 옳은 것에 ○표 하시오.

6 1980년대 일본은 최대 경제 호황을 누렸으나 (미국 / 중국)과 무역 마찰, 거품 경제 등으로 위기에 처하였다.

7 중국에서는 (대약진 운동 / 개혁·개방 정책) 시기에 인민공사가 해체되고 사기업의 설립이 허용되었다.

8 한국에서는 (4·19 혁명 / 6월 민주 항쟁)을 통해 직선제 개헌을 이루었다.

9 (센카쿠 열도 / 쿠릴 열도) 주변 해역에 석유와 천연가스가 매장된 사실이 알려지면서 중국과 일본 간의 분쟁이 본격화되었다.

C 다음 빈칸에 들어갈 알맞은 말을 쓰시오.

10 북한에서는 1980년대 외국의 자본과 기술을 도입하기 위해 ( )이/가 제정되었다.

11 1989년 ( )에서는 공산당 독재 타도, 민주화를 요구하는 대규모 시위인 톈안먼 사건이 일어났다.

12 일본은 러·일 전쟁 중 1905년 시마네현 고시를 통해 ( )을/를 자국의 영토로 편입하였다고 주장하지만 이것은 대한 제국의 영토 주권을 침해하는 행위였다.

정답 1. × 2. × 3. ○ 4. ○ 5. × 6. 미국 7. 개혁·개방 정책 8. 6월 민주 항쟁 9. 센카쿠 열도 10. 합영법 11. 중국 12. 독도

딱풀 p. 61

01 (가)에 들어갈 내용으로 옳은 것은?

> ○○의 경제 성장
> 1. 1950년대~1970년대 초: 미국의 지원, 6·25 전쟁과 베트남 전쟁 특수 등으로 고도성장
> 2. 1970년대: 두 차례 석유 파동을 기술 개발과 경영 합리화로 극복
> 3. 1980년대: 최대 호황, 거품 경제 형성
> 4. 1990년대 이후: (가)

① 대약진 운동 전개
② 도이머이 정책 추진
③ 3저 호황으로 경제 성장
④ 원조 물자에 기반한 소비재 공업 발전
⑤ 주가와 부동산 가격 폭락으로 인한 장기 불황

02 (가), (나) 국가에 대한 설명으로 옳은 것은?

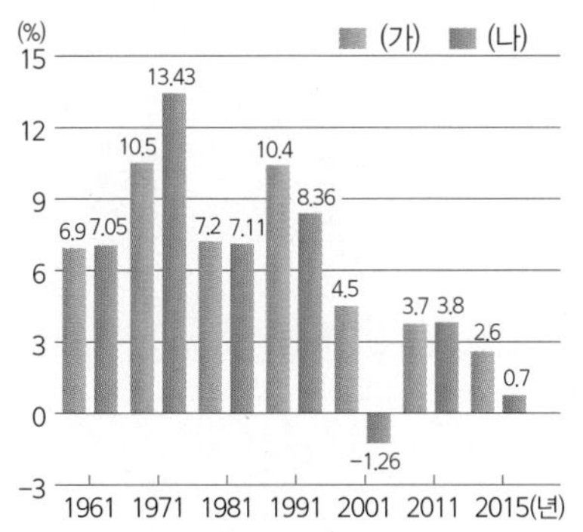

▲ (가), (나) 국가의 경제 성장률

① (가) – 6·25 전쟁 특수로 경제가 크게 발전하였다.
② (가) – 덩샤오핑이 주도한 개혁·개방 정책이 추진되었다.
③ (나) – 인민공사를 조직하여 농업을 집단화하였다.
④ (나) – 합영법을 제정하여 외국 자본을 유치하고자 하였다.
⑤ (가), (나) – 아시아의 4대 신흥 공업국으로 불렸다.

03 밑줄 친 '이 운동'에 대한 설명으로 옳은 것을 〈보기〉에서 고른 것은?

> 1958년 5월 중국 공산당은 제8차 전국 대회 제2차 회의에서 '사회주의 건설의 총노선'을 채택하였다. 중국식 사회주의 건설에 착수한 것으로 이 운동의 시작이었다. 비약적인 생산 향상을 목표로 공업과 농업을 동시에 발전시키며 노동 집약적 방식을 채택하였다.

보기
ㄱ. 마오쩌둥이 실각하는 원인이 되었다.
ㄴ. 남순 강화를 계기로 더욱 가속화되었다.
ㄷ. 자연재해, 근로 의욕 감소 등으로 실패하였다.
ㄹ. 중국이 세계 3대 쌀 수출국으로 성장하는 발판이 되었다.

① ㄱ, ㄴ ② ㄱ, ㄷ ③ ㄴ, ㄷ
④ ㄴ, ㄹ ⑤ ㄷ, ㄹ

04 자료와 같은 취지에서 이루어진 정책으로 옳은 것을 〈보기〉에서 고른 것은?

> 가장 중요한 것은 주인 역할, 즉 노동자가 열성을 발휘하여 군중 운동을 이행하는 것이며, 동시에 생산관계 혁명, 과학-기술 혁명 및 사상-문화 혁명을 조성하기 위한 경제 정책, 사회 정책을 쇄신하는 것이다. 식량·식품, 소비재 생산 원료, 수출품에 대한 급박한 요구가 농업의 최우선 위치를 결정한다. 소비재 생산지는 시장과 밀착해야 하고, 소비자의 수요 및 시장 기호를 확실하게 붙들어야 한다.
>
> – 「베트남 공산당 제6차 전당 대회 보고문」(1986) –

보기
ㄱ. 합영법이 제정되었다.
ㄴ. 인민공사가 해체되었다.
ㄷ. 협동농장을 설립하였다.
ㄹ. 대약진 운동을 추진하였다.

① ㄱ, ㄴ ② ㄱ, ㄷ ③ ㄴ, ㄷ
④ ㄴ, ㄹ ⑤ ㄷ, ㄹ

05 (가)에 들어갈 내용으로 적절한 것은?

> 동아시아의 민주화 운동
> 1. 한국
> (1) 4·19 혁명: 3·15 부정 선거에 대항하여 일어남, 대통령의 하야를 이끌어 냄
> (2) 5·18 민주화 운동: 신군부 세력에 저항하여 일어남, 군인들에게 유혈 진압
> (3) 6월 민주 항쟁: 박종철 고문치사 사건 등의 계기로 발생, (가)

① 55년 체제가 붕괴되었다.
② 유신 체제가 출범하였다.
③ 평화적 정권 교체가 이루어졌다.
④ 대통령 직선제 개헌을 성취하였다.
⑤ 38년간 지속된 계엄령이 해제되었다.

06 밑줄 친 부분을 뒷받침할 수 있는 내용으로 옳은 것을 〈보기〉에서 고른 것은?

> '55년 체제'는 보수적인 자민당과 진보적인 사회당의 양당 체제를 일컫는다. 자민당은 1955년 정권을 장악하여 단독으로 과반수를 넘는 다수당의 위치를 차지한 후 경제 우선 정책을 채택하였고 일본의 경제 성장을 이끌었다. 경제 우선 정책으로 대중적 지지 기반을 굳힌 자민당은 40여 년간 장기 집권하였다. <u>그러나 55년 체제는 1970년대부터 흔들리기 시작하여 1990년대에 들어서 결국 막을 내렸다.</u>

보기
ㄱ. 거품 경제의 붕괴와 경제 불황이 계속되었다.
ㄴ. 평화 헌법 개정 움직임에 국민이 반발하였다.
ㄷ. 록히드 사건과 같은 뇌물 사건으로 위기에 빠졌다.
ㄹ. 안보 투쟁이 격화되면서 국민의 지지를 상실하였다.

① ㄱ, ㄴ ② ㄱ, ㄷ ③ ㄴ, ㄷ
④ ㄴ, ㄹ ⑤ ㄷ, ㄹ

07 밑줄 친 '시위'에 대한 설명으로 옳은 것은?

> 덩샤오핑의 집권 이후 개혁·개방 정책이 추진되면서 급속한 경제 성장이 이루어졌다. 그러나 인플레이션, 부정부패, 빈부 격차 등이 심화되면서 불만이 고조되었다. 이에 톈안먼 광장에서 정치적 민주화를 요구하는 대대적인 <u>시위</u>가 전개되었다.

① 헌법 개정으로 이어졌다.
② 군대에 의해 유혈 진압되었다.
③ 대통령이 물러나는 결과를 낳았다.
④ 신군부 세력의 퇴진을 요구하였다.
⑤ 복수 정당제가 도입되는 계기가 되었다.

08 다음에서 이야기하고 있는 지역으로 옳은 것은?

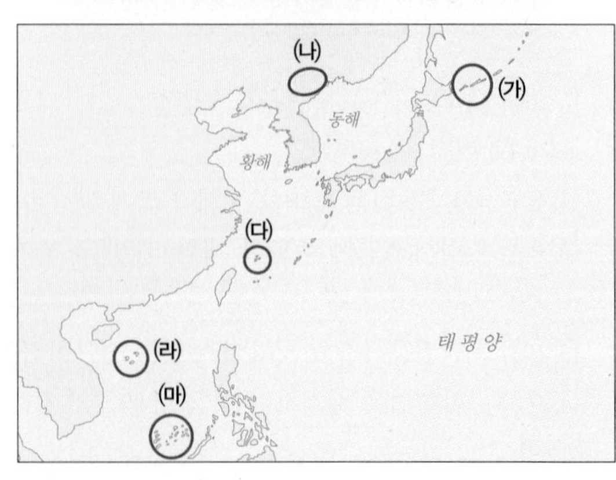

① (가) ② (나) ③ (다) ④ (라) ⑤ (마)

09 시사 군도와 그곳에서 발생하는 분쟁에 대한 설명으로 옳은 것을 〈보기〉에서 고른 것은?

보기
ㄱ. 러시아와 일본이 영유권 분쟁을 벌이고 있다.
ㄴ. 남중국해에 위치하고 있으며, 영어명은 파라셀 제도이다.
ㄷ. 중국이 무력으로 점령하여 베트남과 분쟁이 시작되었다.
ㄹ. 일본이 러·일 전쟁 이전부터 자국의 영토였다고 주장하고 있다.

① ㄱ, ㄴ ② ㄱ, ㄷ ③ ㄴ, ㄷ
④ ㄴ, ㄹ ⑤ ㄷ, ㄹ

10 밑줄 친 '이 섬'은 역사적·국제법상으로 명백한 우리나라의 영토이다. 그 근거를 알아보기 위한 탐구 활동으로 적절하지 않은 것은?

이 섬은 울릉도의 부속 도서로서 삼국 시대 이래 우리나라의 영토이다. 19세기 중엽 이후 일본 어민의 불법 침입이 늘어나자 정부는 울릉도에 관리를 파견하고 육지 주민을 이주시켰다. 그 뒤 울릉도를 군으로 승격시키고 이 섬을 관할하게 하였다.

① 『세종실록지리지』의 내용을 분석한다.
② 조선 후기 안용복의 활동 경로를 파악한다.
③ 연합국 최고 사령관 각서 제677호를 찾아본다.
④ 대한 제국 『관보』의 「칙령 제41호」를 살펴본다.
⑤ 러·일 전쟁 중에 발표한 시마네현 고시를 근거로 활용한다.

11 다음 자료의 취지와 유사한 사례로 적절한 것은?

우리 일본은 멀지 않은 과거의 한 시기에 국가 정책을 그르치고 전쟁에의 길로 나아가 국민을 존망의 위기에 빠뜨렸으며, 식민지 지배와 침략으로 많은 나라들 특히 아시아 국가들에게 큰 손해와 고통을 주었습니다. …… 통절한 반성의 뜻을 표하며 진심으로 사죄의 마음을 표명합니다. 또 이 역사로 인한 내외의 모든 희생자 여러분에게 깊은 애도의 뜻을 바칩니다. - 무라야마 담화 -

① 평화 헌법 개정 시도
② 역사를 왜곡하는 동북공정 추진
③ 일본 총리의 야스쿠니 신사 참배
④ 일본군 '위안부' 문제에 관한 고노 담화
⑤ 식민 지배와 침략 전쟁을 미화한 역사 교과서

12 (가)에 들어갈 내용으로 적절한 것을 〈보기〉에서 고른 것은?

보기
ㄱ. 중국은 동북공정을 추진하였어.
ㄴ. 동아시아의 공동 역사 교재를 발간하였어.
ㄷ. 동아시아 청소년 역사 체험 캠프를 개최하였어.
ㄹ. 일본 총리가 야스쿠니 신사를 공식 참배하였어.

① ㄱ, ㄴ ② ㄱ, ㄷ ③ ㄴ, ㄷ
④ ㄴ, ㄹ ⑤ ㄷ, ㄹ

딱풀 p. 61

13 사회주의 국가의 개혁·개방 정책과 관련 있는 것만을 <보기>에서 있는 대로 골라 기호를 쓰시오.

보기
ㄱ. 합영법 제정
ㄴ. 인민공사 해체
ㄷ. 대약진 운동 추진
ㄹ. 도이머이 정책 시행

14 (가), (나)에서 설명하는 사건의 명칭을 각각 쓰시오.

(가) 전두환 정부의 강압적인 통치와 부정부패에 대항하여 일어난 민주화 운동으로 대통령 직선제 개헌 등을 이루어 냈다.
(나) 1989년 지식인과 대학생들이 민주화를 요구하는 시위를 벌였으나 덩샤오핑은 군대를 동원하여 유혈 진압하였다.

15 다음에서 설명하는 용어를 쓰시오.

보수적인 자유 민주당(이하 자민당)과 진보적인 사회당 양당이 정치를 주도한 체제를 말한다. 경제 성장을 바탕으로 대중의 지지를 확보한 자민당이 장기 집권하였다. 그러나 1990년대 접어들어 장기 불황으로 자민당의 지지 기반이 약화되었고, 결국 1993년 자민당이 과반수 의석 확보에 실패하면서 붕괴되었다.

16 다음 상황을 극복하기 위해서 마오쩌둥이 전개한 활동을 두 가지 서술하시오.

마오쩌둥은 농업과 공업 생산의 대규모 증산을 목표로 하는 대약진 운동을 추진하였다. 그러나 집단화에 대한 농민들의 불만과 근로 의욕 감소, 기술력의 부족, 대규모의 자연재해에 따른 생산력 저하와 대기근 등의 문제를 낳으면서 실패하였고 이에 따라 마오쩌둥의 권력 기반도 약화되었다.

17 다음 지도를 보고 물음에 답하시오.

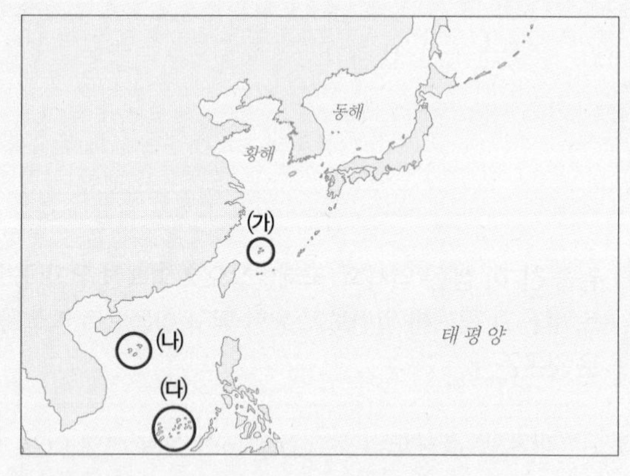

(1) (가), (나), (다) 지역의 명칭을 쓰시오.

(2) (가)~(다) 지역에서 영토 분쟁이 발생하는 공통 배경에 대해 서술하시오.

| 교육청 응용 |

01 (가)에 들어갈 내용으로 옳은 것은?

토의 주제: 올림픽 개최를 전후한 시기의 동아시아 모습

1964년 제18회 도쿄 올림픽을 개최할 당시 일본은 (가)

한국은 6월 민주 항쟁 이듬해인 1988년에 제24회 올림픽을 개최했어.

중국은 세계 무역 기구 가입 이후에 제29회 베이징 올림픽을 개최했지.

① 고도성장기였어.
② 55년 체제가 붕괴되었어.
③ 외환 위기가 지속되었어.
④ 천리마 운동을 전개하였어.
⑤ 도이머이 정책을 추진하였어.

| 교육청 응용 |

02 (가)에 들어갈 내용으로 적절한 것은?

- 이름: ○○○○
- 생몰 연대: 1893~1976년
- 주요 활동
  - 중국 공산당을 이끌고 대장정 단행
  - 중화 인민 공화국의 초대 주석 역임
  - 대약진 운동 추진
  - (가)

① 합영법 제정
② 인민공사 해체
③ 미·중 수교 단행
④ 문화 대혁명 주도
⑤ 도이머이 정책 추진

| 교육청 응용 |

03 (가), (나)를 활용한 공통의 탐구 주제로 가장 적절한 것은?

(가) 예전에는 오토바이가 거의 없었어요. 내가 후에 출신인데, 거기에서는 몇몇 고위 간부만 탈 수 있었죠. …… 도이머이가 시작되고 몇 년이 지난 요즘은 경제가 활성화되면서 도시에서 오토바이가 없는 사람이 없어요.

(나) 나진·선봉 지역을 자유 경제 무역 지대로 설정한다. …… 외국인에 대한 합작 기업, 합영 기업, 외국인 재정 지원 기업 등 각종 형태의 기업 설립 및 운영을 허용하고 나진 및 선봉항을 자유 무역항으로 지정한다.

① 55년 체제의 성립
② 국·공 내전의 결과
③ 6월 민주 항쟁의 영향
④ 대일 항전을 위한 국제 연대
⑤ 사회주의 국가의 개혁·개방 정책

| 수능 기출 |

04 빗금 친 시기에 (가), (나) 국가에서 있었던 상황으로 옳은 것은?

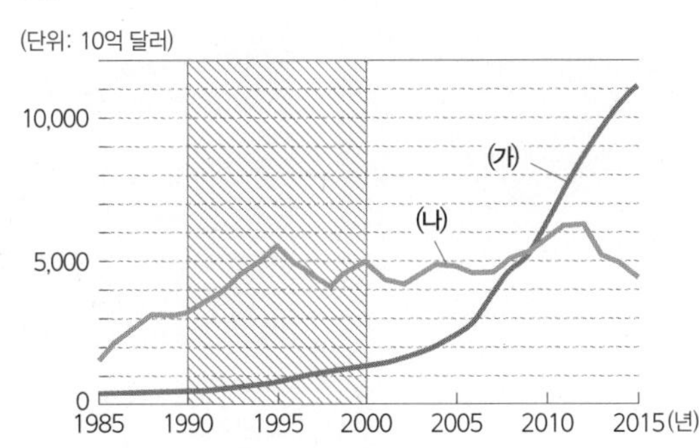

▲ 동아시아 (가), (나) 국가의 국내 총생산(GDP) 변화

① (가) – 세계 무역 기구(WTO)에 가입하였다.
② (가) – 도이머이 정책을 추진하여 경제가 성장하였다.
③ (나) – 55년 체제가 무너졌다.
④ (나) – 국제 통화 기금(IMF)의 관리를 받았다.
⑤ (가), (나) – 양국 사이에 국교가 수립되었다.

| 교육청 응용 |

05 밑줄 친 '혁명'에 대한 설명으로 옳은 것은?

> **동아시아사 신문**
>
> **붉은 완장을 찬 홍위병, 톈안먼 광장에 집결하다**
>
> 베이징의 톈안먼 광장은 전국에서 올라온 수백만 명의 홍위병으로 가득 찼다. 이들은 붉은색 표지의 마오 주석 어록을 흔들었다. 단상에 오른 마오쩌둥이 손을 흔들자 홍위병들은 일제히 환호하였다. 이들의 환호 속에서 혁명은 시작되었다.

① 신군부에 의해 진압되었다.
② 55년 체제가 붕괴되는 결과를 낳았다.
③ 대약진 운동을 추진하는 배경이 되었다.
④ 한·일 기본 조약이 체결되는 계기가 되었다.
⑤ 자본주의적 사상과 문화에 대한 투쟁을 전개하였다.

| 수능 기출 |

06 (가), (나) 사건에 대한 설명으로 옳은 것은?

(가)	(나)

정부가 국민의 대통령 직선제 개헌 요구를 거부하자 시민들은 서울 시청 앞에 모여 대규모 시위를 전개하였다.	톈안먼 광장에 모인 홍위병들은 자본주의 사상과 문화를 비판하였고, 이에 호응하여 각지에서도 궐기가 잇따랐다.

① (가) – 이승만 정부의 퇴진을 이끌어 내었다.
② (가) – 55년 체제가 붕괴되는 계기가 되었다.
③ (나) – 대약진 운동을 추진하는 배경이 되었다.
④ (나) – 마오쩌둥이 반대파를 제거하는 데 이용되었다.
⑤ (가), (나) – 독재 타도와 민주화를 요구하였다.

| 평가원 응용 |

07 (가), (나) 사이의 시기에 동아시아에서 있었던 사실로 옳은 것은?

> (가) 마오쩌둥이 사망한 지 약 한 달 뒤 중국 공산당 중앙 위원회는 4인방에 대해 다음과 같은 결정문을 발표하였다. "이들은 당권을 빼앗을 음모를 꾸며 반사회주의적인 죄를 저질렀으므로 체포한다." 이날 바로 4인방이 모두 체포되면서 문화 대혁명은 막을 내렸다.
>
> (나) 후야오방 사망 이후 민주화를 요구하는 학생들은 톈안먼 광장에서 다음과 같은 선언문을 발표하였다. "관료는 부패하고 민주 인사들은 해외로 망명하고 있다. 이에 우리는 죽음을 무릅쓰고 투쟁할 것이다." 그러나 중국 공산당은 탱크를 앞세워 시위를 진압하였다.

① 일본 – 55년 체제가 붕괴되었다.
② 베트남 – 한국과 국교를 수립하였다.
③ 한국 – 5·18 민주화 운동이 일어났다.
④ 중국 – 제1차 5개년 계획을 추진하였다.
⑤ 타이완 – 천수이볜이 총통에 당선되었다.

| 교육청 기출 |

08 다음 두 사건의 공통점으로 옳은 것은?

> • 우리는 왜 총을 들 수밖에 없었는가? 너무나 무자비한 만행을 더 이상 보고 있을 수만 없어서 너도나도 총을 들고 나섰던 것입니다. 계엄 당국은 18일 오후부터 공수 부대를 대량 투입하여 광주 시내 곳곳에서 학생, 젊은이들에게 무차별 살상을 자행하고 있습니다.
> • 청년들의 흠모를 받던 후야오방 전 총서기가 사망했습니다. 베이징 대학 학생들은 톈안먼 광장의 인민 영웅 기념비 아래서 청원 활동을 벌이고 있습니다. 학생들은 정부에 '후야오방의 공과에 대한 올바른 평가, 신문법의 제정과 검열의 철폐' 등 7개 항목의 요구서를 제출했습니다.

① 홍위병이 주도하였다.
② 민주화를 요구하였다.
③ 합영법 제정의 배경이 되었다.
④ 대통령 직선제 개헌으로 이어졌다.
⑤ 복수 정당제의 도입을 주장하였다.

| 교육청 응용 |

09 (가), (나) 사건에 대한 설명으로 옳은 것은?

(가) 의 전개 과정	(나) 의 전개 과정
5. 18. 광주에서 계엄령 전국 확대에 항의하는 시위가 일어남 5. 20. 계엄군이 시위대를 향해 발포함 5. 21. 시민군이 조직됨 5. 27. 계엄군이 전라남도 도청을 점거 중인 시민군을 무력 진압함	4. 15. 후야오방 전 총서기가 사망함 5. 13. 시위대가 톈안먼 광장에서 무기한 단식 농성에 들어감 5. 20. 계엄령이 선포됨 6. 4. 계엄군이 톈안먼 광장에서 시위대를 무력 진압함

① (가) – 55년 체제의 붕괴를 가져왔다.
② (가) – 부정 선거에 반대하여 일어났다.
③ (나) – 여야 간 평화적 정권 교체를 가져왔다.
④ (나) – 대약진 운동을 추진하는 배경이 되었다.
⑤ (가), (나) – 정치 개혁과 민주화를 요구하였다.

| 수능 기출 |

10 (가) 인물에 대한 설명으로 옳은 것은?

> 동아시아의 현대사 인물 카드
> (가) (1904~1997)
> 이른바 '흑묘백묘론'을 주장한 인물이다. 문화 대혁명 시기에 반대파로부터 타도 대상이 되어 공직에서 추방되기도 하였다. 문화 대혁명 후에 집권한 그는 농업·공업·국방·과학 기술의 4개 부문 현대화를 기본 방침으로 확고히 하고 경제 발전에 주력하였다.

① 중화민국의 수립을 선포하였다.
② 나진·선봉 지역을 경제 특구로 지정하였다.
③ 3선 개헌을 통하여 장기 집권을 추구하였다.
④ 민진당(민주 진보당) 후보로 총통에 선출되었다.
⑤ 사회주의 체제하에서 개혁·개방 정책을 실시하였다.

| 교육청 기출 |

11 다음 선언이 발표된 사건에 대한 설명으로 옳은 것은?

> 단식 선언
> 친애하는 동포 여러분!
> 거대한 위세를 보여 준 몇 차례의 시위 활동 이후 오늘 우리는 톈안먼 광장에서 단식 투쟁을 진행하기로 결정하였습니다.
> • 단식 이유: 학생의 동맹 휴학에 대한 정부의 냉담한 태도와 왜곡 보도
> • 요구 사항: 정부가 실질적이고 평등한 대화를 가질 것, 이번 학생 운동에 대한 공정한 평가를 할 것
> • 단식 시간: 1989년 5월 13일 오후 2시 시작
> • 단식 장소: 톈안먼 광장

① 정치적 민주화를 요구하였다.
② 55년 체제의 붕괴로 이어졌다.
③ 최고 통치자의 하야를 이끌어 내었다.
④ 대통령 직선제로의 개헌을 주장하였다.
⑤ 학생들이 홍위병을 조직하여 활동하였다.

| 평가원 응용 |

12 (가), (나) 사이의 시기에 있었던 사실로 옳은 것은?

> (가) 후야오방의 사망을 계기로 일부 지식인과 대학생은 톈안먼 광장에서 민주화 시위를 벌였다. 이들은 단식 투쟁을 벌이면서 정치 체제의 개혁을 요구하였다. 그러나 정부는 군대를 동원해 강제로 이들을 진압하였다.
> (나) 중국의 세계 무역 기구(WTO) 가입은 덩샤오핑의 개혁·개방 정책이 추진된 이후 최대의 경제적 사건이었다. 이를 계기로 중국의 대외 수출은 획기적으로 증가하였고, 해외 자본의 투자 역시 크게 늘어났다.

① 북한 – 6월 민주 항쟁이 발생하였다.
② 베트남 – 도이머이 정책을 시작하였다.
③ 중국 – 제1차 5개년 계획을 추진하였다.
④ 일본 – 샌프란시스코 강화 조약을 체결하였다.
⑤ 한국 – 중화 인민 공화국과 국교를 수립하였다.

역사 연표

한국사

기원전

70만 년 전 구석기 시대 시작
8000년경 신석기 시대 시작
2333 고조선 건국
2000년~1500년경 청동기 문화 보급
5세기경 철기 문화 보급
194 위만 조선 성립
108 고조선 멸망
57 신라 건국
37 고구려 건국
18 백제 건국

기원후

3 고구려, 국내성으로 천도
42 금관가야 건국
56 고구려, 옥저 복속
260 백제, 16관등과 공복 제정
313 고구려, 낙랑군 몰아냄
372 고구려, 전진에서 불교 전래
384 백제, 동진에서 불교 전래
427 고구려, 평양으로 수도 옮김
433 나제 동맹 체결
494 부여, 고구려에 복속
503 신라, 국호와 왕호 정함
512 신라, 이사부 우산국 정벌
520 신라, 율령 반포
527 신라, 불교 공인
538 백제, 사비로 수도 옮김
562 대가야 멸망
612 고구려, 살수 대첩
645 고구려, 안시성 싸움
660 백제 멸망
668 고구려 멸망
676 신라, 삼국 통일
685 신라, 9주 5소경 설치
698 발해 건국
751 불국사와 석굴암 중창 시작
788 독서삼품과 실시
828 장보고, 청해진 설치
900 견훤, 후백제 건국
901 궁예, 후고구려 건국
918 왕건, 고려 건국
926 발해 멸망
935 신라 멸망
936 고려, 후삼국 통일
956 노비안검법 실시
958 과거제 실시
976 전시과 실시
992 국자감 설치
993 거란의 1차 침입
1019 귀주 대첩

동아시아사

기원전

1만 년 전 농경과 목축 시작
2500년경 중국 문명 성립
1600년경 중국, 상 왕조 성립
770 중국, 춘추 시대 시작
403 중국, 전국 시대 시작
250년경 일본, 야요이 문화 시작
221 진(秦), 중국 통일
만리장성 축조
209 흉노의 묵특 선우, 흉노 부족 통일
202 한(漢), 중국 재통일
139 한 무제, 장건을 서역으로 파견
136 한, 오경박사 설치

기원후

25 후한 성립
105년경 한의 채윤, 제지법 개량
184 한, 황건적의 난 발발
220 후한 멸망, 삼국 시대 시작
280 진(晉), 중국 통일
304 중국, 5호 16국 시대 시작
317 중국, 강남에 동진 성립
439 북위, 화북 통일
남북조 시대 시작(~589)
589 수, 중국 통일
607 호류사 건립
612 수의 양제, 고구려 침입
618 당 건국
630 일본, 1차 견당사 파견
645 일본, 다이카 개신
710 일본, 나라 시대 시작(~794)
751 당, 탈라스 전투에서 이슬람군에 패배
752 도다이사 대불 완성
755 당, 안사의 난(~763)
794 일본, 헤이안 시대 시작
875 당, 황소의 난(~884)
894 일본, 견당사 파견 중지
907 당 멸망, 5대 10국 시작
916 거란 건국
936 거란, 중국의 연운 16주 점령
946 거란, 국호를 요로 변경
960 송(宋) 건국
1038 서하 건국
1069 송, 왕안석의 신법 시행
1115 금 건국
1125 요, 금에 멸망
1127 북송 멸망
강남에 남송 건국
1177 주희, 『사서집주』 완성
1185 일본, 가마쿠라 막부 성립
1206 칭기즈 칸, 몽골 제국 건설
1227 서하, 몽골에 멸망

세계사

기원전

3500년경 메소포타미아 문명 발생
3000년경 이집트 문명 발생
2500년경 중국 문명, 인더스 문명 발생
1800년경 함무라비왕, 메소포타미아 통일
1600년경 중국, 상 건국
1500년경 아리아인, 인도 침략
1100년경 중국, 주 건국
770 춘추 전국 시대 시작
753 로마 건국
525 페르시아, 서아시아 지역 통일
492 그리스 · 페르시아 전쟁(~479)
334 알렉산드로스 동방 원정
317 인도, 마우리아 왕조 건국
264 제1차 포에니 전쟁(~241)
221 진(秦), 중국 통일
202 한, 중국 재통일
27 로마, 제정 성립

기원후

25 중국, 후한 성립
45 인도, 쿠샨 왕조 성립
220 후한 멸망, 삼국 시대 시작
226 사산 왕조 페르시아 건국
280 진(晉), 중국 통일
304 중국, 5호 16국 시대 시작
313 로마, 크리스트교 공인(밀라노 칙령)
320 인도, 굽타 왕조 성립
330 로마, 비잔티움으로 천도
375 게르만족, 대이동 시작
395 로마 제국, 동 · 서로 분열
439 북위, 화북 지역 통일
476 서로마 제국 멸망
486 프랑크 왕국 건국
496 클로비스, 로마 가톨릭으로 개종
529 『유스티니아누스 법전』 편찬
537 성 소피아 대성당 건립
570 무함마드 탄생
589 수의 중국 통일
605 수, 대운하 착공(~610)
610 이슬람교 성립
618 중국, 당 건국
622 헤지라(이슬람 기원 원년)
645 일본, 다이카 개신
661 우마이야 왕조 성립
726 성상 숭배 금지령
750 아바스 왕조 건국
755 당, 안 · 사의 난
794 일본, 헤이안 시대 시작
800 카롤루스 대제, 서로마 황제 대관
843 베르됭 조약
870 메르센 조약
875 당, 황소의 난

한국사

1107 윤관, 여진 정벌
1126 이자겸의 난
1135 묘청의 서경 천도 운동
1170 무신 정변
1198 만적의 난
1231 몽골의 제1차 침입
1270 개경으로 환도, 삼별초의 대몽 항쟁
1274 여 · 몽 연합군의 제1차 일본 원정
1356 공민왕, 쌍성총관부 회복
1376 최영, 왜구 토벌
1377 『직지』 인쇄
1388 이성계, 위화도 회군
1389 박위, 쓰시마섬 정벌
1392 고려 멸망, 조선 건국
1394 한양 천도
1446 훈민정음 반포
1485 『경국대전』 완성
1510 삼포 왜란
1592 임진왜란(~1598), 한산도 대첩
1608 경기도에 대동법 시행
1609 일본과 기유약조 체결
1623 인조반정
1624 이괄의 난
1627 정묘호란
1636 병자호란
1654 나선 정벌(~1658)
1696 안용복, 독도에서 일본인 축출
1708 대동법을 전국으로 확대 실시
1712 백두산정계비 건립
1725 탕평책 실시
1750 균역법 실시
1801 신유박해
1811 홍경래의 난
1860 최제우, 동학 창시
1862 임술 농민 봉기
1863 고종 즉위, 흥선 대원군 집권
1866 병인박해, 병인양요
1871 신미양요
1876 강화도 조약 체결
1881 조사 시찰단 및 영선사 파견, 별기군 창설
1882 임오군란
1883 전환국 설치
1884 우정총국 설치, 갑신정변
1885 거문도 사건
1894 동학 농민 운동, 갑오개혁 실시
1895 을미사변, 유길준 『서유견문』 지음
1896 아관 파천, 독립신문 발간, 독립 협회 창립
1897 대한 제국 수립
1899 경인선 개통
1904 한일 의정서 체결, 경부선 준공
1905 을사늑약 체결
1907 헤이그 특사 파견, 고종 퇴위, 군대 해산
1910 국권 피탈
1912 태형 집행 심득 제정

동아시아사

1234 금, 몽골에 멸망
1258 몽골, 바그다드 침략
아바스 왕조 멸망
1271 원 제국 성립
1279 남송 멸망, 원의 중국 통일
1336 일본, 남북조 시대 시작, 무로마치 막부 성립
1368 중국, 명 건국
1392 일본, 무로마치 막부의 남북조 통일
1405 명, 정화의 원정(~1433)
1408 명, 『영락대전』 완성
1429 명, 베이징 천도
1467 일본, 전국 시대 시작
1543 일본, 포르투갈인이 총포 전래
1573 명, 일조편법 시행
1590 도요토미 히데요시, 일본 통일
1592 일본, 조선 침략(임진왜란)
1603 일본, 에도 막부 수립
1616 만주족(여진족)의 누르하치, 후금 건국
1631 명, 이자성의 난 발생
1635 산킨코타이제 시행
1636 후금, 국호를 청으로 고침
조선 침략
1644 명 멸망, 청의 중국 지배
1661 청, 강희제 즉위
1689 청 · 러시아, 네르친스크 조약 체결
1712 청, 조선과 백두산정계비 설정
1715 청, 영국 동인도 회사가 광둥에 상관 설치
1722 청, 옹정제 즉위
1735 청, 건륭제 즉위
1757 청, 외국 무역을 광둥에 한정시킴
1793 청, 영국 사절 매카트니 건륭제 알현
1796 청, 백련교의 난(~1804)
1840 청, 아편 전쟁(~1842)
1842 청, 영국과 난징 조약 체결
영국에 홍콩 할양
1851 청, 태평천국 운동(~1864)
1854 미일 화친 조약 체결
1856 중국, 애로호 사건(~1860)
1858 일본, 미일 수호 통상 조약 체결
1860 영 · 프 연합군의 베이징 점령
1861 청, 양무운동 전개
1862 1차 사이공 조약 체결
1868 일본, 메이지 유신
1871 청일 수호 조약
1884 청프 전쟁(~1885)
1885 청 · 프, 톈진 조약 체결
1888 북양 해군 창설
1889 일본, 제국 헌법(메이지 헌법) 발표
1894 청일 전쟁(~1895)
1895 러 · 프 · 독의 삼국 간섭
1898 청, 변법자강 운동
1899 청, 의화단 운동(~1901)
1902 일본, 영일 동맹 체결
1904 일본, 러일 전쟁(~1905)

세계사

907 당 멸망, 5대 10국 시작
916 거란(→요) 건국
960 중국, 송 건국
962 오토 1세, 신성 로마 황제 대관
1037 셀주크 튀르크 건국
1054 크리스트교 동 · 서로 분열
1069 송, 왕안석의 신법
1077 카노사의 굴욕
1096 십자군 전쟁 시작(~1270)
1115 여진, 금 건국
1125 금, 요를 멸망시킴
1127 송, 강남으로 이동
1185 일본, 가마쿠라 막부 성립
1206 칭기즈칸, 몽골 통일
1215 영국, 대헌장 제정
1225 베트남, 쩐 왕조 수립
1241 한자 동맹 성립
1271 원 제국 성립
1279 남송 멸망
1299 오스만 제국 건국
마르코 폴로 『동방견문록』 출판
1302 프랑스, 삼부회 성립
1309 교황의 아비뇽 유수(~1377)
1336 일본, 무로마치 막부 성립
1337 백년 전쟁 발발(~1453)
1347 전 유럽에 흑사병 유행
1368 원 멸망, 명 건국
1369 티무르 왕조 성립
1378 교회 대분열(~1417)
1381 명, 이갑제 실시
1405 명, 정화의 대항해(~1433)
1450 구텐베르크, 활판 인쇄술 시작
1453 비잔티움 제국 멸망
1455 영국, 장미 전쟁(~1485)
1467 일본, 전국 시대 시작
1492 콜럼버스, 서인도 제도 도착
1498 바스쿠 다 가마, 인도 항로 개척
1502 사파비 왕조 성립
1517 루터의 종교 개혁
1526 인도, 무굴 제국 성립
1536 칼뱅의 종교 개혁
1555 아우크스부르크 화의
1588 영국, 무적함대 격파
1590 일본, 센고쿠(전국) 시대 통일
1603 일본, 에도 막부 성립
1616 후금 건국
1618 독일, 30년 전쟁(~1648)
1628 영국, 권리 청원 제출
1642 청교도 혁명 발발
1644 명 멸망, 청의 베이징 점령
1648 베스트팔렌 조약
1688 영국, 명예혁명
1689 청 · 러시아, 네르친스크 조약 체결
영국, 권리 장전 발표

한국사	동아시아사	세계사
1919 3·1 운동, 대한민국 임시 정부 수립	1905 청의 쑨원, 중국 동맹회 결성	1757 플라시 전투
1920 봉오동 전투, 청산리 대첩	1909 일본과 청, 간도 협약 체결	1765 와트, 증기 기관 완성
1926 6·10 만세 운동	1910 일본, 한국 병합	1776 미국, 독립 선언문 발표
1927 신간회 결성	1911 청, 신해혁명 발생	1789 프랑스 혁명, 인권 선언 발표
1929 광주 학생 항일 운동	1912 중화민국 수립, 쑨원이 임시 대총통에 취임	1814 빈 회의
1932 이봉창·윤봉길 의거	1915 중국, 신문화 운동 전개	1824 인도네시아, 네덜란드령이 됨
1933 조선어 학회, 한글 맞춤법 통일안 발표	1919 중국, 5·4 운동	1830 프랑스, 7월 혁명
1938 조선 의용대 결성	1921 중국, 공산당 창당	1832 영국, 선거법 개정
1940 한국 광복군 창설	1924 중국, 제1차 국공 합작(~1927)	1840 청·영국 아편 전쟁(~1842)
1942 조선어 학회 사건	1926 중국, 국민당의 북벌 시작	1848 프랑스, 2월 혁명
1945 8·15 광복	1927 중국의 장제스, 난징에 국민 정부 수립	1851 청, 태평천국 운동(~1864)
1946 제1차 미소 공동 위원회	1931 일본, 만주 사변 일으킴	1854 미일 화친 조약
1947 제2차 미소 공동 위원회	1934 중국, 장제스의 공산당 토벌 공산당의 대장정(~1936)	1860 청, 베이징 조약 체결
1948 제주 4·3 사건 5·10 총선거 대한민국 정부 수립 여수·순천 10·19 사건	1936 시안 사건	1861 미국, 남북 전쟁(~1865)
1950 6·25 전쟁(~1953)	1937 중일 전쟁 발발 중국, 제2차 국공 합작, 일본의 난징 대학살	1868 일본, 메이지 유신
1953 정전 협정 체결	1938 일본, 국가 총동원법 시행	1871 독일 제국 수립
1954 2차 개헌(사사오입 개헌)	1941 일본, 하와이 진주만 기습 공격(태평양 전쟁 발발)	1877 영국령 인도 제국 수립
1960 4·19 혁명	1945 미국, 일본에 원자 폭탄 투하 중국, 국공 내전 시작	1884 청·프랑스 전쟁(~1885)
1961 5·16 군사 정변	1946 도쿄 재판(~1948)	1887 프랑스령 인도차이나 성립
1962 제1차 경제 개발 5개년 계획 시작(~1966)	1948 일본, 극동 국제 군사 재판 종결(~1946)	1894 청·프랑스 전쟁(~1895)
1963 박정희 정부 성립	1949 중화 인민 공화국 수립	1898 청, 변법자강 운동, 파쇼다 사건
1965 한일 기본 조약 체결	1951 일본, 샌프란시스코 강화 조약 체결	1899 청, 의화단 운동(~1901)
1967 제2차 경제 개발 5개년 계획(~1971)	1953 한미 상호 방위 조약 체결	1904 러일 전쟁(~1905)
1970 새마을 운동 시작	1954 일본, 미일 상호 방위 원조 협정 조인	1911 청, 신해혁명
1972 제3차 경제 개발 5개년 계획(~1976), 7·4 남북 공동 성명, 남북 적십자 회담, 10월 유신	1955 일본, 55년 체제 성립	1912 중화민국 수립
1973 6·23 평화 통일 선언	1956 일본, 국제 연합(UN) 가입	1914 제1차 세계 대전(~1918)
1977 제4차 경제 개발 5개년 계획(~1981)	1959 프랑스군, 사이공 점령	1917 러시아 혁명
1979 10·26 사태, 12·12 사태	1960 일본, 미일 안보 조약 성립	1919 간디, 비폭력 저항 운동 개시 중국, 5·4 운동
1980 5·18 민주화 운동	1964 통킹만 사건	1920 국제 연맹 성립
1981 전두환 정부 성립	1965 한일 기본 조약 체결	1921 워싱턴 회의
1982 제5차 경제 개발 5개년 계획(~1986)	1966 중국, 문화 대혁명 시작(~1977)	1929 대공황
1987 6월 민주 항쟁	1969 중소 국경 분쟁	1937 중·일 전쟁(~1945)
1988 노태우 정부 출범, 서울 올림픽 대회 개최	1971 중국, 국제 연합(UN) 가입	1939 제2차 세계 대전(~1945)
1991 남북한 국제 연합(UN) 동시 가입, 남북 기본 합의서 채택	1972 미국 닉슨 대통령의 중국 방문 중일 수교 오키나와 반환	1941 태평양 전쟁(~1945)
1992 한중 수교	1976 마오쩌둥 사망	1945 국제 연합(UN) 성립
1993 김영삼 정부 출범, 금융 실명제 실시	1978 미중 국교 정상화	1949 중화 인민 공화국 수립
1994 북한, 김일성 사망	1982 일본, 나카소네 내각 출범	1950 국제 연합, 한국 파병 결의
1998 김대중 정부 출범	1989 중국, 톈안먼 사건 일본, 아키히토 천황 즉위	1955 아시아·아프리카 회의(반둥 회의) 개최
2000 제1차 남북 정상 회담	1993 일본, 55년 체제 붕괴 중국, 장쩌민 국가 주석 취임	1959 쿠바 혁명
2001 남북 분단 사상 첫 이산가족 서신 교환	1997 영국, 중국에 홍콩 반환	1966 중국, 문화 대혁명(~1976)
2002 2002 월드컵 한일 공동 개최	1999 포르투갈, 마카오를 중국에 반환	1972 닉슨, 중국 방문
2003 노무현 정부 출범	2001 일본, 고이즈미 내각 출범	1975 베트남 전쟁 종결
2007 제2차 남북 정상 회담	2008 중국, 베이징 올림픽 대회 개최	1989 독일 베를린 장벽 붕괴 중국, 톈안먼 사건
2008 이명박 정부 출범	2013 중국, 시진핑 국가 주석 취임	1990 독일 통일
2010 서울 G20 정상 회의 개최		1991 소련 해체, 독립 국가 연합(CIS) 출범
2013 박근혜 정부 출범		1995 세계 무역 기구(WTO) 출범
2015 한중 자유 무역 협정 체결		1999 유로(EURO) 체제 출범
2017 문재인 정부 출범		2001 미국, 9·11 사건
		2003 미국·이라크 전쟁
		2009 미국, 오바마 정부 출범(첫 흑인 대통령 취임)
		2011 튀니지, 재스민 혁명
		2017 미국, 트럼프 정부 출범

고등 사회 자기주도학습 기본서

(※일부제외)

개념을 잡아주는 자율학습 기본서

셀파 사회 시리즈

혼자서도 OK

짜임새 있는 내용 정리와
쉽고 친절한 첨삭을 통해
자기 주도 학습 완벽 성공!

풍부한 내용 구성

중단원별 핵심 주제와 고득점 Tip,
다양한 자료로 구성된 '특강 코너'
'시험 대비집'까지 알차고 풍부한 구성!

내신·수능 정복

전국 교과서 핵심 개념과
수능화 되어가는 최근 기출 분석으로
내신도 수능도 완/전/정/복!

사회의 셀프 파트너, 셀파! 고1~3(통합사회/한국사/생활과 윤리/사회문화/한국지리/동아시아사/세계지리/정치와 법/윤리와 사상)

개념을 잡아 주는 **자율학습 기본서**

고등 셀파

BOOK 1 | 개념 잡는 알집

동아시아사

개념을 잡아 주는 **자율학습 기본서**

고등 셀파

동아시아사

BOOK 2

믿고 보는 정답 및 해설 **딱 맞는 풀이집**

천재교육

선생님이 옆에서 풀어 주듯 친절한 해설!
오답 해결을 위한 완벽 시스템!

각 문항에 대한 상세한 설명이 필요할 때 | **정답을 찾아가는 셀파 - Tip**

문제와 관련된 개념 정리가 필요할 때 | **내 것으로 만드는 셀파 - Tip**

자료에 대한 분석 방법을 알고 싶을 때 | **자료를 분석하는 셀파 - Tip**

서술형 문제에서 고득점이 필요할 때 | **모범 답안 & 주요 단어**

"정답인 이유, 오답인 이유를 확실하게 분석하여 문제 해결력을 키워 줍니다."

믿고 보는 정답 및 해설

딱 맞는 풀이집

I 동아시아 역사의 시작

01 동아시아의 자연환경과 선사 문화

탄탄 내신 문제

p. 17 ~ p. 20

01 ④	02 ③	03 ⑤	04 ④	05 ②	06 ④
07 ⑤	08 ⑤	09 ①	10 ④	11 ②	12 ⑤

13 ㉠ 계절풍 ㉡ 장마 전선　14 해설 참조
15 ㉠ 뗀석기 ㉡ 토기 ㉢ 목축 ㉣ 움집　16 해설 참조
17 (가) 랴오허강, 훙산 문화 (나) 황허강 하류, 다원커우 문화

01 동아시아 세계 답 ④

동아시아는 유라시아 대륙의 동쪽에 위치하고 있다. 동서로는 일본 열도에서 티베트고원, 남북으로는 북부 베트남에서 몽골고원에 이르며, 티베트고원, 몽골고원, 중국 본토, 만주, 한반도, 일본 열도 등을 포함한다. 오늘날 이곳에는 한국을 비롯하여 몽골, 중국, 일본, 베트남 등의 나라가 있다. 또한 동아시아에서는 한족, 흉노족, 몽골족, 만주족, 한민족, 일본 민족 등 다양한 종족과 민족이 활동하였다. 그중 일부는 소멸하거나 다른 지역으로 이동하였지만, 대부분은 현재까지도 동아시아 문화권을 구성하는 일원으로 남아 있다.

정: 동아시아는 한자, 불교(대승 불교), 유교, 율령 등을 공통적인 문화 요소로 공유해 왔다.

02 오늘날의 동아시아 답 ③

오늘날 동아시아 국가 간의 관계는 더욱 긴밀해지고 있다. 하지만 동아시아 세계에는 공동체의 평화를 위협하는 문제가 산적해 있다. 영토 갈등과 역사 왜곡 문제, 배타적 민족주의, 각국 문화에 대한 편견, 과거 일본의 제국주의 침략에 따른 사과와 배상 문제 등이다.

③ 동아시아 각국의 인적 교류와 문화적 교류의 증가는 동아시아 각국의 문화를 이해하는 데 도움이 될 수 있다.

03 동아시아의 지형 답 ⑤

동아시아는 서쪽에 평균 해발 고도 4,500m가 넘는 티베트고원이 있으며, 티베트고원에 잇대어 만년설로 뒤덮인 거대한 산맥들이 즐비해 있다. 그 바깥으로 해발 고도 1,000~2,000m의 고원과 산간 분지, 사막 지대 등이 분포하고 있으며, 다시 그 바깥에는 1,000m 이하의 구릉과 평원 지대가 흩어져 있다. 베트남 북부와 중국 동부, 한반도가 여기에 속한다. 남중국해와 동해 바다 사이의 일본 열도는 환태평양 조산대의 영향으로 화산과 지진 활동이 많이 나타난다.

⑤ 티베트고원을 중심으로 북쪽과 동쪽으로 갈수록 지대는 점차 낮아진다.

04 동아시아의 생업 답 ④

기온과 강수량 등의 기후 조건은 각 지역 사람들의 생업과 주요 작물을 결정하는 데 큰 영향을 끼친다. 연 강수량이 600mm 이상인 중국 남부, 한반도 중·남부, 일본의 혼슈 이남 지역에서는 논농사가 발달하였다. 이보다 강수량이 적고 기온이 낮은 화이허강 이북, 만주, 한반도 북부, 일본의 홋카이도 등은 밭농사가 발달하였다. 반면, 연 강수량이 400mm 이하인 지역에서는 유목이 발달하였는데, 지역은 대싱안링산맥에서부터 러시아 남부의 초원 지대, 티베트, 몽골 등으로 광범위하다.

정답을 찾아가는 셀파 - Tip

구분	연 강수량	해당 지역
논농사 지역	600mm 이상	중국 친링산맥과 화이허강 이남, 한반도 중·남부, 일본 혼슈 이남
밭농사 지역	600~400mm	중국 화이허강 이북, 만주와 한반도 북부, 일본 홋카이도
유목 지역	400mm 이하	대싱안링산맥~러시아 남부 초원 지대, 티베트, 몽골

05 벼농사의 확산 답 ②

지도는 벼농사의 전파 경로를 나타낸 것이다. 쌀은 영양소가 풍부하고 생산력이 높아 많은 인구를 부양할 수 있는 작물이다. 벼농사는 기원전 6000년경 창장강 중·하류 지역에서 시작되어 산둥반도를 거쳐 한반도로 전파되고, 다시 해로를 거쳐 일본 규슈 북부로 전파되었다. 벼농사는 복잡한 재배 과정과 많은 노동력, 다양한 농기구를 필요로 한다. 따라서 벼농사는 기술뿐만 아니라 사람이 함께 이동하면서 전파되었을 것으로 추정한다.

정답을 찾아가는 셀파 - Tip

① 생육 기간이 ~~짧은~~ 작물을 재배한다. (×)
비교적 긴
② 창장강 중·하류 지역에서 시작되었다. (○)
③ 주로 ~~고온 건조한 기후~~에서 이루어졌다. (×)
고온 다습한 기후
④ 토양 유실과 지력 감소가 심해 생산력이 낮다. (×)
→ 토양 유실과 지력 감소가 적고 단위 생산력이 높다.
⑤ 재배 과정이 ~~간단하고~~ 많은 인력이 ~~필요하지 않다~~. (×)
복잡하고　필요하다.

06 농경민과 유목민 답 ④

(가)는 농경민, (나)는 유목민이다. 농경민은 정착 생활을 하며 농번기와 농한기와 같은 일정한 생활 규칙이 있었다. 또한 공동 노동을 위한 조직이 발달하였다. 유목민은 유라시아 내륙의 고원 및 초원 지대에 거주하며 계절의 변화에 따라 생활 터전을 옮기는 이동 생활을 하였다. 그래서 이동이 쉽고 조립과 분해가 쉬운 가옥에서 거주하였다. 또한 부족 단위의 생활을 하였으며, 물자를 구하기 위해 농경민과 교역 및 전쟁을 치르기도 하였다.

④ 농경 사회에서는 공동으로 수리 시설과 제방을 만들고, 농번기에 주민을 효율적으로 동원하기 위한 조직이 발달하였다. 이에 따라 권력이 쉽게 집중되는 경향이 나타나 일찍부터 중앙 집권적인 권력이 출현하였다.

07 유목민의 생활 답 ⑤

유목민은 계절에 따라 생활 터전을 옮기는 유목 생활을 하였다. 이

런 이유에서 이동과 조립이 편한 게르와 같은 가옥에서 거주하였다. 대부분의 생필품은 가축으로부터 얻었는데, 부족한 물자는 농경민과 교역 또는 약탈을 통해 구했다.

⑤ 유목민은 유라시아 내륙의 고원 및 초원 지대의 기온이 낮고 건조한 지역에서 생활하였다. 창장강 유역에는 농경민이 주로 살았다.

08 동아시아 역사의 시작 답 ⑤

동아시아 대부분의 지역에 사람이 살기 시작한 것은 20만 년 이전의 일이다. 호모 에렉투스에 속하는 인류의 화석이 중국의 위안머우와 베이징에서 발굴되었다. 현생 인류는 약 4만 년 전 출현하여 구석기 후기 문화를 일구었으며, 이들이 남긴 유적은 중국의 여러 지역과 한국의 공주 석장리, 청원군 일대에서 발견되었다.

정답을 찾아가는 셀파 - Tip

ㄱ. 동아시아 지역에 사람이 살기 시작한 것은 ~~10만 년 전부터이다.~~ (×) 20만 년 이전의 일이다.

ㄴ. ~~약 1만 년 전~~ 현생 인류가 출현하여 후기 구석기 문화를 일구었다. (×) 약 4만 년 전

ㄷ. 중국의 위안머우와 베이징에서는 호모 에렉투스 단계의 인류 화석이 발굴되었다. (○)

ㄹ. 한국의 공주 석장리와 청원군 일대에 구석기 시대 사람들이 살았던 흔적이 남아 있다. (○)

09 구석기 시대의 생활 모습 답 ①

제시된 인류 화석은 모두 구석기 시대의 사람들이다. 구석기 시대 사람들은 주먹 도끼와 슴베찌르개와 같은 뗀석기를 이용하여 채집, 수렵, 어로 활동을 하였다. 그들은 동굴이나 바위 그늘에서 살거나 막집을 짓고 살았으며, 동굴 벽이나 바위 등에 들소나 사슴을 그려 넣어 사냥의 성공을 기원하였다. ① 흙을 이용하여 다양한 형태의 토기를 만들어 사용한 것은 신석기 시대 이후의 일이다.

10 신석기 시대의 생활 모습 답 ④

신석기 시대의 가장 큰 변화는 농경과 목축의 시작이다. 신석기 사람들은 강가나 강에서 가까운 지역에 조, 수수, 보리, 밀, 콩, 벼 등을 간석기와 목기를 이용하여 경작하였다. 흙을 이용하여 토기를 만들고, 가락바퀴와 뼈바늘로 옷이나 그물을 만들기도 하였다. 농경과 목축으로 안정된 생활이 가능해지자 수명과 인구가 증가하게 되었고, 이에 풍성한 수확을 위해 자연 현상, 또는 조상신에게 제사를 지냈다.

④ 구석기 시대에 이미 불과 언어를 사용하였다.

내 것으로 만드는 셀파 - Tip

▶ 구석기 시대와 신석기 시대

구분	구석기 시대	신석기 시대
도구	뗀석기	간석기, 뼈바늘, 토기
경제	채집·수렵·어로 활동, 불 사용	농경과 목축 시작
거주	동굴이나 막집 → 이동 생활	주로 움집에서 정착 생활
종교·예술	동굴 벽이나 바위에 들소나 사슴 그림 → 사냥의 성공 기원	애니미즘, 토테미즘 등 원시 신앙 등장

11 각 지역의 신석기 문화를 대표하는 토기 답 ②

황허강 유역에서는 일찍부터 밭농사가 발달하였다. 이를 바탕으로 중류 지역에서는 양사오 문화가 발달하였다. 양사오 문화권에서는 표면에 흰색, 붉은색, 검은색으로 인면어(사람 얼굴 물고기), 어류, 기하학적 무늬 등을 그려 넣은 채도가 많이 만들어졌다. 한편, 황허강 하류 유역에서는 다원커우 문화가 발달하였다.

지도의 (가)는 랴오허강 유역에서 발달한 훙산 문화, (나)는 황허강 중류 지역의 양사오 문화, (다)는 창장강 하류 지역의 허무두 문화, (라)는 한반도의 신석기 문화, (마)는 일본 열도의 조몬 문화 지역이다. 창장강 하류 유역에서 발달한 허무두 문화 지역에서는 짐승 뼈나 나무 등으로 만든 농기구와 볍씨가 출토되어 벼농사가 이루어졌음을 알 수 있다.

정답을 찾아가는 셀파 - Tip

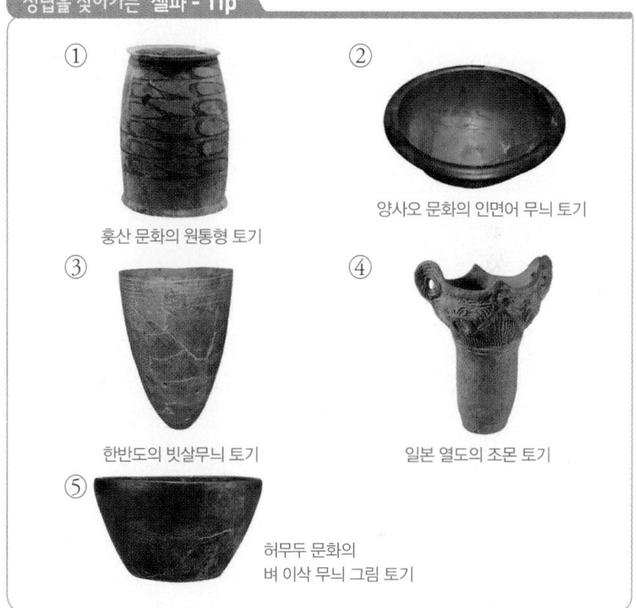
① 훙산 문화의 원통형 토기
② 양사오 문화의 인면어 무늬 토기
③ 한반도의 빗살무늬 토기
④ 일본 열도의 조몬 토기
⑤ 허무두 문화의 벼 이삭 무늬 그림 토기

12 일본의 신석기 문화 답 ⑤

신석기 시대 일본 열도에서는 조몬 문화가 발달하였다. 이 시기 일본 열도는 녹두와 표주박을 재배했지만, 본격적인 농경은 시작되지 않았다. 사람들은 물을 얻기 쉬운 곳에 움집을 짓고 살았으며, 사냥과 채집, 어로를 중심으로 생계를 꾸렸다. 또한 새끼줄 무늬의 조몬 토기를 만들어 사용하였다. 새끼줄 무늬(조몬)는 새끼를 감은 나무 막대기를 토기 표면에 누르거나 굴려서 새긴 것이다. 그 밖에 불꽃무늬 토기나 사람 모양 토기 등도 만들어졌다.

내 것으로 만드는 셀파 - Tip

▶ 동아시아의 신석기 문화

지역	세부	내용
중원 지역	황허강	• 중류: 양사오 문화 → 채도 • 하류: 다원커우 문화 → 홍도, 흑도 → 룽산 문화
	창장강	하류: 허무두 문화 → 홍도, 흑도, 홍회도
만주	랴오허강	훙산 문화 → 채도, 낮은 온도로 구워낸 토기
한반도	빗살무늬 토기	
일본 열도	조몬 문화	조몬 토기

서답형 문제

13 동아시아의 기후
답 ㉠ 계절풍 ㉡ 장마 전선

동아시아는 계절풍의 영향이 뚜렷하며, 여름철에 장마 전선의 영향으로 많은 비가 집중적으로 내린다.

14 벼농사의 전파

모범 답안 | 벼. 벼농사는 창장강 중·하류에서 산둥반도를 거쳐 한반도로 전파되었고, 다시 해로를 따라 일본 규슈 북부 지역으로 확산되었다. 벼농사는 파종에서 수확까지 재배 과정이 복잡하고, 집중적인 노동력과 다양한 농기구를 필요로 한다. 따라서 벼농사는 기술뿐만 아니라 사람이 함께 이동하면서 전파되었을 것으로 추정된다.

주요 단어 | 창장강 중·하류에서 산둥반도를 거쳐 한반도와 일본 규슈 지역으로 전파, 집중적인 노동력 필요, 사람이 함께 이동하면서 전파

채점 기준	배점
벼농사를 쓰고, 주요 단어를 모두 포함하여 바르게 서술한 경우	상
벼농사를 쓰고, 주요 단어 중 두 가지만 포함하여 바르게 서술한 경우	중
벼농사를 쓰고, 주요 단어 중 한 가지만 포함하여 바르게 서술한 경우	하

15 구석기 시대와 신석기 시대 비교
답 ㉠ 뗀석기 ㉡ 토기 ㉢ 목축 ㉣ 움집

구석기 시대에는 뗀석기와 뼈 도구를 사용했으며, 수렵, 채집, 어로 등으로 삶을 영위해 나갔다. 또한 이동 생활을 했으며 동굴이나 막집에 거주하였다. 신석기 시대에는 다양한 간석기와 토기를 만들어 사용하였다. 농경과 목축의 시작으로 강가나 해안가에 움집을 지어 생활하였다.

16 유목민의 생업

모범 답안 | 유목민들은 목축과 수렵을 병행하였고, 이동 생활을 하였다. 또한 가축으로부터 식량이나 물품을 얻었는데, 가축이 제공하지 못하는 물품은 농경민과 교류하거나 기병을 중심으로 농경민을 침략하여 물품을 약탈하기도 하였다.

주요 단어 | 목축, 이동 생활, 가축으로부터 식량이나 물품 획득, 농경민과 교류 및 약탈

채점 기준	배점
주요 단어를 모두 포함하여 바르게 서술한 경우	상
주요 단어 중 세 가지만 포함하여 바르게 서술한 경우	중
주요 단어 중 두 가지만 포함하여 바르게 서술한 경우	하

17 동아시아의 신석기 문화

구분	지역	문화 명칭
(가)	랴오허강	훙산 문화
(나)	황허강 하류	다원커우 문화

(가)는 랴오허강 유역의 신석기 문화인 훙산 문화에서 출토된 여신상이다. (나)는 황허강 유역의 신석기 문화인 다원커우 문화에서 출토된 세 발 달린 토기이다.

도전 수능 문제
p. 21 ~ p. 23

01 ①	02 ④	03 ③	04 ⑤	05 ②	06 ②
07 ①	08 ①	09 ④	10 ②	11 ①	12 ④

01 오늘날의 동아시아
답 ①

한·중·일 등의 급속한 경제 성장으로 동아시아 경제권이 세계 경제에서 차지하는 비중이 높아지고, 동아시아 간 인적·문화적 교류도 증폭되고 있다. 하지만 동아시아 세계에는 공동체의 평화를 위협하는 문제가 쌓여 있다. 일본 제국주의 침략 전쟁과 그로부터 비롯된 식민 지배, 인적 수탈 등에 대한 사과와 배상 문제가 미해결의 과제로 남아 있으며, 영토 주권과 역사 인식의 차이 등을 둘러싼 각국 간의 갈등도 여전하다. 이런 문제를 해결하기 위해서는 동아시아 국가 간 우의와 상호 협력이 절실한 시점이다.

① 국수주의 역사관은 오히려 동아시아 공동체 평화를 저해한다.

02 동아시아의 기후와 생업
답 ④

A는 유목 지역인 몽골 초원 지역, B는 밭농사 지역인 황허강 유역, C는 논농사 지역인 창장강 하류 지역이다. 평상시 농경민과 유목민은 농경 지대의 곡물, 차, 황금, 비단, 무명, 누룩 등과 유목 지대의 말을 교역하여 서로가 필요한 것을 보완하였다. 그러나 정치적 이유로 두 지역 사이의 교역이 제한되거나, 기후 변화로 유목 지역과 농경 지역의 경계가 이동하는 경우에는 서로 충돌하기도 하였다.

정답을 찾아가는 셀파 - Tip

① A에서는 ~~보리, 콩 등의 잡곡을 주식으로 하였다.~~ (×)
가축에서 얻은 고기와 젖, 치즈와 요구르트 등의 유제품을 식량으로 삼았다.
② B에서는 벼의 2기작이 가능하였다. (×)
중국 남부와 일본 규슈 이남 지역에서
③ C 사람들은 ~~계절에 따라 주기적으로 이동하였다.~~ (×)
논농사를 짓고 정착 생활을 하였다.
④ A와 B는 가축과 곡물 등을 상호 교역하였다. (○)
⑤ A는 C에 비해 ~~인구가 조밀하였다.~~ (×)
인구 밀도가 낮다.

03 농경과 농경민의 생활
답 ③

벼농사는 연 강수량이 600mm가 넘는 중국의 친링산맥과 화이허강 이남, 한반도 중·남부, 일본 혼슈 이남 지역에서 경작된다. 그런데 제시문에서 '볍씨와 벼의 모습이 새겨진 토기 등이 발견되어'라는 내용을 통해 설명하는 지역이 창장강 하류 지역임을 알 수 있다. 벼농사는 기원전 6000년경 창장강 중·하류에서 시작되어 산둥반도와 한반도를 거쳐 일본 남부 규수 지방까지 확대되었다.

지도의 (가)는 몽골 초원 지대로, 이 지역은 강수량이 부족하여 유목이 행해졌다. (나)는 황허강 중류 지역이다. 기원전 8000년경 처음으로 밭농사가 시작된 곳이다. (다)는 창장강 하류 지역이다. 이 지역은 벼농사가 가장 먼저 시작된 곳으로, 신석기 문화인 허무두 문화가 발달하였다. (라)는 만주와 한반도 북부 지역으로, 이 지역은 연평균 강수량이 400~600mm 미만이기 때문에 주로 밭농사가 이루어지고 있다. (마)는 일본 남부의 규슈 지역이다. 이곳도 고온 다습하여 벼농사가 활발하게 전개되며, 벼의 이기작도 가능하다.

자료를 분석하는 셀파 - Tip

기원전 6000년경의 것으로 추정되는 볍씨와 벼의 모습이 새겨
└ 신석기 시대에 해당한다.
진 토기 등이 발견되어, 벼농사가 가장 먼저 시작된 곳으로 알려져
└ 창장강 하류의 신석기 문화인 허무두 문화에서 출토되었다.
있다. 고온 다습하여 벼농사에 적합한 기후 조건을 갖고 있다.
└ 중국 화이허강 이남, 한반도 중·남부, 일본 혼슈 이남 지역에 해당한다.

04 유목과 유목민의 생활 답 ⑤

자료는 초원 지역에서 생활하던 유목민에 대한 내용이다. 유목민은 겨울 숙영지와 여름 숙영지를 정기적으로 오가며 양, 염소, 말, 소, 낙타 등을 길렀다. 이들은 가축으로부터 생필품을 얻었고, 자주 옮겨 다녔기 때문에 조립과 분해가 쉬운 이동식 가옥에서 거주하였다. 하지만 가축으로부터 얻을 수 없는 곡물 등은 농경민과 교류를 통해 얻었는데, 이 과정에서 약탈이 일어나기도 하였다. 한편, 등자(발걸이)는 말 위에서 안정적으로 활을 쏠 수 있도록 하는 기능을 지닌 것으로, 이를 통해 유목민들은 말을 잘 다뤄 전투력이 더욱 강해졌다.

⑤ 수리 시설과 제방 등은 논농사를 위해 필요한 것으로, 농경 사회의 모습에 해당한다.

05 구석기 시대의 생활 모습 답 ②

중국 베이징 원인과 일본 오키나와에서 출토된 미나토가와인은 구석기 시대 인류 화석이다. 구석기 시대 사람들은 채집, 수렵, 어로 등을 통해 삶을 영위하였다. 용도에 따라 다양한 형태의 뗀석기를 만들어 사용하였고, 불을 피워 추위와 짐승을 쫓고 음식을 익혀 먹었다. 또 사냥감을 쫓아 이동하면서 동굴이나 바위 그늘에서 살거나 막집을 짓고 살았다. 동굴 벽이나 바위 등에 들소나 사슴의 모습을 그려 사냥의 성공을 기원하였다.

①, ③, ⑤는 신석기 시대, ④ 고인돌은 청동기 시대의 특징이다.

06 다원커우 문화 답 ②

황허강 유역에서는 일찍부터 밭농사 위주의 농업이 발전하였다. 이를 기반으로 황허강 중류 지역에서는 양사오 문화, 하류 지역에서는 다원커우 문화가 발전하였다. 다원커우 문화는 양사오 문화와 비슷한 시기에 발달하였으며, 세 발 달린 토기가 유명하다. 다원커우 문화권에서는 전기에는 홍도가, 후기에는 주로 흑도가 만들어졌다.

지도의 (가)는 랴오허강 유역의 훙산 문화, (나)는 황허강 하류 유역의 다원커우 문화, (다)는 창장강 하류 유역의 허무두 문화, (라)는 한반도의 신석기 문화, (마)는 일본 열도의 조몬 문화를 표시한 것이다.

07 신석기 시대의 사회 모습 답 ①

제시된 유물은 한반도 신석기 시대의 대표적인 토기인 빗살무늬 토기와 일본 신석기 시대의 대표적인 토기인 조몬 토기이다. 신석기 시대에는 농경과 목축이 시작되면서 강가나 해안가에 움집을 짓고 정착 생활을 하였다. 간석기와 목기 등을 이용하여 농사를 지었고, 뼈바늘로 옷감과 그물을 짰으며, 활로 동물을 사냥하였다.

정답을 찾아가는 셀파 - Tip

① 움집을 짓고 생활하였다. (○)
② 문자를 만들어 사용하였다. (×)
→ 청동기 시대
③ 쇠를 댄 농기구로 밭을 경작하였다. (×)
→ 철기 시대
④ 지배자의 무덤으로 고인돌을 만들었다. (×)
→ 청동기 시대
⑤ 주먹 도끼 등 뗀석기를 주로 사용하였다. (×)
→ 구석기 시대

08 양사오 문화 답 ①

(가) 황허강 중류 지역에서는 양사오 문화가 발전하였다. 양사오 문화권에서는 표면에 흰색, 붉은색, 검은색으로 인면어(사람 얼굴 물고기), 어류, 기하학적 무늬 등을 그려 넣은 채도가 많이 만들어졌다.

정답을 찾아가는 셀파 - Tip

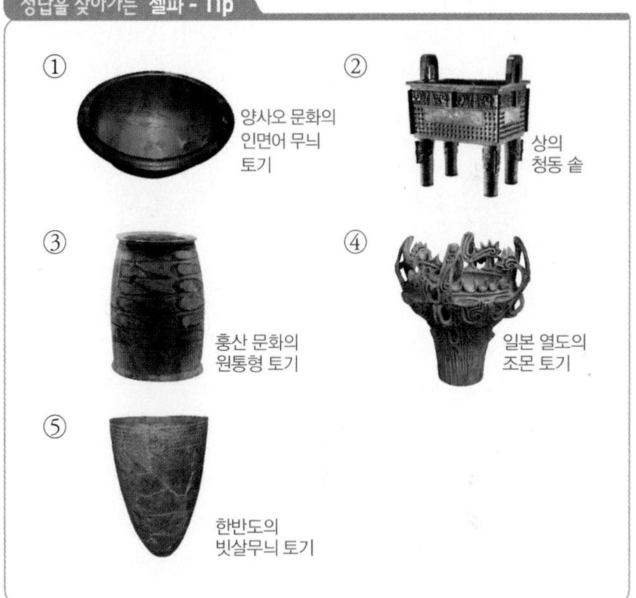

09 허무두 문화 답 ④

일찍부터 벼농사가 이루어졌으며, 제시된 사진과 같은 토기가 제작되었다는 점에서 밑줄 친 '이 지역'은 창장강 하류 지역임을 알 수 있다. 이 지역에서는 짐승 뼈나 나무 등으로 만든 농기구와 볍씨가 출토되어 벼농사가 이루어졌음을 알 수 있다. 또한 돼지 그림 토기가 출토되어 가축 사육이 이루어졌음을 알 수 있다.

지도의 (가)는 황허강 중류 유역의 양사오 문화, (나)는 한반도의 신석기 문화, (다)는 베트남 지역, (라)는 창장강 하류 유역의 허무두 문화, (마)는 일본 열도의 조몬 문화를 표시한 것이다.

10 동아시아 각지의 신석기 문화 답 ②

(가)는 랴오허강 유역의 훙산 문화, (나)는 일본 열도의 조몬 문화이다. 훙산 문화에서는 대규모 신전 유적이 발견되었으며, 용, 봉황 등을 형상화한 옥기가 다량으로 출토되었다. 일본 열도의 조몬 문화에서는 새끼줄 무늬의 조몬 토기가 출토되었으며, 농경보다는 사냥과 채집의 비중이 높았다.

정답을 찾아가는 셀파 - Tip

① (가) - 농기구와 볍씨가 출토되었다. (×)
└ 창장강 하류의 허무두 문화
② (가) - 용을 닮은 옥기를 만들었다. (○)
③ (나) - 거친무늬 거울을 제작하였다. (×)
└ 만주와 한반도의 청동기 문화
④ (나) - 고온으로 구운 흑도가 만들어졌다. (×)
└ 황허강 유역의 룽산 문화
⑤ (가), (나) - 고인돌을 축조하였다. (×)
└ 만주와 한반도의 청동기 문화

11 동아시아 각지의 신석기 문화 답 ①

제시된 자료에서 중국관의 사진은 중국 황허강 중류 유역의 양사오 문화에서 발견한 인면어 무늬 토기, 일본관의 사진은 일본 열도의 조몬 토기이다. 모두 신석기 시대의 대표적인 토기이다. 한반도에서는 빗살무늬 토기가 주로 사용되었다. 빗살무늬 토기는 시베리아와 만주 등지에서 광범위하게 발달하였다.

정답을 찾아가는 셀파 - Tip

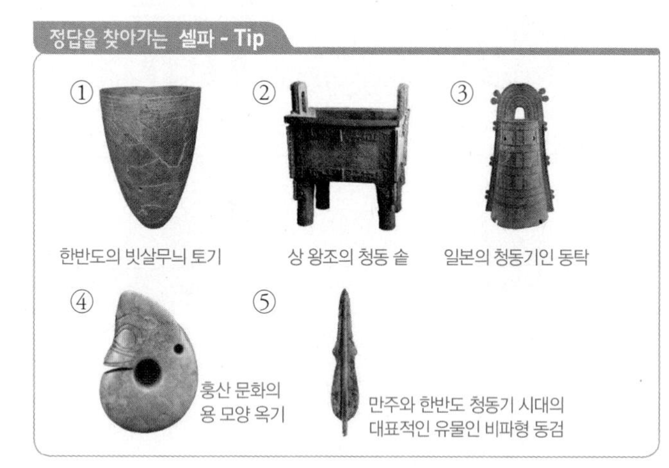
① 한반도의 빗살무늬 토기
② 상 왕조의 청동 솥
③ 일본의 청동기인 동탁
④ 훙산 문화의 용 모양 옥기
⑤ 만주와 한반도 청동기 시대의 대표적인 유물인 비파형 동검

12 일본의 신석기 문화 답 ④

일본 열도에서는 신석기 문화로 조몬 문화가 발전하였다. 이 시기에는 식수를 얻기 쉬운 곳에 움집을 지어 거주했으며, 농경보다는 사냥과 채집이 더 많이 행해졌다. 일본 신석기 문화의 대표적인 조몬 토기는 기본적으로 새끼줄 무늬가 새겨져 있는 것이 특징이다.

정답을 찾아가는 셀파 - Tip

① 허무두 문화의 돼지 그림 토기
② 다원커우 문화의 세 발 달린 토기
③ 양사오 문화의 인면어 무늬 토기
④ 일본 열도의 조몬 토기
⑤ 훙산 문화의 원통형 토기

02 국가의 성립과 발전

탄탄 내신 문제 p. 29 ~ p. 32

01 ③	02 ②	03 ④	04 ④	05 ③	06 ⑤
07 ③	08 ③	09 ④	10 ⑤	11 ⑤	12 ⑤

13 (가) 하(夏) (나) 상(商) 14 (가) 춘추 (나) 전국 15 흉노(족)
16 야마타이국 17 해설 참조 18 해설 참조
19 해설 참조

01 얼리터우 문화 답 ③

중국의 황허강 중류 지역에서는 기원전 2000년경부터 청동기 문명인 얼리터우 문화가 발달하였다. 얼리터우 문화 유적에서는 궁전터와 성벽을 갖춘 도성 등이 발견되었는데, 여기에서 청동으로 만든 도구와 무기, 제사 용기 등이 발견되었다. 이 유적은 초기 도시 국가의 모습을 보이는데, 중국 문헌상 최초의 국가인 하(夏) 왕조가 이곳에 세워진 것으로 추정하고 있다. 얼리터우 유적의 대표적인 청동기로는 세 발 달린 청동 술잔 등이 있다.

정답을 찾아가는 셀파 - Tip

① 일본의 청동기 시대 유물인 동탁으로, 제사용 도구로 사용되었다.
② 중국 상(商) 왕조의 청동 솥으로, 상의 왕 문정이 어머니를 제사 지내기 위해 주조한 것이다.
③ 얼리터우 유적에서 출토된 청동 술잔이다.
④ 만주와 한반도의 청동기 문화에서 많이 만들어진 고인돌이다.
⑤ 만주와 한반도의 청동기 문화를 대표하는 유물인 비파형 동검이다.

02 만주와 한반도의 청동기 문화 답 ②

기원전 2000년에서 기원전 1500년 무렵 만주와 한반도 지역에서는 독자적인 청동기 문화가 발달하였다. 이 지역의 대표적인 청동기 유물로는 비파형 동검, 화살촉과 같은 무기와 거울, 방울과 같은 제기, 팔찌 같은 장신구가 있다. 지배층은 규모가 커진 씨족이나 부족을 이끌면서 제사 등의 종교 의식을 주관하였다. 이들의 무덤으로 거대한 고인돌이 많이 만들어졌다. 농기구 등의 생활 용구는 주로 돌이나 나무로 만들어졌는데, 곡식의 이삭을 따는 반달 돌칼이 대표적이다.

② 비파형 동검은 만주와 한반도 지역의 청동기 문화를 대표하는 청동기 유물이다.

정답을 찾아가는 셀파 - Tip

03 상의 정치 답 ④

상(商)은 기원전 1600년경 황허강 일대에서 세워진 고고학적으로 확인된 중국 최초의 국가이다. 상의 왕은 제사장을 겸하였고, 국가의 중요한 일은 점을 쳐서 결정하는 신권 정치가 행해졌다. 갑골문은 거북의 배 껍질이나 짐승의 뼈 등을 이용하여 점을 친 뒤 그 내용과 결과를 새겨 넣은 것으로, 상의 유적지에서 대량으로 발굴되었다. 이를 통해 상의 왕들이 종교적 권위에 의지하여 국가를 통치하였음을 알 수 있다.

정답을 찾아가는 셀파 - Tip

① 동아시아 최초의 유목 국가였다. (×)
→ 흉노
② 혈연 중심의 봉건제를 실시하였다. (×)
→ 주의 지방 통치 제도이다.
③ 신분보다는 능력을 중시하는 사회였다. (×)
→ 춘추 전국 시대의 사회 모습이다.
④ 나라의 중요한 일은 점을 쳐서 결정하였다. (○)
⑤ 천명사상과 덕치주의를 통치에 활용하였다. (×)
→ 주 왕이 자신을 천자라 부르고 무력이 아니라 덕으로써 통치한다는 점을 강조하였다.

04 주의 통치 제도 답 ④

주는 정복한 지역에 봉건제를 시행하였다. 봉건제는 왕이 혈연관계를 기초로 하여 제후를 임명하고, 제후로 하여금 그 지역을 대대로 다스리게 한 제도이다. 봉건제하에서 주 왕은 무력이 아니라 덕으로써 통치한다는 점을 강조하였다. 또한 덕을 가진 사람이 하늘의 명령을 받아 국가를 통치해야 한다는 천명사상을 내세웠다.

정답을 찾아가는 셀파 - Tip

① 한 고조가 실시한 통치 제도이다. (×)
→ 한 고조는 군현제와 봉건제를 절충한 군국제를 시행하였다.
② 지방 호족들의 성장을 촉진하였다. (×)
→ 후한 시기에 지방 호족들이 더욱 성장하였다.
③ 중앙 집권 체제 강화에 기여하였다. (×)
→ 군현제와 관련 있다.
④ 왕과 혈연관계에 있는 사람을 지방에 파견하는 제도이다. (○)
⑤ 전국을 군과 현으로 나누고 지방관을 보내어 다스리게 하였다. (×) → 군현제에 대한 설명이다.

05 춘추 전국 시대 답 ③

지도는 춘추 전국 시대를 나타낸 것이다. 춘추 전국 시대에 제후들은 자신의 나라와 지위를 지키기 위해 부국강병을 추진하였다. 이 과정에서 제자백가가 등장하였다. 한편, 철제 농기구가 보급되어 생산력이 크게 높아졌고, 각국에서 군사력 강화를 위해 철제 무기도 적극 도입하였다. 또한 이 시기에는 신분보다 능력을 중시하는 분위기 속에서 사(士) 계층이 성장하였다.

ㄱ. 군국제는 한 고조 때 시행한 지방 통치 정책이다. ㄹ. 진시황제의 통일 정책이다.

06 진시황제의 정책 답 ⑤

전국을 통일한 진의 시황제는 황제라는 칭호를 사용하는 한편, 봉건제를 폐지한 후 전국에 군현제를 시행하고 중앙에 3공 9경의 관료제를 시행하여 중앙 집권 체제를 강화하였다. 또한 문자·화폐·도량형을 통일하였으며, 도로망을 정비하고 만리장성을 쌓아 북방의 흉노를 견제하였다.

⑤ 봉건제는 주에서 시행한 지방 분권적인 통치 제도이다.

07 진의 군현제 답 ③

제시된 그림은 군현제를 나타낸 것이다. 진의 시황제는 봉건제를 폐지한 후 전국에 군현제를 시행하였다. 군현제는 전국을 군, 현으로 나누고 각각 군수와 현령 등을 보내어 다스리게 한 제도이다.

①, ⑤ 한 고조 때 시행한 군국제에 대한 설명이다. ② 흉노와 관련 있다. ④ 주에서 실시한 봉건제에 대한 설명이다.

내 것으로 만드는 셀파 - Tip

▶ **중국의 지방 통치 제도**

국가(시기)	제도	내용
주	봉건제	수도를 제외한 지역에 왕족과 공신 등을 제후로 보내어 대대로 다스리게 한 제도 → 지방 분권적
진, 한 무제	군현제	전국을 군, 현으로 나누고 각각 군수와 현령 등을 보내어 다스리게 한 제도 → 중앙 집권적
한 고조	군국제	수도를 중심으로 서쪽 지역에는 군현을 두고, 그 외의 지역은 제후왕에게 맡겨 다스리게 한 제도 → 봉건제와 군현제 절충

08 한 무제의 정책 답 ③

한 무제는 주변 국가와 전쟁을 벌여 영토를 확대하였다. 하지만 이 과정에서 재정이 부족해지고 빈부 격차가 커지게 되었다. 이에 한 무제는 국가가 직접 소금과 철 등을 독점 판매하면서 국가 재정을 보완하고자 하였다.

정답을 찾아가는 셀파 - Tip

ㄱ. 유학을 장려하였다. (○)
ㄴ. 만리장성을 쌓아 흉노를 견제하였다. (×)
→ 진시황제의 정책이다.
ㄷ. 흉노와 화친 조약을 맺고 막대한 예물을 주었다. (×)
→ 한 고조 시기의 일이다.
ㄹ. 소금과 철 등을 국가에서 독점 판매하도록 하였다. (○)

09 흉노의 성장 답 ④

흉노는 기원전 3세기 말부터 유라시아 대륙 북부의 유목 지대에서 성장하였다. 기마 기술을 바탕으로 편성된 기마병은 기동력이 뛰어났으므로, 흉노는 군사적으로 성장하여 초원 지대의 패자가 되었다. 흉노의 성장에 위협을 느낀 진의 시황제는 만리장성을 쌓아 견제하였다. 그러나 흉노는 진 멸망 이후 다시 세력을 회복하였다. 서쪽에 있던 월지를 중앙아시아 방면으로 내쫓고, 동쪽의 동호를 복속시켜 초원 지역을 통일한 국가로 성장하였다. 흉노는 한 무제가 즉위할 때까지 강대한 세력으로 활동하였다.

정답을 찾아가는 셀파 - Tip

① 8조의 법을 통해 다스렸다. (×)
→ 고조선
② 남비엣을 멸망시킨 뒤 군현을 설치하였다. (×)
→ 한 무제
③ 고유의 문자를 가지고 역사를 기록하였다. (×)
→ 흉노의 고유 문자 기록은 전해지지 않고 있다.
④ 기원전 3세기경 최초의 유목 국가를 형성하였다. (○)
⑤ 한과 한반도 남쪽의 진 사이에서 중개 무역을 하면서 성장하였다. (×) → 고조선에 대한 설명이다.

10 기원전 2세기 중엽의 동아시아 정세 답 ⑤

지도는 한 무제의 정복 활동을 보여 주는 것으로, (가)는 흉노, (나)는 고조선, (다)는 한, (라)는 남비엣(남월)이다. 한 무제는 활발한 정복 전쟁으로 영토를 넓혔는데, 오랫동안 한을 괴롭히던 흉노를 고비 사막 이북으로 몰아내고, 남비엣과 고조선을 차례로 멸망시키고 군현을 설치하였다. 한편, 무제가 고조선을 정복한 것은 고조선이 한과 한반도 남쪽의 진 사이의 무역을 중개하면서 성장하고 있었고, 흉노와 연합할 가능성이 있었기 때문이다.

정답을 찾아가는 셀파 - Tip

① (가)의 부족장들은 사출도를 나누어 다스렸다. (×)
└ 부여에 대한 설명이다.
② (나)의 지배자가 ~~(다)~~에 맞서 왕이라 칭하기 시작하였다. (×)
전국 7웅 중 하나인 연
③ (다)는 (나)가 강성하여 많은 공물을 바치고 화친을 맺었다. (×)
→ 한 고조가 이끄는 군대에 승리를 거둔 흉노는 한과 화친을 맺고 매년 다량의 물자를 공급받았다.
④ (라)는 장건의 원정을 계기로 중국과 교통하였다. (×)
└ 장건의 서역 파견을 계기로 비단길이 개척되었다.
⑤ (다)는 (나)가 (가)와 연합할 가능성이 있었기 때문에 (나)를 공격하였다. (○)

11 고조선의 성장 답 ⑤

랴오닝 지역에서 청동기 문화를 바탕으로 성립한 고조선은 인접 지역을 통합하면서 한반도까지 세력을 확대하였다. 기원전 4세기 무렵에는 최고 통치자를 왕이라 칭하였다. 고조선은 전국 7웅 중 하나인 연과 대립하다가 연의 침략을 받기도 하였다. 진·한 교체기에는 연으로부터 위만이 무리를 이끌고 고조선으로 망명하였다. 이후 위만은 준왕을 몰아내고 고조선의 왕이 되었다. 이 무렵 고조선은 철기 문화를 본격적으로 수용하여 생산력이 크게 증대되었으며, 한이 세워진 후에는 한과 동쪽의 예, 남쪽의 진 사이의 무역을 중개하면서 경제적으로 번영하였다.

ㄱ, ㄴ은 위만의 망명 이전에 있었던 사실들이다.

12 일본 열도의 국가 성립 답 ⑤

제시된 자료는 일본의 건국 신화인 진무 천황 설화이다. 일본 열도에서는 기원 전후에 정치체가 출현하였다. 3세기경에는 30여 개의 소국이 히미코 여왕의 야마타이국을 중심으로 연합하였다. 히미코 여왕은 제사장적 성격을 지닌 지배자로서 종교적 권위에 의존하여 다스렸으며, 삼국 시대의 위에 사신을 보내 '친위왜왕'이라는 칭호를 받았다.

정답을 찾아가는 셀파 - Tip

① 위만이 준왕을 몰아내고 왕이 되었다. (×)
→ 고조선에 해당한다.
② 쑹화강 일대의 예맥족이 세운 국가이다. (×)
→ 부여에 대한 설명이다.
③ 천군이라는 제사장이 소도를 따로 다스렸다. (×)
→ 삼한과 관련된 내용이다.
④ 군현제와 봉건제를 절충한 군국제를 시행하였다. (×)
→ 한 고조가 군국제를 시행하였다.
⑤ 3세기경 야마타이국을 중심으로 30여 개의 소국이 연합하였다. (○)

서답형 문제

13 중원 지역의 국가 성립 답 (가) 하(夏) (나) 상(商)

황허강 중류 지역에서는 기원전 2000년경부터 청동기 문명인 얼리터우 문화가 발달하였다. 얼리터우 문화 유적에서는 궁전터와 성벽을 갖춘 도성 등이 발견되었는데, 문헌상 최초의 국가인 하(夏)가 이곳에 세워진 것으로 추정하고 있다. 기원전 1600년경에서는 상(商)이 성립되어 청동기 문화를 꽃피웠다.

14 춘추 전국 시대의 전개 답 (가) 춘추 (나) 전국

춘추 시대에는 세력이 강한 제후, 즉 패자(춘추 5패)가 다른 제후들과 맹약을 맺고 주 왕을 대신하여 정국을 주도하였다. 전국 시대는 하극상과 전쟁이 난무한 약육강식의 시대였다.

15 유목 지대의 국가 성립 답 흉노(족)

유라시아 대륙 북부의 유목 지대에서는 기원전 3세기 말부터 흉노가 성장하였다. 흉노의 팽창과 남하에 위협을 느낀 진의 시황제는 흉노를 오르도스 지역에서 몰아내고 그 북쪽에 만리장성을 쌓았다. 그러나 흉노는 진의 멸망 이후 중원이 혼란스러운 틈을 타서 다시 세력을 회복하였다. 서쪽의 월지를 중앙아시아 방면으로 내쫓고, 동쪽의 동호를 복속시켜 초원 지역을 통일한 국가로 성장하였다. 흉노가 자주 만리장성을 넘어 한을 공격하자, 한 고조는 직접 군대를 이끌고 원정에 나섰지만 대패하였다(평성의 치욕).

16 일본 열도의 국가 성립
답 야마타이국

일본 열도에서는 기원 전후에 정치체가 출현하였고, 3세기경 30여 개의 소국이 야마타이국을 중심으로 연합하였다. 야마타이국의 히미코 여왕은 제사장적 성격을 지닌 지배자로서 종교적 권위에 의존하여 다스렸다.

17 중국의 지방 통치 제도

모범 답안 | (가)는 봉건제로, 혈연관계에 있는 제후를 임명하여 지방을 다스리게 한 제도이다. (나)는 군현제로, 전국을 군, 현으로 나누고 지방관을 직접 파견하여 황제를 대신하여 다스리게 한 제도이다.

주요 단어 | 봉건제, 혈연관계에 있는 제후 임명, 군현제, 지방관 파견

채점 기준	배점
봉건제와 군현제의 명칭과 운영 방식을 모두 바르게 서술한 경우	상
봉건제와 군현제의 명칭을 쓰고, 봉건제와 군현제의 운영 방식 중 한 가지만 바르게 서술한 경우	중
봉건제와 군현제의 명칭만 쓴 경우	하

18 흉노와 한의 관계

모범 답안 | 한은 흉노와 화친을 맺고 매년 막대한 물자를 보냈다. 또 공주를 흉노의 선우에게 시집보내 그들을 무마하였다.

주요 단어 | 한과 흉노의 화친과 한의 물자 제공, 한의 공주를 흉노의 선우에게 시집보냄

채점 기준	배점
주요 단어를 모두 사용하여 바르게 서술한 경우	상
주요 단어 중 한 가지만 포함하여 바르게 서술한 경우	하

19 한 무제의 정복 전쟁

모범 답안 | 첫째, 고조선이 지리적인 이점을 이용하여 한과 한반도 동쪽의 예, 남쪽의 진 사이의 중개 무역을 독점하면서 성장하고 있었기 때문이다. 둘째, 고조선이 흉노와 연합할 가능성이 있었기 때문이다.

주요 단어 | 한과 한반도 남부 사이의 중개 무역, 고조선과 흉노의 연합 가능성

채점 기준	배점
첫째와 둘째 이유를 모두 바르게 서술한 경우	상
첫째와 둘째 이유 중 한 가지만 포함하여 바르게 서술한 경우	하

도전 수능 문제

p. 33 ~ p. 35

01 ③	02 ③	03 ①	04 ③	05 ①	06 ③
07 ④	08 ④	09 ②	10 ④	11 ④	12 ①

01 중원 지역의 청동기 문화
답 ③

중원 지역에서는 황허강 중류 지역에서 기원전 2000년경부터 청동기 문명인 얼리터우 문화가 발달하였다. 중원 지역의 청동기 문명은 기원전 1600년경에 성립한 상(商)에 의해서 더욱 발전하였다. 이 시기에는 청동으로 칼, 창, 화살 등의 단단하고 예리한 무기를 제작하였고, 다양한 술잔, 솥 등의 제사 도구를 만들었다. 사진의 네 발 달린 청동 솥은 상의 후기 수도였던 은허에서 발견되었으며, 현재까지 발굴된 청동기 가운데 가장 큰 솥이다. 상의 왕 문정이 어머니를 제사 지내기 위해 주조한 것으로, 솥 안에 '후모무(后母戊)'라는 글씨가 새겨져 있어 '후모무정'이라고 불린다.

지도의 A는 베트남 북부 지역으로 청동기 시대에 이 지역에서는 동썬 문화가 발달하였다. B는 창장강 하류, C는 황허강 중류, D는 만주와 한반도, E는 일본 열도이다.

02 주 왕조의 성립과 통치 체제
답 ③

(가) 국가는 기원전 11세기 상(商)을 멸망시키고 중원 지역을 차지한 주(周)이다. 주는 정복한 지역에 봉건제를 실시하였다. 주 왕은 무력이 아니라 덕으로써 백성을 통치한다는 덕치주의를 강조하였고, 덕을 가진 사람이 하늘의 명령을 받아 통치해야 한다는 천명사상을 내세워 왕권을 합리화하였다.

자료를 분석하는 셀파 - Tip

| (가) | 의 왕은 수도 호경과 그 주변을 직접 다스렸다. 그리고 나머지 지역은 왕실의 자제나 일족 또는 신하를 제후로 임명하여 지배하게 하였고, 제후들은 군사를 제공하고 공물을 바쳐야 했다. 이러한 왕과 제후의 관계는 종법제에 의해 뒷받침되었다.

└ 상(商)을 멸망시킨 주(周)의 수도 (수도 호경)

└ 주의 봉건제 (나머지 지역은 ... 지배하게 하였고)

정답을 찾아가는 셀파 - Tip

① 소금과 철을 국가에서 독점 판매하였다. (×)
→ 한 무제 시기에 활발한 대외 정복 활동으로 재정이 부족해지자, 소금과 철을 국가에서 독점 판매하였다.

② 8조 법을 시행하여 법질서를 확립하였다. (×)
→ 8조 법은 고조선에서 시행하였다.

③ 덕치와 천명사상으로 왕권을 합리화하였다. (○)

④ 동아시아에서 처음으로 등장한 유목 국가였다. (×)
→ 기원전 3세기경 흉노가 유목 지역에서 처음으로 국가를 세웠다.

⑤ 남비엣(남월)을 정복하고 군(郡)을 설치하여 지배하였다. (×)
→ 남비엣을 정복한 것은 한 무제 시기의 일이다.

03 일본 열도의 청동기 문화
답 ①

기원전 3세기경 청동기와 철기 제작 기술, 벼농사 기술을 가진 사람들이 한반도로부터 규슈 북부 지역으로 이주하면서 일본 열도의 야요이 시대가 시작되었다. 야요이 시대에는 초기에 석기와 목기를 이용하여 농사를 짓다가 점차 쇠를 덧댄 농기구를 사용하게 되었다.

① 청동기로는 주로 제기와 장신구를 제작하였는데, 대표적인 청동기인 동탁은 당시 주술적 의례를 위한 도구로 정치 지배자의 권위를 상징하였다.

① 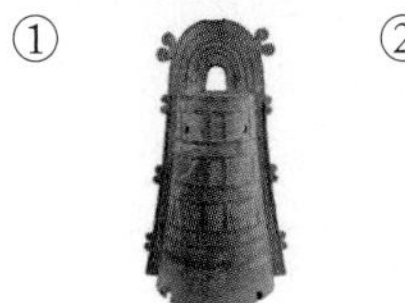
일본 열도의 청동기인 동탁

② 
상 왕조의 청동 솥

③ 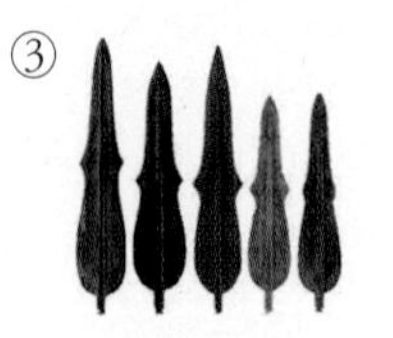
만주와 한반도 청동기 문화의 대표적인 유물인 비파형 동검

④ 
얼리터우 유적에서 출토된 청동 술잔

⑤ 
흉노의 금관

04 전국 시대 시기의 동아시아 정세 답 ③

지도는 전국 7웅을 나타낸 것으로, 기원전 5세기부터 시작된 전국 시대의 상황임을 수 있다. 전국 시대에는 봉건 질서가 붕괴하고 약육 강식의 논리가 사회를 지배하였다. 이 당시 철제 무기가 보급되면서 군사력이 강화되었고, 국가 간의 정복 전쟁이 활발하였다.

정답을 찾아가는 셀파 - Tip

① (가) - ~~위구르가~~ 초원 지대의 패자로 등장하였다. (×)
 기원전 3세기경 흉노가
② (나) - 위만이 무리를 이끌고 고조선으로 망명하였다. (×)
 └ 진·한 교체기에 위만이 고조선으로 망명하였다.
③ (다) - 철제 무기가 보급되면서 정복 전쟁이 격화되었다. (○)
④ (라) - 야마타이국 중심의 연맹체가 형성되었다. (×)
 └ 3세기경 30여 개의 소국이 히미코 여왕의 야마타이국을 중심으로 연합하였다.
⑤ (마) - 남월(남비엣)이 중원 세력의 공격으로 멸망하였다. (×)
 └ 남월(남비엣)은 한 무제의 정복 사업으로 기원전 111년에 멸망하였다.

05 진시황제의 정책 답 ①

제시된 자료에서 밑줄 친 '그'는 춘추 전국 시대를 통일한 진시황제이다. 진시황제는 처음으로 '황제'라는 칭호를 사용했으며, 중앙 집권 강화를 위하여 전국에 군현제를 시행하고 중앙에 3공 9경의 관료제를 시행하였다. 또한 도량형, 화폐, 문자를 통일하고 도로망을 정비하였으며, 만리장성을 쌓아 북방의 흉노를 견제하였다.

정답을 찾아가는 셀파 - Tip

① 도량형, 화폐, 문자를 통일하였다. (○)
② 초원 지역의 유목 세계를 지배하였다. (×)
 → 흉노
③ 야마타이국을 지배하며 위세를 떨쳤다. (×)
 → 히미코 여왕
④ 고조선을 정복하여 군현을 설치하였다. (×)
 → 한 무제
⑤ 비단길을 개척하여 동서 교역의 주도권을 확보하였다. (×)
 → 한 무제

06 진(秦) 시기의 동아시아 상황 답 ③

(가)에 들어갈 인물은 진시황제이다. 기원전 221년 춘추 전국 시대를 통일한 시황제는 '황제'라는 칭호를 사용하는 한편, 봉건제를 폐지하고 전국에 군현제를 시행하였으며, 나라마다 달랐던 도량형과 화폐, 문자를 통일하였다. 또한 북방의 흉노를 견제하기 위해 만리장성을 쌓았다. 그러나 기원전 210년 시황제가 죽은 후 진은 급속하게 쇠퇴하였다. 환관이 권력을 휘둘러 정치가 문란해지고, 엄격한 법치와 대규모 토목 공사에 대한 불만으로 농민들의 봉기가 잇달았다. 이러한 혼란 속에 항우와 유방이 군사를 일으켜 각축을 벌였으며, 그 결과 유방이 세운 한이 기원전 202년 새로운 통일 왕조로 등장하였다.

정답을 찾아가는 셀파 - Tip

① 한국 - 고구려의 일부 세력이 남하하여 백제를 세웠다. (×)
 └ 기원전 18년 온조 세력
② 중국 - ~~혈연 중심의 봉건제가 성립되었다~~. (×)
 진(秦)은 군현제를 시행하였다.
③ 중국 - 흉노 침입을 막기 위해 만리장성이 축조되었다. (○)
④ 일본 - 야마타이국을 중심으로 연맹체가 형성되었다. (×)
 └ 3세기경 히미코 여왕이 주도
⑤ 흉노 - 남흉노와 북흉노로 분열하였다. (×)
 └ 한 무제의 공격으로 쇠퇴한 후 1세기 무렵의 일이다.

07 한 무제의 업적 답 ④

밑줄 친 '황제'는 한 무제이다. 한 무제는 흉노와 장기간의 전쟁을 벌여 그들을 고비 사막 이북으로 밀어내고, 장건의 서역 파견을 계기로 비단길을 장악하여 흉노가 비단길을 통해 물자를 얻는 것을 막음과 동시에 동서 교역의 주도권을 확보하였다. 무제는 이어 남비엣과 고조선을 멸망시켰다. 그러나 그 후유증으로 국가 재정이 부족해지자, 소금과 철의 전매제를 시행하였다. 한편, 한 무제는 동중서의 건의를 받아들여 태학을 설치하는 등 유학을 적극 장려하여 유교적 교양이 있는 인물을 관리로 발탁하였는데, 지방 호족들은 이를 이용하여 자제를 관리로 진출시킴으로써 점차 영향력을 키워 갔다.

정답을 찾아가는 셀파 - Tip

ㄱ. 군국제를 실시하였다. (×)
 → 한 고조
ㄴ. 서역으로 장건을 파견하였다. (○)
ㄷ. 화폐, 문자, 도량형을 통일하였다. (×)
 → 진시황제
ㄹ. 동중서의 건의로 태학을 설치하였다. (○)

내 것으로 만드는 셀파 - Tip

▶ 진시황제, 한 고조, 한 무제 비교

진시황제	황제 칭호 사용, 군현제 시행, 도량형·화폐·문자 통일, 만리장성 축조
한 고조	군국제 시행, 흉노와의 전투 패배(평성의 치욕) 후 다량의 물자를 제공하는 조건으로 흉노와 화친을 맺음
한 무제	군현제 확대, 유교를 통치 이념으로 채택, 전매제 실시, 비단길 개척, 흉노 축출, 남비엣과 고조선 정복

08 중국의 지방 통치 제도

답 ④

(가)는 주에서 시행한 봉건제, (나)는 한 고조 시기에 시행한 군국제, (다)는 군현제를 표현한 것이다. 봉건제는 도읍 부근은 왕이 직접 다스리고 나머지 영토는 왕족과 공신에게 나누어 주어 통치하게 한 제도로, 혈연관계를 기초로 하였다. 군국제는 수도를 중심으로 서쪽 지역에는 군현을 두고, 그 외의 지역은 제후왕에게 맡겨 통치하도록 한 제도이다. 이는 강력한 중앙 집권 체제를 추진하다가 멸망한 진을 거울삼아 군현제와 봉건제를 절충한 통치 형태이다. 군현제는 진의 시황제가 춘추 전국 시대를 통일하고 전면적으로 실시하였으며, 한 무제 시기에 확대되었다.

정답을 찾아가는 셀파 - Tip

① (가) - ~~중앙 집권 체제~~를 확립시켰다. (×)
봉건제는 지방 분권 체제였다.

② (나) - ~~춘추 전국 시대~~에 시작되었다. (×)
군국제는 한 고조 시기에 시행되었다.

③ (다) - ~~혈연관계를 바탕으로 운영~~되었다. (×)
봉건제에 대한 설명이다. 군현제는 황제가 군과 현에 지방관을 파견한 제도이다.

④ (나), (다) - 한나라 때의 통치 제도였다. (○)

⑤ ~~(가)→(나)→(다)~~의 순서대로 등장하였다. (×)
(가)→(다)→(나)

09 기원전 2세기경의 동아시아 정세

답 ②

지도에서 중원에 한이 있고, 베트남 북부의 남비엣이 아직 한 무제에게 멸망하지 않은 상황이다. 그러므로 (가)는 흉노, (나)는 고조선이다. 기원전 3세기 말부터 유목 지대에서 성장한 흉노는 진의 멸망 이후 초원 지역을 통합하였다. 백등산 전투에서 한 고조의 군대를 물리친 후 한으로부터 필요한 물자를 받는 조건으로 한과 화친을 맺었다. 고조선은 위만 집권 이후 한과 한반도 남부 사이의 중개 무역으로 성장하였으나, 한 무제의 침략으로 멸망하였다.

정답을 찾아가는 셀파 - Tip

① (가) - 군국제를 실시하였다. (×)
└ 한 고조

② (가) - 한과 화친을 맺고 많은 공물을 받았다. (○)

③ (나) - 최고 지배자를 선우라고 불렀다. (×)
└ 흉노의 군주를 선우라고 불렀다.

④ (나) - 마한의 여러 소국들을 통합하였다. (×)
└ 백제

⑤ (나) - ~~(가)~~의 침략으로 멸망하였다. (×)
한

10 흉노의 성장

답 ④

묵특 선우, 좌현왕, 우현왕 등을 통해 (가) 국가는 흉노임을 알 수 있다. 흉노 제국은 초원 지대의 여러 부족을 규합한 연맹체 국가였다. 제국의 최고 군주를 '선우'라고 칭했는데, 기원전 209년 묵특 선우가 즉위하면서 흉노는 전성기를 맞이하였다. 특히 남으로는 중원의 한을 압박하여 한 고조를 굴복시키기도 하였다. 하지만 흉노는 한 무제의 공격으로 세력이 약화되었다.

정답을 찾아가는 셀파 - Tip

① 안남도호부를 설치하였다. (×)
→ 안남도호부는 당나라 때 베트남 지역에 설치한 기구이다.

② 주변국에 공주를 시집보냈다. (×)
→ 한은 '평성의 치욕' 이래 공주를 흉노에 시집보내 그들을 무마하였다. 이후 중원 왕조에서 유목 민족의 군주에게 시집보낸 공주를 화번공주라고 부른다.

③ 고조선으로부터 조공을 받았다. (×)
→ 흉노는 한 고조와의 전투 이후 한으로부터 필요한 물자를 제공받았다.

④ 한 무제의 군대와 전투를 벌였다. (○)

⑤ 남비엣(남월)을 공격하여 멸망시켰다. (×)
→ 남비엣(남월)을 멸망시킨 것은 한 무제이다.

11 고조선의 성립과 발전

답 ④

연의 장군 진개의 침공을 받았다는 점과 위만의 망명 등을 통해 (가)는 고조선임을 알 수 있다. 고조선은 기원전 3세기 초에 전국 시대 전국 7웅 중 하나인 연의 침입을 받았으며, 기원전 2세기 초에는 위만이 준왕을 몰아내고 왕위에 올랐다. 고조선에는 상, 경, 대부, 장군과 같은 관직을 두었고, 위만 집권 이후에는 한과 남반도 남쪽의 진 사이에서 중개 무역으로 경제적으로 번영하였다.

정답을 찾아가는 셀파 - Tip

ㄱ. 사출도를 지배하는 세력들을 조사한다. (×)
└ 사출도는 부여와 관련된 내용이다.

ㄴ. 상, 경, 대부, 장군 등의 관직을 조사한다. (○)

ㄷ. 스에키 토기의 분포 지역을 지도에서 찾아본다. (×)
└ 가야의 영향을 받은 일본의 토기이다.

ㄹ. 한과 한반도 남쪽의 진 사이의 중개 무역에 대해 알아본다. (○)

12 진·한 대의 동아시아 정세

답 ①

제시된 내용은 중원을 최초로 통일한 진과 중원을 재통일한 한에 대한 내용이다. 진시황제가 춘추 전국 시대를 통일한 것은 기원전 221년이고, 한 고조 유방이 중원을 재통일한 것은 기원전 202년이다. 한 무제는 기원전 141년부터 기원전 87년까지 재위하였다. 이 시기 유목 지대에서는 흉노가 중원 왕조와 대립하고 있었고, 쑹화강 일대에서는 부여가 성장하고 있었다. 고조선에서는 기원전 2세기 무렵에 위만이 고조선의 통치권을 장악하였고, 한반도 남부에는 진국이 있었다. 일본 열도에서는 기원 전후에 정치체가 출현하였다.

정답을 찾아가는 셀파 - Tip

ㄱ. 통일 왕조가 황허강 유역에서 거듭 출현하였다. (○)
→ 진과 한은 황허강 유역에서 일어난 통일 왕조이다.

ㄴ. 위만이 고조선 왕이 되어 주변 세력들을 복속시켰다. (○)
→ 진·한 교체기에 위만이 무리를 이끌고 고조선으로 망명하였고, 이후 고조선의 준왕을 몰아내고 고조선의 왕이 되었다.

ㄷ. 야마토 정권이 일본 열도 동쪽으로 세력을 확대하였다. (×)
→ 야마토 정권은 4세기 전반에 야마토 지방 및 그 주변의 호족이 연합하여 세운 정권이다.

ㄹ. 베트남이 중국 왕조의 지배에서 벗어나 독립을 이루었다. (×)
→ 베트남은 한 무제의 침공으로 기원전 111년 남비엣이 멸망한 이후 10세기에 들어 독립하였다.

Ⅱ 동아시아 세계의 성립과 변화

01 인구 이동과 정치·사회 변동

탄탄 내신 문제 p. 43 ~ p. 46

01 ⑤	02 ⑤	03 ⑤	04 ②	05 ①	06 ②
07 ⑤	08 ②	09 ④	10 ⑤	11 ③	12 ④

13 해설 참조 14 해설 참조 15 (가) 야마토 정권 (나) 다이카 개신 16 (가) 백제 (나) 고구려 (다) 신라
17 (1) 한화(호한 융합) 정책 (2) 해설 참조

01 인구 이동의 원인 답 ⑤

인구 이동은 기후의 변화, 자연재해, 정치적 갈등 등으로 일어난다. 동아시아에서는 주로 북에서 남으로 이동이 전개되었는데, 한 지역에서 시작된 인구 이동은 연쇄적 반응이 일어나 2차, 3차의 인구 이동이 일어나기도 하였다.

⑤ 인구 이동으로 토착민과 이주민의 갈등이 일어나 전쟁이 일어나기도 하였다.

02 화북·강남 방면으로의 이동 답 ⑤

북방 민족의 영역은 후한 중엽까지만 해도 초원 지대를 벗어나지 않았다. 그러나 2세기 이후 후한의 정치적 혼란 속에서 선비, 흉노 등의 유목민들은 초원 지대를 벗어나 남하하여 화북 지방에 독자 정권을 세웠다. 한족은 이들을 5호라 불렀다.

정답을 찾아가는 셀파 - Tip

① 주가 수도를 뤄양으로 천도하였다. (×)
→ 중원의 진이 창장강 이남으로 천도하였다.
② 한과 흉노가 화친 조약을 체결하였다. (×)
→ 한 고조 시기이다.
③ 고조선의 중심지가 평양으로 이동되었다. (×)
→ 이동설에 따르면 춘추 전국 시대에 이동된 것으로 여겨진다.
④ 이민족의 침입으로 남비엣이 멸망하였다. (×)
→ 한 무제 시기이다.
⑤ 화북 지방에 여러 북방 민족 정권이 들어섰다. (○)

내 것으로 만드는 셀파 - Tip

▶ 중국과 흉노의 관계

진(秦)	시황제: 흉노를 견제하기 위해 만리장성 축조
한	• 고조: 흉노에 굴복 → 공주와 예물을 보내 평화 유지 • 무제: 장건을 서역에 파견, 흉노를 몰아내고 군현 설치
진(晉)	5호 침입(흉노, 선비, 갈, 강, 저) → 한족이 창장강 이남으로 남하하여 동진 건국

03 한반도로의 인구 이동 답 ⑤

부여의 유민인 주몽이 고구려를 건국하였고, 그의 아들들이 남하하여 한강 유역에 백제를 건국하였다. 백제는 점차 마한 세력을 흡수하여 한반도 남부 지역으로 세력을 확장하였다.

04 인구 이동의 전개 답 ②

삼국 항쟁 시기 정치적 변화가 있을 때마다 많은 수의 한반도 주민들이 일본 열도로 건너갔다. 오랜 전란을 거치던 중국의 한족도 일본으로 건너갔는데 이렇게 일본으로 건너간 한반도인과 한족을 도왜인이라고 부른다. 이들은 일본 열도의 문화 수준을 높여주었고, 야마토 정권 수립에 영향을 주었다.

정답을 찾아가는 셀파 - Tip

ㄱ. (가) – 야마토 정권의 성립과 발전을 조사한다. (○)
ㄴ. (가) – '친위왜왕'이라는 칭호에 대해 조사한다. (×)
→ 야요이 시대 야마타이국의 히미코 여왕은 위나라에 조공하여 '친위왜왕'의 칭호를 받았다.
ㄷ. (나) – 백강 전투의 전개 과정을 조사한다. (○)
→ 백제의 부흥 운동 중 일어난 전투로, 왜가 참여하였다.
ㄹ. (나) – 장보고의 청해진 설치 배경을 조사한다. (×)
→ 청해진은 통일 신라 시대에 설치되었다.

05 진(晉)의 강남 이주 답 ①

후한 멸망 이후 위·촉·오의 삼국이 대립하다가 진(晉)에 의해 통일을 이루었다. 하지만 진이 쇠퇴하자 북방 유목민들이 남하하여 화북 지역에 독자적인 정권을 수립하였다. 한편 화이허강 이북 지역을 북방 민족에게 빼앗긴 한족은 대규모로 창장강 유역으로 이동하여 동진을 세웠다.

06 북위 효문제의 한화 정책 답 ②

(가)는 북위이다. 북위의 효문제는 선비족의 풍습을 금지하고, 한족의 언어와 의복을 사용하게 하였으며, 성도 한족의 성으로 바꾸고, 한족과의 결혼을 장려하였다. 이러한 북위의 적극적인 한화 정책으로 유목 민족 문화와 한족 문화가 점차 융합되어갔다.

정답을 찾아가는 셀파 - Tip

ㄱ. 한족 언어를 사용하였다. (○)
ㄴ. 3성 6부제를 도입하였다. (×)
→ 수·당의 중앙 행정 체계이므로 시기상 맞지 않는다.
ㄷ. 수도를 뤄양으로 천도하였다. (○)
ㄹ. 불교를 통치 이념으로 삼았다. (×)
→ 불교의 통치 이념화는 왕권 강화를 목적으로 한 정책이다.

07 북위 효문제의 한화 정책 답 ⑤

화북 지역을 통일한 북위는 한족의 문물을 적극 수용하는 한화 정책을 실시하였다. 북위의 효문제는 유목민의 근거지를 떠나 수도를 화북의 뤄양으로 옮겼으며, 부족 단위의 행정 체제를 해체하고, 호적을 조사하여 군·현 단위로 재편하였다. 경제적으로는 지방의 호족들이 대토지를 소유하면서 국가 재정이 어려워지자 자영농을 육성하기 위해 균전제를 실시하였다. 문화적으로는 선비족의 풍습을 금지하고, 한족의 언어와 의복을 사용하게 하였으며, 성도 한족의 성으로 바꾸고, 한족과의 결혼을 장려하였다.

⑤ 도왜인은 일본 열도로 이주해 온 한반도 주민과 중국의 한족을 일컫는 말이다.

08 수나라의 발전 답 ②

남북조를 통일한 수는 처음으로 과거제를 실시하고, 강남 지방의 물자를 화북으로 이동시키기 위해 대운하를 건설하였다. 그리고 돌궐과 고구려를 공격하는 적극적인 공세를 취하기도 하였다.

정답을 찾아가는 셀파 - Tip

① 화폐와 도량형을 통일하였다. (×)
→ 진 시황제
② 대운하를 건설하기 시작하였다. (○)
③ 황소의 난이 일어나 쇠퇴하였다. (×)
→ 당나라 멸망의 계기
④ 법가를 중심으로 사상을 통일하였다. (×)
→ 진 시황제
⑤ 신라와 연합하여 고구려를 멸망시켰다. (×)
→ 당나라

09 동아시아의 국제전 답 ④

신라의 삼국 통일 이전 고구려는 당을 견제하기 위해 동돌궐과 동맹하였고, 신라와 백제도 서로 경쟁하고 있었다. 7세기 중엽 백제의 공격으로 위기에 처한 신라는 당과 동맹을 맺었다. 그 결과 660년 백제가 무너지고, 668년 고구려가 멸망하게 되었다. 백제가 멸망하자 왜가 지원군을 보내 백제 부흥 운동을 도왔지만 백강 전투에서 패하면서 좌절되었다. 이 무렵 티베트인이 세운 토번은 비단길 지역을 공략하며 당과 대립하였다.

④ 나·당 연합군이 결성되어 백제-고구려 순으로 멸망하였다.

10 도왜인의 활동 답 ⑤

한반도의 여러 나라가 각축을 벌이면서 주민 일부가 일본 열도로 건너갔다. 또한 중국 남북조 시기에 창장강 유역에 살던 한족 가운데 일부가 일본 열도로 이주하였다. 이렇게 일본 열도로 건너간 이들을 '도왜인'이라 부른다. 도왜인은 각종 선진 기술을 일본에 전해 주었다.

정답을 찾아가는 셀파 - Tip

① 견당사와 동아시아 문화권 (×)
└ 일본에서 당에 보낸 조공 사절
② 다이카 개신을 통한 문화 발달 (×)
└ 당의 율령을 모방한 제도 개혁
③ 헤이안 시대의 귀족 문화 발달 (×)
→ 제시된 자료는 아스카 시대의 문화에 해당한다.
④ 화북 지방의 북위와 호한 융합 (×)
→ 효문제의 정책에 해당한다.
⑤ 도왜인의 활동과 일본의 고대 문화 (○)

내 것으로 만드는 셀파 - Tip

▶ 일본 열도의 인구 이동

도왜인의 유입	• 한반도 주민과 중국인(한족)이 삼국 항쟁기와 남북조 시기에 일본 열도로 이주 • 도왜인은 야마토 정권의 성립과 발전에 기여
일본 내에서의 인구 이동	• 규슈와 기나이 간 활발한 인구 이동 • 야마토 정권이 동쪽으로 세력을 확대하면서 인구도 동쪽으로 이동

11 일본의 성장 답 ③

ㄴ. 5세기 후반 → ㄹ. 7세기 중반 → ㄱ. 7세기 말 → ㄷ. 8세기에 해당하는 내용이다. 일본 열도에서는 야마토 정권이 점차 세력을 확대하여 5세기 후반에는 규슈 북부에서 간토(도쿄를 중심으로 한 주변 지역)에 이르는 각지의 권력자들을 복속시켰다. 아울러 중국의 남조와 한반도의 삼국, 그중에서도 백제로부터 선진 문물을 받아들여 아스카 문화를 꽃피웠다. 또, 7세기 중반에는 다이카 개신을 통해 관료제를 도입하고, 지방관을 파견하는 등 군주 중심의 중앙 집권 체제를 갖추고자 하였다. 야마토 정권은 7세기 말에 '일본'이라는 국호와 '천황'이라는 호칭을 사용하기 시작하였으며, 8세기에는 당의 수도 장안을 본떠 나라에 헤이조쿄, 교토에 헤이안쿄를 차례로 건설하고 궁성을 중심으로 화려한 귀족 문화와 불교문화를 꽃피웠다.

12 동아시아 각국의 도성 구조 답 ④

당의 수도 장안은 계획에 따라 만들어진 도시였다. 북쪽 중앙에 황제가 기거하는 황성이 위치하였고, 황성의 남쪽으로는 넓은 주작대로가 있었다. 주작대로를 중심으로 좌우 두 지역에는 각기 동시와 서시가 설치되었다. 외곽에는 동서남북의 문이 있었고, 가로 세로로 잘 정비된 도로가 만들어졌다. 이러한 구조는 동아시아 각국의 수도 건설에 영향을 끼쳤다.

정답을 찾아가는 셀파 - Tip

① 동아시아 각국은 발해의 상경성을 본떠 수도를 건설하였다. (×)
→ 동아시아 각국은 당의 장안성을 본떠 수도를 건설하였다.
② 발해는 당과 적대 관계를 맺으며 독자적 문화를 형성하였다. (×)
→ 발해 문왕 시기부터 당과 교류하였다.
③ 당은 발해와 일본의 문화를 받아들여 문물과 제도를 정비하였다. (×)
→ 발해와 일본은 당의 문화를 받아들여 문물과 제도를 정비하였다.
④ 당의 장안성 구조는 동아시아 각국의 도성 구조에 영향을 주었다. (○)
⑤ 동아시아 각국은 한자, 유교, ~~경교~~(불교), 율령 등 공통의 문화 요소를 공유하였다. (×)

서답형 문제

13 인구 이동의 원인과 영향

모범 답안 | 인구 이동은 자연재해, 인구 증가, 정치적 혼란 등으로 일어났다. 한 지역에서 시작된 인구 이동은 토착민과의 갈등과 전쟁을 일으켰고, 그에 따라 연쇄적인 인구 이동이 나타났다. 대규모로 인구가 이동한 지역에서는 새로운 정권이나 국가가 수립되었다. 또한 문화적 교류가 확대되어 동아시아 문화의 수준이 높아졌다.

주요 단어 | 연쇄적 인구 이동, 이주민과 토착민의 갈등, 새로운 국가나 정권의 수립, 문화적 교류의 확대

채점 기준	배점
주요 단어 중 세 가지 이상 포함하여 바르게 서술한 경우	상
주요 단어 중 두 가지만 포함하여 바르게 서술한 경우	중
주요 단어 중 한 가지만 포함하여 바르게 서술한 경우	하

14 인구 이동의 결과

모범 답안 | 이주민의 유입으로 노동력이 증가하고 선진 토목 기술이 전해지면서 강남 지방의 농업 생산력이 증대되었다.

주요 단어 | 노동력 증가, 선진 토목 기술 도입, 농업 생산력 증대

채점 기준	배점
주요 단어를 모두 포함하여 바르게 서술한 경우	상
주요 단어 중 두 가지만 포함하여 바르게 서술한 경우	중
주요 단어 중 한 가지만 포함하여 바르게 서술한 경우	하

15 일본 열도의 정치적 발전 답 (가) 야마토 정권 (나) 다이카 개신

일본 열도에서는 도왜인의 활약으로 4세기경 야마토 정권이 수립된다. 이후 7세기 다이카 개신을 통해 중앙 집권 체제의 기틀을 마련하였다.

16 삼국의 경쟁 답 (가) 백제 (나) 고구려 (다) 신라

만주와 한반도에서는 7세기 전반에 이르기까지 고구려, 백제, 신라가 경쟁하였다. 가장 먼저 주도권을 잡은 것은 백제였다. 백제는 한때 고구려를 위협하기도 하였으며, 남조 및 왜와 연계하여 세력을 유지하려 하였다. 이에 고구려는 신라를 지원하고 백제를 압박하면서 5세기에 삼국의 주도권을 장악하였다. 6세기에 신라는 한강 유역을 장악한 후 남북조와 직접 교류에 나섰으며, 이후 대외 팽창을 꾀하던 수·당과 연계하였다. 고구려는 백제 및 돌궐, 왜와 연계하여 이에 맞섰다.

17 북위의 한화(호한 융합) 정책

(1) 한화(호한 융합) 정책

(2) 모범 답안 | 한족을 관리로 발탁하였고, 수도를 평성(다퉁)에서 뤄양으로 옮겼다. 선비족의 의복과 언어 사용을 금지하고, 성(姓)도 한족의 성으로 바꾸게 하였으며, 한족과의 결혼을 장려하였다.

주요 단어 | 한족 관리 발탁, 뤄양으로 천도, 선비족의 의복과 언어 사용 금지 or 한족의 의복과 언어 사용 장려, 성(姓)을 한족의 성으로 변경, 한족과의 결혼 장려

채점 기준	배점
주요 단어 중 세 가지 이상 포함하여 바르게 서술한 경우	상
주요 단어 중 두 가지만 포함하여 바르게 서술한 경우	중
주요 단어 중 한 가지만 포함하여 바르게 서술한 경우	하

도전 수능 문제

p. 47 ~ p. 49

01 ③	02 ④	03 ②	04 ⑤	05 ⑤	06 ⑤
07 ④	08 ④	09 ②	10 ④	11 ①	12 ②

01 화북·강남 방면의 인구 이동 답 ③

삼국을 통일한 진(晉)이 왕위 다툼으로 세력이 약화되자 흉노, 갈, 저, 강, 선비 등의 북방 민족이 화북 지방으로 남하하여 국가를 세우기 시작하였다(5호 16국). 이들이 세운 국가는 선비가 세운 북위에 의해 통일되었다(439). 북방 민족이 화북 지역에 국가를 세우자, 한족은 창강 이남으로 이동하여 동진을 세웠다. 남쪽에 자리한 한족 왕조는 송, 제, 양, 진(陳)으로 이어지면서 북방 민족이 세운 북조와 대립하였다. 이 시기를 남북조 시대라고 한다.

③ 위만이 집권한 것은 기원전 194년이다.

02 화북·강남 방면의 인구 이동 답 ④

화북 지역의 진(晉)은 후한 멸망 이후 삼국으로 분열된 중원을 통일하였다. 하지만 정치적 내분으로 사회가 혼란해지자 북방 유목 민족이 중국의 화북 지역과 서북 지역에 독자적인 정권을 수립하게 되었다. 이에 진(晉)은 화북을 벗어나 강남으로 이동하여 동진을 건국하게 되었다.

정답을 찾아가는 셀파 - Tip

① 백강 전투가 벌어졌다. (×)
→ 왜가 지원한 백제 부흥 운동 중 벌어진 전투이다.

② 토번이 비단길을 장악하였다. (×)
→ 7세기 당과 관련 있다.

③ 변방의 절도사들이 난을 일으켰다. (×)
→ 당나라 말기의 상황이다.

④ 5호가 화북에서 세력을 확장하였다. (○)

⑤ 가혹한 통치와 무리한 토목 공사를 하였다. (×)
→ 진 시황제, 수나라에 해당한다.

03 남북조 시대 답 ②

5세기 무렵 화북 지역을 장악한 북위는 효문제 시기에 적극적인 호한 융합 정책을 실시하였다. 한족의 언어와 풍습을 받아들이고, 선비족 고유의 성씨를 한족의 성씨로 바꾸기도 하였다. 북위의 한화 정책은 유목 민족 정권인 북조와 한족 정권인 남조가 양립하던 남북조 시기의 일이다.

정답을 찾아가는 셀파 - Tip

① 거란이 여러 차례 고려를 침략하였다. (×)
→ 10~11세기의 일이다.

② 북조가 한족 왕조인 남조와 대립하였다. (○)

③ 중원 왕조가 약화되자 쩐 왕조가 독립하였다. (×)
→ 베트남의 쩐 왕조는 13세기경 성립하였다.

④ 부여족의 일부가 남하하여 고구려를 건국하였다. (×)
→ 기원전 1세기경의 일이다.

⑤ 다이카 개신으로 중앙 집권적 체제가 성립되었다. (×)
→ 일본은 7세기에 다이카 개신으로 중앙 집권 체제를 갖추어 갔다.

04 북위 효문제의 한화 정책 답 ⑤

화북 지역을 통일한 선비족의 북위는 이주민과 토착민의 마찰을 줄이기 위해 적극적인 한화 정책을 실시하였다. 북위의 효문제는 수도를 뤄양으로 천도하고, 선비족 고유의 성씨를 한족의 성씨로 바꾸며, 선비어를 금지시켰다. 그러나 이러한 정책은 선비족 내부의 반발을 사기도 하였다.

05 동아시아 각지의 인구 이동 답 ⑤

자료에서 (가)는 진·한 교체기에 위만이 고조선으로 이동하여 위만

조선이 성립되었고, (나)는 주몽을 중심으로 한 부여계 이주민들이 졸본에 고구려를 세우는 내용이다. (다) 5호의 침입으로 한족이 남하하여 강남 지방에 동진을 건국하였으며, (라) 도왜인은 일본 열도로 이주한 한반도 이주민과 한족 이주민을 부르는 칭호로, 일본 아스카 문화 발달에 기여하였다.

정답을 찾아가는 셀파 - Tip

ㄱ. (가) – 발해의 멸망 원인 (×)
→ (가)는 진·한 교체기에 해당한다. 따라서 발해의 멸망 원인과는 관련이 없다.

ㄴ. (나) – 전연의 맹약 체결 결과 (×)
→ (나)는 고구려의 성립에 해당한다. 따라서 송과 요 사이에 맺은 전연의 맹약과는 관련이 없다.

ㄷ. (다) – 동진의 성립 과정 (○)

ㄹ. (라) – 아스카 문화의 발달 (○)

06 북위와 수나라 답 ⑤

(가)는 화북 지역을 통일한 북위, (나)는 남북조 시대를 통일한 수나라이다. 북위는 화북 지역을 통일한 이후 적극적인 한화 정책을 실시하였다. 남북조 시대를 통일한 수나라는 대운하를 건설하고, 고구려 원정을 단행하는 등 무리한 토목 공사와 대외 원정으로 쇠퇴하였다.

⑤ 북위는 화북 지역만 통일하였다.

07 인구의 이동 답 ④

자료는 5호의 침입으로 한족이 이들을 피해 강남으로 이주한 것과 삼국 통일 과정에서 백제가 멸망하면서 유민들이 일본으로 이주한 것과 관련된 내용이다. 대규모 인구 이동은 새로운 왕조를 개창하거나, 문물 전파로 인해 이주지의 문화가 발전하는 계기가 되었다.

ㄱ. 한족의 이동에만 해당된다. ㄷ. 5호의 침입에 해당한다.

08 동아시아 인구 이동의 결과 답 ④

(가)는 백제 멸망(660) 이후 백제 유민들이 일본으로 건너 간 상황이다. (나)는 유목 민족이 화북 지역을 점령하자 한족이 강남으로 이주한 것을 나타낸다. (다)는 중국의 진·한 교체기에 위만이 고조선으로 이주한 것이고, (라)는 고구려 지배층 중 일부가 남하하여 백제를 건국한 상황이다.

ㄱ. 야마토 정권은 4세기 전반에 야마토 지방을 중심으로 성립된 정권이므로 (가)와 관련이 없다. ㄷ. 청동기 문화가 한반도에 전래된 것은 기원전 10세기경으로 위만 이주 이전이다.

09 삼국 통일 전쟁 답 ②

(가)는 7세기 초 수양제가 고구려를 공격하는 상황, (나)는 고구려 멸망 후 나·당 전쟁이 발발하여 신라군과 고구려 유민이 연합하여 당군을 격파하는 상황이다. ② 백제 멸망(660) 후 왜는 백제 부흥 운동에 지원군을 보냈으나 백강 전투에서 패하였다. 이후 고구려도 나·당 연합군에 멸망당하였다(676).

10 당 대의 동아시아 관계 답 ④

제시된 자료는 김춘추의 주도로 나·당 연합군이 결성되는 648년과 기벌포 전투를 마지막으로 신라가 나·당 전쟁에서 승리하여 삼국 통일을 완성하는 676년이다. 따라서 나·당 연합군 결성과 신라의 삼국 통일 사이에 있었던 사건을 고르면 된다.

ㄱ. 698년, ㄷ. 828년의 일이다.

자료를 분석하는 셀파 - Tip

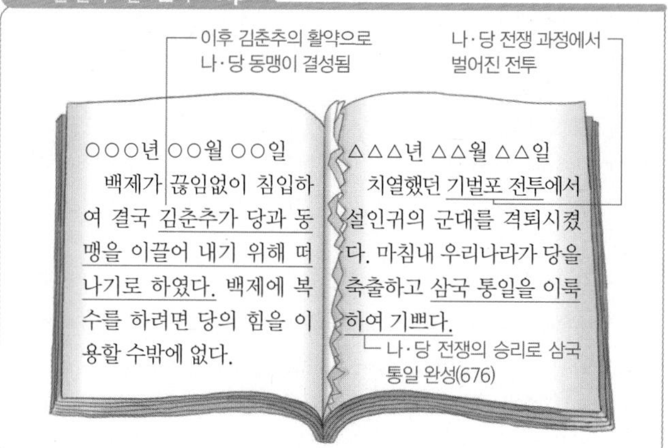

11 도왜인의 활동 답 ①

기원전 3세기경 한반도에서 일본 열도로 인구 이동이 이루어졌다. 이러한 인구 이동은 일본의 야요이 문화가 발전하는 데 영향을 주었다. 삼국 항쟁 시기에도 전란을 피해 한반도에서 일본 열도로 이주하는 사람들이 많았다. 그리고 중국 등지에서 일본 열도로 건너간 사람들도 있었다. 이들을 도왜인이라 부른다. 도왜인은 일본의 아스카 문화 발달과 야마토 정권 성립에 기여하였다.

정답을 찾아가는 셀파 - Tip

① 도왜인의 활동을 조사한다. (○)

② 대운하 건설에 대해 알아본다. (×)
→ 수나라에서 건설하였다.

③ 조몬 토기의 특징을 분석한다. (×)
→ 일본의 신석기 문화

④ 헤이조쿄의 특징을 알아본다. (×)
→ 당의 장안성을 모방하였다.

⑤ 견당사 파견 목적을 조사한다. (×)
→ 일본에서 당에 보낸 조공 사절단이다.

12 인구 이동에 따른 문물 전파 답 ②

도왜인은 삼국 시대 한반도 사람들 혹은 남북조 시대 창장강 일대의 한족 등이 정치적 혼란을 피해 일본 열도로 이동하면서 형성된 세력이다. 이들은 야마토 정권의 성립과 발전에 기여하였다.

정답을 찾아가는 셀파 - Tip

① 센고쿠 시대 통일에 기여한 조총 (×)
→ 16세기에 해당한다.

② 오름 가마를 활용하여 제작한 스에키 (○)
→ 스에키 토기는 가야 토기의 영향을 받았다.

③ 칼날과 손잡이가 하나로 연결된 동검 (×)
→ 북방식 청동 단검의 특징이다.

④ 현장이 가져온 불경을 보관한 대안탑 (×)
→ 당의 승려인 현장이 가져온 불경을 보관하기 위해 대안탑이 건설되었다.

⑤ 지배자의 업적을 새겨 넣은 퀼 테긴 비 (×)
→ 8세기 돌궐의 비석이다.

02 국제 관계의 다원화

탄탄 내신 문제 p. 57 ~ p. 61

01 ① 02 ① 03 ② 04 ④ 05 ④ 06 ①
07 ② 08 ① 09 ⑤ 10 ① 11 ④ 12 ①
13 ⑤ 14 ③ 15 ① 16 ③ 17 해설 참조
18 (1) 화번공주 (2) 해설 참조 19 ㄱ, ㄹ 20 (1) (가) 역참 (나) 교초 (2) 해설 참조 21 (1) (가) 영락제 (나) 베이징 (2) 해설 참조

01 조공·책봉 관계의 형성 답 ①

한 무제 이후 한이 동아시아의 강대국으로 성장하고 유교적 통치 이념과 화이관이 한의 지배층 사이에 확고히 자리 잡게 되자, 한은 주에서 시작된 책봉과 조공이라는 대내적 제도를 주변의 약소국들과 외교 관계를 맺을 때 적용하기 시작하였다. 주변 국가들은 이러한 한 중심의 책봉과 조공의 외교 형식을 별다른 거부감 없이 받아들였다. 이는 책봉과 조공이 한의 직접 지배나 실제적인 간섭을 전제하지 않는 형식적인 외교의 틀에 불과하였기 때문이다. 오히려 주변 국가들은 이를 한과 문화적·경제적으로 교류하기 위한 통로로 적극 활용하였다. 이후 조공·책봉 관계는 동아시아의 대표적인 외교 형식으로 자리 잡게 되었다.

ㄷ. 조공·책봉 관계는 직접 지배나 실제적인 간섭이 없는 형식적인 외교의 틀이었다. ㄹ. 조공·책봉 관계는 지속적인 것이 아니어서 각국의 대내외적인 필요에 따라 일정 기간 중단되기도 하였다.

02 5세기 동아시아의 외교 관계 답 ①

제시된 지도는 5세기경 남북조 시대의 모습을 보여준다. ㄱ. 왜는 5세기에 국내의 정치적 정당성을 확보하고자 남조와 책봉 관계를 맺었으며, 신라·백제와 사절을 주고받으며 문물을 수용하였다. ㄴ. 고구려는 화북 지방의 여러 북방 민족 정권과 이를 통일한 북조, 강남의 남조와 모두 조공·책봉 관계를 맺고 불교와 율령 등을 받아들였다.

ㄷ. 백제는 주로 남조와 교류하였다. ㄹ. 일본은 9세기에 견당사 파견을 중지하였는데, 그 후 일본에서는 외래 문물의 영향력이 약화되면서 일본 고유의 국풍 문화가 발달하였다.

03 고구려의 천하관 답 ②

자료에서 백제와 신라는 고구려의 속민으로 조공을 해온다는 내용이 나온다. 이를 통해 당시 고구려가 중원 왕조와 맺었던 조공·책봉이라는 외교 형식을 주변국과의 외교 관계에 활용하였음을 알 수 있다.

③ 천황을 천자라고 하는 등 중원 왕조와 대등하다고 인식한 것은 일본에 해당하는 내용이다. ④ 고구려는 백제와 신라를 조공국으로 생각하였다. ⑤ 고구려는 당과의 조공·책봉 관계를 유지하면서, 주변국과 외교 관계를 맺을 때 자국 중심의 또 다른 조공·책봉 관계를 맺으려하였다.

04 10세기 무렵 동아시아의 상황 답 ④

10세기 무렵 동아시아에는 새로운 국가들이 생겨났다. 랴오허강 상류 지역에서는 거란(요)이 북방의 강자로 등장하였으며, 한반도에서는 고려가 후삼국을 통일하였다. 윈난 지방에서는 대리가 세력을 넓혀 갔으며, 북부 베트남 지역에서는 중국의 지배에서 벗어나 새로운 왕조가 세워지고 몇 차례의 왕조 교체가 이어진 후 대월이 성립되었다. 이 시기 중원 지역에서는 송이 5대 10국 시기의 정치적 분열을 통일하였다.

① 13세기, ②, ③ 12세기, ⑤ 14세기에 일어난 일이다.

05 당 시기의 외교 관계 답 ④

제시된 지도는 7~8세기 동아시아와 관련 있다. 7세기경 당은 자국을 중심으로 하는 조공·책봉 관계를 정립하고자 하였다. 하지만 동아시아 각국은 자신들의 실리에 따라 당과 조공·책봉을 맺기도 하고, 교류를 위한 목적으로 조공 관계만 맺기도 하였다.

정답을 찾아가는 셀파 - Tip

① ~~신라는 발해~~를 견제하기 위해 일본과의 관계를 중시하였다. (×)
발해 신라
② 일본은 당 중심의 ~~조공·책봉 관계~~를 수용하여 당과 적극 교류하였다. (×)
조공 관계만 맺었다.
③ 발해는 당 중심의 조공·책봉을 ~~거부~~하며 독자적인 외교 노선을 취하였다. (×)
수용하였다.
④ 돌궐, 토번 등은 당과 경제적 교류를 위한 조공 관계만 맺으려고 하였다. (○)
⑤ ~~북방 민족~~들은 ~~당~~에 화번공주를 빈번하게 파견하는 등 적극적으로 화친을 추진하였다. (×)
당 북방 민족

06 거란(요)의 성장 답 ①

916년 중원의 5대 10국 혼란기를 틈타 랴오허강 상류 지역에 살던 야율아보기가 거란(요)을 건국하였다. 이후 서남쪽으로 탕구트를 물리치고 동쪽으로는 발해를 멸망시키며 세력을 확장했고, 연운 16주를 차지하여 만리장성 이남으로 영역을 확대한 후 국호를 요로 바꾸었다.

정답을 찾아가는 셀파 - Tip

① 발해를 정복하였다. (○)
② 서하를 정복하였다. (×)
→ 서하를 정복한 나라는 몽골이다.
③ 몽골에 의해 멸망하였다. (×)
송과 여진(금)의 연합군
④ 맹안·모극제를 실시하였다. (×)
└ 여진(금)의 이원적 통치 제도
⑤ 점령지에 다루가치를 파견하였다. (×)
└ 몽골의 지방 감찰관

07 거란(요)과 여진(금)의 성장 답 ②

(가)는 요, (나)는 금이다. 요가 연운 16주를 차지하여 송을 군사적으로 압박하자, 이에 송은 매년 막대한 양의 세폐를 제공하는 조건으로 요와 전연의 맹약을 맺었다(1004). 이후 금은 연운 16주의 회복을 노리던 송과 연합하여 요를 멸망시켰으며, 이어 송까지 멸망시킨 후 화북 전체를 지배하였다.

ㄴ. 원, ㄹ. 요에 해당한다.

08 여진(금)의 통치 제도 답 ①

여진(금)은 유목민을 맹안·모극제로 통치하였으며, 한족 등의 농경민을 주현제로 통치하였다. 맹안과 모극은 여진족의 전통적인 씨족 제도에서 유래한 군사 조직으로, 평소에는 사회 조직으로 기능하다가 전쟁이 일어나면 그대로 군사 조직으로 재편되었다.

① 맹안·모극제는 군사 조직을 겸한 것으로, 군사력을 약화시키는 결과를 초래하지는 않았다.

09 송의 문치주의 정책 답 ⑤

10세기(960년) 5대 10국을 통일한 송 태조(조광윤)는 절도사 세력을 약화시키고 황제권을 강화하기 위해 문치주의 정책을 폈다. 그러나 이는 송의 군사력을 약화시키는 결과를 가져왔다.

정답을 찾아가는 셀파 - Tip

① 균전제를 실시하여 자영농을 육성해야 합니다. (×)
→ 북위, 수, 당에서 실시되었다.

② 봉건제를 혁파하고 군현제를 강화해야 합니다. (×)
→ 진나라에 해당한다.

③ 왕안석이 제기한 부국강병책을 실시해야 합니다. (×)
→ 11세기에 해당하는 것으로, 송 태조 때(10세기)와 시기상 맞지 않다.

④ 유목민과 농경민을 이원적으로 통치해야 합니다. (×)
→ 거란(요)와 여진(금)에 해당한다.

⑤ 절도사의 권한을 축소하고 문치를 강화해야 합니다. (○)

10 남송의 성립 답 ①

밑줄 친 '이 나라'는 남송이다. 12세기 초, 금의 공격을 받은 송은 화북 지방에서 밀려나게 되었으며, 송의 황족들은 강남 지방으로 이주하여 남송을 세웠다. 남송은 막대한 세폐를 금에게 제공하는 조건으로 금과 군신 관계를 맺었으며, 강남 지방을 개발하여 경제 중심지로 성장시켰다. 하지만 남송은 결국 몽골의 쿠빌라이 칸에게 멸망당하였다.

ㄷ. 수, ㄹ. 원과 관련 있다.

11 고려와 거란의 대외 관계 답 ④

거란은 송을 공략하기에 앞서 배후를 안정시킬 목적으로 993년 고려를 침공하였다. 그러나 거란의 침략 의도를 간파한 서희는 송과 관계를 끊겠다는 내용으로 거란의 장수 소손녕과 담판을 벌여 화약을 맺었으며, 이를 통해 청천강에서 압록강에 이르는 강동 6주를 확보하였다.

① 거란의 연운 16주 점령은 거란의 고려 침입 이전이다. ②, ③, ⑤ 12세기에 일어난 사건들이다.

12 여진(금)의 화북 장악 답 ①

12세기 초에 여진의 위협을 받은 고려는 윤관의 건의에 따라 별무반을 편성하고, 여진을 정벌하여 동북 지역에 9성을 축조하였으나, 관리의 어려움과 여진의 요구로 1년여 만에 반환해 주었다. 이후 여진이 금을 건국하고, 송과 연합하여 요를 멸망시킨 후 송까지 공격하여 화북 지역을 장악하였다.

ㄷ. 10세기 거란과의 외교 담판으로 획득하였다. ㄹ. 10세기 말(960년)의 일이다.

13 몽골 제국의 성립 답 ⑤

13세기 금과 남송이 대립하는 시기에 테무친이 몽골 부족을 통합하고 칭기즈 칸으로 추대되었다. 칭기즈 칸은 천호·백호제를 중심으로 정복 전쟁을 벌여 중앙아시아의 호라즘 왕국을 무너뜨리고 비단길을 장악했으며, 서하를 정복하였다.

①, ②, ④ 쿠빌라이 칸의 업적, ③ 오고타이 칸의 업적이다.

내 것으로 만드는 셀파 - Tip

▶ **몽골의 정복 활동**

칭기즈 칸	서하 공격, 금 공격(금이 카이펑으로 천도), 호라즘을 정복하여 비단길 장악
오고타이 칸	고려 침략, 금 공격(금 멸망), 남송 공격, 대월 침략
쿠빌라이 칸	고려를 항복시킴(1270), 남송 정복(1279), 대월 침략

14 몽골 제국 시기의 동서 교류 답 ③

몽골 제국의 등장으로 초원길이나 비단길 주변에서 동서 교역을 독점하거나 방해하던 세력이 사라져 동서를 잇는 교역망이 안정적으로 확보되었다. 몽골은 남송을 멸망시킨 후에는 바닷길까지 장악하였으며, 항저우와 취안저우에 시박사를 설치하여 동남아시아와 인도양으로 항해하는 무역선을 관리하였다. 그리하여 고려, 일본, 대월, 동남아시아를 잇는 동아시아 교역망이 만들어졌으며, 이 교역망은 인도양 교역망, 아라비아 상인의 교역망 및 지중해 교역망으로까지 연결되었다.

③ 화약, 나침반, 인쇄술이 개발된 것은 송 대의 일이다.

15 명의 건국과 국제 질서의 재편 답 ①

14세기 무렵 원이 쇠퇴하자 주원장(홍무제)이 명을 건국하고, 원을 초원 지대로 몰아냈다. 홍무제는 한족 문화의 회복을 꾀하고 향촌 조직인 이갑제와 과거제를 정비하였다. 이 무렵 고려에서는 공민왕이 원의 쇠퇴를 틈타 반원 개혁을 단행하기도 하였다.

정답을 찾아가는 셀파 - Tip

① 고려 공민왕은 반원 정책을 추진하였다. (○)

② 조선은 3포를 개항하고 일본과 교역하였다. (×)
→ 15세기 조선의 세종 시기에 해당한다.

③ 명은 팔기제를 토대로 군사 조직을 강화하였다. (×)
→ 팔기제는 청의 군사 조직이다.

④ 일본에서는 가마쿠라 막부가 출범했지만 정세는 여전히 불안하였다. (×)
→ 가마쿠라 막부는 원의 일본 원정으로 약화되었다.

⑤ 대월의 쩐 왕조는 『대월사기』를 편찬하여 민족적 자부심을 높였다. (×)
→원의 침략 이후 나타난 베트남의 민족의식 강화 사례이다.

16 15세기 전반의 동아시아 세계 답 ③

원의 쇠퇴로 14세기 주원장에 의해 명이 건국되었다. 명은 동아시아 각국에 조공을 요구하였다. 이 무렵 한반도에서는 고려에서 조선으로 왕조 교체가 일어났다. 조선은 건국 초에 명과 대립했지만 태종 시기에 조공·책봉 관계를 맺었다. 일본에서는 가마쿠라 막부가 붕괴되고 아시카가 다카우지가 무로마치 막부를 수립했지만, 곧 남북조로 분열되었다. 베트남에서는 영락제 때 명에게 정복당한 이후 레 러이가 항쟁하여 명을 물리치고 레 왕조를 세웠다.

③ 명은 조공 이외의 민간 교역을 통제하였다.

서답형 문제

17 신라의 실리 외교

모범 답안 | 신라는 삼국 항쟁 과정에서 백제의 침략과 고구려의 견제를 받았다. 이런 위기 속에서 당과 조공·책봉 관계를 맺어 대외적으로는 당의 선진 문물과 제도를 수용하고, 국내적으로 정치 안정과 한반도 내의 군사적 위협에서 벗어나고자 하였다.

주요 단어 | 삼국 항쟁, 군사적 위협, 선진 문물의 수용, 정치 안정

채점 기준	배점
주요 단어 중 세 가지 이상 포함하여 바르게 서술한 경우	상
주요 단어 중 두 가지만 포함하여 바르게 서술한 경우	중
주요 단어 중 한 가지만 포함하여 바르게 서술한 경우	하

18 중원과 유목 민족 국가의 외교 관계

(1) 화번공주

(2) **모범 답안** | 당은 유목 민족의 왕에게 황실 여성을 결혼시켜 유목 민족의 침략을 억제하고 변방의 안정을 유지하고자 하였다.

주요 단어 | 유목 민족의 왕과 황실 여성 결혼, 유목 민족의 침략 억제, 변방의 안정

채점 기준	배점
주요 단어를 모두 포함하여 바르게 서술한 경우	상
주요 단어 중 두 가지만 포함하여 바르게 서술한 경우	중
주요 단어 중 한 가지만 포함하여 바르게 서술한 경우	하

19 거란(요)의 대외 관계 — 답 ㄱ, ㄹ

정답을 찾아가는 셀파 - Tip

ㄱ. 발해 멸망 (○)
ㄴ. 비단길 장악 (×)
→ 비단길을 장악했던 국가는 서하와 몽골이다.
ㄷ. 강동 6주 획득 (×)
→ 강동 6주를 획득한 국가는 고려이다.
ㄹ. 연운 16주 획득 (○)

20 교역망의 통합과 교류

(1) (가) 역참 (나) 교초

(2) **모범 답안** | 몽골 제국은 광대한 제국을 효율적으로 통치하기 위해 제국 전역에 역참을 설치하였다.

주요 단어 | 광대한 제국, 효율적 통치, 역참

채점 기준	배점
주요 단어를 모두 포함하여 바르게 서술한 경우	상
주요 단어 중 두 가지만 포함하여 바르게 서술한 경우	중
주요 단어 중 한 가지만 포함하여 바르게 서술한 경우	하

21 명 대 영락제의 업적

(1) (가) 영락제 (나) 베이징

(2) **모범 답안** | 영락제는 몽골을 공격하고, 대월을 일시적으로 지배하였다. 또한 정화가 이끄는 대규모 함대를 수차례 파견하였는데, 이후 동남아시아에서도 명에 조공하였다.

주요 단어 | 몽골 공격, 대월 일시적 지배, 정화의 함대 파견

채점 기준	배점
주요 단어를 모두 포함하여 바르게 서술한 경우	상
주요 단어 중 두 가지만 포함하여 바르게 서술한 경우	중
주요 단어 중 한 가지만 포함하여 바르게 서술한 경우	하

도전 수능 문제

p. 62 ~ p. 65

01 ②	02 ⑤	03 ⑤	04 ②	05 ③	06 ③
07 ③	08 ⑤	09 ①	10 ①	11 ②	12 ①
13 ④	14 ①	15 ⑤	16 ④		

01 조공·책봉의 다원화 — 답 ②

(가)는 북위, (나)는 일본 열도의 야마토 정권이다. 5세기 북조와 남조는 주변국을 책봉하고 조공을 받았다. 고구려는 남조, 북조 양측과 조공·책봉 관계를 맺어 두 세력을 이용하였다. 북조와 남조도 서로 사절을 교환했는데 상대국의 사절을 조공 사절로 취급하였다.

정답을 찾아가는 셀파 - Tip

ㄱ. (가) – 고구려와 책봉·조공 관계를 맺었다. (○)
ㄴ. (가) – 황제가 포로로 잡힌 토목(보)의 변이 일어났다. (×)
→ 1449년 명의 황제가 몽골 부족을 통일한 오이라트부와 토목에서 싸우다가 포로가 된 사건이다.
ㄷ. (나) – 남조의 하나인 송과 교류하였다. (○)
ㄹ. (나) – 부산포의 왜관을 통해 한반도와 교역하였다. (×)
→ 조선 시대의 일이다.

02 독자적인 천하관의 형성 — 답 ⑤

동아시아 각국은 조공과 책봉이라는 외교 관계를 통해 상호 교류하였다. 동아시아 각국은 중원 왕조 중심의 조공·책봉을 수용하면서도 자국을 중심에 놓고 주변국과 또 다른 조공·책봉 관계를 맺었다.

03 당 시기의 외교 관계 — 답 ⑤

제시된 자료에서 (가)는 당이다. 7세기 한반도에서는 백제와 고구려가 연합하여 신라를 압박하였다. 신라는 한반도 내의 군사적 위협에서 벗어나고자 당과 연결하였다.

⑤ 명 시기에 해당한다.

04 동아시아의 문화 교류 답 ②

제시된 자료의 (가)는 장보고이다. 장보고는 9세기 통일 신라 시기에 동아시아 무역의 중심지인 완도에 청해진을 설치한 인물이다. 일본의 견당사 파견은 7세기~9세기 사이에 있었던 일로 장보고의 활동 시기와 겹친다.

정답을 찾아가는 셀파 - Tip

① 북위가 화북을 통일하였다. (×)
→ 5세기 초
② 일본이 견당사를 파견하였다. (○)
→ 7세기~9세기
③ 쩐 왕조가 몽골의 침략을 격퇴하였다. (×)
→ 13세기
④ 돌궐이 북주와 북제에게 조공을 받았다. (×)
→ 6세기
⑤ 고구려가 중국의 남북조와 외교 관계를 맺었다. (×)
→ 5~6세기

05 당 시기의 외교 관계 답 ③

제시된 자료의 (가)는 토번이다. 당번회맹비의 '번'은 토번을 가리킨다. 토번은 송첸캄포 왕 시기에 당을 압박하였다. 이에 당은 문성 공주를 송첸캄포에게 시집보내 화친을 도모하였다. 당은 주변의 여러 나라에 조공을 요구하며 자국의 권위를 드러내려 하였다. 그러나 군사적으로 열세에 놓일 때에는 황족의 딸을 주변 유목 민족 왕에게 화번공주로 보냄으로써 그들의 침략을 피하고자 하였다.

① 발해 무왕 시기, ② 거란(요), ④ 돌궐, ⑤ 발해이다.

06 당과 발해의 외교 관계 답 ③

지도의 (가)는 당, (나)는 발해, (다)는 일본 열도의 왜이다. 고구려 유민이 세운 발해는 무왕 시기에 당의 산둥반도를 선제공격하기도 하였으나 문왕 시기부터는 당과 교류하였다. 당의 장안성을 모방한 상경을 건설하였으며, 당의 중앙 정치 제도인 3성 6부를 수용하여 독자적인 운영을 하였다.

정답을 찾아가는 셀파 - Tip

① (가) - (나)에 화번공주를 파견하였다. (×)
→ 화번공주는 당이 북방 유목민 국가에 보냈다.
② (가) - 신라와 연합하여 (나)를 멸망시켰다. (×)
→ 당은 신라와 연합하여 백제와 고구려를 멸망시켰다.
③ (나) - (가)의 도성을 본떠 수도를 건설하였다. (○)
④ (나) - 백강 전투에서 (다)의 군대와 충돌하였다. (×)
→ 백강 전투는 왜가 참여한 백제 부흥 운동으로 발해와 관련 없다.
⑤ (다) - (가)와 전연의 맹약을 맺고 세폐를 바쳤다. (×)
→ 전연의 맹약은 송과 거란(요) 사이에 체결되었다.

07 북방 유목 민족의 성장 답 ③

제시된 자료에서 (가)는 흉노, (나)는 거란(요)이다. 흉노의 군주는 선우라고 불렸는데, 묵특 선우 시기에 중원을 위협할 정도로 강성하였다. 거란은 고유의 제도와 관습을 유지하기 위해 고유 문자를 사용하고, 북면관제와 남면관제와 같은 이원적인 통치 체제를 실시하였다.

정답을 찾아가는 셀파 - Tip

① ~~(가)~~는 후진에게 연운 16주를 할양받았다. (×)
(나)는
② ~~(가)~~는 '한위노국왕'이라고 새겨진 금인을 하사받았다. (×)
왜는 후한 광무제에게
③ (나)는 송과 맹약을 체결하였다. (○)
④ ~~(나)~~는 북제와 북주에게 조공을 받았다. (×)
돌궐은
⑤ ~~(가)는 (나)에게~~ 화번공주를 보냈다. (×)
당은 돌궐, 토번, 위구르에게

08 국제 관계의 다원화 답 ⑤

제시된 지문에서 (가)는 거란(요), (나)는 송이다. 고려의 친송 정책으로 거란은 소손녕을 앞세워 고려를 침공하였다. 이때 고려의 서희가 외교 담판을 통해 강동 6주를 획득하였다.

정답을 찾아가는 셀파 - Tip

① (가) - 서하를 멸망시켰다. (×)
└ 몽골의 칭기즈 칸
② (가) - 아구다가 부족을 통합하였다. (×)
└ 여진(금)
③ (나) - 강동 6주를 확보하였다. (×)
└ 고려
④ (나) - 북주로부터 조공을 받았다. (×)
└ 돌궐
⑤ (가) - (나)와 맹약을 맺고 비단과 은을 받았다. (○)

09 유목 민족의 성장 답 ①

서하는 11세기에 티베트 계통의 탕구트족이 세웠다. 비단길을 장악하여 동서 교역으로 이득을 얻으며 발전하였다. 거란과는 조공·책봉 관계를 맺어 화친을 했지만, 송과는 오랫동안 전쟁을 벌였다. 결국 전쟁에서 승리하지 못한 송은 매년 물자를 제공하는 조건으로 화약을 맺었다. 서하는 몽골의 칭기즈 칸에 의해 멸망하였다.

② 여진(금), ③ 명, ④ 몽골 제국, ⑤ 거란(요)이다.

10 유목 민족의 성장 답 ①

제시된 자료의 (가)는 거란(요)이다. 거란(요)은 랴오허강 상류에 살던 유목민으로 야율아보기가 부족을 통합하여 거란을 세웠다. 그 후 거란은 발해를 멸망시키고, 만리장성 이남의 연운 16주를 차지하면서 동아시아 강자로 군림하였다. 하지만 12세기 여진의 성장으로 쇠퇴했으며, 결국 송과 금의 협공으로 멸망하였다.

ㄷ. 흉노, ㄹ. 몽골(원)과 관련된 사항이다.

11 몽골 제국의 성장 답 ②

금과 남송이 대립하던 13세기 초 테무친이 몽골 부족을 통합하고, 칭기즈 칸으로 추대되었다. 몽골 제국은 중앙아시아의 호라즘 왕국을 무너뜨리고 비단길을 장악했으며, 서하를 정복하였다. 이후 금을 멸망시키고, 고려를 침략하였다. 1274년 고려와 몽골 연합군이 일본 원정에 참여하였고, 남송까지 정복하면서 중국의 전 지역을 지배하였다(1279). 일본 원정에 실패한 고려와 몽골 연합군은 1281년 2차 원정을 실시했지만 실패하였다.

정답을 찾아가는 셀파 - Tip

① 한국 – 무신 정권이 붕괴되었다. (×)
→ 무신 정권은 1270년에 붕괴되었다.
② 중국 – 남송이 멸망하였다. (○)
③ 일본 – 가마쿠라 막부가 수립되었다. (×)
→ 1185년에 가마쿠라 막부가 수립되었다.
④ 베트남 – 『대월사기』가 편찬되었다. (×)
→ 1272년 쩐 왕조 시기에 편찬되었다.
⑤ 몽골 – 쿠빌라이가 국호를 원으로 바꾸었다. (×)
→ 1271년의 일이다.

12 몽골 제국의 성립과 통치 답 ①

칭기즈 칸에 의해 성립된 몽골 제국은 국토의 효율적 이용을 위해 역참을 설치하였다. 역참을 이용하기 위해서는 파이자와 같은 통행증을 소지해야 했다. 몽골은 교역이 발달하자 단일 화폐의 필요성을 인식하여 교초를 발행하였다. 쿠빌라이 칸 대에 이르러 몽골 제국은 중국 전역을 지배한 중국 최초의 유목 왕조가 되었다.

①자금성은 명의 영락제 때 건설되었다.

내 것으로 만드는 셀파 - Tip

▶ **요, 금, 원, 청의 통치 체제**

요	북면관제(유목민), 남면관제(농경민)
금	맹안·모극제(여진, 거란인), 주현제(한인)
원	• 정복지 통치: 행성 설치, 다루가치 파견 • 몽골 지상주의: 지배층(몽골, 색목인), 피지배층(한인, 남인) • 군사 조직: 천호·백호제
청	• 회유책: 한족 관료와 신사층 특권 인정, 성리학을 관학으로 인정, 만한 병용제 • 강경책: 변발 강요, 문자의 옥(반청 사상 탄압) • 군사 제도: 팔기제

13 몽골 제국 시기의 동아시아 답 ④

(가)는 몽골 제국이다. ④ 가마쿠라 막부는 두 차례의 몽골의 침입을 격퇴하면서 쇠퇴하였다. 그 결과 무로마치 막부가 성립되었다.

①조선 중기, ② 수·당, ③ 명, ⑤ 15세기 중엽의 일이다.

14 동아시아 국제 질서의 재편 답 ①

일본에서는 고려와 몽골 연합군의 침입 이후 혼란해진 상황 속에서 고다이고 천황과 아시카가 다카우지가 연합하여 가마쿠라 막부를 붕괴시켰다. 이후 고다이고 천황이 천황 중심의 정치를 내세우자, 아시카가 다카우지는 고묘 천황을 옹립하였고, 쇼군이 되어 무로마치 막부를 수립하였다(1336). 하지만 고다이고 천황은 이에 불복함으로써 남북조 시대가 열리게 되었다. 이 시기 한국은 고려 말에 해당하며, 원 말기에 봉기한 한족 농민 반란군인 홍건적의 침입을 받았다.

② 13세기, ③ 후한 말기, ④ 1405년, ⑤ 13세기의 일이다.

15 교역망의 통합과 교류 답 ⑤

13세기 몽골이 대제국을 형성하면서 동서 교류가 활발하게 진행되었다. 몽골은 넓은 영토를 효율적으로 통치하고자 역참을 두었는데 군사적 목적으로 설치한 역참은 동서 교류에도 큰 도움을 주었다. 원으로 국호를 바꾼 몽골 제국은 지방에 행성을 설치하고, 다루가치를 파견했으며, 몽골 지상주의 정책을 표방했다. 색목인에게는 재정과 행정을 담당하게 하여 우대하였다.

정답을 찾아가는 셀파 - Tip

① 이갑제를 시행하였다. (×)
→ 명
② 맹안·모극제를 실시하였다. (×)
→ 금
③ 남북조를 통일하고 대운하를 건설하였다. (×)
→ 수
④ 유목 민족 최초로 고유 문자를 사용하였다. (×)
→ 돌궐
⑤ 색목인에게 재정 업무를 담당하게 하였다. (○)

16 동아시아 국제 질서의 재편 답 ④

제시된 자료의 (가)는 이성계이다. 14세기 동아시아에서는 새로운 왕조와 정권이 성립되었다. 중원에서는 주원장이 명을 건국하였다(1368). 한반도에서는 이성계와 신진 사대부에 의해서 조선이 건국되었다(1392). 또한 일본에서는 아시카가 다카우지가 무로마치 막부를 열었지만 두 명의 천황이 병립하는 남북조의 분열기가 이어졌다. 일본의 남북조 분열기는 3대 쇼군 아시카가 요시미쓰에 의해 1392년 통일되었다.

① 1232년 최우 정권 시기, ② 1126년 금이 송의 황제를 포로로 잡아갔다. ③ 11세기, ⑤ 쩐 왕조는 1225년~1400년 사이에 존속하였다.

03 유학과 불교

탄탄 내신 문제 p. 73 ~ p. 77

01 ③ 02 ① 03 ③ 04 ④ 05 ② 06 ②
07 ① 08 ⑤ 09 ⑤ 10 ③ 11 ① 12 ③
13 ② 14 ② 15 ① 16 ⑤ 17 ③
18 (가) 법가적 원리 (나) 유가적 원리 19 해설 참조 20 해설 참조
21 해설 참조 22 해설 참조 23 ㄴ, ㄷ, ㄹ

01 유교와 율령 답 ③

제시된 자료는 공자의 덕치에 대한 언급과 동중서가 유가 사상을 이념으로 할 것을 한 무제에게 건의하는 내용으로 유교와 관련된 내용이다. 한 대에 이르러 법가적 원리와 유가적 원리가 결합되어 율령의 기반이 되었다. 유교가 통치 이념화되면서 관료 선발에서 유학은 더욱 중시되었다.

ㄱ. 불교, ㄹ. 대승 불교와 관련 있다.

02 유교의 통치 이념화 답 ①

한 무제는 동중서의 건의를 받아들여 유교를 통치 이념으로 삼았다. 그는 수도 장안에 태학을 설치하고 오경박사를 두어 유교 경전을

가르쳤으며, 유교적 지식인과 유교 도덕을 실천한 인물을 관리로 선발하여 자신의 통치를 보좌하도록 하였다.

② 과거제와 ⑤ 3성 6부제를 처음으로 실시한 것은 수이다. ③ 봉건제는 주에서 실시되었다. ④ 만리장성을 쌓은 것은 진이다.

03 율령의 정비 답 ③

제시된 자료의 (가)는 형벌 위주의 법률인 율(律), (나)는 행정 법규인 영(令)이다. 율령은 한 무제 이후 법가적 원리에 유교적 원리가 더해지면서 나타났으며, 수·당을 거치며 제도가 완성되었다. 율(律)은 신분에 따라 차등 적용되었고, 유교적 가족 윤리가 반영이 되어있었다. 영(令)은 국가 통치 체제의 근간인 조세 제도와 토지 제도 등을 규정한 것이다.

③ (나) 영(令)은 국가 조직과 운용, 신분과 수취 제도 등을 규정한 것이다. 율령을 개정하고 보완한 것은 격, 율령 시행을 위한 세부적인 규칙은 식이라고 한다.

04 당의 통치 제도 답 ④

제시된 자료의 (가) 부병제, (나) 토지(균전제), (다)는 조·용·조이다. 당은 농민을 통치하기 위해 이와 같은 제도를 실시하였다. 이를 위해 국가는 전국의 백성을 파악하여 3년마다 호적을 작성하였다. 호적을 근거로 일정한 토지를 백성에게 주고, 이를 받은 농민은 조·용·조를 의무적으로 내야 했다. 부병제는 농민의 병역 의무를 바탕으로 한 국가 상비군 제도였다.

④ (가) 부병제를 이행한 대가로 (나) 균전제의 토지를 지급받은 것이 아니라, (나) 균전제에 의해 토지를 지급 받은 농민이 (가) 부병제에 의해 군역 부담을 지게 되었다.

05 유교와 율령의 동아시아 전파 답 ②

수·당을 거치면서 완성된 율령 체제는 동아시아 각국에 전파되었다. 동아시아 각국은 율령을 도입하여 중앙 집권 체제 강화에 적용하였다. 또한 각국은 중국의 율령 체제를 수용했지만 자국의 관습과 전통에 맞게 변화시켜 운영하였다.

② 고구려 소수림왕 시기에 설립한 태학은 중국의 교육 기관을 모방한 것이다.

06 율령의 지역적 수용 답 ②

(가) 발해의 중앙 관제인 3성 6부제, (나) 일본의 중앙 관제인 2관 8성제이다. 수·당을 거치면서 완성된 율령 체제는 동아시아 각국으로 전해졌으며, 이를 수용한 각국은 자국의 관습과 전통에 맞는 형식으로 운영하였다.

정답을 찾아가는 셀파 - Tip

① (가) – 발해의 중앙 행정 조직이다. (○)
→ 당의 제도를 모방하여 3성 6부제를 두었다.

② (가) – ~~중대성~~ 중심의 이원적 통치 구조로 되어 있다. (×)
정당성

③ (나) – 다이호 율령을 계기로 조직되어 운영되었다. (○)
└ 일본에서 701년에 반포된 율령으로 2관 8성제가 마련되었다.

④ (나) – 제사를 관장하는 신기관을 중시하였다. (○)

⑤ (가), (나) – 당의 3성 6부 제도를 수용한 형태이다. (○)

07 대승 불교의 성립 답 ①

기원전 6세기경 인도에서 불교가 창시되었다. 불교는 자비와 평등, 수행을 통한 해탈을 내세우며 확산되었다. 불교는 개인의 해탈을 중시하는 상좌부 불교와 대중의 구제를 강조하는 대승 불교로 나뉘어 발전한다. 특히 대승 불교는 중앙아시아를 거쳐 화북 지역에 전파되었다. 대승 불교에서는 석가모니를 초월자로 인식하며, 중생을 구제하는 존재인 보살의 개념이 나타났다.

① 개인의 수행을 중시하는 불교는 상좌부 불교이다.

08 불교의 전파와 수용 답 ⑤

제시된 자료는 북위가 만든 윈강 석굴 사원의 거대한 불상이다. 이 불상은 북위 문성제 때 황제의 얼굴을 본떠 만들었다. 북위는 '군주가 곧 부처'라는 논리로 지배를 정당화했으며, 화려한 사원과 거대한 불상을 건립하여 권위를 강조하였다.

정답을 찾아가는 셀파 - Tip

① 신토와 불교가 결합되어 발전하였다. (×)
→ 일본 불교의 특징이다.

② 이차돈의 순교를 거쳐 불교가 공인되었다. (×)
→ 신라는 6세기 법흥왕 시기에 이차돈의 순교로 불교가 공인되었다.

③ 평등사상을 강조하는 불교를 국가에서 억제하였다. (×)
→ 불교는 왕권 강화에 도움이 되어 국가가 적극 보급하였다.

④ 국가를 수호하는 도다이사를 짓고 대불을 조성하였다. (×)
→ 일본 불교에 해당하는 내용이다.

⑤ 왕의 권위를 강조하기 위해 거대한 불상을 건립하였다. (○)

09 불교의 동아시아 전파 답 ⑤

삼국은 국가 체제 정비 과정에서 왕권을 강화하고자 불교를 수용하였다. 고구려는 소수림왕 시기 전진으로부터, 백제는 침류왕 때 동진에서 수용하였다. 신라는 고구려를 통해 불교를 수용하였으나 귀족의 반발로 갈등을 겪다가 6세기 법흥왕 때에 이차돈의 순교로 공인되었다. 통일 신라 시대에는 불교가 민간에 크게 확대되었다. 일본은 6세기 중엽 백제로부터 불교가 전해졌는데, 토착 신앙과 갈등을 일으켰으나 일부 호족들의 보호 속에 보급되기 시작하였다.

⑤ 신라는 고구려로부터 불교를 수용하였고, 삼국 중 가장 늦게 불교를 공인하였다.

10 불교의 토착화 답 ③

불교는 전통 사상이나 고유 신앙과 결합하기도 하였다. 중국에서는 유교 윤리를 수용하여 효를 강조하는 『부모은중경』이라는 경전이 만들어졌다. 한반도에서는 칠성, 산신 등의 토착 신앙을 포용하였고, 고려에서는 불교와 도교, 민간 신앙이 합쳐진 팔관회가 열리기도 하였다. 일본에서는 불교가 일본 고유의 신앙인 신토와 결합하여 신불습합이 출현하였다.

③ 왕즉불 사상은 국가 불교로서의 성격에 해당한다.

11 인적 교류의 증대 답 ①

불교의 전파로 동아시아에서는 승려를 통한 다양한 국가 간 교류가 이루어졌다. 대표적인 인물로는 당의 감진, 신라의 혜초, 사마르칸트 지방의 강승회, 일본 승려 엔닌 등이 있다.

정답을 찾아가는 셀파 - Tip

① 감진 (○)
→ 당의 승려로 일본에 건너가 계율을 전해 주었다.

② 혜초 (×)
→ 통일 신라 승려로 서역을 여행한 후 『왕오천축국전』을 남겼다.

③ 현장 (×)
→ 당의 승려로 인도에 유학하고 다수의 불경을 가지고 와 번역하였다.

④ 엔닌 (×)
→ 일본 승려로 당에서 유학하고 돌아오는 여정을 『입당구법순례행기』로 남겼다.

⑤ 강승회 (×)
→ 베트남에 건너가 불경을 한문으로 번역하였다.

12 불교를 통한 문화 발전 답 ③

불교가 동아시아에 전해지면서 승려들을 통해 다양한 문화가 전파되었다. 승려들의 교류에 따라 불경뿐 아니라 불상, 불화, 불교 건축 등의 문화가 전파되었고, 불경을 제작하는 과정에서 한자의 보급이 촉진되었으며, 목판 인쇄술도 발전하였다.

③ 사대부는 유학을 연구하면서 성장하였다.

13 8세기의 동아시아 불교문화 답 ②

사진의 금당은 도다이사 대불전으로, 8세기 나라 시대에 지어졌다. 따라서 밑줄 친 '이 시대'는 나라 시대(8세기)이다. 당의 승려 감진은 8세기에 일본에 건너가 계율을 가르쳤다.

정답을 찾아가는 셀파 - Tip

① 법흥왕이 불교를 공인하였다. (×)
→ 6세기 신라 시대에 해당한다.

② 감진이 일본에 계율을 전하였다. (○)
→ 당의 승려 감진은 8세기에 일본에 건너가 계율을 가르쳤다.

③ 달마가 중국에 선종을 전하였다. (×)
→ 5~6세기 중국 남북조 시대에 해당한다.

④ 엔닌이 장보고의 도움을 받아 귀국하였다. (×)
→ 9세기 헤이안 시대에 해당한다.

⑤ 윈강 석굴 사원이 만들어지기 시작하였다. (×)
→ 북위 문성제의 얼굴을 본떠 만든 것으로, 5세기에 만들어지기 시작하였다.

내 것으로 만드는 셀파 - Tip

▶ 7~9세기의 문물 교류와 국제인

구분	내용
당	• 장안성의 구조가 발해의 상경성과 일본의 헤이조쿄에 영향을 줌 • 현장: 인도를 순례하고 『대당서역기』 저술 • 감진: 8세기 일본에 건너가 계율 전파
통일 신라	• 의상: 당에 유학, 귀국한 뒤 화엄종 개창 • 혜초: 인도를 순례하고 『왕오천축국전』 저술 • 최치원: 당의 빈공과에 합격 • 장보고: 당에서 벼슬, 산둥반도에 법화원 건립, 귀국한 뒤 청해진을 설치하고 해상 무역 전개
일본	• 아베노 나카마로: 당의 빈공과 합격, 안남도호부의 도호 역임 • 엔닌: 당 유학 때 장보고의 도움을 받음, 『입당구법순례행기』 저술

14 성리학의 성립 답 ②

송 대 새로운 유학 사조는 주희에 의해 성리학으로 집대성되었다. 주희는 만물의 근본 원리인 '이(理)'를 중시하였다. 특히 인간이 하늘로부터 받은 본질인 '성(性)'이야말로 모든 인간과 자연의 본질인 '이'와 같은 것으로 이해하여 '성즉리(性卽理)'를 주장하였다. 그리고 인간의 순수한 본성을 회복하기 위한 수양 방법으로 거경 궁리(居敬窮理)와 격물치지(格物致知)를 제시하였다. 한편, 송 대에는 사서에 도덕적 수양 방법이 잘 나타나 있다고 여겨졌으며, 따라서 오경보다 사서를 중시하는 경향이 강하게 나타났다.

② 당 대 편찬된 『오경정의』는 훈고학을 집대성한 책이다.

15 송 대 성리학의 특징 답 ①

(가)는 송 대 성리학을 집대성한 주희, (나)는 명 대 양명학을 집대성한 왕수인이다. 송 대 주희는 유학에 불교와 도교의 형이상학적 논리 체계를 수용하여 우주의 원리와 세계의 본질에 대한 탐구로 시야를 확장하였다. 명 대 왕수인은 육구연의 심학을 받아들여 도덕적·실천적 측면을 강화한 양명학을 집대성하였다. 성리학은 서원과 향약을 통해 사회 전반으로 널리 보급되어 동아시아의 정신세계를 아우르는 지배 사상이 되었다.

②, ③ 양명학, ④, ⑤ 성리학에 대한 설명이다.

16 동아시아 각국의 성리학 수용 답 ⑤

송 대 주희에 의해 집대성된 성리학은 원·명을 거쳐 발전되었다. 동아시아 각국에서도 성리학을 수용하여 개혁의 논리로 삼았는데, 고려 말 신진 사대부에 의해 성리학이 연구되었다. 이후 조선에서는 성리학적 논쟁이 전개되었으며, 서원과 향약의 보급으로 성리학적 이념은 더욱 확대되었다. 일본에서는 조선 성리학의 영향으로 에도 막부의 제도와 의례 정비에 성리학이 이용되었다.

⑤ 일본에서는 불교와 신토의 영향으로 성리학이 사회 전반에 확대되지 못하였다.

17 일본의 성리학 답 ③

일본에서는 가마쿠라 시대 후기에 성리학이 전해졌으며, 승려들 사이에 연구되었다. 에도 막부 시대 승려 후지와라 세이카는 조선 성리학자 강항과 교류했으며, 하야시 라잔 등의 제자를 양성하였다. 하야시 라잔은 성리학을 바탕으로 에도 막부의 제도와 의례를 정비하는 데 이바지하였다.

내 것으로 만드는 셀파 - Tip

▶ 성리학의 성립

구분	내용
의미	남송의 주희가 유학 사상을 형이상학의 체계로 종합한 것
특징	• 다른 사상에 배타적, 이단에 엄격 • 오경보다 사서(『대학』, 『논어』, 『맹자』, 『중용』) 중시
주요 이론	• '이(理)' 중시: 보편적이고 불변의 법칙인 '이' • 성즉리: 인간 본연의 성품이 하늘의 이치라는 주장 • 수양 방법: 거경 궁리, 격물치지

정답을 찾아가는 셀파 - Tip

① 지행합일의 실천을 중시하였다. (×)
→ 양명학

② 문헌 고증을 통한 실증적 연구를 중시하였다. (×)
→ 청 대의 고증학

③ 에도 막부의 각종 제도와 의례를 정비하였다. (○)

④ 조선인 강항과 교류하며 학문을 연구하였다. (×)
→ 후지와라 세이카

⑤ 사서오경의 주석본인 『사서오경왜훈』을 편찬하였다. (×)
→ 후지와라 세이카

서답형 문제

18 한 대 율령의 원리
㉰ (가) 법가적 원리 (나) 유가적 원리

한 대에는 유교가 국가 통치 이념화되었다. 유교가 통치 이념으로 자리 잡게 되면서 법가적 원리와 유교적 원리를 함께 적용하여 율령의 원리로 삼았다.

19 수·당 율령의 특징

모범 답안 | 법률이 통치의 기반이었고(율령에 따른 통치 체제였고), 형법은 신분에 따라 차등 적용되었다.

주요 단어 | 법률이 통치의 기반 or 율령에 따른 통치 체제, 신분적 차등 적용

채점 기준	배점
주요 단어를 모두 포함하여 바르게 서술한 경우	상
주요 단어를 한 가지만 포함하여 바르게 서술한 경우	하

20 발해의 중앙 관제

모범 답안 | 발해는 당의 3성 6부제를 도입하였지만 독자적으로 운영하였다. 3성의 명칭이 당과 달랐으며, 6부를 3부씩 나누어 좌사정과 우사정이 별도로 통제하게 하였고, 유교 덕목을 나타내는 말로 6부의 명칭을 정하였다. 또한, 정당성에서 국정을 총괄하였다.

주요 단어 | 당의 3성 6부제 도입하였으나 독자적 운영, 3성의 명칭이 당과 다름, 유교 덕목을 나타내는 6부 명칭, 정당성이 국정 총괄

채점 기준	배점
첫 번째 항목을 쓰고, 주요 단어 중 두 가지 이상 포함하여 서술한 경우	상
첫 번째 항목을 쓰고, 주요 단어 중 한 가지만 포함하여 서술한 경우	중
첫 번째 항목만 쓰거나, 주요 단어 중 한 가지만 포함하여 서술한 경우	하

21 동아시아 불교문화의 지역적 특수성

모범 답안 | 동아시아의 불교문화는 각 지역마다 고유의 특수성을 보였는데 대표적인 예가 탑이다. 중국은 전탑, 한국은 석탑, 일본은 목탑을 주로 만들었는데 이는 각국에서 구하기 쉬운 재료를 탑에 사용했기 때문이다.

주요 단어 | 불교문화의 고유성, 지역적 특수성, 구하기 쉬운 재료 사용

채점 기준	배점
주요 단어를 모두 포함하여 바르게 서술한 경우	상
주요 단어 중 두 가지만 포함하여 바르게 서술한 경우	중
주요 단어 중 한 가지만 포함하여 바르게 서술한 경우	하

22 동아시아 불교의 특징

모범 답안 | 동아시아 각국은 군주권을 강화하기 위해 지배층이 먼저 불교를 받아들였기 때문에 왕과 국가를 위한 국가 불교적 성격을 띠었다. 또한 불교가 동아시아 사회에 뿌리내리는 과정에서 전통 사상 및 신앙과 결합하기도 하였다.

주요 단어 | 군주권 강화, 국가 불교적 성격, 전통 사상 및 신앙과 결합

채점 기준	배점
주요 단어를 모두 포함하여 바르게 서술한 경우	상
주요 단어 중 두 가지만 포함하여 바르게 서술한 경우	중
주요 단어 중 한 가지만 포함하여 바르게 서술한 경우	하

23 조선 성리학의 규범화
㉰ ㄴ, ㄷ, ㄹ

조선에서 성리학이 확산됨에 따라 생활, 풍속 등에서 많은 변화가 일어났다. 성리학적 윤리가 강화되었고, 『주자가례』에 따른 관혼상제 풍속이 도입되었다. 조선 후기에는 성리학적 규범이 더욱 강화되었다. 조선 전기에는 제사를 남녀 형제들이 지냈지만 조선 중기부터는 장남을 중심으로 바뀌었다. 혼인의 경우에는 친영제가 확대되었고, 가옥의 구조도 안채와 사랑채를 분리하게 되었다.

도전 수능 문제
p. 78 ~ p. 81

01 ②	02 ④	03 ④	04 ④	05 ②	06 ③
07 ⑤	08 ①	09 ④	10 ⑤	11 ②	12 ①
13 ⑤	14 ⑤	15 ①	16 ①		

01 율령 체제의 특징
㉰ ②

자료에서는 조부모나 부모에게 잘못을 저지른 경우와 부모가 자식에게 잘못을 저지른 경우를 다르게 처벌하고 있다. 이를 통해서 율령은 법률 위주의 법가적 원리와 가족 공동체 질서를 존중하는 유교적 원리가 결합되어있음을 알 수 있다.

을 – 도교, 정 – 대승 불교와 관련 있다.

02 동아시아 각국의 율령 체제
㉰ ④

제시된 자료는 율, 영, 격, 식 등의 내용을 통해 당 왕조의 율령 체제임을 파악할 수 있다. 율령 체제는 7세기 무렵 수·당 대에 완성되었고, 동아시아 각국으로 전파되었다.

정답을 찾아가는 셀파 - Tip

ㄱ. 왜에서는 야마토 정권이 성립되었어요. (×)
→ 4세기 무렵 성립되었다.

ㄴ. 발해는 3성 6부의 중앙 관제를 도입하였어요. (○)
→ 당으로부터 도입했으나 독자적으로 운영하였다.

ㄷ. 주는 혈연관계를 바탕으로 봉건제를 시행하였어요. (×)
→ 기원전 1100년경 건국된 주는 당보다 훨씬 앞선 시기의 국가이다.

ㄹ. 신라는 국학을 설립하여 유학 교육을 실시하였어요. (○)
→ 신문왕 시기 당의 국자감을 모방하여 국학을 설립하였다.

03 동아시아 각국의 율령 체제 답 ④

지도에서 (가)는 상경을 수도로 삼고 있기에 발해, (나)는 헤이조쿄를 통해 일본의 나라 시대임을 파악할 수 있다.

정답을 찾아가는 셀파 - Tip

① (가) – 맹안·모극제를 실시하였다. (×)
→ 금의 이원적 통치 제도

② (가) – 지방에 5소경을 설치하였다. (×)
→ 통일 신라

③ (나) – 중앙 교육 기관으로 주자감을 두었다. (×)
→ 발해

④ (나) – 태정관과 8성이 중앙 행정을 담당하였다. (○)

⑤ (가), (나) – 과거제를 통해 관리를 선발하였다. (×)
→ 발해와 일본 나라 시대에는 모두 과거제를 시행하지 않았다.

04 일본의 율령 체제 정비 답 ④

제시된 자료에서 밑줄 친 '국가'는 일본이다. 일본은 701년 당의 율령과 유사한 다이호 율령을 반포하였다. 이에 따라 일본은 중앙에 2관 8성을 두었다. 특히 중앙 행정 조직에서는 제사를 지내는 신기관을 중시하였다.

① 발해, ② 거란(요), ③ 몽골 제국, ⑤ 통일 신라와 관련 있다.

05 과거제의 시행 답 ②

자료의 (가)는 과거제이다. 수·당은 유교적 소양을 갖춘 관료를 선발하기 위해 과거제를 시행하였다. 과거제의 실시로 황제권이 강화되었고, 유학 교육을 위한 교육 기관도 마련되었다. 고려에서는 광종 시기 과거제가 처음 도입되었다.

정답을 찾아가는 셀파 - Tip

① 명에서 이갑을 단위로 실시되었다. (×)
→ 향촌 제도인 이갑제에 대한 설명이다.

② 고려에서 쌍기의 건의로 도입되었다. (○)

③ 원에서 천호·백호 단위로 시행되었다. (×)
→ 원의 군사 제도

④ 한에서 동중서의 제안으로 채택되었다. (×)
→ 한 무제는 동중서의 건의로 유교를 통치 이념으로 채택하였다.

⑤ 일본에서 다이묘를 통제하기 위해 격년으로 시행되었다. (×)
→ 일본에서는 과거제가 본격적으로 도입되지 않았다.

06 동아시아 불교의 특징 답 ③

(가)는 8세기 통일 신라에 만들어진 석굴암 본존불이며, (나)는 5세기 북위에서 제작된 윈강 석굴 대불이다. 동아시아에서는 불교가 군주의 권위와 위엄을 강조하는 이념으로 사용되었다.

ㄱ. 일본의 불교에 대한 내용이다. ㄹ. 상좌부 불교는 주로 동남아시아로 전파되었다.

07 불교의 토착화 답 ⑤

제시된 자료는 동아시아에서 불교가 토착화되는 과정에서 나타난 사례이다. 중국에서는 유교와 불교가 융합하여 『부모은중경』이 간행되었고, 일본에서는 불교와 신토가 융합하여 신불습합 사상으로 발전하였다.

정답을 찾아가는 셀파 - Tip

① 군주와 부처가 동일시되었다. (×)
→ 국가 불교의 성격으로, 자료에서는 나타나지 않는 성격이다.

② 지행합일과 양지를 강조하였다. (×)
→ 양명학에 대한 설명이다.

③ 직관적인 깨달음과 참선을 중시하였다. (×)
→ 불교의 선종에 대한 설명이다.

④ 중생의 구제보다는 개인의 해탈을 중시하였다. (×)
→ 상좌부 불교에 대한 설명이다.

⑤ 토착화하는 과정에서 전통 사상과 융합되었다. (○)

08 동아시아 불교의 특징 답 ①

인도의 불교가 수행과 함께 중생 구제의 성격이 강했다면, 동아시아의 불교는 토착화되는 과정에서 국가 불교의 성격을 띠었다. 군주들은 불교식 왕명을 사용하였고, 호국적 성격의 대규모 사찰과 탑, 불상을 세우기도 하였다.

정답을 찾아가는 셀파 - Tip

① 국가 불교의 특징을 알아본다. (○)

② 문묘 건립의 의미를 살펴본다. (×)
→ 문묘는 공자의 사당으로 유학과 관련 있다.

③ 서원이 확산된 배경을 조사한다. (×)
→ 성리학과 관련 있다.

④ 경교가 전래되는 과정을 분석한다. (×)
→ 7세기 페르시아에서부터 당으로 전래되었다.

⑤ 천명사상의 성립 시기를 파악한다. (×)
→ 기원전 11세기 주와 관련 있다.

자료를 분석하는 셀파 - Tip

- 불법(佛法)을 지키는 용이 황룡사(신라 진흥왕이 건립)에서 나라를 수호하고 있으니, 그 절에 9층 탑을 세운다면 주변 나라가 항복하고 조공하여 왕업이 길이 태평할 것이다. (국가 불교)
- 내(쇼무 천황)가 천황의 자리에 오른 지 오래되었지만, 아직 부처의 은덕이 천하에 다 미치지 못하였다. 이에 삼보(三寶)의 힘을 빌려 국가와 백성을 평안케 하고자(국가 불교) 금동 대불(도다이사 대불로 높이가 16 m에 달함)을 조성하려고 한다.

09 동아시아의 불교문화 답 ④

제시된 자료의 (가)는 당의 벽돌탑인 대안탑, (나)는 일본의 호류사 5층 목탑, (다)는 통일 신라의 불국사 3층 석탑이다. 동아시아에서는 지역적 특성을 반영한 다양한 탑이 만들어졌다.

정답을 찾아가는 셀파 - Tip

① (가)는 불교가 중국에 전래된 것을 기념하여 만들었다. (×)
→ (가)의 대안탑은 당의 승려 현장이 인도에서 가져온 불경을 보관하기 위해 만들었다.

② (나)는 석탑 양식을 계승한 것이다. (×)
→ (나)는 목탑이다.

③ (다)에는 승려의 사리를 안치하였다. (×)
→ (다) 불국사 3층 석탑에서는 불경 인쇄본인 『무구정광대다라니경』이 출토되었다.

④ (가)의 양식은 중국에서, (나)의 양식은 일본에서 널리 유행하였다. (○)

⑤ (나), (다)는 7세기에 건립되었다. (×)
→ (나)는 7세기, (다)는 8세기에 건립되었다.

10 동아시아 승려들의 교류 답 ⑤

제시된 자료의 (가)는 통일 신라의 혜초이다. 혜초는 8세기에 바닷길을 통해 인도를 여행하고, 당을 거쳐서 귀국한 후 『왕오천축국전』을 저술하였다. 당의 승려 감진이 일본에 건너가 계율을 전파한 것도 8세기의 일이다.

① 4세기, ② 5세기, ③ 3세기, ④ 6세기 말과 관련 있다.

11 성리학의 성립과 발전 답 ②

자료의 (가)는 성리학을 집대성 한 주희이다. 한 대에 유학이 관학으로 발달한 이후 당 대에는 『오경정의』가 편찬되어 훈고학이 집대성되었다. 송 대에 이르러 주희에 의해서 인간의 본성을 탐구하는 성리학이 등장하였다. 성리학은 인간의 본성과 우주의 원리를 탐구하고자 하는 학문으로, 거경 궁리와 격물치지를 수행 방법으로 제시하였다.

① 송 시기의 왕안석, ③ 왕수인, ④ 동중서, ⑤ 후지와라 세이카와 관련 있다.

12 성리학의 확산 답 ①

주희에 의해 집대성된 성리학은 고려 말 안향에 의해 도입되었고, 조선 건국의 사상적 이념이 되었다. 특히 16세기 이후 서원과 향약이 보급되면서 조선 내에서 성리학이 확대 보급되었고, 장자 중심의 제사와 친영 제도와 같은 성리학적 규범도 확대되었다. 일본에서는 후지와라 세이카가 정유재란 시기에 포로로 잡혀간 조선 성리학자 강항과 교류하며 『사서오경왜훈』을 편찬하기도 하였다.

① 645년 다이카 개신은 당의 율령 체제의 영향을 받은 것으로, 관료제 도입과 지방관 파견이 추진되었다.

13 성리학의 확산 답 ⑤

후지와라 세이카는 정유재란 때 포로로 잡혀간 조선 성리학자 강항과 교류하며 일본 성리학을 발전시킨 인물이다. 특히 후지와라 세이카의 제자인 하야시 라잔은 에도 막부의 제도와 의례를 정비하는 데 기여하였다.

정답을 찾아가는 셀파 - Tip

① 일본에서는 훈고학이 형성되었다. (×)
→ 훈고학은 당 시기에 집대성되었다.

② 일본에서는 다이호 율령이 반포되었다. (×)
→ 당의 율령 체제를 수용하여 단행한 일본의 정치 개혁이다.

③ 중국에서는 『부모은중경』이 성립되었다. (×)
→ 불교와 유교의 융합을 보여 준다.

④ 한국에서는 독서삼품과가 실시되었다. (×)
→ 신라의 관리 등용 제도이다.

⑤ 한국에서는 서원이 건립되고 향약이 확산되었다. (○)

14 성리학의 확산 답 ⑤

제시된 자료의 (가)는 성리학이다. 성리학은 가마쿠라 막부 시기 일본에 전해졌지만, 임진왜란과 정유재란 이후에 본격적으로 이해가 심화되었다. 성리학은 도교와 불교를 비판하고, 명분론과 화이론에 입각한 사상을 가진 학문이다.

정답을 찾아가는 셀파 - Tip

① 심즉리와 치양지, 지행합일을 주장하였다. (×)
→ 양명학

② 자비와 인과응보, 윤회 사상을 강조하였다. (×)
→ 불교

③ 고대로의 회귀를 강조하고 천황을 신성시하였다. (×)
→ 일본의 국학

④ 형이상학적 학문 경향을 비판하고 고증을 중시하였다. (×)
→ 청 대의 고증학

⑤ 이기론과 명분론을 바탕으로 사회 질서를 확립하고자 하였다. (○)

내 것으로 만드는 셀파 - Tip

▶ **일본의 주요 성리학자**

후지와라 세이카	• 강항과 교류, 『사서오경왜훈』 간행 • 하야시 라잔 등 제자 육성
하야시 라잔	성리학을 바탕으로 에도 막부의 제도와 의례 정비
야마자키 안사이	성리학과 신토의 결합 시도

15 양명학의 성립 답 ①

제시된 자료는 양명학과 관련된 내용이다. 명 대에는 도덕적 통치를 위해 성리학이 강조되고, 과거 합격을 위한 학문으로 여겨지는 경향이 강해졌다. 이에 반발하여 지행합일의 실천을 강조하는 양명학이 왕수인에 의해 나타났다.

②, ③, ④, ⑤는 모두 성리학과 관련된 내용이다.

16 문인 지배층의 형성 답 ①

자료의 (가)는 명·청 대의 지배층인 신사, (나)는 조선의 양반이다. 이들은 과거제를 통해 관직에 진출했으며, 향촌 사회에서 특권을 가진 지배 계층이었다.

ㄷ. 승가는 승려의 수행 공동체로 불교와 관련 있다. ㄹ. 일본 헤이안 시대 말기에 등장한 유력 농민층에 대한 설명이다.

Ⅲ 동아시아의 사회 변동과 문화 교류

01 17세기 전후의 동아시아 전쟁

탄탄 내신 문제 p. 89 ~ p. 92

01 ②	02 ⑤	03 ⑤	04 ④	05 ①	06 ③
07 ③	08 ②	09 ②	10 ④	11 ③	12 ⑤

13 (가) 장거정 (나) 일조편법 14 (1) 조선 (2) 해설 참조
15 해설 참조 16 조선 중화주의 17 (가) 통신사
(나) 연행사

01 15~16세기 동아시아의 정세 답 ②

조선에서는 성리학적 질서가 정착되는 가운데, 16세기 후반 사림 세력이 중앙 정계를 장악하였다. 사림이 집권한 이후 붕당이 만들어지고, 이들 사이에 대립이 격화되었다. 또 대지주의 토지 겸병 등으로 농민이 몰락하면서 군에 복무할 인원과 전세 수입이 감소하였다. 이에 농민에게 부과하던 군역 대신 군포를 받아, 그것으로 군인을 고용하고자 하였다. 결과적으로 군적에 등록된 인원은 15세기에 비해 크게 줄지 않았으나, 실제 전쟁에 동원할 수 있는 군인은 매우 적어지면서 국방력이 약화되었다.

02 도요토미 히데요시의 정책 답 ⑤

오다 노부나가의 뒤를 이은 도요토미 히데요시는 경쟁자들을 물리치고 100여 년에 걸친 센고쿠 시대를 통일하였다. 도요토미 히데요시는 현지에 직접 관리를 파견하여 토지를 조사하고 토지의 단위와 도량형을 통일하였다. 또 농민의 무기 소유를 금지하여 농민이 무사 신분으로 상승하는 것을 막았다. 이에 따라 센고쿠 시대를 거치면서 심화되었던 하극상의 풍조가 사라졌으며, 무사와 조닌은 조카마치에, 농민은 농촌에 거주하는 병농 분리의 사회 질서가 확립되었다.

03 조총의 전래와 이용 답 ⑤

유럽에서 개발된 조총은 16세기 중엽 포르투갈 상인을 통해 일본에 전해졌다. 조총은 센고쿠 시대 일본의 전투 모습을 바꿔 놓았다. 이전에는 얼마나 많은 기병을 보유했느냐가 중요했다면, 조총 전래 이후에는 얼마나 많은 조총을 보유했느냐에 따라 승패가 갈렸다. 이러한 사실은 1575년 벌어진 나가시노 전투에서 여실히 드러났다. 당시 일본 최강으로 알려진 다케다 가쓰요리의 기마 군단을 오다 노부나가가 조총을 이용한 전법으로 물리친 것이다. 이후 조총은 센고쿠 다이묘의 세력 판도뿐 아니라 임진왜란에도 큰 영향을 끼쳤다.

정답을 찾아가는 셀파 - Tip

ㄱ. 일본 무사 계층의 출현 배경을 살펴본다. (×)
└ 헤이안 시대 말기
ㄴ. 왜관을 통해 조선이 수입한 물품을 조사한다. (×)
└ 구리, 유황 등
ㄷ. 일본이 조선 침입에 사용한 무기를 알아본다. (○)
ㄹ. 나가시노 전투에서 오다 노부나가가 펼친 전술을 조사한다. (○)

04 명의 임진왜란 참전 배경 답 ④

『해방찬요』는 명의 칙사 왕재진이 만력제에게 올린 상소문으로, 명이 조선을 지켜야만 요동(랴오둥)을 보호할 수 있다는 내용이다. 1592년 조총으로 무장한 일본군이 조선을 침략하여 한성과 평양을 점령하자, 조선은 명에 원군을 요청하였다. 명은 요동을 방어하고 수도인 베이징을 지키기 위해 참전을 결정하였다. 이로써 임진왜란은 동아시아 삼국의 국제전으로 확대되었다.

05 왜란의 전개 과정 답 ①

제시된 지도는 왜란의 전개 과정을 나타낸 것이다. 임진왜란 초기에는 일본군이 연이어 승리하였지만, 의병이 일어나고 이순신이 이끄는 조선의 수군이 활약하면서 점차 전쟁의 양상이 달라졌다. 또한 임진왜란은 명의 참전으로 동아시아 국제전으로 확대되었고, 후금이 성장할 수 있는 계기가 되었다. 임진왜란 시기 조선에 온 명군을 통해 명의 문물이 조선에 일부 전해졌고, 일본으로부터는 조총 제조법과 사격술이 들어왔으며 담배와 고추 같은 새로운 작물이 전해지기도 하였다.

① 광해군의 중립 외교에 반감을 품은 서인 일파가 인조반정을 일으켰다(1623).

06 왜란 당시 일본이 요구한 강화 조건 답 ③

제시된 자료는 왜란 당시 일본이 요구한 주요 강화 조건이다. 조·명 연합군이 평양성을 탈환하면서 전세가 역전되었으나, 명군이 벽제관 전투에서 패하면서 전쟁은 다시 소강상태로 접어들었다. 이후 조선의 반발을 뒤로하고 명은 일본과 강화 교섭에 들어갔다. 3년에 걸친 강화 교섭은 일본의 무리한 요구로 결렬되었고, 도요토미 히데요시는 다시 전쟁을 일으켰다(정유재란). 그러나 전쟁을 시작한 지 1년 만에 도요토미 히데요시가 사망하면서 일본군이 철수하였고, 이로써 7년간의 전쟁이 끝이 났다.

07 왜란이 동아시아에 끼친 영향 답 ③

왜란으로 조선은 인구가 줄고 국토가 황폐해졌으며, 많은 문화재가 소실되고 수만 명의 사람들이 일본으로 끌려갔다. 명은 원군 파병에 따른 재정 악화를 만회하기 위해 무리하게 세금을 징수하면서 농민 봉기가 잇따라 점차 쇠퇴하게 되었다. 반면에 만주의 누르하치는 명의 지배에서 벗어나 점차 세력을 키워 후금을 세우고 여진족을 통일하였다. 일본에서는 도쿠가와 이에야스가 도요토미 히데요시의 추종 세력을 물리치고 에도 막부를 수립하였다. 일본은 왜란 당시 조선에서 성리학자와 도공 등 수만 명을 포로로 끌고 갔으며, 서적과 금속 활자 등을 비롯한 각종 문화재를 약탈하였다. 이렇게 끌려간 학자와 기술자, 그리고 약탈당한 문화재는 에도 시대에 일본의 학문과 도자기, 인쇄술이 발전하는 밑거름이 되었다.

정답을 찾아가는 셀파 - Tip

ㄱ. 조선은 토지가 황폐해지고 인구가 크게 줄었다. (○)
ㄴ. 많은 전쟁 포로는 일본의 사회·문화 발전에 도움이 되었다. (○)
ㄷ. 명은 전쟁 이후 수도를 대도로 옮기고 티베트 등을 복속시켰다. (×)
└ 청에 해당하는 내용이다.
→ 명은 조선 출병에 따른 군사비 지출과 국내 반란으로 국력이 쇠퇴하였다.
ㄹ. 만주의 여진이 혼란을 틈타 부족을 통일하며 독자적인 세력으로 성장하였다. (○)

08 정묘호란의 전개 과정

답 ②

제시된 자료는 인조반정 이후 조선의 친명배금 정책이 배경이 되어 일어난 정묘호란과 관련 있다. 인조반정 이후 들어선 서인 정권이 친명배금 정책을 취하자 명은 조선에 후금 정벌을 요청하였다. 서인 정권은 반정의 정당성을 인정받고자 명의 요구를 받아들였다. 여기에 명의 모문룡 군대가 후금 정벌과 요동(랴오둥) 수복을 내걸며 평안도의 가도에 머무르자, 후금은 명과 치를 전쟁에 대비하여 배후에 있는 조선을 공격하였다(정묘호란). 조선이 관군과 의병으로 후금에 대항하자, 후금은 일단 조선과 형제의 관계를 맺고 물러났다.

정답을 찾아가는 셀파 - Tip

① 인조는 남한산성으로 피신하였다. (×)
→ 병자호란 당시 인조가 남한산성으로 피신하였다.
② 조선은 후금과 형제 관계를 맺었다. (○)
③ 인조반정이 일어나는 계기가 되었다. (×)
→ 인조반정은 1623년, 정묘호란은 1627년 일어났다.
④ 왕자와 신하 등 많은 이들이 청으로 끌려갔다. (×)
→ 조선이 병자호란에서 패배하면서 왕자와 신하 등 많은 이들이 청으로 끌려갔다.
⑤ 조선 내에 주화론과 척화론의 대립이 배경이 되어 일어났다. (×)
→ 정묘호란은 조선의 친명배금 정책이 배경이 되어 일어났다.

09 병자호란 발발 이전의 상황

답 ②

(가)는 정묘호란이 발발한 이후부터 병자호란이 발발하기 이전까지의 시기이다. 1636년 후금의 홍타이지는 스스로 황제라 칭하며 국호를 '청'으로 바꾸었다(칭제건원). 이어 조선에 군신 관계를 요구하였으나, 인조가 이를 거부하자 직접 군대를 이끌고 조선을 침략하면서 병자호란이 일어났다.

정답을 찾아가는 셀파 - Tip

① 명의 지배력 약화를 틈타 누르하치가 만주족을 통일하였다. (×)
→ 누르하치가 만주족을 통일한 것은 (가) 시기 이전인 1616년으로, 이는 임진왜란 이후 명의 지배력이 약화된 시기이다.
② 조선은 청의 칭제건원에 반발하며 친명 정책을 고수하였다. (○)
③ 조선은 후금과 강화를 체결하고 사대의 예와 조공 관계를 맺었다. (×)
→ 조선은 병자호란 이후 청과 사대의 예와 조공 관계를 맺었다.
④ 조선에서는 명과 후금에 대한 광해군의 외교 정책을 둘러싸고 갈등이 일어났다. (×)
→ 1623년 광해군의 집권과 외교 정책에 대한 반발로 인조반정이 일어났다.
⑤ 일본에서는 토지의 단위와 도량형이 통일되고, 병농 분리의 사회 질서가 확립되었다. (×)
→ 도요토미 히데요시가 센고쿠 시대를 통일한 이후의 일이다.

10 호란의 전개 과정과 영향

답 ④

인조반정으로 집권한 서인 정권이 친명배금 정책을 실시하자 후금이 조선을 침략하면서 정묘호란이 일어나 조선과 후금은 형제 관계를 맺게 되었다. 이후 후금의 홍타이지가 청으로 국호를 바꾸고 조선에 군신 관계를 요구하였으나 인조가 이를 거부하자 조선을 침략하면서 병자호란이 일어났다. 인조는 남한산성으로 피신하여 항전하였지만 결국 삼전도에서 청에 항복하였다. 병자호란 이후 효종이 즉위하면서 조선에서는 청에 굴복한 수치심을 씻기 위해 청을 정벌하자는 북벌론이 대두되었으나 실행되지는 못하였다.

내 것으로 만드는 셀파 - Tip

▶ 정묘호란과 병자호란의 배경 및 결과

정묘호란	배경	조선의 친명배금 정책, 명 장수 모문룡에 대한 지원 강화
	결과	조선과 후금이 형제 관계 체결
병자호란	배경	조선의 친명 정책 고수, 청의 군신 관계 요구 거부
	결과	조선과 청이 군신 관계 체결
	영향	조선에서 북벌론, 조선 중화주의의 대두

11 병자호란 이후 조선의 변화

답 ③

제시문은 정묘호란과 병자호란이 조선 지배층의 세계관에 미친 영향을 나타낸 것이다. 조선은 여진족(만주족)에 패했다는 정신적 충격과 굴욕감을 씻기 위해 인조의 아들인 효종 대에 북벌을 추진하고자 하였고, 명이 망한 뒤에는 조선 중화주의가 대두하여 조선이 명을 대신하는 새로운 천하의 중심이라는 생각이 확산되기도 하였다.

정답을 찾아가는 셀파 - Tip

ㄱ. 인조반정이 일어나 정권이 교체되었다. (×)
→ 인조반정은 정묘호란 이전에 일어난 사건이다.
ㄴ. 효종의 주도 아래 북벌론이 대두되었다. (○)
ㄷ. 명이 망한 뒤 조선 중화주의가 나타났다. (○)
ㄹ. 조선이 서양 문물을 수용하는 계기가 되었다. (×)
→ 조선이 청을 통해 서양 문물을 받아들인 것은 청에 대한 충격이나 굴욕감과는 거리가 멀다.

12 전쟁을 통한 문물 교류

답 ⑤

제시문의 '이삼평', '조선의 도공' 등의 내용을 통해 왜란 때 끌려간 포로에 대한 내용임을 알 수 있다. 왜란으로 조선의 유학자와 도공, 목수 등의 기술자를 포함한 수만 명이 일본으로 끌려갔다.

내 것으로 만드는 셀파 - Tip

▶ 전쟁 중 나라를 오간 사람들

김충선(사야가)	• 임진왜란 때 조선으로 투항한 일본인 • 일본의 장수였던 사야가는 조선에 투항한 후 여러 전투에서 공을 세워 조선 정부로부터 '김충선'이라는 이름을 받았음
이삼평	• 임진왜란 때 일본으로 끌려간 조선인 • 아리타 자기의 시조가 됨

서답형 문제

13 장거정의 개혁

답 (가) 장거정 (나) 일조편법

명 중기에 권력을 장악한 장거정은 관료들의 업적을 엄격하게 평가하고, 토지 조사를 하였으며, 세금을 은으로 내게 하는 일조편법을 전국적으로 시행하는 등 개혁을 추진하였다. 이러한 개혁을 통해 국가 재정이 호전되는 등 중흥의 기운이 나타났다. 하지만 장거정이 죽은 뒤

그동안 억눌렸던 관료와 신사들이 불만을 터뜨리고, 환관 세력의 전횡으로 정치적 혼란은 더욱 심해졌다.

14 명의 임진왜란 참전 배경

(1) 조선

(2) 모범 답안 | 1592년 일본이 조선을 침략하자 조선은 명에 원군을 요청하였다. 이에 명은 요동(랴오둥)을 방어하고, 수도인 베이징을 지키기 위해 임진왜란에 참전하였다.

주요 단어 | 조선이 명에 원군 요청, 요동(랴오둥) 방어, 베이징 수호

채점 기준	배점
주요 단어를 모두 포함하여 바르게 서술한 경우	상
주요 단어 중 두 가지만 포함하여 바르게 서술한 경우	중
주요 단어 중 한 가지만 포함하여 바르게 서술한 경우	하

15 임진왜란에 대한 동아시아 3국의 역사 인식 차이

모범 답안 | 중국은 '일본에 맞서 조선을 도운 전쟁'이라고 칭하며 중국의 위상을 강조하고 있다. 한국은 일본인들이 쳐들어와 조선에 엄청난 피해를 남긴 난동이라고 인식하고 있다. 한편, 일본에서 '분로쿠'는 일본 천황의 연호이고 '역'은 전쟁을 의미하는 것으로, 전쟁을 일으킨 당사자가 일본이라는 사실을 감추려 하고 있다.

주요 단어 | 중국의 위상 강조, 일본이 일으킨 난동, 전쟁을 일으킨 당사자임을 감춤

채점 기준	배점
주요 단어를 모두 포함하여 바르게 서술한 경우	상
주요 단어 중 두 가지만 포함하여 바르게 서술한 경우	중
주요 단어 중 한 가지만 포함하여 바르게 서술한 경우	하

16 명·청 교체 이후 조선의 변화 　답 조선 중화주의

명·청 교체 이후 동아시아 각국에서는 사상적 변화가 나타났다. 청은 만주족의 중국 정복을 합리화하기 위해, 인의나 오륜 등의 유교적 가치를 지키면 어느 민족이나 중화가 될 수 있다는 문화적 화이론을 주장하였다. 이를 바탕으로 만주족의 청은 명을 계승한 새로운 중화를 자처하였다. 조선에서도 '조선이 중화의 문명을 계승하였다.'라는 조선 중화주의가 등장하였다. 이 역시 지리적·종족적 요소를 배제한 문화적 화이론이었다. 일본의 에도 막부에서는 무력을 중시하는 사상과 함께 만세일계의 천황이 다스리는 일본이야말로 가장 우월한 나라라는 자국 중심 사상이 나타났다.

17 전후 조선의 외교 관계 　답 (가) 통신사 (나) 연행사

왜란이 끝난 후 조선은 일본과 국교를 재개하고, 에도 막부에 통신사를 파견하였다. 약 200년 동안 12회에 걸쳐 파견된 통신사는 양국 우호 관계의 상징이 되었으며, 학술과 문물의 교류를 촉진하였다. 한편, 병자호란 이후 조선은 청과 조공·책봉 관계를 맺고, 정기적으로 연행사를 파견하였다. 조선의 지배층은 한동안 반청 의식이 강하였으나, 연행사 등을 통하여 점차 청의 문물을 접한 후 북학 운동이 일어났다. 특히, 천리경을 비롯한 천문 기구와 서양의 역법이 전래되어 천문학 발달에 영향을 끼쳤다.

도전 수능 문제

p. 93 ~ p. 95

01 ⑤	02 ②	03 ①	04 ⑤	05 ⑤	06 ③
07 ⑤	08 ④	09 ④	10 ①	11 ①	12 ③

01 15~16세기 동아시아의 정세 　답 ⑤

자료의 (가) 왕조는 명이다. 명은 15세기 이래로 계속 몽골의 압박을 받았다. 몽골은 한때 명의 황제를 생포하고, 베이징까지 진격할 정도로 강했다. 명은 이를 막기 위해 만리장성을 다시 축조하였다. 또한 동남 해안에서는 16세기 초부터 왜구가 빈번히 침입하여 약탈을 자행하였다. 이 시기 일본은 다이묘들이 항쟁을 벌이는 센고쿠 시대였다.

⑤ 연행사는 조선 후기에 청에 파견한 사절이다.

내 것으로 만드는 셀파 - Tip

▶ 15~16세기 동아시아의 정세

명	• 북로남왜(몽골과 왜구의 침입) → 국력 소모 • 장거정의 개혁: 몽골과 강화, 토지 조사, 일조편법 확대 시행 → 국가 재정 호전 → 장거정 사후 정치적 혼란 심화
조선	• 사림 집권 후 붕당 간의 대립 격화 • 국방력 약화: 장기간 평화 지속, 군역 제도 운영의 폐단
일본	• 센고쿠 시대 → 도요토미 히데요시가 통일(1590) • 도요토미 히데요시의 정책: 토지 조사 실시, 도량형 통일, 도검몰수령 시행, 병농 분리 확립

02 도요토미 히데요시의 정책 　답 ②

센고쿠 시대 통일 이후 도요토미 히데요시는 전국적인 토지 조사를 실시하고, 도량형을 통일하였으며, 농민의 무기를 거두고 신분 이동을 금지하였다. 그 결과 센고쿠 시대를 거치면서 심화되었던 하극상의 풍조가 사라졌으며, 병농 분리의 질서가 확립되었다.

자료를 분석하는 셀파 - Tip

포고문

(도요토미 히데요시가 실시한 도검몰수령이다.)

백성들이 칼, 단도, 창, 조총, 기타 무기류를 소지하는 것을 엄하게 금지한다. 불필요한 도검류를 쌓아두고 연공이나 기타 세금의 납부를 꺼리거나, 영주의 가신에게 불법 행위를 하는 자들이 있다면 처벌하겠다. …(중략)… 백성들이 농기구만을 가지고 경작에 전념할 수 있다면, 자자손손 행복하게 살아갈 수 있을 것이다.

(무사, 농민의 신분 구분을 명확히 하였다.)

정답을 찾아가는 셀파 - Tip

① 군역 제도의 문제점이 나타나면서 국방력이 약화되었다. (×)
→ 임진왜란이 일어나기 직전 조선의 상황이다.

② 병농 분리를 통해 무사와 농민의 신분 구분이 분명해졌다. (○)

③ 신흥 무인 세력과 사대부들의 주도로 왕조 교체가 이루어졌다. (×)
→ 고려의 멸망과 조선의 건국에 해당하는 내용이다.

④ 농민 반란이 자주 발생하면서 왕조의 지배력이 급속히 약해졌다. (×)
→ 농민 반란은 도검몰수령의 결과가 아니다.

⑤ 농민의 병역 의무를 바탕으로 한 국가 상비군 제도로 부병제가 성립되었다. (×)
→ 부병제는 수·당 시기의 상비군 제도이다.

03 임진왜란의 전개 과정 답 ①

대화의 소재가 되고 있는 전쟁은 임진왜란이다. 1592년 일본이 조선을 침략하여 한성과 평양을 점령하자, 조선은 명에 원군을 요청하였다. 명은 요동을 방어하고 베이징을 지키기 위해 참전하였다. 이순신의 활약과 명의 참전으로 전세가 역전되었으나, 명군이 벽제관 전투에서 패배하면서 전쟁은 교착 상태에 빠졌다. 이를 타개하기 위해 명과 일본은 강화 협상을 시작하였으나 일본의 무리한 요구로 강화 협상은 결렬되었고, 일본이 다시 침략하면서 정유재란이 일어났다. 그러나 얼마 후 도요토미 히데요시가 사망하면서 일본군이 철수하였고, 이로써 7년간의 전쟁은 끝이 났다.

정답을 찾아가는 셀파 - Tip

① 조선의 요청으로 명이 원군을 파병하였다. (○)
② 친명배금 정책이 배경이 되어 발발하였다. (×)
→ 정묘호란에 해당하는 내용이다.
③ 가마쿠라 막부가 쇠퇴하는 요인이 되었다. (×)
→ 가마쿠라 막부는 고려와 원의 원정으로 쇠퇴하였다.
④ 신라가 삼국을 통일하는 과정에서 일어났다. (×)
→ 신라가 삼국을 통일하는 과정에서는 백제와 고구려의 멸망, 나·당 전쟁 등이 일어났다.
⑤ 일본이 센고쿠 시대를 통일하는 결과를 낳았다. (×)
→ 도요토미 히데요시는 센고쿠 시대를 통일한 이후 임진왜란을 일으켰다.

04 임진왜란의 영향 답 ⑤

자료에서 '조선과 중국을 정복하는 일', '국왕이 서북쪽으로 피난하고', '쳐들어온 왜적들' 등의 내용을 통해 임진왜란과 관련 있음을 알 수 있다. 임진왜란으로 수많은 사람들이 일본에 포로로 잡혀갔는데, 이삼평과 같은 도공들이 끌려가 일본 도자기 기술을 발전시키기도 하였다. 한편, 명이 임진왜란에 참전하면서 국력이 약해진 틈을 타 만주 지역에서는 누르하치가 여진을 규합하여 후금을 건국하였다.

05 임진왜란의 발발과 이후의 정세 답 ⑤

제시된 자료의 (가)는 1592년 임진왜란 발발 시기이며, (나)는 명이 후금과의 전쟁에서 원병을 요청하는 광해군 재위 시기(1608~1623)이다.

정답을 찾아가는 셀파 - Tip

① 후금이 건국되었다. (○)
→ 누르하치가 1616년 후금을 건국하였다.
② 기유약조가 체결되었다. (○)
→ 기유약조는 광해군 시기인 1609년 체결되었다.
③ 에도 막부가 수립되었다. (○)
→ 에도 막부는 임진왜란 이후인 1603년 수립되었다.
④ 조·명 연합군이 평양성을 탈환하였다. (○)
→ 조·명 연합군이 평양성을 탈환한 것은 1593년이다.
⑤ 도요토미 히데요시가 도검몰수령을 내렸다. (×)
→ 도요토미 히데요시가 도검몰수령을 내린 것은 임진왜란 이전이다.

06 정묘호란 발발 이전의 정세 답 ③

누르하치는 1616년 국호를 후금으로 정하고 명과 전쟁을 시작하였다. 당시 명은 임진왜란 시기 원병을 보낸 것을 근거로 조선에 도움을 요청하였다. 조·명 연합군이 결성되어 후금과 전쟁을 치렀지만 사르후 전투에서 패하게 되었고, 이때 조선의 강홍립은 후금에 투항하면서 광해군의 중립 외교를 뒷받침하였다.

07 정묘호란의 배경 답 ⑤

임진왜란 이후 누르하치가 여진족을 통일하면서 후금이 건국되었다. 조선에서는 1623년 인조반정이 일어나 광해군이 폐위되고 서인 정권이 들어섰다. 서인 정권은 가도에 주둔한 모문룡을 지원하는 등 친명배금 정책을 강화하였다. 이에 불만을 품은 후금은 조선을 침략하였으나, 후방에 있는 명을 염려하여 조선과 형제 관계를 맺은 이후 철수하였다.

정답을 찾아가는 셀파 - Tip

① 전연의 맹약으로 강화가 성립되었다. (×)
└ 송과 거란(요) 사이에 체결
② 북로남왜가 창궐하는 배경이 되었다. (×)
└ 명 대
③ 명이 참전하면서 국제전으로 확대되었다. (×)
└ 임진왜란
④ 청의 칭제건원에 대한 반발이 원인이 되었다. (×)
└ 병자호란의 배경
⑤ 가도에 주둔한 모문룡에 대한 지원이 빌미가 되었다. (○)

08 정묘호란과 병자호란의 전개 과정 답 ④

제시된 자료의 (가)는 정묘호란, (나)는 병자호란과 관련 있다. 인조반정으로 광해군이 폐위된 후 서인 세력을 중심으로 조선은 명의 장수 모문룡을 지원하는 등 친명배금 정책을 강화하였다. 이에 후금은 황해도까지 침입하는 정묘호란을 일으켰으며, 조선과 형제 관계를 맺고 철수하였다. 후금은 1636년 국호를 청으로 바꾸고, 조선에 군신 관계를 요구하였다. 조선이 이를 거부하자 홍타이지가 대규모 병력을 이끌고 조선을 침입하며 병자호란이 발발하였다. 인조가 남한산성에서 저항하였지만, 결국 삼전도에서 항복하고 청과 군신 관계를 맺었다.

정답을 찾아가는 셀파 - Tip

① (가) – 조선의 북벌론 제기가 원인이었다. (×)
└ 병자호란 이후 북벌론이 제기되었다.
② (나) – 광해군의 외교 정책이 원인이었다. (×)
└ 인조반정이 일어나게 되는 배경이다.
③ (가) – 랴오둥 보호를 위해 명이 개입하였다. (×)
└ 임진왜란에 해당하는 내용이다.
④ (나) – 조선은 청과 군신 관계를 맺게 되었다. (○)
⑤ (가), (나) – 명에 대한 재조지은 의식이 형성되었다. (×)
└ 임진왜란에 해당하는 내용이다.

09 조선과 후금의 관계 답 ④

제시된 자료의 '조선 국왕은 나의 동생'이라는 부분에서 정묘호란 이후의 시기이며, 홍타이지가 황제로 즉위하기 직전의 상황임을 알 수 있다. 후금은 조선이 친명배금 정책을 강화하자 정묘호란을 일으켜 조선과 형제 관계를 맺었다. 이후 후금의 홍타이지는 스스로 황제라 칭하며 국호를 청으로 바꾼 후, 조선에 군신 관계를 요구하였다. 그러나 조선이 이를 거부하자 병자호란을 일으켰다.

후금(청)의 군사 조직

후금의 홍타이지가 황제로 즉위하려는 것을 의미한다.

자료를 분석하는 셀파 - Tip

몽골의 왕들이 조선 국왕에게 서신을 보냅니다. 우리 몽골과 팔기(八旗)의 왕들이 주군이신 칸[汗]에게 존호(尊號)를 바치기로 하자, 칸께서 "조선 국왕은 나의 동생이므로 그 사실을 알려 의논하라."라고 하셨습니다. 그래서 우리는 조선 국왕과 함께 그 일을 상의하기 위해 서신을 보내는 바입니다. 왕은 자제들을 보내 우리와 함께 주군이신 칸의 존호를 정하기 바랍니다.

정묘호란 때 후금과 조선이 형제 관계를 맺었다.

10 병자호란 이후의 동아시아 답 ①

제시된 내용에서 '이 전쟁'은 인조가 삼전도에서 항복한 병자호란임을 알 수 있다. 병자호란 이후 조선에서는 청에 당한 치욕을 복수하자는 북벌론이 제기되었으나 실행되지는 못하였다.

정답을 찾아가는 셀파 - Tip

① 조선 – 북벌론이 대두되었다. (○)
② 조선 – 인조반정이 일어났다. (×)
└ 1623년
③ 명 – 토목보의 변이 발생하였다. (×)
└ 1449년
④ 청 – 일조편법이 실시되었다. (×)
└ 명 시기 장거정의 개혁
⑤ 일본 – 나가시노 전투가 발발하였다. (×)
└ 1575년

11 왜란의 영향 답 ①

명의 장수 이여송은 임진왜란 당시 명이 조선에 보낸 원병이다. 임진왜란 당시 조선이 원군을 요청하자 명이 요동을 보호하기 위해 참전하였다. 이 시기 만주의 누르하치는 명의 지배에서 벗어나 세력을 키워 후금을 건국하고 여진족을 통일한 후 명과 전쟁을 시작하였다. 명이 '재조지은'을 이유로 조선에 원병을 요청하자 광해군은 명의 군사적 요청을 들어주면서도 강성해진 후금을 자극하지 않으려 하였다. 한편, 임진왜란 당시 일본으로 끌려간 조선 도공 이삼평은 아리타 자기를 만들었으며, 후지와라 세이카는 정유재란 때 일본으로 끌려간 조선 성리학자 강항과 교류하며 사서오경 주석본을 만들기도 하였다.

12 전쟁을 통한 문물 교류 답 ③

이삼평은 조선의 도공으로 임진왜란 때 일본으로 끌려갔다. 그는 도자기 원료인 고령토를 찾아 도자기를 만들었는데, 이를 아리타 자기라고 한다.

정답을 찾아가는 셀파 - Tip

① 견당사를 통한 문화 교류의 내용을 분석한다. (×)
└ 나라 시대 ~ 헤이안 시대에 일본에서 당에 파견한 사절단
② 일본이 통신사 파견을 요청한 목적을 파악한다. (×)
└ 에도 막부 시기 일본의 요청으로 파견되었다.
③ 임진왜란 때 일본에 끌려간 조선인을 조사한다. (○)
④ 도래인(도왜인)이 일본에 끼친 영향을 살펴본다. (×)
└ 일본 야마토 정권 수립에 기여하였다.
⑤ 3포를 중심으로 한 조선과의 교역 물품을 파악한다. (×)
└ 조선 전기의 일이다.

02 교역망의 발달과 은 유통

탄탄 내신 문제 p. 101 ~ p. 105

01 ③	02 ①	03 ⑤	04 ③	05 ④	06 ①
07 ②	08 ④	09 ⑤	10 ③	11 ④	12 ④
13 ②	14 ⑤	15 ⑤	16 ④	17 (가) 광저우	

(나) 공행 18 (1) 류큐 (2) 해설 참조 19 (1) 곤여만국전도 (2) 해설 참조 20 (1) 회취법(연은 분리법) (2) 해설 참조

01 명의 해금 정책과 조공 무역 답 ③

지도에서 (가)는 명이다. 명은 건국 초부터 해금 정책을 실시하여 민간인이 국외로 건너가 무역하는 것을 금지하였고, 조공의 형태로만 무역을 허용하였다.

정답을 찾아가는 셀파 - Tip

① 역참을 설치하여 동서 교류를 확대하였다. (×)
→ 원과 관련 있다.
② 조선에는 상인들 간의 사무역만 허락하였다. (×)
→ 조선과 명의 무역은 조공 형태의 공무역을 중심으로 이루어졌다.
③ 해금 정책을 펴면서 조공의 형태로만 무역하였다. (○)
④ 조공하는 국가들 사이의 무역을 엄격히 금지하였다. (×)
→ 명에 조공하는 국가들 사이에도 직·간접적으로 광범위한 교역망이 형성되었다.
⑤ 상인들의 요청으로 동남아시아 방면의 도항과 무역을 허용하였다. (×)
→ 상인들의 요청으로 동남아시아 방면의 무역을 허용한 것은 16세기 후반이다.

02 중계 무역의 기지 류큐 답 ①

지도에서 (나)는 류큐이다. 명의 해금 정책으로 중국 상인의 활동이 위축되자 류큐의 중계 무역이 활발해졌다. 류큐는 대월(베트남)이나 일본에 비해 명에 대한 조공 횟수가 많았고, 명으로부터 생사와 도자기를 수입하여 일본이나 동남아시아에 판매하였다. 하지만 16세기 후반 명의 해금 정책이 완화되면서 류큐의 중계 무역도 쇠퇴하게 되었다.

03 천계령 해제와 일본의 무역 답 ⑤

청은 타이완의 정성공을 비롯한 반청 세력을 막기 위해 천계령을 내려 해안 주민을 내륙으로 이주시켰다. 그러나 17세기 후반 반청 세력이 진압된 후 천계령을 해제하였고, 이후 청의 상인들이 일본 나가사키로 건너가 활발하게 교역하게 되면서 일본의 은 유출이 심화되었다. 이에 에도 막부는 무역 허가증인 신패를 발급하여 무역량을 규제하였다.

정답을 찾아가는 셀파 - Tip

① 류큐의 중계 무역이 더욱 활성화되었다. (×)
→ 16세기 후반 명의 해금 정책 완화로 류큐의 중계 무역은 쇠퇴하였다.
② 중국 중심의 조공 무역 질서가 확대되었다. (×)
→ 명 시기와 관련 있다.
③ 일본의 무로마치 막부가 감합 무역을 전개하였다. (×)
→ 명 시기와 관련 있다.
④ 나가사키 무역의 발달로 일본으로의 은 유입이 증대되었다. (×)
→ 천계령 해제 후 일본의 은 유출이 심화되었다.
⑤ 일본은 청 상인에게 신패를 발급하여 무역량을 규제하였다. (○)

04 조선의 무역 답 ③

조선은 중국과 조공 관계를 맺고 사신을 교환하였다. 이 과정에서 사신을 수행하는 역관, 상인 등에 의해 사무역이 이루어졌다. 세종 시기에는 쓰시마섬을 토벌하고, 3포를 개항하여 일본과 제한적인 무역을 실시하였다. 조선과 일본의 교역은 왜란으로 단절되기도 했지만 에도 막부 수립 후 재개되었다. 특히 일본과의 교류는 쓰시마번이 중요한 역할을 하였는데, 17세기 이후 에도 막부는 조선과의 교섭을 쓰시마번에 위임하였다.

05 명의 해금 정책과 밀무역 답 ④

제시된 자료는 명의 해금 정책으로 인해 밀무역이 성행하고 있음을 보여 주는 것이다. 명의 해금 정책으로 류큐 지역이 중계 무역의 거점으로 성장하였다. 류큐는 명에서 도자기, 생사 등을 수입하여 이를 일본과 동남아시아 등지에 팔았다. 명과 조선에는 류큐산 조개껍데기·유황, 일본산 칼·구리, 동남아시아산 상아·향신료 등을 수출하였다.

자료를 분석하는 셀파 - Tip

명이 실시한 해금 정책을 의미한다.

㉠ 본조(本朝)에서는 조공 무역은 허용하고 사무역은 금지하는 법을 세웠다. 대저 조공은 반드시 공물과 호시를 겸행해야 하지, 그것을 단절시켜서는 안 된다. 가정 6, 7년 이후 명령을 받들어 엄격하게 해금을 시행하니 상업의 길이 통하지 않게 되고, 상인들은 이익을 잃게 되어 왜구로 전락하였다.

해금 정책으로 교역이 자유롭지 못하게 되자, 명과 일본의 상인이 왜구로 가장하여 밀무역이 성행하였다.

06 일본의 무역 답 ①

17세기 일본 상인은 해외로 진출하여 동남아시아에 무역 거점을 마련하기도 하였다. 이에 에도 막부는 배를 타고 나가 무역할 수 있는 증명서인 슈인장을 발급하여 교역을 통제하였다. 신패는 에도 막부가 청 상인의 나가사키 입항을 허가하는 증서이다. 17세기 후반 청의 천계령 해제로 청 상인들이 나가사키를 중심으로 무역 이득을 취하자, 막부는 신패를 발급하여 무역량을 규제하였다.

07 류큐의 중계 무역 답 ②

제시문의 (가)는 류큐이다. 류큐는 지금의 오키나와에 있던 나라로, 14세기 후반부터 16세기 전반에 걸쳐 명과의 조공 무역을 중심으로 일본, 동남아시아를 잇는 중계 무역을 활발하게 전개하였다. 이는 명의 해금 정책으로 중국 상업 세력이 비웠던 자리를 대신한 결과였다. 그러나 16세기 후반 명의 해금 정책이 완화되자 류큐의 중계 무역은 점차 쇠퇴하였다.

정답을 찾아가는 셀파 - Tip

① 임진왜란 때 조선에 파병하였다. (×)
→ 명
② 명의 해금 정책으로 번영하였다. (○)
③ 갈레온 무역의 중심지로 성장하였다. (×)
→ 마닐라
④ 왜구의 소굴로 조선의 공격을 받았다. (×)
→ 쓰시마섬
⑤ 정성공이 주도한 반청 운동의 근거지였다. (×)
→ 타이완

08 유럽의 동남아시아 진출 답 ④

16세기 이후 동남아시아로 진출한 유럽 상인의 선두는 (가) 포르투갈이었다. 그 뒤를 이어 (나) 에스파냐와 (다) 네덜란드가 진출하여 경쟁하였다. 17세기 중엽에는 네덜란드가 동남아시아 대부분의 섬을 장악하였다.

09 유럽의 동아시아 진출과 교역망의 확대 답 ⑤

16세기 이후 유럽 상인들이 동남아시아에 진출하면서 믈라카, 마닐라 등이 국제 무역의 중심지로 성장하였다. 유럽 상인들은 아메리카와 일본에서 생산된 은을 가져와 중국의 물품으로 교환하였고, 이로 인해 중국에 은이 대량으로 유입되었다. 그리고 이 과정에서 아메리카가 원산지인 고추, 감자, 고구마 등이 아시아에 전해졌다.

10 은 유통의 활성화 답 ③

제시문의 (가)는 갈레온 무역이다. 16세기 중엽 유럽인들의 침략으로 인한 아메리카 대륙에서의 은 생산 증가는 유럽 경제를 활성화시켜 아시아 상품에 대한 구매욕을 자극하였다. 이에 에스파냐 상인들은 대포를 갖춘 대형 선박을 이용하여 멕시코의 아카풀코에서 가져온 은으로 명 상인이 가져온 비단, 도자기, 면직물 등을 구입하는 갈레온 무역을 전개하였다. 이러한 은의 대량 유입은 동아시아의 상업을 활성화하였고, 유럽에서 은을 가장 중요한 결제 수단으로 자리 잡게 하였다. 이에 따라 동아시아 경제와 세계 경제는 은을 중심으로 하나로 연결되었다. 중국에서는 은이 널리 유통되면서 조세 제도도 은 위주로 바뀐 데 이어 16세기 후반에는 일조편법이 전국적으로 시행되었다. 그러나 외국 은에 대한 의존도가 높아지면서 명의 경제는 은 유입량의 변화에 따라 크게 흔들리게 되었다.

③ 16세기 이후 일본의 은 생산량과 수출량이 폭발적으로 증가하였다.

11 교역망의 확대와 동서 교류 답 ④

유럽인의 동아시아 진출로 동아시아 교역망이 세계로 연결되었다. 아메리카가 원산지인 감자, 고구마, 고추, 옥수수, 담배 등이 동남아시아 등지를 거쳐 동아시아에 전해졌고, 유럽에서도 동아시아의 도자기 수입이 증가하면서 도자기 복제 기술이 발달하였다. 선교사들도 동서 문물 교류에 이바지하였다. 마테오 리치는 「곤여만국전도」를 제작하였고, 아담 샬은 청의 역법 개정을 주도하였다.

④ 일본에서는 크리스트교 전례 문제로 포르투갈 상인이 추방되었다.

12 서양 문물의 전래 답 ④

16세기 후반 이탈리아 출신의 예수회 선교사인 마테오 리치가 명에 들어와 선교 활동을 시작하면서 서양 과학 기술이 동아시아에 전해졌다. 특히 마테오 리치가 제작한 「곤여만국전도」를 접한 동아시아 사람들은 작게 그려진 중국을 보고 중국이 더 이상 세계의 중심이 아님을 인식하였다. 이를 통해 동아시아인들은 중국 중심의 세계관에서 벗어나 세계에 대한 인식을 넓힐 수 있게 되었다.

13 동아시아 각국의 교역 창구 답 ②

제시된 자료의 (가)는 청 시기 외국과의 무역을 허용했던 광저우의 외국 상관으로, 대외 교역은 공행이 담당하였다. (나)는 조선과 일본이 교역하였던 왜관이다. 왜관은 예외적으로 사무역이 허용된 지역으로 동래부의 허가증을 소지한 사람만이 출입이 가능하였다.

정답을 찾아가는 셀파 - Tip

ㄱ. (가) – 도자기를 구입하고 은을 지불하는 영국인 (○)
ㄴ. (가) – 무역을 관리하는 시박사 관원 (×)
└ 당 시기 설치된 해상 무역 관장 기구
ㄷ. (나) – 인삼 대금으로 은을 지불하는 일본인 (○)
ㄹ. (나) – 신패를 발급하는 조선 관원 (×)
└ 에도 막부에서 청 상인에게 발급

14 은 유통의 활성화 답 ⑤

제시된 자료는 중국으로 은이 유입되고 있음을 보여 주는 내용이다. 유럽 상인들은 명·청, 일본 상인들과도 활발히 교역하였는데, 이들은 중국의 비단·차·도자기 등을 수입하고 그 대가로 은을 지불하였다. 그 결과 아메리카와 일본에서 생산된 은이 중국으로 유입되었다.

정답을 찾아가는 셀파 - Tip

① 중국과 유럽의 은 가치의 차이를 조사한다. (○)
→ 16세기 명에서는 은의 가치가 유럽보다 훨씬 높았다. 따라서 유럽인들은 은을 중국으로 가져와 물건을 구입하는 것만으로도 많은 이익을 얻을 수 있었다.
② 중국의 조세 변화가 끼친 영향을 파악한다. (○)
→ 은 경제의 진전으로 명에서는 일조편법이, 청에서는 지정은제가 실시되었다.
③ 일본에서 채굴된 은의 유통 경로를 알아본다. (○)
→ 일본 이와미 광산의 은이 조선을 통해 중국으로 유입되었다.
④ 마닐라를 통한 에스파냐 상인의 활동을 조사한다. (○)
→ 에스파냐의 갈레온 무역으로 아메리카의 은이 중국으로 유입되었다.
⑤ 일본이 슈인장 발급을 실시했던 이유를 조사한다. (×)
→ 17세기 무렵 일본 상인은 동남아시아에 무역 거점을 마련하는 등 활발하게 해외에 진출하였다. 이에 에도 막부는 슈인장을 발급하여 교역을 통제하였다.

15 명·청의 은 본위 경제 체제 답 ⑤

명은 건국 초에 지폐인 보초와 동전을 유통하였으나, 지폐인 보초에 대한 불신으로 점차 은이 민간 거래에서 사용되었다. 16세기 명은 세금을 토지 면적과 장정 수에 따라 은으로 내게 하는 일조편법을 실시하였다. 이로써 은이 사실상 공식 화폐로 자리 잡게 되었다.

16 일본의 은광 개발 답 ④

제시된 기술은 금이나 은, 구리 등을 채취하는 제련법인 회취법(연은 분리법)이다. 일본은 16세기에 조선에서 회취법(연은 분리법)을 도입하고 이와미 은광을 본격적으로 개발하면서 은 생산량을 크게 늘렸다.

정답을 찾아가는 셀파 - Tip

① 중국에서 보초가 유통되었다. (×)
→ 명 초기 유통된 지폐인 보초는 은으로 대체되었다.
② 명이 해금 정책을 강화하였다. (×)
→ 해금 정책 강화와 회취법은 관련이 없다.
③ 나가사키에 인공 섬이 만들어졌다. (×)
→ 일본은 나가사키에 인공 섬인 데지마를 건설하고 네덜란드 상인과 교류하였다.
④ 이와미 은광의 은 생산이 증가하였다. (○)
⑤ 중국과 일본 사이에 감합 무역이 실시되었다. (×)
→ 명과 무로마치 막부 사이에 감합 무역이 실시되었다.

서답형 문제

17 청 대 교역의 변화 답 (가) 광저우 (나) 공행

청은 서양인과 한인이 결탁하여 반청 운동을 일으킬까 염려하여 1757년에 3개 항구를 폐쇄하고 대외 무역항을 광저우로 제한하였다. 그리고 공행을 설치하여 대외 무역을 독점하게 하였다. 공행은 청의 관원을 대신하여 서양 상인을 감독하였으며, 관세를 징수하여 정부에 납부하였다. 이러한 광둥 무역 체제는 난징 조약을 체결할 때까지 유지되었다.

18 류큐의 중계 무역

(1) 류큐

(2) **모범 답안** | 명의 해금 정책으로 중국 상인의 활동이 위축되자, 류큐는 동아시아와 동남아시아를 잇는 중계 무역으로 성장하게 되었다. 그러나 16세기 후반 명의 해금 정책이 완화되면서 사무역이 발달하자, 류큐의 중계 무역은 점차 쇠퇴하였다.

주요 단어 | 명의 해금 정책 실시, 중계 무역, 명의 해금 정책 완화

채점 기준	배점
주요 단어를 모두 포함하여 바르게 서술한 경우	상
주요 단어 중 두 가지만 포함하여 바르게 서술한 경우	중
주요 단어 중 한 가지만 포함하여 바르게 서술한 경우	하

19 서양 문물의 전래

(1) 곤여만국전도

(2) **모범 답안** | 중국 중심의 사고방식에서 벗어나게 하여 세계관을 변화시키는 데 이바지하였다.

주요 단어 | 중국 중심의 사고방식 탈피, 세계관의 변화

채점 기준	배점
주요 단어를 모두 포함하여 바르게 서술한 경우	상
주요 단어 중 한 가지만 포함하여 바르게 서술한 경우	하

20 회취법(연은 분리법)의 일본 전래

(1) 회취법(연은 분리법)

(2) **모범 답안** | 회취법(연은 분리법)의 도입 이후 은광이 개발되면서 16세기 말 일본은 세계적인 은 생산국으로 성장하였다. 이렇게 생산된 은은 무역 결제 대금으로 명과 조선, 포르투갈 등 외국 상인에게 넘어갔다.

주요 단어 | 은광 개발, 세계적인 은 생산국, 은이 외국 상인에게 넘어감

채점 기준	배점
주요 단어를 모두 포함하여 바르게 서술한 경우	상
주요 단어 중 두 가지만 포함하여 바르게 서술한 경우	중
주요 단어 중 한 가지만 포함하여 바르게 서술한 경우	하

도전 수능 문제 p. 106 ~ p. 109

01 ④	02 ⑤	03 ⑤	04 ①	05 ④	06 ④
07 ④	08 ④	09 ②	10 ⑤	11 ①	12 ⑤
13 ④	14 ②	15 ①	16 ②		

01 명 대 동아시아의 상황 답 ④

제시된 자료에서 43세에 명에 파견되었고, 갑자사화(1504) 때 처형되었다는 것을 볼 때 최부가 여행을 떠난 시기는 15세기 말에 해당한다. 15세기 말 명은 해금 정책을 강화하며 사무역을 통제하였다.

정답을 찾아가는 셀파 - Tip

① 교초로 물건을 구매하는 상인 (×)
└ 몽골 제국(원) 시기에 발행된 지폐
② 안·사의 난을 피해 도망가는 농민 (×)
└ 당 대 발생한 절도사의 반란
③ 지방 행정 업무를 처리하는 다루가치 (×)
└ 몽골 제국(원)이 지방에 파견한 관리
④ 해금령에 따라 해안을 경비하는 군인 (○)
⑤ 장보고의 도움으로 중국에 온 일본 승려 (×)
└ 9세기에 활동한 일본 승려 엔닌

02 청 대 동아시아의 상황 답 ⑤

제시된 자료는 17세기 청 왕조의 강희제 시기와 관련 있다. '정남왕 경정충'은 삼번의 난을 주도했던 인물 중 한 명이다. 강희제는 1661년 타이완을 중심으로 한 반청 세력과 해안 주민의 접촉을 막기 위해 천계령을 내렸다. 그러나 이후 삼번의 난이 진압되고 타이완의 정씨 세력이 항복해 오자 1684년 천계령을 해제하였다.

자료를 분석하는 셀파 - Tip

정답을 찾아가는 셀파 - Tip

① 모문룡이 가도를 점거하였다. (×)
└ 정묘호란의 배경
② 명에서 북로남왜가 창궐하였다. (×)
└ 16세기
③ 사쓰마번이 류큐(유구)를 침공하였다. (×)
└ 1609년
④ 일본이 신패를 발행하여 해외 무역을 통제하였다. (×)
└ 1684년 천계령 해제 이후
⑤ 타이완에서 정씨 세력이 반청 운동을 전개하였다. (○)

03 청의 천계령 해제 답 ⑤

청의 강희제는 삼번의 난이 진압되고, 타이완의 정성공 세력도 항복하자 천계령을 해제(1684)하고 선박의 출항을 허용하였다. 이로 인해 청 상인은 일본의 나가사키로 진출하였고, 청 상선의 수가 급증하자 에도 막부는 은의 유출을 막기 위해 신패를 발급하여 교역을 통제하였다.

정답을 찾아가는 셀파 - Tip

① 한국 – 기유약조가 체결되었다. (×)
└ 1609년
② 중국 – 북로남왜의 화를 초래하였다. (×)
└ 명과 관련 있다.
③ 중국 – 마카오가 포르투갈인의 거점이 되었다. (×)
└ 16세기 중엽
④ 일본 – 네덜란드와의 교역이 시작되었다. (×)
└ 16세기 말
⑤ 일본 – 신패를 발급하여 무역량을 제한하였다. (○)

04 18세기 동아시아의 경제 상황 답 ①

17세기 후반 천계령의 해제로 나가사키로 진출하는 청 상선의 수가 증가하였다. 이에 18세기 초 에도 막부는 은의 유출을 막고자 신패를 발급하여 청과의 연간 무역량을 제한하였다. 이 시기에 조선은 청과 조공 관계를 맺고 사절을 파견하여 조공 무역을 전개하였다.

자료를 분석하는 셀파 - Tip

에도 막부 시기 네덜란드 상인과 청 상인에게 개방
└ 18세기 에도 막부에서 발행한 신패

이것은 나가사키에 들어오는 중국 상선의 숫자를 줄이기 위해 막부가 발행한 증서이다. 그 첫머리에 통역관의 이름을 적었고, 뒷부분에 수령자인 중국 선주(船主)의 이름을 적었다. 막부는 이를 소지하지 않은 중국 선박의 입항을 금지하여 은 유출을 억제하고자 하였다.
└ 청의 무역량이 급증하여 은 유출이 심각해지자 신패를 발행하여 무역량을 규제하였다.

05 일본의 슈인장 무역 답 ④

자료의 (가)는 슈인장이다. 에도 막부는 17세기 초 슈인장을 발급하여 해외 무역을 제한적으로 허용하였다. 그러나 슈인장 무역을 통해 일부 다이묘 세력이 성장하고 크리스트교가 확산되자, 에도 막부는 이를 막기 위해 해금 정책을 실시하고 크리스트교를 탄압하였다.

정답을 찾아가는 셀파 - Tip

ㄱ. 조선 – 3포를 개항하고 일본과 교류하였다. (×)
└ 조선 전기
ㄴ. 류큐(유구) – 중계 무역이 점차 쇠퇴하였다. (○)
ㄷ. 일본 – 유럽과의 무역을 네덜란드로 제한하였다. (×)
└ 슈인장 발급 중단 이후
ㄹ. 명 – 류큐(유구)와의 조공·책봉 관계를 지속하였다. (○)

06 17세기 동아시아의 교역 답 ④

에도 막부는 1636년 포르투갈 상인들을 수용하고자 나가사키에 인공 섬인 데지마를 조성하였다. 그러나 포르투갈인이 금령을 어기고 크리스트교를 포교한 사실이 드러나자 에도 막부는 이들을 추방하였고, 그 자리를 네덜란드인이 차지하였다. 이후 나가사키는 200여 년간 네덜란드와의 무역 거점이 되었다.

정답을 찾아가는 셀파 - Tip

① 삼포 왜란 이전 조선이 일본에 수출한 물품을 알아본다. (×)
└ 1510년
② 일본이 감합 무역을 통해 중국에서 수입한 물품을 알아본다. (×)
└ 16세기 중반 중단
③ 정화의 항해를 통해 명의 조공 무역이 확대되었음을 알아본다. (×)
└ 1405년~1433년까지 모두 7차례 진행
④ 네덜란드 상인이 나가사키를 통해 일본과 교역한 물품을 알아본다. (○)
⑤ 영국 상인이 중국에 인도산 아편을 수출하면서 나타난 무역 구조의 변화상을 알아본다. (×) └ 18세기 말부터 실시된 삼각 무역

07 조선과 에도 막부의 대외 교역 답 ④

(가) 부산의 초량 왜관은 임진왜란 이후 일본과의 교역을 위해 설치한 것이다. (나) 나가사키의 데지마는 17세기에 에도 막부가 포르투갈인과의 교역을 위해 설치한 것이었으나, 포르투갈인이 종교상의 이유로 추방된 후 네덜란드인이 차지하였다.

정답을 찾아가는 셀파 - Tip

ㄱ. (가) – 견당사를 맞이하는 관리 (×)
└ 7~9세기 일본이 당에 파견한 사절단
ㄴ. (가) – 조선 인삼을 구입하는 일본 상인 (○)
ㄷ. (나) – 서양 상품에 세금을 부과하는 공행 (×)
청은 광저우의 공행을 통해서만 서양과 교역┘
ㄹ. (나) – 네덜란드인에게 의학서를 전해 받는 통역관 (○)

08 류큐의 중계 무역 답 ④

지도에 표시된 (가) 왕국은 류큐이다. 류큐는 14세기 후반부터 16세기 전반에 걸쳐 명과의 조공 무역을 중심으로 일본, 동남아시아 국가들을 잇는 중계 무역으로 큰 이익을 얻었다. 그러나 16세기 후반 명의 해금 정책이 완화되면서 류큐의 중계 무역은 쇠퇴하였다.

정답을 찾아가는 셀파 - Tip

① 시박사를 두어 대외 무역을 관장하게 하였다. (×)
└ 당~명 대에 해상 무역을 관할하던 관청
② 왜관을 설치하여 쓰시마를 통해 일본과 교역하였다. (×)
└ 조선이 초량 등에 왜관 설치
③ 데지마를 건설하여 네덜란드와의 교역을 허용하였다. (×)
└ 일본 에도 막부가 나가사키에 건설
④ 중국의 해금 정책이 완화되면서 중계 무역이 쇠퇴하였다. (○)
⑤ 정성공 세력의 근거지가 되면서 해상 무역으로 발전하였다. (×)
└ 타이완

09 18세기 동아시아의 대외 관계 답 ②

제시된 지도는 청이 최대 영토를 확보한 18세기경의 동아시아로 (가)는 조선, (나)는 에도 막부, (다)는 대월(베트남)이다. ② 왜관에서는 조선과 일본의 상인들이 모여 교역하였다. 왜란 후 조선은 국방상의 이유로 일본 사절을 부산의 초량 왜관 이상으로는 올라오지 못하게 하였다. 조선은 사무역 금지를 원칙으로 하였으나, 왜관의 사무역은 허가하였다.

정답을 찾아가는 셀파 - Tip

① (가) – 몽골과 왜구의 침략에 시달렸다. (×)
└ 명
② (나) – 왜관을 통해 조선과 교역을 하였다. (○)
③ (다) – 중국과 경제적 관계만을 유지하였다. (×)
└ 대월(베트남)은 청과 조공·책봉 관계를 유지하였다.
④ (가), (나) – 중국과 조공·책봉 관계를 맺었다. (×)
└ 에도 막부는 청과 조공·책봉 관계를 맺지 않았다.
⑤ (나), (다) – 나가사키를 통해 상호 교역을 하였다. (×)
└ 청과 에도 막부에 해당하는 내용이다.

10 에도 막부의 대외 관계 답 ⑤

밑줄 친 '막부'는 에도 막부이다. 에도 막부는 나가사키의 데지마를 통해 네덜란드 상인과 교역하였다. 한편 천계령 해제 이후 청 상인이 나가사키에 와서 무역을 하면서 은 유출이 증가하자, 에도 막부는 무역 허가증인 신패를 발급하여 청 상선의 입항을 통제하였다.

정답을 찾아가는 셀파 - Tip

ㄱ. 명과 감합 무역을 실시하였다. (×)
└ 무로마치 막부
ㄴ. 타이완의 정성공 세력을 진압하였다. (×)
└ 청의 강희제
ㄷ. 데지마를 거점으로 네덜란드 상인과 교류하였다. (○)
ㄹ. 청 상선의 수를 제한하기 위해 신패를 발행하였다. (○)

내 것으로 만드는 셀파 - Tip

▶ **일본의 대외 무역**

명과의 무역	무로마치 막부가 명과 감합 무역 실시
청과의 무역	청의 천계령 해제 이후 청 상인이 나가사키로 들어와 활발히 교역 → 일본의 은 유출 급증 → 에도 막부가 신패를 발급하여 교역 통제
서양과의 무역	에도 막부의 해금 정책 → 네덜란드 상인에게만 나가사키의 데지마에서 무역 허용

11 서양 문물의 전래 답 ①

자료의 밑줄 친 '그'는 16세기 후반 명에 들어온 이탈리아 출신의 예수회 선교사 마테오 리치이다. 마테오 리치는 세계 지도인 「곤여만국전도」를 제작하여 동아시아인들이 중국 중심의 사고방식에서 벗어나게 하였으며, 서광계와 함께 『기하원본』을 번역하여 유클리드 이론을 소개하였다. 또한 한문으로 된 최초의 크리스트교 교리 문답서인 『천주실의』를 저술하였으며, 중국의 역사와 문화를 유럽에 소개하기도 하였다.

정답을 찾아가는 셀파 - Tip

ㄱ. 세계 지도인 「곤여만국전도」를 제작하였다. (○)
ㄴ. 서광계와 함께 서양의 기하학 서적을 번역하였다. (○)
ㄷ. 서양 의학서를 번역한 『해체신서』를 간행하였다. (×)
└ 에도 막부 시기 스기타 겐파쿠 등이 간행
ㄹ. 소현 세자에게 다양한 서양 학문과 문물을 전하였다. (×)
└ 베이징에서 아담 샬과 교류

12 은 유통과 교역망의 발달 답 ⑤

제시된 자료의 '일본에서 생산되어 중국으로 유입되고 있다.'는 부분을 통해 (가)가 '은'임을 알 수 있다. 동아시아에서는 교역이 활성화됨에 따라 은이 국제 통화로서 활발하게 유통되었다. 명에서는 은의 사용이 확대되자 일조편법을 시행하였고, 이로써 은이 사실상 명의 공식 화폐가 되었다. 특히 포르투갈과 같은 유럽 상인은 아메리카 은과 일본 나가사키에서 가지고 온 은을 중국의 도자기를 구입하는데 사용하였다. 일본에서는 조선에서 개발된 회취법(연은 분리법)이 도입되면서 은 생산량이 크게 증가하였다.

⑤ 일본은 16세기 말 전 세계 은의 3분의 1을 생산하였다.

13 동아시아의 은 유통 답 ④

제시된 자료의 '초량 왜관', '연행사' 등의 내용을 통해 조선 후기의 상황임을 알 수 있다. 16세기 이후 일본에서는 이와미 광산에서 은을 지속적으로 생산하였으며, 이 시기 동아시아 교역의 주요 매개는 은이었다.

정답을 찾아가는 셀파 - Tip

ㄱ. 한국에서는 화폐인 은병이 제작되었다. (×)
└ 고려 시대의 화폐
ㄴ. 일본에서는 이와미 광산에서 은이 생산되었다. (○)
ㄷ. 중국에서는 은과 교환할 수 있는 지폐인 교초가 발행되었다. (×)
몽골 제국(원) 시기의 화폐 ┘
ㄹ. 동아시아 교역에서 은이 중요한 결제 수단으로 사용되었다. (○)

14 동아시아의 은 유통 답 ②

제시된 자료의 (가)는 은이다. 명 중기 이후 민간 거래에서 은의 사용이 확대되었다. 은 경제의 진전으로 명은 일조편법을 시행하여 은으로 세금을 거두어들이기도 하였다. 중국에서 은의 수요가 많아지고 가치가 커지자, 에스파냐 상인들은 은을 가지고 중국의 비단과 도자기를 구입하였다. 일본에서는 조선으로부터 회취법(연은 분리법)을 도입하면서 은 생산이 크게 증가하였다.

정답을 찾아가는 셀파 - Tip

ㄱ. 중국 – 일조편법에서 세금 납부에 이용되었다. (○)
ㄴ. 한국 – 삼포의 난이 일어나는 원인이 되었다. (×)
└ 조선의 엄격한 무역 통제에 반발하여 일어났다.
ㄷ. 일본 – 회취법의 도입으로 생산량이 증가하였다. (○)
ㄹ. 일본 – 감합 무역 시기의 최대 수입품이었다. (×)
└ 명과 무로마치 막부 사이에서 이루어진 것으로, 은 유통과는 관련이 적다.

15 동아시아의 은 유통 답 ①

제시된 자료의 '연은 분리법'을 통해 (가)가 '은'임을 알 수 있다. 16세기 후쿠오카 상인들이 조선 기술자를 초빙하여 연은 분리법(회취법)을 도입하였다. 이 무렵 시마네현의 이와미에서 은광이 발견되자, 이 기술을 바탕으로 은 생산량이 크게 증가하였다. 은은 동아시아 교역의 중심이 되는 화폐 기능을 담당하였다. 중국에서는 은 사용의 확대로 일조편법과 지정은제를 실시하여 은으로 세금을 수취하였으며, 조선에 은을 공물로 요구하기도 하였다. 일본에서는 은광 개발이 다이묘의 경제력 향상에 영향을 주었고, 초량 왜관에서 조선의 인삼을 구매하기 위해 은을 매개체로 사용하였다.

16 동아시아의 은 유통 답 ②

제시된 자료의 (가)는 은이다. 동아시아에서 은을 중심으로 한 교역이 확대되면서 각국은 은광 개발에 관심을 두었다. 조선에서는 단천 은광을 개발하여 수요에 대처하였고, 일본에서는 조선으로부터 회취법(연은 분리법)을 도입하여 은 생산을 증가시켰다.

정답을 찾아가는 셀파 - Tip

ㄱ. 한국 – 단천 등지의 광산을 개발하여 수요에 대처하였다. (○)
ㄴ. 중국 – 수요의 증가로 동전과 보초를 발행하였다. (×)
→ 명 초기 동전과 보초를 발행하였으나 명 중기 이후 민간에서 은 사용이 확대되었다.
ㄷ. 일본 – 조선에서 새로운 제련 기술을 도입하였다. (○)
ㄹ. 일본 – 중국에서 수입한 대표적인 물품이었다. (×)
→ 일본의 은이 중국으로 유입되었다.

03 사회 변동과 서민 문화

탄탄 내신 문제 p. 115 ~ p. 119

01 ⑤	02 ①	03 ③	04 ③	05 ④	06 ④
07 ③	08 ③	09 ③	10 ②	11 ③	12 ③
13 ⑤	14 ②	15 ③	16 ②	17 해설 참조	
18 해설 참조		19 (가) 홍루몽 (나) 경극 (다) 연화			
20 해설 참조		21 해설 참조			

01 동아시아 인구 증가의 배경 답 ⑤

17세기 이후 동아시아의 인구는 큰 폭으로 증가하였다. 이러한 인구 증가의 배경으로는 농업 기술의 발달과 개간지 확대에 따른 식량 생산 증가, 의료 기술의 발달에 따른 사망률 감소 등을 들 수 있다.

⑤ 철제 농기구가 사용되기 시작한 것은 중국은 춘추·전국 시대, 한국은 고조선, 일본은 야요이 시대이다.

02 인구 증가의 부작용 답 ①

청 대에는 농업의 발전과 의료 기술의 향상으로 사망률이 낮아진 데다, 오랜 평화와 18세기의 온난한 기후 등의 영향으로 인구가 폭발적으로 증가하였다. 그러나 인구가 급증하면서 부작용도 나타났다. 생활 수준이 떨어지고 환경이 파괴되었으며, 물가가 크게 올랐다. 또 수많은 실업자와 유민이 전국에 걸쳐 발생하고, 비밀 결사와 농민의 반란이 빈번하게 일어났다. 이에 따라 산간이나 변경 지대로 이동하는 인구가 늘어나 현지인과 이주민 사이의 갈등도 심해졌다.

① 인구의 증가로 곡물과 수공업품의 수요가 늘어나게 되었고, 이는 시장의 확대와 상품 화폐 경제의 발달을 촉진하였다.

03 조선 후기 상업의 발달 답 ③

제시문은 19세기 초반 한양 주민의 구성을 보여 주는데, 특히 농사를 짓거나 옷감을 짜지 않아도 먹고 사는 무리는 상업의 발전을 통해 도시에 기생하여 살아가는 노동자들이라고 할 수 있다. 이러한 도시화는 17세기 이후 대동법의 시행과 화폐 경제의 확산, 인구의 증가 등으로 촉진되었는데, 이를 잘 보여 주는 곳이 한양이었다.

04 명·청 대 상업의 발달 답 ③

명·청 대에는 농업과 더불어 상업과 도시가 크게 발달하였다. 수도인 베이징은 인구가 100만 명에 가까운 최대의 소비 도시였다. 이들을 부양하고자 강남에서 매년 400만 석 이상의 쌀이 대운하를 통해 운송되었다. 또 면화와 면직물, 생사와 견직물, 목재, 콩 등이 전국적으로 유통되었고, 차와 도자기의 생산과 수출도 활발해졌다. 18세기 청은 이를 통해 전례 없는 경제적 번영을 누렸다. 상업의 발전으로 대운하와 창장강, 연안 항로가 경제의 대동맥이 되었으며, 산시 상인과 휘저우 상인 등이 전국에 걸쳐 활약하였다. 직물업의 중심지인 강남의 쑤저우는 최대의 수공업 도시이자 상업 도시로 발전하였다. 강남에는 중소 상공업 도시인 시진이 크게 늘어났다. 시진은 거미줄처럼 연결된 수로를 통해 포도송이와 같은 유통망을 형성하며 강남 전체를 도시화하였다.

③은 조선 후기에 해당하는 내용이다.

05 일본 도시의 성장 답 ④

제시된 내용은 막부가 다이묘를 통제하기 위해 시행한 '산킨코타이 제도'에 대한 설명이다. 다이묘의 행렬은 보통 수십에서 수백 명에 달했으며, 최대 4,000명에 달하는 경우도 있었다. 산킨코타이 제도의 시행으로 막부의 중앙 집권 체제는 더욱 강화되었고, 에도로 가는 이동로를 따라 도로망이 정비되고 여관업과 상업이 발달하였다.

정답을 찾아가는 셀파 - Tip

① 대운하를 통한 물자 교류가 증가하였다. (×)
└ 명·청 대
② 송상, 내상, 만상 등의 사상이 등장하였다. (×)
└ 조선 후기
③ 공인의 등장으로 상품 화폐 경제가 확산되었다. (×)
└ 조선 후기 대동법이 실시되면서 등장
④ 도로망이 정비되고 여관업과 상업이 발달하였다. (○)
⑤ 두 명의 천황이 공존하는 남북조 시대가 시작되었다. (×)
└ 14세기

06 18세기 동아시아의 상업과 도시 발달 답 ④

18세기 동아시아에서는 상공업이 발달하고, 이에 따라 도시화가 촉진되었다. 중국에서는 산시 상인이나 휘저우 상인과 같이 전국적인 유통망을 갖춘 상인이 등장하였고, 직물업의 중심지인 쑤저우는 최대의 수공업 도시이자 상업 도시로 발전하였다. 또한 강남에서는 중소 상공업 도시인 시진이 크게 늘어 강남 전체를 도시화하였다. 일본에서는 산킨코타이 제도의 시행으로 중앙 집권 체제가 강화되었고, 에도로 향하는 지역의 도로망이 정비되고 여관업이 번영하면서 상업이 발달하였다. 또한 막부의 직할령인 에도, 오사카, 교토 등이 대도시로 발전하였다.

정답을 찾아가는 셀파 - Tip

ㄱ. 중국 – 산킨코타이 제도의 시행으로 상업 발달이 촉진되었다. (×)
일본
ㄴ. 중국 – 산시 상인과 휘저우 상인 등이 전국에 걸쳐 활약하였다. (○)
ㄷ. 조선 – 중국이나 일본보다 더욱 빠른 속도로 수많은 도시가 성장하였다. (×)
→ 조선에서는 한양 이외에 도시화 경향이 비교적 미미하였다.
ㄹ. 일본 – 막부 직할령인 에도, 오사카, 교토 등은 인구 수십만의 대도시로 발전하였다. (○)

07 조카마치의 특징 답 ③

(가)는 조카마치로, 에도 막부의 엄격한 신분제와 병농 분리 정책에 따라 형성된 마을이다. 조카마치는 조닌들이 무사들의 생활에 필요한 물자를 공급하는 과정에서 도시로 성장하였다. 조카마치의 증가는 에도 시대의 도시화와 상공업 발달에 영향을 끼쳤다.

정답을 찾아가는 셀파 - Tip

① 중계 무역으로 성장하였다. (×)
└ 류큐
② 네덜란드 상인들이 거주하였다. (×)
└ 나가사키의 데지마
③ 엄격한 신분제로 인해 형성되었다. (○)
④ 수공업 제품의 생산을 목적으로 하였다. (×)
└ 고려의 특수 행정 구역인 소
⑤ 유목 민족을 별도로 통치하기 위해 만들었다. (×)
└ 금의 맹안·모극제

08 18세기 상업과 도시의 발달 답 ③

제시된 자료는 18세기 일본의 모습이다. 오사카는 전국의 물자가 집산하는 곳이었고, 특히 다이묘의 영지에서 막부에 올리는 쌀이 모이는 곳이었다. 이 시기 중국은 유럽에 차와 도자기를 수출하고 그 대가로 은을 받았다. 조선에서는 대동법의 실시로 공인이 활동하면서 상품 화폐 경제가 촉진되었다. 일본에서는 조카마치가 상업 도시로 발전하면서 조닌들이 다이묘와 무사를 상대로 대부업을 하거나 동업 조합을 만들어 전국적인 규모로 금융업에 종사하기도 하였다. 또한 일본에서는 도시의 발달로 인구 100만 명 이상의 도시가 번성하였다.

③ 무로마치 막부 시기에 명과의 감합 무역이 전개되었다.

09 명·청 대의 서민 문화 답 ③

명·청 대에는 서민의 경제력 향상과 도시 인구의 증가로 서민 문화가 발달하였다. 서민들은 곡예·잡기·마술을 공연하는 대규모 공연장에서 여가 활동을 즐겼다. 종합 예술인 연극은 농촌을 순회하며 공연할 정도로 대중적 인기를 끌었다. 이에 따라 베이징의 경극이나 각지의 특색을 반영한 지방 연극이 크게 발전하였다. 문학에서는 『서유기』, 『삼국지연의』, 『수호전』, 『홍루몽』 등의 대중 소설이 서민 사이에서 널리 읽혔다.

ㄷ. 『사서집주』와 『소학』은 성리학과 관련된 서적으로, 서민 문화의 발달과는 관련이 없다.

10 조선 후기의 서민 문화 답 ②

조선 후기에는 농업 생산량이 증가하고 상품 화폐 경제가 발전하면서 서민들의 경제력과 사회적 지위가 향상되었다. 이에 더하여 서당 교육의 보급으로 서민들의 의식 수준이 높아졌다. 이러한 상황은 서민 계층을 문화의 새로운 소비자로 이끌었고, 이는 신분 구조의 변동으로 이어졌다.

② 조선 중화주의는 서민 문화 발달과는 관련이 없다.

11 에도 시대의 서민 문화 답 ③

제시된 자료는 에도 시대 조닌 문화를 대표하는 우키요에이다. 에도 시대에는 경제적으로 여유가 있고 생활이 자유로웠던 조닌이 도시의 중산층으로 등장하여 특유의 조닌 문화를 발전시켰다. 문학에서는 남녀의 애정이 주요 소재로 이용되었으며, 주로 상인이 주인공으로 등장하였다. 전통적인 인형극인 분라쿠, 노래와 춤·재주를 결합한 대중 연극인 가부키가 유행하였다.

③ 『삼국지연의』, 『유림외사』 등의 대중 소설이 인기를 끈 것은 명과 청이다.

12 동아시아의 서민 문화 답 ③

제시된 자료는 에도 막부 시기 유행한 가부키 공연에 대한 내용이다. 이 시기 동아시아에서는 서민 문화가 발전하였다. 조선에서는 『홍길동전』과 같은 한글 소설이 유행하였고, 판소리나 탈춤과 같은 공연 문화가 발달하였다. 중국에서는 정월에 집안에 붙여 두는 연화 등이 인기를 끌었다. 또한 이 시기 일본은 나가사키를 통해 네덜란드와 교역하며 서양 문물을 수용하기도 하였다.

③ 황제의 모습을 본뜬 대불이 많이 만들어진 것은 북위 시기이다.

13 서민 문화의 발달 배경 답 ⑤

제시된 자료는 17세기 이후 동아시아 서민 문화의 발달과 함께 등장한 공연 문화의 사례이다. 상공업의 발달과 도시의 성장은 서민 계층이 문화의 새로운 소비자가 되는 계기가 되었다.

14 새로운 학문의 발전 답 ②

명에 이어 청 대에도 실사구시적 학문 방법이 이어지면서 유교 경전과 금석문 등을 실증적으로 연구하는 데 초점을 맞춘 고증학이 발전하였다. 19세기에는 중국이 대내외적인 위기에 처하자, 현실적인 사회 문제에 더 큰 관심을 기울이는 공양학이 발달하였다. 17~18세기 조선에서는 사회·경제적 변동에 따른 사회 모순의 해결책을 찾는 과정에서 실학이 등장하였다. 17세기 후반 일본에서는 성리학을 비판하면서 공자와 맹자 시대의 유학으로 복귀할 것을 주장하는 고학파가 등장하였고, 18세기 후반에는 고학파의 연구에 자극을 받아 일본의 고전 연구를 주장하는 국학파가 나타났다.

15 청 대 고증학의 발달 배경 답 ③

제시된 자료는 실증적인 방법으로 문헌을 연구하는 고증학과 관련 있다. 청 정부가 추진한 『사고전서』 등 대규모 편찬 사업은 고증학의 발전을 가져왔지만, 한편으로는 학자들의 관심을 현실에서 멀어지게 만들기도 하였다.

정답을 찾아가는 셀파 - Tip

① 서원과 향약이 보급되었다. (×)
└ 성리학과 관련 있다.

② 조선 중화주의가 대두되었다. (×)
└ 성리학적 화이관이 반영되었다.

③ 대규모 편찬 사업이 추진되었다. (○)

④ 분서갱유를 통해 사상이 통제되었다. (×)
└ 진 시황제

⑤ 현실적인 사회 문제에 관심을 두게 되었다. (×)
└ 공양학

16 에도 시대의 국학 답 ②

제시된 자료는 일본의 국학을 집대성했다고 평가받는 모토오리 노리나가가 저술한 『고사기전』이다. 모토오리 노리나가는 고대 일본의 역사서인 『고사기』에 반영된 고대 일본인의 정신을 분석하여 신의 후손인 천황의 절대 지위를 강조하였고, 이러한 천황이 다스리는 일본이야말로 세계의 중심이 되는 나라라고 주장하였다. 이러한 국학은 천황에 대한 충성심을 일깨워, 에도 막부 말기에 막부 타도를 목표로 전개된 존왕양이 운동에 영향을 끼쳤다.

정답을 찾아가는 셀파 - Tip

① 고증학 성립의 바탕이 되었다. (×)
→ 명 말에는 서양 학문의 유입 등으로 경세치용을 추구하는 학문 경향이 나타났다. 이런 실사구시적인 학문 방법이 이어지면서 청 대에는 경전 및 역사서와 금석문 등을 실증적으로 연구하는 고증학이 발전하였다.

② 존왕양이 운동에 영향을 주었다. (○)

③ 주자의 경전 해석을 절대적인 것으로 여겼다. (×)
→ 성리학의 교조화 및 형식화와 관련된 설명이다.

④ 청을 왕래하던 사신들에 의해 형성된 학파이다. (×)
→ 조선의 북학파는 청을 왕래하면서 얻은 견문과 경험을 바탕으로 북벌론의 허구성을 간파하였고, 기술의 혁신과 문벌 제도 철폐를 주장하였다. 아울러 청과의 교류를 통한 상공업의 진흥을 강조하였다.

⑤ 불합리한 사회 현실과 제도를 개혁하자는 실천적 성격을 띠었다. (×)
└ 양명학

서답형 문제

17 명·청 대 인구 증가의 배경

모범 답안 | 17세기 이후 중국에서는 농업 기술이 발달하고 경지 면적이 증가하였으며, 옥수수·감자·고구마 등 신대륙 작물의 재배가 늘어나 식량 생산이 증대되었다. 또한 의료 기술의 향상으로 사망률이 낮아지면서 인구가 폭발적으로 증가하게 되었다.

주요 단어 | 농업 기술 발달, 경지 면적 증가, 신대륙 작물 재배, 의료 기술 향상

채점 기준	배점
주요 단어 중 세 가지 이상 포함하여 바르게 서술한 경우	상
주요 단어 중 두 가지만 포함하여 바르게 서술한 경우	중
주요 단어 중 한 가지만 포함하여 바르게 서술한 경우	하

18 에도 시대 도시 발달의 배경

모범 답안 | 에도 막부는 엄격한 신분 제도의 원칙을 확립하였는데, 이에 따라 각 번의 거점인 조카마치에 무사들이 거주하면서 도시화가 빠르게 진행되었다. 또한 막부가 다이묘를 통제하기 위해 시행한 산킨코타이 제도의 영향으로 전국적인 도로망이 정비되고, 여관업과 상업이 발전하면서 대도시가 발달하였다.

주요 단어 | 조카마치에 무사 거주, 산킨코타이 제도 시행, 도로망 정비, 여관업과 상업 발달

채점 기준	배점
주요 단어 중 세 가지 이상 포함하여 바르게 서술한 경우	상
주요 단어 중 두 가지만 포함하여 바르게 서술한 경우	중
주요 단어 중 한 가지만 포함하여 바르게 서술한 경우	하

19 명·청 대의 서민 문화 (답) (가) 홍루몽 (나) 경극 (다) 연화

(가) 『홍루몽』 – 청 대 대표적인 대중 소설이다. (나) 경극 – 노래와 춤, 무술과 곡예의 예술적 기교를 갖춘 전통극으로, 베이징에서 발전하여 중국 전역으로 퍼져 나갔다. 여성은 경극에 참여할 수 없어 보통 잘 생긴 젊은 남자가 여성 역할을 하였다. (다) 연화 – 연화는 세시 풍속과 더불어 발전하였는데, 잡귀를 쫓고 복을 불러들이기 위해 그림을 대문에 붙이거나 선물로 나누어 주는 풍속이 전통으로 자리 잡았다.

20 에도 시대 문화의 특징

모범 답안 | 도시와 상공업의 발달과 함께 조닌층이 성장하면서 우키요에와 가부키 등의 조닌 문화가 발달하였다.

주요 단어 | 도시와 상공업 발달, 조닌층 성장, 조닌 문화 발달

채점 기준	배점
주요 단어를 모두 포함하여 바르게 서술한 경우	상
주요 단어 중 두 가지만 포함하여 바르게 서술한 경우	중
주요 단어 중 한 가지만 포함하여 바르게 서술한 경우	하

21 조선 후기 실학의 등장 배경

모범 답안 | 실학. 실학은 조선 후기 사회·경제적 변동에 따른 사회 모순을 해결하려는 과정에서 등장하였다.

주요 단어 | 실학, 사회·경제적 변동, 사회 모순 해결

채점 기준	배점
실학을 쓰고, 주요 단어를 모두 포함하여 바르게 서술한 경우	상
실학을 쓰고, 주요 단어 중 한 가지만 포함하여 바르게 서술한 경우	중
실학만 쓴 경우	하

도전 수능 문제

p. 120 ~ p. 123

01 ②	02 ④	03 ③	04 ④	05 ⑤	06 ④
07 ③	08 ②	09 ①	10 ②	11 ④	12 ④
13 ③	14 ③	15 ⑤	16 ②		

01 명·청 대 인구 증가의 배경 (답) ②

17세기 이후 중국은 농업의 발달로 식량 생산이 증대되고, 의료 기술의 향상으로 사망률이 낮아졌다. 또한 청 대 오랜 평화와 18세기의 온난한 기후 등의 영향으로 인구가 증가하였다. 청 대에는 창장강 상류 지역인 쓰촨성 지역이 곡창 지대가 되면서 이 지역에서 생산된 쌀이 창장강과 운하를 통해 전국으로 유통되었다. 또한 신대륙 작물인 옥수수, 감자 등의 구황 작물의 재배도 인구 증가의 한 요인이 되었다.

정답을 찾아가는 셀파 - Tip

ㄱ. 쓰촨성 지역이 곡창 지대가 되었기 때문이야. (○)
ㄴ. 한족에 의한 강남 개발이 시작되었기 때문이야. (×)
└ 남북조 시대
ㄷ. 옥수수, 감자 등의 구황 작물이 재배되었기 때문이야. (○)
ㄹ. 균전제의 실시로 농민 생활이 안정되었기 때문이야. (×)
└ 북위와 수·당

02 18~19세기 중국과 일본의 인구 변화 배경 (답) ④

제시된 그래프를 보면 17세기 중반 이후부터 중국의 인구가 증가한 것을 알 수 있다. 이 시기 농업 기술의 발전으로 단위 면적당 생산량이 증가하고, 구황 작물인 고구마·옥수수·감자 등 신대륙 작물이 보급되면서 인구 증가를 뒷받침하였다. 일본에서는 17~18세기 초반까지 인구가 증가하는 추세이지만, 그 이후에는 영주의 수탈과 자연 재해에 따른 기근 등으로 인구가 정체되는 모습을 보이고 있다.

정답을 찾아가는 셀파 - Tip

ㄱ. 단위 면적당 농업 생산량이 감소했어요. (×)
증가
ㄴ. 아메리카산 신대륙 작물이 재배되었어요. (○)
ㄷ. 일본에서는 다이묘들 사이의 전쟁이 격화되었어요. (×)
└ 16세기
ㄹ. 일본에서는 자연 재해로 인한 기근이 빈발하였어요. (○)

03 명·청 시기 동아시아의 상업과 도시 발달 (답) ③

제시된 자료는 명·청 시기의 상업 발달과 관련된 것이다. 이 시기 에도 막부는 농촌에는 농민만 살게 하고, 무사는 다이묘가 거주하는 성 아랫마을인 조카마치에 살게 하였다. 조카마치에는 무사에게 물품을 공급하는 조닌도 거주하였는데, 이들의 활동으로 조카마치가 상공업 중심지로 발달하였다.

정답을 찾아가는 셀파 - Tip

① 중국 – 정전제가 실시되었다. (×)
└ 주나라
② 일본 – 시박사를 설치하여 무역선을 관리하였다. (×)
└ 원(몽골 제국)
③ 일본 – 조카마치를 중심으로 상업이 발달하였다. (○)
④ 한국 – 청해진이 동아시아 무역의 거점이 되었다. (×)
└ 9세기 통일 신라
⑤ 한국 – 소(所)를 중심으로 수공업 제품이 생산되었다. (×)
└ 고려의 특수 행정 구역

04 청 대 동아시아의 경제 상황 답 ④

제시된 자료의 '성세자생도'는 직물업의 중심지이자 상업 도시인 청 대 쑤저우의 번영을 그린 그림이다. 이 시기에 일본의 에도 막부는 나가사키의 데지마에서 네덜란드와 교역하였다.

정답을 찾아가는 셀파 - Tip

① 중국 – 공인이 등장하였다. (×)
└ 조선 후기 대동법이 실시되면서 등장
② 중국 – 왕안석이 신법을 시행하였다. (×)
└ 송
③ 한국 – 문익점에 의해 목화가 전래되었다. (×)
└ 고려 말 공민왕 시기
④ 일본 – 네덜란드 상관이 설치되었다. (○)
⑤ 일본 – 장원이 급속도로 확산되었다.(×)
└ 8세기 중반

05 에도 시대 동아시아의 상업 발달 답 ⑤

제시된 자료의 '(가) 시대'는 에도 시대이다. 에도 막부 시대에는 은을 매개로 하여 조선의 왜관에서 인삼을 구입하였다. 일본에서 조선 인삼의 인기는 상상을 초월하였다. 조선 인삼은 죽은 사람도 살릴 수 있는 만병통치약으로 대접받았고, 가격도 매우 비쌌다.

정답을 찾아가는 셀파 - Tip

① 한국 – 벽란도가 국제 무역항으로 성장하였다. (×)
└ 고려
② 중국 – 대운하가 건설되기 시작하였다. (×)
└ 수
③ 중국 – 교초가 동서 교역에 이용되었다. (×)
└ 원(몽골)
④ 일본 – 명과 감합 무역을 하였다. (×)
└ 무로마치 막부
⑤ 일본 – 조선의 왜관에서 인삼을 사들였다. (○)

06 18세기 동아시아의 상업과 도시 발달 답 ④

18세기 동아시아는 중국의 청, 조선 후기, 일본의 에도 막부 시기이다. 이 시기에 동아시아에서는 상공업이 발달하고, 농업 생산력이 증가하였다. 중국에서는 광저우에서 무역에 종사하는 공행이 활동하였고, 조선에서는 송상·만상·내상 등 사상들의 활동이 두드러졌다. 또한 일본에서는 산킨코타이 제도로 인해 에도로 향하는 주변의 도시가 발달하였고, 쌀·생선·채소 등 전국의 물자가 모이는 오사카가 번영하였다.

④ 원 시기의 모습이다.

07 조선 후기 동아시아의 상업 발달 답 ③

제시된 자료의 시기는 조선 후기이다. 조선 후기에는 농업 생산력이 증대되고, 상공업이 발달하였다. 특히 송상, 만상, 내상 등의 사상은 중국·일본과의 무역을 통해 막대한 부를 축적하였다. 이 시기 중국에서는 산시 상인과 휘저우 상인 등이 전국에 걸쳐 활약하였다. 직물업의 중심지인 쑤저우는 최대의 수공업 도시이자 상업 도시로 발전하였고, 양저우는 전매 상품인 소금 판매를 도맡아 큰 부를 쌓은 상인들의 근거지가 되었다.

정답을 찾아가는 셀파 - Tip

① 한국 – 3포를 개항하여 일본과 교역하였다. (×)
└ 조선 전기
② 중국 – 동전과 보초가 발행되어 널리 유통되었다. (×)
└ 명 초기
③ 중국 – 소금 전매로 양저우가 상인들의 근거지가 되었다. (○)
④ 일본 – 송으로부터 동전을 대량 수입하였다. (×)
└ 가마쿠라 막부
⑤ 일본 – 전국적인 토지 조사가 시행되었다. (×)
└ 16세기 도요토미 히데요시

08 에도 시대 동아시아의 상업과 도시 발달 답 ②

제시된 자료는 에도 막부 시기 오사카의 모습을 나타낸 것이다. 오사카는 쌀·생선·채소 등 전국의 물자가 집산하는 곳이었고, 특히 다이묘의 영지에서 막부에 올리는 쌀이 모이는 곳이었다. 이 시기 중국은 유럽에 차와 도자기 등을 수출하면서 은을 거두어 들였다. 조선에서는 대동법의 실시로 공인이 활약하면서 상품 화폐 경제가 촉진되었고, 모내기법의 전국적 시행으로 농업 생산량이 크게 증대되었다. 일본에서는 조카마치가 발달하여 행정·군사·상업 도시의 역할을 하였다.

② 류큐를 통한 중계 무역은 무로마치 막부 시기이다.

09 조선 후기 동아시아의 경제 상황 답 ①

제시된 자료는 조선 후기의 모습이다. 조선 후기에는 모내기법이 확대 보급되면서 농업 생산량이 증가하였다. 또한 일부 농민들은 삼, 모시, 채소 등 상품 작물을 재배하여 수익을 올리기도 하였다. 조선 후기 상업이 발전하면서 한강을 중심으로 운송업에 종사했던 경강상인이 상업적 이득을 취하기도 하였다. 이 시기 중국에서는 전국적인 유통망을 갖춘 산시 상인과 휘저우 상인 등이 활약하였고, 강남을 중심으로 상공업 도시인 시진이 크게 늘어났다. 일본에서는 에도, 오사카, 교토를 중심으로 인구 100만 이상의 도시가 출현하였다.

① 강화 지역의 간척 사업은 고려 시대에 실시되었다.

자료를 분석하는 셀파 - Tip

- 각 지역에서는 한전(旱田)의 성질에 맞추어 옥수수 등의 곡식 이외에 고구마, 삼, 모시 등의 작물을 재배하여 큰 이익을 얻고 있다.
  조선 후기 실학자 ┐ – 정약용, 『경세유표』 –
- 상추쌈에 보리밥을 둥글게 싸 삼키고는 고추장에 파뿌리도 곁들여 먹는다오. – 정약용, 「장기 농가」 –

→ 조선 후기 경제 상황(상품 작물 재배 증가)

10 에도 시대 동아시아의 서민 문화 발달 답 ②

제시된 자료의 '네덜란드 상관'이라는 표현을 통해 일본의 에도 시대임을 알 수 있다. 에도 시대에는 조카마치를 중심으로 활동했던 조닌 계층이 성장하면서 조닌 문화가 발달하였다. 이 시기 일본에서는 전통 인형극인 분라쿠와 노래와 춤·재주를 결합한 대중 연극인 가부키가 유행하였다. 중국에서는 경극이 인기를 끌었으며, 조선에서는 「춘향가」, 「흥부가」, 「심청가」 등의 판소리가 공연되었다.

② 교초는 원 대의 화폐이다.

11 조선 후기와 에도 시대 동아시아의 서민 문화 발달 답 ④

제시된 탈춤과 가부키는 조선 후기와 에도 시대에 유행한 서민 문화이다. 조선 후기에는 판소리와 탈춤, 민화, 풍속화, 한글 소설과 같은 서민 문화가 인기를 끌었다. 일본에서는 조카마치를 중심으로 조닌 문화가 발달하였는데, 가부키와 분라쿠, 우키요에가 유행하였다. 이 시기 중국에서는 대중 소설과 경극이 유행하였다.

④ 6세기경 불교가 수용되는 과정에서 신토와 결합하여 신불습합이 나타났다.

12 에도 시대 동아시아의 서민 문화 발달 답 ④

에도 시대 일본에서는 노래와 춤, 연기를 중심으로 하는 가부키가 유행하여 조닌들에게 큰 인기를 끌었으며, 인형극인 분라쿠도 민간에서 많이 공연되었다.

정답을 찾아가는 셀파 - Tip

① 한국 – 판소리가 유행하였다. (○)
→ 조선 후기에는 「춘향가」, 「심청가」 등의 판소리가 유행하였다.

② 한국 – 서당 교육이 확대되었다. (○)
→ 18세기 후반 전국적으로 서당이 확산되면서 서민 의식이 높아졌다.

③ 중국 – 『홍루몽』이 인기를 끌었다. (○)
→ 『홍루몽』은 청 대 유행한 대표적인 대중 소설이다.

④ 중국 – 훈고학이 등장하였다. (×)
→ 훈고학은 오경에 대한 주석을 중심으로 하는 유학으로, 한 대에 등장하였다.

⑤ 일본 – 우키요에가 제작되었다. (○)
→ 에도 시대에는 인기 있는 게이샤나 배우 또는 사람들의 일상생활, 풍경 등을 묘사한 화려한 채색 판화인 우키요에가 유행하였다.

13 고증학의 발달 답 ③

제시문에서 '나의 관심은 오직 진실된 것', '오래된 종이 무더기 속에 파묻혀 실제적인 것에서 진리를 찾아' 등의 내용을 통해 고증학과 관련 있음을 알 수 있다. 청 대에는 실사구시적 학문 방법이 이어지면서 유교 경전과 금석문 등을 실증적으로 연구하는 데 초점을 맞춘 고증학이 발전하였다.

정답을 찾아가는 셀파 - Tip

① 명 대에 관학으로 수용되었다. (×)
→ 성리학

② 지행합일과 심즉리를 중시하였다. (×)
→ 양명학

③ 객관주의와 실사구시를 강조하였다. (○)

④ 대의 명분론과 화이관을 강화시켰다. (×)
→ 성리학

⑤ 고려 말 신진 사대부의 사상적 기반이 되었다. (×)
→ 성리학

14 새로운 학문의 발달 답 ③

(가)는 일본의 국학이다. 에도 시대 국학은 고대 일본의 모습을 이해하고자 하였으며, 천황 중심의 국가적인 성격이 강했다. 모토오리 노리나가는 일본의 국학자로, 일본의 고전을 연구하여 일본 전통의 부활과 일본 문화의 우월성을 강조하였다. (나)는 학문 연구의 실증성을 강조하는 고증학이다. 청이 한족 중심의 화이사상을 탄압하면서 현실 정치와는 거리를 둔 채 유교 경전의 실증적 연구에 집중하는 고증학이 발달하였다.

③ 양명학은 성리학에 대한 반발로 등장하였다.

15 새로운 학문의 발달 답 ⑤

제시된 자료의 (가)는 실증적·객관적 연구 방법으로 학문을 연구하는 고증학이고, (나)는 에도 시대 일본 고유의 역사, 풍속 등을 연구하고 일본의 전통성과 우월성을 강조한 국학이다.

⑤ 존왕양이 운동에 영향을 준 것은 일본의 국학에만 해당하는 내용이다.

자료를 분석하는 셀파 - Tip

(가) 일반적으로 학문의 길은 공허한 사유(思惟)에서 구하는 것이 사실에서 추구하는 것만 못하니 찬양과 비난을 논의하는 것은 모두 공허한 말일 뿐이다. 역사를 서술하는 사람이 사실을 기록하고 역사를 읽는 사람이 꼼꼼하게 검토하는 목적은 모두 거기서 진실을 확인하려는 것이다. –『십칠사상각』–
(가) → 고증학 / 진실을 확인하려는 것이다 → 실사구시 / 『십칠사상각』 → 청 대 왕명성이 편찬한 역사서로, 옛 역사책인 17사의 옳고 그름을 조사하여 밝힌 책

(나) 태양신 아마테라스 오미카미가 태어난 일본은 만국의 중심이 되는 나라이고, 그 후손인 천황의 대군주로서의 지위는 불변이며 만세일계(萬世一系)라고 고한 영원한 신의 명령이야말로 도의 근본이다. –『고사기전』–
(나) → 일본의 국학 / 천황의 대군주로서의 지위는 ~ 도의 근본이다 → 일본 천황의 신성성 강조 / 『고사기전』 → 국학자 모토오리 노리나가가 저술

내 것으로 만드는 셀파 - Tip

▶ **에도 시대의 고학과 국학**

고학	• 시기: 17세기 후반 • 성리학 비판, 공자와 맹자 시대의 유학으로 복귀 주장 • 대표 학자: 이토 진사이, 오규 소라이
국학	• 시기: 18세기 후반 • 고전 연구, 고대 일본의 정신으로 돌아갈 것을 주장 → 천황에 대한 충성심 강조 → 존왕양이 운동에 영향 • 대표 학자: 모토오리 노리나가

16 청 대의 사회와 문화 답 ②

제시된 자료의 '유교 경전, 역사서, 사상서, 문집의 4부로 분류하여 편집한 총서'는 『사고전서』이므로, (가) 왕조는 청이다. 청 대에는 한족 지식인에 대해 사상을 탄압하는 한편, 이들을 회유하기 위해 대규모 편찬 사업을 진행하였는데, 그 대표적인 결과물이 『사고전서』이다.

정답을 찾아가는 셀파 - Tip

① 다이호 율령의 내용을 분석한다. (×)
└ 701년 반포

② 연화(年畵)가 인기를 끌었던 배경을 조사한다. (○)
└ 청 대의 서민 문화

③ 「혼일강리역대국도지도」가 편찬된 목적을 알아본다. (×)
└ 조선 태종 시기에 편찬된 세계 지도

④ 독서삼품과를 통해 관직에 진출한 계층을 살펴본다. (×)
└ 통일 신라 원성왕 시기의 관리 등용 제도

⑤ 새로운 역법인 수시력이 제작된 과정을 파악한다. (×)
└ 원의 곽수경이 이슬람 역법의 영향을 받아 제작

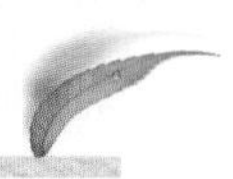

IV 동아시아의 근대화 운동과 반제국주의 민족 운동

01 새로운 국제 질서와 근대화 운동

탄탄 내신 문제

p. 131 ~ p. 135

01 ①	02 ⑤	03 ①	04 ③	05 ③	06 ③
07 ③	08 ⑤	09 ②	10 ⑤	11 ④	12 ②
13 ④	14 ⑤	15 ③	16 ④	17 난징 조약	

18 (가) 일본 (나) 미국 (다) 베트남 (라) 프랑스 19 ㄴ, ㄹ

20 (1) 양무운동 (2) 해설 참조 21 (1) 대한국 국제 (2) 해설 참조

01 제1차 아편 전쟁의 결과 답 ①

19세기에 접어들어 청에 인도산 아편 수입량이 증가하면서, 청의 은이 영국 쪽으로 대량 유출되고 아편 중독자가 늘어나는 등의 폐해가 심각해졌다. 청 정부는 임칙서를 광저우에 파견하여 아편 수입을 강경하게 통제하였고, 이에 반발한 영국이 제1차 아편 전쟁을 일으켰다. 전쟁에서 패배한 청은 영국과 난징 조약을 체결하고 개항하였다. 난징 조약은 상하이 등 5개 항구 개항, 공행 폐지, 홍콩의 영국 할양 등을 규정하였다.

내 것으로 만드는 셀파 - Tip

▶ **아편 전쟁의 배경과 결과 비교**

구분	배경	결과
제1차 아편 전쟁	청 정부의 아편 몰수와 단속	난징 조약 체결: 5개 항구 개항, 공행 폐지, 홍콩 할양
제2차 아편 전쟁	영국의 무역 확대 요구 거부	• 톈진 조약·베이징 조약 체결: 항구의 추가 개항, 크리스트교 선교 인정, 서양 외교관의 베이징 주재 허용 • 러시아가 연해주 획득

02 베트남의 개항 답 ⑤

자료의 A국은 베트남이다. 베트남을 개항시키고자 했던 프랑스는 가톨릭 탄압을 빌미로 베트남에 군대를 파견하여 전쟁을 벌였다. 전쟁에서 패배한 베트남은 프랑스와 제1차 사이공 조약을 체결하고 문호를 개방하였다. 이 조약은 코친차이나 동부 3성의 할양, 다낭을 비롯한 3개 항구 개항, 배상금 지급 등의 내용이 포함되어 있는 불평등 조약이었다.

정답을 찾아가는 셀파 - Tip

① 운요호 사건 발생 (×)
→ 강화도 조약 체결의 배경이다.

② 페리 함대의 무력시위 (×)
→ 일본의 개항과 관련된 내용이다.

③ 청·영국·인도 사이의 삼각 무역 (×)
→ 19세기에 영국이 청에 인도산 아편을 수출하고 은을 받는 방식의 삼각 무역이 행해지면서, 청에서는 은의 대량 유출과 아편 중독자 증가 등의 문제가 발생하였다.

④ 흥선 대원군의 하야와 고종의 친정 (×)
→ 이후 조선에서는 통상 개화에 대한 관심이 높아졌다.

⑤ 가톨릭 박해를 빌미로 한 프랑스의 침략 (○)

03 미·일 수호 통상 조약의 주요 내용 답 ①

밑줄 친 '조약'은 1858년에 체결된 미·일 수호 통상 조약이다. 일본은 페리 함대의 무력시위에 굴복하여 1854년 미·일 화친 조약을 맺고 개항하였다. 1858년에는 미국의 자유 무역 요구에 굴복하여 다시 미·일 수호 통상 조약을 체결하였다. 이 조약에 따라 일본은 기존에 개항한 시모다, 하코다테 이외에 가나가와(요코하마), 나가사키, 니가타, 효고(고베) 등을 추가로 개항하였으며, 미국의 영사 재판권을 인정하고 협정 관세를 채택하였다.

내 것으로 만드는 셀파 - Tip

▶ **일본의 개항**

미·일 화친 조약(1854)	• 시모다, 하코다테 개항 • 최혜국 대우 규정
미·일 수호 통상 조약 (1858)	• 가나가와(요코하마), 나가사키, 니가타, 효고(고베) 추가 개항 • 미국의 영사 재판권 인정 • 무역의 전면 자유화, 협정 관세 체결

04 동아시아 각국의 개항 시기 답 ③

(가)는 1858년에 체결된 미·일 수호 통상 조약, (나)는 1876년에 체결된 강화도 조약의 영사 재판권 인정 조항이다. 영국과 프랑스는 청과의 무역이 기대만큼 늘어나지 않자 다시 제2차 아편 전쟁을 일으켰고, 전쟁에서 패배한 청은 1860년에 베이징 조약을 체결하였다. 이때 러시아는 베이징 조약을 중재한 대가로 연해주를 획득하였다.

정답을 찾아가는 셀파 - Tip

① 임오군란이 일어났다. (×)
→ 1882년

② 태평천국 운동이 시작되었다. (×)
→ 1851년

③ 러시아가 연해주를 차지하였다. (○)

④ 대일본 제국 헌법이 반포되었다. (×)
→ 1889년

⑤ 중국이 영국에 최혜국 대우를 인정하였다. (×)
→ 난징 조약을 체결한 이듬해인 1843년에 추가 조약을 맺어 영사 재판권, 최혜국 대우 등을 인정하였다.

05 태평천국 운동의 이해 답 ③

자료의 민족 운동은 청에서 전개된 태평천국 운동이다. 홍수전은 배상제회를 중심으로 봉기하여 태평천국을 세우고, 멸만흥한을 내세우며 청조 타도, 토지 균분, 평등 사회 건설 등을 주장하였다. 그러나 신사층을 중심으로 조직된 향용과 상승군 등 외국 군대에 의해 진압되며 실패하였다.

정답을 찾아가는 셀파 - Tip

ㄱ. 별기군을 창설하였다. (×)
→ 별기군은 개항 이후 조선에서 창설된 신식 군대이다.

ㄴ. 청조 타도를 내세웠다. (○)

ㄷ. 토지 균분을 주장하였다. (○)

ㄹ. 입헌 군주제를 도입하고자 하였다. (×)
→ 캉유웨이, 량치차오 등이 주도한 변법자강 운동과 관련된 내용이다.

06 양무운동 전개 시기의 동아시아 정세 답 ③

밑줄 친 '이 운동'은 양무운동이다. 양무운동은 1861년에 시작되어 청·일 전쟁이 발발한 1894년까지 전개되었다. 양무운동은 중국의 전통은 그대로 유지하면서 서양의 군사력과 과학 기술을 수용하자는 중체서용의 원칙을 바탕으로 전개되었다.

③ 난징 조약은 양무운동 시작 이전인 1842년에 체결되었다.

07 양무운동의 전개 답 ③

제시된 자료는 중국의 양무운동에 관한 것이다. 양무운동은 중체서용의 원칙을 내세워 중국의 전통은 유지하면서 서양의 군사력과 과학 기술을 수용하고자 하였다. 그러나 의식과 제도 개혁이 미비하여 청·일 전쟁의 패배로 그 한계를 드러냈다.

자료를 분석하는 셀파 - Tip

지금 서학을 채용하려고 한다면 광둥·상하이에 각기 번역 공소를 설치하고, 가까운 지역의 15세 이하 총명한 학생을 골라 각국의 언어와 문자를 배우게 하고, 내지의 명사를 초빙하여 경전과 사기 등을 배우게 하되 산학(算學)을 겸하여 익히도록 한다. …… 만약 중국의 유교적 가치를 근본으로 삼고, 서양의 기술을 가지고 이를 보강한다면 가장 좋은 것이 아니겠는가?

└ '중국의 전통을 근본으로 삼고, 서양의 기술만 받아들이자.'라는 중체서용의 관념이 나타난 부분이다. 양무운동은 중체서용을 원칙으로 삼아 전개되었다.

08 메이지 정부의 활동 답 ⑤

밑줄 친 '새로운 정부'는 메이지 정부를 가리킨다. 개항 이후 일본에서는 반막부 세력이 등장하여 에도 막부를 무너뜨리고 천황 중심의 새로운 정부를 세웠는데, 이를 메이지 유신이라 한다. 메이지 정부는 서양의 근대 국가를 모델로 삼아 근대화 정책을 추진하였다.

⑤ 미·일 수호 통상 조약은 메이지 유신이 일어나기 전인 1858년에 체결되었다.

09 개항 이후 조선 정부의 개화 정책 답 ②

제시된 조약은 강화도 조약으로, (가)에 들어갈 말은 조선국이다. 강화도 조약 체결 이후 조선 정부는 개화 정책을 이끄는 기구로 통리기무아문을 설치하였다. 그리고 일본에 조사 시찰단, 청에 영선사, 미국에 보빙사를 파견하여 근대 문물을 시찰하였다.

정답을 찾아가는 셀파 - Tip

ㄱ. 조사 시찰단을 파견하였다. (○)

ㄴ. 서양식 해군을 창설하였다. (×)
→ 중국의 양무운동과 관련된 내용이다.

ㄷ. 통리기무아문을 설치하였다. (○)

ㄹ. 소학교의 의무 교육제를 시행하였다. (×)
→ 일본의 메이지 정부가 시행한 정책이다.

10 조선의 개화 정책과 근대화 운동 답 ⑤

(가)는 1884년에 일어난 갑신정변이고, (나)는 1896년에 일어난 아관 파천이다. 1894년 청·일 전쟁이 일어난 직후 일본의 지원으로 정권을 잡은 개화 세력은 갑오개혁을 추진하였다. 이에 왕실과 정부의 분리, 근대적 내각제 수립, 조세 제도 합리화, 신분제와 노비제의 폐지 등이 이루어졌다. 이듬해에는 태양력 채용, 단발령 시행 등의 을미개혁이 이어졌다.

정답을 찾아가는 셀파 - Tip

① 공행이 폐지되었다. (×)
→ 1842년 난징 조약의 체결 결과이다.

② 광무개혁이 추진되었다. (×)
→ 1897년 대한 제국이 수립된 이후의 일이다.

③ 베이징 조약이 체결되었다. (×)
→ 1860년의 일이다.

④ 신식 군대인 별기군이 창설되었다. (×)
→ 별기군은 갑신정변이 일어나기 전인 1881년에 창설되었다.

⑤ 갑오개혁이 추진되어 신분제가 폐지되었다. (○)

11 자유 민권 운동의 전개 답 ④

자료는 일본의 자유 민권 운동에 관한 것이다. 일본에서는 1870년대부터 서양식 의회의 설치와 헌법 제정을 요구하는 자유 민권 운동이 전개되었다. 메이지 정부는 자유 민권 운동을 탄압하였으나, 서양식 정치 제도의 필요성은 인정하였다. 그에 따라 1889년에 대일본 제국 헌법을 제정하여 입헌제 국가의 기반을 마련하였다.

자료를 분석하는 셀파 - Tip

일본과 관련된 자료임을 알 수 있다. ┐

현재 권력이 누구에게 있는가 살펴보니, 위로는 천황에게 있지 않고 아래로는 인민에게 있지 않으며 오로지 일부 실권자들(정부의 관리)에게 있습니다. …… 천하의 공의(公議)를 떨친다는 것은 백성이 뽑은 의원을 설립하는 길밖에는 없습니다. …… 무릇 정부에 대해 조세를 낼 의무가 있는 인민은 그 정부의 일에 간여하여 찬반을 논할 권리가 있습니다. - 「민선 의원 설립 건백서」 -

└ 의회 설립을 요구하는 주장이다.

12 대일본 제국 헌법의 이해 답 ②

자료는 1889년에 제정된 대일본 제국 헌법이다. 일본은 대일본 제국 헌법의 제정으로 입헌제에 바탕을 둔 근대 국가의 토대를 마련하였다. 그러나 천황을 신성 불가침한 존재로 규정하고, 천황에게 군 통수권과 입법권 등 막강한 권한을 부여하는 등의 한계가 있었다. 대일본 제국 헌법이 제정된 이듬해인 1890년에는 선거를 통해 제국 의회가 설립되었다.

정답을 찾아가는 셀파 - Tip

① 대한국 국제의 영향을 받았다. (×)
→ 대한국 국제는 1899년에 반포되었다.

② 제국 의회의 설립으로 이어졌다. (○)

③ 갑오·을미개혁의 성과가 반영되었다. (×)
→ 갑오개혁은 1894년, 을미개혁은 1895년에 조선에서 추진되었다.

④ 이홍장 등의 한인 관료층이 주도하였다. (×)
→ 1861년부터 청에서 전개된 양무운동에 관한 설명이다.

⑤ 자유 민권 운동이 발생하는 계기가 되었다. (×)
→ 자유 민권 운동은 1870년대부터 전개되었다.

13 대한 제국 시기의 주요 사건 답 ④

밑줄 친 '제국'은 대한 제국이다. 아관 파천 등으로 자주국의 위상이 손상된 상황에서, 고종은 황제에 즉위하고 대한 제국의 수립을 선포하여 자주국으로서의 위상을 회복하고자 하였다. 대한 제국 정부는 부국강병을 목표로 한 근대화 개혁을 추진하였고, 1899년에는 대한국 국제를 반포하여 대한 제국이 전제 군주정 국가임을 대내외에 밝혔다.

자료를 분석하는 셀파 - Tip

(광무: 1897년에 제정된 대한 제국의 연호이다.)

광무 원년 10월 12일은 조선의 역사에서 제일 빛나고 영화로운 날이 될지라. …… 이날 대군주 폐하께서는 환구단에 올라 하늘에 제사 지내고 처음으로 대황제 위(位)에 나아가는 즉위식을 거행하였으니, 이로써 조선은 자주독립한 제국이 되었도다. 나라가 이렇게 영광이 된 것을 조선 인민이 되어 어찌 감격한 생각이 아니 나리오.

– 「독립신문」 –

(조선은 자주독립한 제국이 되었도다: 대한 제국이 수립되었음을 나타낸다.)

(환구단: 황제가 하늘에 제사를 지내고자 만든 시설로, 고종은 이곳에서 황제 즉위식을 올렸다.)

14 흠정 헌법 대강의 공포 답 ⑤

제시된 법령은 1908년에 청에서 발표한 흠정 헌법 대강이다. 청 정부는 민중의 개혁 요구가 강해지자 1901년부터 교육 개혁, 신식 군대 편성, 상공업 육성 등 신정을 추진하였다. 한편 량치차오 등의 입헌파는 러·일 전쟁에서 일본이 승리한 것에 자극을 받아 일본과 같은 입헌 군주제의 시행 등을 주장하는 입헌 운동을 전개하였고, 청 정부가 이를 받아들여 1908년에 흠정 헌법 대강을 발표하였다.

15 신해혁명의 결과 답 ③

밑줄 친 '이 혁명'은 신해혁명이다. 쑨원을 중심으로 한 혁명파는 중국 동맹회를 조직하여, 청 왕조를 타도하고 한족이 중심이 되는 공화국 건립을 목표로 삼았다. 1911년 후베이성 우창에서 혁명파의 이념에 영향을 받은 신군이 봉기하면서 신해혁명이 시작되었다. 이에 호응한 각 성이 봉기하여 청의 지배를 거부하고 쑨원을 임시 대총통으로 선출하여 중화민국을 수립하였다.

정답을 찾아가는 셀파 - Tip

① 정한론이 대두하였다. (×)
→ 조선을 침략하자는 주장인 정한론은 1870년대 전후에 일본에서 대두하였다.

② 광무개혁이 추진되었다. (×)
→ 광무개혁은 1897년 대한 제국이 수립된 이후 추진된 개혁이다.

③ 중화민국이 수립되었다. (○)

④ 태평천국 운동이 일어났다. (×)
→ 홍수전의 주도로 1851년에 일어났다.

⑤ 흠정 헌법 대강을 발표하였다. (×)
→ 신해혁명이 발생하기 전인 1908년의 일이다.

16 동아시아 근대화 운동의 공통점 답 ④

자료의 ㉠은 대한 제국의 독립 협회 활동, ㉡은 청의 변법자강 운동, ㉢은 일본의 자유 민권 운동에 관한 설명이다. ㉠~㉢의 근대화 운동은 모두 서양식 의회를 설립하여 입헌 제도를 도입하고자 하였다는 공통점이 있다.

정답을 찾아가는 셀파 - Tip

① 존왕양이를 내세웠다. (×)
→ 개항 이후 일본에서 등장한 반막부 세력이 주도하였다.

② 토지의 균분을 주장하였다. (×)
→ 중국의 태평천국 운동을 주도한 사람들은 청조 타도, 토지 균분 등을 주장하였다.

③ 공화국의 수립을 목표로 하였다. (×)
→ 쑨원을 중심으로 한 혁명파는 중국 동맹회를 조직하여 청 왕조 타도와 공화국 건립을 목표로 삼았다.

④ 서양식 의회를 설립하고자 하였다. (○)

⑤ 중체서용의 입장에서 개혁을 추진하였다. (×)
→ 중국의 양무운동과 관련된 내용이다.

서답형 문제

17 난징 조약의 주요 내용 답 난징 조약

제1차 아편 전쟁에서 패배한 청은 1842년에 영국과 난징 조약을 체결하고 개항하였다. 난징 조약에 따라 청은 상하이 등 5개 항구를 개항하고, 공행을 폐지하며, 홍콩을 영국에 할양하는 등 영국에 많은 특권을 허용하였다. 난징 조약은 동아시아에서 최초로 체결된 근대적인 조약이었으나, 청에 일방적으로 불리한 불평등 조약이었다.

18 동아시아의 개항 답 (가) 일본 (나) 미국 (다) 베트남 (라) 프랑스

일본은 미국 페리 함대의 무력시위에 굴복하여 1854년 미·일 화친 조약을 체결하고 개항하였다. 이후 자유 무역을 요구하는 미국의 압력에 일본은 1858년 다시 미·일 수호 통상 조약을 체결하였다. 한편 베트남은 가톨릭 박해를 빌미로 군대를 파견한 프랑스와 전쟁을 벌였다. 이 전쟁에서 패배한 베트남은 1862년에 프랑스와 제1차 사이공 조약을 체결하고 개항하였다. 이 조약에는 선교의 자유, 영토 할양, 항구의 개항, 배상금 지급 등의 내용이 포함되어 있었다.

19 신해혁명의 전개 과정 답 ㄴ, ㄹ

신해혁명은 1911년 우창에서 신군이 봉기하면서 시작되었다. 이에 각 지방의 성이 호응하여 청의 지배를 거부하고 독립을 선언하였다. 신해혁명 결과 쑨원을 임시 대총통으로 하는 중화민국이 수립되었다.

20 양무운동의 주요 내용

(1) 양무운동

(2) 모범 답안 | 중체서용을 원칙으로, 근대적 군수 공장을 설립하고 서양식 해군을 창설하였으며, 근대적 기업의 설립 등을 추진하였다.

주요 단어 | 중체서용, 근대적 군수 공장, 서양식 해군, 근대적 기업

채점 기준	배점
중체서용을 쓰고, 주요 단어를 모두 포함하여 바르게 서술한 경우	상
중체서용을 쓰고, 주요 단어 중 두 가지만 포함하여 바르게 서술한 경우	중
중체서용을 쓰고, 주요 단어 중 한 가지만 포함하여 바르게 서술한 경우	하

21 대한 제국의 개혁

(1) 대한국 국제

(2) **모범 답안** | • 개혁의 명칭: 광무개혁

• 개혁 내용: 식산흥업 정책이 시행되어 운수, 광업, 철도 등의 분야에 근대적 회사들이 설립되었다. 서양의 기술과 기계를 도입하여 각종 근대적 시설을 마련하였다. 인재 양성을 위해 근대 학교 설립에 힘썼고, 외국에 유학생을 파견하였다.

주요 단어 | 광무개혁, 식산흥업 정책, 서양의 기술과 기계, 인재 양성

채점 기준	배점
광무개혁을 쓰고, 주요 단어 중 두 가지 이상을 포함하여 바르게 서술한 경우	상
광무개혁을 쓰고, 주요 단어 중 한 가지만 포함하여 바르게 서술한 경우	중
광무개혁을 썼으나, 개혁 내용은 쓰지 못한 경우	하

도전 수능 문제

p. 136 ~ p. 139

01 ③	02 ④	03 ⑤	04 ②	05 ①	06 ⑤
07 ②	08 ⑤	09 ③	10 ③	11 ③	12 ⑤
13 ②	14 ①	15 ①	16 ①		

01 난징 조약의 내용 답 ③

자료에서 임칙서의 아편 몰수를 빌미로 발생한 전쟁의 결과 체결되었다는 내용을 통해 밑줄 친 '조약'이 난징 조약임을 알 수 있다. 난징 조약은 동아시아에서 체결된 최초의 근대적 조약이었으나, 상하이 등 5개 항구의 개항, 공행 폐지, 홍콩 할양 등 영국에 많은 특권을 허용한 불평등 조약이었다.

정답을 찾아가는 셀파 - Tip

① 운요호 사건을 계기로 체결되었다. (×)
→ 강화도 조약에 관한 설명이다.

② 수도에 외교 사절의 주재를 인정하였다. (×)
→ 1860년에 체결된 베이징 조약의 내용이다.

③ 상하이 등 5개 항구의 개항을 규정하였다. (○)

④ 타이완, 펑후 열도의 할양 조항을 포함하였다. (×)
→ 청·일 전쟁 결과 1895년에 체결된 시모노세키 조약의 내용이다.

⑤ 크리스트교 포교의 자유를 허용하는 내용을 담았다. (×)
→ 베이징 조약, 제1차 사이공 조약 등의 내용이다.

02 제1차 아편 전쟁의 결과 답 ④

자료에서 임칙서의 아편 단속을 배경으로 발발하였다는 내용을 통해 밑줄 친 '전쟁'이 제1차 아편 전쟁임을 알 수 있다. 영국은 청과의 무역에서 적자가 갈수록 심화되자, 인도산 아편을 청에 수출하여 이를 해결하고자 하였다. 이로 인해 청에서는 아편 중독자가 늘어나고, 은이 대량 유출되어 재정이 어려워지는 등의 문제가 발생하였다. 청 정부가 임칙서를 광저우에 보내 아편을 몰수하고 단속을 강화하자, 영국은 이를 구실로 제1차 아편 전쟁을 일으켰다. 전쟁에서 승리한 영국은 청과 난징 조약을 체결하였다. 난징 조약은 상하이 등 5개 항구의 개항, 공행 폐지, 홍콩 할양 등을 규정하였다.

03 미·일 화친 조약의 체결 답 ⑤

자료는 일본의 개항 과정을 다룬 것으로, 밑줄 친 '조약'은 미·일 화친 조약이다. 에도 막부는 서양과의 교류를 금지하는 해금 정책을 고수하다가, 미국 페리 함대의 무력시위에 굴복하여 미·일 화친 조약을 체결하고 개항하였다. 미·일 화친 조약은 시모다와 하코다테의 개항, 미국 선박에 대한 지원, 최혜국 대우 인정 등을 규정하였다.

04 1870년대의 상황 답 ②

(가)는 1871년에 체결된 청·일 수호 조규, (나)는 1876년에 체결된 강화도 조약이다. 청과 일본은 대등한 입장에서 청·일 수호 조규를 맺고 영사관 설치와 외교관 파견 등을 규정하였다. 한편 일본은 1875년 운요호 사건을 일으켜 조선에 개항을 강요하고, 이를 빌미로 이듬해 강화도 조약을 체결하여 조선을 개항시켰다.

정답을 찾아가는 셀파 - Tip

① 갑오개혁이 추진되었다. (×)
→ 1894년

② 운요호 사건이 일어났다. (○)

③ 홍콩을 영국에 할양하였다. (×)
→ 1842년 난징 조약

④ 변법자강 운동이 전개되었다. (×)
→ 1898년

⑤ 미·일 수호 통상 조약이 체결되었다. (×)
→ 1858년

05 청과 조선의 개항 답 ①

(가)는 1842년에 체결된 난징 조약, (나)는 1876년에 체결된 강화도 조약이다. 난징 조약에 따라 청은 상하이 등 5개 항구 개항, 공행 폐지, 홍콩 할양 등 영국에 많은 특권을 허용하였다. 한편 조선은 일본과 강화도 조약을 체결하고 문호를 개방하였다. 강화도 조약은 조선이 자주국임을 명시하였으며, 부산을 포함한 3개 항구의 개항, 일본의 해안 측량권과 영사 재판권 인정 등을 규정하였다.

① 타이완 할양은 청·일 전쟁 결과 1895년에 체결된 시모노세키 조약의 내용이다.

내 것으로 만드는 셀파 - Tip

▶ **동아시아 각국의 개항**

구분	내용
청	난징 조약(1842): 상하이 등 5개 항구 개항, 공행 폐지, 홍콩 할양
일본	• 미·일 화친 조약(1854): 시모다와 하코다테 개항, 최혜국 대우 규정 • 미·일 수호 통상 조약(1858): 항구 추가 개항, 미국의 영사 재판권 인정, 무역의 전면 자유화와 협정 관세 체결
조선	강화도 조약(1876): 조선이 자주국임을 명시, 부산 등 3개 항구의 개항, 일본의 해안 측량권과 영사 재판권 인정

06 난징 조약과 강화도 조약 체결 사이의 사건 답 ⑤

(가)는 1842년에 체결된 난징 조약이고, (나)는 1876년에 체결된 강화도 조약이다. 1868년에 에도 막부가 무너지고 천황 중심의 메이지 정부가 수립되었다.

정답을 찾아가는 셀파 - Tip

① 임오군란이 일어났다. (×)
→ 1882년
② 대한 제국이 수립되었다. (×)
→ 1897년
③ 변법자강 운동이 전개되었다. (×)
→ 1898년
④ 대일본 제국 헌법이 제정되었다. (×)
→ 1889년
⑤ 천황 중심의 메이지 정부가 수립되었다. (○)

07 영국, 일본, 미국의 대외 활동 답 ②

(가)는 영국, (나)는 일본, (다)는 미국이다. 개항 이후 일본에서 등장한 반막부 세력은 존왕양이 운동을 전개하였으며, 1868년에는 막부를 무너뜨리고 천황 중심의 메이지 정부를 세웠다(메이지 유신).

정답을 찾아가는 셀파 - Tip

① (가) – 조선이 영선사를 파견하였다. (×)
→ 청
② (나) – 개항 이후 존왕양이 운동이 전개되었다. (○)
③ (다) – 베트남의 가톨릭 박해를 빌미로 군대를 파견하였다. (×)
→ 프랑스
④ (나), (다) – 갑신정변을 진압하였다. (×)
→ 청
⑤ (가), (나), (다) – 베이징 조약의 중재 대가로 영토를 할양받았다. (×)
→ 러시아

08 메이지 정부의 활동 답 ⑤

자료는 이와쿠라 사절단에 대한 가상 신문 기사로, 밑줄 친 '신정부'는 일본의 메이지 정부이다. 메이지 정부는 천황 중심의 중앙 집권 국가 수립을 목표로 폐번치현을 단행하고 징병제를 실시하였다. 또한 이와쿠라 사절단을 파견하여 서양 문물을 시찰하고 불평등 조약을 개정하고자 하였다. 1889년에는 대일본 제국 헌법을 제정하여 입헌제 국가의 제도적 기반을 마련하였다.

정답을 찾아가는 셀파 - Tip

① 광무개혁을 실시하였다. (×)
→ 대한 제국
② 청에 영선사를 파견하였다. (×)
→ 1881년 조선 정부
③ 태평천국 운동을 진압하였다. (×)
→ 1864년 청 정부
④ 미·일 수호 통상 조약을 체결하였다. (×)
→ 메이지 정부 수립 이전인 1858년에 체결되었다.
⑤ 주권이 천황에 있음을 명시한 헌법을 마련하였다. (○)

09 양무운동의 전개 답 ③

자료는 양무운동에 관한 것이다. 양무운동은 태평천국 운동을 진압하는 데 공을 세운 중국번, 이홍장 등 한인 관료층이 주도하였다.

자료를 분석하는 셀파 - Tip

┌ 증국번, 이홍장 등 한인 관료층임을 추론할 수 있다.
신은 태평군의 난을 진압하며 서양 선박의 속도와 무기의 위력을 실감하였습니다. 그러므로 이제 우리도 구국을 위한 변화를 시작해야 한다고 생각합니다. 구국의 급선무는 서양의 병기를 구매하여 우리의 군사 작전 능력을 향상시키는 일입니다. 또 서양의 지혜로써 대포와 선박을 제조한다면 영원한 승리를 기대할 수가 있습니다. 그러므로 강남 제조국을 통해 군용 무기의 생산을 확충하여야 합니다.
└ 양무파 관료들은 서양의 군사력과 과학 기술을 수용하여 자강과 근대화를 이루고자 하였다.

정답을 찾아가는 셀파 - Tip

① 공화정 수립을 목표로 삼았다. (×)
→ 신해혁명
② 만주족의 지배에 반기를 들었다. (×)
→ 태평천국 운동, 신해혁명
③ 증국번, 이홍장 등이 주도하였다. (○)
④ 일본의 메이지 유신을 모델로 삼았다. (×)
→ 갑신정변, 변법자강 운동
⑤ 잡지 『신청년』을 통해 민주주의의 도입을 주장하였다. (×)
→ 1910년대 신문화 운동

10 1890년을 전후한 시기의 동아시아 정세 답 ③

(가)는 갑신정변이 일어난 1884년, (나)는 갑오개혁이 전개된 1894년의 상황이다. 일본에서는 1870년대부터 입헌제의 도입을 요구하는 자유 민권 운동이 전개되었다. 메이지 정부는 자유 민권 운동을 탄압하면서도 서양식 정치 제도와 헌법 제정의 필요성은 인정하여, 1889년에 대일본 제국 헌법을 제정하였다.

정답을 찾아가는 셀파 - Tip

① 조선이 톈진에 영선사를 파견하였다. (×)
→ 1881년
② 청이 크리스트교의 선교를 인정하였다. (×)
→ 1860년에 체결된 베이징 조약의 내용이다.
③ 일본이 대일본 제국 헌법을 제정하였다. (○)
④ 이와쿠라 사절단이 서구 문물을 시찰하였다. (×)
→ 1871년
⑤ 반막부 세력의 주도로 존왕양이 운동이 전개되었다. (×)
→ 개항을 전후한 시기에 일본에서 등장하였다.

11 양무운동과 신해혁명 답 ③

(가)는 양무운동, (나)는 신해혁명이다. 태평천국 운동을 진압하는 데 공을 세운 한인 관료층은 중국의 전통과 제도는 유지하면서 서양의 군사력과 과학 기술을 받아들여 부국강병을 이루고자 하였다. 한편 우창 봉기로 시작된 신해혁명 결과 공화제 국가인 중화민국이 수립되고 청 왕조가 멸망하였다.

12 1870~1890년대 사이의 동아시아 정세 답 ⑤

(가) 청·일 수호 조규는 1871년에 체결되었고, (나) 대한국 국제는 1899년에 반포되었다.
⑤ 신해혁명이 시작된 것은 1911년의 일이다.

13 1890년대 동아시아의 상황 답 ②

(가) 일본에서는 1889년에 대일본 제국 헌법을 제정하고, 1890년에는 중의원 선거를 시행하여 제국 의회를 설립함으로써 입헌 제도의 틀을 마련하였다. (나) 청·일 전쟁 패배 이후 열강의 이권 침탈에 시달리던 청에서는 1898년에 변법자강 운동이 전개되어, 입헌 군주제의 도입을 목표로 각종 개혁 정책이 추진되었다. 1897년에 고종은 황제 즉위식을 거행하고 대한 제국의 수립을 선포하였다.

14 신해혁명의 전개 답 ①

자료의 '우창 봉기', '쑨원이 중화민국의 임시 대총통으로 취임' 등을 통해 밑줄 친 '이 혁명'이 신해혁명임을 알 수 있다. 신해혁명의 결과 공화제 국가인 중화민국이 수립되었다. 한편 동아시아 각국은 개항 이후 근대화 과정에서 음력을 폐지하고 태양의 운행을 기준으로 하는 태양력을 채택하였다. 중국에서는 중화민국이 수립된 1912년부터 태양력을 도입하여 사용하였다.

15 중화민국 수립의 배경 답 ①

자료는 중화민국의 수립과 쑨원의 임시 대총통 취임을 축하하는 내용이다. 1911년 우창 신군의 봉기로 시작된 신해혁명 결과, 쑨원을 임시 대총통으로 하는 중화민국이 수립되었다.

정답을 찾아가는 셀파 - Tip

① 신해혁명이 일어났다. (○)
② 광무개혁이 실시되었다. (×)
→ 1897년에 수립된 대한 제국 정부가 실시한 개혁이다.
③ 만주 사변이 발발하였다. (×)
→ 1931년
④ 다이카 개신이 추진되었다. (×)
→ 7세기 중엽에 추진된 일본의 정치 개혁이다.
⑤ 태평천국 운동이 전개되었다. (×)
→ 1851~1864년

16 신해혁명의 결과 답 ①

자료에서 '중화민국의 임시 대총통으로 추대된 쑨원', '양력 채택' 등의 내용을 통해 (가) 사건이 신해혁명임을 추론할 수 있다. 신해혁명 결과 쑨원을 임시 대총통으로 하는 중화민국이 수립되어 공화제를 채택하였다. 이로써 청 왕조는 멸망하게 되었다.

정답을 찾아가는 셀파 - Tip

① 청 왕조의 멸망을 가져왔다. (○)
② 중체서용을 구호로 내세웠다. (×)
→ 양무운동에 관한 설명이다.
③ 신축 조약이 체결되는 계기가 되었다. (×)
→ 1899~1901년에 일어났던 의화단 운동에 관한 설명이다.
④ 크리스트교의 선교를 인정하게 되었다. (×)
→ 베이징 조약, 제1차 사이공 조약 등에서 규정되었다.
⑤ 흠정 헌법 대강을 발표하는 배경이 되었다. (×)
→ 량치차오 등 입헌파가 러·일 전쟁에서 일본이 승리한 것에 자극을 받아 입헌 운동에 나선 것에 영향을 받았다.

02 제국주의 침략 전쟁과 민족 운동

탄탄 내신 문제 p. 147 ~ p. 151

01 ⑤	02 ④	03 ①	04 ④	05 ②	06 ①
07 ④	08 ④	09 ④	10 ②	11 ③	12 ①
13 ②	14 ⑤	15 ①	16 ④	17 의화단 운동	
18 ㄷ - ㄱ - ㄹ - ㄴ		19 조선 의용대		20 (1) 청·일 전쟁	
(2) 해설 참조		21 해설 참조			

01 톈진 조약과 시모노세키 조약 체결 사이의 상황 답 ⑤

(가)는 1885년에 체결된 톈진 조약이고, (나)는 1895년에 체결된 시모노세키 조약이다. 갑신정변 이후 청과 일본은 양국 군대를 조선에서 철수하고, 어느 한쪽이 군대를 파병할 경우 다른 쪽에 파병 사실을 통보한다는 내용의 톈진 조약을 체결하였다. 1894년 동학 농민 운동이 전개되는 과정에서 청군이 출병하자 톈진 조약에 따라 일본도 군대를 파병하였다. 조선 정부는 동학 농민군과 전주 화약을 맺고 두 나라에 철군을 요구하였다. 이를 거부한 일본은 청의 군함을 공격하여 청·일 전쟁을 일으켰다. 전쟁에서 승리한 일본은 시모노세키 조약을 체결하여 영토를 할양받고 전쟁 배상금을 획득하였다.

정답을 찾아가는 셀파 - Tip

① 갑신정변이 발생하였다. (×)
→ 1884년
② 강화도 조약이 체결되었다. (×)
→ 1876년
③ 러·일 전쟁이 발발하였다. (×)
→ 1904년
④ 의화단 운동이 전개되었다. (×)
→ 1899~1901년
⑤ 동학 농민 운동이 일어났다. (○)

02 청·일 전쟁의 결과 답 ④

일본이 청의 머리채를 잡은 채 조선을 밟고 넘어가는 모습을 러시아가 지켜보는 장면을 나타낸 그림으로, 청·일 전쟁에서 승리한 일본을 풍자한 것이다. 또한 자료에서 '일본이 풍도 앞바다에 주둔한 청의 함대를 공격하면서 시작', '평양 전투, 황해 해전 등에서 잇달아 승리' 등을 통해 밑줄 친 '전쟁'이 1894년에 일어난 청·일 전쟁임을 알 수 있다. 청·일 전쟁에서 승리한 일본은 시모노세키 조약을 체결하여 랴오둥반도와 타이완을 할양받고 막대한 배상금을 얻었다.

정답을 찾아가는 셀파 - Tip

① 정한론이 대두하였다. (×)
→ 1870년대 전후
② 신축 조약이 체결되었다. (×)
→ 1901년
③ 태평천국 운동이 일어났다. (×)
→ 1851년
④ 타이완이 일본에 할양되었다. (○)
⑤ 강압적으로 을사조약이 체결되었다. (×)
→ 1905년

03 청·일 전쟁 이후 국제 정세 답 ①

청·일 전쟁에서 승리한 일본은 시모노세키 조약을 체결하여 랴오둥반도와 타이완을 할양받았다. 청·일 전쟁의 결과 일본은 청 대신 동아시아 질서의 주도권을 잡게 되었다. 한편 동아시아 지역으로 남하 정책을 추진하던 러시아는 독일과 프랑스를 끌어들여 일본으로 하여금 랴오둥반도를 청에 반환하도록 압력을 가하였다. 이를 삼국 간섭이라 한다. 일본은 배상금을 받는 조건으로 랴오둥반도를 청에 반환하였고, 이후 일본과 러시아는 한반도와 만주를 두고 대립하였다.

04 의화단 운동의 결과 답 ④

의화단은 부청멸양('청 왕조를 도와 서양 세력을 몰아내자.')이라는 구호를 내걸고 반외세 운동인 의화단 운동을 일으켰다. 의화단은 서양인을 비롯하여 교회, 학교, 철로 등 서양 문물과 관련된 것들을 공격하면서 베이징에 이르렀으나, 8개국 연합군에 의해 진압되었다. 그 결과 청 정부는 열강과 신축 조약을 체결하고 베이징에 외국 군대가 주둔하는 것을 허용하였다.

내 것으로 만드는 셀파 - Tip

▶ **중국의 주요 근대화 운동과 민족 운동의 흐름**

태평천국 운동 (1851~1864)	주도	홍수전이 만든 배상제회라는 종교 단체
	내용	멸만흥한(청 왕조 타도)을 내세움, 평등 사회 건설, 토지 균분 주장
	결과	외국 군대, 한인 관료, 신사층에 의해 진압
양무운동 (1861~1894)	주도	증국번, 이홍장 등 한인 관료층
	내용	• 중체서용(중국의 전통을 근본으로 삼고 서양의 기술을 받아들임)의 원칙 • 근대적 군수 공장 및 기업 설립, 서양식 해군 창설
	결과	의식과 제도 개혁 미비 → 중국 사회를 근본적으로 변화시키지 못함 → 청·일 전쟁 패배로 한계를 드러냄
변법자강 운동 (1898)	주도	캉유웨이, 량치차오 등
	내용	입헌 군주제 도입 등 정치 개혁 주장, 과거제 개혁 및 상공업 진흥 등 추진
	결과	서태후 등 보수파의 반발로 실패
의화단 운동 (1899~1901)	주도	산둥성에서 조직된 의화단
	내용	• 부청멸양('청 왕조를 도와 서양 세력을 몰아내자.')을 내세우며 봉기 • 서양인, 서양 문물 공격
	결과	8개국 연합군에 의해 진압 → 신축 조약 체결(외국 군대의 베이징 주둔 허용)
신해혁명 (1911)	주도	중국 동맹회 조직 → 청 왕조 타도, 공화국 건립 목표
	내용	우창의 신군 봉기 → 각 성의 호응
	결과	쑨원을 임시 대총통으로 하는 중화민국 수립 → 청 왕조 멸망

05 러·일 전쟁의 결과 답 ②

지도와 같이 전개된 전쟁은 러·일 전쟁이다. 한반도와 만주의 지배권을 둘러싸고 일본과 러시아의 대립이 격화된 상황에서, 일본군이 제물포와 뤼순의 러시아 함대를 공격하면서 러·일 전쟁이 발발하였다. 봉천 전투, 동해 해전 등 주요 전투에서 잇달아 승리한 일본은 미국의 중재로 러시아와 포츠머스 강화 조약을 체결하였다. 일본은 포츠머스 강화 조약을 통해 러시아로부터 뤼순과 다롄의 조차권을 넘겨받았으며, 남만주 철도 부설권과 사할린섬 남부를 획득하였다.

내 것으로 만드는 셀파 - Tip

▶ **청·일 전쟁과 러·일 전쟁 비교**

청·일 전쟁 (1894~1895)	전개	일본군이 풍도 앞바다의 청 군함 공격 → 평양 전투, 황해 해전 등에서 일본 승리 → 랴오둥반도, 산둥반도 일부 점령
	결과	시모노세키 조약 체결 → 조선에 대한 청의 종주권 포기, 일본에 랴오둥반도와 타이완 할양
러·일 전쟁 (1904~1905)	전개	일본군이 제물포와 뤼순의 러시아 군함 공격 → 봉천 전투, 동해 해전(발틱 함대 격파) 등에서 일본 승리
	결과	포츠머스 강화 조약 체결 → 일본은 뤼순·다롄 조차권 및 남만주 철도 부설권 획득, 사할린섬 남부 획득

06 포츠머스 강화 조약 체결 이후의 상황 답 ①

러·일 전쟁의 결과 1905년에 포츠머스 강화 조약이 체결되면서 일본은 러시아로부터 한반도에 관한 독점적 권리를 인정받았다. 이후 일본은 대한 제국에 을사조약을 강요하여 체결하고 외교권을 박탈하였다.

정답을 찾아가는 셀파 - Tip

① 을사조약이 체결되었다. (○)

② 동학 농민군이 다시 봉기하였다. (×)
→ 1894년 일본군의 경복궁 점령을 계기로 다시 봉기하였다.

③ 8개국 연합군이 청에 출병하였다. (×)
→ 8개국 연합군은 의화단 운동을 진압하기 위해 출병하였다.

④ 의화단이 반외세 운동을 전개하였다. (×)
→ 의화단 운동은 1899~1901년에 전개되었다.

⑤ 독립 협회가 만민 공동회를 개최하였다. (×)
→ 1898년의 일이다.

07 일본의 '21개 조 요구'가 끼친 영향 답 ④

자료는 1915년 일본이 중국 정부에 제출한 '21개 조 요구'이다. 제1차 세계 대전 중 일본은 중국 정부에 '21개 조 요구'를 강요하여 내정 간섭과 이권 침탈을 시도하였다. 중국 정부는 이에 굴복하여 일부 조항을 제외하고 대부분을 수락하였다. 제1차 세계 대전이 끝나고 개최된 파리 강화 회의에서 독일이 갖고 있던 산둥반도에 대한 이권이 일본으로 넘어가자, 베이징의 대학생들을 중심으로 이에 대항하는 5·4 운동을 전개하였다. 이에 굴복한 중국 정부는 베르사유 조약의 조인을 거부하였다.

08 워싱턴 회의의 내용 답 ④

동아시아를 둘러싼 열강 간의 갈등을 조절하기 위해 1921년에 워싱턴 회의가 개최되었다. 열강은 워싱턴 회의에서 해군 군비를 축소하고 동아시아 지역에 대한 열강 간의 이해관계를 조정하기로 하였다. 일본은 산둥반도에 대한 이권을 포기하고, 군비 축소에 동의하였다.

09 신문화 운동의 전개 답 ④

자료는 천두슈의 주장으로, 신문화 운동과 관련된 내용이다. 천두슈 등 중국의 지식인들은 잡지 『신청년』을 발행하여 유교 문화를 비판하고 서양의 과학과 민주주의를 수용해야 한다고 주장하며 신문화 운동을 전개하였다. 한편 신문화 운동의 영향을 받은 베이징의 대학생들은 파리 강화 회의에서 산둥반도의 이권이 일본으로 넘어간다는 소식이 전해지자 5·4 운동을 전개하였다.

정답을 찾아가는 셀파 - Tip

① 우창의 신군이 봉기하면서 시작되었다. (×)
→ 신해혁명
② 민족 자결주의의 영향을 받아 전개되었다. (×)
→ 3·1 운동
③ 일제의 통치 방식이 이른바 문화 통치로 바뀌는 계기가 되었다. (×)
→ 3·1 운동
④ 유교 문화를 비판하고 서양 과학과 민주주의의 수용을 강조하였다. (○)
⑤ 중국 정부가 베르사유 조약의 조인을 거부하는 직접적인 계기가 되었다. (×)
→ 5·4 운동

10 대한민국 임시 정부의 조직과 활동 답 ②

(가) 정부는 대한민국 임시 정부이다. 3·1 운동이 전개되는 가운데, 독립운동을 통일적으로 지도할 지휘부의 필요성이 높아졌다. 한국의 독립운동가들은 서울, 연해주, 상하이 등에서 임시 정부 수립을 선포하였고, 이어 여러 개의 임시 정부를 통합하려는 움직임이 일어났다. 결국 외교 활동에 유리하고 일본군의 침입으로부터 비교적 안전한 상하이에 대한민국 임시 정부가 수립되었다. 대한민국 임시 정부는 3권 분립의 민주 공화제를 채택하였고, 연통제와 교통국 등을 운영하여 국내외를 연결하는 비밀 행정 조직망을 갖추었다. 그리고 『독립신문』을 발간하였으며, 미국에 구미 위원부를 두는 등 독립을 위한 외교 활동을 전개하였다.

정답을 찾아가는 셀파 - Tip

ㄱ. 민주 공화제를 채택하였다. (○)
ㄴ. 신해혁명의 결과 성립되었다. (×)
→ 중화민국
ㄷ. 연통제와 교통국을 운영하였다. (○)
ㄹ. 소학교의 의무 교육을 시행하였다. (×)
→ 메이지 정부

11 중국의 국민 혁명 과정 답 ③

중국 국민당은 군벌을 타도하기 위해 중국 공산당과 제1차 국·공 합작을 이루어 국민 혁명군을 결성하였다. 1925년에 상하이에서 일어난 5·30 운동을 계기로 반제국주의·반군벌 운동이 확산되었다. 장제스는 1926년에 국민 혁명군을 이끌고 군벌 타도와 중국 통일을 위한 북벌을 시작하였다. 북벌 도중 장제스가 공산당을 탄압하여 제1차 국·공 합작이 결렬되었으나, 북벌은 계속 진행되어 국민 혁명군이 베이징을 점령하면서 1928년에 북벌이 완성되었다.

내 것으로 만드는 셀파 - Tip

▶ 중국의 국민 혁명 과정
중국 국민당 조직(1919) → 중국 공산당 조직(1921) → 제1차 국·공 합작(1924) → 5·30 운동(1925) → 북벌 시작(1926) → 제1차 국·공 합작 결렬(1927) → 난징에 국민 정부 수립 → 국민 혁명군의 베이징 점령(1928, 북벌 완성)

12 일본의 침략 전쟁 답 ①

(가) 만주 사변은 1931년, (나) 중·일 전쟁은 1937년에 일어났다. 만주 사변을 일으킨 일본군은 만주 일대를 점령하고, 이듬해 청의 마지막 황제인 푸이를 앞세워 만주국을 수립하였다.

정답을 찾아가는 셀파 - Tip

① 만주국이 수립되었다. (○)
② 의열단이 조직되었다. (×)
→ 1919년 만주에서 조직되었다.
③ 태평양 전쟁이 발발하였다. (×)
→ 1941년 일본의 하와이 진주만 기습 공격을 계기로 발발하였다.
④ 소련이 대일전에 참전하였다. (×)
→ 소련은 얄타 회담에 따라 1945년 8월 대일전에 참전하였다.
⑤ 국민 혁명군이 북벌을 완성하였다. (×)
→ 1928년

13 제2차 국·공 합작의 배경 답 ②

자료는 중국 공산당 중앙 위원회가 제2차 국·공 합작을 선포한 선언문의 일부이다. 제1차 국·공 합작 결렬 이후 중국 국민당은 지속적으로 중국 공산당을 공격하였다. 이에 중국 공산당은 중국 국민당을 피해 1934~1936년 대장정을 감행하고 화북 지역의 옌안을 근거지로 활동하였다. 1937년 일본은 루거우차오 사건을 빌미로 중국 본토를 침략하여 중·일 전쟁을 일으켰다. 이에 중국 국민당과 중국 공산당은 제2차 국·공 합작을 결성하여 항일 전쟁에 나섰다.

자료를 분석하는 셀파 - Tip

우리는(중국 공산당) 조국의 위망을 구하기 위해, 평화적 통일과 단결 저항의 기초 위에서 중국 국민당과 양해를 이루어 함께 국난에 대응하기로 하였습니다. …… 루거우차오에서 중·일 양군의 충돌이(중·일 전쟁의 발발) 발생한 현 상황에서 우리 민족 내부의 단결만이(제2차 국·공 합작) 일본 제국주의의 침략을(중·일 전쟁의 계기) 이겨 낼 수 있게 해 줄 것입니다.

14 태평양 전쟁의 전개 답 ⑤

밑줄 친 '전쟁'은 태평양 전쟁이다. 태평양 전쟁은 1941년 일본의 하와이 진주만 기습 공격으로 시작되어 1945년 일본의 무조건 항복으로 종결되었다. 일본의 침략 전쟁으로 동아시아 각국의 사람들은 커다란 피해와 고통을 당하였다. 일본은 전쟁 수행을 위해 식민지와 점령지로부터 침략 전쟁에 필요한 인력과 물자를 동원하였다. 이에 따라 많은 사람들이 징용·징병에 동원되었고, 여성들은 군수 공장의 노동자나 일본군 '위안부'로 끌려갔다. 또한 쌀·금속 등을 강제로 공출해 갔다.

⑤ 제2차 국·공 합작은 1937년에 이루어진 사건으로, 태평양 전쟁이 발발하기 전에 결성되었다.

내 것으로 만드는 셀파 - Tip

▶ 일본의 침략 전쟁

만주 사변	배경	대공황에 따른 경제 불황 확산 → 침략 전쟁을 통한 해결 방안 모색
	전개	일본군의 만주 일대 점령(1931) → 만주국 수립(1932) → 국제 연맹 탈퇴, 군비 확장
중·일 전쟁	배경	루거우차오 사건(1937) → 중국 본토 침략
	전개	일본군이 상하이, 난징 점령 → 주요 도시와 철도망 장악
태평양 전쟁	배경	일본에 대한 미국의 경제 봉쇄 조치
	전개	일본의 하와이 진주만 기습 공격(1941) → 미드웨이 해전(전세 역전) → 일본에 원자 폭탄 투하, 소련 참전 → 일본 항복(1945)

15 한국 광복군의 활동 답 ①

(가) 부대는 한국 광복군이다. 대한민국 임시 정부는 1940년에 중국 국민 정부의 지원을 받아 한국 광복군을 창설하였다. 한국 광복군은 태평양 전쟁이 발발하자 일본과 독일에 선전 포고를 하고 연합군의 일원으로 전쟁에 참여하였다.

정답을 찾아가는 셀파 - Tip

① 일본에 선전 포고를 하였다. (○)
② 청산리 전투를 승리로 이끌었다. (×)
→ 1920년대 한국의 무장 독립운동
③ 우창에서 일어난 봉기를 주도하였다. (×)
→ 1911년 신해혁명의 신군
④ 일부 세력이 조선 의용군으로 재편되었다. (×)
→ 조선 의용대
⑤ 중국 의용군과 만주에서 연합 작전을 전개하였다. (×)
→ 조선 혁명군

16 만주 사변 이후 한·중 연합 답 ④

만주 사변 이후 한·중 연합을 통한 항일 투쟁이 활발하게 전개되었다. 만주에서는 조선 혁명군이 중국 의용군과 함께 항일전을 전개하였고, 한국 독립군은 중국 호로군과 함께 한·중 연합 작전을 펼쳤다. 중국 본토에서는 1931년에 대한민국 임시 정부 인사들과 중국 국민당 인사들이 함께 한·중 민족 항일 대동맹을 조직하여 일본에 대항하였다. 중·일 전쟁 이후에는 중국 국민 정부의 군사적 지원을 통한 연대가 이루어졌다. 1938년에는 조선 의용대가 조직되었고, 1940년에는 대한민국 임시 정부의 주도로 한국 광복군이 창설되어 항일전을 전개하였다.

정답을 찾아가는 셀파 - Tip

ㄱ. 아주 화친회가 조직되었다. (×)
→ 1907년 반제국주의와 민족 해방을 목표로 도쿄에서 조직되었다.
ㄴ. 조선 의용대가 창설되었다. (○)
ㄷ. 안중근이 『동양 평화론』을 저술하였다. (×)
→ 1910년 안중근이 뤼순 감옥에서 집필한 미완성 저서이다.
ㄹ. 중국 관내에서 한·중 민족 항일 대동맹이 결성되었다. (○)

서답형 문제

17 의화단 운동의 전개 답 의화단 운동

청·일 전쟁 이후 서양 열강의 이권 침탈이 가속화되자, 의화단이 중심이 되어 부청멸양을 내세우며 반외세 운동을 전개하였다. 8개국 연합군은 의화단 운동을 진압하고 청 정부와 신축 조약을 체결하였다. 이에 따라 청은 외국 군대의 베이징 주둔을 허용하게 되었다.

18 일본의 침략 전쟁 확대 답 ㄷ－ㄱ－ㄹ－ㄴ

일본은 1937년 루거우차오 사건을 계기로 중·일 전쟁을 일으켰다. 일본은 난징을 점령하는 과정에서 수많은 중국인을 학살한 난징 대학살을 자행하였다. 1939년 제2차 세계 대전이 발발한 틈을 타 일본이 동남아시아를 침략하자, 미국은 일본에 석유 수출 금지 등 경제 봉쇄 조치를 가하였다. 이에 일본이 하와이 진주만의 미국 태평양 함대를 기습 공격하여 태평양 전쟁이 발발하였다. 전쟁 초반에 일본은 동남아시아, 남태평양 일대를 점령하였으나 1942년 미국이 미드웨이 해전에서 승리하면서 전세가 역전되었다. 이후 원자 폭탄 투하, 소련의 참전으로 1945년 일본은 무조건 항복하였다.

19 조선 의용대의 창설과 활동 답 조선 의용대

중·일 전쟁이 발발하자 중국 국민 정부는 일본에 대항하는 한국의 독립운동 세력을 적극 지원하였다. 김원봉은 조선 의용대를 조직하여 중국 국민당군과 공동으로 항일 투쟁을 전개하였고, 대한민국 임시 정부는 한국 광복군을 창설하였다.

20 청·일 전쟁의 결과

(1) 청·일 전쟁
(2) 모범 답안 | • 조약의 명칭: 시모노세키 조약
• 조약 내용: 청이 조선을 독립국으로 인정하면서 조선에 대한 종주권을 포기하였다. 청이 일본에 타이완과 랴오둥반도를 할양하였다. 청이 거액의 전쟁 배상금을 지급하였다.

주요 단어 | 시모노세키 조약, 조선을 독립국으로 인정, 종주권 포기, 타이완과 랴오둥반도 할양, 전쟁 배상금 지급

채점 기준	배점
시모노세키 조약을 쓰고, 주요 단어 중 두 가지를 포함하여 바르게 서술한 경우	상
시모노세키 조약을 쓰고, 주요 단어 중 한 가지만 포함하여 바르게 서술한 경우	중
시모노세키 조약만 쓴 경우	하

21 3·1 운동의 영향

모범 답안 | 일본의 통치 방식이 무단 통치에서 이른바 문화 통치로 바뀌었다. 대한민국 임시 정부가 수립되는 계기를 마련하였다.

주요 단어 | 이른바 문화 통치, 대한민국 임시 정부 수립 계기

채점 기준	배점
주요 단어를 모두 포함하여 바르게 서술한 경우	상
주요 단어 중 한 가지만 포함하여 바르게 서술한 경우	하

도전 수능 문제

p. 152 ~ p. 155

01 ⑤	02 ③	03 ③	04 ①	05 ②	06 ③
07 ③	08 ④	09 ⑤	10 ④	11 ②	12 ②
13 ③	14 ③	15 ⑤	16 ⑤		

01 청 · 일 전쟁의 결과 답 ⑤

자료에서 '동학 농민군의 저항', '청과의 전쟁 수행' 등의 내용을 통해 밑줄 친 '전쟁'이 1894년에 발발한 청 · 일 전쟁임을 알 수 있다. 청 · 일 전쟁에서 승리한 일본은 시모노세키 조약을 체결하여 타이완과 랴오둥반도를 할양받고 막대한 배상금을 확보하였다.

02 강화도 조약 체결과 삼국 간섭 사이의 사건 답 ③

(가)는 1876년에 체결된 강화도 조약, (나)는 1895년에 일어난 삼국 간섭에 관한 내용이다. 1894년 조선에서는 농민들이 정치와 사회의 개혁을 요구하는 동학 농민 운동이 일어났다. 이에 조선 정부는 청에 원군을 요청하였고, 톈진 조약에 따라 일본도 조선에 파병하였다. 조선 정부는 동학 농민군과 전주 화약을 맺은 뒤 두 나라에 철군을 요구하였다. 그러나 일본은 이를 거부하며 청 · 일 전쟁을 일으켰다. 전쟁에서 승리한 일본은 청으로부터 타이완과 랴오둥반도를 할양받았으나, 러시아가 주도한 삼국 간섭으로 랴오둥반도를 청에 반환하였다.

정답을 찾아가는 셀파 - Tip

① 5 · 4 운동이 일어났다. (×)
→ 1919년
② 메이지 정부가 수립되었다. (×)
→ 1868년
③ 동학 농민 운동이 전개되었다. (○)
④ 청 · 일 수호 조규가 체결되었다. (×)
→ 1871년
⑤ 대한 제국이 외교권을 박탈당하였다. (×)
→ 1905년 을사조약

03 청 · 일 전쟁의 영향 답 ③

자료에서 '평양 전투', '뤼순 공격', '거액의 배상금 획득' 등의 내용을 통해 밑줄 친 '이 전쟁'이 청 · 일 전쟁임을 알 수 있다. 청 · 일 전쟁에서 승리한 일본은 청과 시모노세키 조약을 체결하여, 랴오둥반도와 타이완을 할양받았다. 그러나 러시아가 주도한 삼국 간섭으로 랴오둥반도는 청에 반환하게 되었다.

정답을 찾아가는 셀파 - Tip

① 루거우차오 사건을 계기로 일어났다. (×)
→ 1937년 중 · 일 전쟁에 관한 설명이다.
② 발트 함대가 동해 해전에서 패배하였다. (×)
→ 러 · 일 전쟁과 관련된 설명이다.
③ 청이 일본에 타이완을 할양하는 계기가 되었다. (○)
④ 워싱턴 회의가 열려 일본의 군함 보유량이 제한되었다. (×)
→ 워싱턴 회의는 1921~1922년에 열렸다.
⑤ 일본이 칭다오를 점령하고 산둥의 권익을 요구하였다. (×)
→ 제1차 세계 대전 중 일본이 중국에 강요한 '21개 조 요구'에 관한 설명이다.

04 1890년대 후반 동아시아 정세 답 ①

(가)는 1895년의 삼국 간섭, (나)는 1899년에 일어난 의화단 운동의 진압 과정과 1901년에 체결된 신축 조약에 관한 내용이다. 1895년 일본이 을미사변을 일으키자 신변에 위협을 느낀 고종은 아관 파천을 단행하였다. 1897년에 경운궁으로 환궁한 고종은 대한 제국의 수립을 선포하여 대내외에 자주국임을 천명하였다.

정답을 찾아가는 셀파 - Tip

① 대한 제국이 수립되었다. (○)
② 대일본 제국 헌법이 제정되었다. (×)
→ 1889년
③ 신해혁명으로 중화민국이 수립되었다. (×)
→ 1911년 신해혁명, 1912년 중화민국 수립
④ 일본 정부가 이와쿠라 사절단을 파견하였다. (×)
→ 1871년
⑤ 한인 관료층의 주도로 양무운동이 시작되었다. (×)
→ 1861년

05 러 · 일 전쟁의 영향 답 ②

뤼순 전투, 동해 해전, 발틱 함대 진로 등을 통해 지도에 나타난 전쟁이 러 · 일 전쟁임을 알 수 있다. 주요 전투에서 승리한 일본은 러시아와 포츠머스 강화 조약을 체결하여 한반도에 대한 독점적 지위를 인정받았다. 이후 일본은 대한 제국에 을사조약을 강요하여 체결하고 외교권을 빼앗아 일본의 보호국으로 만들었다.

정답을 찾아가는 셀파 - Tip

① 일본이 을미사변을 일으켰어요. (×)
→ 삼국 간섭으로 조선에 대한 영향력이 약화되자 이를 회복하기 위해 일으켰다.
② 대한 제국이 외교권을 빼앗겼어요. (○)
③ 청이 타이완의 지배권을 상실하였어요. (×)
→ 1895년에 체결된 시모노세키 조약의 결과이다.
④ 청이 크리스트교 선교의 자유를 인정하였어요. (×)
→ 1860년에 체결된 베이징 조약의 결과이다.
⑤ 베트남이 코친차이나 동부 3성을 상실하였어요. (×)
→ 1862년에 체결된 제1차 사이공 조약의 결과이다.

06 을사조약의 내용 답 ③

밑줄 친 '이 조약'은 을사조약이다. 러 · 일 전쟁 결과 일본은 포츠머스 강화 조약을 체결하고 러시아로부터 한반도에 대한 독점적 지위를 확보하였다. 이어 대한 제국에 을사조약을 강요하여 체결함으로써 대한 제국의 외교권을 박탈하고 통감부를 설치하여 보호국화하였다.

자료를 분석하는 셀파 - Tip

일본이 이 조약(을사조약)을 강제로 체결하였는데, 대한 제국 황제는 이를 인정하지 않고 서명도 하지 않았다. 그러나 일본은 열강에 이 조약을 통보하였고, 대부분의 열강은 일본의 요구에 따랐다. 그 결과 대한 제국에는 공사 또는 변리 공사라고 불리는 외교 대표들이 더 이상 남지 않게 되었다.

\- 서울 주재 러시아 총영사 플란손 -

- 고종 황제의 서명이 없는 무효인 조약이다.
- 외교권이 박탈되면서 외교 사절이 철수하였다.

07 3·1 운동의 영향 답 ③

(가) 운동은 1919년에 일어난 3·1 운동이다. 3·1 운동은 일본의 무단 통치와 미국 대통령 윌슨이 제창한 민족 자결주의의 영향을 배경으로 일어났다. 독립 만세를 외치는 만세 시위는 전국으로 확산되었으나, 일본은 이를 무력으로 진압하였다. 3·1 운동 이후 일본은 통치 방식을 무단 통치에서 이른바 문화 통치로 바꾸어 민족의 분열을 꾀하였다. 한편 상하이에서는 여러 개의 임시 정부를 통합한 대한민국 임시 정부가 수립되었다.

자료를 분석하는 셀파 - Tip

중국인의 눈에 비친 (가) 운동

한국인이 궐기한 것은 일본이 무도하기 때문이다. 일본은 10년에 걸쳐 한국인의 독립 희망을 꺾는 일에 전력을 기울여 왔다. …… 그러나 한 번 일어난 한국인의 자유사상을 억눌러 막을 수는 없다.
└ 1910년부터 이어진 일본의 식민 지배

┌ 무단 통치의 시행

한국의 모든 지역에서 사람들은 국기를 흔들며 독립을 외쳤다. 헌병 경찰의 간섭도, 총검도, 그들을 꺾을 수는 없었다. …… 한국인의 정신이 살아 있는 한, 독립이 실현될 날이 반드시 도래할 것임을 나는 단언할 수 있다.

정답을 찾아가는 셀파 - Tip

① 일본을 비롯한 8개국 연합군에 의해 진압되었다. (×)
→ 의화단 운동에 관한 설명이다.

② 중국에서 양무운동이 일어나는 데에 영향을 주었다. (×)
→ 두 차례 아편 전쟁에서의 패배, 태평천국 운동 등 대내외의 위기를 극복하기 위해 양무운동이 전개되었다.

③ 상하이에 대한민국 임시 정부가 수립되는 계기가 되었다. (○)

④ 반제국주의를 목표로 한 아주 화친회 결성의 원인이 되었다. (×)
→ 아주 화친회는 1907년에 결성되었다.

⑤ 사회 개혁과 외세 척결을 주장한 동학 농민군이 주도하였다. (×)
→ 1894년 동학 농민 운동에 관한 설명이다.

08 5·4 운동의 전개 답 ④

(가) 운동은 5·4 운동이다. 5·4 운동은 신문화 운동의 영향을 받았으며, 파리 강화 회의의 결정에 반발하여 일어난 민족 운동이다. 파리 강화 회의에서 산둥반도에 대한 이권이 일본으로 넘어간다는 소식이 알려지자, 베이징의 대학생들을 중심으로 대규모 반군벌·반일 시위가 전개되었다(5·4 운동). 5·4 운동의 결과 중국 정부는 베르사유 조약에 대한 조인을 거부하였다.

자료를 분석하는 셀파 - Tip

┌ 황제에 즉위하려다 실패하였다.

중화민국 초기 위안스카이의 독재와 군벌의 혼전이 계속되자 천두슈, 후스 등의 지식인들은 잡지 『신청년』을 발행하여 전통을 비판하고 서양 과학과 민주주의의 수용을 주장하였다. 이러한 움직임이 점차 확산되는 가운데 파리 강화 회의 소식이 전해졌다. 그러자 학생들을 중심으로 이 회의의 결정에 반대하는 (가) 이/가 일어났고, 결국 중국 군벌 정부는 베르사유 조약의 조인을 거부하였다.
└ 신문화 운동
└ 산둥반도에 대한 일본의 권익을 인정한 것

09 제1차 국·공 합작의 배경 답 ⑤

자료에서 '군벌이 지배하는 베이징 정부를 타도하기 위해'와 '소련이 지원한다'는 내용 등을 통해, 제1차 국·공 합작을 추진하는 상황임을 추론할 수 있다. 청 왕조 멸망 이후 중국에서는 군벌이 난립하여 서로 주도권을 장악하기 위해 대립하는 상황이 전개되었고, 이와 같은 군벌 간의 싸움은 5·4 운동 이후에도 계속되었다. 이에 쑨원은 중국 국민당을 조직하고, 군벌 타도와 중국 통일을 위해 노력하였다. 1924년에 중국 국민당은 소련의 지원을 받으며 중국 공산당과 제1차 국·공 합작을 결성하였다.

10 제2차 국·공 합작 결성 시기 답 ④

자료는 중국 국민당과 중국 공산당이 함께 항일전을 전개하자는 취지의 글로, 제2차 국·공 합작을 호소하는 연설이다. 1937년에 중·일 전쟁이 발발하자, 중국의 국민당과 공산당은 제2차 국·공 합작을 결성하고 항일 전쟁에 나섰다. 신해혁명은 1911년, 5·4 운동은 1919년, 북벌 개시는 1926년, 만주 사변은 1931년, 태평양 전쟁 발발은 1941년, 중화 인민 공화국 수립은 1949년의 일이다.

내 것으로 만드는 셀파 - Tip

▶ **두 차례 국·공 합작의 목적 비교**

구분	목적
제1차 국·공 합작(1924)	군벌 타도, 중국 통일 → 북벌 전개(1926~)
제2차 국·공 합작(1937)	중·일 전쟁 때 결성 → 항일전 전개

11 중·일 전쟁 발발 이후의 상황 답 ②

자료에서 루거우차오 사건을 계기로 일어난 전쟁이라는 내용을 통해, 밑줄 친 ㉠이 중·일 전쟁의 시작임을 알 수 있다. 중·일 전쟁이 일어나자, 한국과 중국의 항일 연합이 활발히 전개되었다. 특히 중국 국민 정부는 한국 독립운동 세력에 대한 군사적 지원을 통한 연대에 힘썼다. 1938년에는 중국 국민 정부의 지원을 받아 김원봉이 조선 의용대를 조직하여 중국 국민당군과 항일 투쟁을 전개하였고, 1940년에는 대한민국 임시 정부가 한국 광복군을 창설하였다.

정답을 찾아가는 셀파 - Tip

① 제1차 국·공 합작이 단행되었다. (×)
→ 1924년

② 김원봉이 조선 의용대를 조직하였다. (○)

③ 일본이 중국 정부에 '21개 조 요구'를 강요하였다. (×)
→ 1915년

④ 파리 강화 회의 결과 베르사유 조약이 체결되었다. (×)
→ 1919년

⑤ 국민 혁명군이 베이징을 점령하고 북벌을 완료하였다. (×)
→ 1928년

12 중·일 전쟁 시기의 사건 답 ②

루거우차오 사건, 난징 대학살, 한국 광복군의 활동 등을 통해 (가) 전쟁이 중·일 전쟁임을 추론할 수 있다. 중·일 전쟁이 발발한 이후 1938년에 후베이성 한커우에서 김원봉이 중국 국민 정부의 지원을 받아 조선 의용대를 창설하였다.

13 조선 의용대의 활동 답 ③

(가) 단체는 조선 의용대이다. 1938년 김원봉은 중국 국민 정부의 지원을 받아 후베이성 한커우에서 조선 의용대를 조직하였다. 조선 의용대는 중국 국민당군과 공동으로 항일 투쟁을 전개하였다. 이후 일부 세력은 화북 지역으로 이동하여 조선 의용군으로 재편되어 대일 항전을 계속하였고, 화북 지역으로 이동하지 않은 나머지 세력은 충칭으로 이동하여 한국 광복군에 합류하였다.

정답을 찾아가는 셀파 - Tip

① 전주 화약을 체결하고 자진 해산하였다. (×)
→ 동학 농민군
② 장제스의 지휘 아래 북벌을 완성하였다. (×)
→ 1928년 국민 혁명군
③ 구성원의 일부가 조선 의용군 결성에 참여하였다. (○)
④ 한·중·일의 무정부주의자들이 연합하여 만들었다. (×)
→ 항일 구국 연맹
⑤ 대한민국 임시 정부가 중국 국민당의 지원을 받아 창설하였다. (×)
→ 한국 광복군

14 중·일 전쟁 이후 동아시아 정세 답 ③

자료는 중·일 전쟁 발발 이후에 발표된 장제스의 담화문이다. 중·일 전쟁이 일어나자 중국 국민당과 중국 공산당은 제2차 국·공 합작을 결성하여 항일전을 전개하였다. 한편 중국 국민 정부의 지원을 받아 창설된 조선 의용대는 중국 국민당군과 함께 항일 투쟁을 벌였다.

15 태평양 전쟁 시기의 사실 답 ⑤

밑줄 친 '이 전쟁'은 태평양 전쟁이다. 일본은 하와이 진주만을 기습 공격하여 태평양 전쟁을 일으키고, 전쟁 초기에 동남아시아와 태평양 일대를 점령하며 크게 세력을 떨쳤다. 그러나 미드웨이 해전 이후 전세가 역전되었고, 미국의 원자 폭탄 투하와 소련의 참전으로 일본은 무조건 항복하였다. 일본은 한국과 타이완에서 징병제를 시행하여 많은 사람들을 전쟁에 동원하였다.

정답을 찾아가는 셀파 - Tip

① 신간회가 결성되었다. (×)
→ 1927년
② 포츠머스 조약이 체결되었다. (×)
→ 1905년
③ 제1차 국·공 합작이 성립되었다. (×)
→ 1924년
④ 고종이 러시아 공사관으로 거처를 옮겼다. (×)
→ 1896년
⑤ 일본이 한국과 타이완에서 징병제를 실시하였다. (○)

16 태평양 전쟁의 전개 답 ⑤

(가)는 1941년 일본의 하와이 진주만 기습 공격으로 인한 태평양 전쟁 발발, (나)는 1945년 일본의 무조건 항복에 관한 설명이다. 전쟁 초기 일본은 단기간에 동남아시아와 남태평양 일대를 점령하였다. 그러나 미드웨이 해전에서 미군이 승리하면서 전세가 역전되었다.

03 서양 문물의 수용

탄탄 내신 문제 p. 161 ~ p. 164

01 ④	02 ②	03 ⑤	04 ④	05 ④	06 ②
07 ②	08 ③	09 ②	10 ④	11 ③	12 ①

13 경사 대학당 14 교육 칙어 15 태양력
16 (1) 사회 진화론 (2) 해설 참조 17 해설 참조

01 만국 공법의 영향 답 ④

자료에서 설명하는 책은 『만국 공법』이다. 『만국 공법』은 미국의 헨리 휘튼이 지은 국제법 서적을 중국에서 번역·출판한 것이며, 국가 간의 관계를 규율하는 국제법을 한문으로 번역한 용어이기도 하다. 만국 공법은 근대 주권 국가 간의 대등한 관계를 국제 질서의 기본 원리로 제시하였다. 그러나 서양 열강은 국가를 문명국, 반문명국, 미개국으로 서열화하고, 이들 간의 불평등한 국제 질서를 당연하게 보는 차별적인 인식을 가지고 있었다. 또한 만국 공법을 이용하여 불평등한 통상 조약을 합리화하기도 하였다. 만국 공법은 동아시아 각국에 다른 양상으로 수용되었다. 청은 서양 열강과의 외교 실무에만 활용하고자 하였고, 일본은 개항과 주변 지역에 대한 침략을 정당화하는 논리로 활용하였다. 조선은 만국 공법에 규정된 상호 주권 보장 조항을 활용하여 국권을 유지하고자 하였다.

정답을 찾아가는 셀파 - Tip

① 통리기무아문, 개화 정책을 총괄하다 (×)
→ 1880년에 조선 정부가 설치한 기구이다.
② 자유 민권 운동, 입헌 군주제를 지향하다 (×)
→ 1870~1880년대 전반에 일본에서 전개되었다.
③ 양무운동, 청·일 전쟁으로 한계를 드러내다 (×)
→ 중체서용을 원칙으로 추진된 중국의 근대화 운동이다.
④ 만국 공법, 새로운 국제 질서의 길잡이가 되다 (○)
⑤ 이와쿠라 사절단, 불평등 조약을 시정하려 하다 (×)
→ 1871년에 일본의 메이지 정부가 해외로 파견한 사절단이다.

02 사회 진화론의 영향 답 ②

자료는 사회 진화론에 근거한 주장이다. 사회 진화론은 인간 사회에도 적자생존과 약육강식의 논리가 적용된다고 보았다. 일본에서는 사회 진화론이 침략을 정당화하는 논리로 활용되었다. 청과 대한 제국에서는 자강을 위한 논리로 수용되어, 대한 제국의 애국 계몽 운동과 청의 변법자강 운동 및 신문화 운동의 사상적 기반으로 활용되었다.
② 조선 중화주의는 명 멸망 이후에 확산되었다.

03 사회 진화론의 특징 답 ⑤

밑줄 친 '이 사상'은 사회 진화론이다. 사회 진화론은 다윈의 진화론을 인간 사회 및 국제 관계에 적용하고 약육강식과 적자생존을 강조한 것이 특징이다. 청과 대한 제국에서는 자강의 논리로 받아들여져, 애국 계몽 운동, 변법자강 운동, 신문화 운동의 사상적 기반이 되었다. 한편 일본에서는 애국심, 천황에 대한 충성과 복종, 제국주의적 팽창 등을 주장하는 논리로 기능하여, 제국주의 국가의 약소국 침략과 지배를 정당화하는 논리로 활용되었다.

내 것으로 만드는 셀파 - Tip

▶ 동아시아 각국의 사회 진화론 수용 양상

일본	• 가토 히로유키: 천황에 대한 충성과 복종 강조, 제국주의적 팽창 주장, 자유 민권 운동 비판 → 제국주의 침략을 정당화하는 논리로 활용됨 • 후쿠자와 유키치: 국제 관계에서 힘의 논리가 더 크게 작용한다고 주장, 탈아론 주장
청	• 옌푸: 사회 진화론을 통해 구국의 방법 모색 • 량치차오: 국력 강화를 위한 교육과 식산 진흥 주장 → 변법자강 운동 주도
대한 제국	유길준, 윤치호 등이 자강의 논리로 수용 → 애국 계몽 운동에 영향을 미침

04 교육입국 조서의 영향 답 ④

자료는 1895년에 조선에서 발표된 교육입국 조서이다. 고종은 교육입국 조서를 반포하여 덕·체·지를 겸비한 교육과 충군애국의 교육 목표를 강조하였다. 이를 계기로 소학교, 사범 학교가 세워지고, 외국어 학교를 비롯한 각종 교육 기관이 설립되었다.

내 것으로 만드는 셀파 - Tip

▶ 동아시아 각국의 근대식 교육 도입

청	• 베이징에 경사 대학당 설립(1898) • 지방에 소학당·중학당 설립 • 근대 학제 마련(1902)
조선	• 갑오개혁 중 근대 학제 도입(1894) • 교육입국 조서 반포(1895) → 소학교, 사범 학교, 외국어 학교 등 각종 교육 기관 설립 • 애국 계몽 운동가, 선교사들의 학교 설립 활발
일본	• 근대 학제 발표(1872) → 소학교의 의무 교육 제도 시행 • 도쿄 대학 설립(1877) • 교육 칙어 반포(1890): 천황 중심의 가족적 국가관, 충효의 가치관 주입

05 여성 교육과 여성 권리 의식의 성장 답 ④

(가)에는 일본에서 일어난 여성 교육 및 여성 권리 의식의 성장과 관련된 내용이 들어가야 한다. 일본에서는 남녀 모두를 대상으로 하는 초등·중등 교육이 시행되었다. 그리고 일부다처제와 매춘을 금지하자는 주장이 등장하였고, 부인 교풍회가 조직되어 이를 여성 운동으로 발전시켰다. 그 결과 중혼 금지가 법제화되는 성과를 거두었다.

정답을 찾아가는 셀파 - Tip

① 찬양회 조직 (×)
→ 대한 제국에서 조직된 단체로, 여성 계몽과 여학교 설립 운동 등을 전개하였다.

② 여권통문 발표 (×)
→ 1898년에 서울의 양반 부인들을 중심으로 발표하였다.

③ 전족 폐지 주장 (×)
→ 청에서 량치차오 등이 부(不)전족회를 만들어 전족 폐지를 주장하였다.

④ 부인 교풍회 활동 (○)

⑤ 순성 여학교 설립 (×)
→ 대한 제국의 찬양회가 주도하여 1898년에 설립하였다.

06 『독립신문』 창간 시기의 상황 답 ②

(가) 신문은 1896년에 창간된 『독립신문』이다. 1896년 고종이 러시아 공사관으로 거처를 옮긴(아관 파천) 상황에서, 서재필이 중심되어 『독립신문』을 창간하고 독립 협회를 조직하였다. 『독립신문』은 한국에서 간행된 최초의 민간지로 한글과 영문으로 발간되었다. 그리고 민중 계몽과 이권 수호 운동, 의회 설립 운동 등의 여론을 형성하고 정부의 정책을 비판하였다.

정답을 찾아가는 셀파 - Tip

① 신문지법에 반발하는 기자 (×)
→ 1907년 제정

② 고종의 환궁을 요청하는 관료 (○)

③ 신축 조약 체결에 비통해 하는 청년 (×)
→ 1901년 체결

④ 잡지 『신청년』을 읽고 감동하는 학생 (×)
→ 1915년 「청년잡지」로 창간되었다가 1916년에 이름 변경

⑤ 도쿄와 요코하마 간의 철도 개통식에 참여한 시민 (×)
→ 1872년 개통

07 개항 이후 생활 모습의 변화 답 ②

개항 이후 전통적인 옷과 머리 대신 서양식 복장과 단발을 하는 것이 개화의 상징이 되면서 유행하였다. 하루 24시간, 1주일을 7일로 사용하는 근대적 시간관념에 점차 익숙해져 갔으며, 태양력이 도입되어 사용되었다. 시계가 일상용품으로 사용되었고, 관공서나 학교 등에 시계탑이 세워졌다. 그리고 동아시아 각국에 철도가 부설되어 인구 이동과 물자 유통이 촉진되었으며, 정해진 시간에 규칙적으로 철도가 운행됨에 따라 근대적 시간관념이 더욱 확산되어 갔다.

② 크리스트교는 개항 이전부터 동아시아 각국에 전래되었다.

08 요코하마와 인천의 공통점 답 ③

(가)는 요코하마, (나)는 인천이다. 인천과 요코하마는 대표적인 개항장으로서 외국인이 거주하는 거류지가 형성되었고, 수도와 연결된 철도가 부설되었다.

정답을 찾아가는 셀파 - Tip

ㄱ. 신문이 최초로 발행되었다. (×)
→ 요코하마에만 해당한다. 한국의 최초의 신문은 한성에서 발행되었다.

ㄴ. 외국인 거류지가 형성되었다. (○)

ㄷ. 수도와 연결된 철도가 부설되었다. (○)

ㄹ. 개항 과정에서 체결한 조약에 따라 외국에 할양되었다. (×)
→ 요코하마, 인천 모두 해당하지 않는다.

09 상하이의 특징 답 ②

밑줄 친 '이 도시'는 상하이이다. 상하이는 1842년에 체결된 난징 조약에 따라 개항되었다. 1919년 상하이의 프랑스 조계 지역에 대한민국 임시 정부가 들어섰다. 1932년에는 상하이의 훙커우 공원에서 윤봉길의 의거가 일어나기도 하였다. 한편 일본은 1937년에 중·일 전쟁을 일으키고 3개월 만에 상하이를 점령하였다.

② 경사 대학당은 베이징에 세워졌다.

10 철도의 영향

답 ④

(가) 교통수단은 철도이다. 일본은 메이지 유신 이후 중앙 집권을 강화하고 부국강병을 실현하고자 적극적으로 철도 부설에 나섰다. 1872년에 일본 최초로 도쿄와 요코하마를 연결하는 철도가 개통되었다. 이후 각지에서 철도 회사가 생겨 노선이 확대되었고, 정치적·군사적 목적으로 만주와 한반도에도 철도를 부설해 나갔다. 한국과 중국에서는 철도가 침략의 도구로 인식되었다. 청에서는 열강의 군사적·경제적 침략, 풍수 문제 등으로 철도 부설에 부정적이었다. 그러나 청·일 전쟁에서 패배한 이후 철도가 국력을 증강시키는 요소라는 점을 인식하고 철도 건설에 적극적으로 나섰다. 한편 대한 제국의 철도 부설은 일본이 주도하였다. 일본은 1899년에 한국 최초의 철도인 경인선을 건설하였고, 러·일 전쟁 때는 원활한 군대 인력과 군수 물자 수송을 위해 경부선과 경의선을 부설하였다. 이 과정에서 일본은 철도 용지 주변 지역의 토지를 약탈하였다. 철도는 장거리 여행을 가능하게 하여 사람들의 활동 공간과 시야를 크게 확대시켰으며, 인구 이동과 물자 유통을 촉진하였다. 규칙적인 시각에 맞추어 운행되는 특징으로 인하여 근대적 시간관념이 확산되는 데에도 영향을 끼쳤다. 그러나 제국주의 열강의 침략 도구로 활용되어 건설 과정 초기에는 갈등이 발생하기도 하였다.

내 것으로 만드는 셀파 - Tip

▶ **철도 부설의 영향**

긍정적 측면	• 인구 이동, 물자 유통 촉진 • 사람들의 활동 공간 확대, 여행 문화 확산 • 근대적 시간관념 확산에 영향
부정적 측면	제국주의 열강의 경제적·군사적 침략 과정에서 철도 부설 → 건설 과정에서 많은 갈등 발생

11 한성의 변화

답 ③

(가) 도쿄, (나) 부산, (다) 서울(한성), (라) 베이징, (마) 상하이이다. 경운궁을 중심으로 전개된 황성 만들기 사업, 조선 총독부의 설치 등을 통해 자료에서 설명하는 도시가 한성(오늘날 서울)임을 알 수 있다. 한성에는 개항 이후 각국과 조약을 체결하여 외국 공사관이 설치되면서 많은 외국인이 거주하게 되었다. 그러나 일본의 식민지로 병합된 이후 경성으로 불리게 되었고, 도심에는 식민 통치의 상징인 조선 총독부가 들어섰다.

내 것으로 만드는 셀파 - Tip

▶ **동아시아 각국의 근대 도시**

특징	조계(거류지) 형성 → 상회사, 금융 기관, 각종 생활 편의 시설, 교통·통신 시설 설립 → 인구 증가, 도시화 진전
대표적인 근대 도시	• 중국 상하이: 난징 조약으로 개항 → 영국, 미국, 프랑스 등이 조계 건설 • 일본 요코하마: 미·일 수호 통상 조약으로 개항 → 일본 최초의 철도인 도쿄~요코하마 간 철도 개설 • 한국 – 인천·부산: 일본인 거류지 형성, 한국 최초의 철도인 서울~인천 간 철도 개설, 서울~부산 간 철도는 러·일 전쟁 중 개통 – 한성: 경운궁 중심으로 황성 만들기 사업 추진

12 1873~1899년 사이 시기의 사실

답 ①

(가) 일본의 태양력 도입은 1873년의 일이고, (나) 경인선 개통은 1899년의 일이다.

① 『신청년』은 1915년에 『청년잡지』로 간행되었다가 1916년에 『신청년』으로 이름이 바뀌었다. 신해혁명 이후 중국에서는 천두슈, 후스 등의 지식인이 『신청년』을 발행하고 서양 과학과 민주주의의 수용을 앞세운 신문화 운동을 전개하였다.

정답을 찾아가는 셀파 - Tip

① 『신청년』이 창간되었다. (×)
② 도쿄 대학이 설립되었다. (○)
→ 1877년
③ 조선이 태양력을 도입하였다. (○)
→ 1896년
④ 교육입국 조서가 반포되었다. (○)
→ 1895년
⑤ 여학교 설시 통문이 발표되었다. (○)
→ 1898년

서답형 문제

13 중국의 근대식 교육

답 경사 대학당

중국에서 본격적인 근대식 교육이 시작된 것은 청·일 전쟁 이후이다. 청은 청·일 전쟁 이후 서양과 일본의 학제를 본떠 개혁을 추진하였다. 1898년에는 수도 베이징에 경사 대학당을 설립하였고, 지방 곳곳에는 소학당과 중학당을 세웠다. 1902년에는 근대 학제를 마련하여 본격적으로 학교 교육 확산에 나섰다.

14 일본의 근대식 교육

답 교육 칙어

일본에서는 메이지 정부 수립 이후 근대적 학제를 마련하고, 소학교의 의무 교육 시행, 도쿄 대학 설립 등을 통해 근대 교육을 강화하였다. 이어 1890년에는 천황이 교육 칙어를 반포하여 교육에 대한 국가의 간섭과 통제를 강화하였다. 일본은 교육 칙어를 통해 충효를 중시하는 도덕 교육을 강조하고, 국가와 천황에 충성을 다할 것을 주장함으로써 천황 중심의 국가 체제를 확립하고자 하였다.

내 것으로 만드는 셀파 - Tip

▶ **일본의 교육 칙어와 조선의 교육입국 조서 비교**

교육 칙어	반포 시기	1890년(대일본 제국 헌법 제정 직후)
	목적	국가가 교육에 관한 간섭과 통제를 강화하기 위함
교육입국 조서	반포 시기	1895년(갑오개혁 추진 당시)
	목적	덕·체·지를 겸비한 교육, 충군애국의 교육 목표 강조 → 교육을 통한 부국강병 도모

15 동아시아 각국의 태양력 도입

답 태양력

동아시아 각국에 근대적 시간관념이 확산되면서 태양력이 도입되었다. 일본에서는 1873년부터 태양력을 사용하였고, 한국에서는 을미개혁을 통해 도입하여 이듬해인 1896년부터 공식적으로 사용하였다.

중국에서는 신해혁명으로 중화민국이 수립된 1912년부터 태양력을 사용하였다. 태양력이 도입되면서 기존에 사용하던 태음력과의 날짜 간격으로 인한 혼란이 나타나자 명절, 농사 등에는 음력과 양력을 함께 사용하기도 하였다.

16 사회 진화론의 영향

(1) 사회 진화론

(2) 모범 답안 | • 일본: 천황에 대한 충성과 복종을 강조하고 제국주의적 팽창을 주장하였다.

• 청·대한 제국: 국권 수호를 위한 자강의 논리로 수용되어 청에서는 변법자강 운동, 대한 제국에서는 애국 계몽 운동이 전개되었다.

주요 단어 | 천황에 대한 충성과 복종, 제국주의적 팽창, 국권 수호, 자강의 논리, 변법자강 운동, 애국 계몽 운동

채점 기준	배점
주요 단어를 모두 포함하여 일본과 청·대한 제국의 차이점이 드러나도록 바르게 서술한 경우	상
주요 단어를 포함하여 일본과 청·대한 제국의 내용 중 한 가지만 서술한 경우	하

17 철도 부설의 영향

모범 답안 | • 긍정적 영향: 인구 이동과 물자 유통이 촉진되었다. 사람들의 활동 공간과 시야가 확대되었다. 여행 문화가 확산되었다.

• 부정적 영향: 제국주의 열강의 침략 도구로 활용되었다.

주요 단어 | 인구 이동, 물자 유통, 활동 공간과 시야, 여행 문화, 제국주의 열강의 침략 도구

채점 기준	배점
주요 단어를 포함하여 긍정적·부정적 영향을 각각 한 가지씩 바르게 서술한 경우	상
주요 단어를 포함하여 긍정적·부정적 영향 중 한 가지만 바르게 서술한 경우	하

도전 수능 문제

p. 165 ~ p. 167

01 ⑤	02 ②	03 ⑤	04 ⑤	05 ③	06 ③
07 ②	08 ①	09 ③	10 ①	11 ①	12 ④

01 사회 진화론의 특징 답 ⑤

대화에 나타난 이론은 사회 진화론이다. 동아시아 각국에 수용된 사회 진화론은 제국주의 침략을 정당화하는 논리이자, 국권 수호를 위한 자강의 논리로 활용되었다.

정답을 찾아가는 셀파 - Tip

ㄱ. ~~위정척사 운동~~의 사상적 바탕이 되었다. (×)
→ 애국 계몽 운동

ㄴ. ~~태평천국 운동~~의 이념적 배경이 되었다. (×)
→ 변법자강 운동

ㄷ. 애국 계몽 운동을 추진하는 데 영향을 끼쳤다. (○)

ㄹ. 서양 열강의 침략을 정당화하는 논리로 이용되었다. (○)

자료를 분석하는 셀파 - Tip

◀ 유길준

세상의 모든 일에 경쟁이 없는 것이 없습니다. 크게는 천하, 국가의 일부터 작게는 한 몸, 한 집안의 일까지 모두 경쟁을 통해 진보할 수 있습니다.

└ 사회 진화론에서 강조하는 경쟁, 적자생존을 나타낸 부분이다.

량치차오 ▶

그렇습니다. 지금 세계에는 경쟁에서 이긴 강자의 권리만이 존재합니다. 강자가 약자를 지배할 뿐 다른 힘은 따로 없지요. 이것이 진화의 원칙입니다.

└ 경쟁, 적자생존, 약육강식을 나타낸 부분이다. 사회 진화론은 경쟁으로 인한 개인 간의 불평등을 인정하고, 약자에 대한 강자의 지배를 당연시하였다.

02 근대 교육의 보급 답 ②

(가)에는 개항 이후 동아시아에서 시행된 근대식 교육에 관한 내용이 들어가야 한다.

② 서당은 삼국 시대부터 있었던 것으로 추정되며, 조선 후기에 이르러 사회적 기능이 강화되었다.

정답을 찾아가는 셀파 - Tip

① 청에서는 경사 대학당과 같은 신식 학당이 설립되었어. (○)
→ 베이징에 경사 대학당, 지방에 소학당과 중학당이 설립되었다.

② 조선에서는 서당이라는 교육 기관이 처음 출현하였어. (×)

③ 조선에서는 덕·체·지를 강조한 교육입국 조서가 반포되었어. (○)
→ 1895년에 고종이 반포하였다.

④ 일본에서는 소학교로부터 중학교로 이어지는 학제가 제정되었어. (○)
→ 1872년에 학제를 발표하고 근대적 학교 교육을 도입하였다.

⑤ 일본에서는 취학 연령 아동을 대상으로 의무 교육이 시작되었어. (○)
→ 근대 학제 발표에 따라 소학교의 의무 교육 제도를 시행하였다.

03 동아시아 각국의 근대 서구 문물 수용 답 ⑤

한국에서는 1899년에 경인선이 개통되었고, 1883년에 최초의 신문인 『한성순보』가 창간되었다. 중국에서는 1898년에 경사 대학당이 설립되었고, 1872년에 상하이에서 영국인의 주도로 『신보(申報)』가 창간되었다. 한편 일본에서는 1870년에 최초의 일간지인 『요코하마 마이니치 신문』이 발간되었다.

내 것으로 만드는 셀파 - Tip

▶ 동아시아 각국의 신문 발간

일본	『요코하마 마이니치 신문』(1870): 최초의 일간지
중국	『신보』(1872): 상하이에서 영국 상인이 창간
한국	• 『한성순보』(1883): 한국 최초의 근대식 신문, 관보(정부 발행) • 『독립신문』(1896): 한국 최초의 민간지, 한글과 영문으로 발간

04 상하이와 요코하마의 모습 답 ⑤

(가)는 상하이, (나)는 요코하마이다. 1872년 일본 최초의 철도가 도쿄와 요코하마 사이에 부설되었다.

정답을 찾아가는 셀파 - Tip

① (가) – 수신사 일행이 문물을 시찰하고 있다. (×)
→ 수신사는 조선이 일본으로 파견한 외교 사절이다.
② (가) – 경사 대학당에서 학생이 공부하고 있다. (×)
→ 경사 대학당은 베이징에 설립된 교육 기관이다.
③ (나) – 데지마에 네덜란드 상인이 머무르고 있다. (×)
→ 데지마는 나가사키에 조성된 인공 섬이다.
④ (나) – 통리기무아문에서 관리가 업무를 보고 있다. (×)
→ 통리기무아문은 조선에서 설치한 기구이다.
⑤ (나) – 기술자가 도쿄와 연결되는 철도 건설 현장을 감독하고 있다. (○)

05 개항 이후 동아시아 각국의 상황 답 ③

상하이는 1842년에 난징 조약이 체결됨에 따라 개항되었다. 이후 영국, 미국, 프랑스 등이 상하이에 조계를 설치하고 관리하였다.

③「곤여만국전도」는 17세기 초 마테오 리치 등에 의해 제작되었다.

06 상하이와 관련된 역사적 사건 답 ③

(가) 도시는 상하이이다. 상하이는 1842년에 체결된 난징 조약에 의해 개항된 이래로 서양 국가의 조계가 설정되어 서양식 건물들이 들어서게 되었다. 1872년에는 영국 상인에 의해 『신보』가 창간되었고, 1919년에는 대한민국 임시 정부가 수립되었다. 1932년에는 한인 애국단 소속의 윤봉길이 훙커우 공원에서 의거를 일으켰다.

정답을 찾아가는 셀파 - Tip

① 인공 섬 데지마가 조성되었다. (×)
→ 데지마는 나가사키에 조성된 인공 섬이다.
② 조선의 조사 시찰단이 방문하였다. (×)
→ 조사 시찰단은 도쿄를 비롯한 일본의 주요 도시를 방문하였다.
③ 영국 상인에 의해 『신보』가 창간되었다. (○)
④ 근대 교육을 위해 경사 대학당이 건립되었다.(×)
→ 1898년 베이징에 설립되었다.
⑤ 긴자의 도로를 확장하고 서양식 거리를 조성하였다. (×)
→ 일본 도쿄에 관한 설명이다.

07 상하이와 부산의 역사적 특징 답 ②

(가)는 상하이, (나)는 부산이다. 상하이는 난징 조약, 부산은 강화도 조약의 체결로 개항되었는데, 두 조약은 모두 불평등 조약이다.

정답을 찾아가는 셀파 - Tip

① (가) – 경사 대학당이 설립되었다. (×)
→ 베이징
② (가) – 불평등 조약의 체결로 개항되었다. (○)
③ (나) – 인공 섬 데지마가 조성되었다. (×)
→ 나가사키
④ (나) – 영국 상인에 의해 『신보』가 창간되었다. (×)
→ 상하이
⑤ (가), (나) – 전쟁으로 서양 열강에 할양되었다. (×)
→ 상하이, 부산 모두 할양된 지역이 아니다.

08 베이징의 역사 답 ①

자료에서 '금·원·명·청 등의 수도', '자금성', '경극' 등을 통해 (가) 도시가 베이징임을 알 수 있다. 청에서는 청·일 전쟁 이후 서양식 학교인 학당의 설립이 늘어나기 시작하였다. 곳곳에 소학당과 중학당이 세워졌고, 1898년에는 베이징에 경사 대학당이 설립되었다.

정답을 찾아가는 셀파 - Tip

① 경사 대학당이 설립된 곳이다. (○)
② 아주 화친회가 조직된 곳이다. (×)
→ 도쿄
③ 태평천국군이 수도로 삼은 곳이다. (×)
→ 난징
④ 영국 상인이 『신보』를 발행한 곳이다. (×)
→ 상하이
⑤ 대한 제국이 황성 만들기 사업을 추진한 곳이다. (×)
→ 한성

09 동아시아의 주요 개항장 답 ③

(가)는 광저우, (나)는 상하이, (다)는 인천, (라)는 요코하마이다. 『신보(申報)』는 1872년에 상하이에서 영국 상인에 의해 발행되었다. 한반도 최초의 철도는 한성과 인천을 연결하는 경인선으로, 1899년에 개통되었다.

10 개항장과 근대 도시 답 ①

(가)는 부산, (나)는 나가사키, (다)는 광저우이다. 1876년에 체결된 강화도 조약은 부산 외에 두 곳의 항구를 개항하도록 규정하였다. 강화도 조약 체결 직후 부산이 개항되었고, 이후 원산과 인천이 추가로 개항되었다.

11 요코하마와 부산의 모습 답 ①

'일본 최초의 철도 부설', '미·일 수호 통상 조약으로 개항' 등을 통해 (가)가 요코하마임을 알 수 있다. '강화도 조약으로 개항', '1905년에 철도 개통' 등을 통해 (나)가 부산임을 알 수 있다. 요코하마에서는 일본 최초의 일간지인 『요코하마 마이니치 신문』이 발간되었다.

12 러·일 전쟁 시기 동아시아의 상황 답 ④

자료에서 '경부선의 개통' 등을 통해 가상 대화가 이루어진 시기가 러·일 전쟁 중인 1905년임을 알 수 있다.

정답을 찾아가는 셀파 - Tip

① 신간회 창립식에 참석한 기자 (×)
→ 1927년
② 교자로 물건을 구매하는 상인 (×)
→ 교자는 송 대에 사용된 화폐이다.
③ 난징 조약을 체결하는 중국 관리 (×)
→ 1842년
④ 러·일 전쟁에 참전한 일본 군인 (○)
⑤ 막부 타도 운동에 참여하는 무사 (×)
→ 막부 타도 운동의 결과 1868년에 메이지 유신이 일어났다.

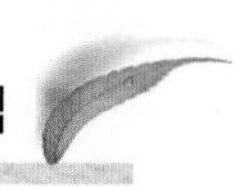

V 오늘날의 동아시아

01 제2차 세계 대전 전후 처리와 냉전 체제

탄탄 내신 문제 p. 175 ~ p. 179

01 ④	02 ①	03 ③	04 ③	05 ①	06 ①
07 ⑤	08 ①	09 ②	10 ①	11 ⑤	12 ②
13 ①	14 ⑤	15 ③	16 ②	17 ㄴ-ㄱ-ㄷ-ㄹ	

18 신헌법(평화 헌법, 일본국 헌법) 19 중화 인민 공화국
20 해설 참조 21 (1) 닉슨 독트린 (2) 해설 참조

01 얄타 회담의 내용 답 ④

밑줄 친 '회담'은 얄타 회담이다. 독일의 패망이 확실해지는 상황에서 미국, 영국, 소련의 수뇌부가 얄타에서 회담을 열어 연합국의 독일 분할 점령을 합의하고, 소련의 대일전 참전에 관한 비밀 협약을 체결하였다.

내 것으로 만드는 셀파 - Tip

▶ 연합국의 전후 처리 구상

회담	내용
카이로 회담	미국·영국·중국의 카이로 선언 발표 → 일본의 무조건 항복, 일본 식민지의 독립 요구, 한국의 독립 약속
얄타 회담	미국·영국·소련 참가 → 전후 독일 처리 문제, 소련의 대일전 참전 합의
포츠담 회담	미국·영국·중국·소련의 포츠담 선언 발표 → 카이로 선언 이행 강조, 일본 영토의 한정과 무조건 항복 촉구

02 일본 신헌법(평화 헌법)의 주요 내용 답 ①

일본의 신헌법(평화 헌법)은 제2차 세계 대전 이후 일본을 점령한 미국의 주도로 제정되었다. 국민 주권(주권 재민)의 원칙에 따라 인권 보호 조항이 강화되었고, 천황을 상징적 존재로 규정하였으며, 일본의 군사력 보유를 금지하였다.

정답을 찾아가는 셀파 - Tip

ㄱ. 군사력 보유를 금지하였다. (○)
ㄴ. 천황을 상징적 존재로 규정하였다. (○)
ㄷ. 자유 민권 운동의 결과 제정되었다. (×)
→ 대일본 제국 헌법이다.
ㄹ. 정치 체제를 입헌 군주제로 정하였다. (×)
→ 대일본 제국 헌법은 입헌 군주제를 표방하였으나 천황에게 막강한 권력을 부여하였다.

03 미국의 대일본 정책의 변화 답 ③

(가)에는 미국의 대일본 정책이 변화하게 된 배경이 들어가야 한다. 전후 연합국은 미국이 중심이 되어 일본에 대해 강경한 정책을 실시하였다. 하지만 중국과 북한이 공산화되고, 6·25 전쟁이 발발하는 등 냉전 체제가 본격화되면서 미국은 일본을 동아시아의 반공 기지로 구축하는 방향으로 대일본 정책을 변화하였다.

04 제2차 세계 대전 이후 주요 사건 답 ③

일본에서는 신헌법(평화 헌법)이 1946년에 제정되었고, 6·25 전쟁은 1950년에 발발하였다. 일본의 패망 이후 한반도는 38도선을 경계로 남북으로 분단되었다. 1948년 남한에는 대한민국 정부, 북한에는 조선 민주주의 인민 공화국이 수립되었다. 각각 단독 정부가 들어섬에 따라 한반도 분단이 고착화되었다.

정답을 찾아가는 셀파 - Tip

① 통킹만 사건이 일어났다. (×)
→ 1964년
② 경찰 예비대가 조직되었다. (×)
→ 1950년 6·25 전쟁 발발 직후 창설되었다.
③ 대한민국 정부가 수립되었다. (○)
④ 미·일 안보 조약이 체결되었다. (×)
→ 1951년 샌프란시스코 강화 조약과 함께 체결되었다.
⑤ 미국이 일본에 군정을 시작하였다. (×)
→ 1945년

05 6·25 전쟁 발발 이후 일본의 상황 답 ①

6·25 전쟁 발발 등을 배경으로 미국은 일본을 동아시아에서 공산 세력에 대항하는 전략적 거점으로 삼고자 하였다. 이에 따라 경찰 예비대가 조직되어 다시 군사력을 보유하게 되었고, 샌프란시스코 강화 조약에 따라 일본은 주권을 회복하였다. 또 미·일 안보 조약이 체결되었다.

① 도쿄 재판(극동 국제 군사 재판)은 1946년부터 2년 반 동안 일본의 주요 전범 28명에 대해 진행되었다.

06 샌프란시스코 강화 조약의 특징 답 ①

밑줄 친 '이 조약'은 샌프란시스코 강화 조약이다. 1951년 6·25 전쟁 중에 체결된 이 조약으로 일본은 주권을 회복하였고, 동시에 체결된 미·일 안보 조약을 통해 미국과 군사적 동맹 관계를 맺었다. 그러나 일본의 침략으로 큰 피해를 입었던 한국과 중국은 회의에 참석하지 못하였으며, 일본의 전쟁 배상 문제가 제대로 처리되지 못하였다는 한계를 가진다.

07 국·공 내전의 전세 변화 원인 답 ⑤

제시된 그래프는 국·공 내전 시기 국민당군과 공산당군의 병력 증감을 나타낸 것이다. 국민당군은 점차 감소하고 공산당군은 점차 증가 추세를 보인다. 국민당군은 관료의 부정부패와 인플레이션 등으로 민심을 잃어 병력이 감소하였다. 반면에 공산당군은 토지 개혁 등을 통한 농민의 지지 확보를 배경으로 병력이 증가하였다.

08 국·공 내전의 영향 답 ①

밑줄 친 '내전'은 국·공 내전이다. 1946년부터 1949년까지 벌어진 내전의 결과 중국 대륙은 중국 공산당이 차지하게 되었고, 중국 국민당은 타이완으로 거점을 옮기게 되었다. 국민당을 지지했던 미국은 공산당이 중국 대륙을 장악하자 경제 봉쇄 정책을 추진하였고, 일본을 동아시아의 반공 기지로 만들고자 하였다.

09 6·25 전쟁의 배경 답 ②

북한은 공산화된 중국(중화 인민 공화국)과 핵 실험에 성공한 소련의 지원을 받으며 전쟁을 준비하였다. 또한 애치슨 라인의 발표로 한반도에 전쟁이 일어나더라도 미국의 참전 가능성이 낮다고 판단하였다. 이에 북한군은 1950년 6월 25일에 전면적인 남침을 감행하여 6·25 전쟁을 일으켰다. ㄴ. 루거우차오 사건은 중·일 전쟁의 배경이다. ㄹ. 1955년 미국의 지원을 받은 남베트남 지역에서 베트남 공화국이 수립되었다.

10 6·25 전쟁 중 상황 답 ①

자료는 6·25 전쟁 정전 협정의 일부 내용으로, 1953년 7월 정전 협정이 체결됨에 따라 6·25 전쟁이 종료되었다.

① 제네바 회담은 1954년에 개최되었다. 제네바 회담에서는 베트남의 전후 처리 문제와 한반도의 종전 문제에 대해서 다루었다.

11 통킹만 사건의 영향 답 ⑤

자료는 통킹만 사건에 대한 내용이다. (가)에는 통킹만 사건 이후 베트남 전쟁의 변화가 들어가야 한다. 통킹만 사건을 계기로 미국은 북베트남을 폭격하고 전투 부대를 파병하는 등 전쟁에 본격적으로 개입하였다.

12 베트남 전쟁 시기의 동아시아 정세 답 ②

(가)는 1954년의 제네바 협정, (나)는 1973년의 파리 평화 협정이다. 닉슨 독트린은 1969년에 발표되었다.

자료를 분석하는 셀파 - Tip

┌ 프랑스군의 철수, 북위 17도선을 경계로 한 남북 분할 등을 합의한 제네바 협정이다.
(가) 북위 17도선을 경계로 300일 이내에 호찌민 정부군은 그 이북으로, 프랑스군은 그 이남으로 이동한다.
(나) 남베트남에 있는 미군과 다른 동맹국들의 군사 기지는 조약 서명 후 60일 이내에 철거되어야 한다.
└ 파리 평화 협정을 체결하여 미국은 베트남 전쟁에서 개입 종결을 선언하고 철수하였다.

정답을 찾아가는 셀파 - Tip

① 일본 신헌법이 제정되었다. (×)
→ 1946년
② 닉슨 독트린이 발표되었다. (○)
③ 극동 국제 군사 재판이 개최되었다. (×)
→ 극동 국제 군사 재판은 1946년부터 2년 반 동안 진행되었다.
④ 북한군이 남침하여 전쟁이 일어났다. (×)
→ 1950년
⑤ 베트남 사회주의 공화국이 수립되었다. (×)
→ 1976년

13 국·공 내전 이후 타이완의 상황 답 ①

1952년 일본과 가장 먼저 국교를 수립한 국가는 타이완이다. (가)에 들어갈 국가는 타이완이다. 1950년 미국의 국무 장관 애치슨이 미국의 태평양 지역 방어선(애치슨 라인)을 설정하였는데 한국과 타이완은 방어선에서 제외되었다.

14 한·일 수교의 배경 답 ⑤

자료의 조약은 한·일 기본 조약이다. 베트남 전쟁이 본격화되는 상황에서 동아시아 안보 체제를 강화하고자 했던 미국, 경제 개발을 위해 일본의 기술과 자본을 필요로 했던 한국, 한국을 일본의 수출 시장으로 확보하고자 했던 일본의 입장 등을 배경으로 한·일 기본 조약이 체결되었다.

15 닉슨 독트린의 영향 답 ③

닉슨 독트린은 1969년 발표된 아시아에 대한 미국의 외교 정책이다. 이에 따라 미국은 베트남 전쟁에서 미군을 단계적으로 철수하였으며, 1972년에는 닉슨 대통령이 중국을 방문하여 미·중 공동 성명을 발표하였다. 이를 배경으로 중국과 일본도 중·일 공동 성명을 발표하고 양국 간의 국교를 정상화하였다.

정답을 찾아가는 셀파 - Tip

① 애치슨 라인이 설정되었다. (×)
→ 1950년
② 통킹만 사건이 발생하였다. (×)
→ 1964년
③ 중국과 일본이 외교 관계를 맺었다. (○)
④ 소련이 일본과의 전쟁에 참전하였다. (×)
→ 1945년
⑤ 일본의 군국주의자들이 공직에서 추방되었다. (×)
→ 일본의 군국주의자들을 공직에서 추방한 것은 일본 패망 직후에 미 군정이 실시한 것이다.

16 동아시아 각국의 국교 회복 답 ②

제2차 세계 대전 이후 1952년에 가장 먼저 국교를 수립한 나라는 일본과 타이완이다. 이어서 1965년에 한국과 일본이 한·일 기본 조약을 체결하였다. 냉전이 완화되면서 1978년에 중국과 일본이 평화 우호 조약을 체결하여 전쟁 상태의 종결을 선언하였다. 소련의 해체로 냉전 체제가 붕괴된 이후 1992년에 한국은 중국, 베트남과 국교를 수립하였다.

서답형 문제

17 제2차 세계 대전 전후 처리 답 ㄴ-ㄱ-ㄷ-ㄹ

제2차 세계 대전에서 승기를 잡은 연합군은 전후 처리를 위한 회담을 개최하였다. 1943년 미국, 영국, 중국의 대표가 모여 카이로 회담을 열었고, 1945년에는 얄타 회담(2월)과 포츠담 회담(7월)이 개최되었다. 1951년에는 샌프란시스코 강화 회의가 개최되어 일본이 주권을 회복하였다.

18 일본국 헌법의 주요 내용 답 신헌법(평화 헌법, 일본국 헌법)

1946년 제정된 신헌법은 천황을 상징적 존재로 규정하고 군사력 보유를 금지하는 등의 내용을 명시하였다.

자료를 분석하는 셀파 - Tip

천황을 상징적 존재로 규정하였다.
제1조 천황은 일본국의 상징으로 일본 국민 통합의 상징이며, 이 지위는 주권이 존재하는 일본 국민의 총의에 기초한다. 주권 재민
제9조 2. 전항의 목적을 이루기 위하여 육·해·공군 및 기타의 전력을 보유하지 않는다. 국가의 교전권은 인정하지 않는다.
군사력 보유를 금지하였다.

19 국·공 내전의 결과 답 중화 인민 공화국

제2차 세계 대전이 종결된 이후 중국에서는 중국 국민당과 중국 공산당 간 내전이 발생하였다. 초기에는 국민당군이 주도하여 옌안 및 만주와 화북 지역의 주요 도시를 점령하였다. 하지만 토지 개혁으로 민중의 지지를 얻은 공산당군이 전세를 역전하였다. 공산당이 승리하면서 중국 본토에 중화 인민 공화국이 수립되었고, 패배한 국민당은 타이완으로 이동하였다.

20 6·25 전쟁의 배경

모범 답안 | 소련이 핵무기 개발에 성공하고 중국이 공산화되면서 북한은 소련과 중국의 지원을 확보하여 전쟁 준비를 할 수 있었다. 한편 남한에서는 미군이 철수하였으며, 미국의 애치슨 라인 발표에 따라 태평양 지역 방위선에서 한국과 타이완이 제외되었다.
주요 단어 | 중국의 공산화, 애치슨 라인의 발표(애치슨 선언)

채점 기준	배점
주요 단어를 모두 포함하여 바르게 서술한 경우	상
주요 단어 중 한 가지만 포함하여 바르게 서술한 경우	하

21 닉슨 독트린의 영향

(1) 닉슨 독트린
(2) 모범 답안 | 베트남 전쟁에서 미국이 철수하였다. 닉슨 대통령이 중국을 방문하였다. 중국과 일본이 외교 관계를 수립하였다. 동아시아 지역의 냉전 체제가 완화되었다.
주요 단어 | 베트남 전쟁에서 미국의 철수, 닉슨 대통령의 중국 방문, 중국과 일본의 국교 수립, 냉전 체제의 완화

채점 기준	배점
주요 단어를 포함하여 세 가지 이상 바르게 서술한 경우	상
주요 단어 중 두 가지만 포함하여 바르게 서술한 경우	중
주요 단어 중 한 가지만 포함하여 바르게 서술한 경우	하

도전 수능 문제

p. 180 ~ p. 183

01 ①	02 ①	03 ②	04 ⑤	05 ⑤	06 ③
07 ①	08 ②	09 ②	10 ①	11 ②	12 ④
13 ④	14 ⑤	15 ②	16 ②		

01 1950년대 동아시아 정세 답 ①

(가)는 1951년에 체결된 미·일 안보 조약, (나)는 1954년에 체결된 제네바 협정이다.

① 6·25 전쟁이 발발하자 유엔 안전 보장 이사회의 결의로 유엔군이 창설(1950년 7월)되어 참전하였다.

02 샌프란시스코 강화 조약의 내용 답 ①

(가) 조약은 샌프란시스코 강화 조약이다. 이 조약은 1951년 체결되었다. 그러나 최대 피해국인 한국과 중국이 참여하지 못하였으며, 일본의 전쟁 책임과 식민 지배에 대한 사죄나 배상 문제가 제대로 처리되지 못하였다.

03 샌프란시스코 강화 조약의 이해 답 ②

(가) 조약은 샌프란시스코 강화 조약이다. 6·25 전쟁 중인 1951년 체결되었다. 이 조약으로 일본의 주권이 회복되었다. 그러나 전쟁의 최대 피해국인 한국과 중국이 참여하지 못하였으며 배상 문제 해결에도 소홀했다는 한계가 있다.

자료를 분석하는 셀파 - Tip

기획 특집 – 청산되지 못한 과거
제2차 세계 대전을 종식시키기 위해 일본과 연합국이 모였다.
50여 개국 대표가 전쟁의 종결을 위해 미국에 모였다. 이 회의는 주요 피해국인 한국과 중국이 배제되었다는 점 등에서 중대한 결함을 안고 있었다. 소련 등 3개국 대표들이 서명을 거부하는 가운데, 대다수 국가의 대표들은 (가) 에 서명을 하였으며 결국은 전범국에 대한 배상 청구권을 포기하게 되었다. 배상이 이루어진 3개국의 경우에는 몇 년이 지나서야 별도의 평화 협정을 체결하고 경제 협력을 받는 데 그쳤다. ……
폴란드, 체코슬로바키아

04 6·25 전쟁 시기 동아시아 정세 답 ⑤

자료는 6·25 전쟁에 관한 보고서이다. 6·25 전쟁 기간 중에 샌프란시스코 강화 조약이 체결되어 일본이 주권을 회복하였다. 동시에 미·일 안보 조약이 체결되어 미국과 일본이 군사 동맹 관계를 맺었다.

정답을 찾아가는 셀파 - Tip

① 만주국이 수립되는 계기가 되었다. (×)
→ 만주 사변 이후 일본이 만주국을 세웠다.
② 일본이 타이완을 차지하는 배경이 되었다. (×)
→ 시모노세키 조약에 따라 일본이 차지하였다.
③ 파리 평화 협정이 체결되는 결과를 낳았다. (×)
→ 미국 내 반전 여론과 닉슨 독트린 등이 배경이 되었다.
④ 루거우차오 사건이 원인이 되어 발생하였다. (×)
→ 중·일 전쟁에 대한 설명이다.
⑤ 전쟁 중에 샌프란시스코 강화 조약이 체결되었다. (○)

05 6·25 전쟁의 배경 답 ⑤

애치슨 라인은 미국의 국무 장관 애치슨이 발표한 미국의 태평양 지역 방위선이다. 한국과 타이완이 애치슨 라인에서 제외되자 북한은 한반도에서 전쟁이 일어나도 미국이 참전할 가능성이 적다고 판단하여 남침하였다.

06 6·25 전쟁 시기의 상황 답 ③

밑줄 친 '전쟁'은 6·25 전쟁이다. 6·25 전쟁은 1950년부터 1953년까지 전개되었다. 이 시기 일본은 샌프란시스코 강화 조약(1951년)이 체결됨에 따라 주권을 회복하였고, 1952년 타이완과 국교를 수립하였다.

정답을 찾아가는 셀파 - Tip

① 애치슨 선언이 발표되었다. (×)
→ 6·25 전쟁 직전에 발표되었다.
② 통킹만 사건이 발생하였다. (×)
→ 1964년, 이 사건을 계기로 미국이 베트남 전쟁에 전면적으로 개입하였다.
③ 일본과 타이완이 국교를 수립하였다. (○)
④ 중국에서 국·공 내전이 발발하였다. (×)
→1946년
⑤ 한·미 상호 방위 조약이 체결되었다. (×)
→ 1953년 6·25 전쟁 종결 직후에 체결되었다.

07 1950년대 동아시아 지역의 전쟁 답 ①

(가) 전쟁은 6·25 전쟁, (나) 전쟁은 베트남과 프랑스 사이의 전쟁이다. 6·25 전쟁이 발발하면서 미국은 일본을 동아시아 반공 기지로 구축하고자 하였고, 이에 따라 샌프란시스코 강화 조약을 체결해 일본이 주권을 회복하였다. 일본의 패망 이후 베트남에서는 식민 지배를 회복하고자 하는 프랑스와 베트남 사이에 전쟁이 발생하였다. 이 전쟁은 디엔비엔푸 전투에서 베트남이 승리하면서 제네바 협정이 체결되어 종결되었다.

08 베트남의 독립 선언 답 ②

자료는 1945년 일본의 패망 이후 발표된 베트남의 독립 선언이다. 일본이 베트남 지역으로 침략해 오자 1941년 호찌민의 주도로 베트남 독립 동맹이 결성되었다. 1945년 일본이 패망하자 프랑스는 베트남에 대한 식민 통치를 회복하려 하였고, 그 과정에서 전쟁이 발생하였다. 베트남이 승리한 이후 1954년 전쟁을 종결하는 제네바 협정이 체결되었다.

09 베트남 전쟁 중 동아시아의 상황 답 ②

통킹만 사건은 1964년에 일어났고, 파리 평화 협정은 1973년에 체결되었다. 따라서 1964년부터 1973년 사이에 동아시아에서 발생했던 일을 찾아본다.

② 한·일 기본 조약은 1965년에 체결되었다.

정답을 찾아가는 셀파 - Tip

① 중국 – 국민당과 공산당이 내전을 전개하였다. (×)
→1946년
② 한국 – 일본과 한·일 기본 조약을 체결하였다. (○)
③ 일본 – 주권을 회복하여 미 군정이 종료되었다. (×)
→ 1951년 샌프란시스코 강화 조약이 체결되며 미 군정이 종료되었다.
④ 북한 – 조선 민주주의 인민 공화국 수립을 선포하였다. (×)
→ 1948년
⑤ 베트남 – 도이머이 정책을 통해 시장 경제를 도입하였다. (×)
→ 1986년

10 베트남 전쟁의 전개 과정 답 ①

밑줄 친 '전쟁'은 베트남 전쟁이다. 미국은 통킹만 사건을 계기로 베트남 전쟁에 전면적으로 개입하였다. 미국은 동맹국에 지원을 요청하였고 한국은 베트남에 전투 병력을 파견하였다. 북한은 북베트남을 지원하였다.

정답을 찾아가는 셀파 - Tip

① 한국이 전투 병력을 파견하였다. (○)
② 일본군 '위안부'가 강제 동원되었다. (×)
→ 태평양 전쟁 등 일제의 침략 전쟁 과정에서 있었던 사실이다.
③ 일본의 진주만 기습 공격으로 시작되었다. (×)
→ 태평양 전쟁
④ 제1차 국·공 합작이 성사되는 배경이 되었다. (×)
→ 열강에 결탁한 군벌 세력을 타도하기 위해 소련의 지원을 받아 쑨원이 추진하였다.
⑤ 중화 인민 공화국이 수립되는 결과를 가져왔다. (×)
→ 국·공 내전에서 중국 공산당이 승리하며 1949년 10월 중화 인민 공화국을 수립하였다.

11 베트남 전쟁의 종결 답 ②

자료는 통킹만 사건에 관한 것이다. 1964년 통킹만 사건을 계기로 미국은 베트남 전쟁에 전면적으로 개입하였다. 그러나 베트남 전쟁의 장기화에 따른 전쟁 비용과 인명 피해 확대로 반전 운동이 확산되자 1973년 파리 평화 협정을 체결하여 전쟁 개입 중단을 선언하고 미군이 철수하였다. 이후 1975년 북베트남이 사이공을 점령하면서 베트남 전역이 공산화되었다.

정답을 찾아가는 셀파 - Tip

① 6·25 전쟁이 일어났다. (×)
→ 1950년
② 베트남 전역이 공산화되었다. (○)
③ 제2차 세계 대전이 발발하였다. (×)
→ 1939년
④ 중화 인민 공화국이 수립되었다. (×)
→ 1949년
⑤ 샌프란시스코 강화 조약이 체결되었다. (×)
→ 1951년

12 베트남 전쟁 이후 상황 답 ④

밑줄 친 '이 전쟁'은 베트남 전쟁이다. 베트남 전쟁은 1975년 북베트남이 사이공을 함락시키면서 종결되었다.

④ 1987년 타이완의 국민당 정부가 계엄령을 해제하였다.

정답을 찾아가는 셀파 - Tip

① 일본이 난징 대학살을 일으켰다. (×)
→ 1937~1938년
② 베트남 독립 동맹이 결성되었다. (×)
→ 1941년
③ 중국에서 국민 혁명군의 북벌이 시작되었다. (×)
→ 1926년
④ 타이완의 국민당 정부가 계엄령을 해제하였다. (○)
⑤ 대한민국 임시 정부가 한국 광복군을 창설하였다. (×)
→ 1940년

13 6·25 전쟁과 베트남 전쟁 시기 동아시아 상황 답 ④

(가) 전쟁은 6·25 전쟁, (나) 전쟁은 베트남 전쟁이다. 6·25 전쟁 중이던 1952년 일본과 타이완이 국교를 수립하였다. 통킹만 사건을 계기로 베트남 전쟁에 전면적으로 개입한 미국은 1969년 닉슨 독트린을 발표하여 전쟁 개입 자제를 선언하였고, 1972년에는 닉슨 대통령이 중국을 방문하여 관계 개선을 도모하였다. 베트남 전쟁은 1975년 북베트남이 사이공을 점령하면서 종결되었다.

내 것으로 만드는 셀파 - Tip

▶ 냉전 체제하 전쟁의 영향

국·공 내전	공산당의 승리 → 중화 인민 공화국 수립
6·25 전쟁	미·일 동맹 강화, 일본의 경제 성장, 사회주의권 내 중국의 지위 상승
베트남 전쟁	베트남 사회주의 공화국 수립, 닉슨 독트린 발표 이후 냉전의 완화

14 닉슨 대통령의 중국 방문이 끼친 영향 답 ⑤

제시된 자료는 1972년 닉슨 미국 대통령이 중국을 방문한 사건이다. 중국을 방문한 닉슨 대통령은 미·중 공동 성명을 발표하여 미국이 중국을 유일한 합법 정부로 승인하고 타이완이 중국의 일부임을 인정하였다. 이러한 활동으로 인하여 동아시아 지역의 냉전 체제가 완화되었다.

15 중·일 공동 성명의 발표 시기 답 ②

자료에서 '일·화 평화 조약 폐기', '일본이 중화 인민 공화국을 중국의 유일한 합법 정부라고 공식 인정' 등을 통해 밑줄 친 '성명'이 중·일 공동 성명임을 알 수 있다. 중·일 공동 성명은 1972년 닉슨 대통령의 중국 방문에 이어서 체결되었다. 샌프란시스코 강화 조약 체결은 1951년, 통킹만 사건 발생은 1964년, 파리 평화 협정 체결은 1973년, 베트남 사회주의 공화국 수립은 1976년, 도이머이 정책 발표는 1986년, 한·중 국교 수립은 1992년에 일어났다.

자료를 분석하는 셀파 - Tip

(중·일 공동 성명임을 알 수 있다.)

타이완 외교부는 일·화 평화 조약 폐기에 따른 외교 관계 단절에 대해 일본 정부가 모든 책임을 져야 할 것이라고 발표하였다. 이 발표는 일본이 중화 인민 공화국을 중국의 유일한 합법 정부라고 공식 인정한 성명이 발표된 이후 12시간 만에 나온 것이다.

(타이완이 중국의 일부임을 인정한 것이다.)

16 동아시아 각국의 국교 수립 답 ②

(가)는 1972년에 체결된 중·일 공동 성명, (나)는 1973년에 체결된 파리 평화 협정이다. 닉슨 독트린의 발표와 닉슨 대통령의 중국 방문으로 미국의 대중국 정책이 변화하면서 중국과 일본도 중·일 공동 성명을 발표하고 국교를 수립하였다. 이 성명에서 일본은 자국의 침략 전쟁으로 중국인이 피해를 입은 것에 대해 공식적으로 사죄하였고, 중국은 일본에 대한 전쟁 배상 요구를 포기하였다.

02/03 경제 성장과 정치 발전 ~ 동아시아의 갈등과 화해

탄탄 내신 문제

p. 191 ~ p. 194

01 ⑤ 02 ⑤ 03 ② 04 ① 05 ④ 06 ②
07 ② 08 ③ 09 ③ 10 ⑤ 11 ④ 12 ③
13 ㄱ, ㄴ, ㄹ 14 (가) 6월 민주 항쟁 (나) 톈안먼 사건 15 55년 체제
16 해설 참조 17 (1) (가) 센카쿠 열도 (나) 시사 군도 (다) 난사 군도
(2) 해설 참조

01 일본의 경제 성장 답 ⑤

제2차 세계 대전 이후 일본은 미국의 지원을 받으며 경제 성장을 이루었다. 특히 6·25 전쟁과 베트남 전쟁의 특수를 누리면서 1970년대 초반까지 고도성장을 이룩하였다. 1980년대에는 일본 경제의 최대 성장기로 이 시기 주가와 부동산 가격이 폭등하면서 거품 경제가 형성되었다. 1990년대에는 거품 경제가 붕괴되어 장기 불황에 빠졌다.

정답을 찾아가는 셀파 - Tip

① 대약진 운동 전개 (×)
→ 1950년대 말 중국에서 추진되었다.
② 도이머이 정책 추진 (×)
→ 1986년부터 베트남에서 전개되었다.
③ 3저 호황으로 경제 성장 (×)
→ 1980년대 후반 한국의 상황이다.
④ 원조 물자에 기반한 소비재 공업 발전 (×)
→ 1950년대 한국에서는 미국의 원조 물자에 기반을 둔 소비재 공업이 발전하였다.
⑤ 주가와 부동산 가격 폭락으로 인한 장기 불황 (○)

02 한국과 타이완의 경제 발전 답 ⑤

(가) 국가는 1960년대 후반과 1980년대 후반에 10% 이상의 경제 성장을 하였으므로 한국이다. (나) 국가는 2000년대 접어들어 마이너스 성장을 기록하였으므로 타이완이다. 한국과 타이완은 그래프와 같은 경제 성장을 이루어 내면서 싱가포르, 홍콩과 함께 아시아의 4대 신흥 공업국으로 불렸다.

03 대약진 운동의 특징 답 ②

밑줄 친 '이 운동'은 대약진 운동이다. 제1차 5개년 계획을 통해 중국은 중공업 중심의 공업화와 농업 생산의 집단화를 진행하였다. 이러한 성과를 바탕으로 마오쩌둥은 농업과 공업의 비약적인 생산량 증가를 목표로 대약진 운동을 추진하였다. 그러나 자연재해로 인한 식량 부족과 근로 의욕 감소 등으로 실패하였고, 마오쩌둥은 실각하고 말았다.

정답을 찾아가는 셀파 - Tip

ㄱ. 마오쩌둥이 실각하는 원인이 되었다. (○)
ㄴ. 남순 강화를 계기로 더욱 가속화되었다. (×)
→ 톈안먼 사건 이후 보수 세력으로부터 개혁·개방 정책에 대한 비판이 고조되자, 1992년 덩샤오핑이 중국 남부를 순시하며 개혁·개방의 필요성을 강조하였다.
ㄷ. 자연재해, 근로 의욕 감소 등으로 실패하였다. (○)
ㄹ. 중국이 세계 3대 쌀 수출국으로 성장하는 발판이 되었다. (×)
→ 베트남은 도이머이 정책으로 미국, 타이와 함께 세계 3대 쌀 수출국이 되었다.

04 사회주의 국가의 개혁·개방 정책 답 ①

자료는 베트남의 도이머이 정책과 관련된 것이다. 중국, 북한, 베트남 등 사회주의 국가는 기업의 국영화와 농업의 집단화를 중심으로 하는 사회주의 경제 정책을 추진하였으나 심각한 경제 침체 상황에 빠지게 되었다. 이에 사회주의 국가는 경제 침체를 극복하기 위한 노력을 전개하였다. 중국에서는 개혁·개방 정책을 실시하고 인민공사를 해체하였고, 북한에서는 합영법을 제정하였으며, 베트남에서는 도이머이 정책을 추진하였다.

자료를 분석하는 셀파 - Tip

도이머이는 '새롭게 바꾼다.'라는 의미로 우리말로는 쇄신이라고 한다.

가장 중요한 것은 주인 역할, 즉 노동자가 열성을 발휘하여 군중 운동을 이행하는 것이며, 동시에 생산관계 혁명, 과학-기술 혁명 및 사상-문화 혁명을 조성하기 위한 경제 정책, 사회 정책을 쇄신하는 것이다. 식량·식품, 소비재 생산 원료, 수출품에 대한 급박한 요구가 농업의 최우선 위치를 결정한다. 소비재 생산지는 시장과 밀착해야 하고, 소비자의 수요 및 시장 기호를 확실하게 붙들어야 한다. -「베트남 공산당 제6차 전당 대회 보고문」(1986)-

1986년 베트남에서는 개혁·개방을 표방하는 정책을 실시하였다. 시장 경제 체제 일부를 도입하여 자본주의 국가와 교역을 확대하고, 외국 자본을 적극적으로 유치해 공업 발전에 노력하였다.

05 한국의 민주주의 발전 답 ④

한국에서는 광복 이후 이승만, 박정희, 전두환 정부의 독재 정치가 이어졌고, 이에 대항하는 민주화 운동이 전개되었다. 전두환 정부 말기 대통령 직선제 개헌 주장이 제기되었고, 박종철 고문치사 사건을 계기로 6월 민주 항쟁이 전개되었다. 그 결과 당시 대통령 후보였던 노태우가 6·29 민주화 선언을 발표하면서 대통령 직선제 개헌이 이루어졌다.

내 것으로 만드는 셀파 - Tip

▶ **동아시아 민주 정치 발전**

한국	이승만의 장기 집권 도모 → 4·19 혁명 → 5·16 군사 정변 → 박정희의 장기 집권(유신 체제) → 5·18 민주화 운동 → 전두환의 집권 → 6월 민주 항쟁
일본	55년 체제의 형성 → 경제 성장과 더불어 자민당의 장기 집권 → 1990년대 55년 체제 붕괴 → 2009년 정권 교체 → 2012년 자민당의 재집권
타이완	국민당의 장기 집권(계엄령하 통치) → 1987년 계엄령 해제 → 복수 정당제 도입, 총통 직선제 개헌 등 제도적 민주화 → 평화적 정권 교체

06 일본의 정치 체제 답 ②

55년 체제는 1970년대부터 흔들리기 시작하여 1990년대에 막을 내렸다. 경제 우선 정책으로 자민당의 장기 집권은 안정적으로 유지되었으나 1970년대 석유 파동 당시 전후 처음으로 마이너스 성장을 기록하였다. 이에 더해 유력 정치인이 미국 군수업체로부터 뇌물을 받은 록히드 사건이 터지면서 55년 체제가 위기에 빠졌다. 1990년대에는 거품 경제의 붕괴로 인한 경제 침체와 잇따른 부정부패로 자민당이 선거에서 패하였고, 1993년에는 비자민당 연립 정권이 수립되었다. 2009년에는 민주당에 의한 정권 교체가 이루어졌다.

정답을 찾아가는 셀파 - Tip

ㄱ. 거품 경제의 붕괴와 경제 불황이 계속되었다. (○)

ㄴ. 평화 헌법 개정 움직임에 국민이 반발하였다. (×)
→ 보수 정당들의 평화 헌법 개정 움직임에 대해 진보적인 사회당의 좌·우파가 통합하여 반대하였다.

ㄷ. 록히드 사건과 같은 뇌물 사건으로 위기에 빠졌다. (○)

ㄹ. 안보 투쟁이 격화되면서 국민의 지지를 상실하였다. (×)
→ 안보 투쟁은 1960년 자민당 내각이 미·일 안보 조약을 개정하여 미국과 군사적 유대를 강화하고 군비를 확장하려고 하자 이를 저지하기 위해 전개된 대규모 반대 투쟁이다. 자민당이 단독으로 개정을 하였지만 이것이 55년 체제의 붕괴를 가져오지는 않았다.

07 톈안먼 사건의 특징 답 ②

밑줄 친 '시위'는 1989년에 일어난 톈안먼 사건이다. 중국은 덩샤오핑 집권 이후 개혁·개방 정책을 추진하여 시장 경제 체제가 도입되었다. 개혁·개방이 진전되면서 정치적 개혁을 요구하는 주장도 등장하게 되었다. 이에 따라 학생과 시민, 노동자 등을 중심으로 정치적 민주화를 요구하는 대대적인 시위가 전개되었다(톈안먼 사건). 중국 정부는 시위를 폭력적 난동으로 규정하고 군대를 동원하여 강경 진압하였다.

08 센카쿠 열도 분쟁 답 ③

학생들이 이야기하고 있는 지역은 (다) 센카쿠 열도(중국명 댜오위다오)이다. 센카쿠 열도는 청·일 전쟁에서 승리한 일본이 시모노세키 조약에 따라 타이완과 함께 영유하였고, 제2차 세계 대전 이후에는 미국이 점령하였다. 센카쿠 열도는 1972년 오키나와가 일본에 반환될 때 함께 반환되어 현재 일본이 영유하고 있다. 하지만 중국과 타이완은 자국의 고유 영토임을 주장하며 동아시아 국가 간 영토 분쟁이 격화되었다.

자료를 분석하는 셀파 - Tip

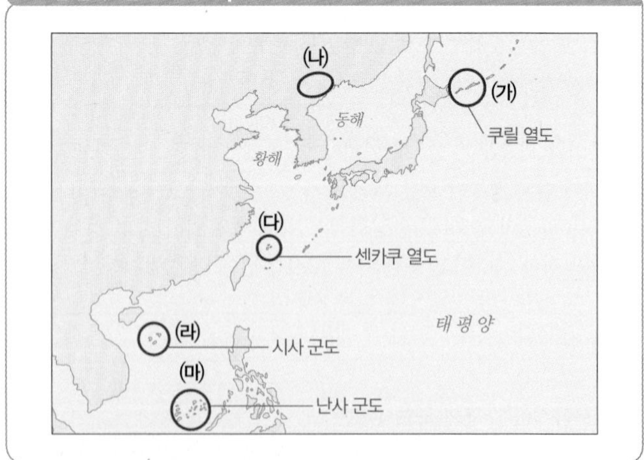

09 시사 군도 분쟁 답 ③

시사 군도는 중국과 베트남이 영유권 분쟁을 벌이고 있는 지역이다. 이러한 영토 분쟁은 1970년대 이후 해양 자원의 중요성이 강조되면서 심화되고 있다.

정답을 찾아가는 셀파 - Tip

ㄱ. 러시아와 일본이 영유권 분쟁을 벌이고 있다. (×)
→ 쿠릴 열도에 대한 설명이다. 시사 군도는 중국과 베트남이 영유권 분쟁을 벌이고 있다.
ㄴ. 남중국해에 위치하고 있으며, 영어명은 파라셀 제도이다. (○)
ㄷ. 중국이 무력으로 점령하여 베트남과 분쟁이 시작되었다. (○)
ㄹ. 일본이 러·일 전쟁 이전부터 자국의 영토였다고 주장하고 있다. (×)
→ 쿠릴 열도에 대한 설명이다.

10 한국 고유의 영토 독도 답 ⑤

밑줄 친 '이 섬'은 독도이다. 독도는 삼국 시대 이래 우리나라 고유의 영토였다. 독도는 울릉도 남동쪽 약 90km 지점에 위치하며 울릉도에서도 육안으로 식별이 가능하다. 『세종실록지리지』, 『신증동국여지승람』 등 고문서에서 우리나라의 영토로 인식하고 있으며, 일본의 「태정관 지령」 등에서도 독도를 한국의 영토로 인정하였다. 1900년 대한 제국은 「칙령 제41호」를 발표하여 우리의 영토로 선포하였으나 러·일 전쟁 중에 일본은 시마네현 고시를 통해 불법적으로 침탈하였다. 그러나 일본 패망 이후 연합국 최고 사령관 각서 제 677호에서 독도가 한국의 영토임을 분명히 하였다.

11 일본의 과거사 인식 답 ④

일본에서는 우익 세력이 주도하여 과거사를 은폐·왜곡하고 있다. 식민 지배를 왜곡·미화한 교과서가 검정에서 통과되었으며, 일본 총리 등 주요 정치인들은 전범들이 합장되어 있는 야스쿠니 신사를 참배하였다. 이러한 인식과는 달리 무라야마 담화, 고노 담화에서는 일본의 과거 침략 행위를 반성하는 모습을 보여 주었다.

12 화해와 협력을 위한 모색 답 ③

현재 동아시아 국가 간 역사 문제, 영토 문제 등으로 갈등이 심화되고 있는 상황에서 이를 해결하기 위한 활동이 전개되고 있다. 동아시아 공동 역사 교재를 발간하거나 동아시아 청소년 역사 체험 캠프를 개최한 것 등은 화해와 협력을 모색한 대표적인 사례이다.

서답형 문제

13 사회주의 국가의 개혁·개방 정책 답 ㄱ, ㄴ, ㄹ

중국, 북한, 베트남에서는 사회주의 경제 체제의 경직성과 경제 침체를 극복하기 위해 개혁·개방 정책을 추진하였다. 중국은 덩샤오핑 집권 이후 인민공사를 해체하고 시장 경제 체제를 일부 도입하였다. 북한도 합영법을 제정하여 외국 자본을 유치하고자 하였으며, 베트남에서는 도이머이 정책을 추진하여 변화를 시도하고 있다.

14 동아시아의 민주화 운동 답 (가) 6월 민주 항쟁 (나) 톈안먼 사건

한국에서는 1987년 전두환 정권의 독재에 대항하여 대통령 직선제 개헌을 요구하는 6월 민주 항쟁이 전개되었다. 중국에서는 1989년 지식인과 학생 등을 중심으로 정치적 민주화를 요구하는 톈안먼 사건이 일어났다.

15 일본 정치의 특징 답 55년 체제

일본에서는 1955년에 보수 정당인 자유당과 민주당이 합당하여 성립된 자유 민주당(이하 자민당)과 사회당의 양당 체제가 성립되었다. 경제 성장을 바탕으로 국민의 지지를 확보한 자민당이 장기 집권하였으나, 록히드 사건 등 부정부패 사건과 거품 경제가 붕괴되는 경제 상황 속에서 의석의 과반수 확보에 실패하면서 1993년에 55년 체제는 붕괴되었다.

16 문화 대혁명 추진

모범 답안 | 문화 대혁명을 일으켜 자본주의 사상과 문화에 대한 투쟁을 주장하면서 자신을 추종하는 홍위병을 조직하여 내부의 반대파를 제거하고 권력을 다시 장악하였다.
주요 단어 | 문화 대혁명, 홍위병, 반대파 제거

채점 기준	배점
주요 단어를 포함하여 두 가지 이상 바르게 서술한 경우	상
주요 단어 중 한 가지만 포함하여 바르게 서술한 경우	하

17 동아시아의 영토 분쟁

(1) (가) 센카쿠 열도 (나) 시사 군도 (다) 난사 군도
(2) **모범 답안** | 인근 해역의 풍부한 수산 자원과 해저에 매장되어 있는 석유·천연가스 등의 지하자원을 확보하기 위해서 동아시아 여러 나라들이 대립하고 있다.
주요 단어 | 풍부한 수산 자원, 석유·천연가스 등 지하자원

채점 기준	배점
주요 단어를 모두 포함하여 바르게 서술한 경우	상
주요 단어 중 한 가지만 포함하여 바르게 서술한 경우	하

도전 수능 문제

p. 195 ~ p. 197

01 ①	02 ④	03 ⑤	04 ③	05 ⑤	06 ④
07 ③	08 ②	09 ⑤	10 ⑤	11 ①	12 ⑤

01 1960년대 일본 경제 답 ①

도쿄 올림픽은 1964년에 개최되었다. 일본은 1950년대 중반부터 1970년대 초까지 연평균 10% 이상의 고도성장을 이루었고, 세계 2위의 경제 대국이 되었다. 이 시기 일본의 경제 구조는 중공업과 전자 산업 위주로 전환되었다.

02 마오쩌둥의 활동 답 ④

자료의 인물은 마오쩌둥이다. 마오쩌둥은 중국 공산당의 중심인물로 활약하였으며 일제 패망 이후 국·공 내전을 승리로 이끌며 국가 주석에 취임하였다. 대약진 운동의 실패로 권력에서 밀려난 그는 문화 대혁명을 주도하여 다시 권력을 장악하였다.

정답을 찾아가는 셀파 - Tip

① 합영법 제정 (×)
→ 북한에서 1984년에 제정하였다.
② 인민공사 해체 (×)
→ 덩샤오핑의 활동이다.
③ 미·중 수교 단행 (×)
→ 마오쩌둥이 사망한 이후 1979년에 수립되었다.
④ 문화 대혁명 주도 (○)
⑤ 도이머이 정책 추진 (×)
→ 1986년부터 베트남에서 추진하였다.

03 북한과 베트남의 경제 개방 정책 답 ⑤

(가) 베트남의 도이머이 정책, (나)는 북한의 경제 특구 지정과 관련된 내용이다. 베트남과 북한은 사회주의 경제 정책을 추진하면서 극심한 경제 침체에 빠졌다. 이에 두 나라는 시장 경제 체제를 부분적으로 수용하는 개혁·개방 정책을 추진하였다.

04 1990년대 동아시아 경제 상황 답 ③

(가)는 중국, (나)는 일본이다. 그래프에서 (가)는 2000년 이후 급격한 경제 성장을 이룬 점에서 중국임을 알 수 있고, (나)는 1990년 중반 감소 추세가 나타나서 현재까지 장기 침체를 보이고 있으므로 일본임을 알 수 있다. 일본에서는 1990년대 거품 경제가 붕괴하면서 경제가 침체되었고 집권 세력인 자민당의 지지율도 하락하여 1993년 자민당이 의석의 과반수 확보에 실패하면서 55년 체제가 붕괴되었다.

정답을 찾아가는 셀파 - Tip

① (가) – 세계 무역 기구(WTO)에 가입하였다. (×)
→ 2001년
② (가) – 도이머이 정책을 추진하여 경제가 성장하였다. (×)
→ 1986년부터 베트남에서 추진하였다.
③ (나) – 55년 체제가 무너졌다. (○)
④ (나) – 국제 통화 기금(IMF)의 관리를 받았다. (×)
→ 1997년 한국에서 있었던 사실이다.
⑤ (가), (나) – 양국 사이에 국교가 수립되었다. (×)
→ 중국과 일본은 1972년에 국교를 수립하였다.

05 문화 대혁명의 특징 답 ⑤

밑줄 친 '혁명'은 문화 대혁명이다. 대약진 운동의 실패로 실각 위기에 처한 마오쩌둥이 홍위병을 동원하여 자본주의적 사상과 문화에 투쟁한다는 명분으로 반대파를 제거하는 문화 대혁명을 일으켰다. 이를 통해 마오쩌둥이 다시 권력을 장악하였다.

자료를 분석하는 셀파 - Tip

(홍위병: 마오쩌둥을 추종하는 청년들로 군대식 조직을 이루었다.)

붉은 완장을 찬 홍위병, 톈안문 광장에 집결하다

베이징의 톈안먼 광장은 전국에서 올라온 수백만 명의 홍위병으로 가득 찼다. 이들은 붉은색 표지의 마오 주석 어록을 흔들었다. 단상에 오른 마오쩌둥이 손을 흔들자 홍위병들은 일제히 환호하였다. 이들의 환호 속에서 혁명은 시작되었다.

(마오 주석 어록: 문화 대혁명 시기 행동 지침으로 삼았다.)
(혁명: 문화 대혁명)

06 6월 민주 항쟁과 문화 대혁명 답 ④

(가)는 6월 민주 항쟁, (나)는 문화 대혁명이다. 6월 민주 항쟁은 전두환 정부의 독재에 대항하여 대통령 직선제 개헌을 이루어 냈다. 문화 대혁명은 마오쩌둥이 반대파를 제거하고 권력을 다시 장악하는 계기가 되었다.

07 1970년대 후반부터 1980년대까지의 동아시아의 상황 답 ③

(가)는 문화 대혁명이 막을 내린 1976년의 상황이고, (나)는 1989년 톈안먼 사건이다. 한국에서는 1980년 신군부의 퇴진과 민주화를 요구하는 5·18 민주화 운동이 전개되었다. ① 일본의 55년 체제 붕괴는 1993년, ② 한국과 베트남의 수교는 1992년, ④ 중국의 제1차 5개년 계획은 1950년대, ⑤ 타이완에서 천수이볜이 총통에 당선된 것은 2000년에 있었던 사실이다.

08 5·18 민주화 운동과 톈안먼 사건의 공통점 답 ②

첫 번째 자료는 한국의 5·18 민주화 운동이고, 두 번째 자료는 중국에서 일어난 1989년의 톈안먼 사건이다. 5·18 민주화 운동은 신군부의 집권에 대항하였고, 톈안먼 사건은 공산당의 권력 독점에 대항하여 민주화를 요구하였다. 그러나 두 사건 모두 군인들에 의해 유혈 진압되었다.

09 5·18 민주화 운동과 톈안먼 사건의 전개 과정 답 ⑤

(가)는 1980년에 일어난 5·18 민주화 운동, (나)는 1989년에 일어난 톈안먼 사건이다. 한국과 중국에서 일어난 두 사건 모두 정치 개혁과 민주화를 요구하였으나 무력으로 진압되었다.

10 덩샤오핑의 활동 답 ⑤

(가) 인물은 덩샤오핑이다. 문화 대혁명이 끝난 이후 집권한 덩샤오핑은 '흑묘백묘론'을 내세우며 경제 발전을 강조하였고 개혁·개방 정책을 추진하여 시장 경제 체제를 일부 수용하였다.

11 톈안먼 사건의 특징 답 ①

1989년에 일어난 톈안먼 사건에 대한 자료이다. 개혁·개방 정책이 추진되면서 중국이 급속한 경제 발전을 이루었으나 인플레이션, 관료들의 부정부패, 빈부 격차 등의 문제가 나타나면서 불만이 고조되었다. 이에 지식인과 학생 등이 중심이 되어 정치적 민주화를 요구하는 톈안먼 사건을 일으켰다.

12 1990년대 동아시아의 상황 답 ⑤

(가)는 톈안먼 사건이 일어난 1989년이고, (나)는 중국이 세계 무역 기구(WTO)에 가입한 2001년의 상황이다. 소련이 해체되고 냉전 체제가 붕괴되면서 한국은 적극적으로 사회주의권 국가와 외교 관계를 수립하고자 하였다. 그 결과 1992년 한국은 중국·베트남과 국교를 수립하였다.

찐 천재님들의 거짓없는 솔직 후기

천재교육 도서의 사용 후기를 남겨주세요!

이벤트 혜택

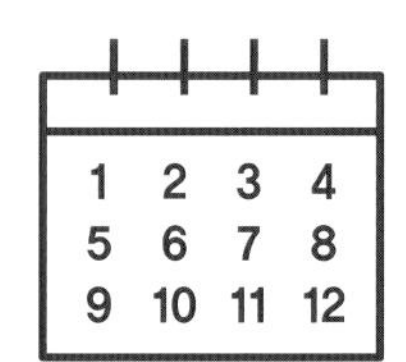

매월

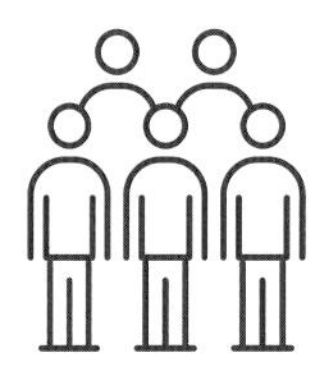

100명 추첨

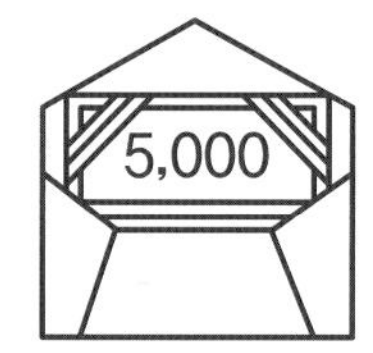

상품권 5천원권

이벤트 참여 방법

STEP 1

온라인 서점 또는 블로그에 리뷰(서평) 작성하기!

STEP 2

왼쪽 QR코드 접속 후 작성한 리뷰의 URL을 남기면 끝!

※ 상기 내용은 변동될 수 있으며, 자세한 내용은 QR코드 페이지를 참고해주세요.

개념을 잡아 주는 **자율학습 기본서**

고등 셀파

BOOK 2 | 딱 맞는 풀이집

동아시아사

개념을 잡아 주는 **자율학습 기본서**

고등 셀파

동아시아사

BOOK 3

학교 시험 기간에 활용하는 **시험 대비 문제집**

천재교육

Sherpa

학교 시험 기간에 활용하는

내신 대비 단원 평가

I 단원 동아시아 역사의 시작

주제 01 동아시아의 자연환경

구분	내용
지형	서쪽이 높고(티베트고원), 동쪽으로 갈수록 지대가 낮아짐
기후	• 열대, 온대, 냉대, 고산 기후 등 다양한 기후 존재 • 중국 본토, 한반도, 일본 열도는 계절풍의 영향이 뚜렷 → 겨울에는 춥고 건조, 여름에는 무덥고 강수량이 많음

주제 02 농경과 목축

구분	항목	내용
농경	벼농사 (연 강수량 600mm 이상 지역)	• 기원전 6000년경 창장강 중·하류 지역에서 시작 • 재배 과정 복잡, 많은 노동력, 다양한 농기구 필요 → 사람이 함께 이동하면서 전파
	밭농사 (연 강수량 400 ~ 600mm 지역)	• 기원전 8000년경 황허강 유역에서 시작 • 생육 기간이 짧고 척박한 환경에서도 잘 자라는 작물들(조·수수·기장·콩 등) 재배
	농경민의 생활	수리 시설과 제방 축조, 농번기에 주민 동원을 위한 조직 발달 → 중앙 집권적인 권력 출현
목축	유목 (연 강수량 400mm 이하 지역)	• 계절에 따라 일정한 지역을 오가며 가축을 기름 • 이동식 가옥에 거주
	유목민의 생활	부족 단위 생활 → 부족장의 권한이 강하고, 군주권은 강하지 않음

주제 03 구석기 시대와 신석기 시대

구분	내용
구석기 시대	• 구석기인: 베이징인, 산정동인 / 덕천 승리산인, 평양 만달리인 / 미나토가와인 등 • 생활: 채집·수렵·어로 활동, 뗀석기(주먹 도끼, 찍개 등), 불 사용, 이동 생활, 동굴이나 바위그늘, 막집에서 거주
신석기 시대	농경과 목축 시작, 토기 제작, 간석기 사용, 정착 생활(움집 거주), 애니미즘·토테미즘 등 신앙 등장

주제 04 동아시아의 신석기 문화

구분	지역	문화	발전
중원 지역	황허강 중류	양사오 문화(채도)	룽산 문화로 발전(흑도)
	황허강 하류	다원커우 문화(홍도, 흑도와 백도)	
	창장강 하류	허무두 문화(흑도, 홍도, 벼농사) → 량주 문화로 발전	
만주	랴오허강 유역	훙산 문화(채도, 용 모양 옥기, 여신상)	
한반도	이른 민무늬 토기, 덧무늬 토기, 빗살무늬 토기(대표적)		
일본 열도	조몬 문화[조몬(새끼줄 무늬) 토기], 농경보다 사냥·어로·채집 등으로 생계 유지		
신석기 문화의 교류	• 한반도와 일본 열도에서는 거의 같은 모양의 토기들이 발견 • 일본 규슈 지역에서 생산된 흑요석이 한반도에서 발견됨		

주제 05 동아시아의 청동기 문화

구분	내용
황허강 유역	• 얼리터우 문화: 궁전터와 성벽을 갖춘 도성 발견 → 하(夏) 왕조와 관련된 유적으로 추정 • 상(商) 왕조: 청동 무기와 제사용 청동 솥 등을 만듦
몽골 지역	청동제 무기·마구, 사슴돌, 판석묘 등을 남김
만주·한반도	비파형 동검, 화살촉, 청동 거울, 반달 돌칼, 고인돌 등 제작
일본 열도	야요이 문화: 기원전 3세기경 한반도로부터 벼농사 기술을 비롯하여 청동기·철기 기술 수용, 동탁·동모, 반달 돌칼 등 만듦

주제 06 중원 지역 국가의 성립과 발전

구분	내용
하	기원전 2000년경, 황허강 중류 일대, 문헌상 중국 최초의 왕조
상	기원전 1600년경 성립, 신권 정치, 갑골문 → 기원전 11세기경 주에 멸망
주	혈연관계에 기초한 봉건제 실시, 천명사상과 덕치주의를 내세움
춘추 전국 시대	• 춘추 시대: 기원전 8세기경 주의 동천 → 주 왕실의 통제력 상실 → 세력이 강한 제후(춘추 5패)가 정국 주도 • 전국 시대: 봉건 질서 붕괴 → 전국 7웅 대두 → 진(秦)에 의해 통일(기원전 221)
진	• 시황제의 정책: 황제 칭호 사용, 사상 통제(분서갱유), 군현제 실시, 도량형·화폐·문자 통일, 만리장성 축조 • 멸망: 대규모 토목 공사와 엄격한 법치에 대한 불만 고조, 농민 봉기가 잇따르며 멸망
한	• 고조: 중국 재통일, 흉노에 공물을 보내고 평화 유지, 군국제 실시 • 무제: 흉노 공격, 남비엣과 고조선 정복 → 재정 부족 → 소금과 철의 전매제 실시, 상공업 통제 / 장건의 서역 파견을 계기로 비단길 장악

주제 07 흉노 및 만주와 한반도, 일본 열도에서의 여러 나라

구분	내용
흉노	기원전 3세기 후반 묵특 선우 때 초원 지역 통일, 한을 압박(한 고조를 굴복시킴)하여 공물을 받음 → 한 무제의 공격으로 세력 약화, 선우 자리를 둘러싼 분쟁으로 남북으로 분열
만주와 한반도	• 고조선: 랴오닝 지방에서 성립, 위만의 집권 이후 철기 문화 본격 수용·성장 → 한의 공격으로 멸망 • 부여: 쑹화강 일대에서 성립, 연맹 국가 • 진국: 한반도에서 남부 부족 연맹체 형성 → 삼한 성립(마한, 진한, 변한)
일본 열도	기원 전후 100여 개의 소국 성립 → 3세기경 30여 개의 소국이 히미코 여왕의 야마타이국을 중심으로 연합

단원 평가 제 1 회

동아시아사

I. 동아시아 역사의 시작

성명 | 반 | 번호

01 (가), (나) 지역에 대한 설명으로 옳은 것을 〈보기〉에서 고른 것은?

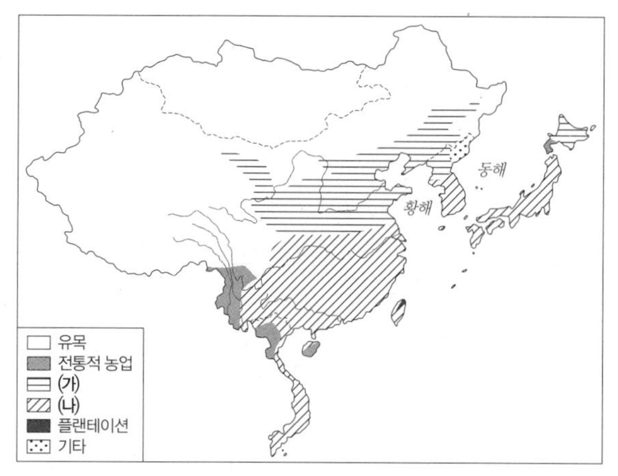

보기
ㄱ. (가)–주로 열대 기후에 속한다.
ㄴ. (나)–벼농사가 주로 이루어진다.
ㄷ. (가), (나)–전통적인 인구 밀집 지역에 속한다.
ㄹ. (가), (나)–평균 해발 고도가 4,500mm에 달한다.

① ㄱ, ㄴ ② ㄱ, ㄷ ③ ㄴ, ㄷ
④ ㄴ, ㄹ ⑤ ㄷ, ㄹ

02 지도의 화살표와 같이 전파된 작물에 대한 설명으로 옳은 것은?

① 단위 면적당 생산력이 높다.
② 초원 지대에서 활발히 재배되었다.
③ 냉대 기후대의 사람들에 의해 수용되었다.
④ 연 강수량 400mm 미만 지역으로 확산되었다.
⑤ 이 작물의 농사는 기원전 8000년경에 시작되었다.

03 (가), (나) 정치 구조를 발달시킨 사람들에 대한 설명으로 옳은 것을 〈보기〉에서 고른 것은?

(가) 부족장의 권한은 강한 반면, 부족장을 통제할 군주권은 그다지 강하지 않았다. 또한 군주는 부족장들의 추대를 통해 세습되는 경우가 많았다.
(나) 공동으로 수리 시설과 제방을 만들고, 주민을 효율적으로 동원하기 위한 조직을 발달시켰다. 그 결과 중앙 집권적인 권력이 출현할 수 있었다.

보기
ㄱ. (가)–안정적인 정착 생활을 영위하였다.
ㄴ. (가)–안장, 등자를 발명하여 전투력을 강화하였다.
ㄷ. (나)–주로 이동식 가옥에서 거주하였다.
ㄹ. (나)–유목 민족을 야만적이라고 여겨 멸시하였다.

① ㄱ, ㄴ ② ㄱ, ㄷ ③ ㄴ, ㄷ
④ ㄴ, ㄹ ⑤ ㄷ, ㄹ

04 밑줄 친 '이들'에 대한 설명으로 옳지 않은 것은?

이들의 풍속에 사람은 가축의 고기를 먹고 그 젖을 마시며 가죽을 옷으로 입소. 또 급박할 때에는 말타기와 활쏘기를 익히고, 평상시에는 일이 없는 것을 즐기오. 이들의 약속은 간편하여 실행하기 쉽고, 군주와 신하의 관계는 간단하고 쉬워 한 나라의 정치가 한 몸과 다름이 없소이다.
–『사기』 열전–

① 목축 외에 수렵을 통해 생계를 보조하였다.
② 일정한 지역을 오가며 유목 생활을 하였다.
③ 몽골과 같은 강력한 국가를 건설하기도 하였다.
④ 연 강수량 600mm 이상 지역을 무대로 활동하였다.
⑤ 모피 등을 농경 지대에서 생산된 곡물과 교역하였다.

05 (가) 시대 사람들의 생활 모습으로 옳은 것을 〈보기〉에서 고른 것은?

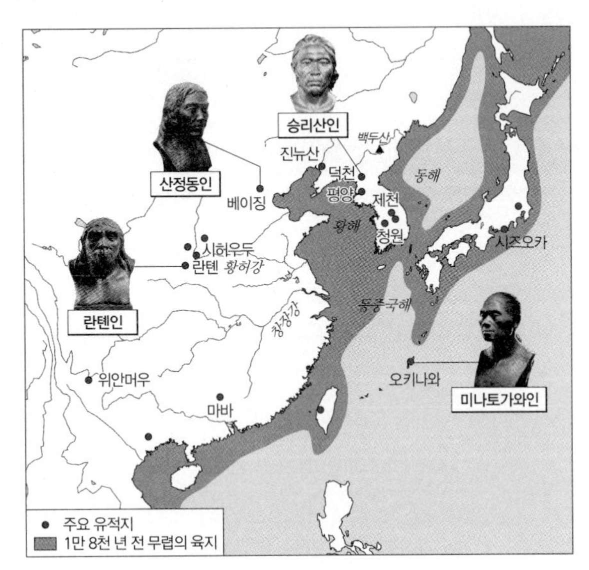

▲ (가) 시대의 주요 인류 화석

〈보기〉
ㄱ. 씨족 구성원들 간 분업이 이루어졌다.
ㄴ. 동굴이나 바위 그늘에서 거주하였다.
ㄷ. 특정 동물을 조상신으로 여겨 숭배하였다.
ㄹ. 주먹 도끼와 같은 뗀석기를 널리 사용하였다.

① ㄱ, ㄴ ② ㄱ, ㄷ ③ ㄴ, ㄷ
④ ㄴ, ㄹ ⑤ ㄷ, ㄹ

06 (가) 시대의 생활 모습으로 옳은 것은?

영국의 고고학자 고든 차일드는 농경과 목축의 시작이 18세기의 산업 혁명과 더불어 인류 사회 발전에 크게 영향을 미쳤다고 보고, 이를 (가) 혁명이라고 명명하였다.

① 불을 처음으로 사용하였다.
② 거대한 지배자의 무덤을 만들었다.
③ 용도에 맞는 간석기를 제작하였다.
④ 먹을 것을 찾아 이동하며 생활하였다.
⑤ 매머드 등 대형 포유류를 철기로 사냥하였다.

07 (가), (나) 도구가 처음 제작된 시기의 사회 상황으로 옳은 것을 〈보기〉에서 고른 것은?

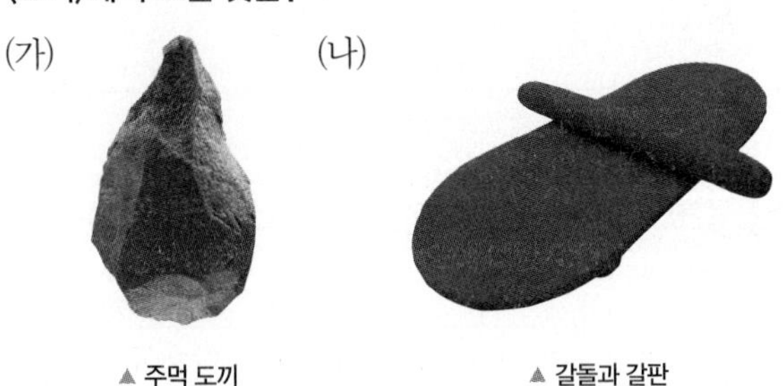

▲ 주먹 도끼 ▲ 갈돌과 갈판

〈보기〉
ㄱ. (가)-애니미즘이 발생하였다.
ㄴ. (가)-사냥감을 그린 동굴 벽화가 만들어졌다.
ㄷ. (나)-거주를 위한 움집이 제작되었다.
ㄹ. (나)-일본 지역과의 교류가 육로를 통해 이루어졌다.

① ㄱ, ㄴ ② ㄱ, ㄷ ③ ㄴ, ㄷ
④ ㄴ, ㄹ ⑤ ㄷ, ㄹ

08 다음 유물들이 출토된 지역으로 옳은 것은?

▲ 원통형 토기

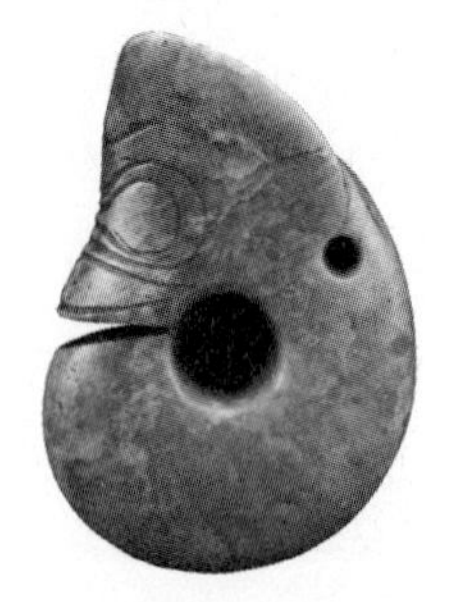
▲ 돼지를 닮은 용 모양 옥기

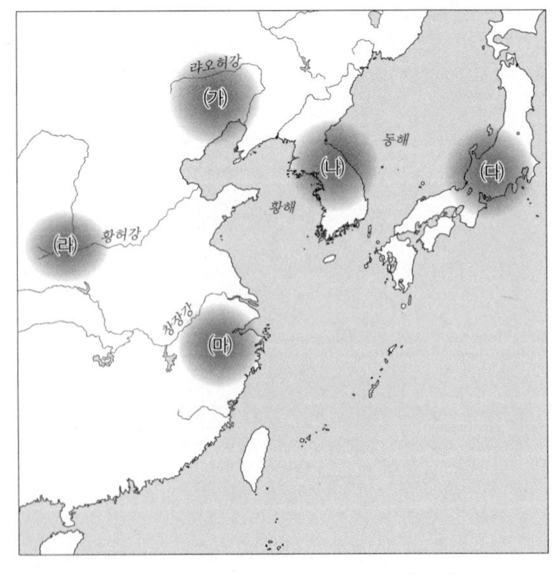

① (가) ② (나) ③ (다)
④ (라) ⑤ (마)

09 다음 유물을 만들어 사용한 사람들에 대한 설명으로 옳은 것은?

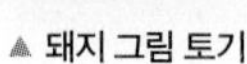
▲ 돼지 그림 토기

▲ 벼 이삭 무늬 토기

① 긁개와 밀개 등을 제작하였다.
② 고상 가옥을 지어 생활하였다.
③ 목초지를 두고 다른 부족과 다툼을 벌였다.
④ 농경보다는 채집과 어로 생활을 영위하였다.
⑤ 새끼줄 무늬를 넣은 조몬 토기를 사용하였다.

10 다음 유물들이 제작된 공통된 배경으로 가장 적절한 것은?

▲ 여성 모양의 토우 (일본 나가노현 출토)

▲ 여성을 표현한 토우 (일본 아오모리 출토)

① 막집의 제작
② 해수면의 상승
③ 풍요와 다산의 기원
④ 식량의 보관 및 조리
⑤ 채도, 회도, 흑도 등의 제작

11 (가) 시대에 제작된 도구로 옳은 것을 〈보기〉에서 고른 것은?

> (가) 시대에 이르러 생산력이 발전하고 인구가 증가함에 따라 계급이 분화되었다. 이 과정에서 경제력과 무력을 갖춘 집단이 그렇지 못한 지역의 사람들을 지배하면서 정치체가 생겨났고, 정치체들의 통합을 통해 국가가 성립되었다.

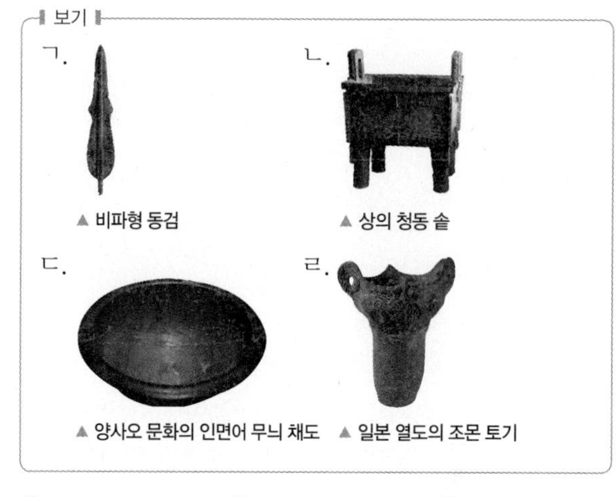

① ㄱ, ㄴ ② ㄱ, ㄷ ③ ㄴ, ㄷ
④ ㄴ, ㄹ ⑤ ㄷ, ㄹ

12 다음 보고서의 (가)에 들어갈 내용으로 옳은 것은?

① 조몬 ② 룽산 ③ 허무두
④ 다원커우 ⑤ 얼리터우

13 지도에 표시된 국가에 대한 탐구 활동으로 가장 적절한 것은?

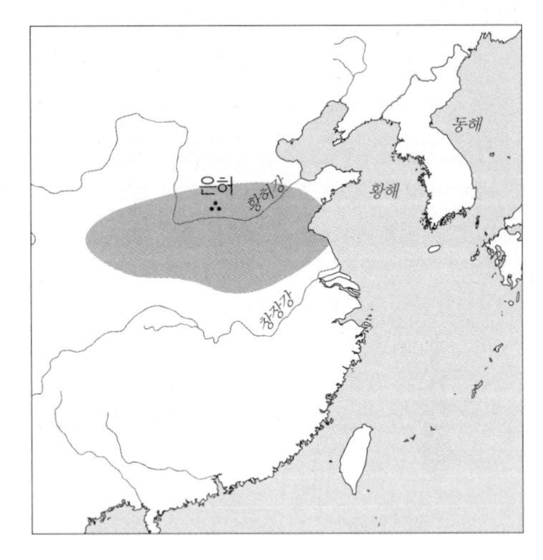

① 왕망의 활동을 정리한다.
② 8조법의 내용을 분석한다.
③ 갑골문의 용도를 파악한다.
④ 야요이 문화의 성립 경위를 살펴본다.
⑤ 철제 농기구의 보급이 끼친 영향을 알아본다.

14 (가)에 해당하는 지배자에 대한 설명으로 옳은 것은?

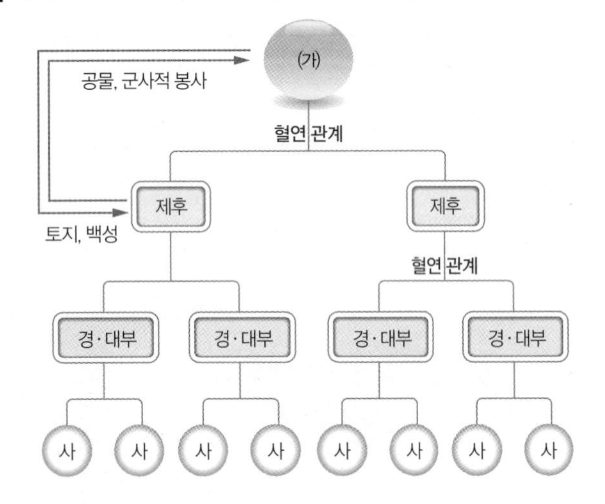

① 사출도를 다스렸다.
② 천명사상과 덕치주의를 내세웠다.
③ 거석 기념물인 사슴돌을 제작하였다.
④ 판석을 세워 만든 무덤에 안치되었다.
⑤ 법가 사상을 바탕으로 개혁에 착수하였다.

15 (가) 황제에 대한 설명으로 옳은 것을 〈보기〉에서 고른 것은?

(가) 이(가) 말을 탄 채 서역으로 떠나는 장건 일행을 환송하는 장면을 그린 그림이다.

보기
ㄱ. 군국제를 시행하였다.
ㄴ. 소금과 철의 전매제를 실시하였다.
ㄷ. 연과 대립하다가 연의 침략을 받았다.
ㄹ. 고조선의 옛 땅에 군현을 설치하였다.

① ㄱ, ㄴ ② ㄱ, ㄷ ③ ㄴ, ㄷ
④ ㄴ, ㄹ ⑤ ㄷ, ㄹ

16 (가) 인물에 대한 설명으로 옳은 것은?

진승과 항우가 거병하여 천하가 어지러워지니 연, 제, 조의 백성들이 괴로움을 견디다 못해 점차 준왕에게 망명하였다. …… 한나라 때에 이르러 연나라 사람 (가) 도 망명하여 오랑캐의 복장을 하고 동쪽으로 패수를 건너 준왕에게 항복하였다.

① 고조선의 왕위를 차지하였다.
② 백등산에서 흉노에게 패배하였다.
③ 덩이쇠를 일본 열도에 수출하였다.
④ 한의 공주를 부인으로 맞이하였다.
⑤ 견융족의 침입을 받아 수도를 옮겼다.

17 (가) 황제에 대한 설명으로 옳은 것은?

▲ 한위노국왕 도장

[(가)] 중원 2년(57)에 왜의 노국이 공물을 바치고 조공하였는데, 사신은 대부를 자칭하였다. 노국은 왜에서 남쪽에 있는 나라이다. [(가)]은(는) 노국의 사자에게 도장을 하사하였다.
-『후한서』 동이열전 -

① 왕검성을 공격하여 함락시켰다.
② 제사를 주관하는 천군을 두었다.
③ 호족의 지지를 얻어 후한을 세웠다.
④ 남비엣을 멸망시키고 군현을 두었다.
⑤ 히미코에게 친위왜왕의 칭호를 하사하였다.

18 (가) 국가에 대한 설명으로 옳은 것을 〈보기〉에서 고른 것은?

- [(가)]의 군사력에 눌린 한은 황실 여인을 [(가)]의 최고 통치자에게 시집보냈고, 매년 비단 등을 예물로 보냈다.
- 한과 [(가)]은(는) 형제의 나라가 되기로 약속하였다.

보기
ㄱ. 최고 통치자를 선우라고 불렀다.
ㄴ. 괴수를 새긴 청동 제기를 제작하였다.
ㄷ. 좌현왕과 우현왕이 동방과 서방을 다스렸다.
ㄹ. 야마타이국을 중심으로 연합체를 형성하였다.

① ㄱ, ㄴ ② ㄱ, ㄷ ③ ㄴ, ㄷ
④ ㄴ, ㄹ ⑤ ㄷ, ㄹ

서답형 문제

19 밑줄 친 부분에 해당하는 내용을 서술하시오.

동아시아는 동서로 일본 열도에서 티베트고원, 남북으로 북부 베트남에서 몽골고원에 이르는 지역을 일컫는다.
역사 이래 한민족, 흉노족, 한족, 일본 민족 등 다양한 종족과 민족이 활동하였으며, 동아시아의 여러 민족과 국가는 서로 영향을 주고받는 가운데 유형·무형의 문화 요소를 공유하였다.

20 다음 유물의 명칭을 쓰시오.

▲ 풍요를 기원하며 땅에 묻었던 제사용 도구

21 다음 글을 읽고 물음에 답하시오.

황제께 아뢰옵니다. "박사관이 아니면서 감히 시, 서 및 제자백가의 책을 소장하고 있으면 모두 지방관을 보내 불태우게 하십시오. 짝을 지어 시와 서를 말하는 자가 있으면 저잣거리에서 처형하소서. 관리로서 이를 알고도 잡아내지 않은 자는 같은 죄로 다스리옵소서."
-『사기』-

(1) 밑줄 친 '황제'의 명칭을 쓰시오.

(2) 제시된 위 자료의 정책이 무엇인지 밝히고, 이를 추진한 목적을 구체적으로 서술하시오.

동아시아 세계의 성립과 변화

주제 01 기원 전후~7·8세기경의 인구 이동

중원 지역	• 북조: 북방 민족 남하 → 5호가 화북 지방에 여러 정권 수립 • 남조: 화북 지방의 한족이 강남으로 남하하여 국가 수립
만주와 한반도	• 고구려: 부여족의 일부가 압록강 중류의 졸본 지역으로 남하하여 건국 • 백제: 고구려 유이민이 한강 유역으로 남하하여 건국 • 신라: 고조선 유민과 토착 세력이 결합하여 건국
일본 열도	도왜인의 이주 → 야마토 정권의 성립과 발전에 이바지

주제 02 지역 국가의 성장

중원 지역	• 북위: 한화 정책 추진 • 남조: 풍부한 노동력과 선진 토목 기술로 강남 개발 • 수: 남북조 통일(6세기 후반), 돌궐·고구려와 전쟁 • 당: 신라와 함께 백제, 고구려를 멸망시킴 → 동아시아의 패권 차지
만주와 한반도	• 삼국 시대: 고구려, 백제, 신라가 한강 유역을 둘러싸고 항쟁 • 통일 신라: 신라의 삼국 통일 → 한반도를 안정적으로 지배 • 발해: 고구려 유민을 중심으로 건국 → 고구려의 옛 땅 차지
일본 열도	• 야마토 정권의 세력 확대 → 아스카 문화 발달 → 다이카 개신(645)으로 중앙 집권적 통치 체제 마련 → '일본' 국호, '천황' 호칭 사용(7세기 말부터) • 8세기 초 나라 시대 → 8세기 말 헤이안 시대

주제 03 조공과 책봉의 외교 형식

한 대	주변국과의 관계에 조공·책봉의 외교 형식 적용 → 한의 직접 지배나 실제적인 간섭이 없는 형식적인 외교의 틀에 불과
남북조 시대	남북조, 삼국, 왜는 현실적·다원적 외교 관계 수립
당 대	• 유목 민족: 당과 경제 교류를 위한 조공 관계만 맺음 • 신라: 사신, 유학생, 승려, 상인들이 자주 왕래 • 발해: 문왕 때부터 당과 우호 관계 유지 • 일본: 견당사를 파견하여 당 문물 수용 → 9세기 말 파견 중지

주제 04 북방 민족의 성장과 국제 관계의 다원화

거란 (요)	• 발해 정복, 연운 16주 차지, 송과 전연의 맹약 체결 • 남면관·북면관제 실시, 거란 문자 사용
서하	11세기 탕구트족이 건국, 송으로부터 세폐를 받음
여진 (금)	• 송과 연합하여 요 정복 → 송 멸망시키고 화북 차지 • 주현제와 맹안·모극제 실시, 여진 문자 사용
송	• 송(시박사를 설치하여 해상 무역 관할)의 문치주의: 군사력 약화 → 유목 민족에게 세폐 제공 → 재정 악화 → 왕안석의 개혁 → 실패 • 남송 건국: 금의 공격으로 북송 멸망 → 임안에서 남송 건국
고려	• 거란의 3차례 침입 격퇴 → 거란과 조공 관계를 맺음 • 윤관의 여진 정벌 → 이후 금의 사대 요구 수용

주제 05 몽골 제국과 명 시기의 국제 질서

몽골 제국	• 칭기즈 칸: 13세기 초 부족 통일, 서하·금·호라즘 공격 • 쿠빌라이 칸: 국호 '원', 대도(베이징) 천도, 고려 복속, 남송 정복, 대월 침공(쩐흥다오가 2차 침입 때 몽골군을 대파하고 탕롱 탈환) • 교역망의 통합: 초원길·비단길·바닷길 장악(시박사 설치) → 동서 교류 활성화
명 시기 국제 질서	• 명 건국: [홍무제] 난징을 수도로 명 건국, 황제권 강화, 한족 문화 부흥 → [영락제] 베이징 천도, 정화의 항해 추진 • 조선 건국: 이성계와 혁명파 신진 사대부 세력이 조선 건국 • 무로마치 막부 수립: 아시카가 다카우지가 무로마치 막부 수립 → 남북조로 분열 → 아시카가 요시미쓰가 남북조 통일, 전국적인 지배권 확립 • 국제 질서의 재편: 주변국에 명 중심의 조공·책봉 관계 요구 → 명을 중심으로 하는 새로운 국제 질서 형성

주제 06 율령의 정비와 전파

정비	• 한: 유교의 국가 통치 이념화 → 유교를 율령에 반영(유가적 원리+법가적 원리) • 수: 3성 6부제, 과거제, 주현제 → 당으로 계승 • 당: 3성 6부제, 과거제, 균전제, 조·용·조, 부병제
전파	• 삼국, 통일 신라, 발해, 일본에 전해져 국가 체제 정비에 도움 • 지역 국가의 현실에 맞게 선별적으로 수용·적용 → 독자성 발생

주제 07 불교의 전파

성립	기원전 6세기경 인도에서 석가모니가 창시 → 기원전 1세기경 인도에서 대승 불교 성립
전파	• 중원 지역: [화북 지역] 기원 전후 중앙아시아를 거쳐 전래, [강남 지역] 육로와 해로를 통해 전래 → [남북조 시대] 사찰과 거대 불상 건립 • 한반도: [삼국] 고구려는 전진, 백제는 동진, 신라는 고구려로부터 불교 수용, [통일 신라] 원효의 활동 • 일본: 6세기 중엽 야마토 정권이 백제로부터 수용 → 쇼토쿠 태자의 후원으로 확산 → 8세기 도다이사 건립
토착화	국가 불교, 전통 사상·신앙과 결합

주제 08 성리학의 성립과 확산

성립	송 대 성립 → 만물의 근본 원리인 '이' 중시, '성즉리' 주장 → 주희가 집대성
전파	남송 이후 전국적으로 보급 → 명 대 성리학의 관학화, 성리학이 사회 모순에 대응하지 못하면서 양명학이 등장(지행합일의 실천 중시)
토착화	• 고려: 13세기 말 원에서 전래 → 신진 사대부에 의해 확산 • 조선: 조선 건국의 이념적 기반 → 16세기 이후 사림 성장, 서원과 향약 보급 • 일본: 가마쿠라 막부 때 전래 → 하야시 라잔이 에도 막부의 제도와 의례 정비

단원 평가 제 2 회

동아시아사

Ⅱ. 동아시아 세계의 성립과 변화

성명		반		번호	

01 다음 글에 나타난 인구 이동의 사례에 해당하는 것을 〈보기〉에서 고른 것은?

> 기원 전후 시기부터 7~8세기경까지 동아시아에서는 유목민과 농경민 모두 근거지를 떠나 새로운 지역에 정착하는 모습이 두드러지게 나타났다. 이동 방향은 대체로 북방에서 남방으로 남하하는 형태였다.

보기
ㄱ. 5호가 화북 지방에 독자 정권을 세웠다.
ㄴ. 거란이 만리장성 이남 지역을 차지하였다.
ㄷ. 부여족의 일부가 남하하여 새 나라를 세웠다.
ㄹ. 막부를 무너뜨린 후 천황이 남쪽으로 피신하였다.

① ㄱ, ㄴ ② ㄱ, ㄷ ③ ㄴ, ㄷ
④ ㄴ, ㄹ ⑤ ㄷ, ㄹ

02 (가) 시기의 역사적 사실로 옳은 것은?

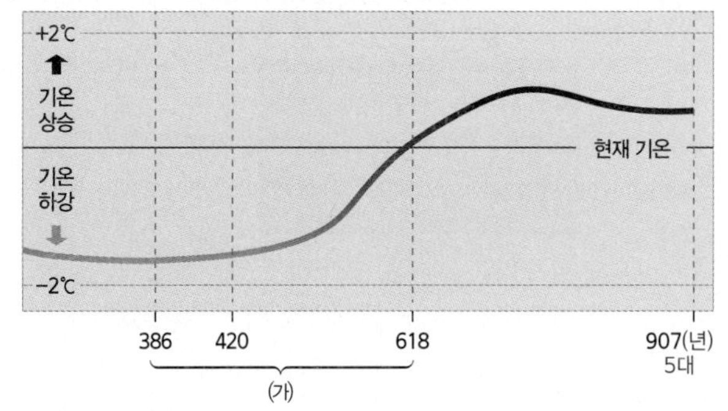

▲중국의 기온 변화

① 안사의 난이 일어났다.
② 일본이 견당사를 파견하였다.
③ 고려가 강동 6주를 차지하였다.
④ 한 무제가 남비엣을 멸망시켰다.
⑤ 북위가 수도를 뤄양으로 옮겼다.

03 다음 천도가 이루어진 배경으로 가장 적절한 것은?

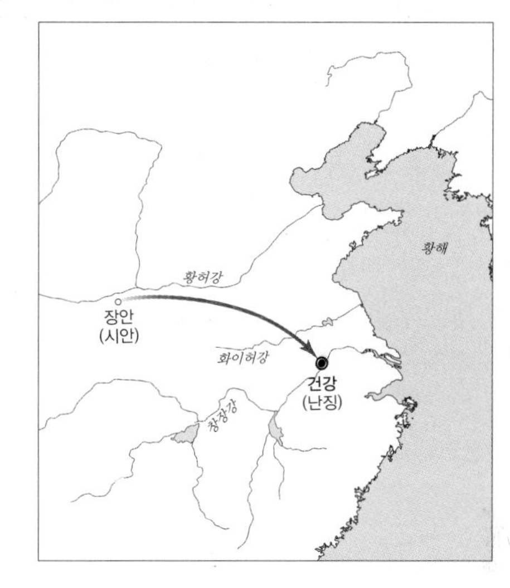

① 한화 정책이 추진되었다.
② 강남 개발이 본격화되었다.
③ 화북 지역에 16국이 세워졌다.
④ 새로운 수도로 헤이조쿄가 건설되었다.
⑤ 고구려가 랴오둥을 두고 중국과 패권을 겨루었다.

04 다음 보고서의 (가)에 들어갈 내용으로 가장 적절한 것은?

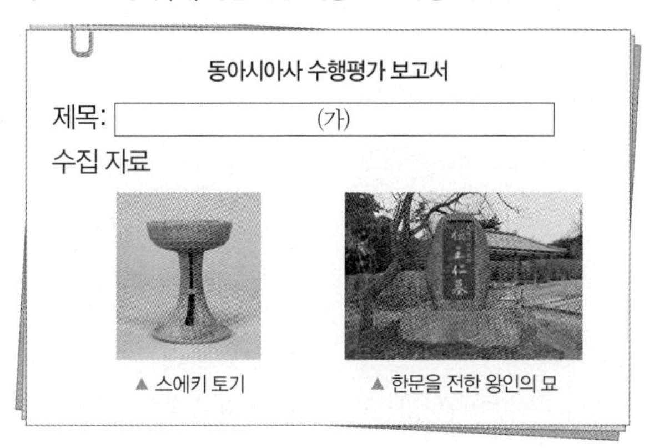

▲ 스에키 토기 ▲ 한문을 전한 왕인의 묘

① 헤이안쿄의 건설 배경
② 백제의 건국과 대외 관계
③ 남북조 시대의 성립과 전개
④ 도왜인의 활동이 끼친 영향
⑤ 견당사의 파견과 선진 문화 수용

05 다음 상황이 나타난 배경을 알아보기 위한 탐구 활동으로 가장 적절한 것은?

- 5부, 176성, 69만여 호를 9개의 도독부, 42주, 100현으로 나누고, 평양에 안동 도호부를 두어 통치하게 하였다.
- 소정방이 왕과 태자, 왕자 및 대신과 장사 88명과 주민 1만 2,807명을 당나라 수도로 호송하였다. 백제는 원래 5부 37군 2백성 76만호였다.

① 나·당 연합군의 활동을 조사한다.
② 수의 성립과 발전 과정을 정리한다.
③ 다이카 개신이 일어난 계기를 알아본다.
④ 야마토 정권의 통치 체제를 파악한다.
⑤ 신라 진흥왕 순수비문의 내용을 분석한다.

06 (가)에 들어갈 국가에 대한 설명으로 옳은 것은?

481년 (가) 이(가) 사신을 보내 남제에 조공하였다. 그러나 세력이 강하여 통제를 받지는 않았다. 489년, 남제의 사신이 북위에 갔을 때 …… 남제 사신이 '(가) 은(는) 우리의 신하로 따르고 있는데, 어찌 우리와 나란히 설 수 있는가?'라고 항의하였다.

① 견신라사를 파견하였다.
② 씨성 제도를 시행하였다.
③ 한의 황제에게 조공을 바쳤다.
④ 발해는 이 나라를 계승하였다.
⑤ 흉노의 왕에게 공주를 시집보냈다.

07 지도의 (가), (나) 국가의 공통점으로 옳은 것은?

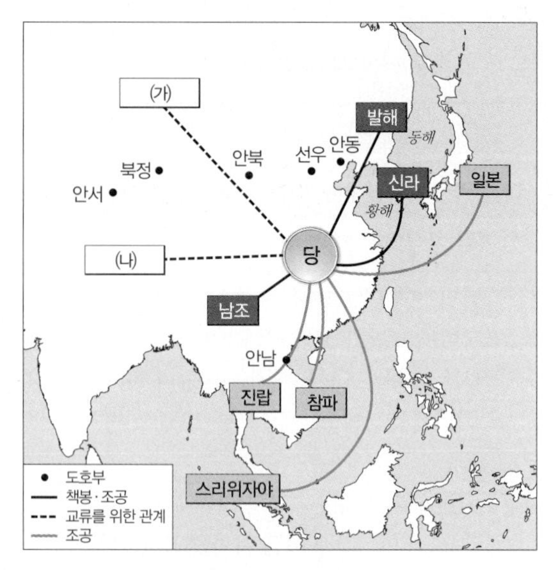

① 나라에 헤이조쿄를 건설하였다.
② 전진으로부터 불교를 수용하였다.
③ 북주와 북제로부터 조공을 받았다.
④ 유목 국가 최초로 문자를 사용하였다.
⑤ 중원 왕조로부터 화번공주를 받아들였다.

08 (가) 국가에 대한 설명으로 옳은 것을 〈보기〉에서 고른 것은?

11세기 (가) 의 문자

1038년에 단을 쌓고 책명을 받아서 (가) 의 이원호가 황제에 즉위하였는데, 당시 나이 30세였다.

보기
ㄱ. 비단길을 장악하였다.
ㄴ. 연운 16주를 차지하였다.
ㄷ. 거란과 조공·책봉 관계를 맺었다.
ㄹ. 장안성을 본뜬 수도를 건설하였다.

① ㄱ, ㄴ ② ㄱ, ㄷ ③ ㄴ, ㄷ
④ ㄴ, ㄹ ⑤ ㄷ, ㄹ

09 다음 통치 제도를 운영했던 국가에 대한 설명으로 옳은 것은?

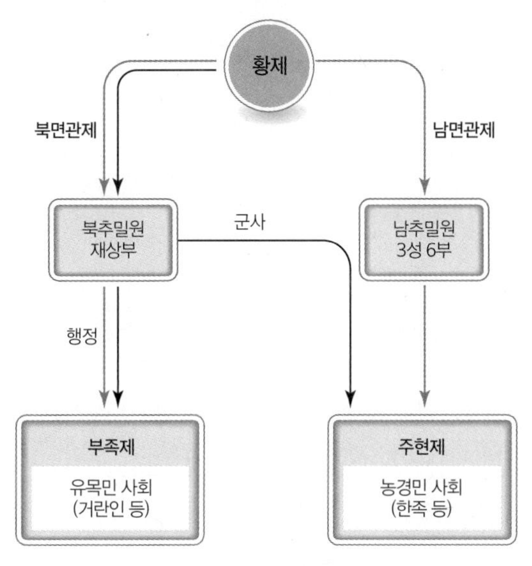

① 카이펑을 수도로 삼았다.
② 송과 형제 관계를 수립하였다.
③ 신라와 백제를 복속국으로 여겼다.
④ 티베트인들을 중심으로 수립되었다.
⑤ 중원 왕조를 견제하기 위해 돌궐과 연대하였다.

10 (가), (나) 사이 시기의 역사적 사실로 옳은 것은?

> (가) 고려는 "너희가 9성의 반환을 요청했으니 이전에 했던 약속처럼 하늘에 대고 맹세하라."고 하였다. 여진은 맹세를 마치고 물러갔다.
> (나) 백관을 불러 저들을 섬길지 말지를 의논하니 모두 아니된다고 주장하였으나, 이자겸·척준경 두 사람만 사대를 주장하자 임금이 이를 따랐다.

① 왕안석이 신법을 추진하였다.
② 윤관이 별무반을 조직하였다.
③ 아구다가 부족 통합에 성공하였다.
④ 거란(요)이 연운 16주를 차지하였다.
⑤ 미나모토노 요리토모가 쇼군의 칭호를 받았다.

11 다음 인물 카드의 (가)에 들어갈 내용으로 옳은 것은?

① 외적을 물리치고 탕롱 탈환
② 금, 은과 교환 가능한 교초 발행
③ 외교 담판을 통해 강동 6주 획득
④ 호라즘을 무너뜨리고 비단길 장악
⑤ 유목민을 대상으로 맹안·모극제 시행

12 다음 지도의 경로와 같이 여행한 사람이 볼 수 있던 모습으로 가장 적절한 것은?

① 개경으로의 환도를 결정하는 고려 국왕
② 휘하의 부족민들을 훈련시키는 천호장
③ 몽골·고려 연합군과 전투를 벌이는 무사
④ 정화의 항해에 사용될 선박을 만드는 기술자
⑤ 몽골 침입군을 대파하는 쩐흥다오의 모습

13 다음 지도의 형세가 나타난 시기의 동아시아 상황으로 옳은 것은?

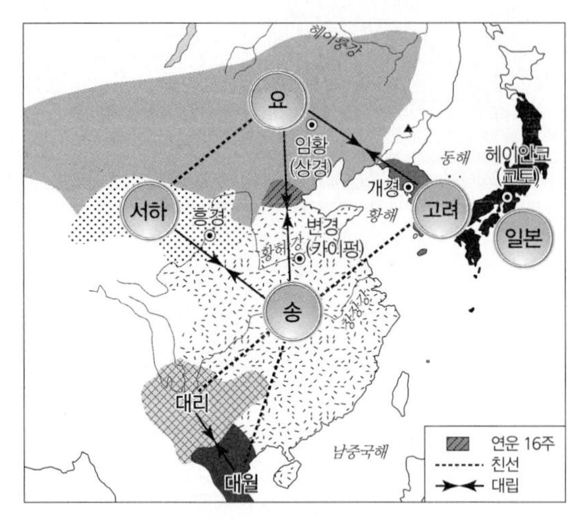

① 위화도 회군이 단행되었다.
② 시박사가 무역을 관리하였다.
③ 베이징에 자금성이 건설되었다.
④ 새로운 역법인 수시력이 만들어졌다.
⑤ 막부의 쇼군이 일본 국왕으로 책봉되었다.

14 다음은 율령 체제의 정비 과정을 시대순으로 정리한 것이다. (가)에 들어갈 내용으로 옳은 것을 〈보기〉에서 고른 것은?

이사를 중용하여 엄격한 법치에 입각한 정책 시행
⬇
(가)
⬇
당률과 문답식 해설을 담은 『당률소의』 편찬

보기
ㄱ. 유학 교육 기관으로 주자감 설치
ㄴ. 한 무제가 동중서의 건의를 수용
ㄷ. 형벌 위주의 율과 행정 법률인 령을 구분
ㄹ. 국학 학생들을 대상으로 독서삼품과를 실시

① ㄱ, ㄴ ② ㄱ, ㄷ ③ ㄴ, ㄷ
④ ㄴ, ㄹ ⑤ ㄷ, ㄹ

15 다음 중앙 관제를 마련한 나라에 대한 설명으로 옳은 것은?

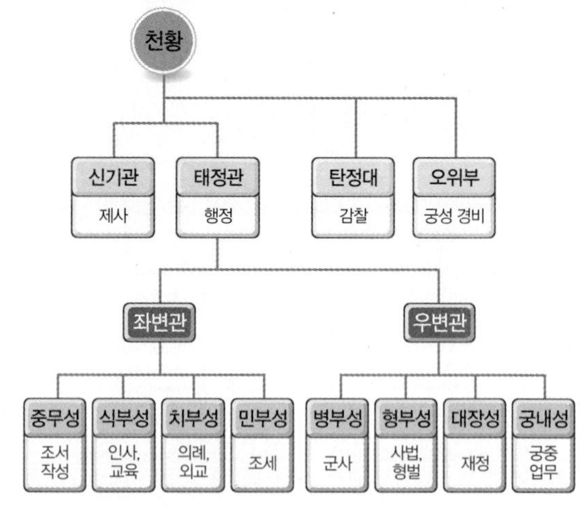

① 부병제를 실시하였다.
② 난징을 수도로 삼았다.
③ 다이호 율령을 반포하였다.
④ 국자감을 두어 유교 경전을 가르쳤다.
⑤ 과거제 대신 독서삼품과를 실시하였다.

16 동아시아 불교 문화에 대해 (가), (나)를 토대로 내릴 수 있는 결론으로 가장 적절한 것은?

(가) (나)

▲ 『부모은중경』의 한 장면
▲ 승려 모습의 하치만 신상

① 왕실 중심으로 불교가 받아들여졌다.
② 불교 교단은 국가에 의해 통제를 받았다.
③ 동아시아 지역에 대승 불교가 전파되었다.
④ 불교는 전통 사상과 결합하면서 토착화되었다.
⑤ 불교의 수용 과정에서 지배층의 반발이 있었다.

17 (가) 승려에 대한 설명으로 옳은 것은?

당의 승려 [(가)]이(가) 여러 차례 실패한 끝에 8세기 중엽 일본에 도착하여 환영을 받는 장면을 묘사한 그림이다.

① 『왕오천축국전』을 남겼다.
② 장보고의 도움을 받아 여행하였다.
③ 쇼토쿠 태자의 스승으로 활동하였다.
④ 호류사 5층 목탑의 건립에 관여하였다.
⑤ 도다이사에 계단원을 세워 계율을 전파하였다.

18 밑줄 친 '그'에 대한 설명으로 옳은 것은?

묘수원의 승려였던 그는 두뇌가 총명하고 옛글을 익히 다룰 줄 아는 사람으로, 어느 책이나 모르는 것이 없고 성품은 아주 꿋꿋하였다. 그는 과거 절차, 공자에게 제사를 지내는 절차, 왕에게 유학 경전을 강의하여 나라를 다스리는 도를 가르치는 일 등을 (포로로 일본에 끌려간) 나에게 물었다. – 강항, 『간양록』 –

① 백운동 서원을 세웠다.
② 양명학을 집대성하였다.
③ 유시마 성당을 건립하였다.
④ 『사서오경왜훈』을 간행하였다.
⑤ 성리학 입문서인 『소학』을 저술하였다.

서답형 문제

19 다음 정책의 명칭과 실시 배경·목적을 서술하시오.

조정에서 대화할 때 북방 습속의 언어(선비어)를 사용하지 말라. 만약 어기는 자가 있으면 관직에서 쫓아낼 것이다. – 『위서』, 함양왕전 –

20 (가)에 들어갈 기구의 명칭을 쓰시오.

여행자에게는 중국이 가장 안전하고 좋은 고장이다. …… 전국의 모든 [(가)]에는 숙소가 있는데, 관리자가 전체 투숙객의 이름을 등록하고는 일일이 확인 도장을 찍은 다음 숙소 문을 잠근다. 다음 날 아침 관리자가 다시 투숙객을 점호하고 상황을 상세히 기록한다. 이후 사람을 파견하여 다음 [(가)]까지 안내한다. – 이븐바투타, 『여행기』 –

21 다음 글을 읽고 물음에 답하시오.

『대학』은 공자가 남긴 글로서, 학문하는 사람이 맨 처음에 배워야 할 덕행의 지름길이다. 곧 오늘날 사람이 옛 사람들의 글을 배우는 첫 번째 순서가 『대학』이며, 『논어』와 『맹자』가 그 다음이다. 『대학』으로부터 시작하면 깨달음을 얻는 데 어긋남이 없을 것이다. – 『대학장구』 –

(1) 윗글을 작성한 사람의 이름을 쓰시오.

(2) 위 인물이 집대성한 학문의 이름을 쓰고, 이 학문이 동아시아에 끼친 영향을 서술하시오.

III 단원 동아시아의 사회 변동과 문화 교류

주제 01 15~16세기 동아시아의 정세

명	• 북로남왜: 몽골이 명을 수시로 침략, 왜구가 명의 동남 해안 약탈 • 장거정의 개혁: 몽골과 강화, 엄격한 관리 평가, 토지 조사, 일조편법 확대 시행 → 국가 재정 호전 → 장거정 사후 명 쇠퇴
조선	사림의 집권 → 붕당 간의 대립 격화, 국방력 약화
일본	• 센고쿠 시대: 다이묘들의 패권 쟁탈전 전개 → 도요토미 히데요시가 전국 통일(1590) • 도요토미 히데요시의 정책: 전국적인 토지 조사(검지) 실시, 도검몰수령(도수령) 시행, 병농분리 확립(신분 간 이동 금지, 거주 지역 분리)

주제 02 17세기 전후의 동아시아 전쟁과 국제 질서의 재편

임진왜란과 정유재란	• 배경: 도요토미 히데요시의 대외 침략 도모 • 전개: 일본의 조선 침략(임진왜란 발발) → 일본이 한성과 평양 함락 → 조선 수군과 의병의 활약, 명의 참전 → 조·명 연합군의 평양성 탈환 → 명과 일본의 강화 협상 → 협상 결렬 → 정유재란 발발 → 도요토미 히데요시 사망 → 일본군 철수, 전쟁 종결(1598) • 영향: 조선의 국토 황폐화와 인구 격감, 일본 에도 막부 수립, 명 쇠퇴, 여진 성장
정묘호란과 병자호란	• 배경: 조선의 친명배금 정책 → 후금의 반발 • 전개: 후금의 조선 침략(정묘호란) → 조선과 후금이 형제 관계 체결 → 청이 조선에 군신 관계 요구 → 조선의 거부 → 홍타이지의 조선 침략(병자호란) → 삼전도에서 항복 • 영향: 청과 군신 관계 체결, 명과 국교 단절
전후 국제 질서의 재편	• 중국: 이자성의 난으로 명 멸망(1644) → 청의 베이징 점령 → 청 중심의 동아시아 질서 형성 • 조선: 북벌론 제기 → 북학 운동 발생, 조선 중화주의 확산 • 일본: 조선과 국교 재개, 청과는 국교를 재개하지 않음

주제 03 동아시아 각국의 교역 관계

중국	명	• 해금 정책: 조공 무역만 허용 → 밀무역 성행 • 조공 무역: 정화의 함대 파견(조공국 확대), 일본과 감합 무역 전개
	청	• 해금 정책: 타이완 정씨 세력 복속 후 천계령 해제 → 청 상인의 나가사키 진출 → 에도 막부는 청 상인에게 신패(무역 허가증) 발급 • 공행 무역: 공행 설치 → 대외 무역 독점
조선		• 명·청과 조공 무역 전개 • 3포에 왜관을 설치하여 일본과 제한적 교역
일본	무로마치 막부	명과 감합 무역 전개
	에도 막부	슈인장을 발급하여 교역 통제, 해금 정책(네덜란드 상인에게만 무역 허용)
류큐		명의 해금 정책으로 중계 무역을 전개하여 이익을 얻음

주제 04 교역망의 확대와 은 유통의 활성화

유럽 상인의 동아시아 진출	• 포르투갈: 믈라카 점령, 마카오를 거쳐 나가사키 진출 • 에스파냐: 마닐라가 갈레온 무역의 중심지로 성장 • 네덜란드: 17세기 중엽 동남아시아 섬 대부분 장악 • 영국: 18세기 말부터 중국과 삼각 무역 실시
교역망의 확대	유럽과 명·청, 일본 상인들이 활발히 교역하면서 동아시아 교역망이 전 세계로 확대
은 유통의 활성화	• 중국: 은 유입 증가 → 보초의 남발로 가치 하락 → 명 중기 이후 은 사용 확대 → 조세의 은납화(명 – 일조편법, 청 – 지정은제) • 조선: 16세기 중엽 일본 은 수입 → 명으로 유출 → 17세기 이후 교역 대금으로 일본에게 은을 받음 → 중국으로 유출 • 일본: 16세기 전반 이와미 은광 개발, 조선의 회취법(연은 분리법) 도입 → 17세기 이후 일본 은이 조선을 거쳐 중국으로 유입

주제 05 인구 증가 및 상업과 도시의 발달

구분	명·청	조선 후기	에도 시대
인구 증가	18세기 인구의 폭발적 증가 → 부작용 발생(물가 폭등, 실업자와 유민 증가 등)	17세기 전후 동아시아 전쟁으로 인구 감소 → 18세기에 다시 인구 증가	17세기 인구 폭발 → 18세기 후반 인구 정체(다이묘의 수탈, 기아와 전염병 창궐)
상업과 도시의 발달	• 수공업 발달, 대상인 등장(산시 상인, 휘저우 상인) • 베이징·쑤저우·양저우 등이 대도시로 성장, 시진 증가	• 장시 출현, 대동법 시행(공인 등장), 사상 등장(경강상인, 송상, 내상, 만상) • 한양이 대표적인 도시로 성장	• 산킨코타이 제도 실시로 상업 발달, 조닌 등장 • 조카마치의 발달로 급격한 도시화, 에도·오사카·교토가 대도시로 성장

주제 06 서민 문화의 발달과 새로운 학문의 발전

구분	명·청	조선 후기	에도 시대
서민 문화의 발달	• 배경: 경제 성장으로 도시 인구 증가 → 소비문화 발전 • 내용: 대중 소설(『서유기』 등), 경극, 연화	• 배경: 서당 교육 확대, 실학 영향 → 서민 의식 성장 • 내용: 한글 소설(『홍길동전』 등), 판소리와 탈춤, 풍속화와 민화	• 배경: 조닌의 성장 → 조닌 문화 발달 • 내용: 분라쿠와 가부키, 우키요에
새로운 학문의 발전	청 고증학(경세치용과 실사구시), 공양학(현실 개혁 추구)	양명학(성리학의 교조화 비판), 서학(천주교 신자 등장), 실학(중농학파와 중상학파)	양명학(사회 현실과 제도 개혁), 고학(성리학 비판), 국학(고대 일본 정신으로 돌아갈 것을 주장), 난학(서양 학문 수용)

단원 평가

제 3 회

동아시아사

III. 동아시아의 사회 변동과 문화 교류

성명 | 반 | 번호

01 다음 개혁이 추진되던 시기의 사실로 옳은 것을 〈보기〉에서 고른 것은?

- 관료들의 업적을 엄격하게 평가
- 토지 조사 실시
- 세금을 은으로 내게 하는 일조편법의 전국적 시행

보기
ㄱ. 몽골이 베이징을 포위하였다.
ㄴ. 장거정이 권력을 장악하였다.
ㄷ. 명과 일본 사이에 감합 무역이 시작되었다.
ㄹ. 오다 노부나가가 나가시노 전투에서 승리하였다.

① ㄱ, ㄴ ② ㄱ, ㄷ ③ ㄴ, ㄷ
④ ㄴ, ㄹ ⑤ ㄷ, ㄹ

02 다음 인물에 대한 설명으로 옳은 것은?

① 전국적인 토지 조사를 실시하였다.
② 몽골에게 포로로 사로잡히기도 하였다.
③ 동남 해안의 이자성군 토벌에 성공하였다.
④ 오닌의 난이 일어나는 단초를 제공하였다.
⑤ 명에 정기적으로 사신을 보내 조공하였다.

03 다음 수행평가 보고서의 주제인 (가) 전쟁 당시 볼 수 있던 모습으로 가장 적절한 것은?

주제: (가) 에 대한 한·중·일의 인식
- 한국: 전쟁으로 피해를 본 조선의 반감을 담아 오랑캐가 난동을 일으켰다는 표현을 사용한다.
- 일본: 침략의 의미를 감추기 위해 전쟁 당시의 연호를 사용하여 분로쿠 게이초의 역이라고 지칭한다.
- 중국: 중국의 역할을 강조하기 위해 어려움에 처한 조선을 도왔다는 의미로 '원조 전쟁(또는 보국 전쟁)'이라는 용어를 사용한다.

① 에도 막부를 여는 쇼군
② 자금성을 점령하는 농민군
③ 황해도로 진격하는 후금의 군대
④ 평양성을 탈환하는 조·명 연합군
⑤ 일본의 요청으로 파견되는 통신사 일행

04 다음 주장이 제기된 당시의 상황으로 옳은 것은?

아무리 생각해 보아도 …… 우리의 국력은 현재 바닥나 있고 오랑캐의 병력은 강성합니다. 정묘년의 맹약을 아직 지켜서 몇 년이라도 화를 늦추고, 그동안 …… 민심을 수습하고 성을 쌓으며 …… 적의 허점을 노리는 것이 우리로서는 최상의 계책일 것입니다. - 최명길, 『지천집』 -

① 세키가하라 전투가 벌어졌다.
② 도요토미 히데요시가 사망하였다.
③ 조·명 연합군이 평양성을 탈환하였다.
④ 모문룡이 가도에 주둔하기 시작하였다.
⑤ 홍타이지가 조선에 군신 관계를 요구하였다.

05 (가), (나) 사이 시기의 역사적 사실로 옳은 것은?

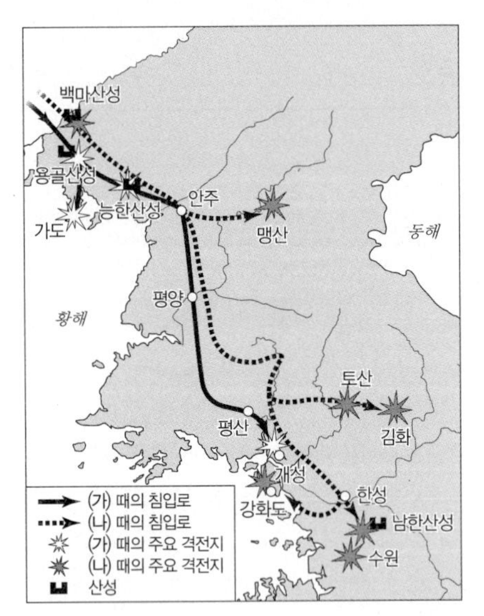

① 팔기가 창설되었다.
② 광해군이 폐위당하였다.
③ 소현 세자가 귀국하였다.
④ 이삼평이 포로로 끌려갔다.
⑤ 후금이 국호를 청으로 고쳤다.

06 (가) 국가에 대한 설명으로 옳은 것은?

▲ 동묘(한국 서울)

임진왜란을 계기로 관우를 섬기는 중국의 신앙이 조선에 유입되었다. 관우를 모시는 왼쪽 사진의 동묘는 (가) 의 요청으로 1601년에 지어졌다.

① 천계령을 내렸다.
② 『대의각미록』을 편찬하였다.
③ 이자성의 난으로 멸망하였다.
④ 대동법과 균역법을 시행하였다.
⑤ 티베트, 신장을 영토로 편입하였다.

07 밑줄 친 '오랑캐'에 해당하는 나라에 대한 설명으로 옳은 것을 〈보기〉에서 고른 것은?

안타깝도다! 그처럼 넓은 땅과 많은 인구를 지녔음에도 명이 갑신년(1644)에 멸망을 맞이한 것은 무엇 때문인가. …… 그 뒤로부터 시간이 흘러 지금에 이르러서는 중원이 모두 옛날과 달라져 오랑캐의 비린내만 가득해졌으니 …… 오직 우리나라만이 한쪽 구석에 치우쳐 있어서 홀로 예를 간직한 나라가 되었다. 공자께서 다시 태어나면 반드시 뗏목을 타고 동쪽 우리나라로 올 것이다.

– 『송자대전』 권 138, 「황여고실서」 –

보기
ㄱ. 타이완을 거점으로 반청 운동을 전개하였다.
ㄴ. 오삼계 등이 일으킨 삼번의 난을 진압하였다.
ㄷ. 중화와 이적의 구분이 의미없다는 논리를 내세웠다.
ㄹ. 조선은 이들에게 정기적으로 통신사를 파견하였다.

① ㄱ, ㄴ ② ㄱ, ㄷ ③ ㄴ, ㄷ
④ ㄴ, ㄹ ⑤ ㄷ, ㄹ

08 다음 그림에 나타난 (가) 문서의 명칭으로 옳은 것은?

제시된 왼쪽 그림은 명의 감독관이 (가) 을(를) 맞춰 보는 것을 상상하여 그린 것이다.
(가) 은(는) 명에서 발급한 무역 허가증으로, 두 쪽을 맞추어 보게 되어 있었다.

① 교초 ② 보초 ③ 감합
④ 신패 ⑤ 슈인장

09 밑줄 친 '이 나라'에 대한 설명으로 옳은 것은?

> 1543년 2명의 이 나라 사람을 태우고 표류하던 중에 중국 배가 일본 규슈 남쪽의 다네가시마에 도착하였다. …… 다네가시마의 다이묘는 이들이 보여 준 불을 내뿜는 신기한 막대기 두 자루를 샀다.
> 다이묘는 자신의 부하에게 이와 똑같이 만들 것을 지시하였으나, 총신이 폭발하는 등 제작에 어려움을 겪었다. …… 계속된 실패로 고민을 거듭하던 대장장이는 자신의 딸을 이 나라 사람에게 시집보내어 그 기밀을 얻었다.

① 조선으로부터 회취법을 들여왔다.
② 대외 무역항을 광저우로 제한하였다.
③ 믈라카를 점령하고 마카오에 진출하였다.
④ 해금 정책을 완화하여 사무역을 허용하였다.
⑤ 마닐라를 거점으로 갈레온 무역을 전개하였다.

10 (가) 나라 출신 인물들의 활동으로 옳은 것은?

에도 막부 시기 나가사키에 건설된 인공섬인 데지마를 그린 그림이다. (가) 의 국기가 바람에 펄럭이는 모습이 그려져 있다.

① 아담 샬이 역법 개정을 주도하였다.
② 마테오 리치가 「곤여만국전도」를 제작하였다.
③ 벨테브레이가 조선 훈련도감에서 근무하였다.
④ 윌리엄 애덤스가 에도 막부의 외교 고문을 지냈다.
⑤ 매카트니가 건륭제에게 거래 장소와 교역품 등을 자유롭게 해 달라고 요구하였다.

11 밑줄 친 '이것'에 대한 설명으로 적절한 것을 〈보기〉에서 고른 것은?

> 오늘날 지폐는 이미 통용되지 않고, 동전만이 겨우 작은 교역에만 사용될 뿐, 모든 조세 업무를 이것으로만 하니 당연히 부족해지게 되었다. …… 그럼에도 부세는 옛날 그대로이고 교역도 변함이 없다. 이것을 허둥지둥 구하고자 해도 장차 어디에서 구할 수 있겠는가?
> – 황종희, 『명이대방록』 –

보기
ㄱ. 지정은제에 따라 세금으로 징수되었다.
ㄴ. 에스파냐가 명에서 대량으로 수입하였다.
ㄷ. 일본의 이와미 은광에서 대량 생산되었다.
ㄹ. 영국이 무역 적자를 만회하기 위해 밀수출하였다.

① ㄱ, ㄴ ② ㄱ, ㄷ ③ ㄴ, ㄷ
④ ㄴ, ㄹ ⑤ ㄷ, ㄹ

12 (가)에 들어갈 품목을 알아보기 위한 탐구 활동으로 가장 적절한 것을 〈보기〉에서 고른 것은?

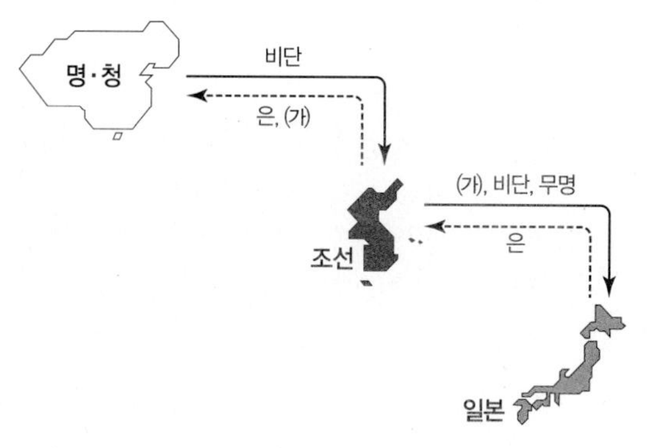

보기
ㄱ. 공행이 주로 수출한 품목을 조사한다.
ㄴ. 인삼대왕고은의 주조 배경을 알아본다.
ㄷ. 임진왜란 이후 조선에 전해진 물품을 파악한다.
ㄹ. 부산의 왜관에서 이루어진 무역 양상을 살펴본다.

① ㄱ, ㄴ ② ㄱ, ㄷ ③ ㄴ, ㄷ
④ ㄴ, ㄹ ⑤ ㄷ, ㄹ

13 (가) 상황이 나타난 배경에 대한 학생들의 발표 내용으로 가장 적절한 것은?

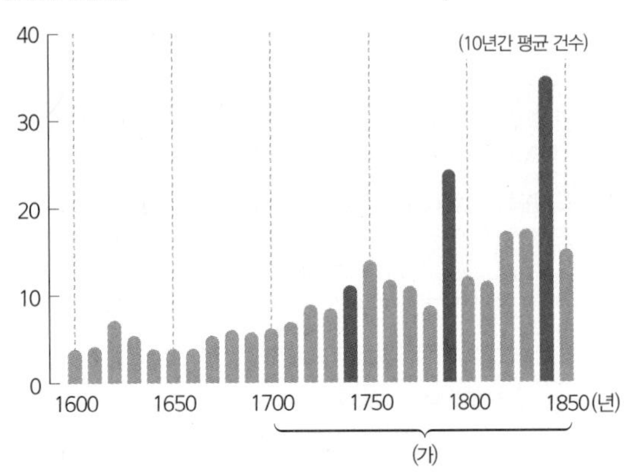

▲ 에도 시대 농민 봉기(잇키)의 발생

① 왜란과 호란이 일어났어요.
② 백련교의 난이 확산되었지요.
③ 여러 차례 대기근이 발생하였어요.
④ 동남 해안 지역에서는 계투가 만연하였지요.
⑤ 『동의보감』과 같은 의학 서적이 편찬되었어요.

14 (가) 국가의 경제 상황에 대한 설명으로 옳은 것을 〈보기〉에서 고른 것은?

(가) 의 경제 상황을 묘사한 「성세자생도」이다. 1만 2천여 명에 달하는 인물이 묘사되어 있다.

보기
ㄱ. 송상, 내상, 만상 등이 부를 축적하였다.
ㄴ. 오사카가 물류 유통의 중심으로 번성하였다.
ㄷ. 수백만 석의 쌀이 대운하를 통해 운송되었다.
ㄹ. 산시 상인, 휘저우 상인이 전국에 걸쳐 활약하였다.

① ㄱ, ㄴ ② ㄱ, ㄷ ③ ㄴ, ㄷ
④ ㄴ, ㄹ ⑤ ㄷ, ㄹ

15 다음 자료에 나타난 시기의 (가) 도시에서 볼 수 있던 모습으로 가장 적절한 것은?

(가) 주민 중에서 관직에 있는 자는 봉록을 받아 살며, 서리는 자질구레한 녹봉을 받아 살며, 군인들은 군포를 받아 살고, 영세 소상인들은 조그만 이익에 의지해 살고, 수공업자는 힘들게 제조하여 생계를 유지한다. …… 공인, 시전 상인은 (가) 주민 중에서 가장 생활이 안정된 자들이다. -『비변사등록』, 1825년 11월 21일 -

① 공연을 준비하는 경극 배우
② 3포의 개항을 허용하는 국왕
③ 『천주실의』를 저술하는 선교사
④ 귀무덤을 세우는 데 동원된 주민
⑤ 한강을 무대로 장사하는 경강상인

16 다음 구조도의 (가) 계층에 대한 설명으로 옳은 것은?

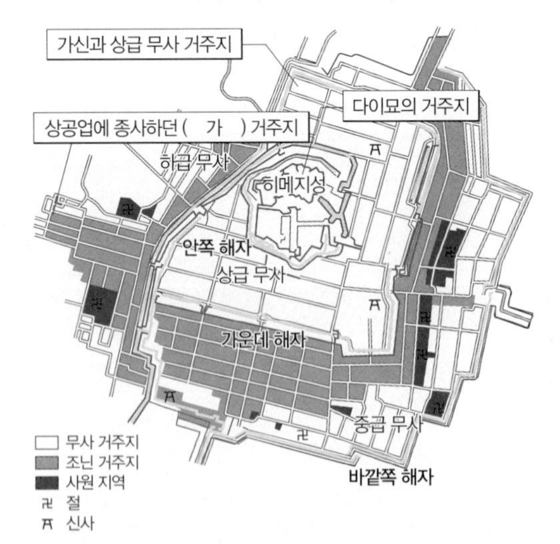

① 산킨코타이 제도의 적용을 받았다.
② 요새형 주택인 토루를 건설하였다.
③ 창장강을 무대로 상업에 종사하였다.
④ 풍경 등을 묘사한 우키요에를 즐겼다.
⑤ 『홍길동전』 등 한글 소설을 유행시켰다.

17 제시된 학문 경향에 대한 탐구 활동으로 가장 적절한 것을 〈보기〉에서 고른 것은?

> 역사적 사건과 흔적의 사실 여부를 상고함에 있어서 연도를 날줄로 삼고 사건을 씨줄로 삼아 분류하여 배치하거나 모아서 차례를 정하고, 기록의 같고 다름 및 보고 들은 것의 어긋남과 합치됨을 하나하나 조목별로 분석하여 의심을 없게 해야 한다. …… 역사를 서술하는 사람이 사실을 기록하고 역사를 읽는 사람이 상고하고 따지는 목적은 모두 그저 진실을 확인하려는 것이다.
>
> – 왕명성, 『십칠사상각』 –

보기
ㄱ. 『해체신서』가 번역된 경위를 살펴본다.
ㄴ. 『사고전서』의 편찬이 끼친 영향을 알아본다.
ㄷ. 『서유기』, 『삼국지연의』, 『홍루몽』의 내용을 분석한다.
ㄹ. 청 대에 나타난 역사서와 금석문 등을 실증적으로 연구하는 학문에 대해 살펴본다.

① ㄱ, ㄴ ② ㄱ, ㄷ ③ ㄴ, ㄷ
④ ㄴ, ㄹ ⑤ ㄷ, ㄹ

18 다음과 같은 주장에 동조한 사람들에 대한 학생 발표 내용으로 가장 적절한 것은?

> 나는 어려서부터 사서(四書)의 주석을 읽고 그 내용을 믿었으며 …… 자라면서 그것들을 의심하기 시작하였다. 나는 이미 육경과 공자·맹자의 말을 깊이 읽고 이것들을 사서의 주석에 있는 말과 비교해, 주석이 말하는 심(心), 이(理), 성(性), 도(道)의 뜻이 육경 및 공자·맹자의 말과는 크게 다르다는 것을 발견하였다.
>
> – 단옥재, 『경운루집』 –

① 스기타 겐파쿠가 난학 발전에 기여하였어요.
② 오규 소라이가 고대 유교 경전을 중시하였어요.
③ 이시진이 『본초강목』을 지어 약학 지식을 높였어요.
④ 정제두가 본격적으로 양명학 연구에 매진하였어요.
⑤ 모토오리 노리나가가 『고사기전』 연구에 집중하였어요.

서답형 문제

19 다음 그래프를 보고 물음에 답하시오.

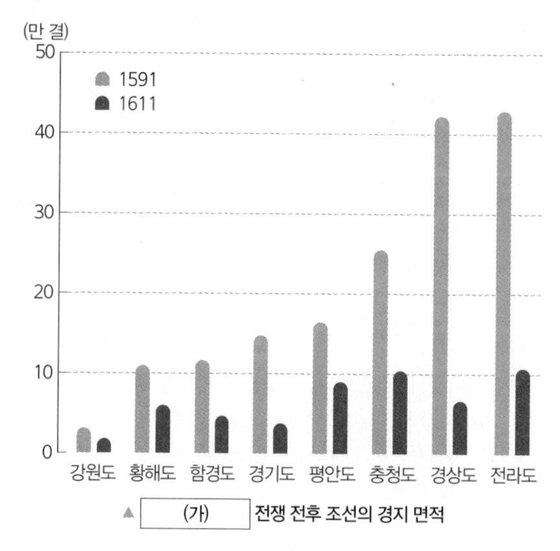

▲ (가) 전쟁 전후 조선의 경지 면적

(1) (가) 전쟁의 명칭을 쓰시오.

(2) (가) 전쟁이 일어난 배경을 서술하시오.

20 (가) 국가의 명칭을 쓰시오.

> (가) 은(는) 남해(동중국해)의 가운데 있는데, 남북으로는 길고 동서로는 짧다. …… 해마다 중국에 사신을 보내고 유황 6만 근과 말 40필을 바친다. …… 해상 무역을 업으로 삼는다. 서쪽으로는 남만, 중국과 교통하고, 동쪽으로는 일본, 우리나라와 교통한다.
>
> – 『해동제국기』 –

21 다음 공연들이 유행하게 된 공통적인 배경을 서술하시오.

▲ 19세기 어느 명절에 사원 앞 장터에서 이루어진 공연 모습을 그린 그림(청)

▲ 에도 나카무라자에서의 공연 장면을 그린 그림

IV 단원 동아시아의 근대화 운동과 반제국주의 민족 운동

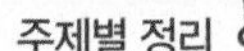

주제 01 동아시아 각국의 개항

청	제1차 아편 전쟁 → 난징 조약 체결(1842) → 제 2 차 아편 전쟁 → 톈진 조약(1858), 베이징 조약(1860) 체결
일본	미국 페리 함대의 개항 요구 → 미·일 화친 조약 체결(1854), 미·일 수호 통상 조약 체결(1858)
조선	고종의 친정 이후 통상 개화론 대두 → 일본이 운요호 사건을 일으켜 개항 강요 → 강화도 조약 체결(1876)
베트남	베트남의 크리스트교 박해 → 프랑스의 무력 침략 → 제1차 사이공 조약 체결(1862)

주제 02 근대화 운동과 국민 국가 수립을 위한 노력

청	• 태평천국 운동: 청조 타도, 토지 균분 등 주장 • 양무운동: '중체서용'을 내세우며 서양의 군사력과 과학 기술 수용 • 변법자강 운동: 의원제 도입 등 정치 개혁 운동 전개 → 보수파의 반격으로 실패(무술정변) • 의화단 운동: '부청멸양'을 주장하며 반외세 운동 전개 • 신정 실시: 량치차오 등이 입헌 운동 전개 → 흠정헌법대강 발표(1908) • 신해혁명: 쑨원 중심으로 청 왕조 타도, 공화국 수립 추진 → 우창에서 신군 봉기(1911) → 중화민국 수립(공화제 채택) → 위안스카이의 정권 장악(군벌 할거)
일본	• 메이지 유신: 막부 붕괴, 천황 중심의 신정부 수립 → 토지 개혁, 징병제 시행, 식산흥업 정책, 신분제 폐지 등 근대화 정책 추진 • 자유 민권 운동: 서양식 의회 설치, 헌법 제정 요구 • 대일본 제국 헌법(1889): 천황에게 막강한 권한을 부여한 헌법 제정
조선	• 개항 이후 개화 정책 추진(통리기무아문, 별기군 창설) → 개화 정책에 대한 반발(위정척사 운동, 임오군란) → 근대화의 속도와 방향을 둘러싼 개화 세력의 갈등 → 갑신정변 발생 • 갑오개혁(왕실과 정부 분리, 조세 제도 합리화, 신분제 해체, 노비제 폐지 등) → 을미개혁(태양력 채용, 단발령 시행 등) • 독립 협회: 『독립신문』 창간, 만민 공동회 개최, 이권 수호 운동과 의회 개설 운동 전개 등 • 대한 제국 수립(1897): 광무개혁 추진, 대한국 국제 반포(1899)를 통해 전제 군주정 천명

주제 03 제국주의 침략과 동아시아 질서의 재편

청·일 전쟁	• 일본의 승리 → 시모노세키 조약 체결 → 청이 일본에 랴오둥반도, 타이완 할양(1895년 삼국 간섭으로 랴오둥반도는 청에 반환) • 영향: 중국 중심의 질서 붕괴, 일본의 제국주의 팽창
러·일 전쟁과 한국 병합	• 러·일 전쟁: 일본군이 러시아의 발트 함대 격파 등으로 승리 → 포츠머스 강화 조약 체결(한반도에 대한 일본의 우월한 지위 인정) • 일본의 한국 병합: 대한 제국에 을사조약 강요·체결(1905) → 한·일 병합 조약으로 대한 제국의 주권 강탈(1910)

주제 04 제1차 세계 대전과 동아시아의 민족 운동

제1차 세계 대전과 동아시아	• 제1차 세계 대전 당시 일본이 산둥반도 점령, 중국에 '21개조 요구' 강요 → 베르사유 조약에 따라 일본이 산둥반도의 이권 차지 • 워싱턴 체제: 일본의 산둥반도에 대한 이권 포기, 군비 축소 등 결정 → 동아시아에서의 열강 간 세력 균형이 이루어짐
한국의 민족 운동	• 3·1 운동(1919): 일제의 무단 통치, 민족 자결주의의 영향 → 전국적인 독립 만세 시위 전개 → 일제의 통치 방식 변화 • 대한민국 임시 정부 수립(1919): 민주 공화제 채택 • 국외 무장 독립운동, 국내 민족 유일당 운동 전개(신간회 조직)
중국의 민족 운동	• 5·4 운동(1919): 베이징 대학생들의 반군벌·반일 시위 전개 • 군벌 타도를 위해 제1차 국·공 합작 결성(1924) → 북벌 전개

주제 05 침략 전쟁의 확대와 국제 연대

침략 전쟁	만주 사변(1931)	일본군이 만주 일대 점령 → 만주국 수립(1932) 이후 국제 연맹 탈퇴 및 군비 확장 추진
	중·일 전쟁(1937)	일본군이 중국 본토 침략 → 국민당 정부는 충칭으로 수도 이전, 제2차 국·공 합작 결성(1937)
	태평양 전쟁(1941)	일본군의 진주만 기습 → 미드웨이 해전(전세 역전) → 미국이 원자 폭탄 투하 → 일본 항복
국제 연대	• 만주 사변 이후: 한국 독립군·조선 혁명군이 각각 중국 군대와 연합, 한·중 민족 항일 대동맹 결성, 동북 인민 혁명군 조직 • 중·일 전쟁 이후: 중국 국민 정부의 군사적 지원을 통한 연대 → 조선 의용대(김원봉), 한국 광복군(대한민국 임시 정부) • 반제·반전을 위한 국제 연대: 아주 화친회, 동방 무정부주의자 연맹, 항일 구국 연맹, 일본 반제 동맹, 일본 병사 반전 동맹 등	

주제 06 서양 문물의 수용

서구적 세계관의 수용	• 만국 공법: 주권 국가 간의 대등한 관계를 규율하는 근대적 국제법 • 사회 진화론: 인간 사회에서도 약육강식, 적자생존 등이 적용됨 • 한계: 제국주의 열강의 침략과 식민 지배 정당화 논리로 이용	
근대적 지식의 확산	근대식 교육	• 청: 경사 대학당 및 중·소학당 설립 • 일본: 소학교 의무 교육 제도 도입, 교육 칙어 반포 • 조선: '교육입국 조서' 반포 → 각종 교육 기관 설립
	신문 발간	국내외의 소식 전달, 국민 계몽, 여론 형성 등의 역할
	여성 교육	• 일본: 남녀 모두 초등·중등 교육 시행, 부인 교풍회 • 청: 신문화 운동 이후 여성 해방 등이 중시 • 조선: 여학교 설시 통문(여권통문) 발표, 찬양회
근대적 생활 방식의 확산	근대 도시	개항장 중심으로 조계(거류지) 형성 → 각종 근대적 시설, 교통·통신 시설 도입으로 도시화 진전
	철도 건설	인구 이동 및 물자 유통 촉진, 활동 공간 확대 등에 이바지 → 제국주의 열강의 침략 도구로 활용되기도 함

단원 평가 제 4 회

동아시아사

IV. 동아시아의 근대화 운동과 반제국주의 민족 운동

성명 | 반 | 번호

01 (가) 국가에 대한 설명으로 옳은 것을 〈보기〉에서 고른 것은?

> 제2조 [(가)] 국민이 가족이나 하인을 데리고 광저우·아모이·푸저우·닝보·상하이에서 박해나 구속을 받지 않고 상업에 종사하기 위해 자유롭게 거주하는 것을 보장한다.
>
> – 난징 조약(1842) –

보기
ㄱ. 연해주를 차지하였다.
ㄴ. 베트남을 개항시켰다.
ㄷ. 청으로부터 홍콩을 할양받았다.
ㄹ. 베이징에 외교관을 주재시켰다.

① ㄱ, ㄴ ② ㄱ, ㄷ ③ ㄴ, ㄷ
④ ㄴ, ㄹ ⑤ ㄷ, ㄹ

02 (가)에 들어갈 장면으로 옳은 것을 〈보기〉에서 고른 것은?

◎ 주제: 시간순으로 보는 동아시아 각국의 개항

보기
ㄱ. 군사 훈련을 실시하는 별기군
ㄴ. 요코하마에 상륙하는 페리 함대
ㄷ. 공행을 통한 무역만 허용하는 청 조정
ㄹ. 제1차 사이공 조약에 서명하는 프랑스 대표

① ㄱ, ㄴ ② ㄱ, ㄷ ③ ㄴ, ㄷ
④ ㄴ, ㄹ ⑤ ㄷ, ㄹ

03 (가), (나) 조약의 공통점으로 옳은 것은?

> (가) 시모다와 하코다테 외에 다음 항구를 기한 내에 개항한다. 가나가와, 나가사키, 니가타, 효고(고베) 등
> (나) 조선 정부는 부산 외에 두 곳의 항구를 개방하고 일본인이 자유롭게 왕래하면서 통상할 수 있게 한다.

① 협정 관세 부과가 규정되었다.
② 영사 재판권의 허용이 명시되었다.
③ 제2차 아편 전쟁의 결과 체결되었다.
④ 크리스트교 포교의 자유가 인정되었다.
⑤ 운요호 사건이 일어나는 배경이 되었다.

04 (가), (나) 운동에 대한 설명으로 옳은 것은?

> 증국번과 같은 지방 한인 관료들은 [(가)]을(를) 진압하면서 외국의 군대와 무기가 뛰어나다는 것을 실감하였다. 이들은 서구식 총포나 선박 등을 제조하는 군수 공업 육성에 힘을 기울였다. 이를 [(나)](이)라고 한다.

① (가)–난징을 수도로 삼았다.
② (가)–'중체서용'의 구호를 내걸었다.
③ (나)–홍수전 등이 적극 가담하였다.
④ (나)–일본에 수신사 파견을 결정하였다.
⑤ (가), (나)–전통적 신분제의 한계를 극복하려 하였다.

05 다음 사절단을 파견한 정부에 대한 설명으로 옳지 않은 것은?

불평등 조약 개정을 위한 예비 교섭과 서양 문물과 제도 조사를 위해 1871년 파견된 사절단이다.

① 근대적인 토지세 제도를 도입하였다.
② 소학교 의무 교육 제도를 확립하였다.
③ 징병제를 시행하여 군대를 정비하였다.
④ 신분제를 폐지하여 사민 평등을 채택하였다.
⑤ 개화 정책을 위해 통리기무아문을 설치하였다.

06 다음은 어떤 인물에 대해 검색한 결과이다. 이 인물에 대한 설명으로 옳은 것은?

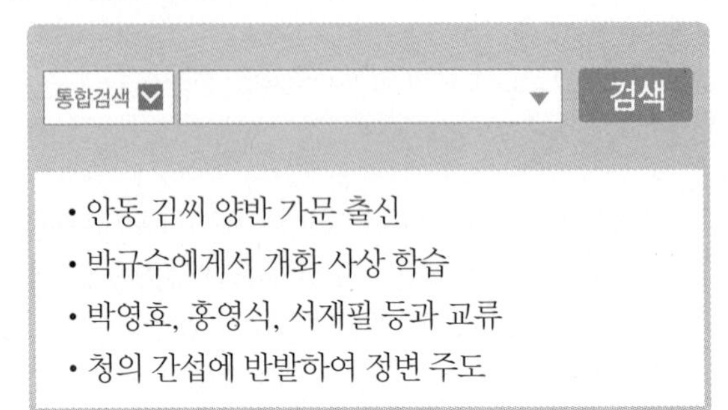

- 안동 김씨 양반 가문 출신
- 박규수에게서 개화 사상 학습
- 박영효, 홍영식, 서재필 등과 교류
- 청의 간섭에 반발하여 정변 주도

① 태양력 채용을 이끌어냈다.
② 금릉 기기국의 설립을 건의하였다.
③ 메이지 유신을 개혁의 모델로 삼았다.
④ '존왕양이'를 주장하며 막부 타도에 나섰다.
⑤ 배상제회를 조직하여 반청 운동을 전개하였다.

07 다음 헌법이 만들어진 배경을 알아보기 위한 탐구 활동으로 가장 적절한 것은?

> 제1조 대일본 제국은 만세일계의 천황이 통치한다.
> 제3조 천황은 신성하며 누구라도 침범할 수 없다.
> 제4조 천황은 국가의 원수로서 통치권을 총람하며, 이 헌법의 조규에 따라 이를 거행한다.
> 제29조 일본 신민은 법률이 정한 범위 안에서 언론, 저작, 인쇄 및 발행, 집회, 결사의 자유를 허용한다.

① 이홍장이 작성한 상소문을 살펴본다.
② 갑오개혁 당시의 개혁 내용을 분석한다.
③ '흠정헌법대강'이 마련된 시기를 파악한다.
④ 대한국 국제 반포가 끼친 영향을 조사한다.
⑤ 의회 설립 요구에 대한 메이지 정부의 대응을 알아본다.

08 다음 활동이 전개되던 당시의 상황으로 옳은 것은?

> 만민 공동회가 개최되어 열강의 이권 침탈에 반대하고, 자주 국가 수립을 위한 개혁 운동이 전개되었다. 또한 의회 개설 운동이 확산되어 관민 공동회에서 헌의 6조가 채택되었다.

① 중국 동맹회가 조직되었다.
② 신문화 운동이 전개되었다.
③ 인천과 원산의 개항이 결정되었다.
④ 대한 제국이 식산 흥업 정책을 펼쳤다.
⑤ 일본이 미국에게 최혜국 대우를 허용하였다.

09 (가)에 들어갈 내용으로 옳은 것은?

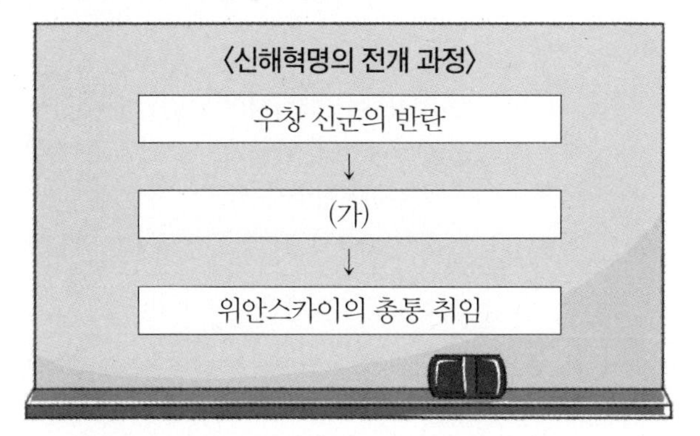

① 중화민국 수립
② 임오군란 발발
③ 아관 파천 단행
④ 오키나와현 설치
⑤ 변법자강 운동 전개

10 제시된 사진 설명의 (가) 운동에 대한 설명으로 옳은 것은?

▲ 영국, 미국, 러시아, 독일, 프랑스, 오스트리아-헝가리, 이탈리아, 일본군의 연합군이다. 이들은 (가) 운동을 진압하고 외국 군대의 베이징 주둔을 허용한 조약을 체결하였다.

① '부청멸양'의 구호를 내걸었다.
② 삼국 간섭의 결과를 가져왔다.
③ 신축조약에 반발하여 일어났다.
④ 입헌 군주제의 확립을 요구하였다.
⑤ 대한국 국제가 반포되는 데 영향을 끼쳤다.

11 밑줄 친 '조약'의 내용으로 옳은 것을 〈보기〉에서 고른 것은?

미국은 전쟁의 마무리를 위해 중재에 나섰다. 일본의 요청을 받아들여 자국의 해군 항구인 포츠머스에서 강화 회의를 개최하였다.

그 결과 전쟁을 종결하는 조약을 체결하게 되었다. 미국이 이처럼 적극적으로 중재에 나선 이유는 일본을 이용하여 동아시아에서 러시아를 견제하려고 했기 때문이다.

보기

ㄱ. 일본은 랴오둥반도를 반환해야 한다.
ㄴ. 일본 제국은 한국에서 탁월한 이익을 갖는다.
ㄷ. 북위 50도 이남의 사할린섬을 일본에 양도한다.
ㄹ. 한국은 일본을 거치지 않고서는 대외 조약을 체결할 수 없다.

① ㄱ, ㄴ　② ㄱ, ㄷ　③ ㄴ, ㄷ
④ ㄴ, ㄹ　⑤ ㄷ, ㄹ

12 다음 주장이 제기된 배경으로 가장 적절한 것은?

청년들이여! 자주적이어야 하고, 진보적이어야 합니다. 또 실리적이어야 하고 과학적이어야 합니다.

▲ 천두슈(1879~1942)

① 3·1 운동이 일어났다.
② 5·4 운동이 전개되었다.
③ 파리 강화 회의가 개최되었다.
④ 일제가 무단 통치를 자행하였다.
⑤ 중국에서 독재 권력이 강화되었다.

13 (가), (나) 사이 시기의 사실로 옳은 것을 〈보기〉에서 고른 것은?

(가) 상하이의 일본계 방직 공장에서 노동자가 피살되자 중국인 노동자들이 시위를 벌였다. 영국계 경찰이 이를 진압하는 과정에서 희생자가 발생하였다.
(나) 국민 혁명군이 북상하여 베이징에 입성하고, 장쭤린의 뒤를 이은 장쉐량이 국민 정부를 따를 것을 선언하였다.

보기
ㄱ. 미국 주도로 워싱턴 회의가 열렸다.
ㄴ. 윤봉길이 상하이 의거를 감행하였다.
ㄷ. 장제스가 공산당에 대한 탄압에 나섰다.
ㄹ. 일본이 두 차례에 걸쳐 산둥반도를 공격하였다.

① ㄱ, ㄴ　② ㄱ, ㄷ　③ ㄴ, ㄷ　④ ㄴ, ㄹ　⑤ ㄷ, ㄹ

14 다음 보고서가 작성될 당시의 상황으로 옳은 것은?

1. 동북 지역은 원래부터 중국의 일부이다.
2. 일본군의 행위는 합법적인 자위 수단으로 볼 수 없다.
3. (만주국) 정부의 수반은 명목상 만주인이지만, 실권은 일본 관리와 그 고문들의 손에 놓여 있다. 현지의 중국인이 보기에 완전히 일본인을 위한 도구이다.

① 제2차 국·공 합작이 이루어졌다.
② 연합국이 일본의 무조건 항복을 요구하였다.
③ 조선 혁명군이 중국군과 연합 작전을 펼쳤다.
④ 루거우차오에서 일본군과 중국군이 충돌하였다.
⑤ 영·일 동맹에 따라 일본이 세계 대전에 참전하였다.

15 밑줄 친 '그'에 대한 설명으로 옳은 것을 〈보기〉에서 고른 것은?

그는 조선 의용대를 조직하여 국민당군과 공동으로 항일 투쟁을 전개하였고, 나중에는 조선 의용대 일부를 이끌고 한국 광복군에 합류하였다.

보기
ㄱ. 한·중 민족 항일 대동맹을 주도하였다.
ㄴ. 중국 관내에서 민족 혁명당을 이끌었다.
ㄷ. 중국에서 의열단을 결성하여 활동하였다.
ㄹ. 뤼순 감옥에서 『동양 평화론』을 저술하였다.

① ㄱ, ㄴ　② ㄱ, ㄷ　③ ㄴ, ㄷ　④ ㄴ, ㄹ　⑤ ㄷ, ㄹ

16 지도의 (가), (나)에 들어갈 내용으로 옳은 것을 〈보기〉에서 고른 것은?

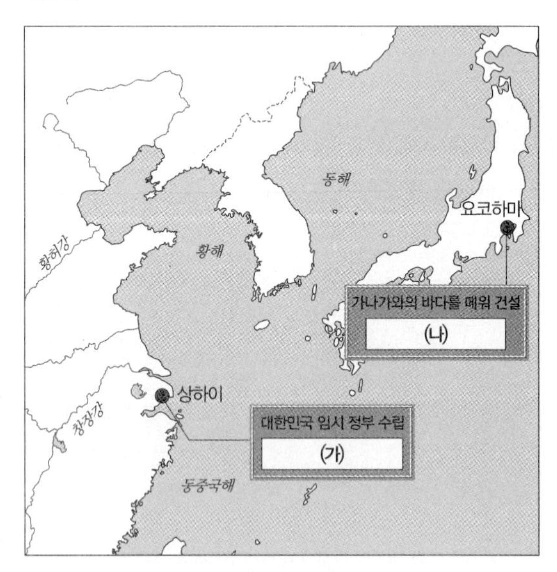

보기
ㄱ. (가) – 황성 만들기 사업 추진
ㄴ. (가) – 영국 상인이 『신보』 창간
ㄷ. (나) – 찬양회가 여학교 설립 시도
ㄹ. (나) – 수도와 연결되는 철도 부설

① ㄱ, ㄴ　② ㄱ, ㄷ　③ ㄴ, ㄷ　④ ㄴ, ㄹ　⑤ ㄷ, ㄹ

17 다음 신문에 대한 설명으로 옳은 것을 〈보기〉에서 고른 것은?

독닙신문

우리는 첫째 편벽되지 아니한 고로 무슨 당에도 상관이 없고, 상하 귀천을 달리 대접 아니하고, 모두 조선 사람으로만 알고, 조선만을 위하며, 공평히 인민에게 말할 터인데 …… 정부에서 하시는 일을 백성에게 전달할 터이요.

보기
ㄱ. 서재필 주도로 창간되었다.
ㄴ. 한글과 영문으로 발간되었다.
ㄷ. 러·일 전쟁의 상황을 보도하였다.
ㄹ. 일제가 제정한 신문지법의 적용을 받았다.

① ㄱ, ㄴ ② ㄱ, ㄷ ③ ㄴ, ㄷ
④ ㄴ, ㄹ ⑤ ㄷ, ㄹ

18 다음을 발표한 정부의 교육 정책으로 옳은 것은?

짐이 생각하건대 …… 나의 신민도 열심히 충효에 힘써 마음을 하나로 하여 대대로 그 미덕을 배워 온 것은 우리나라의 뛰어난 점이며, 교육의 근본 정신도 또한 여기에 있다. …… 항상 헌법을 중시하고 법률에 따라 한 차례 나라의 비상시가 되면 의용을 가지고 나라를 위해 일하며 천지와 같이 끝없는 황실의 운명을 지키고 도와줘야 한다.

① 과거제를 폐지하였다.
② 교육입국 조서를 발표하였다.
③ 베이징에 경사 대학당을 설치하였다.
④ 외국어 교육 기관으로 동문관을 두었다.
⑤ 도쿄 제국 대학 등 고등 교육 기관을 설립하였다.

서답형 문제

19 다음 자료를 읽고 물음에 답하시오.

제2조 청국은 랴오둥반도와 타이완, 펑후 제도를 일본에 할양한다.
제4조 청국은 배상금 2억 냥(일본 화폐 3억 1천만 엔)을 지불하는 데 동의한다.

(1) 위 조약의 명칭을 쓰시오.

(2) 위 조약이 체결된 계기를 조선에서 일어난 사건과 관련지어 서술하시오.

20 (가) 국가의 명칭을 쓰시오.

제1호 산둥반도의 (가) 이권을 일본에 양도한다.
제2호 일본이 뤼순, 다롄을 조차하는 기한을 99년간 연장하고, 남만주 등에서의 이권을 인정한다.
– '21개조 요구'(1915) –

21 자료에 나타난 국제법이 동아시아 각국에서 어떻게 활용되었는지를 서술하시오.

고금의 여러 대가들의 말에 따르면, 어떤 나라나 국민이든지 간에 그 국헌의 체제와 규례의 여하를 막론하고 그 나라를 자주적으로 다스릴 때 이를 주권 독립국이라 하며, 주권은 한 나라를 관제하는 최대의 권리라 한다. …… 국내의 주권을 자주적으로 행사하고 외국의 지휘를 받지 않는 나라는 진정한 독립국인 것이다.
– 유길준, 『서유견문』 –

V 단원 오늘날의 동아시아

주제 01 제2차 세계 대전 전후 처리

전후 처리 구상	카이로 회담 (1943. 11.)	일본의 무조건 항복, 한국의 독립 약속
	얄타 회담 (1945. 2.)	소련의 대일전 참전 결정
	포츠담 회담 (1945. 7.)	카이로 선언의 이행 강조, 일본의 무조건 항복 촉구
동아시아의 전후 처리	일본	• 연합국 최고 사령부 설치 → 미국의 군정, 비군사화·민주화 개혁 추진(평화 헌법 제정) • 미국의 대일본 정책 변화 → 일본을 동아시아의 반공 기지로 구축(경제 재건 지원, 경찰 예비대 조직) • 샌프란시스코 강화 조약 체결(일본의 주권 회복), 미·일 안보 조약 체결(1951)
	한국	북위 38도선을 경계로 미군과 소련군 진주·군정 실시 → 남한의 대한민국 정부 수립, 북한의 조선 민주주의 인민 공화국 정부 수립
국교 수립	일·화 평화 조약(1952), 한·일 국교 정상화(1965), 미·중 공동 성명(1972), 중·일 국교 수립(1972), 한·중 국교 수립(1992)	

주제 02 냉전과 동아시아의 전쟁

국·공 내전	국민당과 공산당의 내전(1946. 7.) → 초반 국민당군 주도 → 공산당군의 반격 → 중국 공산당이 중화 인민 공화국 수립(1949. 10.) → 국민당 정부는 타이완으로 이동
6·25 전쟁	북한군의 남침(1950. 6. 25.) → 유엔군 참전(인천 상륙 작전) → 중국군 참전 → 전선 교착 → 정전 협정 체결(1953. 7. 27.)
베트남 전쟁	• 독립 전쟁(1946~1954): 베트남 민주 공화국 수립 선포 → 프랑스와의 전쟁 → 베트남 승리 → 제네바 회담 불이행, 남북 분단 • 베트남 전쟁(1964~1975): 남베트남에 베트남 공화국 정부 수립 → 남베트남 민족 해방 전선 결성 → 통킹만 사건을 빌미로 미국 참전 → 반전 여론 고조, 닉슨 독트린 발표(1969) → 파리 평화 협정 체결(미군 철수) → 베트남 사회주의 공화국 수립(1976)

주제 03 동아시아 사회주의 국가들의 정치와 경제

중국	정치	• 중화 인민 공화국 수립 이후 중국 공산당의 권력 독점 • 문화 대혁명: 대약진 운동의 실패로 마오쩌둥의 실각 위기 → 문화 대혁명을 통해 내부의 반대파 제거 • 덩샤오핑의 집권: 개혁·개방 정책, 톈안먼 사건(1989)
	경제	• 토지 개혁, 주요 기업의 국유화 → 대약진 운동 추진 및 실패 → 문화 대혁명으로 경제적 혼란 가중 • 개혁·개방 정책으로 시장 경제 체제 일부 도입
북한	정치	사회주의 헌법 제정(1972)으로 독재 체제 강화 → 김정일, 김정은의 권력 세습
	경제	경직된 체제, 소련의 원조 중단, 과도한 군사비 지출 등으로 경제 침체 → 합영법 제정(1984) → 경제난 지속
베트남	공산당 1당 지배 체제 유지 → 도이머이 정책 등 개혁 추진	

주제 04 동아시아 자본주의 국가들의 정치와 경제

일본	정치	• 자유당과 민주당의 합당으로 자유 민주당(자민당) 결성 → 자민당 우위의 55년 체제 성립 → 경제 우선 정책 추진, 자민당의 장기 집권 • 1990년대 거품 경제 붕괴, 자민당의 부정부패 등으로 55년 체제 붕괴 → 민주당 집권(2009) → 자민당 재집권(2012)
	경제	• 미국의 지원, 전쟁 특수를 기반으로 경제 회복 • 1980년대 최대 호황, 거품 경제 형성 • 1990년대 주가와 부동산 가격 폭락으로 거품 경제 붕괴, 장기 불황
한국	정치	• 이승만 정부의 3·15 부정 선거 → 4·19 혁명(1960) → 이승만 하야, 장면 내각 구성 • 5·16 군사 정변(1961) → 박정희 정부의 장기 집권, 유신 체제 수립 → 10·26 사태로 붕괴(1979) • 신군부 세력의 권력 장악 → 5·18 민주화 운동(1980) → 6월 민주 항쟁(1987) → 직선제 개헌 • 김대중 정부 출범(1998)으로 평화적 정권 교체
	경제	• 1950년대 미국의 경제 원조 → 소비재 공업 발달 • 1960년대 경제 개발 5개년 계획 시작, 수출 주도형 경제 정책 추진 → 1970년대 중화학 공업 발전 → 1980년대 3저 호황으로 경제 성장 • 외환 위기(1997) → 외자 유치, 구조 조정 등으로 극복
타이완	정치	중국 국민당 정권이 타이완으로 이동 → 1987년까지 1당 지배 체제 → 계엄령 해제, 복수 정당제 도입, 총통 직선제 개헌 → 민주 진보당의 집권으로 정권 교체(2000)
	경제	중소기업을 중심으로 시장 경제 발달

주제 05 동아시아의 갈등과 화해

영토 갈등	• 쿠릴 열도(북방 도서): 러시아와 일본 간 갈등 • 센카쿠 열도(댜오위 다오): 중국과 일본의 갈등, 타이완 가세 • 시사 군도(파라셀 제도): 중국과 베트남 간 갈등 • 난사 군도(스프래틀리 군도): 중국, 베트남, 필리핀, 브루나이, 말레이시아 등이 갈등	
역사 인식 갈등	일본	역사 교과서 왜곡 문제, 일본군 '위안부' 문제, 야스쿠니 신사 참배 문제 등
	중국	동북공정(고조선, 부여, 고구려, 발해의 역사를 중국의 역사로 편입)
화해와 협력 노력	역사 문제 해결을 위한 국제 연대, 역사 인식 공유를 위한 역사 대화, 동아시아 협력체의 모색 등	
독도	• 일본은 러·일 전쟁 중 자국의 영토로 편입했다고 주장 • 삼국 시대 이래로 한국 고유의 영토, 현재 한국이 영토 주권 행사 중	

동아시아사

성명 | 반 | 번호

01 (가)에 들어갈 내용으로 옳은 것은?

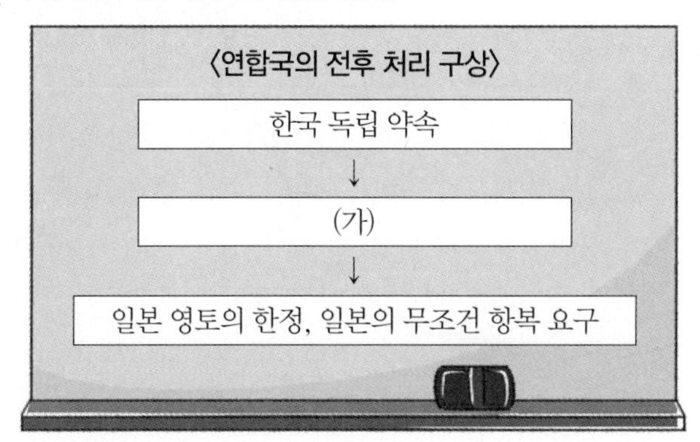

① 국제 연합 출범
② 원자 폭탄의 투하 결정
③ 미·일 안보 조약의 체결
④ 소련의 대일전 참전 결정
⑤ 샌프란시스코 강화 조약의 체결

02 다음과 같은 변화가 나타나게 된 배경으로 가장 적절한 것은?

〈일본에 대한 미국의 방침 변화〉

• 군국주의자 추방 • 재벌 개혁 • 농지 개혁	→	• 일본 경제 재건 우선시 • 노동 운동 억제 • 공산주의자 탄압

① 통킹만 사건이 벌어졌다.
② 평화 헌법이 공포되었다.
③ 중화 인민 공화국이 수립되었다.
④ 연합국 최고 사령부가 설치되었다.
⑤ 극동 국제 군사 재판이 개최되었다.

03 밑줄 친 '내전'이 전개되던 시기의 사실로 옳은 것을 〈보기〉에서 고른 것은?

〈내전 당시 병력의 증감 비교〉

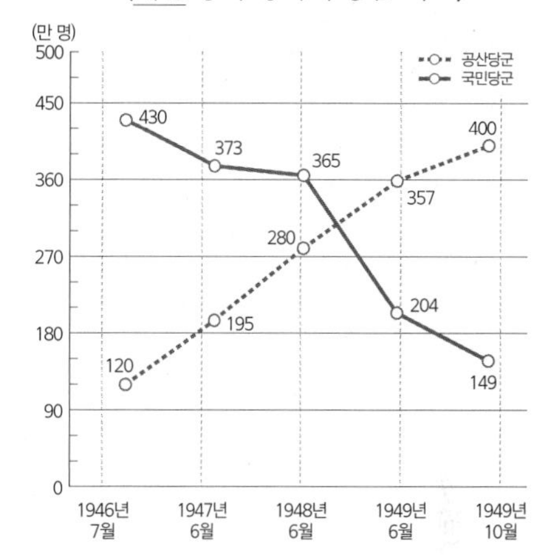

보기
ㄱ. 일본이 경찰 예비대를 창설하였다.
ㄴ. 중국에 심각한 인플레이션이 발생하였다.
ㄷ. 화북 이북 지역에서 토지 개혁이 실시되었다.
ㄹ. 애치슨이 미국의 동아시아 방위선을 발표하였다.

① ㄱ, ㄴ ② ㄱ, ㄷ ③ ㄴ, ㄷ
④ ㄴ, ㄹ ⑤ ㄷ, ㄹ

04 (가), (나) 상황이 나타난 사이 시기의 역사적 사실로 옳은 것은?

(가) 북한군이 주도권을 잡았으나 유엔군이 전쟁에 개입하면서 전세가 역전되었다. 유엔군은 38도선을 돌파하였다.
(나) 전쟁에 관련된 나라들이 어느 쪽도 완전한 승리를 거두기 어렵다는 판단 아래 협상을 시작하여 정전 협정을 체결하였다.

① 구정 대공세가 이루어졌다.
② 중국군이 전쟁에 참여하였다.
③ 인천 상륙 작전이 전개되었다.
④ 국민당 정권이 타이완으로 이동하였다.
⑤ 일본의 신헌법(평화 헌법)이 제정되었다.

05 다음 조약이 체결될 당시 동아시아의 상황으로 옳은 것은?

> 제2조 1910년 8월 22일 및 그 이전에 대한 제국과 일본 간에 체결된 모든 조약 및 협정이 이미 무효임을 확인한다.
> 제3조 대한민국 정부가 유엔 승인에 의해 한반도의 유일한 합법 정부임을 확인한다.

① 일·화 평화 조약이 맺어졌다.
② 한국이 베트남 전쟁에 파병하였다.
③ 미국 대통령이 중국을 방문하였다.
④ 중국 국민당군이 옌안을 점령하였다.
⑤ 남한에서 유엔의 감시 아래 총선거가 치러졌다.

06 (가), (나) 국교 수립의 공통점으로 옳은 것은?

> (가) 일본이 중국과의 국교 정상화에 적극적으로 임하였고, 결국 양국 정부가 중·일 공동 성명에 조인하여 국교 정상화가 이루어졌다.
> (나) 노태우 정부가 북방 정책을 추진하자 중국이 한국과 무역 사무소를 설치하기로 합의하였고, 정식으로 국교를 수립하게 되었다.

① 타이완과의 국교 단절로 이어졌다.
② 소련의 핵개발에 맞서 이루어졌다.
③ 닉슨 독트린의 발표에 영향을 주었다.
④ 베트남 민주 공화국이 수립되는 배경이 되었다.
⑤ 동아시아의 안보 체제가 강화되는 계기가 되었다.

07 (가) 국가의 경제에 대한 설명으로 옳은 것을 〈보기〉에서 고른 것은?

(가)의 1인당 국내 총생산 변화

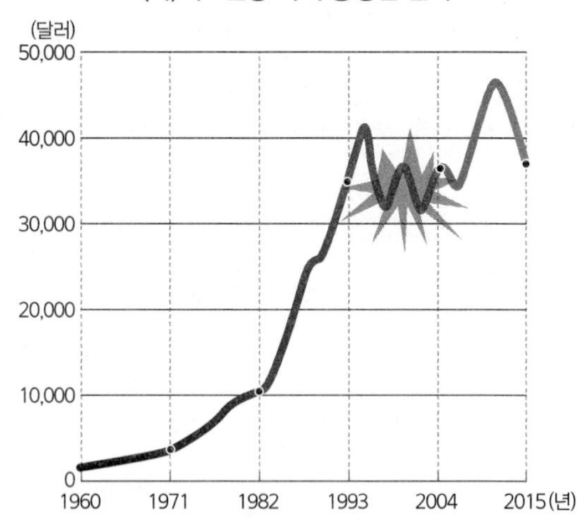

보기
ㄱ. 경기 과열로 거품 경제가 형성되었다.
ㄴ. 인민 공사를 조직하여 농업을 집단화하였다.
ㄷ. 부동산과 주식이 폭락하면서 장기 불황에 빠졌다.
ㄹ. 경제 건설을 위해 일본의 자본과 기술을 도입하였다.

① ㄱ, ㄴ ② ㄱ, ㄷ ③ ㄴ, ㄷ
④ ㄴ, ㄹ ⑤ ㄷ, ㄹ

08 다음 글과 관련된 국가에 대한 설명으로 옳은 것은?

> 1970년대에는 철강, 조선, 기계 등의 중화학 공업이 발전하여 산업 구조의 고도화가 진행되었다. 1980년대에는 저유가, 저달러, 저금리라는 3저 호황에 힘입은 경제 성장을 계속하여 타이완, 싱가포르, 홍콩과 함께 아시아의 4대 신흥 공업국이 되었다. 1997년에 외환 위기가 발생하여 위기를 겪었지만, 외자 유치와 구조 조정에 성공하였다.

① 세계 2위의 경제 대국으로 성장하였다.
② 통일 이후 캄보디아 내전에 개입하였다.
③ 6·25 전쟁에 따른 전쟁 특수를 누렸다.
④ 제1차 경제 개발 5개년 계획을 수립하였다.
⑤ 협동농장을 중심으로 하는 경제 체제를 확립하였다.

09 (가), (나) 국가를 옳게 고른 것은?

> (가) 합영법을 제정하는 등 외국 자본 유치에 노력하였지만 성과를 거두지 못하였다. 이후 개성 공단 사업 등으로 남한과의 교류에 나서기도 하였다.
> (나) 도이머이 정책을 채택하여 시장 경제 체제의 일부를 도입하였다. 또한 농업 부문에 집중 투자하여 세계 3대 쌀 수출국으로 성장하였다.

	(가)	(나)
①	북한	일본
②	북한	베트남
③	한국	베트남
④	한국	일본
⑤	베트남	북한

10 (가), (나)가 발표된 사이 시기의 사실로 옳은 것은?

> **(가) 네 가지 원칙을 지키자.**
> 우리 당이 분투해야 할 목표는 현대적 농업, 현대적 공업, 현대적 국방, 현대적 과학 기술을 갖추고 고도의 민주주의와 고도의 문명을 가진 사회주의 강국을 건설해 가는 것이다.
> **(나) 남순 강화**
> 이번에 와 보니 몇몇 지방은 내가 전혀 예상하지 못할 정도로 너무도 발전이 빠릅니다. …… 개혁·개방을 하지 않는다면, 인민 생활을 개선하지 않는다면, 오로지 막다른 외길로 나아갈 뿐입니다.

① 홍위병이 조직되었다.
② 톈안먼 사건이 벌어졌다.
③ 금강산 관광특구가 지정되었다.
④ 중국이 세계 무역 기구에 가입하였다.
⑤ 주석제를 명시한 사회주의 헌법이 제정되었다.

11 다음 인터넷 검색 화면의 (가) 정당에 대한 설명으로 옳은 것은?

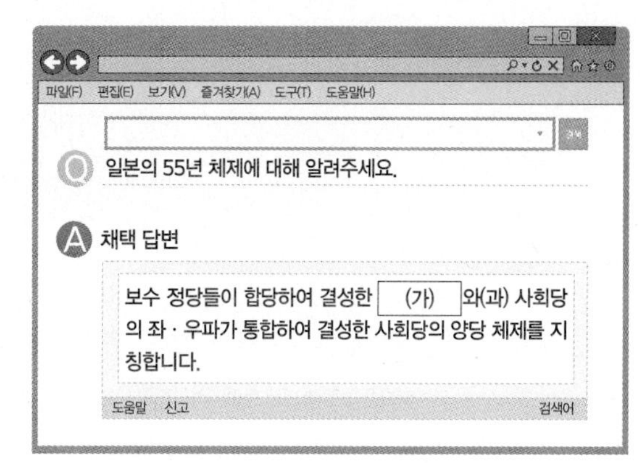

① 4·19 혁명으로 실각하였다.
② 중국과 자유 무역 협정을 체결하였다.
③ 계엄령을 유지하며 정권을 장악하였다.
④ 10월 유신을 통해 장기 집권을 꾀하였다.
⑤ 록히드 사건으로 위기에 빠지기도 하였다.

12 (가), (나) 지역에서 전개된 민주화 과정의 공통점으로 옳은 것을 <보기>에서 고른 것은?

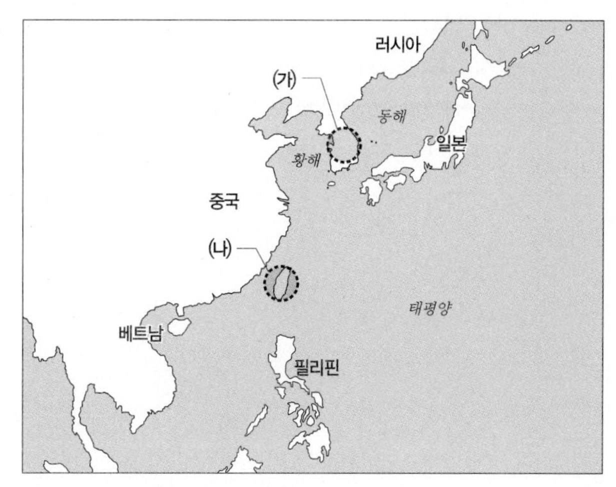

> 보기
> ㄱ. 문화 대혁명으로 혼란이 발생하였다.
> ㄴ. 선거를 통한 정권 교체가 이루어졌다.
> ㄷ. 여러 차례에 걸쳐 군사 정변이 일어났다.
> ㄹ. 통치자를 직선으로 선출하는 개헌이 단행되었다.

① ㄱ, ㄴ ② ㄱ, ㄷ ③ ㄴ, ㄷ
④ ㄴ, ㄹ ⑤ ㄷ, ㄹ

13 다음 역사 교재들의 편찬 배경을 알아보기 위한 탐구 활동으로 옳은 것을 〈보기〉에서 고른 것은?

▲ 한·중·일 역사학자들이 함께 만든 동아시아 3국의 근현대사 교재

〈보기〉
ㄱ. 동북공정 사업에 대한 주변국의 반응을 살펴본다.
ㄴ. 일본 교과서에 수록된 역사 서술의 편향성을 분석한다.
ㄷ. 일본에서 전개된 안보 투쟁 당시의 구호를 찾아본다.
ㄹ. 천수이볜의 총통 선출을 다룬 신문 기사를 수집한다.

① ㄱ, ㄴ　② ㄱ, ㄷ　③ ㄴ, ㄷ
④ ㄴ, ㄹ　⑤ ㄷ, ㄹ

14 밑줄 친 '이 지역'을 지도에서 고른 것은?

> 제2차 세계 대전 이후 베트남이 기상 관측소를 관리하고 있었다. 그러나 베트남 전쟁이 끝날 무렵, 중국이 무력으로 점령하면서 분쟁이 시작되었고, 이후 중국이 각종 시설을 설치하면서 <u>이 지역</u>을 둘러싼 영토 분쟁이 더욱 심해졌다.

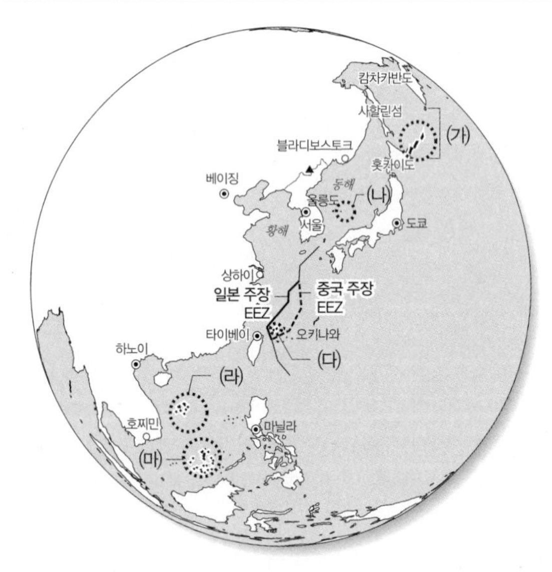

① (가)　② (나)　③ (다)　④ (라)　⑤ (마)

서답형 문제

15 다음 글을 읽고 물음에 답하시오.

> 베트남의 재통일은 남·북베트남 간의 논의와 협의에 따라 평화적인 방법으로 서서히 이루어져야 한다. …… 북위 17도선에 의한 두 지역 사이의 군사 분계선은 1954년에 이루어진 (가) 에 따라 잠정적일 뿐이며 정치적이거나 영토상의 경계는 아니다.

(1) (가) 협정의 명칭을 쓰시오.

(2) (가) 협정이 체결된 이후 베트남 전쟁의 양상을 서술하시오.

16 (가)에 들어갈 중화 인민 공화국의 경제 정책을 쓰시오.

▲ 농업과 공업의 대증산을 목표로 전개된 (가) 에 따라 설치된 용광로이다. 대중 동원을 통한 경제 성장을 꾀하였으나 실패하였다.

17 다음 논란이 일어난 배경을 야스쿠니 신사의 특징과 관련지어 서술하시오.

> 1985년 나카소네 야스히로 총리가 최초로 야스쿠니 신사를 공식적으로 참배하면서 국제적인 문제로 떠올랐다. 이후에도 주요 보수 정치인들의 참배가 이어졌고, 2001년 고이즈미 준이치로 총리의 공식 참배로 이 문제가 역사 갈등의 주요 문제로 부상하였다.

정답 및 해설

정답 및 해설

단원 평가 제1회 p. 3 ~ p. 7

I. 동아시아 역사의 시작

01 ③	02 ①	03 ④	04 ④	05 ④	06 ③
07 ③	08 ①	09 ②	10 ③	11 ①	12 ⑤
13 ③	14 ②	15 ④	16 ①	17 ③	18 ②
19 해설 참조		20 동탁	21 해설 참조		

01 동아시아 각 지역의 기후와 생업 답 ③

동아시아 지역에는 기온과 강수량 등 기후 조건에 따라 식생과 생업이 다양하게 나타난다. (가)는 집약적 밭농사 지역이고, (나)는 집약적 벼농사가 이루어지는 지역이다.

③ 황허강, 창장강을 따라 넓은 평원이 발달한 중국의 화북과 강남 지역은 동아시아의 전통적인 인구 밀집 지역에 속한다.

자료를 분석하는 셀파 - Tip

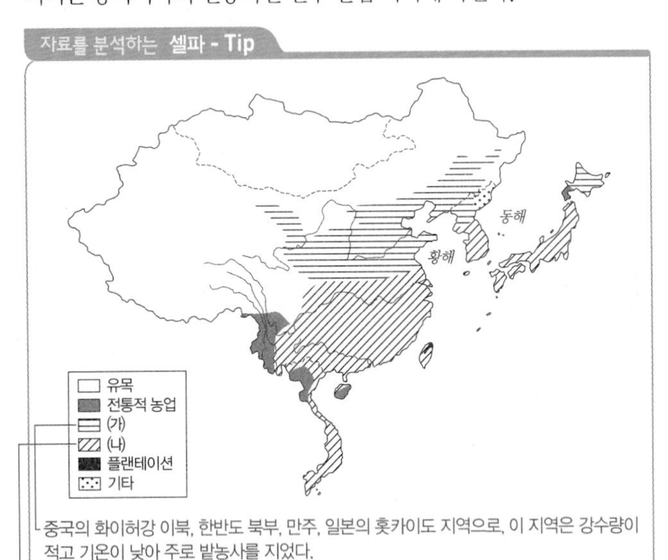

(가) 중국의 화이허강 이북, 한반도 북부, 만주, 일본의 홋카이도 지역으로, 이 지역은 강수량이 적고 기온이 낮아 주로 밭농사를 지었다.

(나) 중국 화이허강 이남, 한반도 중·남부, 일본 혼슈 이남 지역으로, 이 지역은 연 강수량이 600mm가 넘으며 주로 논농사가 이루어졌다.

02 벼농사의 특징 답 ①

지도는 벼농사의 확산 과정을 나타낸 것이다. 벼농사는 기원전 6000년경 창장강 중·하류에서 시작되어 산둥반도를 거쳐 한반도로 전파되고 다시 해로를 따라 규슈 북부 지역으로 전파되었다. 창장강 유역은 따뜻하고 습지가 많아 야생 벼가 자랐는데, 사람들이 이 야생 벼의 볍씨를 가져다가 재배하기 시작하였다. 벼는 다른 작물에 비해 단위 면적당 생산성이 높고, 밭작물보다 지력의 소모가 적어 매년 농사를 지을 수 있다. 이러한 이점 때문에 기온이 낮거나 강수량이 적어 벼 재배가 불리한 지역이라 하더라도 벼농사를 선호하였다.

벼농사는 파종에서 수확까지 과정이 복잡하고 집중적인 노동력과 다양한 농기구를 필요로 한다. 따라서 인구의 이동과 함께 전파되었을 것으로 추정된다.

① 쌀은 영양소가 풍부하고 단위 면적당 생산력이 높아 많은 인구를 부양할 수 있었다. 중국의 화남, 일본의 규슈 남부 등지에서는 벼의 이기작도 이루어졌다. 이기작은 동일한 경작지에 동일한 농작물을 1년에 두 번 심어 재배하는 농법을 말한다.

정답을 찾아가는 셀파 - Tip

① 단위 면적당 생산력이 높다. (○)

② 초원 지대에서 활발히 재배되었다. (×)
→ 몽골고원에서 러시아 남부 지역까지 펼쳐진 초원 지대는 강수량이 적어 농작물 재배가 어려웠다.

③ 냉대 기후대의 사람들에 의해 수용되었다. (×)
→ 벼농사는 기온이 높고 강수량이 풍부한 지역에서 시작되었다.

④ 연 강수량 400mm 미만 지역으로 확산되었다. (×)
→ 연 강수량이 400mm가 넘는 지역에서 농경 생활이 이루어졌다.

⑤ 이 작물의 농사는 ~~기원전 8000년경~~에 시작되었다. (×)
기원전 6000년경

03 농경민과 유목민의 생활 답 ④

(가)는 유목민, (나)는 농경민에 대한 것이다.

ㄴ. 유목 기마 집단의 전투력은 동아시아뿐만 아니라 유라시아 대륙에서도 위력을 떨쳤는데, 안장과 발걸이(등자)가 발명되어 말 위에서 안정적으로 활을 쏠 수 있게 되면서 그들의 전투력은 더욱 강해졌다. 유목민들은 이동 생활을 위해 가축에서 얻을 수 있는 재료로 설치와 해체가 간편한 구조의 가옥을 만들어 생활하였다.

ㄹ. 유목민과 농경민은 평상시에 상호 협력의 관계를 유지하였지만, 교역이 여의치 않을 경우 서로 충돌하는 일도 적지 않았다. 농경민은 유목민을 가난하고 야만적이며 호전적이라고 여겨 멸시하기도 하였다.

자료를 분석하는 셀파 - Tip

(가) 부족장의 권한은 강한 반면, 부족장을 통제할 군주권은 그다지 강하지 않았다. 또한 군주는 부족장들의 추대를 통해 세습되는 경우가 많았다.
유목민들은 부족 단위 생활을 영위하였기 때문에 부족장의 권한이 강하였다. 반면에 이들을 통제할 군주권은 그다지 강하지 않았다. 군주권의 세습도 부족장들의 추대를 통해 이루어지는 경우가 많았다.

(나) 공동으로 수리 시설과 제방을 만들고, 주민을 효율적으로 동원하기 위한 조직을 발달시켰다. 그 결과 중앙 집권적인 권력이 출현할 수 있었다.
└ 농경 지역에서는 치수 사업 등 공동 노동이 필요하여 일찍부터 사회 조직이 발달하였다.

04 유목민의 생활 모습 답 ④

제시문에 나오는 '가축의 고기를 먹고, 말타기와 활쏘기를 즐기는 점' 등을 통해 밑줄 친 '이들'이 유목민임을 알 수 있다. 유목민은 계절에 따라 일정한 지역을 오가며 유목 생활을 하였다.

④ 유목 생활은 대체로 연 강수량이 400mm에 미치지 못하는 곳에서 이루어졌다. 유목민은 양, 염소, 말, 소, 낙타 등을 길렀으며 수렵을 통해 생계를 보조하였다. 이들은 가축에게 먹일 물과 풀을 찾아 생활 터전을 옮겨 다니며 살았으며, 삶에 필요한 생필품을 가축으로부터 얻었다. 가축의 젖과 고기, 젖을 가공하여 만든 유제품을 먹고, 가죽과 털을 이용하여 의복이나 게르(나무로 뼈대를 세우고 그 위에 양털을 압축하여 가공한 천을 덮어 만든 이동식 가옥) 등을 만들었다. 또 가축의 뼈와 뿔을 이용하여 각종 물건을 만들었고, 배설물을 말렸다가 연료로 이용하였다. 이렇게 가축을 통해 많은 생필품을 얻었기 때문에 유목민의 일상에서 가장 중요한 일은 가축을 돌보는 일이었다. 양이나 염소는 아침에 우리에서 내보냈다가 저녁에 불러 모으고, 소나 말은 방목하면서 아침에 불러 모아 젖을 짰다.

내 것으로 만드는 셀파 - Tip

구분	생활 모습
농경민	• 농경 초기에는 농경과 채집·사냥·어로 병행 → 농업 생산력이 향상되면서 농경이 가장 중요한 생업이 됨 • 계절에 맞추어 씨를 뿌리고 곡물 수확, 물을 확보하기 위한 치수 사업 등 공동 노동의 필요성 증대 → 국가 조직 형성 • 정착 생활, 농번기와 농한기의 생활 규칙, 공동 노동을 위한 조직 발생
유목민	• 계절의 변화에 따라 생활 터전을 옮기는 유목 생활, 이동식 가옥(게르) 거주 • 가축을 모든 생활의 자원으로 활용 → 가축의 젖 등을 유제품으로, 가축의 털을 의복으로, 가축의 배설물을 연료로 사용 • 안장과 등자 등의 사용 → 전투력 향상

05 구석기 시대의 생활 모습 답 ④

제시된 지도는 구석기 시대의 주요 인류 화석이 출토된 지역을 나타낸 것이다. 따라서 (가) 시기는 구석기 시대이다.

④ 구석기 시대 사람들은 주먹 도끼 등 다양한 형태의 뗀석기를 만들어 사용하였고, 사냥감을 쫓아 이동하면서 동굴이나 바위 그늘에서 살거나 막집을 짓고 살았다. 또 구석기인은 작은 무리를 이루어 공동생활을 하였고, 경험이 많거나 지혜로운 자가 무리를 이끌었다. 사냥의 성공과 자신의 안전을 기원하는 마음으로 동굴 벽이나 바위에 사냥감의 모습을 그리기도 하였다. 오늘날 세계적으로 유명한 유럽의 알타미라 동굴 벽화나 라스코 동굴 벽화도 이렇게 탄생한 것이다. 몽골 호이트 첸헤르 동굴에는 후기 구석기 시대에 그린 것으로 보이는 벽화가 남아 있다. 벽화에는 산양 등 사냥감으로 추정되는 동물이 많이 그려져 있는데, 이를 사냥감의 번성, 풍요와 다산을 기원한 것으로 보기도 한다.

자료를 분석하는 셀파 - Tip

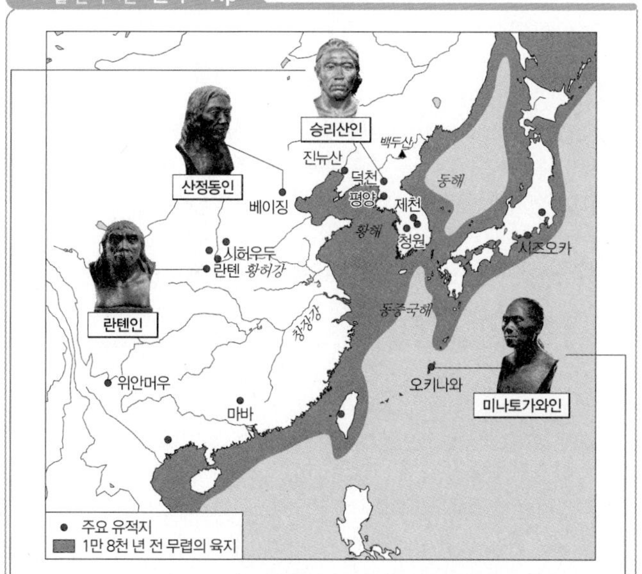

일본 열도에서도 후기 구석기 시대에 살았던 현생 인류의 유골이 발견되었다.

덕천 승리산인은 평안남도 덕천군 승리산 동굴에서 발굴된 인류의 아래턱뼈 화석의 주인공이다. 이 아래턱 화석은 35살쯤 되는 남자의 것으로 가늠되며 호모 사피엔스 단계로 드러났다.

06 신석기 시대의 생활 모습 답 ③

신석기인들은 점차 농경과 목축을 시작하여 식량을 생산하였다. 따라서 (가)는 신석기 시대이다.

③ 신석기 시대 사람들은 강가나 강에서 가까운 구릉에 조, 수수 등을 경작하였다. 그에 따라 움집을 짓고 정착 생활을 하였으며, 간석기와 목기 등을 이용하여 농사를 지었다.

정답을 찾아가는 셀파 - Tip

① 불을 처음으로 사용하였다. (×)
→ 구석기 시대의 생활 모습이다.

② 거대한 지배자의 무덤을 만들었다. (×)
→ 청동기 시대 이후의 일이다.

③ 용도에 맞는 간석기를 제작하였다. (○)

④ 먹을 것을 찾아 이동하며 생활하였다. (×)
→ 구석기 시대 인류가 주로 동굴이나 막집에 살면서 무리를 지어 이동 생활을 하였다.

⑤ 매머드 등 대형 포유류를 철기로 사냥하였다. (×)
→ 신석기 시대에는 정교하게 다듬은 간석기를 이용하여 사슴이나 멧돼지 같은 작고 날렵한 동물들을 사냥하였다.

07 구석기와 신석기 시대의 사회 상황 비교 답 ③

(가)는 구석기 시대의 대표적인 유물인 주먹 도끼이다. (나)는 신석기 시대에 곡물을 조리하기 위해 제작된 갈돌과 갈판이다.

정답을 찾아가는 셀파 - Tip

ㄱ. (가) – 애니미즘이 발생하였다. (×)
→ 애니미즘, 토테미즘 등은 신석기 시대에 나타났다. 애니미즘은 태양, 강과 같은 자연물에 영혼이 있다고 믿어 숭배하는 신앙이고, 토테미즘은 특정한 동식물이나 자연물을 자신들의 조상신이라고 여기는 신앙이다.

ㄴ. (가) – 사냥감을 그린 동굴 벽화가 만들어졌다. (○)
→ 구석기 시대에 동굴 벽화 등이 처음 만들어졌다.

ㄷ. (나) – 거주를 위한 움집이 제작되었다.(○)
→ 신석기 시대에 정착 생활이 이루어지면서 움집이 제작되었다.

ㄹ. (나) – 일본 지역과의 교류가 육로를 통해 이루어졌다.(×)
→ 구석기 시대 말 해수면이 상승하여 현재와 같은 동아시아의 지형이 형성되었다.

08 만주 지역의 신석기 문화 답 ①

제시된 자료들은 랴오허강 유역에서 발달한 훙산 문화의 대표적인 유물이다. 랴오허강 유역의 훙산 문화에서는 채도를 비롯한 다양한 토기와 용 모양의 옥기 등 세련된 옥기가 대량으로 출토되었다. 왼쪽에 제시된 훙산 문화의 토기는 안은 비어 있고 밑바닥이 없는 토기로, 돌무지무덤 유적지에서 대량으로 출토되었다.

① 랴오허강 유역에서는 대규모의 신전 유적이 발견되었으며, 용, 봉황, 멧돼지 등을 형상화한 옥기가 다량으로 출토되었다. 자료의 원통형 토기는 위아래가 뚫려 있어 제사용 그릇이었을 것으로 추정된다.

내 것으로 만드는 셀파 - Tip

동아시아 각 지역의 신석기 토기

토기	특징
양사오 토기	토기 표면에 무늬를 넣은 채도 등 제작
다원커우 토기	전기에는 홍도가 만들어지다가, 후기에는 흑도와 백도가 발달 → 이후 룽산 문화의 흑도로 이어짐
허무두 토기	흑도, 홍도, 벼 이삭이 새겨진 토기와 돼지 무늬 토기도 유명
빗살무늬 토기	한반도의 신석기 문화를 대표하는 토기로, 저장용, 취사용 등 다양하게 사용되었을 것으로 추정
조몬 토기	몸통에 새끼줄 무늬를 새겨 넣음

09 허무두 문화의 특징 답 ②

제시된 자료는 창장강 하류에서 발달한 허무두 문화를 대표하는 돼지 그림 토기와 벼 이삭 무늬 토기이다. 이 지역에서는 짐승 뼈나 나무 등으로 만든 농기구와 볍씨가 출토되어 벼농사가 이루어졌음을 알 수 있다. 허무두 문화권에서는 홍도와 회도가 주로 사용되었는데, 시루를 올리는 솥, 높은 굽이 달린 접시 등 조리하는 도구나 식기가 많이 만들어졌다.

② 이 지역 사람들은 지표면에서 떨어지도록 기둥을 세우고, 그 위에 집을 지은 고상 가옥에서 생활하였다.

자료를 분석하는 셀파 - Tip

표면에 벼 이삭을 새겨 만든 토기로, 창장강 하류에서 발전한 허무두 문화에서 벼농사가 이루어졌음을 보여 준다.
허무두 문화의 돼지 그림 토기이다. 이 지역에서 돼지와 같은 가축을 길렀음을 알 수 있다.

10 조몬 문화의 특징 답 ③

제시된 자료는 일본의 신석기 시대인 조몬 시대에 만들어진 여성 모양의 토우이다.

③ 일본 열도의 조몬 토우는 질병 치료 또는 사냥과 채집의 풍성함을 기원하는 주술 의식에 사용된 것으로 여겨진다. 여성을 나타낸 토우가 많다는 점을 통해 다산을 기원하였고, 여성의 사회적 지위가 높았다고도 추측할 수 있다.

자료를 분석하는 셀파 - Tip

일본 열도의 조몬 토우 중에서 여성, 특히 임산부를 나타낸 토우가 많다는 점을 통해 당시 다산을 기원하였고, 여성의 사회적 지위가 높았다고 추측할 수 있다.

11 청동기 시대의 문화 유산 답 ①

제시문은 청동기 시대에 대한 것이다. 계급 분화, 정치체의 출현, 국가의 성립 등의 내용을 통해 이를 알 수 있다. ㄱ. 만주·한반도 지역의 대표적인 청동기 유물인 비파형 동검이다. ㄴ. 상 왕조의 청동 솥으로, 현재까지 발굴된 청동기 가운데 가장 큰 솥이다. 상의 왕 문정이 어머니를 제사 지내기 위해 주조한 것으로, 솥 안에 '후모무(后母茂)'라는 글씨가 새겨져 있어 '후모무정'이라고 불린다.

12 얼리터우 문화 답 ⑤

보고서에 제시된 사진들은 얼리터우 문화의 대표적인 문화유산이다. 황허강 중류 지역에서는 기원전 2000년경부터 청동기 문명인 얼리터우 문화가 발달하였다.

⑤ 얼리터우 문화 유적에서는 궁전터와 성벽을 갖춘 도성 등이 발견되었는데, 문헌상 중국 최초의 국가인 하가 이곳에 세워진 것으로 추정된다. 또한 제기로 사용된 것으로 여겨진 청동 술잔이 출토되었다.

내 것으로 만드는 셀파 - Tip

동아시아 각 지역의 청동기 문화

황허강 유역	• 얼리터우 문화: 초기 국가 단계, 청동 술잔, 궁전 유적 • 상 왕조: 고고학상 중국 최초의 국가, 괴수 얼굴 등을 장식한 청동 솥 제작
몽골	판석묘, 사슴돌 등 제작
만주·한반도	비파형 동검, 청동 거울, 고인돌 등 제작
일본 열도	기원전 3세기경 한반도에서 벼농사 기술, 청동기·철기 문화 전래(야요이 문화)

13 상의 문화 답 ③

지도에 은허가 표시된 점을 통해 지도에 표시된 국가가 상임을 알 수 있다. 은허는 상의 마지막 수도였던 은의 유적으로, 왕궁터, 왕릉, 갑골문과 다양한 청동기, 옥기 등이 발견되었다.

③ 상의 왕은 제사장을 겸하였고, 국가의 중요한 일은 갑골로 점을 쳐서 결정하였다.

정답을 찾아가는 셀파 - Tip

① 왕망의 활동을 정리한다. (×)
→ 왕망은 신을 세우고(기원후 8) 토지 국유화 등 개혁을 시행했으나, 호족의 반발로 무너졌다.

② 8조법의 내용을 분석한다. (×)
→ 8조법은 고조선과 관련된 내용이다.

③ 갑골문의 용도를 파악한다. (○)

④ 야요이 문화의 성립 경위를 살펴본다. (×)
→ 일본 열도에서는 기원전 3세기경에 야요이 문화가 시작되었다. 야요이 문화에서 청동기는 제기와 무기로, 철기는 공구와 무기 등으로 사용되었다.

⑤ 철제 농기구의 보급이 끼친 영향을 알아본다. (×)
→ 상은 청동기 문화를 배경으로 건국되었다.

14 주의 통치 체제 답 ②

제시된 도표는 주에서 시행한 봉건제를 나타낸 것이다. 따라서 (가)는 '천자'에 해당한다. 주는 정복한 지역에 혈연관계에 기초한 봉건제를 시행하였다.

② 봉건제하에서 주 왕은 자신을 하늘의 명을 받아 나라를 다스리는 천자라 부르고, 백성을 덕으로 다스려야 한다는 덕치를 강조하였다.

정답을 찾아가는 셀파 - Tip

① 사출도를 다스렸다. (×)
→ 부여의 지배층인 '가'들이 사출도를 지배하였다.

② 천명사상과 덕치주의를 내세웠다. (○)

③ 거석 기념물인 사슴돌을 제작하였다.(×)
→ 몽골 초원의 청동기 문화에 해당한다.

④ 판석을 세워 만든 무덤에 안치되었다.(×)
→ 몽골 초원에서 제작된 판석묘에 대한 설명이다.

⑤ 법가 사상을 바탕으로 개혁에 착수하였다.(×)
→ 제자백가는 춘추 전국 시대에 출현하였다. 진이 법가를 바탕으로 한 개혁으로 부국강병을 이루어 전국 시대를 통일하였다.

15 한 무제의 활동 답 ④

장건 일행을 환송하는 점에서 (가)가 한 무제임을 알 수 있다. 한 무제는 흉노와 장기간의 전쟁을 벌여 그들을 고비 사막 이북으로 밀어내었고, 장건의 서역 파견을 계기로 비단길을 장악하여 동서 교역의 주도권을 확보하였다.

ㄴ. 한 무제는 전쟁을 통해 영토를 대대적으로 확대하였지만, 재정의 악화를 피할 수 없었다. 이에 재정을 확보하기 위해 소금과 철의 전매제를 시행하였다. ㄹ. 한 무제는 남쪽의 남비엣과 동쪽의 고조선을 멸망시킨 뒤, 해당 지역에 군현을 설치하였다.

16 위만의 활동 답 ①

(가)는 위만이다. 진한 교체기에 추종 세력을 이끌고 고조선으로 망명한 위만은 준왕을 몰아내고 고조선의 왕이 되었다. 이 무렵 고조선에서는 본격적인 철기 문화 수용이 이루어져 생산력이 크게 높아졌다.

17 광무제의 활동 답 ③

왜의 노국에게 도장을 하사하는 점에서 (가) 황제가 광무제임을 알 수 있다.

③ 기원후 1세기 초에 외척 출신인 왕망이 한을 멸망시키고 신을 건국한 후, 주의 제도를 본뜬 급진적인 개혁을 실시하였으나 실패하였다. 농민 봉기로 신이 멸망한 후, 광무제가 호족의 지지를 얻어 후한을 건국하였다.

자료를 분석하는 셀파 - Tip

후한은 기원후 25~220년에 걸쳐 존속하였다.

(가) 중원 2년(57)에 왜의 노국이 공물을 바치고 조공하였는데, 사신은 대부를 자칭하였다. 노국은 왜에서 남쪽에 있는 나라이다. (가) 은(는) 노국의 사자에게 도장을 하사하였다.

광무제가 '한위노국왕'이라는 문구가 새겨진 도장을 왜의 노국에게 내려준 것으로 여겨진다.

18 흉노의 성장 답 ②

한과 형제의 나라라는 점, 한으로부터 물자를 제공받는 점을 통해 (가)가 흉노임을 알 수 있다.

흉노는 묵특 선우 시기에 한을 압도하고 동아시아의 최강국이 되었다. 그러나 흉노의 국력은 한 무제의 공격으로 장기간에 걸친 전쟁을 치르면서 크게 쇠퇴하였다. 1세기 무렵에는 선우 지위를 두고 내분이 발생하여 남흉노와 북흉노로 분열하였다. 남흉노는 한에 복속하였고, 북흉노는 한과의 전쟁에서 패한 뒤 서쪽으로 중앙아시아를 넘어 이동하였다. 이로써 300년간에 걸친 몽골 초원 지대의 흉노 패권은 마감되었다.

ㄱ, ㄷ. 흉노의 최고 통치자 선우는 '탱리고도선우'의 줄임말이다. 흉노어로 '탱리'와 '고도'는 각각 하늘과 아들을 의미하는 것으로 보인다. 이것은 선우의 권위를 하늘이 부여하였음을 강조한 것으로 볼 수 있다. 선우는 흉노 제국을 중앙과 좌방, 우방으로 삼분하여 다스렸다. 중앙은 선우가 직접 통치하고 좌방은 좌현왕을 비롯한 좌방왕장들이, 우방은 우현왕을 비롯한 우방왕장들이 다스렸다. 이러한 삼분 체제는 이후 유목 국가에서 흔히 나타난다. 흉노의 정치 체제는 농경 국가보다 비교적 단순하고 느슨한 편이었으며, 행정 조직이 곧 군사 조직이었다.

서답형 문제

19 동아시아 문화권의 구성 요소

모범 답안 | 한자, 유교, 율령, 불교는 동아시아의 중요한 공통 문화 요소이다.

주요 단어 | 한자, 유교, 율령, 불교

채점 기준	배점
동아시아 문화권의 핵심 요소를 쓰고, 주요 단어를 모두 포함하여 바르게 서술한 경우	상
동아시아 문화권의 핵심 요소를 쓰고, 주요 단어 중 두 가지만 포함하여 바르게 서술한 경우	중
동아시아 문화권의 핵심 요소를 쓰고, 주요 단어 중 한 가지만 포함하여 바르게 서술한 경우	하

20 야요이 시대의 대표 유물 답 동탁

동탁은 일본 열도의 대표적인 청동 유물로, 제사용 도구로 사용되었다.

21 진시황제의 정책

모범 답안 | (1) 진시황제

(2) 진시황제는 법가로 사상을 통일하고자 분서갱유를 단행하였다.

주요 단어 | 법가, 분서갱유, 사상 통일

채점 기준	배점
사상을 통일하려 했다는 내용을 쓰고, 주요 단어를 모두 포함하여 바르게 서술한 경우	상
사상을 통일하려 했다는 내용을 쓰고, 주요 단어 중 두 가지만 포함하여 바르게 서술한 경우	중
사상을 통일하려 했다는 내용을 쓰고, 주요 단어 중 한 가지만 포함하여 바르게 서술한 경우	하

단원 평가 제2회

p. 9 ~ p. 13

Ⅱ. 동아시아 세계의 성립과 변화

01 ②	02 ⑤	03 ③	04 ④	05 ①	06 ④
07 ⑤	08 ②	09 ②	10 ③	11 ②	12 ②
13 ②	14 ③	15 ③	16 ④	17 ⑤	18 ④
19 해설 참조		20 역참	21 해설 참조		

01 동아시아의 인구 이동 답 ②

기후 변화와 이에 따른 자연 재해, 인구 증가, 종족 안팎에서의 정치적 갈등, 전쟁 등 다양한 요인에 의해 인구 이동이 일어났다. 제시문은 기원 전후 시기부터 7~8세기까지의 인구 이동을 묻고 있다.

ㄱ. 3세기 이후부터 선비·흉노 등의 5호가 화북 지방에 독자 정권을 세웠다. ㄷ. 기원전 1세기경 부여족의 일파인 주몽 집단이 압록강 중류의 졸본 지역으로 이주하여 고구려를 세웠다.

정답을 찾아가는 셀파 - Tip

ㄱ. 5호가 화북 지방에 독자 정권을 세웠다. (○)
ㄴ. 거란이 만리장성 이남 지역을 차지하였다. (×)
→ 거란은 시라무렌강 유역에 살던 유목 민족으로 야율아보기가 부족을 통합하여 나라를 세운 후, 동쪽으로는 발해를 멸망시키고 남쪽으로는 연운 16주를 차지하였다. 거란이 연운 16주를 차지한 것은 936년의 일로, 10세기의 상황이다.
ㄷ. 부여족의 일부가 남하하여 새 나라를 세웠다. (○)
ㄹ. 막부를 무너뜨린 후 천황이 남쪽으로 피신하였다. (×)
→ 무로마치 막부가 수립된 직후, 고다이고 천황은 이를 받아들이지 않고 남쪽의 요시노로 도망가 막부와 대립하였다. 이 내용은 14세기의 상황이다.

02 4~7세기 동아시아의 상황 답 ⑤

제시된 도표는 북위가 건국된 시기부터 당이 세워진 시기 사이 동아시아의 상황을 묻고 있다.

⑤ 386년에 세워진 북위는 화북 지방을 통일하였다. 북위는 한족을 관리로 발탁하고 수도를 뤄양으로 옮기는 등 한화 정책을 추진하여 호족과 한족의 융합을 시도하였다.

정답을 찾아가는 셀파 - Tip

① 안사의 난이 일어났다. (×)
→ 당나라 시대의 사실이다.
② 일본이 견당사를 파견하였다. (×)
→ 일본의 야마토 정권은 당 건국 이후부터 견당사를 파견하였다.
③ 고려가 강동 6주를 차지하였다. (×)
→ 10세기 서희의 외교 담판의 결과 고려가 강동 6주를 차지하게 되었다.
④ 한 무제가 남비엣을 멸망시켰다. (×)
→ 한 무제는 남비엣과 고조선을 정복하고 군을 설치하였다. 한 무제는 기원전 141년에 즉위하였다.
⑤ 북위가 수도를 뤄양으로 옮겼다. (○)

03 남북조 시대의 성립 답 ③

제시된 지도는 동진이 세워지는 과정을 나타낸 것이다.

③ 5호가 16국을 세우는 등 화북 지역을 장악하자, 한족 정권은 창장강 이남의 강남 지방으로 내려왔다. 이들은 강남 지방의 토착민과 협력하여 지금의 난징을 중심으로 동진을 세우고 화북의 5호 정권과 대립하였다.

04 도왜인의 활동 답 ④

왼쪽 사진은 가야 토기의 영향을 받은 스에키 토기이다. 왕인은 백제 사람으로 일본에 건너가 한문을 전해주었다. 삼국 간 항쟁의 격화, 신라의 삼국 통일 등 정치적 격변이 있을 때마다 많은 고구려인, 백제인, 신라인, 가야인 등이 일본 열도로 건너갔다. 한반도에서 건너간 사람들은 왜에 연못을 만드는 기술, 유교 등을 전해주었다.

④ 이처럼 바다 건너 일본으로 건너간 도왜인들은 일본 민족의 형성, 야마토 정권의 성립뿐만 아니라 일본 문화의 발전에도 크게 이바지하였다.

05 삼국 통일과 인구 이동 답 ①

첫번째 자료는 평양에 안동 도호부가 설치되었다는 내용을 통해 고구려 멸망에 대한 것임을 알 수 있다. 두번째 내용은 백제 왕이 포로로 끌려가는 내용을 통해 백제 멸망에 대한 것임을 알 수 있다.

① 7세기 중엽 신라는 당과 동맹을 강화하여 나·당 연합군을 결성하였고, 나·당 연합군은 백제와 고구려를 무너뜨렸다.

내 것으로 만드는 셀파 - Tip

신라의 삼국 통일

삼국 통일의 과정	7세기 중엽 나·당 연합 결성 → 백제 멸망(660) → 고구려 멸망(668) → 당의 한반도 전체 지배 야욕 표출 → 신라가 백제·고구려 유민과 함께 당 축출 → 신라의 삼국 통일(676)
결과	당은 동아시아 지역의 패자로 성장, 신라는 한반도 지역의 대부분 지배
삼국 통일 전쟁의 국제적 성격	신라가 당과 연합하여 백제 및 고구려 공격, 왜가 백제 부흥 운동 지원(백강 전투), 티베트인이 세운 토번이 당의 지원을 받던 토욕혼을 멸망시키고 비단길 장악 → 당군은 토번과의 전쟁을 위해 한반도에서 물러남

06 고구려의 대외 관계 답 ④

(가)는 고구려이다. 고구려는 북조와 남조 모두와 조공·책봉 관계를 맺어 불교와 율령 등을 받아들였다.

④ 고구려 멸망 후 고구려 유민이 중심이 되어 발해를 건국하였다. 발해는 고구려 계승 의식을 나타냈다.

자료를 분석하는 셀파 - Tip

481년 (가) 이(가) 사신을 보내 남제에 조공하였다. 그러나 세력이 강하여 통제를 받지는 않았다. 489년, 남제의 사신이 북위에 갔을 때 …… 남제 사신이 '(가) 은(는) 우리의 신하로 따르고 있는데, 어찌 우리와 나란히 설 수 있는가?'라고 항의하였다.

(남제: 남북조 시대 남조의 한 왕조)
(우리의 신하: 고구려가 남제에 조공했음을 의미)

07 당과 북방 유목 국가와의 관계 답 ⑤

(가)는 돌궐, (나)는 토번이다. 이들은 당과 경제적 교류를 위한 조공 관계만을 맺으려 하였고, 경제적 이익이 기대에 미치지 못할 때는 당을 군사적으로 공격하기도 하였다.

⑤ 당은 화번공주를 파견하여 이들과의 적대 관계를 방지하려 하였다.

내 것으로 만드는 셀파 - Tip

돌궐과 토번의 대외 관계

돌궐	유연 정복, 초기에는 당이 돌궐의 신하를 자처, 이후 당에 복속되었다가 부흥
토번	7세기 티베트고원의 라싸를 중심으로 성장, 송첸감포 왕이 비단길과 쓰촨 지방 공략, 당은 문성 공주를 화번공주로 보냄

08 서하의 성장 답 ②

제시된 사진의 문자는 서하의 문자이다. 또 1038년에 세워졌다는 점을 통해 (가)가 서하임을 알 수 있다.

ㄱ. 탕구트족이 세운 서하는 비단길을 장악하고 동서 교역을 통해 발전하였다. ㄷ. 서하는 거란과 조공·책봉 관계를 맺었으며, 오랜 전쟁 끝에 매년 비단, 은, 차를 제공받는 조건으로 송과 화약을 맺었다.

내 것으로 만드는 셀파 - Tip

북방 민족의 성장

거란	• 연운 16주 지배, 송과 전연의 맹약 체결 • 남면관제(농경민 통치), 북면관제(유목민 통치)
서하	비단길을 통해 동서 교역 중개
여진	• 송과 연합하여 요를 멸망시킴 → 북송을 멸망시킴 → 화북 전체 지배 • 주현제(농경민 통치), 맹안·모극제(유목민 통치)

09 거란(요)의 성장 답 ②

제시된 표는 연운 16주를 차지한 거란이 실시한 이원적 통치 제도인 남면관·북면관제이다. 거란은 남면관, 북면관제를 통해 농경민과 유목민을 분리하여 통치하는 이중 지배 체제를 시행하였다. 이런 정책들은 이후 등장한 서하와 금 등의 북방 민족 국가에도 영향을 끼쳤다.

정답을 찾아가는 셀파 - Tip

① 카이펑을 수도로 삼았다. (×)
→ 카이펑을 수도로 삼은 것은 (북)송이다.
② 송과 형제 관계를 수립하였다. (○)
③ 신라와 백제를 복속국으로 여겼다.
→ 신라와 백제를 복속국으로 여긴 것은 고구려였다.
④ 티베트인들을 중심으로 수립되었다. (×)
→ 티베트인들을 중심으로 수립된 나라는 토번이다.
⑤ 중원 왕조를 견제하기 위해 돌궐과 연대하였다. (×)
→ 고구려가 수·당을 견제하기 위해 돌궐과 연대하였다.

10 여진(금)의 성장 답 ③

12세기 초 여진이 성장하면서 고려를 위협하자, 윤관은 이들을 물리친 후 동북 지역에 9성을 쌓았다(1108). 그러나 여진족이 돌려주기를 간청하고 수비하기도 어려워, 결국 9성을 돌려주었다(1109). (가) 자료는 이때의 상황을 묘사한 것이다. 이후 더욱 강성해진 여진은 1115년에 금을 세우고 고려에 사대를 요구하였다. 고려에서는 찬반 의견의 대립 끝에, 결국 현실을 인정하고 금에 조공하였다(1125).

정답을 찾아가는 셀파 - Tip

① 왕안석이 신법을 추진하였다. (×)
→ 왕안석의 신법은 11세기 중엽에 추진되었다.
② 윤관이 별무반을 조직하였다. (×)
→ 별무반은 여진을 정벌하기 전인 1104년에 조직되었다.
③ 아구다가 부족 통합에 성공하였다. (○)
→ 1115년에 아구다가 여진 부족을 통합하여 금을 세웠다.
④ 거란(요)이 연운 16주를 차지하였다. (×)
→ 916년 건국한 거란은 926년에 발해를 멸망시키고, 936년에 만리장성 이남의 연운 16주를 차지하였다.
⑤ 미나모토노 요리토모가 쇼군의 칭호를 받았다. (×)
→ 12세기 말인 1192년에 있었던 일이다.

자료를 분석하는 셀파 - Tip

(가) 고려는 "너희가 9성의 반환을 요청했으니 이전에 했던 약속처럼 하늘에 대고 맹세하라."고 하였다. 여진은 맹세를 마치고 물러갔다.
└ 윤관이 9성을 쌓았으나, 고려 조정은 여진족의 간청과 방어의 어려움으로 1년여 만에 돌려주었다.
(나) 백관을 불러 저들을 섬길지 말지를 의논하니 모두 아니된다고 주장하였으나, 이자겸·척준경 두 사람만 사대를 주장하자 임금이 이를 따랐다.
└ 당시의 세도가였던 이자겸이 금의 군신 관계 요구를 수락하였다.

11 쿠빌라이 칸의 활동 답 ②

칭기즈 칸의 손자라는 점과 남송을 정복했다는 점을 통해 (가)에 들어갈 인물이 쿠빌라이 칸임을 알 수 있다.

② 몽골 제국 시대에 동서 교역이 발달하면서 단일 화폐의 필요성이 커져 교초를 발행하였는데, 특히 쿠빌라이 칸 때 발행한 교초는 금이나 은과 교환할 수 있는 안정적인 화폐여서 몽골 제국 전역에서 유통되었다.

정답을 찾아가는 셀파 - Tip

① 외적을 물리치고 탕롱 탈환 (×)
→ 몽골의 2차 침입 때 '격장사'라는 유명한 글로 병사들의 사기를 진작해 탕롱을 탈환한 것은 쩐 왕조의 쩐흥다오였다.
② 금, 은과 교환 가능한 교초 발행 (○)
③ 외교 담판을 통해 강동 6주 획득 (×)
→ 거란이 송과 전쟁하기 전 배후를 안정시키고자 고려를 침공하자, 고려의 서희는 거란의 의도를 알아채고 송과의 단교를 조건으로 강동 6주 땅을 획득하였다.
④ 호라즘을 무너뜨리고 비단길 장악 (×)
→ 서방 정벌에 나서 호라즘을 멸망시킨 사람은 칭기즈 칸이다.
⑤ 유목민을 대상으로 맹안·모극제 시행 (×)
→ 금은 여진족을 군사 조직이자 행정 조직인 맹안·모극제로 다스리고, 한족 등 농경민은 주현제로 다스리는 이중 지배 체제를 폈다.

12 몽골 제국 시대의 사회 상황 답 ②

카라코룸은 쿠빌라이 칸 이전 몽골 제국의 수도였다. 카라코룸은 '검은 자갈밭'이라는 의미이다. 칭기즈 칸은 이곳을 중국 원정을 위한 본거지로 삼아 몽골 제국의 서막을 열었다.

② 칭기즈 칸은 천호·백호제를 군사적 기반으로 하여 대외 정복에 나섰다. 그는 서하를 공격하여 조공을 받고, 호라즘을 무너뜨리고 비단길을 장악하였다.

정답을 찾아가는 셀파 - Tip

① 개경으로의 환도를 결정하는 고려 국왕 (×)
→ 쿠빌라이 칸 때의 사실이다.
② 휘하의 부족민들을 훈련시키는 천호장 (○)
③ 몽골·고려 연합군과 전투를 벌이는 무사 (×)
→ 쿠빌라이 칸 때의 사실이다.
④ 정화의 항해에 사용될 선박을 만드는 기술자 (×)
→ 정화의 항해는 명 대의 사실이다.
⑤ 몽골 침입군을 대파하는 쩐흥다오의 모습 (×)
→ 쩐흥다오는 몽골의 2번째 침입 때 '격장사'를 발표하였는데, 이때 베트남을 공격한 것은 쿠빌라이 칸이었다.

13 11세기 동아시아의 상황 답 ②

서하가 지도에 존재하는 점, 송의 수도가 변경(카이펑)인 점을 통해 지도가 11세기 동아시아의 상황을 나타내고 있음을 알 수 있다.

② 10세기 이후 동아시아에서는 송을 중심으로 한 해상 교역이 발달하였다. 송은 명주, 취안저우 등의 주요 항구에 시박사를 설치하여 해상 무역을 관할하게 하였다.

정답을 찾아가는 셀파 - Tip

① 위화도 회군이 단행되었다. (×)
→ 1388년 이성계가 위화도에서 회군해 조선의 정권을 장악하였다.
② 시박사가 무역을 관리하였다. (○)
③ 베이징에 자금성이 건설되었다. (×)
→ 자금성은 명의 영락제 때 건설되었다.
④ 새로운 역법인 수시력이 만들어졌다. (×)
→ 수시력은 원 대에 만들어진 역법이다.
⑤ 막부의 쇼군이 일본 국왕으로 책봉되었다. (×)
→ 무로마치 막부의 3대 쇼군인 아시카가 요시미쓰가 명으로부터 일본 국왕으로 책봉되었다.

14 율령 체제의 정비 과정 답 ③

제시된 표는 중국에서 율령 체제가 정비되는 과정을 나타낸 것이다. 이사를 중용하여 엄격한 법치를 시행한 것은 진이다. ㄴ. 한 무제는 동중서의 건의를 받아들여 유학을 통치 이념으로 삼았고, 태학과 오경박사를 두어 유교 경전을 가르쳤다. ㄷ. 삼국 시대를 통일한 서진 대에 이르러 형벌 위주의 율과 행정 법률인 령이 구분되었다.

15 일본의 율령 체제 답 ③

신기관, 태정관, 천황 등의 표현을 통해 제시된 자료가 8세기에 확립된 일본의 중앙 관제인 2관 8성제임을 알 수 있다.

③ 일본은 701년에 당의 율령과 흡사한 다이호 율령을 반포하였다. 그러나 당과 달리 중앙 행정 조직 중에서 제사를 관장하는 신기관을 중시하였다.

정답을 찾아가는 셀파 - Tip

① 부병제를 실시하였다. (×)
→ 부병제는 당의 군사 제도이다.

② 난징을 수도로 삼았다. (×)
→ 난징은 중국의 도시이다.

③ 다이호 율령을 반포하였다. (○)

④ 국자감을 두어 유교 경전을 가르쳤다. (×)
→ 송, 고려 등이 국자감을 두고 유교 경전을 교육하였다.

⑤ 과거제 대신 독서삼품과를 실시하였다. (×)
→ 독서삼품과는 신라에서 실시되었다.

16 동아시아 불교 문화의 특징 답 ④

『부모은중경』은 당 대에 편찬된 경전으로, 유교의 주요 덕목인 효를 강조한 것이다. 이는 인도에 없던 새로운 경전으로, 한반도와 일본 등지로 보급되었다. 또한 하치만은 본래 농업, 항해, 재물 등을 관장하는 신토의 신이었으나, 나라 시대에는 불교의 신으로 간주되었다.

④ 이를 통해 불교가 동아시아 각국에서 토착화하는 과정에서 전통 사상과 결합하였음을 알 수 있다.

17 감진의 활동 답 ⑤

당의 승려라는 내용, 여러 차례 실패한 끝에 일본에 도착하였다는 점 등을 통해 (가) 인물이 감진임을 알 수 있다.

⑤ 계율과 천태종에 밝았던 감진은 일본에 건너가 도다이사에 계단원을 세워 수계하는 방식을 일본에 가르쳐 주어 일본 불교계에 큰 영향을 끼쳤다.

정답을 찾아가는 셀파 - Tip

① 『왕오천축국전』을 남겼다. (×)
→ 신라 승려 혜초에 해당한다.

② 장보고의 도움을 받아 여행하였다. (×)
→ 일본 승려 엔닌에 대한 내용이다.

③ 쇼토쿠 태자의 스승으로 활동하였다. (×)
→ 고구려의 승려 혜자가 쇼토쿠 태자의 스승이 되었다.

④ 호류사 5층 목탑의 건립에 관여하였다. (×)
→ 호류사 5층 목탑이 백제의 정림사지 5층 석탑과 비슷한 모양을 가지고 있다는 것으로 보아 일본 문화가 한반도의 영향을 많이 받았다는 것을 알 수 있다.

⑤ 도다이사에 계단원을 세워 계율을 전파하였다. (○)

18 후지와라 세이카의 활동 답 ④

강항은 정유재란 때 일본에 끌려간 조선의 유학자이다. 강항과 교유한 점, 승려였다는 점을 통해 제시문의 밑줄 친 '그'가 후지와라 세이카임을 알 수 있다.

④ 후지와라 세이카는 『사서오경왜훈』을 간행하고, 하야시 라잔 등의 제자를 길러냈다.

정답을 찾아가는 셀파 - Tip

① 백운동 서원을 세웠다. (×)
→ 백운동 서원은 조선 중종 때 주세붕이 안향을 모시기 위해 건립하였다.

② 양명학을 집대성하였다. (×)
→ 남송 때 육구연은 '이'는 자신의 마음에 있다는 '심즉리'를 주장하며 성리학의 '성즉리'를 비판하였는데, 육구연의 영향을 받은 명 대의 왕수인이 양명학을 집대성하였다.

③ 유시마 성당을 건립하였다. (×)
→ 유시마 성당은 하야시 라잔이 세운 가숙에 있던 공자 사당을 1690년 유시마쇼헤이자카로 옮긴 것이다.

④ 『사서오경왜훈』을 간행하였다. (○)

⑤ 성리학 입문서인 『소학』을 저술하였다. (×)
→ 남송 대 주희의 지시에 따라 어린아이를 위해 성리학의 기본 개념, 수행 방법과 예절을 담은 『소학』이 편찬되었다.

서답형 문제

19 한화 정책의 실시 배경과 목적

모범 답안 | 북방 민족들이 화북을 차지한 이후 이주민(호족)과 토착민(한족) 사이에 갈등이 극심하였다. 북위의 효문제는 이러한 갈등을 완화하고, 한족을 안정적으로 지배하기 위해 한화 정책을 실시하였다.

주요 단어 | 북방 민족, 화북, 북위, 효문제, 한화 정책

채점 기준	배점
북방 민족의 화북 장악에 따른 갈등을 쓰고, 주요 단어를 모두 포함하여 바르게 서술한 경우	상
북방 민족의 화북 장악에 따른 갈등을 쓰고, 주요 단어 중 두 가지만 포함하여 바르게 서술한 경우	중
북방 민족의 화북 장악에 따른 갈등을 쓰고, 주요 단어 중 한 가지만 포함하여 바르게 서술한 경우	하

20 몽골 제국 시기 교류의 활성화 답 역참

몽골 제국은 넓은 지역을 효율적으로 다스리기 위해 제국 전역에 역참을 설치하였다. 역참 제도는 군사적 목적에서 출발하였으나, 몽골 제국이 안정되면서 교역에도 큰 도움을 주었다.

21 주희의 활동

모범 답안 | (1) 주희(주자)

(2) 성리학, 충·효·예의 가치관을 전파하고, 인간과 자연에 대한 철학적 사유를 심화하는 데 이바지하였다.

주요 단어 | 충효의 가치관, 인간과 자연에 대한 사유

채점 기준	배점
성리학이라는 용어를 쓰고, 성리학이 동아시아 세계에 끼친 영향에 대해 주요 단어를 모두 포함하여 바르게 서술한 경우	상
성리학이라는 용어를 쓰고, 성리학이 동아시아 세계에 끼친 영향에 대해 주요 단어 중 한 가지만 포함하여 바르게 서술한 경우	하

단원 평가 제3회 p. 15 ~ p. 19

Ⅲ. 동아시아의 사회 변동과 문화 교류

01 ④	02 ①	03 ④	04 ⑤	05 ⑤	06 ③
07 ③	08 ③	09 ③	10 ③	11 ②	12 ④
13 ③	14 ⑤	15 ⑤	16 ④	17 ④	18 ②
19 해설 참조		20 류큐		21 해설 참조	

01 장거정의 개혁 답 ④

제시된 내용은 1572~1581년에 걸쳐 추진된 장거정의 개혁에 대한 것이다. ㄴ. 장거정은 국정을 쇄신하고 재정을 확대하기 위한 과감한 개혁을 추진하였다. 밖으로는 몽골 세력과 강화를 맺고, 안으로는 환관 세력을 억제하였다. 또 그는 행정 개혁을 통해 경비를 절감하고 일조편법을 시행하여 국가 재정을 안정시키려 하였다. 그러나 장거정 사후 관료와 신사층이 개혁에 반기를 들고 환관 세력이 다시 대두하면서 정치적 혼란이 가중되고, 명의 국력은 점차 쇠퇴하였다. ㄹ. 나가시노 전투는 1575년에 일어난 것으로, 조총을 활용한 오다 노부나가의 부대가 승리하였다.

ㄱ. 몽골이 베이징을 포위한 것은 장거정이 집권하기 전인 16세기 중엽의 사실이다. 몽골 타타르부의 알탄 칸이 16세기 중엽 만리장성을 넘어 베이징을 포위하고 약탈한 사건을 말한다.

ㄷ. 명은 왜구의 피해를 막기 위해 무로마치 막부 정권이 왜구를 통제하는 조건으로 조공 무역(감합 무역)을 허용하였는데, 이것은 15세기의 일이었다.

내 것으로 만드는 셀파 - Tip

장거정의 개혁

배경	외세의 침략에 따른 재정 위기, 환관 세력의 득세와 당쟁
내용	몽골과 강화, 엄격한 관리 평가, 재정 개혁(토지 조사, 일조편법 확대 시행) → 관료 기강 확립, 명의 재정 상황 호전
결과	장거정 사후 관료와 신사층의 불만 폭발, 농민 봉기 발생 → 명의 쇠퇴

02 도요토미 히데요시의 활동 답 ①

오다 노부나가의 뒤를 이어 센고쿠 시대의 혼란을 마감하였다는 내용을 통해 자료의 인물이 도요토미 히데요시임을 알 수 있다.

① 도요토미 히데요시는 전국적인 토지 조사를 시행하고 도량형을 통일하였으며, 농민의 무기를 거두어들이고 신분 간의 이동을 금지하였다. 또 그는 자신의 근거지인 오사카에 대규모 성을 쌓고 무사들을 이주시켰다. 이런 병농분리 정책은 에도 막부로 이어졌다.

자료를 분석하는 셀파 - Tip

센고쿠 시대는 오닌의 난으로 시작되었다. 오닌의 난은 쇼군의 계승 문제로 발생한 무로마치 막부 내의 대립이 전국적인 규모의 내란으로 확대된 것이다.

오다 노부나가의 뒤를 이은 나는 드디어 센고쿠 시대의 오랜 혼란을 마감하였다. 이제부터는 농민의 무기 소유를 금지할 것이다.

도요토미 히데요시는 농민의 무기 소유를 금지하여 농민이 무사 신분으로 상승하는 것을 막았다. 이로써 센고쿠 시대를 풍미한 하극상 풍조가 사라지고, 신분 이동이 제한되었다.

▲ 도요토미 히데요시

03 임진왜란의 전개 답 ④

(가)는 임진왜란이다. 임진왜란 당시 명은 요동이 위협받을 것을 염려하여 참전하였다. 조·명 연합군은 평양성을 탈환하여 반격의 계기를 마련하였지만, 명군이 벽제관 전투에서 패배한 이후 전쟁은 교착 상태에 빠졌다.

정답을 찾아가는 셀파 - Tip

① 에도 막부를 여는 쇼군 (×)
→ 에도 막부는 임진왜란이 끝난 후에 개창되었다.

② 자금성을 점령하는 농민군 (×)
→ 이자성의 난과 관련된 내용이다. 이자성의 반란군은 1644년 명의 수도 베이징을 함락시켰고, 이로 인해 명이 멸망하였다.

③ 황해도로 진격하는 후금의 군대 (×)
→ 왜란이 아니라 호란과 관련된 내용이다.

④ 평양성을 탈환하는 조·명 연합군 (○)

⑤ 일본의 요청으로 파견되는 통신사 일행 (×)
→ 조선은 왜란 후 청의 확장을 경계하고 일본의 재침략을 막기 위해 에도 막부에 통신사를 보내기 시작하였다.

04 병자호란의 발발 답 ⑤

자료는 후금의 홍타이지가 자신을 황제로 칭하고 국호를 '청'으로 고친 후 조선에 군신 관계를 요구한 상황에서 제기된 주장이었다. 홍타이지의 요구를 두고 조선에서는 주화론과 척화론이 대립하였다. 척화론이 힘을 얻게 되자 홍타이지가 조선을 침략하였다. 이를 병자호란이라고 한다.

자료를 분석하는 셀파 - Tip

여진이 세운 청을 지칭한다.

아무리 생각해 보아도 …… 우리의 국력은 현재 바닥나 있고 오랑캐의 병력은 강성합니다. 정묘년의 맹약을 아직 지켜서 몇 년이라도 화를 늦추고, 그동안 …… 민심을 수습하고 성을 쌓으며 …… 적의 허점을 노리는 것이 우리로서는 최상의 계책일 것입니다.

1627년 정묘호란 당시 조선과 후금이 맺은 형제 관계를 말한다.

05 17세기 조선과 후금(청)의 관계 답 ⑤

제시된 지도의 (가)는 정묘호란, (나)는 병자호란을 나타내고 있다. 1627년 후금은 정묘호란을 일으켜 조선과 형제의 맹약을 맺었다. 이후 세력을 확대한 후금의 홍타이지는 국호를 청으로 바꾸고, 조선에 군신 관계를 요구하였다. 조선이 이를 거부하자 1636년 청이 병자호란을 일으켰다. 청군은 5일 만에 한성을 함락하였고, 인조는 남한산성으로 피신하였다. 그러나 왕비와 왕족이 피란해 있던 강화도가 함락되고 각지에서 올라오던 구원군마저 잇달아 패배하자 인조는 삼전도에 나와 항복하였다.

06 명의 성장과 멸망 답 ③

(가)는 명이다. 임진왜란을 계기로 관우를 섬기는 중국인의 신앙이 조선에 유입되어, 명의 요청에 따라 동묘가 지어졌다.

③ 임진왜란 이후 명은 전쟁에 따른 재정 부담으로 경제가 어려워지고, 환관과 사대부의 정쟁 등으로 정치가 어지러워졌다. 이에 각지에서 농민들이 봉기하였고, 결국 1644년 이자성이 이끄는 농민군에 의해 멸망하였다.

정답을 찾아가는 셀파 - Tip

① 천계령을 내렸다. (×)
→ 청이 타이완의 반청 운동을 진압하기 위해 내렸다.
② 『대의각미록』을 편찬하였다. (×)
→ 청의 옹정제가 편찬한 것으로, 태어난 지역이 중화와 이적을 구분하는 기준이 될 수 없다는 내용을 담고 있다.
③ 이자성의 난으로 멸망하였다. (○)
④ 대동법과 균역법을 시행하였다. (×)
→ 조선에 해당한다.
⑤ 티베트, 신장을 영토로 편입하였다. (×)
→ 청에 대한 설명이다.

07 청의 발전 답 ③

명이 무너진 후 중원을 장악하였다는 내용을 통해 밑줄 친 '오랑캐'가 청임을 알 수 있다. ㄴ. 청의 강희제는 베이징 점령 과정에서 청을 도왔던 오삼계 등 한족 무장이 일으킨 삼번의 난을 진압하였다. ㄷ. 중원을 차지한 후 청의 지배자들은 전통적인 중화와 이적의 구분이 더는 의미가 없다는 논리를 내세웠다.

ㄱ. 타이완의 정씨 세력에 해당하고, ㄹ. 조선이 통신사를 파견한 나라는 일본이다.

자료를 분석하는 셀파 - Tip

안타깝도다! 그처럼 넓은 땅과 많은 인구를 지녔음에도 명이 갑신년(1644)에 멸망을 맞이한 것은 무엇 때문인가. ……
└ 이자성의 농민 반란군이 1644년 명의 수도 베이징을 함락시킨 사건을 말한다.
오직 우리나라만이 한쪽 구석에 치우쳐 있어서 홀로 예를 간직한 나라가 되었다.
└ '중화인 명이 멸망했으니 현실적으로 중화는 조선밖에 없다.'라고 하는 조선 중화 의식과 관련된 내용이다.

08 감합 무역의 전개 답 ③

제시된 자료의 (가)는 명이 발행한 감합이다. 명은 해금 정책을 펴고 조공의 형태로만 무역을 하였다. 감합은 이런 해금 정책을 전개한 명이 밀무역을 단속하기 위해 발행한 무역 허가증이다. 명은 일련번호를 매긴 장부의 반쪽만 보관해 두고 나머지 반쪽을 조공국에 보내 명의 항구에 들어올 때 제출하게 하였다. 이러한 과정을 통해 이루어진 감합 무역은 조공 무역으로, 명이 상인의 체재비 및 상품 수송비를 부담하였다. 명은 무역의 횟수와 인원, 규모 등을 규정하였으나, 실제로 일본은 규정보다 훨씬 많이 파견하였다.

정답을 찾아가는 셀파 - Tip

① 교초 (×)
→ 교초는 몽골 제국에서 발행한 지폐로, 제국 전역에서 광범위하게 유통되었다.
② 보초 (×)
→ 명 대의 지폐로, '대명통행보초'라는 이름으로 발행되었다.
③ 감합 (○)
④ 신패 (×)
→ 천계령 해제 이후 나가사키에 입항하는 청 상선이 급증하자, 에도 막부는 무역 허가증인 신패를 발행하여 청 상선의 입항을 통제하였다.
⑤ 슈인장 (×)
→ 16세기 말~17세기 초에 일본 정부가 자국 상인에게 발행한 해외 무역 허가증으로, 붉은 도장(슈인)이 찍혀 있다.

09 포르투갈의 무역 활동 답 ③

일본에 조총을 전래해 주는 내용을 통해 밑줄 친 '이 나라'가 포르투갈임을 알 수 있다.

③ 포르투갈인들은 믈라카를 점령하고 호이안과 마카오를 거쳐 나가사키에 진출하였다. 이들은 일본에 조총과 화약, 명의 생사와 비단을 팔고, 일본으로부터 받은 은으로 명의 비단과 도자기 등을 사서 유럽으로 수출하였다. ① 일본, ② 청, ④ 명, ⑤ 에스파냐에 해당한다.

자료를 분석하는 셀파 - Tip

다이묘 다네가시마 도키다카는 2천금이라는 거금을 주고 2정의 철포를 구입하였다.
1543년 2명의 이 나라 사람을 태우고 표류하던 중에 중국 배가 일본 규슈 남쪽의 다네가시마에 도착하였다. …… 다네가시마의 다이묘는 이들이 보여 준 불을 내뿜는 신기한 막대기 두 자루를 샀다.
다이묘는 자신의 부하에게 이와 똑같이 만들 것을 지시하였으나, 총신이 폭발하는 등 제작에 어려움을 겪었다. …… 계속된 실패로 고민을 거듭하던 대장장이는 자신의 딸을 이 나라 사람에게 시집보내어 그 기밀을 얻었다.
다네가시마 사람들이 화약 제조법과 총기 제조법을 익힌 이후, 사카이의 상인들도 이를 배웠고 이후 철포는 일본 각지의 다이묘들에게 전해졌다.

10 네덜란드 출신 인물들의 활약 답 ③

나가사키, 데지마 등의 표현을 통해 (가)가 네덜란드임을 알 수 있다. 에도 막부는 해금을 실시하고 크리스트교를 탄압하였지만, 네덜란드 상인에게는 나가사키를 개방하여 무역을 허용하였다.

③ 네덜란드 출신의 벨테브레이는 네덜란드 사람으로 일본으로 항해하던 중 제주도에 표착하였고, 인조 때 조선에 귀화하여 훈련도감에서 근무하며 무기를 제조하는 일을 담당하였다.

정답을 찾아가는 셀파 - Tip

① 아담 샬이 역법 개정을 주도하였다. (×)
→ 아담 샬은 독일 출신의 선교사이다.
② 마테오 리치가 「곤여만국전도」를 제작하였다. (×)
→ 마테오 리치는 이탈리아 출신의 선교사이다.
③ 벨테브레이가 조선 훈련도감에서 근무하였다. (○)
④ 윌리엄 애덤스가 에도 막부의 외교 고문을 지냈다. (×)
→ 윌리엄 애덤스는 영국 출신의 항해사로, 에도 막부의 초대 쇼군인 도쿠가와 이에야스의 외교 고문을 지냈다.
⑤ 매카트니가 건륭제에게 거래 장소와 교역품 등을 자유롭게 해 달라고 요구하였다. (×)
→ 매카트니는 영국 조지 3세가 파견한 사절이었다.

11 은의 유통 답 ②

모든 조세 업무를 이것으로만 한다는 내용을 통해 제시문의 밑줄 친 '이것'이 은임을 알 수 있다. ㄱ. 청은 요역 항목의 인두세인 정세를 토지세인 지세에 포함시켜 은으로 세금을 징수하는 지정은제를 시행하였다. ㄷ. 일본은 16세기 전반에 이와미 은광을 개발하고, 조선에서 새로운 형태의 회취법을 도입하여 은 생산을 크게 늘렸다.

12 17세기 이후 조선의 무역 답 ④

조선이 명·청과 일본에 수출하는 점에서 (가)가 인삼임을 알 수 있다. ㄴ. 에도 막부는 조선 인삼을 구입하기 위해 1710년부터 인삼대왕고은을 주조하였다. 인삼대왕고은은 은화 20개를 인삼 1관과 교환하였다. ㄹ. 조선은 임진왜란 이후 일본과의 무역을 재개하면서 부산에

왜관을 두고 이곳에서만 무역하도록 하였다. 조선 조정은 처음에는 부산 절영도에 왜관을 설치하였다가 곧 인근의 두모포로 옮겼다. 1678년에는 입지 조건이 나은 초량으로 왜관을 다시 옮겼다.

13 18세기 이후 일본의 사회 상황 답 ③

제시된 그래프는 18세기 이후 일본에서 농민 봉기가 증가하고 있음을 보여 준다. 일본은 소농 중심의 집약 농업이 발전하고 농경지가 확대되면서 17세기에 인구가 급격히 증가하였다. 이 시기부터 상품 작물의 재배가 유행하여 쌀값이 하락하였는데, 세금을 쌀로 받던 막부와 다이묘들은 수탈을 강화하여 손해를 충당하였다. 여기에 더해 18~19세기에 기상 이변 등으로 자연재해가 이어져 여러 차례 대기근이 발생하면서 농민들이 세금 감면 등을 요구하며 농민 봉기를 일으켰다.

14 청의 경제 발전 답 ⑤

「성세자생도」라는 그림 제목을 통해 (가)가 청임을 알 수 있다. 명·청 대에는 강남 지역에 중소 상공업 도시인 시진이 크게 늘었다. ㄷ. 명·청 대에는 강남에서 매년 400만 석 이상의 쌀이 대운하를 통해 운송되었다. ㄹ. 상업이 발전하면서 명·청 대에는 산시 상인과 휘저우 상인 등이 전국에 걸쳐 활약하였다.

ㄱ. 조선, ㄴ. 에도 막부 시기의 사실이다.

자료를 분석하는 셀파 - Tip

건륭제 시기 강남 지방의 대표적인 운하 도시 쑤저우를 묘사한 그림으로,「고소번화도」라고도 알려져 있다. 그림에는 1만 2천여 명의 인물과 240여 개의 상점, 400여 척의 배가 세밀하게 표현되어 당시 서민들의 생활 모습을 살펴볼 수 있다.

15 조선 후기의 사회 상황 답 ⑤

제시된 자료의 (가)는 한양이다. 또한 공인의 존재를 통해 조선 후기의 상황임을 알 수 있다.

⑤ 이 시기 한양에서는 한강을 무대로 경강상인이 활동하였다. 이들은 서해와 남해까지 진출하여 미곡, 소금, 어물 등을 거래하며 부를 축적하였다.

자료를 분석하는 셀파 - Tip

(가) 주민 중에서 관직에 있는 자는 봉록을 받아 살며, 서리는 자질구레한 녹봉을 받아 살며, 군인들은 군포를 받아 살고, 영세 소상인들은 조그만 이익에 의지해 살고, 수공업자는 힘들게 제조하여 생계를 유지한다. …… 공인, 시전 상인은 (가) 주민 중에서 가장 생활이 안정된 자들이다.

(공인: 대동법에 따라 관청에 물품을 공급하던 상인이다. / 시전 상인: 한양 내에서 장사할 수 있던 상인들이다.)

16 에도 막부 시기 조닌의 성장 답 ④

에도 시대에는 각 번의 조카마치가 정치, 경제, 문화의 중심지였다. 조카마치의 가운데에는 다이묘가 거주하였고, 여기를 중심으로 가신과 상급 무사가 살았다. 그 바깥 구역에는 큰 길을 따라 조닌이 모여 살았다.

④ 에도 시대에는 조닌이 도시의 중산층으로 등장하여 문화를 발전시켰는데, 우키요에, 가부키 등이 대표적이다.

17 고증학의 발달 답 ④

'분석', '진실을 확인' 등의 표현을 통해 제시된 자료가 고증학에 대한 것임을 알 수 있다. ㄴ, ㄹ. 『사고전서』 편찬 등 청 정부가 추진한 대규모 서적 편찬 사업은 고증학의 발전에 기여하였다.

ㄱ. 난학에 해당한다. ㄷ. 청 대 서민 문화를 대표하는 서적들이다.

18 고학의 발달 답 ②

『사서집주』는 주희가 사서에 대해 주석한 것으로, 제시된 자료는 『사서집주』를 있는 그대로 받아들이고 있지 않다. 오히려 육경과 공자·맹자의 말을 직접 공부하고 있는 점에서 고학의 경향을 보여 주고 있다.

② 에도 시대 일본에서는 성리학을 비판하면서 공자와 맹자 시대의 유학으로 복귀할 것을 주장하는 고학파가 등장하였는데, 오규 소라이가 대표적이다.

서답형 문제

19 임진왜란의 배경과 영향

모범 답안 | (1) (임진)왜란

(2) 센고쿠 시대를 통일한 도요토미 히데요시가 무역 확대, 과도한 군사력의 배출, 영토 확장을 위해 조선을 침략하였다.

주요 단어 | 센고쿠 시대, 도요토미 히데요시, 영토 확장

채점 기준	배점
임진왜란의 발생 배경을 쓰고, 주요 단어를 모두 포함하여 바르게 서술한 경우	상
임진왜란의 발생 배경을 쓰고, 주요 단어 중 두 가지만 포함하여 바르게 서술한 경우	중
임진왜란의 발생 배경을 쓰고, 주요 단어 중 한 가지만 포함하여 바르게 서술한 경우	하

20 류큐의 중계 무역 답 류큐

류큐는 지금의 오키나와에 있던 나라로, 14세기 후반부터 16세기 전반에 걸쳐 명과의 조공 무역을 중심으로 일본, 동남아시아 국가들을 잇는 중계 무역을 활발하게 전개하였다.

21 동아시아의 서민 문화

모범 답안 | 농업 생산력과 상업이 성장하면서 서민들의 경제력이 향상되었다.

주요 단어 | 농업, 상업, 서민, 경제력 향상

채점 기준	배점
서민의 경제력 향상 배경을 쓰고, 주요 단어를 모두 포함하여 바르게 서술한 경우	상
서민의 경제력 향상 배경을 쓰고, 주요 단어 중 두 가지만 포함하여 바르게 서술한 경우	중
서민의 경제력 향상 배경을 쓰고, 주요 단어 중 한 가지만 포함하여 바르게 서술한 경우	하

단원 평가 제4회 p. 21 ~ p. 25

Ⅳ. 동아시아의 근대화 운동과 반제국주의 민족 운동

01 ⑤	02 ④	03 ②	04 ①	05 ⑤	06 ③
07 ⑤	08 ④	09 ①	10 ①	11 ③	12 ⑤
13 ⑤	14 ③	15 ③	16 ④	17 ①	18 ⑤
19 해설 참조		20 독일	21 해설 참조		

01 영국의 아시아 진출 답 ⑤

상하이 등 5개 항구를 개항하는 점에서 제시된 자료가 영국과 청이 체결한 난징 조약임을 알 수 있다. 따라서 (가)는 영국이다. ㄷ. 영국은 난징 조약에 따라 청으로부터 홍콩을 할양받았다. ㄹ. 제2차 아편 전쟁의 결과 체결된 톈진 조약으로 영국 등 서양 열강은 베이징에 외교관을 주재시킬 수 있게 되었다.

정답을 찾아가는 셀파 - Tip

ㄱ. 연해주를 차지하였다. (×)
→ 러시아가 베이징 조약을 중재한 대가로 연해주를 차지하였다.

ㄴ. 베트남을 개항시켰다. (×)
→ 프랑스는 남부 베트남의 일부를 차지한 상태에서 제1차 사이공 조약을 체결하여 베트남을 개항시켰다(1862). 제1차 사이공 조약은 베트남이 프랑스에 선교의 자유, 코친차이나(인도차이나반도의 베트남 남부 지방) 동부 3성의 할양, 다낭 등 세 항구의 개항 등을 허용한 불평등 조약이었다.

ㄷ. 청으로부터 홍콩을 할양받았다. (○)

ㄹ. 베이징에 외교관을 주재시켰다. (○)

02 동아시아 각국의 개항 답 ④

난징 조약은 1842년에 체결되었다. 강화도 조약은 1876년에 맺어졌다. ㄴ. 미국이 파견한 페리 제독 함대가 일본에 상륙한 이후 1854년 미·일 화친 조약이 체결되었다. ㄹ. 제1차 사이공 조약은 1862년에 프랑스와 베트남 사이에 체결되었다.

03 미·일 수호 통상 조약과 강화도 조약 답 ②

(가)는 1858년에 체결된 미·일 수호 통상 조약, (나)는 1876년에 체결된 강화도 조약이다.

② 두 조약 모두 체결 상대국에게 영사 재판권을 허용하였다.

내 것으로 만드는 셀파 - Tip

동아시아 각국의 개항과 근대적 조약

조약명	국가	주요 내용
난징 조약	청	상하이 등 5개항 개항, 홍콩 할양, 관세 자주권 상실(협정 관세), 공행 폐지
톈진 조약, 베이징 조약	청	외교관의 베이징 주재 허용, 크리스트교 포교 허용, 영국에 주룽반도 할양
미·일 화친 조약	일본	최혜국 대우, 2개 항구 개항
미·일 수호 통상 조약	일본	영사 재판권(치외법권) 인정, 협정 관세, 추가 개항(요코하마 등)
강화도 조약	조선	부산 외 2개 항구 개항, 일본의 해안 측량권과 영사 재판권 인정
제1차 사이공 조약	베트남	프랑스에게 선교의 자유 허용, 3성의 할양, 3개 항구 개항 등

04 태평천국 운동과 양무운동 답 ①

'증국번', '서구식 총포나 선박 등을 제조' 등의 표현을 통해 태평천국 운동을 진압한 이후 전개된 양무운동에 대한 자료임을 알 수 있다.

① 태평천국 운동은 홍수전이 만든 배상제회라는 종교 단체를 중심으로 전개되었는데, 이들은 한때 난징을 점령하고 강남 일대를 장악하였다.

정답을 찾아가는 셀파 - Tip

① (가) – 난징을 수도로 삼았다. (○)

② (가) – '중체서용'의 구호를 내걸었다. (×)
→ '중체서용'의 구호를 내건 것은 태평천국 운동이 아니라 양무운동이었다.

③ (나) – 홍수전 등이 적극 가담하였다. (×)
→ 홍수전 등이 태평천국 운동을 일으켰다.

④ (나) – 일본에 수신사 파견을 결정하였다. (×)
→ 수신사 파견은 19세기 조선의 개화 정책의 일환으로 추진되었다.

⑤ (가), (나) – 전통적 신분제의 한계를 극복하려 하였다. (×)
→ 양무운동은 의식이나 제도 개혁 등이 뒷받침되지 못해 중국 사회를 근본적으로 변화시키지는 못하였다.

05 메이지 정부의 정책 답 ⑤

자료는 메이지 정부에서 파견한 이와쿠라 사절단이다. 메이지 정부는 서양의 근대 국가를 모델로 삼아 근대화 정책을 추진하였다. 징병제를 시행하였고, 근대적인 토지세 제도를 도입하였으며, 신분제를 폐지하였다. 또한 소학교 의무 교육 제도를 확립하였다.

⑤ 통리기무아문을 설치한 것은 조선이다.

자료를 분석하는 셀파 - Tip

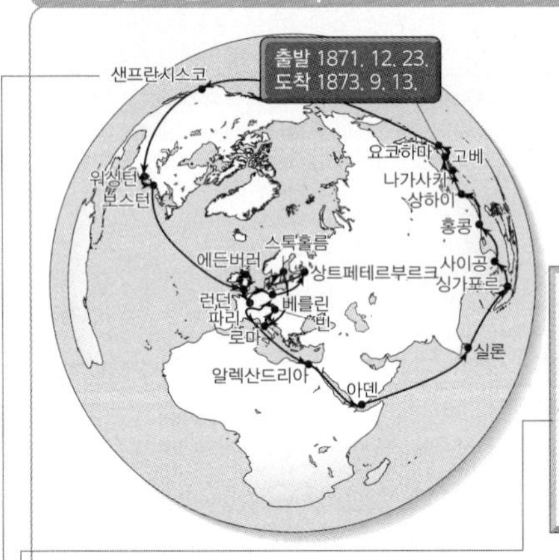

불평등 조약 개정을 위한 예비 교섭과 서양 문물과 제도 조사를 위해 1871년 파견된 사절단이다.

- 일본 전통 복장을 한 이와쿠라 도모미를 중심으로 왼쪽부터 기도 다카요시, 야마구치 나오요시, 이토 히로부미, 오쿠보 도시미치 등으로 사절단이 구성되었다.
- 1871년 12월, 이와쿠라 도모미가 이끄는 사절단이 요코하마에서 출발하여 미국의 샌프란시스코로 향하였다. 이들은 일본과 조약을 체결한 국가의 원수를 만나 국서를 전달하고 불평등 조약을 개정하기 위해 노력하였으나, 큰 성과를 거두지는 못하였다.

06 김옥균의 활동 답 ③

청의 간섭에 반발하여 정변을 주도하였다는 내용을 통해 검색창의 인물이 김옥균임을 알 수 있다.

③ 김옥균을 비롯한 급진 개화파는 메이지 유신을 본떠 인민 평등권의 확보, 능력에 따른 인재 등용 및 조세 제도 개혁 등을 모색하였다. 이들은 문벌의 폐지, 인민 평등권 등을 목표로 내건 갑신정변을 일으켰으나, 청군의 개입으로 3일 만에 실패로 끝났다. 갑신정변의 실패로 급진 개화파는 몰락하고 근대화 운동의 흐름은 크게 위축되었다. 청은 임오군란에 이어 갑신정변까지 무력으로 진압하면서 조선에 대한 내정 간섭을 더욱 강화하였다.

정답을 찾아가는 셀파 - Tip

① 태양력 채용을 이끌어냈다. (×)
→ 일본 정부는 1873년 양력을 도입하였다. 조선에서는 을미개혁 이후 1896년부터, 중국에서는 중화민국이 수립된 1912년부터 양력을 사용하였다.
② 금릉 기기국의 설립을 건의하였다. (×)
→ 금릉 기기국은 양무운동 때 세워진 근대식 군수 공장이다.
③ 메이지 유신을 개혁의 모델로 삼았다. (○)
④ '존왕양이'를 주장하며 막부 타도에 나섰다. (×)
→ 일본의 메이지 유신과 관련된 내용이다. 지방의 하급 무사들이 중심이 된 반막부 세력은 처음에는 '존왕양이'를 주장하며 개국에 반대하였지만, 점차 서양 군사력의 우위를 깨닫게 되어 개국을 받아들였다. 결국 이들은 막부를 무너뜨리고 천황 중심의 새로운 정부를 세웠다.
⑤ 배상제회를 조직하여 반청 운동을 전개하였다. (×)
→ 태평천국 운동과 관련된 내용이다. 태평천국은 홍수전이 만든 배상제회라는 종교 단체를 중심으로 전개되었다. 태평천국군은 한때 난징을 점령하고 강남 일대를 장악하였다.

07 대일본 제국 헌법의 제정 배경 답 ⑤

자료는 1889년에 반포된 대일본 제국 헌법이다. 일본에서는 1870년대부터 서양식 입헌 제도의 도입을 요구하는 자유 민권 운동이 전개되었다. 메이지 정부는 자유 민권 운동을 탄압하였으나, 서양식 정치 제도의 필요성은 인정하여 천황에게 막강한 권한을 부여하는 대일본 제국 헌법을 제정하였다.

정답을 찾아가는 셀파 - Tip

① 이홍장이 작성한 상소문을 살펴본다. (×)
→ 이홍장은 청의 양무운동을 주도하였다.
② 갑오개혁 당시의 개혁 내용을 분석한다. (×)
→ 갑오개혁으로 조선에서 근대적 내각제 수립, 신분제 해체 등이 이루어졌다.
③ '흠정헌법대강'이 마련된 시기를 파악한다. (×)
→ '흠정헌법대강'은 청에서 1908년에 마련되었다.
④ 대한국 국제 반포가 끼친 영향을 조사한다. (×)
→ 대한국 국제는 대한 제국 시기인 1899년에 반포되었다.
⑤ 의회 설립 요구에 대한 메이지 정부의 대응을 알아본다. (○)

08 독립 협회의 활동 답 ④

만민 공동회, 헌의 6조 등의 내용을 통해 제시문이 독립 협회의 활동에 대한 것임을 알 수 있다. 독립 협회의 노력으로 대중의 근대 정치 의식은 점차 향상되었다.

④ 1897년 고종은 대한 제국의 수립을 선포하였고, 이 시기 독립 협회가 활동하였다. 대한 제국은 부국강병을 목표로 한 근대화 개혁에 착수하여 식산 흥업 정책을 수립했으며, 상공업을 진흥하고 인재를 양성하기 위한 근대 학교 설립에 힘썼다.

내 것으로 만드는 셀파 - Tip

독립 협회의 창립과 해산

창립	서재필 등 일부 지식인들이 『독립신문』을 창간하고 창립(1896)
주요 활동	개혁적 관리와 학생, 시민이 함께 참석한 관민 공동회에서 '헌의 6조' 결의, 만민 공동회 개최, 이권 수호 운동과 의회 설립 운동 등 전개
해산	수구 세력이 독립 협회가 왕정을 폐지하고 공화제를 추진한다고 모함하여 강제 해산당함

09 신해혁명의 전개 과정 답 ①

1900년대 후반 청의 지배에 반대하는 혁명 사상이 점차 확산되었다. 특히 쑨원을 중심으로 하는 혁명파는 중국 동맹회를 조직하여 청 왕조를 타도하고, 한족이 중심이 되는 공화국 건립을 목표로 삼았다. 결국, 1911년 우창 신군의 반란으로 신해혁명이 일어났다. 그 결과 중화민국이 수립되어 공화제를 채택하였다.

청 황제 퇴위 이후 임시 대총통 쑨원은 강력한 군사력을 장악한 위안스카이에게 총통직을 양보하였다. 이렇게 총통에 오른 위안스카이는 제정을 부활하려다 실패하였다.

내 것으로 만드는 셀파 - Tip

신해혁명

배경	혁명파의 청 타도와 공화제 주장 → 쑨원이 삼민주의를 제창하며 무장 봉기 추진
전개	후베이성 우창에서 신군의 봉기(1911) → 청 붕괴, 공화정 체제의 중화민국 수립 → 공화제 시행을 조건으로 위안스카이가 임시 대총통에 취임 → 위안스카이의 제정 부활 실패 → 각지에서 군벌 할거

10 의화단 운동의 전개 답 ①

8개국 연합군에 의해 진압되었고, 외국 군대의 베이징 주둔을 허용한 조약이 체결되었다는 내용을 통해 (가)가 의화단 운동임을 알 수 있다.

① 청·일 전쟁 패배 이후 청에서는 나라가 망할지도 모른다는 위기의식이 깊어지고 있었는데, 이런 상황에서 의화단 운동이 전개되었다. 이들은 '부청멸양'의 구호를 내걸고 교회·학교·철로 등 서양 문물과 관련된 모든 것을 공격하였다.

자료를 분석하는 셀파 - Tip

▲ 영국, 미국, 러시아, 독일, 프랑스, 오스트리아 - 헝가리, 이탈리아, 일본군의 연합군이다. 이들은 (가) 운동을 진압하고 외국 군대의 베이징 주둔을 허용한 조약을 체결하였다.

8개국 연합군인데, 사진에 나온 군인이 9명인 이유는 네번 째 인도군이 영국군에 포함되기 때문이다.

1901년 청이 의화단 운동을 진압한 러시아, 일본, 독일 등 8개국과 체결한 조약이다. 신축조약으로 청은 열강에 막대한 배상금을 지불하고, 베이징에 외국 군대의 주둔을 허용하였다.

11 포츠머스 강화 조약의 내용 답 ③

제시된 내용은 러·일 전쟁을 종결지은 포츠머스 강화 조약의 체결 과정에 대한 것이다. ㄴ. 일본은 포츠머스 강화 조약을 통해 러시아로부터 한반도에서의 우월한 지위를 인정받았다. ㄷ. 포츠머스 강화 조약에는 러시아가 북위 50도 이남의 사할린섬을 일본에 양도한다는 내용이 담겨 있다.

> **정답을 찾아가는 셀파 - Tip**
>
> ㄱ. 일본은 랴오둥반도를 반환해야 한다. (×)
> → 일본은 러시아·독일·프랑스의 삼국 간섭으로 랴오둥반도를 반환하였다.
>
> ㄴ. 일본 제국은 한국에서 탁월한 이익을 갖는다. (○)
>
> ㄷ. 북위 50도 이남의 사할린섬을 일본에 양도한다. (○)
>
> ㄹ. 한국은 일본을 거치지 않고서는 대외 조약을 체결할 수 없다. (×)
> → 대한 제국의 외교권이 박탈된 조약은 1905년에 체결된 을사조약이다.

12 신문화 운동의 배경 답 ⑤

⑤ 신해혁명 이후 중국에서는 위안스카이가 독재 권력을 강화하면서 공화제가 유명무실해졌다. 천두슈 등의 지식인들은 이러한 문제점의 근원을 유교 사상으로 보고, 1915년부터 잡지 『신청년』을 발행하면서 민주주의와 과학을 옹호하는 신문화 운동을 전개하였다. 신문화 운동은 5·4 운동에도 큰 영향을 끼쳤다. 파리 강화 회의에서 일본의 21개조 요구 철회, 산둥 권익 반환 요구가 거부되었다는 소식이 알려지자, 신문화 운동의 영향을 받은 베이징의 대학생들은 수업 거부에 들어갔다. 이런 학생들의 투쟁은 전국 각지에서 대대적인 지지를 받았다.

> **자료를 분석하는 셀파 - Tip**
>
> 
>
> ▲ 천두슈 — 신문화 운동을 주도한 중국의 지식인
>
> 청년들이여! 자주적이어야 하고, 진보적이어야 합니다. 또 실리적이어야 하고 과학적이어야 합니다.
> — 천두슈는 전통적 유교관을 노예적, 보수적, 퇴행적이라고 비판하면서 민주주의와 과학을 옹호하였다.

13 제1차 국·공 합작과 북벌 답 ⑤

(가)는 1925년에 일어난 5·30 운동이다. (나)는 1928년 북벌이 완수된 상황이다. 1924년 제1차 국·공 합작이 성립되었고, 1925년에 일어난 5·30 운동을 계기로 외세와 결탁한 군벌에 대한 반감이 커져 1926년부터 북벌이 시작되었다. ㄷ. 장제스가 이끄는 국민 혁명군은 광저우에서 출발하여 북상하였다. 그러나 북벌 과정에서 국민당과 공산당 간의 갈등이 깊어져 1927년 4월 장제스가 공산당 세력을 탄압하고, 난징에 국민 정부를 수립하였다. 이로써 제1차 국·공 합작은 붕괴되었다. ㄹ. 이후 장제스가 북벌을 지속하자 중국에서 자신들의 이권을 보호하기 위해 일본이 거류민 보호를 내세워 두 차례에 걸쳐 산둥반도를 공격하였다.

ㄱ. 워싱턴 회의는 1921년, ㄴ. 윤봉길의 상하이 의거는 1932년에 일어났다.

> **자료를 분석하는 셀파 - Tip**
>
> (가) 상하이의 일본계 방직 공장에서 노동자가 피살되자 중국인 노동자들이 시위를 벌였다. 영국계 경찰이 이를 진압하는 과정에서 희생자가 발생하였다.
> 영국계 경찰이 중국 시위대를 진압하는 과정에서 13명이 사망하였다. 이 5·30 사건을 계기로 중국에서 반제국주의 운동이 확산되었다.
>
> (나) 국민 혁명군이 북상하여 베이징에 입성하고, 장쭤린의 뒤를 이은 장쉐량이 국민 정부를 따를 것을 선언하였다.
> 장제스는 북벌이 우선이라고 판단하고 일본과의 직접적인 충돌을 피한 채 반공 체제를 정비한 후 북벌을 재개하였다. 마침내 국민 혁명군이 베이징을 점령함으로써 북벌을 완수하였다(1928).

14 만주 사변과 한·중 연대 답 ③

제시된 자료는 만주 사변 당시 국제 연맹이 파견한 리튼 조사단의 보고서이다. 리튼 조사단은 1932년 만주에서 일본의 침략을 조사하고, '중국 내부 개조에 국제적인 협력이 필요하다.'는 보고서를 작성하였다.

③ 만주 사변 이후 만주에서는 한국 독립군과 조선 혁명군이 각각 중국 군대와 연합 작전을 전개하면서 일본군과 전투를 치렀다.

> **정답을 찾아가는 셀파 - Tip**
>
> ① 제2차 국·공 합작이 이루어졌다. (×)
> → 1937년 중·일 전쟁이 일어나자 제2차 국·공 합작이 이루어졌다.
>
> ② 연합국이 일본의 무조건 항복을 요구하였다. (×)
> → 연합국은 카이로 회담(1943), 포츠담 선언(1945)을 통해 일본의 무조건 항복을 요구하였다.
>
> ③ 조선 혁명군이 중국군과 연합 작전을 펼쳤다. (○)
>
> ④ 루거우차오에서 일본군과 중국군이 충돌하였다. (×)
> → 루거우차오 사건은 1937년에 일어났다. 이는 중·일 전쟁이 일어나는 계기가 되었다.
>
> ⑤ 영·일 동맹에 따라 일본이 세계 대전에 참전하였다. (×)
> → 제1차 세계 대전에 해당하는 내용이다.

15 김원봉의 활동 답 ③

조선 의용대를 조직하였고, 한국 광복군에 합류하였다는 내용을 통해 밑줄 친 '그'가 김원봉임을 알 수 있다. ㄴ. 중·일 전쟁이 일어나자 김원봉은 중국 국민당의 지원을 받아 민족 혁명당을 이끌었다. ㄷ. 김원봉은 1919년 만주에서 의열단을 조직하였다. 의열단은 일제의 식민 통치 기관을 폭파하거나 주요 인물을 암살하는 등의 활동을 전개하였다.

> **정답을 찾아가는 셀파 - Tip**
>
> ㄱ. 한·중 민족 항일 대동맹을 주도하였다. (×)
> → 한·중 민족 항일 대동맹은 1930년대 초 대한민국 임시 정부 인사들과 중국 국민당 인사들이 만든 비밀 결사였다.
>
> ㄴ. 중국 관내에서 민족 혁명당을 이끌었다. (○)
>
> ㄷ. 중국에서 의열단을 결성하여 활동하였다. (○)
>
> ㄹ. 뤼순 감옥에서 『동양 평화론』을 저술하였다. (×)
> → 안중근과 관련된 내용이다. 그는 『동양 평화론』에서 일본이 청에 랴오둥반도를 돌려준 뒤, 랴오둥반도에 위치한 뤼순을 한·중·일 3국이 공동으로 관리하는 군항으로 만들자고 하였다. 또 그곳에 3국에서 대표를 파견하고 평화 회의를 조직하자고 주장하였으며, 3국이 공동 은행과 공용 화폐를 만들자고 하였다.

16 상하이와 요코하마 답 ④

대한민국 임시 정부가 수립되었다는 내용에 더해 상하이와 관련된 내용이 (가)에 들어가야 한다. 또한 가나가와의 바다를 메워 건설된 요코하마와 관련된 내용이 (나)에 적절한 항목이다.

ㄴ. 영국 상인이 상하이에서 『신보』를 창간하였다. 『신보』는 흥미로운 뉴스를 신속하게 보도하여 독자를 끌어모았다. ㄹ. 일본 정부는 철도를 문명의 이기로 보아 일찍부터 부설에 관심을 기울였다. 일본 최초의 철도는 1872년 요코하마와 도쿄 사이에 개통되었다.

ㄱ. 황성 만들기 사업과 ㄷ. 찬양회의 여학교 설립 시도는 모두 한성(서울)에서 일어난 일이다.

자료를 분석하는 셀파 - Tip

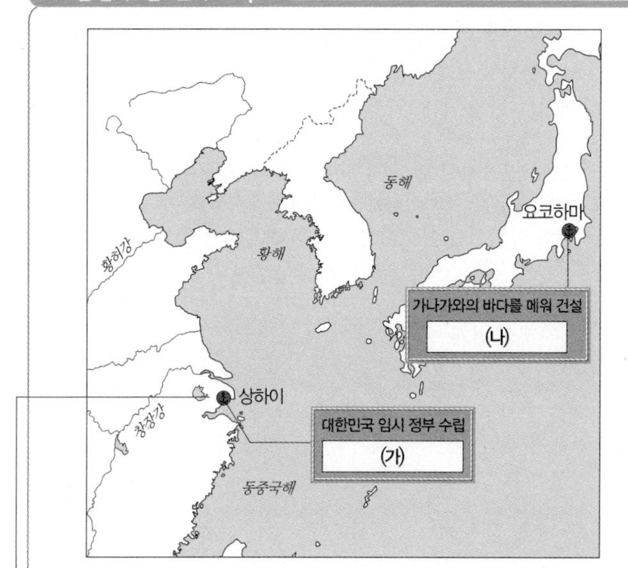

상하이에는 개항 이래 영국, 미국, 프랑스 등 서양 여러 나라의 조계가 자리 잡았다. 이후 미국과 영국 조계가 합병하고, 공공조계가 성립하여 상하이는 중국인 거주 지역과 공공조계, 프랑스 조계로 분할되었다. 상하이는 일종의 자치 공화국으로, 거주 외국인이 독자적으로 행정 기관을 설치해 운영할 수도 있었다. 상하이의 영역은 계속 확장되었고, 중국이 서구의 침략을 받는 가운데에도 중국 최고의 경제적 번영을 이룬 국제 도시로 성장하였다.

17 독립신문 답 ①

자료는 조선에서 발행된 『독립신문』이다. 『독립신문』은 민중 계몽에 힘썼고, 열강의 침략상을 폭로하고 국권 수호를 위한 여론을 조성하였다.

정답을 찾아가는 셀파 - Tip

ㄱ. 서재필 주도로 창간되었다. (○)
→ 『독립신문』은 서재필 주도로 창간된 조선 최초의 민간지이다.

ㄴ. 한글과 영문으로 발간되었다. (○)

ㄷ. 러·일 전쟁의 상황을 보도하였다. (×)
→ 『독립신문』은 1899년에 폐간되었다. 따라서 1904년에 발발한 러·일 전쟁의 전황을 보도할 수는 없었다.

ㄹ. 일제가 제정한 신문지법의 적용을 받았다. (×)
→ 신문지법은 신문 등 정기 간행물에 대해 규제하기 위해 통감부의 간섭으로 1907년에 제정되었다. 일본이 대한 제국의 민족 언론을 탄압하는 도구로 이용하였다.

18 메이지 정부의 교육 정책 답 ⑤

자료는 메이지 정부에서 발표한 교육 칙어이다. 메이지 정부는 학제를 제정하고 근대적 학교 교육을 도입하여 6세가 되면 의무적으로 소학교에 입학하여 서양식 교육을 받도록 하였다.

⑤ 메이지 정부는 고등 교육 기관으로 도쿄 제국 대학을 설립하였다.

자료를 분석하는 셀파 - Tip

(메이지 천황을 지칭)
짐이 생각하건대 …… 나의 신민도 열심히 충효에 힘써 마음을 하나로 하여 대대로 그 미덕을 배워 온 것은 우리 나라의 뛰어난 점이며, 교육의 근본 정신도 또한 여기에 있다. …… 항상 헌법을 중시하고 법률에 따라 한 차례 나라의 비상시가 되면 의용을 가지고 나라를 위해 일하며 천지와 같이 끝없는 황실의 운명을 지키고 도와줘야 한다.

(천황 중심의 가족적 국가관과 충효의 가치관이 교육의 목적임을 밝히고 있다.)

서답형 문제

19 청·일 전쟁

모범 답안 | (1) 시모노세키 조약

(2) 1894년 조선에서 일어난 동학 농민 운동 당시 청이 조선 정부의 요청을 받아 군대를 파병하였고, 일본은 조선 내 자국민 보호와 톈진 조약을 구실로 조선에 파병하였다. 이후 두 나라 사이에 청·일 전쟁이 벌어졌고, 일본이 승리하였다.

주요 단어 | 동학 농민 운동, 청·일 전쟁

채점 기준	배점
주요 단어를 모두 포함하여 바르게 서술한 경우	상
주요 단어 중 한 가지만 포함하여 바르게 서술한 경우	하

자료를 분석하는 셀파 - Tip

(일본은 타이완을 할양받아 제국주의 국가로 성장할 수 있는 발판을 마련하였다.)
제2조 청국은 랴오둥반도와 타이완, 펑후 제도를 일본에 할양한다.
제4조 청국은 배상금 2억 냥(일본 화폐 3억 1천만 엔)을 지불하는 데 동의한다.

(일본은 배상금으로 받은 2억 냥(당시 일본 1년 재정 수입의 4배에 해당하는 돈)을 대부분 군사력 증강에 사용하였다.)

20 일본의 21개조 요구 답 독일

자료를 분석하는 셀파 - Tip

(일본은 중국에 산둥의 권익과 남만주·동부 내몽골에서 우선권을 요구하였다.)
제1호 산둥반도의 (가) 이권을 일본에 양도한다.
제2호 일본이 뤼순, 다롄을 조차하는 기한을 99년간 연장하고, 남만주 등에서의 이권을 인정한다.

– '21개조 요구'(1915) –

(열강들이 일본의 '21개조 요구'를 비난하자, 일본은 제5호를 제외한 나머지를 베이징 정부가 수락하도록 강요하였다.)

21 만국 공법의 수용

모범 답안 | 청은 서양과의 교섭에서 만국 공법을 활용하였고, 일본은 서양과 맺은 불평등 조약 개정의 근거로 삼으려 하였다. 조선은 자주 독립을 모색하는 방안으로 만국 공법을 활용하였다.

주요 단어 | 만국 공법, 불평등 조약 개정, 독립 모색

채점 기준	배점
한·중·일의 만국 공법 활용 노력을 쓰고, 주요 단어를 모두 포함하여 바르게 서술한 경우	상
한·중·일의 만국 공법 활용 노력을 쓰고, 주요 단어 중 두 가지만 포함하여 바르게 서술한 경우	중
한·중·일의 만국 공법 활용 노력을 쓰고, 주요 단어 중 한 가지만 포함하여 바르게 서술한 경우	하

자료를 분석하는 셀파 - Tip

고금의 여러 대가들의 말에 따르면, 어떤 나라나 국민이든지 간에 그 국헌의 체제와 규례의 여하를 막론하고 그 나라를 자주적으로 다스릴 때 이를 주권 독립국이라 하며, 주권은 한 나라를 관제하는 최대의 권리라 한다. …… 국내의 주권을 자주적으로 행사하고 외국의 지휘를 받지 않는 나라는 진정한 독립국인 것이다.

– 유길준, 『서유견문』 –

(유길준은 조선의 독립은 만국 공법의 질서 속에서 유지되어야 한다고 주장하였다. 당시 조선에 파견된 청의 위안스카이가 조선의 내정과 외교에 간섭하고 있던 상황에서, 유길준은 『서유견문』에서 조선이 독립 국가임을 강조하였다.)

단원 평가 제5회 p. 27 ~ p. 30

V. 오늘날의 동아시아

01 ④	02 ③	03 ③	04 ②	05 ②	06 ①
07 ②	08 ④	09 ②	10 ②	11 ⑤	12 ④
13 ①	14 ④	15 해설 참조		16 대약진 운동	
17 해설 참조					

01 연합국의 전후 처리 구상 답 ④

제2차 세계 대전에서 우위를 차지한 연합국은 전후 처리를 논의하기 위해 국제 회담을 열었다. 1943년에는 카이로 회담에서 일본의 무조건 항복과 한국의 독립 등이 논의되었고, 1945년에 열린 얄타 회담에서는 소련의 대일전 참전 등이 결정되었다. 이어 개최된 포츠담 회담에서 일본 영토의 한정, 일본의 무조건 항복을 요구하는 포츠담 선언이 발표되었다.

자료를 분석하는 셀파 - Tip

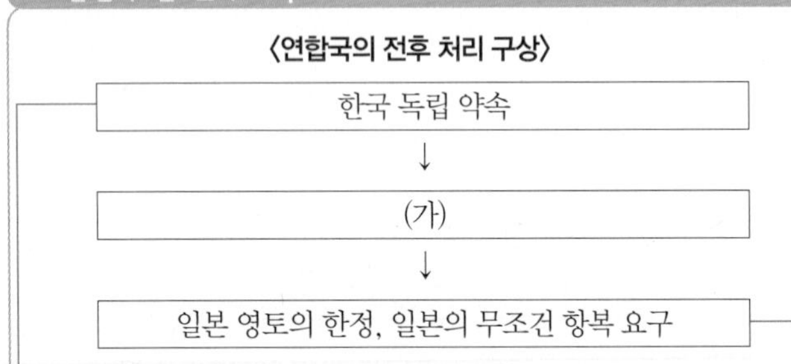

1943년 11월에 개최된 카이로 회담의 내용이다. 만주·타이완의 반환과 한국의 독립 등이 약속되었다.
1945년 7월에 개최된 포츠담 회담에서는 카이로 선언의 실행과 일본 영토의 한정, 일본의 무조건 항복을 촉구하는 포츠담 선언을 발표하였다.

02 일본에 대한 미국 방침의 변화 배경 답 ③

일본의 항복 이후 연합국은 미국이 중심이 되어 일본을 점령하고 도쿄에 연합국 최고 사령부를 설치하여 군정을 실시하였다. 군국주의자들이 공직에서 추방되었고, 전쟁 지도부를 처벌하기 위한 극동 국제 군사 재판(도쿄 재판)이 개최되었다. 또한 재벌 개혁과 농지 개혁이 추진되었다. 하지만 미국과 소련의 대립이 격화되고, 중국과 북한의 공산화로 냉전이 본격화되면서 미국의 대일본 정책이 바뀌었다. 미국은 일본을 동아시아에서 공산 세력에 대항하는 전략적 거점으로 삼기 위해 일본 경제 재건을 우선시하고 노동 운동을 억제하였으며, 군국주의 세력의 정계 복귀를 허용하였다.

03 국·공 내전의 전개 답 ③

그래프의 밑줄 친 '내전'은 1946년부터 1949년까지 전개된 국·공 내전이다. 내전 초기에는 국민당군이 전쟁을 주도하였다. 이들은 공산당의 근거지인 옌안을 포함하여 만주와 화북의 주요 도시 대부분을 점령하였다. 그러나 공산당군이 반격에 나서면서 전세가 역전되었다. 공산당군은 토지 개혁을 실시하여 농민들의 적극적인 지지를 얻은 반면, 국민당군은 관료들의 부패와 심각한 인플레이션 등으로 민심을 잃었다. 그 결과 공산당이 중국 본토 대부분을 장악하고 중화 인민 공화국을 수립하였다. 패배한 국민당 정부는 타이완으로 근거지를 옮겼다.

정답을 찾아가는 셀파 - Tip

ㄱ. 일본이 경찰 예비대를 창설하였다. (×)
→ 일본은 6·25 전쟁을 계기로 경찰 예비대를 창설하였다.

ㄴ. 중국에 심각한 인플레이션이 발생하였다. (○)
→ 국·공 내전 시기 발생한 인플레이션으로 국민당에 대한 지지가 약해졌다.

ㄷ. 화북 이북 지역에서 토지 개혁이 실시되었다. (○)
→ 중국 공산당은 토지 개혁을 실시하여 농민의 지지를 확보하였다.

ㄹ. 애치슨이 미국의 동아시아 방위선을 발표하였다. (×)
→ 1950년의 사실이다.

04 6·25 전쟁의 전개 답 ②

제시된 (가), (나)는 모두 6·25 전쟁의 전개 과정에 대한 것이다. 전쟁 초기에는 북한군이 주도권을 잡았으나, 미국의 주도로 조직된 유엔군이 전쟁에 개입하면서 전세가 역전되었다. 유엔군은 여세를 몰아 38도선을 돌파하였으나, 중국군의 참전으로 후퇴하였다. 이후 38도선 부근에서 치열한 공방전이 계속되었고, 정전 협상이 시작되어 1953년 정전 협정이 체결되었다.

정답을 찾아가는 셀파 - Tip

① 구정 대공세가 이루어졌다. (×)
→ 1968년에 있었던 북베트남과 남베트남 민족 해방 전선의 구정 공세를 말한다.

② 중국군이 전쟁에 참여하였다. (○)

③ 인천 상륙 작전이 전개되었다. (×)
→ 인천 상륙 작전의 성공으로 대대적인 반격에 나선 한국군과 유엔군은 압록강까지 북진하였다.

④ 국민당 정권이 타이완으로 이동하였다. (×)
→ 중국 국민당 정권의 총통인 장제스는 1949년 국·공 내전에서 패배한 후 타이완으로 이동하였다.

⑤ 일본의 신헌법(평화 헌법)이 제정되었다. (×)
→ 미국의 요구로 1946년 제정된 일본의 신헌법은 일본이 군국주의가 아닌 평화 국가로 나아가도록 규정하였기 때문에 평화 헌법이라고 부른다.

05 한·일 협정 체결 당시 동아시아의 상황 답 ②

제시된 자료는 1965년 한국과 일본 사이에 체결된 한·일 기본 조약이다. 이 시기 베트남 전쟁이 본격화되면서 미국은 동아시아 안보 체제의 강화를 위하여 한·일 양국의 수교를 요구하였다. 한국은 경제 건설을 위해 일본의 자본과 기술이 필요하였고, 일본도 한국과의 교역이 필요하였다. 그 결과 1965년에 한·일 기본 조약이 체결되었다.

정답을 찾아가는 셀파 - Tip

① 일·화 평화 조약이 맺어졌다. (×)
→ 일본과 타이완 간의 국교 수립은 1952년에 이루어졌다.

② 한국이 베트남 전쟁에 파병하였다. (○)
→ 1964년 통킹만 사건으로 미국이 베트남 전쟁에 본격적으로 개입하면서 미국의 요청을 받은 한국이 파병하였다.

③ 미국 대통령이 중국을 방문하였다. (×)
→ 1972년 미국의 닉슨 대통령이 중국을 방문하여 두 나라 사이에 미·중 공동 성명을 발표하였다.

④ 중국 국민당군이 옌안을 점령하였다. (×)
→ 국·공 내전 시기에 있었던 일이다.

⑤ 남한에서 유엔의 감시 아래 총선거가 치러졌다. (×)
→ 1948년 5·10 총선거를 통해 초대 국회의원을 선출하였다.

06 중·일 수교와 한·중 수교 답 ①

1969년 닉슨 독트린 이후 냉전이 완화되었다. 1972년 미국 대통령 닉슨은 중국을 방문하였고, 같은 해 중국과 일본도 중·일 공동 성명을 발표하고 정식으로 수교하였다. 일본은 중국을 유일한 합법 정부로 인정하였으며, 타이완과는 국교를 단절하였다. 한편, 냉전 붕괴 이후 한국 역시 중국과 정식으로 국교를 수립하고 타이완과의 관계를 단절하였다.

07 일본의 경제 성장과 침체 답 ②

제시된 자료는 일본의 경제 성장과 침체를 보여 주는 그래프이다. 1980년대의 급성장과 1990년대의 침체 상황을 통해 이를 알 수 있다.

ㄱ. 1980년대 일본은 최대의 경제 호황을 누렸지만, 미국과 심각한 무역 마찰을 겪으면서 이를 해결하기 위해 금리 인하 등을 단행하였고, 이 시기에 경기가 과열되면서 주가와 부동산 가격이 폭등하여 거품 경제가 형성되었다. ㄷ. 일본에서는 1990년대에 주가와 부동산 가격이 폭락하면서 장기 불황이 시작되었다.

자료를 분석하는 셀파 - Tip

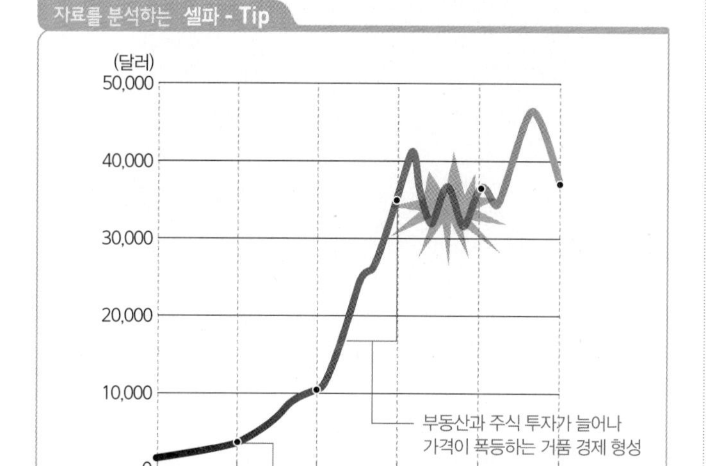

08 한국의 경제 성장 답 ④

1970년대의 중화학 공업 발전, 1980년대의 3저 호황, 아시아의 4대 신흥 공업국, 1997년 외환 위기 등의 내용을 통해 자료가 한국에 대한 것임을 알 수 있다.

④ 한국의 박정희 정부는 이승만 정부 때부터 기획하고 있던 경제 개발 계획을 토대로 제1차 경제 개발 5개년 계획을 수립하였다.

정답을 찾아가는 셀파 - Tip

① 세계 2위의 경제 대국으로 성장하였다. (×)
→ 일본은 1955년부터 1973년까지 연평균 10% 이상의 고도성장을 이루었다. 이 시기의 고도성장으로 일본은 미국 다음가는 '경제 대국'의 위치에 오르게 되었다.

② 통일 이후 캄보디아 내전에 개입하였다. (×)
→ 베트남은 1975년에 통일을 이루고 베트남 사회주의 공화국을 수립하여 강력한 사회주의 정책을 시행하였다. 그러나 통일 이후 캄보디아 내전에 개입하고, 중국과 전쟁을 벌이면서 경제가 악화되었다.

③ 6·25 전쟁에 따른 전쟁 특수를 누렸다. (×)
→ 한반도에서 6·25 전쟁이 일어나자 일본은 군수 물자 공급 기지로서 산업 생산량을 늘려 전쟁 특수를 누렸다.

④ 제1차 경제 개발 5개년 계획을 수립하였다. (○)

⑤ 협동농장을 중심으로 하는 경제 체제를 확립하였다. (×)
→ 협동농장을 중심으로 하는 경제 체제를 확립했다는 것은 북한과 관련된 내용이다.

09 북한과 베트남의 경제 답 ②

북한은 1980년대 중반 합영법을 제정하여 외국 자본 유치에 노력하는 등 경제 침체를 극복하기 위해 노력하였으나 큰 성과를 거두지는 못하였다. 1990년대 후반 금강산 관광을 시작으로 2000년대에 들어서는 개성 공단 사업 등으로 남한과의 경제 교류에 나섰다. 한편, 베트남은 1986년에 개혁·개방을 표방하는 도이머이 정책을 채택하여 시장 경제 체제를 일부 도입하였다.

10 중국의 개혁·개방 답 ②

(가)는 마오쩌둥 사후 권력을 장악한 덩샤오핑이 강조한 4개 부문 현대화에 대한 것이다. (나)는 1991년에 덩샤오핑이 발표한 남순 강화 방침이다. 덩샤오핑은 4개 부문의 현대화를 목표로 개혁·개방 정책을 추진하였다. 하지만 1989년에 일어난 톈안먼 사건을 계기로 보수파들로부터 개혁·개방에 대한 비판이 제기되었다. 이에 대한 대응으로 1991년 덩샤오핑이 중국 남부를 순시하면서 개혁·개방의 지속을 표방한 남순 강화를 발표하였다.

자료를 분석하는 셀파 - Tip

남순 강화 ─ 톈안먼 사건 이후 덩샤오핑이 발표한 담화문

이번에 와 보니 몇몇 지방은 내가 전혀 예상하지 못할 정도로 너무도 발전이 빠릅니다. …… 개혁·개방을 하지 않는다면, 인민 생활을 개선하지 않는다면, 오로지 막다른 외길로 나아갈 뿐입니다.

(내: 덩샤오핑을 의미한다.)
(톈안먼 사건 이후에도 개혁·개방의 의지 표방)

11 일본 자유 민주당의 활동 답 ⑤

55년 체제는 보수 정당인 자유당과 민주당이 합당해 만들어진 자유민주당(자민당)과 사회당의 양당 체제를 말한다. 55년 체제 아래에서 자민당은 다수당으로 장기 집권을 하였다.

⑤ 1970년대에 자민당은 2차례에 걸친 석유 파동과 록히드 사건 같은 부패 문제로 위기에 빠지기도 하였지만, 다수당의 위치를 유지하였다.

정답을 찾아가는 셀파 - Tip

① 4·19 혁명으로 실각하였다. (×)
→ 한국의 자유당 정권에 대한 내용이다.

② 중국과 자유 무역 협정을 체결하였다. (×)
→ 한국과 중국은 2015년 한·중 자유 무역 협정을 체결하고, 아시아 인프라 투자 은행의 창립에 참여하였다.

③ 계엄령을 유지하며 정권을 장악하였다. (×)
→ 중국 공산당과의 내전에서 패하고 타이완으로 건너간 장제스의 국민당 정권은 1949년 이후 계속 계엄 통치를 시행하면서 경제 개발에 힘을 쏟았다.

④ 10월 유신을 통해 장기 집권을 꾀하였다. (×)
→ 한국의 박정희 정부는 1972년 10월 비상계엄을 선포하여 국회를 해산하고 정치 활동을 금지한 뒤, 이른바 '10월 유신'을 선포하였다.

⑤ 록히드 사건으로 위기에 빠지기도 하였다. (○)

12 한국과 타이완의 민주화 답 ④

제시된 지도의 (가)는 한국, (나)는 타이완이다. ㄴ. 한국에서는 1997년에 야당 후보 김대중이 대통령에 당선되면서 광복 이후 처음으로 선거를 통한 평화적 정권 교체가 이루어졌다. 타이완에서는 2000년에 야당인 민주 진보당 후보 천수이볜이 총통으로 선출되어 최초의 정권 교체가 이루어졌다. ㄹ. 한국에서는 1987년 6월 민주 항쟁으로 대통령 직선제 개헌을 이루어내었다. 타이완에서는 1987년까지 국민당 정권이 계엄령을 유지하며 정치 권력을 독점하였지만, 이후 국민의

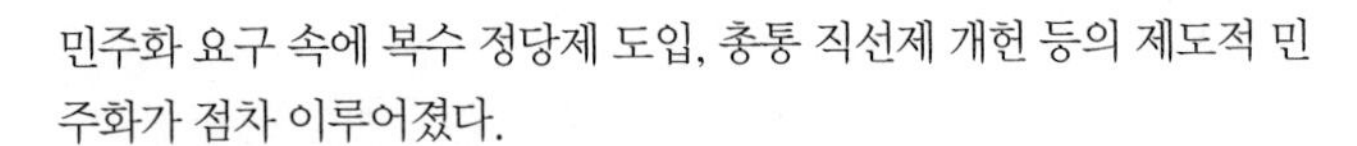

민주화 요구 속에 복수 정당제 도입, 총통 직선제 개헌 등의 제도적 민주화가 점차 이루어졌다.

정답을 찾아가는 셀파 - Tip

ㄱ. 문화 대혁명으로 혼란이 발생하였다. (×)
→ 중국의 마오쩌둥은 대약진 운동 실패로 약해진 자신의 권력 기반을 강화하는 데 문화 대혁명을 이용하였다.
ㄴ. 선거를 통한 정권 교체가 이루어졌다. (○)
ㄷ. 여러 차례에 걸쳐 군사 정변이 일어났다. (×)
→ 한국은 5·16 군사 정변, 12·12 사태 등의 정변이 있었으나, 타이완은 1987년 국민당 정부가 계엄령을 해제할 때까지 국민당에 의한 일당 독재가 이루어졌다.
ㄹ. 통치자를 직선으로 선출하는 개헌이 단행되었다. (○)

13 동아시아의 역사 갈등 답 ①

일본 역사 교과서의 역사 왜곡과 중국의 동북공정 등 역사 인식을 둘러싼 동아시아 지역의 갈등이 고조되면서 이를 해결하기 위해 공동 역사 교재가 제작되었다.

ㄱ. 2000년대에 들어 중국은 동북공정을 추진하여 고조선, 부여, 고구려, 발해의 역사를 중국의 지방사로 인식하는 역사관을 주장하였고, 한국 정부와 국민은 이러한 주장이 역사 주권의 침해라고 반발하였다.

ㄴ. 일본에서는 1990년대 이후 경제 침체의 분위기 속에서 보수 세력의 목소리가 커졌고, 이들 중 강경파는 과거 식민지 지배와 침략 전쟁을 미화하는 역사관을 내세우며 역사 교과서를 만들기도 하였다. 일본 정부는 한국과 중국의 항의에도 이 교과서를 교과서 검정에서 통과시켰다.

14 동아시아의 영토 분쟁 답 ④

베트남과 중국이 대립하고 있는 점에서 밑줄 친 '이 지역'이 시사 군도(파라셀 제도)임을 알 수 있다.

내 것으로 만드는 셀파 - Tip

동아시아의 영토 분쟁
- 쿠릴 열도 남부의 4개섬(북방 4도): 러·일 전쟁 이후 일본이 차지 → 제2차 세계 대전 이후 소련이 점령 → 반환 논의가 있었으나 러시아가 지배
- 센카쿠 열도(댜오위 다오): 청·일 전쟁 이후 일본이 차지 → 일본은 무주지였다고 주장, 중국과 타이완은 일본이 강제로 빼앗은 것이라고 주장
- 시사 군도(파라셀 군도): 베트남이 지배 → 중국이 군사력을 이용하여 점령
- 난사 군도(스프래틀리 군도): 중국과 동남아시아 국가들이 분할 지배

서답형 문제

15 베트남 전쟁의 전개

모범 답안 | (1) 제네바 협정
(2) 미군이 철수한 후 북베트남이 사이공을 점령하면서 베트남 전쟁이 종결되었고, 이듬해 베트남 사회주의 공화국이 수립되었다.

주요 단어 | 북베트남, 사이공 점령, 베트남 사회주의 공화국 수립

채점 기준	배점
미군 철수 이후 베트남 통일 과정을 쓰고, 주요 단어를 모두 포함하여 바르게 서술한 경우	상
미군 철수 이후 베트남 통일 과정을 쓰고, 주요 단어 중 두 가지만 포함하여 바르게 서술한 경우	중
미군 철수 이후 베트남 통일 과정을 쓰고, 주요 단어 중 한 가지만 포함하여 바르게 서술한 경우	하

16 대약진 운동 답 대약진 운동

자료를 분석하는 셀파 - Tip

▲ 농업과 공업의 대증산을 목표로 전개된 (가) 에 따라 설치된 용광로이다. 대중 동원을 통한 경제 성장을 꾀하였으나 실패하였다.

마오쩌둥이 철강 생산에서 15년 이내에 영국을 따라잡는 것을 목표로 시행한 대중 동원 방식의 경제 성장 정책이었다. 그러나 경직된 사회주의 정책과 자연재해, 생산 방식의 비효율성 등으로 생산이 급격히 줄어들어 실패하였다.

17 야스쿠니 신사 참배 문제

모범 답안 | 일본 야스쿠니 신사에는 다른 신사와 달리 국가와 천황에 대한 충성심을 고취하기 위해 전쟁에서 사망한 군인을 신으로 모시고 있는데, 여기에 도조 히데키 등 제2차 세계 대전의 A급 전범이 포함되어 있기 때문이다.

주요 단어 | 도조 히데키, 전범, 천황에 대한 충성심 고취

채점 기준	배점
야스쿠니 신사의 특징을 정확하게 쓰고, 주요 단어를 모두 포함하여 바르게 서술한 경우	상
야스쿠니 신사의 특징을 쓰고, 주요 단어 중 두 가지만 포함하여 바르게 서술한 경우	중
야스쿠니 신사의 특징을 쓰고, 주요 단어 중 한 가지만 포함하여 바르게 서술한 경우	하

자료를 분석하는 셀파 - Tip

1985년 나카소네 야스히로 총리가 최초로 야스쿠니 신사를 공식적으로 참배하면서 국제적인 문제로 떠올랐다. 이후에도 주요 보수 정치인들의 참배가 이어졌고, 2001년 고이즈미 준이치로 총리의 공식 참배로 이 문제가 역사 갈등의 주요 문제로 부상하였다.

메이지 유신 이후 내전 과정에서 죽은 군인 및 군속을 추앙하기 위해 건립된 야스쿠니 신사에는 태평양 전쟁 당시의 도조 히데키 등 A급 전범이 합사되어 있다.
이에 대해 일본 국내는 물론 한국을 비롯한 아시아 각국이 강력하게 비판하고 있다.

고등 전략

내신전략 시리즈

국어/영어/수학/사회/과학

필수 개념을 꽉~ 잡아 주는 초단기 내신 전략서!

수능전략 시리즈

국어/영어/수학/사회/과학

빈출 유형을 철저히 분석하여 반영한 고효율·고득점 전략서!

개념을 잡아 주는 **자율학습 기본서**

고등 셀파

동아시아사